S0-AEH-760

Consejero médico materno infantil

Consejero médico materno infantil

APIA

ASOCIACIÓN PUBLICADORA INTERAMERICANA

Belice - Bogotá - Caracas - Guatemala - Managua - México - Panamá
San Salvador - San José - San Juan - Santo Domingo - Tegucigalpa

Título del original: *Family Medical Care*

Dirección Editorial:
Félix Cortés

Traducción y redacción:
Sergio V. Collins y Gastón Clouzet

Revisión de terminología médica:
Dr. Klinton Wade

Diseño y digitalización:
Murray Howse

Diseño Portada:
Ideyo Alomía Lozano

ISBN 1-57554-294-3

Asociación Publicadora Interamericana
2905 N. W. 87th Avenue
Miami, Fl 33172 E. U. A.

Impresión: Abril 2002

Impreso y encuadernado Por::
PANAMERICANA FORMAS E IMPRESOS, S. A.
Santafé de Bogotá, Colombia

Impreso en Colombia
Printed in Colombia

Dedicado a mi amada esposa, Noreen, y a mis cuatro maravillosos hijos —Jeny, David, Sandy y Peter—, pues sin su increíble cooperación y ayuda estos libros no habrían sido posibles.

Contenido

El embarazo y la reproducción

Lo que debe saber una madre

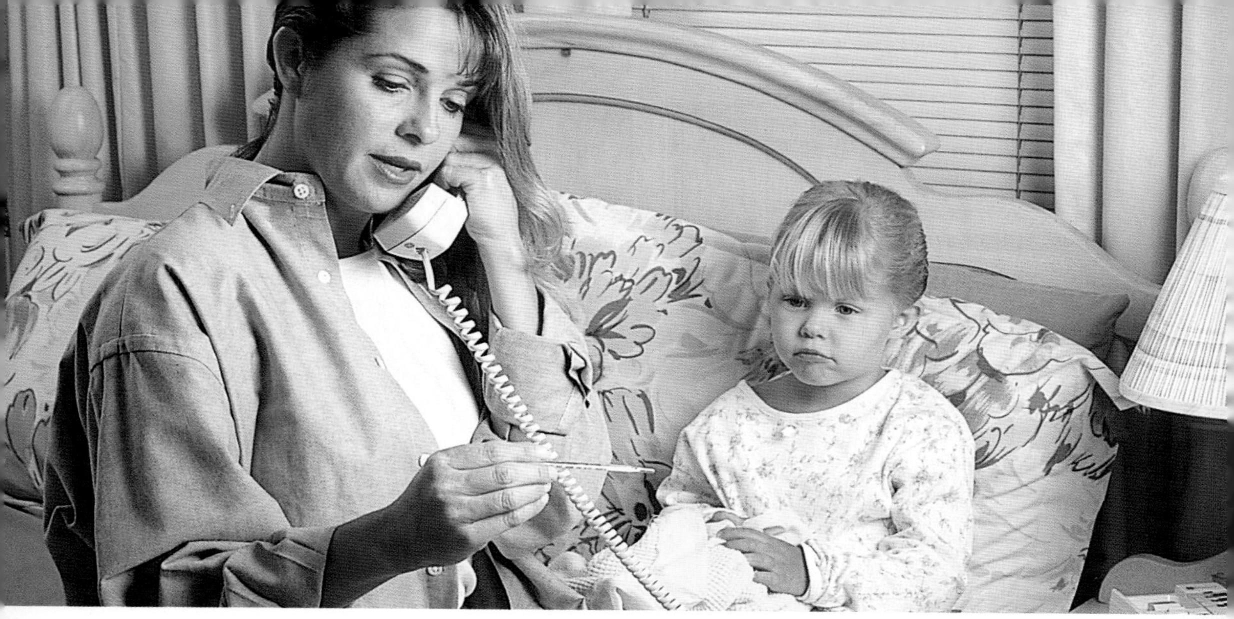

Problemas frecuentes de la niñez

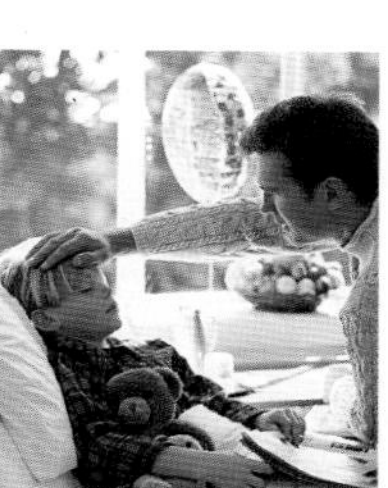

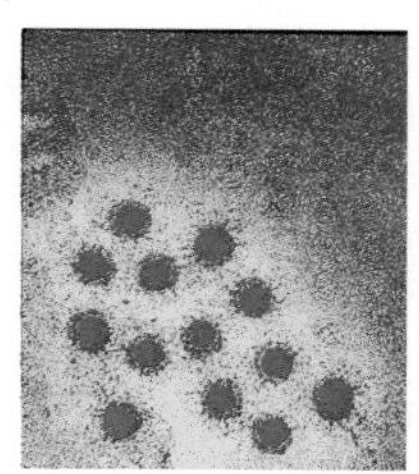

Miscelánea

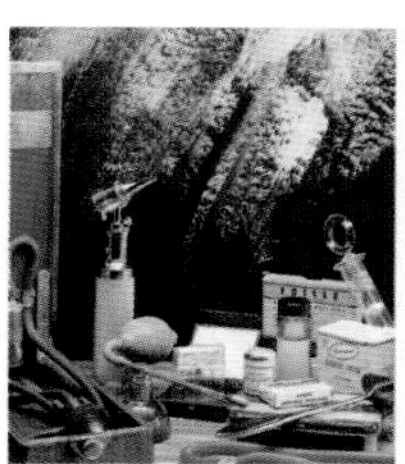

Lo que usted necesita saber sobre el embarazo, el parto y las enfermedades infantiles

El intenso impulso que conduce a la reproducción es uno de los incentivos instintivos básicos más poderosos. La producción de una nueva generación para asegurar la continuación de la especie cumple una de las funciones más fundamentales del cuerpo humano. La cópula sexual no es solamente el medio por el cual el hombre y la mujer se reproducen, sino, además, un recurso que permite la expresión emocional.

El anuncio de un embarazo suele ser motivo de alegría, contentamiento y satisfacción para algunos matrimonios; en cambio para otros es causa de profunda ansiedad, preocupación, temor y rechazo.

Independientemente de la actitud de la mujer, el estado de gravidez la acompañará durante nueve meses, ocasionará cambios importantes en su cuerpo, en su estado de ánimo, en sus gustos y aversiones, en su dieta, en su relación con su esposo y otras personas, en su equilibrio emocional, en su ámbito profesional, en su aspecto físico y en su autoimagen o forma de verse a sí misma. En suma, el embarazo altera de una u otra manera, la vida física, los procesos psicológicos y la interacción social de la mujer.

Algunas mujeres advierten ciertos cambios físicos en su cuerpo desde los primeros días de embarazo; en cambio otras no reconocen esta condición hasta que se enteran por el resultado positivo de algún test para detectar el embarazo que ellas mismas se aplican, o cuando el médico confirma su estado de gravidez.

Entonces surgen en su mente preguntas para las que no encuentra respuestas adecuadas, y tampoco las consigue de su esposo, de sus padres u otras personas. Por ejemplo, puede preguntar: "¿Qué complicaciones puedo tener en mi embarazo?" Es una pregunta importante, porque debido a la ausencia de información adecuada, la mujer grávida puede dañar su propio cuerpo y el de su bebé en formación. Por eso hay embarazadas que fuman, toman bebidas alcohólicas, consumen drogas ilegales (anfetaminas, crack, cocaína, etc.), usan aspirina, acetaminofén o medicinas para calmar diversas molestias, e ingieren alimentos sin vitalidad, sin sospechar que todas estas prácticas pueden perjudicar a la criatura que llevan en su seno. Sólo un número muy reducido de futuras madres sabe que el primer trimestre del embarazo es el período más peligroso para tomar medicamentos, porque entonces se produce el mayor desarrollo fetal y el feto es más vulnerable a la acción de los fármacos. Por eso la mujer embarazada que padece de alguna enfermedad que requiere medicación, como diabetes, hipertensión (presión alta), enfermedad del corazón u otras afecciones, es importante que informe a su médico para que le recete medicamentos que ejerzan el mínimo efecto perjudicial sobre el feto. Cualquier medicina que tome por su cuenta debiera considerarla como un riesgo para la criatura en formación y buscar la orientación del médico.

Un ejemplo de lo que expresa el párrafo anterior es el medicamento llamado "talidomida", que es una sustancia química que se empleó extensamente como sedativo y píldora para dormir, especialmente en Europa, en la década de 1960. Se prohibió su uso cuando se descubrió que producía deformidad en los brazos o las piernas de fetos expuestos a la talidomida durante un período muy temprano de su vida intrauterina. Miles de criaturas nacieron defectuosas.

Otro tema que preocupa a las damas embarazadas es el de las relaciones sexuales durante el embarazo. Mientras el embarazo se desarrolle en forma normal, su vida sexual también lo será. Algunas mujeres experimentan un aumento del deseo sexual en el embarazo; en cambio a otras les sucede todo lo contrario. Los mayores cambios en la vida sexual ocurrirán durante los últimos tres meses del embarazo, cuando se acentúa el crecimiento del vientre y se presentan síntomas que pueden hacer que las relaciones íntimas resulten más difíciles e incómodas, y por lo tanto, menos deseables. Además, está siempre presente la posibilidad de que el esposo contagie a su esposa con alguna infección, lo que podría amenazar la vida del feto. Por eso es recomendable que se descarten las relaciones sexuales durante el último trimestre del embarazo. Los maridos que aman y comprenden a sus esposas no debieran tener dificultad para ejercer dominio sobre sí mismos para abstenerse de las relaciones íntimas por un tiempo que no es excesivamente largo: desde tres meses antes del parto, hasta unos 40 días después del mismo.

Cuando una mujer tiene un embarazo difícil o complicado, o cuando hay factores de riesgo conocidos, como sangrado de origen desconocido, abortos en embarazos anteriores o, en el último trimestre del embarazo, peligro de que se produzca la condición llamada placenta previa, que es la implantación de la placenta en la parte inferior del útero o matriz. La "placenta" es una estructura esponjosa en forma de disco u ovalada que se constituye en la matriz, a través de la cual el feto obtiene su alimentación.

Otros temas que preocupan son: por qué una mujer no puede quedar embarazada, precauciones que se deben adoptar durante el embarazo, riesgos que es necesario conocer, cómo evitar el aumento de peso en este período, beneficios de una alimentación adecuada, problemas que pueden surgir durante el embarazo y el parto.

En esta obra, *Consejero médico materno infantil*, encontrará respuestas serias, bien informadas y útiles a las preguntas anteriores y a una amplia gama de interrogantes que surgen en la mente de la mujer en estado de embarazo o con hijos de pocos años de edad.

Después del parto el bebé entra en su etapa evolutiva de crecimiento y desarrollo. Ahora la madre tiene que preocuparse de proporcionarle una alimentación equilibrada que proporcione todos los nutrientes necesarios para el desarrollo de huesos fuertes, músculos firmes, un crecimiento óptimo y un sistema de inmunidad capaz de defenderlo contra los invasores que amenazan su salud y su vida.

Los siguientes temas tratados en esta obra serán de gran ayuda y orientación para las madres que han tenido más de un bebé, y con mayor razón para las primerizas. Algunos de los útiles temas que trata dentro del marco de referencia de las enfermedades infantiles son: las enfermedades infecciosas de la infancia, los dolores abdominales y sus posibles significados, las molestas enfermedades del aparato respiratorio, afecciones del sistema urinario, males que afectan la sangre, enfermedades de los huesos y las articulaciones, enfermedades eruptivas de la infancia como sarampión, rubeola, varicela, escarlatina, problemas de la vista, los oídos, la nariz y la garganta, accidentes y emergencias, y otros temas de gran interés.

Es mejor prevenir que curar

Hoy todo el mundo está consciente de lo que es la enfermedad, y se está interesando cada día más en cuanto a cómo ocurre y cómo se llega a un diagnóstico y a su curación. Y lo que es más importante aún, cómo se la puede prevenir.

Cantidad de personas sensatas y que

saben pensar también practican la prevención. Si la última enfermedad fue una experiencia terrible, ¿qué se puede hacer para evitar que se repita? O mejor aún, ¿cómo se puede detener la enfermedad en general antes que aparezca? La expresión técnica para esto es "medicina preventiva", y se la puede aplicar eficazmente en el hogar.

El *Consejero médico materno infantil* ha sido concebido como un manual multiuso que pueda ser empleado con provecho en su familia.

"¿Qué dice el doctor?"

Se ha hecho un esfuerzo especial para presentar los temas en un lenguaje fácil de comprender. Un número excesivo de pacientes se van del consultorio después de oír una cantidad de palabras, muchas de las cuales les resultan incomprensibles. No siempre tiene la culpa el doctor, porque muchos términos técnicos no son fáciles de expresar en lenguaje común.

Por eso en esta obra las palabras y las frases pertenecientes a la terminología médica se han reducido al mínimo. Cuando ha sido necesario usarlas, cada vez que ha sido posible se han añadido explicaciones para aclarar su significado. Por lo tanto, aunque ésta es una obra con cierto grado de especialización, hemos tratado de escribirla en el lenguaje de uso común. Por eso creo que prácticamente todo el mundo comprenderá con facilidad el significado de cada sección.

Algunas porciones han sido escritas a propósito con mucha sencillez, con el fin de que nos encontremos todos en un ambiente amigable, porque sabemos que es importante, y cada vez que la ocasión lo ha hecho posible hemos tratado de aprovecharla. Otras porciones, por su misma naturaleza, tienden a ser un poco más distantes. Pero a menudo hemos intentado aclarar los conceptos mediante el auxilio de ilustraciones e historias sencillas. Creo que no hay nada mejor que un ejemplo práctico de la vida diaria para aclarar un mensaje.

Por supuesto, algunos dirán que esta obra está incompleta y que no contiene todo lo que se sabe acerca de algún tema médico. Podría estar de acuerdo con esa opinión.

Pero el ámbito del conocimiento médico –como asimismo el de cualquier tema técnico de la actualidad– se encuentra en un proceso de rápida expansión. Lo sé demasiado bien, porque yo mismo he organizado un archivo médico para añadirle todo lo nuevo que va apareciendo. Estos temas se publican generalmente en seis revistas médicas mundiales cada semana, más los resúmenes de otras cincuenta revistas médicas especializadas, también semanales. Le dedico a esto muchísimo tiempo cada día de mi vida. Creo que es necesario si quiero estar al tanto de los progresos constantes de la ciencia médica. Pero para mí también es indispensable, porque debo hacer frente a los numerosos compromisos que surgen por el hecho de colaborar regularmente con servicios informativos nacionales e internacionales.

He tratado de ser selectivo

Para que esta obra tenga un tamaño fácil de manejar, ha sido necesario seleccionar el material respectivo. Por eso, aunque hemos abarcado una gran cantidad de temas, algunos detalladamente, he elegido los que afectan a la mayoría.

Decidir qué incluir y qué excluir se ha logrado, a mi modo de ver, en una forma práctica y sencilla. Por muchos años he estado activamente relacionado con los medios de comunicación, especialmente con la prensa, la televisión y la radio. He escrito para estos tres medios; he tenido un programa de televisión bisemanal durante los últimos veinte años, más un programa de radio diario. Lo de escribir se remonta a los días de la universidad. Esto, más casi cuarenta años de ejercicio de la medicina en favor de las familias, me ha dado una amplia visión de la humanidad y de sus dolencias.

Trabajar en los medios de comunicación genera una abundante correspondencia, y siempre me han intrigado las preguntas que se hacen y los problemas que se plantean. No obstante, durante todos estos años me ha asombrado la regularidad con que aparecen problemas semejantes.

Básicamente, es posible agruparlos en unos cien temas principales que preocupan a la gente. Preguntan acerca de ellos

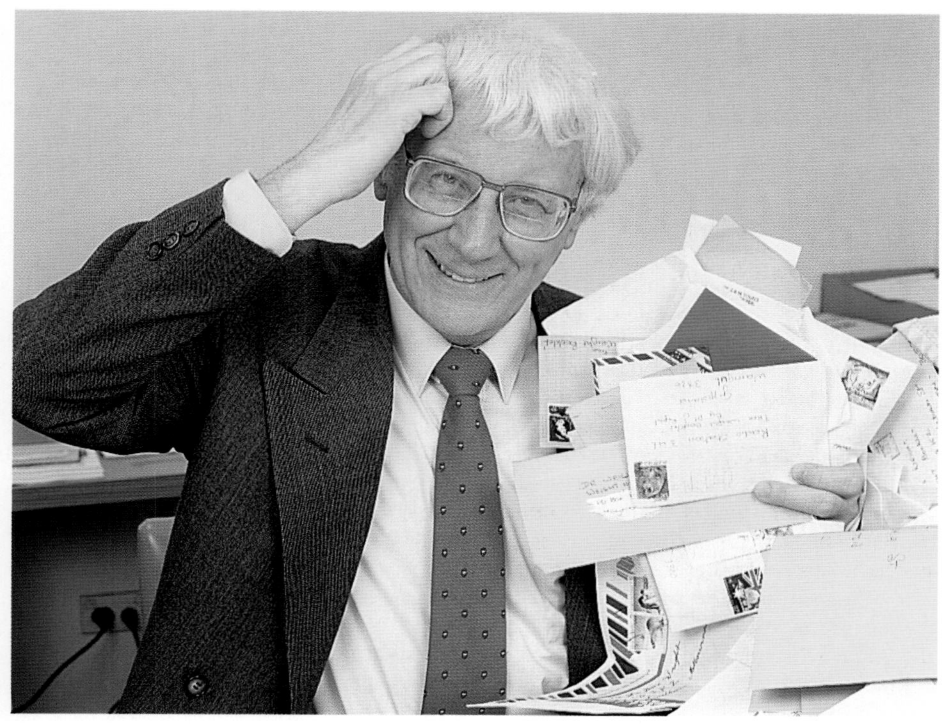

El Dr. Knight, autor de esta obra, ofrece con frecuencia gratuitamente folletos con temas de salud a los lectores de los periódicos y a los telespectadores. Se reciben miles de solicitudes. El correo suele traer 2.500 cartas, y a menudo se reciben más de 50.000 solicitudes.

de todas las formas posibles, pero en esencia los interrogantes son los mismos.

De modo que con todo este armamento, más la información reunida al interrogar a mis pacientes en el consultorio por más de un tercio de siglo, esta obra comenzó a tomar cuerpo.

Esta obra es una guía

Espero que use a menudo el *Consejero médico materno infantil*, cada vez que lo estime conveniente. Considérelo una guía cada vez que esté embarazada o se enfermen sus hijos pequeños.

No ha sido concebida para reemplazar la habilidad del médico para diagnosticar, ni el consejo sensato y el tratamiento adecuado prescrito por él, ya que él debe seguir siendo el vínculo entre usted y un sano tratamiento médico. En lugar de ello, este libro se debe usar como complemento. Le dará más valor a lo que le diga su médico, y probablemente le proporcione informaciones adicionales con respecto a su problema, o le aconsejará hacer lo que el doctor no tiene tiempo de prescribir.

Además, esta obra le proporcionará información de trasfondo. Le enseñará la manera como usted podrá disfrutar de mejor salud, al vivir y al pensar sensatamente.

Si los lectores hacen una fracción de todo lo que ofrecemos aquí, me sentiré ampliamente recompensado por la gran cantidad de tiempo y esfuerzo que he dedicado en la producción de esta obra.

En conclusión, podría sugerir que todos se fijaran una meta en la vida con respecto a la salud. Pónganse el blanco de mantenerse en buen estado y con buena salud, tanto mental como corporalmente, y esto les dará un motivo para vivir.

Nunca olvidemos que la buena salud proviene básicamente de Dios. Soy un médico cristiano, y creo en los principios expuestos por Cristo. Apliquen estas enseñanzas a su vida diaria, y así tendrán la base mental y psicológica para disponer cada día de mejor salud.

Deseo lo mejor al lector, y confío en que gozará de buena salud por muchos años más.

Dr. John F. Knight
Sydney, Australia

¡Hola mamá! ¡Me alegro de conocerte!

Así que éste es un nuevo libro de su serie para la familia. ¿De qué trata?

Me complazco en dar la bienvenida a los lectores a las páginas del *Consejero médico materno infantil*. Trata del embarazo y de la salud de los bebés y los niños. Está dedicado especialmente a las madres, porque ellas pasan más tiempo con sus hijos, se preocupan de su bienestar y captan con más facilidad los síntomas. El propósito de este libro es ofrecer información abundante y útil para facilitar la tarea de criar a sus hijos con buena salud.

¿Quiere decir que se trata de una enciclopedia de puericultura?

En lugar de preparar un denso tratado médico con todos los problemas que una madre pueda encontrar en la crianza de sus hijos, presentamos en esta obra los problemas más frecuentes e importantes que pueden ocurrir en la vida cotidiana de los menores.

Hemos procurado usar un lenguaje claro y llano en las explicaciones de las afecciones comunes de la infancia y en las instrucciones sobre los tratamientos que deben aplicarse en cada caso, para que las atareadas madres puedan seguirlas con facilidad con el fin de proporcionar alivio a sus hijitos enfermos.

Tratamientos sencillos

Entonces, ¿se trata de seguir los pasos indicados y la criatura sanará de inmediato?

Así es en el caso de muchas de las afecciones comunes y simples. No es posible ni es práctico para la madre correr al consultorio del médico cada vez que el bebé estornuda o llora porque le duele el estómago. Si lo hiciera tendría que vivir en el hospital.

Afortunadamente, muchas de las enfermedades que afectan a los bebés y los niños se pueden detectar fácilmente. Más aún, hay numerosos tratamientos sencillos que casi cualquier madre puede llevar a cabo.

¿Entonces esta obra médica ofrece consejos para reconocer las enfermedades comunes de los niños y para tratarlas en el hogar?

Así es. Explicaremos cuáles son los síntomas principales que pueden presentarse. Luego ofreceremos ideas prácticas acerca del tratamiento más adecuado. Toda vez que sea posible, sugerimos un tratamiento sencillo y remedios caseros.

Eso está bien. Pero usted no podría asegurar que todas las enfermedades que las criaturas y los niños contraen pueden curarse mediante sencillos remedios caseros. ¿Qué puede decir de todas las demás afecciones, especialmente las que confunden a las madres porque no saben de qué se trata? ¿O cuando los remedios usados no han conseguido mejorar a la criatura enferma?

Me alegro por lo que preguntó. Por cierto que es imposible que una madre pueda ser médico todo el tiempo. Más aún, existen numerosas enfermedades que hasta el médico no puede diagnosticar con facilidad. Pero en el caso de la madre, la información que esta obra contiene le proporcionará algunos indicios acerca de lo que podría ser la enfermedad y de cuándo consultar al médico.

El médico de los niños

Usted ha tratado un gran número de niños, ¿verdad?

Sí. Hace más de 40 años, después de haber completado mi período como médico residente en el hospital, establecí mi consultorio en un sector rural, con pequeñas granjas avícolas, lecheras y agrícolas que producían los alimentos para la ciudad. Era extraño que esa gran franja de terreno hubiera escapado de la urbanización que todo lo iba invadiendo.

Pero no transcurrió mucho tiempo hasta que las compañías constructoras descubrieron esa región. Construyeron caminos pavimentados y edificaron casas por todas partes.

¿Y ahí estaba usted en medio de todo eso?

Así es. Cuando fui a ese sector agrícola por primera vez, me pregunté si ganaría lo suficiente para vivir, porque estaba rodeado por campos sembrados, gallineros y galpones lecheros. Pero pronto resultó evidente que llegaría a ser un sector muy próspero.

Ahora, más de 40 años después, sigo en el mismo lugar, rodeado por vastas poblaciones. Hace mucho que desaparecieron los hermosos terrenos sembrados con todas clase de productos, y las granjas avícolas con sus decenas de miles de aves son sólo un recuerdo. Cuando converso de esas realidades del pasado, los nuevos pobladores son incapaces de imaginar lo que era ese lugar antes del desarrollo urbano. Tiempo atrás, un camino de tierra poco usado pasaba cerca de mi casa; en la actualidad pasa por el mismo lugar una transitada carretera de diez pistas por la que circula una interminable corriente de vehículos 24 horas por día. A veces anhelo aquellos días tranquilos que el progreso se llevó para siempre.

En esos tiempos lejanos, desde las ventanas de mi casa veía una sucesión de granjas con sus casas, galpones y terrenos sembrados, cuyos propietarios eran familias de esforzados agricultores italianos.

El paisaje cambiaba varias veces en el año. Primero, poco antes de la primavera, se veía el color oscuro del terreno recién arado. Después aparecía un hermoso color verde, cuando las semillas brotaban. Los colores variaban a medida que las plantas crecían. Cuando maduraban, se las cosechaba y se las enviaba al mercado. La tierra volvía a ser arada y el proceso se repetía.

Entre las granjas había un criadero de dalias. Estas flores de colores brillantes se cultivaban profusamente para vender sus bulbos. La variedad de espléndidos colores, que contrastaban unos con otros, daba al paisaje una belleza especial, que nunca olvidaré...

Doctor, no olvide que estamos hablando de las criaturas y sus dolencias...

Sí, lo tengo presente. Pero observar las alternativas del mundo de la naturaleza no es muy diferente del tema de la reproducción humana, cuando se lo considera con atención.

Me parece que tiene razón

Sólo quería señalar que el comienzo de mi vida profesional tuvo una estrecha relación con el comienzo de la vida, tanto en el mundo natural como en el mundo de los seres humanos, ya que ayudé a nacer a un gran número de bebés.

Naturalmente, nuevos suburbios significan más hogares que con frecuencia están compuestos por gente joven que espera formar una familia.

Esto es exactamente lo que ocurrió en la región donde vivía. Cientos de parejas recién constituidas formaron sus hogares en ese sector suburbano. La población, en pocos años, pasó de unos pocos miles a 15.000. Por cierto que yo no era el único médico que había en ese lugar, pero fui uno de los primeros que llegó. Trabajé intensamente para atender a un número de personas que aumentaba con rapidez.

La concentración de gente joven en un lugar suele significar una cosa. A la formación de un hogar sigue invariablemente lo que usted sabe.

Usted lo sabe, yo lo sé y también ellos lo saben. De manera que la cigüeña no demoró mucho en hacer repetidas visitas al lugar. Por eso mi trabajo abarcó futuras madres, mujeres que ya eran madres y sus bulliciosas criaturas.

Casi cada calle se convirtió en una "Avenida de los Pañales". Todas las mañanas temprano, cientos de pañales ondeaban en los tendederos.

Si las mujeres de la localidad no estaban embarazadas o con hijos, estaban pensando tenerlos. La mitad de las veces los hijos llegaban sin que se los esperara. Era la época cuando no habían inventado la píldora todavía y los métodos anticonceptivos no habían alcanzado aún el nivel de desarrollo de la actualidad. Todo el mundo sabía que el 90% de los recién casados tendría un hijo dentro de los primeros 12 meses de vida matrimonial.

Eso quiere decir que usted estuvo estrechamente relacionado con las madres y sus criaturas, y los problemas que les son propios.

Precisamente. Pero disfruté de cada momento. Con frecuencia deseo que esos días con un consultorio rebosante de madres y criaturas llorosas pudieran volver. Pero los bebés se convierten en niños y niñas, luego en escolares, en adolescentes y finalmente en adultos. Eso cierra el círculo, porque con frecuencia he traído al mundo los bebés de los bebés que yo mismo ayudé hace 30 años o más.

Entonces, este libro contiene los conocimientos adquiridos a través de muchos años.

Exactamente. Espero que las lectoras, especialmente las madres jóvenes, encuentren numerosas instrucciones que les sirvan de ayuda. Descubrí que las madres inexpertas necesitan mucho ánimo y ayuda. Ellas no tenían otros hijos para comparar el comportamiento de su bebé. Las que han criado un hijo tienen menos problemas cuando nace el segundo. Una fiebre inesperada no es necesariamente una afección que amenaza la vida de la criatura. Pero cuando esto sucede por primera vez, ¿cómo podría saber la madre que no se trata de una enfermedad grave? Resulta difícil. Creo que esta obra contiene numerosas respuestas para los problemas que se presentan todos los días en la crianza de los hijos.

Hablemos acerca de otros problemas que afectan a las criaturas y que usted ha contribuido a solucionar en años recientes.

Me he dedicado cada vez más a la crianza de los hijos en una esfera más amplia, porque he tenido oportunidad de aconsejar a las madres con hijos pequeños a través de diversos medios de comunicación. De esta forma, uno llega a todos los hogares tarde o temprano. En la actualidad existen los medios de comunicación principales: la televisión, la radio, la página impresa (diarios, revistas y libros) e Internet.

El médico de los medios de comunicación

¿Cuál fue su primera experiencia con los medios de comunicación?

Mi primer encuentro ocurrió con la página impresa. Durante muchos años he mantenido secciones médicas en revistas y diarios. Después colaboré en programas de televisión. He estado asociado con una red de televisión australiana que presenta información médica varias veces por semana. Recientemente he producido varios videos sobre temas médicos relacionados con la familia.

Desde el comienzo de mi carrera he participado en programas de medicina popular radiodifundidos, muchos de ellos con participación del público.

Todas estas actividades de comunicación dicen claramente que usted llega al público.

Eso es lo que siempre he deseado. Espero que mis mensajes que enseñan a vivir con sensatez penetren en la conciencia de la gente. Muchas madres escuchan nuestros mensajes y obtienen informaciones que las ayudarán a criar a su familia de forma satisfactoria.

Pero hay otro resultado indirecto importante. Mis pláticas por radio y televisión, y mis secciones médicas en diarios y revistas generan una gran cantidad de correspondencia. Esas cartas revelan los problemas que preocupan a la gente y lo que piensan acerca de diversos temas relacionados con la familia.

¿Cuál ha sido el resultado?

Durante muchos años he notado una situación muy interesante.

Todos los padres tienen problemas

¿Qué situación es esa?

La gente en todas partes tiene problemas parecidos y las madres con bebés no son una excepción. Lo que preocupa a una madre mexicana es más o menos lo mismo que inquieta a otra madre colombiana o peruana.

¿Le parece que eso le da una comprensión especial de los problemas de la gente?

Así es. Por cierto que la mayor parte de las respuestas podría darlas el médico de la familia. Pero si los autores de las cartas que recibo tuvieran fácil acceso a esas fuentes de información, entonces, ¿por qué me escribirían a mí, a quien no conocen personalmente.

Podría ser que piensen que lo conocen, ya que lo ven todas las semanas por televisión, o bien oyen su voz por radio.

Tal vez esa es una razón. Pienso también que algunas madres jóvenes son demasiado tímidas para hacer a sus médicos las preguntas que me envían por correspondencia. O no comprenden bien las respuestas dadas en lenguaje médico; también podría suceder que olviden el consejo que les dio el médico, antes de llegar a su hogar. Así se pierde una parte considerable de los valiosos consejos dados. Aunque parezca extraño, es una situación real.

Afortunadamente, en las páginas del *Consejero médico materno infantil* aparecen las respuestas a numerosas preguntas que las madres se hacen. Para simplificar las cosas, haré las preguntas de la misma forma como una madre o un padre las haría a su propio médico.

A continuación daré las respuestas con palabras que usted pueda comprender sin dificultad. Esperamos que esto sea de ayuda para el lector.

Quisiera añadir que, además de ser médico, también soy padre, lo que me permite apreciar plenamente las preocupaciones y la angustia que acarrea la enfermedad de los hijos.

El doctor simpatiza con sus pacientes

Entonces, eso significa que en más de una ocasión ha tenido que hacer frente a enfermedades en su propia familia.

Así es. Mi esposa y yo criamos una familia de cuatro hijos. Tuvimos un hijo y una hija, y luego otro hijo y otra hija; no habríamos podido planificarlo mejor.

¡Increíble! Me parece que no podría repetir esa hazaña.

¿Y quién desearía intentarlo a mi edad? Por cierto que tuvimos nuestra parte de complicaciones y aflicciones. Dos de nuestros hijos enfermaron de meningitis, dolencia que estaba muy difundida en ese tiempo. Estuvieron muy graves, pero sobrevivieron gracias a los buenos cuidados que recibieron en el hospital y a la atención del pediatra; y además, por supuesto, gracias a la bondad de Dios.

Otros dos de nuestros hijos fueron atropellados por un automóvil en un cruce para peatones y escaparon de la muerte por milagro. Afortunadamente sobrevivieron sin ninguna incapacidad permanente, aunque resultaron con las piernas quebradas. Esa fue una ocasión marcada por intensa congoja y preocupación.

Menciono esto sólo para recordar que también los médicos somos seres humanos y estamos expuestos a las tragedias y las dificultades, lo mismo que cualquier otro miembro de la comunidad. Estas experiencias me han enseñando a ponerme en el lugar de mis pacientes que sufren y a comprender sus circunstancias aflictivas. La vida puede ser dura a veces. Todos corremos riesgos: el lector, el médico de la familia y todos los demás.

Esperamos que los lectores disfruten con la lectura de esta obra. Deseamos también que sea de utilidad para ustedes en la crianza de sus hijos y en sus esfuerzos por mantenerlos con buena salud con menos dificultades.

Sí. Nunca olvide que por muy aflictiva que sea una situación en un momento dado, en la mayor parte de los casos, aun al día más oscuro le sigue otro día asoleado y agradable. La mayor parte de los bebés y los niños pequeños, con el tiempo se convierten en adultos sensatos y con buena salud. Entonces pueden sentirse orgullosos de ellos y del esfuerzo que relizaron para criarlos con amor con el fin de que lleguen a ser hombres y mujeres útiles y correctos.

El embarazo y la reproducción

capítulo 1

La mujer y el embarazo: Precauciones y cuidados

EN ESTE CAPÍTULO

- El embarazo: participación activa de todo el mundo.
- La intuición queda confirmada por los síntomas.
- Pruebas confiables y métodos más nuevos.
- La importancia de la supervisión.
- No se arriesgue con esta nueva vida.

¡A veces el embarazo es una tremenda sorpresa! – Se olvidaron de la píldora u otros medicamentos la neutralizaron – Muchas mujeres finalmente se conforman; pero otras no – Los análisis de sangre rigurosos pueden determinar un embarazo en un plazo de 24 horas – Bien al principio aparecen cambios físicos.

¿Así que usted cree que está embarazada? ¡Felicitaciones!

Si usted está en lo correcto, entonces tiene por delante momentos muy emocionantes. Es muy posible que esté por comenzar la parte de su vida más interesante y reconfortante, tanto física como mentalmente.

Quedar embarazada y dar a luz a un bebé es el punto culminante en la vida de toda mujer. Todo su organismo estuvo orientado hacia este trascendental momento desde el instante de su nacimiento.

Si éste es su primer embarazo, entonces el futuro es más emocionante todavía. De repente usted descubre que ya pertenece al club. Sus amigos la abordan con otra actitud. Usted está por llevar a cabo algo. Ha pasado de grado, por así decirlo.

Esto es la culminación de la femineidad. Nada es tan "femenino" como desempeñar el papel para el cual la destinó el Dios Creador. Partes del organismo que habían estado dormidas durante todos estos años, súbitamente se despiertan a la vida. La actividad abunda. Usted es el centro de todo ese mundo de actividad que se está produciendo.

Una serie de cambios

Gradualmente se efectúan una serie de cambios físicos. Cada uno de ellos está lleno de cosas interesantes. Cuando usted misma observa la manera como todo su organismo entra en acción, se produce una actitud mental a la vez estimulante y reconfortante que infunde un calor que no se puede obtener de otra manera.

El mero hecho de pensar que se está por producir una vida completamente nueva, básicamente una réplica de "usted", es un acontecimiento que estimula al ego hasta el punto de infundir felicidad: una sensación de realización y plenitud.

A veces la idea produce una conmoción al principio. En el mundo actual, cuando los métodos de planificación familiar y control de los nacimientos están al alcance de la mano de todos, algunas mujeres no están preparadas para recibir la noticia de que están embarazadas. Otras sencillamente creen que eso a ellas no les puede suceder hasta que estén en una mejor situación económica y financiera: hasta que la casa esté pagada; hasta haber terminado de comprar los muebles; hasta haber dado una vuelta por el mundo, y así sucesivamente.

Hay otros que tienen problemas domésticos, como ser vivir con parientes directos o políticos. O puede haber agudos problemas entre los cónyuges, y los genios y las emociones estallan. Los conflictos matrimoniales pueden ser inminentes;

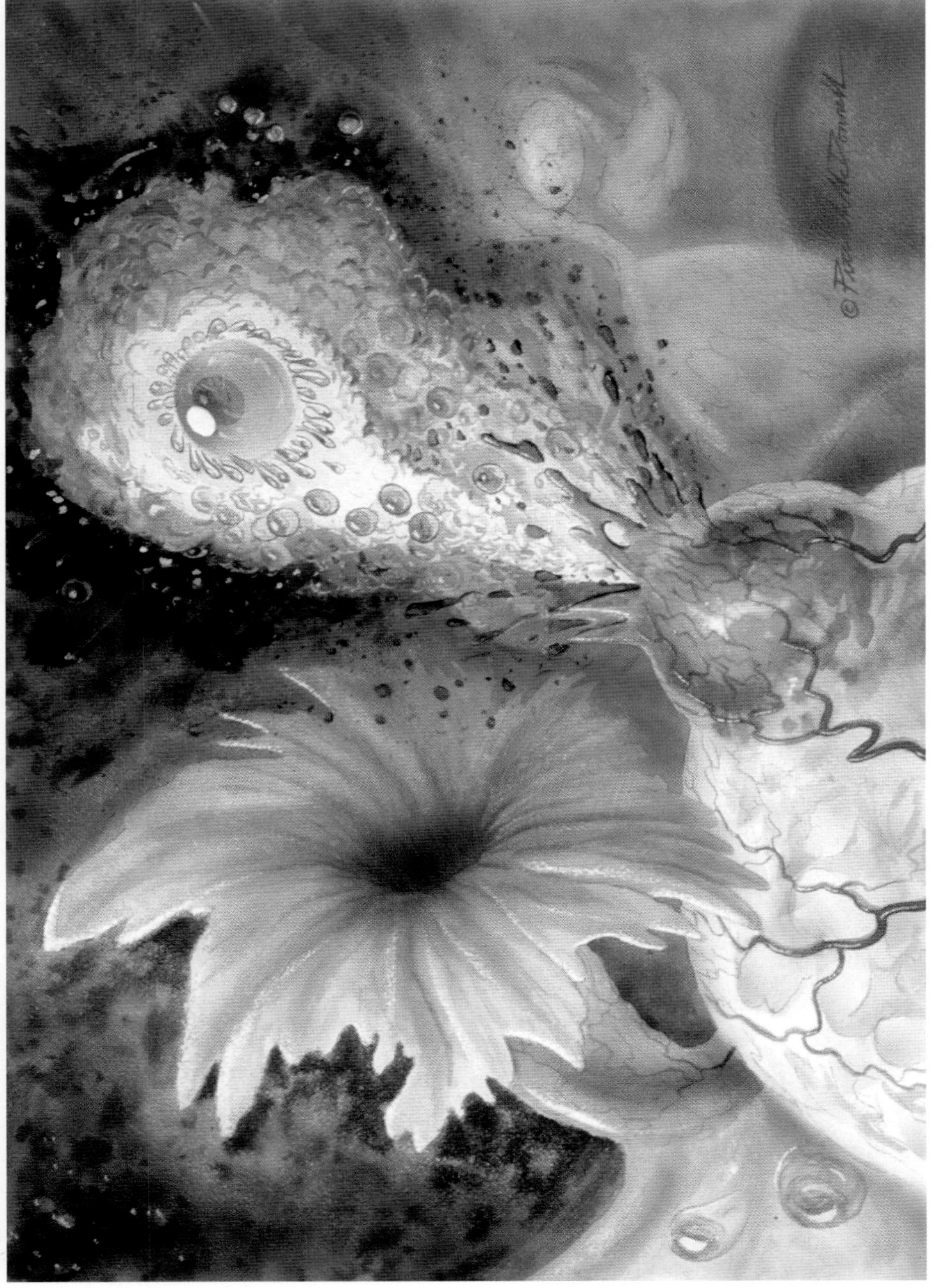

Un artista se imagina lo que es la ovulación: el ovario expele un óvulo, antes de comenzar a transitar la trompa de Falopio.

son comunes y aparentemente son más frecuentes en estos días, especialmente en los dos primeros años del matrimonio.

Pero a pesar de todos estos factores, cuando la idea de que un nuevo miembro de la familia está por hacer su entrada en el escenario puede parecer desastrosa, este acontecimiento puede obrar como un catalizador capaz de unir a los esposos una vez más.

Muchos bebés son deseados desde el momento mismo de la concepción, pero desgraciadamente a otros no les pasa lo mismo.

Es verdad. Sin embargo, con el transcurso del tiempo, es raro no ver una forma de relación muy profunda, especialmente entre la madre y el bebé, mientras el embarazo sigue su curso. Para el momento cuando el recién venido hace su entrada triunfal en el mundo, por lo general se desea y se acepta a ese bebé con la más sincera devoción y con el mayor de los amores paternales.

Aunque la mayor parte de las mujeres tienen un período de 28 días, este puede ir de 20 a 40 días.

El padre también está involucrado

En la actualidad existe la tendencia a que el padre participe más en todo el proceso. Esto es bueno, y cada vez más doctores fomentan activamente la "participación paterna".

Esto consolida la idea de la participación, de hacer comprender al padre que él es algo más que un mero observador, y que es la persona encargada de pagar las cuentas. La participación vale la pena. Une más íntimamente a los futuros padres durante los felices meses del embarazo.

Muchos hospitales y obstetras fomentan con entusiasmo la idea de que el padre esté presente en el momento del parto. De esa manera participa en una forma muy real de los aspectos mentales y físicos de este maravilloso evento. Forma parte de la escena, y con frecuencia vive con su esposa cada momento de esa experiencia. Al compartirla de esta manera, inevitablemente aumenta el calor y el afecto, y cuando ocurre esto, es posible que dure por muchos años. Esto, por supuesto, augura éxito desde el mismo principio.

Pero aunque la idea de estar juntos es excelente, no se sientan mal si el doctor que los está atendiendo no la aprueba. Cada médico tiene su filosofía personal, generalmente modelada a lo largo de muchos años, que definidamente marcará una preferencia, que tendrá por objeto al mayor bien de ustedes. A algunos hospitales no les gusta que ande gente por ahí, si no participa en las actividades del caso. Pero si surge la oportunidad de que el padre esté presente en el momento del parto, piensen en el asunto; es una de las experiencias sublimes de la vida.

Sabemos que hay muchos hombres muy fuertes y definidamente masculinos, hasta que ven sangre o se tienen que poner una inyección. Entonces muchos de los más valientes y viriles de repente sienten que les están temblando las rodillas.

Esto no es broma, sino una realidad de la vida, y no hay por qué avergonzarse. Pero en numerosas ocasiones algunos hombres bien viriles se han caído al piso desmayados cuando el parto se puso difícil. Eso ha ocurrido cuando ha sido necesario darle una inyección a la señora, o el caballero vio un poco de sangre.

Por eso conviene que sigan el consejo que les dé su doctor en ese momento. Es muy probable que él los conozca a ambos muy bien, y les dará las recomendaciones más adecuadas, hechas a medida para ambos.

¿Cómo puedo estar segura?

Una gran pregunta que da vueltas en la mente de numerosas mujeres es: "¿Estoy realmente embarazada? ¿Cómo puedo estar segura?"

En muchos casos la situación es perfectamente obvia desde el mismo principio. Pero en otros es bastante dudosa. Por supuesto, algo es cierto: el tiempo, sin duda alguna, dará la respuesta en cada caso. Pero todas las mujeres alientan el ardiente deseo de saber, con cierto grado de seguridad, si están embarazadas o no, si existe esa posibilidad.

La primera señal es la falta de un período menstrual en una mujer que tiene la menstruación regularmente todos los meses, y que no está aplicando ningún método de control de la natalidad mientras mantiene relaciones conyugales normales con su esposo.

Unas pocas mujeres muy afortunadas suelen tener ciclos menstruales asombrosamente regulares. "Puedo poner a la hora mi reloj cuando me llega el período" dicen algunas. A una hora definida de un día exacto cada 28 días, la menstruación aparece. De manera que si no aparece, es una excelente posibilidad de que ha ocurrido una concepción.

La mayoría de las mujeres, sin embargo, no está equipada con esa matemática precisión. Pero no importa, porque aunque la variación del período menstrual sea de un día a dos cada mes, de igual manera se pueden producir los síntomas evidentes de la concepción.

El ciclo menstrual normal varía muchísimo. Aunque el de muchas mujeres es, en término medio, de 28 días, las variaciones pueden ir desde 20 días hasta 40, o aún más. En efecto, algunas mujeres pueden tener períodos de 45 días, y de vez en cuando nos encontramos con alguna que menstrúa sólo dos o tres veces al año.

En el caso de esas mujeres resulta un poco más difícil determinar un embarazo con cierta seguridad. Pero hay otros síntomas del embarazo, de manera que uno solo, aunque sea muy importante para algunas mujeres, no es el determinante, de ninguna manera.

Pero con las "regulares", el período que falta es a menudo la primera señal objetiva, y la que precisamente la induce a correr al consultorio del médico. Del mismo modo muchos doctores consideran que la falta de un período en una mujer de menstruaciones normales se puede considerar una señal segura de que existe un embarazo, a menos que de otra manera se pruebe lo contrario.

La intuición femenina

¿Existen mujeres que al parecer disponen de una inexplicable intuición? Simplemente saben que se ha producido un embarazo.

Es verdad. Tienen una "premonición", o un "pálpito", o como se lo llame. "Me siento embarazada" es por lo común toda la explicación que dan. "Me siento diferente; eso es todo". La mayoría de los médicos acepta estas declaraciones y sigue el instinto femenino, que muchas veces está acertado. Después de todo —piensa el médico—, no se puede discutir convincentemente con una dama decidida una vez que ha decidido algo. Pero además está la experiencia profesional y su trato con cientos de mujeres a lo largo de los años. El instinto natural muchas veces está en lo cierto. Después de todo, el mundo está lleno de esas diversas manifestaciones de la vida.

Pero hay algunos otros síntomas que nos indican que se ha producido un embarazo.

¿Cuáles son?

Para empezar las náuseas y los vómitos.

La planificación de la llegada de un nuevo bebé es algo delicioso no sólo para la futura mamá sino también para el futuro papá.

A esto se le suele llamar "malestar o descompostura matinal" de las embarazadas. Nadie, en realidad, sabe por qué se le adjudica el adjetivo "matinal", porque estos síntomas pueden ocurrir en cualquier momento de las 24 horas del día. Es común en la mañana, pero también es frecuente a partir del mediodía y hasta la tarde.

En efecto, esto ocurre en más del 50% de los casos de mujeres embarazadas entre la cuarta y la novena semana después de la última menstruación. Por suerte, hay más mujeres que sienten náuseas que las que realmente vomitan. En sólo muy pocas de ellas puede llegar a ser un síntoma grave que incapacita a la mujer. Pero junto con otros síntomas, con frecuencia es de gran valor para confirmar el diagnóstico. (Más adelante diremos cómo ocurre esto.)

También está la frecuencia con que aparece la necesidad de orinar. La mujer generalmente nota un marcado aumento del deseo de orinar. Las cantidades de orina pueden ser pequeñas. Generalmente no aparecen ni los ardores ni la incomodidad asociados con la infección de la vejiga y de la uretra. Se debe en cambio a las modificaciones fisiológicas que se producen en la región pélvica, y es un fenómeno perfectamente normal. Pero también le ayuda al médico a diagnosticar con exactitud un embarazo. Es una buena indicación para la mujer, también, antes de hacer la primera visita al médico.

¿Qué otra cosa puede ocurrir?

Algunos cambios en las mamas también pueden ser una buena señal. Bien al principio del embarazo los ovarios y la matriz producen cantidades crecientes de ciertas sustancias químicas llamadas hormonas. Estas circulan activamente por todo el organismo. Básicamente preparan a la matriz en particular, pero al cuerpo en general, para el inminente evento.

Los pechos desempeñan un papel importante en el embarazo, y tienen como propósito llegar a ser una fuente natural y normal de alimento para el nuevo bebé, tan pronto como éste haga su entrada en este mundo.

Por eso las hormonas comienzan a actuar sobre el tejido de las mamas desde el mismo principio. Los pechos tienden a aumentar de tamaño. Los pezones también crecen, se vuelven más prominentes y a veces bastante sensibles. La aréola, la zona pigmentada que rodea al pezón, se oscurece. En las mujeres que no habían estado embarazadas antes, el color rosado normal cambia gradualmente a un tono más oscuro, y finalmente toma una coloración marrón. Una vez que asume ese color, queda así por el resto de la vida.

El efecto de la píldora

¿Les pasa lo mismo a las mujeres que toman la píldora?

Sí señor. Un aspecto interesante es el hecho de que en las mujeres que toman la píldora anticonceptiva se puede producir este cambio de pigmentación. La razón que explica esto es que la píldora contiene hormonas similares a las que se producen en las primeras etapas del embarazo. Su efecto sobre los pechos es sumamente similar. No sólo se oscurece la aréola, sino que a menudo produce un aumento artificial del tamaño de los pechos.

En efecto, muchas mujeres jóvenes cuyos pechos parecen no estar muy desarrollados, deciden tomar la píldora exclusivamente por esta razón. Por supuesto, esto no es recomendable. La triste verdad es que tan pronto como la mujer deja de tomar la píldora, por la razón que sea, los pechos tienen a regresar a su tamaño original. O, como muchas lo han descubierto muy a su pesar, pueden reducirse a un tamaño menor al que tenían antes de comenzar a tomar la píldora. De modo que toda dama que está leyendo estas líneas, y que estaba pensando tomar la píldora por puras razones estéticas, será mejor que lo piense dos veces.

Además del oscurecimiento de las aréolas y de la prominencia de los pezones, suelen aparecer unas protuberancias en la zona oscurecida. Se trata de pequeñas glándulas que se excitan como efecto de las hormonas, y por eso aumentan de tamaño. Parecen pezoncitos.

Esto no es ni grave ni peligroso, y no se los debe apretar ni pinchar. No tienen nada que ver con los granitos de acné que suelen aparecer en el rostro, que son comunes en ciertas mujeres.

Con frecuencia, cuando los pechos crecen, ciertas venas también adquieren prominencia. Parecen líneas azules que surcan todo el pecho. A veces son más prominentes en las cercanías de los pezones y la aréola. Esto sólo indica que hay actividad en los pechos. Todo esto está orientado a la alimentación y el bienestar del bebé que está en camino. Las leyes corporales están bien al tanto de lo que depara el futuro, y hace todos los esfuerzos necesarios para que todo esté listo.

¿Qué nos puede decir acerca de los cambios de temperatura?

Una señal relativamente valiosa de que

puede existir un embarazo, pero que no se toma mucho en cuenta, es la temperatura basal.

Es un hecho perfectamente conocido que la temperatura del cuerpo se eleva en el momento de la ovulación. Es el instante cuando el pequeño óvulo se desprende del ovario. Ocurre unos 14 días antes de la fecha cuando se espera la siguiente menstruación. En las mujeres con un ciclo normal de 28 días, esto significa que la ovulación se está produciendo 14 días antes del período.

Esta señal a veces se usa con mujeres a quienes se está examinando para ver por qué no pueden quedar embarazadas (una condición cuyo nombre científico es "esterilidad").

En el momento de la ovulación la temperatura se eleva, tal vez hasta un grado. Generalmente vuelve a descender dentro de un par de días. Pero si la mujer está embarazada, este aumento de temperatura permanece.

Examen de la pelvis

Al llegar a este momento, la mayoría de las mujeres habrá decidido hacerle una consulta al médico para estar segura de que está embarazada. Muchas tendrán cierta seguridad de que se ha producido una concepción, pero la mayoría se siente más feliz si hay una confirmación oficial.

¿Qué hace el doctor?

El médico dispone de algunas otros medios para estudiar el caso, que implican escuchar mientras la paciente le cuenta su historia, escribir notas en la historia clínica, hacer una cantidad de preguntas relacionadas con el tema y anotar las respuestas en la historia mencionada. Después vendrá un examen físico. En la primera visita puede ser un examen físico completo, aunque esto podría postergarse hasta otra visita posterior.

Pero sin duda alguna habrá un examen de la pelvis.

Esto es sencillo y bastante directo. Tiene como fin confirmar si hay embarazo o no, y con frecuencia, además de los cambios que hemos mencionado, el médico puede detectar algunos más.

El doctor examinará los pechos para verificar los cambios que ya hemos mencionado. También examinará la vagina y el útero.

La píldora anticonceptiva, que contiene hormonas similares a las que produce el organismo en las primeras etapas del embarazo, afecta de la misma manera a los pechos.

En esas zonas se pueden haber producido cambios físicos. La vulva, los labios que protegen la entrada de la vagina, con frecuencia adquieren una coloración azulina. Esta coloración a menudo se extiende a la pared frontal de la vagina. Esta y el cuello de la matriz, la región del útero que se une a la parte superior de la vagina, se vuelve más blanda y es más discernible. Esto se debe a un aumento de la vascularidad (de los vasos sanguíneos) de esas zonas, y por lo general son evidentes incluso ya en la cuarta semana del embarazo.

En las primeras etapas a veces es posible descubrir ciertos cambios en el útero. El doctor examina el cuello de la matriz. La parte superior, que contiene el embrión, también puede estar más firme, pero la parte media de la matriz es más blanda. No obstante, en las mujeres obesas a veces es muy difícil detectar esto, y muchos doctores creen que no es posible hacer una decisión firme como consecuencia de la "palpación" (como se llama esta técnica), hasta que no hayan pasado algunas semanas más. Pero en algunos casos puede ser útil.

¿Se hacen pruebas para determinar si hay embarazo o no?

Sí, señor. Con el advenimiento hace algunos años de pruebas muy eficaces denominadas colectivamente "tests inmunoquímicos", se pueden conseguir ahora resultados rápidos y exactos. En efecto, al usar algunas formas de estos tests, se puede obtener la respuesta en cuestión de minutos.

Consulte al médico en cuanto sospeche que está embarazada, o si observa algunos de los síntomas de esa circunstancia.

Se dice que los que se pueden leer después de dos minutos son confiables en un 92%. Un test similar que demora un par de horas se dice que es un 98% exacto. Esos índices de exactitud son sumamente elevados. Cuando se los compara con la historia clínica de la paciente, los síntomas que describe y los resultados del examen del médico, generalmente dejan muy pocas dudas en la mente de alguien acerca de que efectivamente existe un embarazo.

Precauciones

Hay que tomar algunas precauciones cuando se están haciendo tests relacionados con el embarazo. Idealmente se debe analizar la "primera" muestra de orina del día. La botella que la contiene debe estar limpia y libre de la contaminación de medicamentos o sustancias químicas. (Esto podría falsear los resultados.) Si transcurre algún tiempo entre la recolección de la orina y su análisis (pocas horas es lo ideal), la muestra se debe poner en el refrigerador.

El doctor trata de probar la existencia en la orina de una hormona específica denominada "GCH". Esto es la abreviatura de "Gonadotrofina Coriónica Humana". La produce el embrión que se está desarrollando, y circula activamente en el torrente sanguíneo de la madre. Cierta cantidad se despide con la orina. Si el test la puede detectar, es casi seguro que existe un embarazo.

Pero tienen que pasar casi seis semanas a partir de la última menstruación para que exista una cantidad apreciable de esta hormona en la orina. Por lo tanto, si el test se hace antes de esas seis semanas, lo más probable es que arroje un resultado negativo aunque la mujer esté embarazada.

Un procedimiento rutinario consiste en hacer la prueba de la GCH al cumplirse las seis semanas. Si arroja un resultado negativo, y la persona manifiesta muchas de las otras señales del embarazo, la prueba se repite entre siete y diez días después. Entonces es probable que haya un resultado positivo, lo que indicaría que se ha producido un embarazo.

Muchos tests caseros de embarazo, "hágalo usted misma", están disponibles ahora y se los usa bastante. Son sencillos, y si se siguen fielmente las instrucciones son bastante seguros. Además de todo esto, es muy probable que el médico quiera hacer un examen para determinar qué clase de medicamentos está tomando la paciente (en caso de que lo haga). Ciertos medicamentos, al parecer, pueden producir resultados erróneos con las pruebas inmunoquímicas.

Con la introducción de las sencillas y exactas pruebas inmunológicas, se ha dado un gran paso hacia adelante en el diagnóstico precoz y eficaz del embarazo.

¿Qué nos puede decir de los análisis especiales de sangre que suelen ordenar los doctores?

Desde que se comenzaron a hacer los primeros análisis de orina para diagnosticar el embarazo, se ha desarrollado un método más rápido y más digno de confianza, y ahora lo usan ampliamente los doctores. En efecto, el embarazo se puede diagnosticar con seguridad entre 24 y 36 horas después de la concepción. Ni siquiera es necesario esperar para ver si falta el período. Se lo llama "prueba radioinmunológica del embarazo". Se saca una muestra de sangre, y una máquina especial puede detectar rastros infinitesimales de GCH que circulan en la sangre de la madre. Es mucho más delicado y exacto que los análisis de orina para tratar de detectar la presencia de GCH, y es más rápido y más confiable.

Los sapos y las ranas pasaron de moda

Hace años se confiaba en otros métodos que consumían mucho tiempo y que eran sumamente toscos, para decirlo con amabilidad. Antes de que aparecieran, las pruebas en las que intervenían sapos, ranas y ratas eran los únicos medios de que se disponía. Para eso se le daban inyeccio-

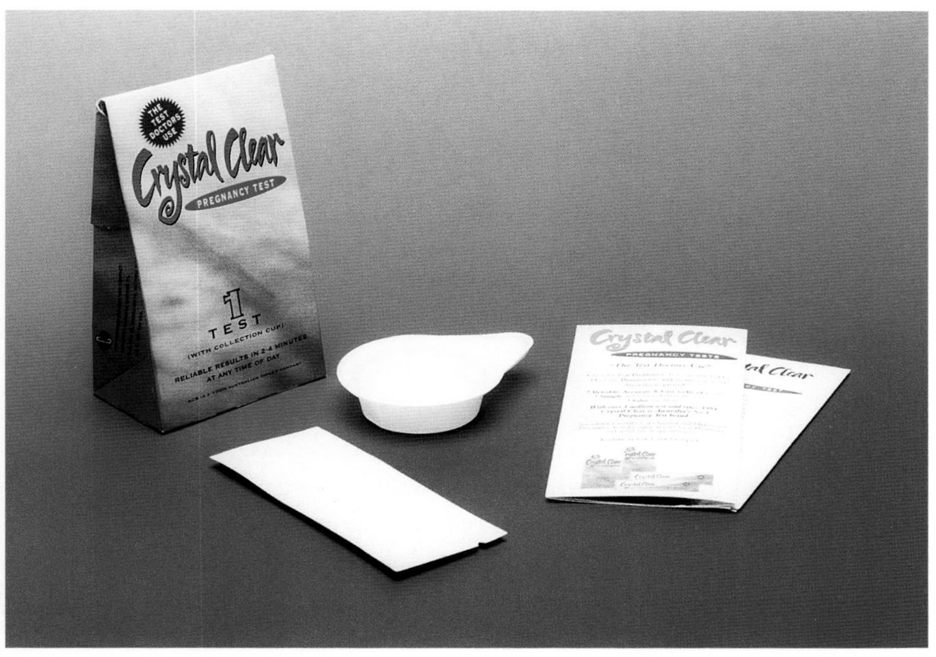

Los test de embarazo que todavía siguen usando algunas mujeres se encuentran en las farmacias. Pero el análisis de sangre es más rápido y es sumamente exacto, y se lo usa generalmente para confirmar un embarazo.

nes a esos animales, luego se los mataba, se practicaba una operación varios días después, y se examinaban los órganos de la pelvis. Era un problema mayúsculo mantener a todos esos animales, y a los laboratorios no les gustaba nada el método. Pero ahora todo eso ha cambiado, y con frecuencia se puede llegar a un diagnóstico seguro mientras la paciente todavía se encuentra en el consultorio del doctor. Los tiempos han cambiado: los métodos han dado un decidido paso hacia adelante, y usted es la que se beneficia.

Así que no se necesita tanto tiempo para disponer de un diagnóstico que confirme su embarazo o lo descarte.

Así es. Vale la pena poner énfasis en un punto. Una vez que usted sospecha que está embarazada, o si detecta aunque sea algunas de las señales correspondientes, pida un turno para consultar a su doctor.

Se reconoce ampliamente ahora que todo el proceso del embarazo, desde la concepción hasta el parto, es un evento sumamente importante.

Supervisión, no buena suerte

El confiar en la suerte y esperar que todo salga bien, es una idea de la Edad Media. No es el concepto moderno. Ha habido un amplio desarrollo del conocimiento relacionado con el embarazo y el parto. Es cada vez más una técnica, y para su manejo se necesita la supervisión de expertos.

La dramática reducción en el índice de fallecimientos de madres y bebés durante y después del embarazo, es una prueba positiva de que este conocimiento, disponible universalmente para todas las mujeres, está dando resultados positivos.

De manera que vaya a ver a su doctor si cree que está embarazada. Si está equivocada, no importa. Si está embarazada, mientras más pronto comience un adecuado cuidado prenatal, mejor será. A lo menos se puede hacer un diagnóstico, y usted se puede embarcar en al vagón de una atención prenatal inteligente, que tan vital es en los días que corren.

Esto que le decimos es de su interés. Pero más importante aún, es por el mejor interés de ese pasajero que lleva dentro de su cuerpo. A usted le corresponde decidir hacer lo mejor posible en favor de su bebé que está por nacer. Él no la puede obligar a hacer lo correcto. La decisión está totalmente en sus manos. No lo defraude.

capítulo 2

EN ESTE CAPÍTULO

- Una evaluación del consejo que se recibe.
- La selección del cuidado médico.
- El parto atendido en el hogar vs. su atención en un hospital.
- Las anotaciones del doctor y los dispositivos de alta tecnología.
- Una valiosa asociación íntima con su médico.

La adecuada atención médica es indispensable

Comience consultando a su médico de cabecera – Ahora se acostumbra derivar a la paciente a un obstetra – Por lo general, los partos en el hogar no se recomiendan – La mayor parte de los hospitales cuenta con una sección de maternidad – Hay tablas que ayudan a calcular aproximadamente la fecha del parto – Progresos hechos en el control de los embarazos por medio de ultrasonido – Las consultas al médico antes del parto son importantes.

¡**Así que usted está embarazada!** Los síntomas clásicos eran correctos. usted creía que estaba embarazada, pero ahora esa sospecha está confirmada oficialmente. Las pruebas efectuadas, dignas de confianza por cierto, indican que en efecto usted está esperando un bebé. Más aún, probablemente ya tenga usted el aspecto de una señora embarazada. Algunos pueden negarlo, pero otros creen que es verdad.

A medida que transcurre el tiempo, el aspecto concuerda más y más con la realidad. Por cierto, no sólo lo que usted lleva adentro le dirá que está embarazada, sino que el espejo confirmará la noticia sin la menor duda.

Pronto sus amigas comenzarán a hacerle preguntas. Eso si usted no les da la noticia primero, y por cierto es una buena idea esparcir esta novedad por todas partes. El apoyo psicológico que brindan las palabras amables y el interés de los parientes y amigos, es realmente valioso. Por cierto contribuirá a que toda la empresa parezca mucho más real, y una ocasión para el íntimo regocijo.

Los padres suelen ayudar mucho cuando se enteran de que su hija está embarazada. Las palabras de consuelo y de ánimo siempre son bienvenidas en este mundo duro y frío, y cuando las pronuncian padres amables, son más animadoras y más bienvenidas todavía.

Los padres ya han recorrido este camino antes, tal vez varias veces. Saben de qué se trata. Con frecuencia vale la pena tomar nota de lo que dicen, porque la experiencia es una maestra maravillosa. Por supuesto, usted misma aprenderá una cantidad de cosas, pero muy a menudo, en momentos de urgente necesidad, unas pocas palabras de consejo y precaución, pronunciadas por una persona de edad, se recordarán siempre. Pueden ser de ayuda y muy animadoras.

Consejos y "consejos"

Pero aun en estos días de tantas luces, hay consejos y "consejos".

Es verdad. Un buen consejo puede proporcionar con frecuencia un valioso trasfondo para futuros acontecimientos, pero una cantidad sorprendente de gente parece recordar sólo los aspectos negativos de la paternidad. Tal vez sea un reflejo de sus propios defectos personales, inhibiciones y ansiedades internas. Y hay algunas ancianas que siempre están dispuestas a dar "consejos" que no vale la pena recibir.

Les gusta explayarse acerca de los desgraciados incidentes de sus propias adversidades pasadas, y con detalles minuciosos. Son capaces de describir el dolor, los sufrimientos y la agonía de su propia internación en el hospital. Se complacen en grado sumo en desacreditar al doctor, a la institución, a los enfermeros, los alimentos y las circunstancias. Según ellas, nada está bien. Por eso se dedican a verter en cada oído las desgraciadas circunstancias que constituyeron su experiencia con la obstetricia.

Por favor, no les presten oídos a estas falsas consoladoras. Una investigación más profunda permitirá descubrir la verdadera razón del problema. En muchos casos no se trató de los enfermeros, ni de las deficiencias del hospital o de la falta de atención, sino de su propia manera de encarar la vida. Muchas esperaban desde el mismo principio que se produjeran problemas. Tal vez ellas mismas recibieron consejos equivocados por parte de alguna mujer insensata al comienzo de su embarazo, y esperaban que las cosas salieran mal. En este mundo, "busca y hallarás". A menudo esto se refiere tanto a las cosas malas como a las buenas.

Así que conviene evitar a las perturbadoras, y a las que les gusta poner nerviosa a la futura mamá arrojando infelicidad en su camino en la forma de un "buen consejo". Conviene apartarse de ellas, y alejarse de estas "Jeremías" (a veces son hombres).

Correcto. Si tiene preguntas, lo mejor es anotarlas cada vez. Entonces, cuando visite a su médico para su chequeo, lleve la lista consigo. Revise cada anotación. Su doctor le dará respuestas honestas, directas y correctas, basadas en la experiencia, a cualquier pregunta que usted le pueda hacer que tengan que ver con su futura internación, o con todo lo que puede ocurrir durante su embarazo.

Así que, resumiendo, comparta su felicidad con sus amigos más íntimos y con los que usted cree que son dignos de confianza. Disfrute del ánimo que le dan, y de su aprobación. Pero cuídese de los perturbadores. Por fin, adhiérase al consejo de su doctor tanto como sea posible.

Hay una cantidad de factores que usted debe conocer. Hay ciertos asuntos acerca de los cuales usted debe tomar decisiones. Muchos de ellos se pueden decidir consultando a alguien más. Pero hay una cantidad de otros que gravitarán sobre su propia mente desde el mismo principio.

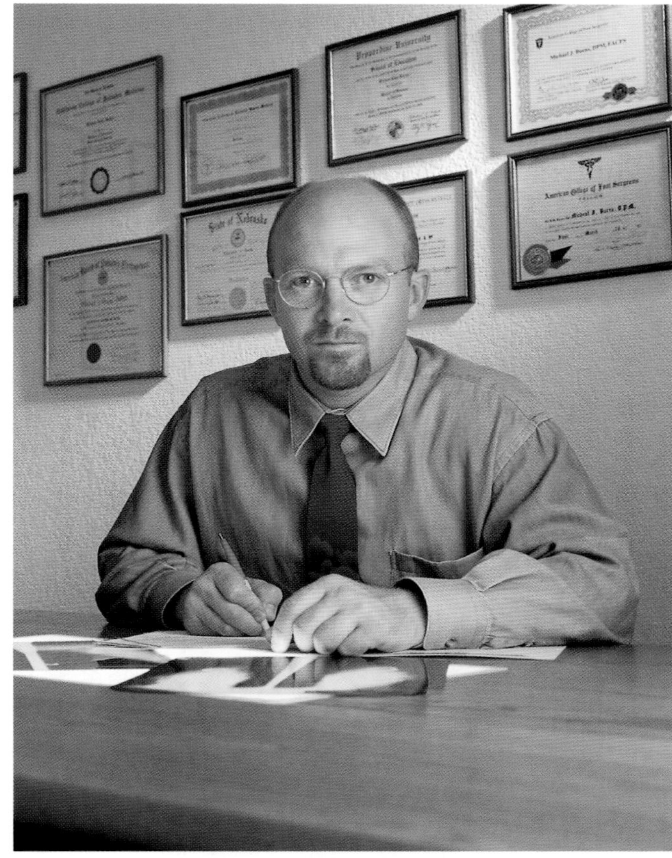

En su primera consulta, es muy posible que su médico la derive a un obstetra.

La elección de un doctor

¿Cuándo habría que visitar al doctor?

En el mismo momento cuando usted cree que está embarazada, es necesario que decida visitar al doctor. Esto suscita inmediatamente ciertas preguntas. La decisión que haga dependerá en gran medida del lugar donde usted mora, si vive en la ciudad o en el campo, o en qué país: México, Colombia, Brasil, Argentina, o cualquier otro. Cada lugar tiene sus propias características. Pero, sea como fuere, usted debe ver a un doctor.

Podría ser el mismo doctor que la atendió cuando estaba enferma. Podría ser "el doctor de la familia" o un "clínico general". Es posible también que usted y su familia lo hayan estado consultando a lo largo de muchos años.

A menudo es conveniente solicitar un turno con el doctor en la primera oportunidad posible, al margen de lo que podría estar ocurriendo. Al hacer esta visita inicial usted puede recibir como respuesta un "sí" o un "no" con respecto a su posible embarazo.

Pocos médicos de familia (muy pocos en realidad) se dedican a la vez a la obstetricia. Si tal es el caso, su médico le conseguirá una cama en el hospital en que trabaja, y se encargará de los cuidados prenatales desde ese mismo instante. De ahí en adelante usted lo visitará regularmente, en los momentos preestablecidos, hasta que nazca su bebé, y usted recibirá atención mientras dure su permanencia en el hospital.

Consultar a un médico para conseguir una internación se considera que en muchos casos es el ideal para la mayoría de las mujeres.

Lo ideal es un especialista en obstetricia

Muchos médicos en el mundo occidental deciden delegar la obstetricia en especialistas en ese campo. Puesto que esta especialidad implica más información y más experiencia, todo este tema de la obstetricia está cayendo cada vez más en las manos de los especialistas. Muchos doctores creen que esto es bueno, y se sienten felices al observar esta tendencia, en la creencia de que es lo mejor para la madre y el bebé.

¿Se han descubierto en los últimos años nuevos procedimientos y técnicas al respecto?

Por supuesto. Muchas de ellas son bien complicadas, y el doctor necesita constantemente de nuevas experiencias para conservar su eficiencia en estos aspectos. Mientras más las practique el obstetra, más experto será. Por eso muchos doctores creen que sus pacientes recibirán mejor atención si las ponen en manos de expertos.

Los obstetras generalmente mantienen contactos muy estrechos con ciertos hospitales en los cuales depositan toda su fe. Por lo común seleccionarán para su paciente un hospital que ellos saben está equipado para hacer frente a cualquier emergencia.

No cabe duda de que muchos hospitales pequeños están mal equipados para hacer frente a algunas de las graves complicaciones que pueden surgir repentinamente. Esto significa que la madre y el bebé pueden correr allí un gran riesgo en el momento del parto.

¿Para qué correr riesgos? No vale la pena. Ya tiene suficientes problemas una situación normal, de manera que "sólo lo mejor" es el consejo que se debe dar en este caso.

Escuche al doctor de la familia

¿Usted quiere decir entonces que si el doctor de la familia le aconseja a la paciente que se ponga en manos de un obstetra, ella debe seguir ese consejo?

Por supuesto. Lo más probable es que se la derive a un determinado especialista. Si eso sucede, si su doctor le sugiere que vea al Dr. X, entonces con alegría pida un turno con el Dr. X. Y siga con él por el resto del período prenatal. Él la asistirá en el momento del parto, y la atenderá mientras permanezca en el hospital. Finalmente, el especialista la verá una o dos veces más, y más si es necesario, hasta que le den el alta y esté de vuelta en casa después de la internación.

En todo el mundo el cuadro está cambiando velozmente, y América Latina no es la excepción. Se puede decir que cambia cada mes. Se está hablando de las pacientes que se hacen ver por un determinado especialista, y que quedan vinculadas, por así decirlo, con el hospital en que se internaron, y no con el especialista. Sea como fuere, el principio básico es el mismo. Hacerse ver por un especialista mientras dura la internación es lo mejor en muchos casos para una cantidad de mujeres.

En resumen, déjese guiar por su doctor desde la primera visita, y siga sus recomendaciones. Estará en buenas manos.

La elección del hospital o la clínica

Muchas mujeres anhelan hacerse atender en determinado hospital o en cierta clínica. Esto ocurre porque una pariente cercana o una amiga recurrió a esa institución para su internación. Es posible que usted haya visitado a esa persona en esa institución, todo le gustó, y decidió que era el lugar que le convenía para cuando

le llegara la hora. ¿Qué nos puede decir usted acerca de esto?

Bien, es probable que la amiga le haya hablado mucho acerca de las virtudes del lugar. Le habrá contado cuán feliz se sentía allí, cuán eficientes eran los servicios, cuán amables, consideradas y atentas eran las enfermeras, y cuán deliciosa y bien preparada era la comida.

Estos son factores importantes, ciertamente. Si la eficiencia de la institución se extendió también a los aspectos más prácticos de la atención médica, si éstos estaban orientados para cumplir todos los requisitos posibles, para hacerle frente a todas las emergencias y eventualidades, entonces esa institución es el lugar ideal para usted.

Pero hay algunos factores más que conviene tener en cuenta. Si esa institución, no importa cuán buena sea, se encuentra lejos de donde usted vive, y es medio inaccesible, entonces es posible que no sea el lugar ideal después de todo. Piense en que tendrá que vivir allí unos días (más o menos, según cómo le vaya). No hay duda de que usted esperará frecuentes visitas de sus familiares y amigos. Si va a estar más bien lejos, la posibilidad de esas visitas no será mucha. No importa ahora, pero después será un factor que determinará si los días que pase en la institución serán felices o no tanto. A lo menos, vale la pena tener presente este factor.

También usted querrá llegar a tiempo al hospital o la clínica. Por supuesto, durante la primera internación hay suficiente tiempo. Pero en las subsiguientes no siempre habrá tiempo suficiente desde el momento cuando aparecen los primeros síntomas y el instante cuando el bebé se decide a hacer su entrada en este mundo. Por eso, las distancias largas en medio de un tránsito pesado, y en una de esas horas pico, podrían ser un problema. Tendrá suficiente de qué preocuparse en ese momento sin necesidad de tener que ver cómo llegar pronto a la institución.

Más de un bebé ha nacido en un taxi o en una ambulancia mientras la madre iba en camino al hospital. Esas noticias a veces ocupan la primera plana de los diarios. Pero ciertamente es una situación desagradable, tanto para la madre como para el bebé. Ciertamente puede causar muchos problemas, y es algo que decididamente no le recomendamos.

Entonces, cuando la futura mamá esté por decidir qué médico la va a atender, debe incluir también el tema del hospital, ¿no es cierto?

Claro que sí. Mientras más pronto se decida esto, mejor será. Comúnmente el doctor se encarga de los arreglos de la internación. A veces es necesario que usted confirme esa decisión mediante una visita personal al hospital, para llenar ciertos formularios, pagar una cuota y cumplir con ciertas formalidades. En estos días cuando los hospitales están abarrotados, es esencial que todo esto se haga con tiempo. Con frecuencia el doctor se encarga de esto tan pronto como usted haya salido de su consultorio.

En la actualidad, la economía también desempeña un papel en la atención médica de la gente. Por eso algunas personas prefieren hacer arreglos directos con los hospitales y las clínicas. Una vez más, se trata de apurarse, y de dar los pasos necesarios tan pronto como usted crea que está embarazada. Una vez en la institución, la rutina es muy similar a la que se desarrolla cuando usted consulta a un médico en privado. En resumen, usted ya está a bordo, e irá adonde la lleven.

Los partos en casa

¿Qué piensa usted de los partos en casa? Después de todo, en Europa se lo ha hecho en lo pasado y se lo sigue haciendo.

La verdad es que en este momento eso no ocurre, como regla general, ni en Europa ni en ningún país progresista. Es verdad que hay gente que cree que esto es más seguro, y desean estar presentes en ese momento, y compartir las comodidades del hogar con la madre cuando le llega la hora.

Pero estos argumentos carecen totalmente de valor, porque los riesgos superan a los beneficios. El mayor de ellos es el de una emergencia, especialmente una hemorragia profusa inmediatamente después del parto. Suelen producirse a velocidades terroríficas, y requieren atención inmediata y experta. Eso sencillamente no se puede hacer en una casa.

Si una paciente le pide que la atienda en su casa, ¿qué le dice usted?

Muy pocas lo hacen, porque detrás de ese pedido suele haber algunas creencias raras. Cortésmente les expongo mis razones para convencerlas de que no es seguro, y trato de persuadirlas para que adopten método más sensatos, seguros y prácticos, los únicos aceptables actualmente en una sociedad avanzada.

El embarazo dura, en promedio, 266 días.

¿Han ocurrido tragedias con gente que ha insistido en atender los partos en la casa, a veces ellos solos, sin ayuda de nadie?

Claro que sí. Ha habido muchos casos documentados de desastres, incluso muerte del feto y fallecimiento de la madre, mayormente como consecuencia de partos difíciles y hemorragias.

¿Hay hospitales que creen en la idea del "parto en la casa"?

Sí, y son muy considerados, por cierto. Algunos hospitales de Australia, por ejemplo, especializados en atender damas, disponen de un dormitorio "como el de la casa", construido junto a la maternidad. Los obstetras hacen allí todo lo que les corresponde, en un ambiente hogareño. Pero si se produce una emergencia, inmediatamente llevan a la paciente en silla de ruedas a la maternidad normal, y se le da el tratamiento adecuado. Esto está bien, y todo el mundo queda feliz.

¿Qué piensa usted de los partos "debajo del agua"?

En algunos centros mundiales, especialmente en Francia, el bebé nace cuando la madre está parcialmente sumergida en agua tibia, en un lugar parecido a una pequeña pileta de natación. Se asegura que da buenos resultados. Pero se debe llevar a cabo en un hospital organizado para eso, y por obstetras calificados y por un personal familiarizado con el sistema.

Ciertamente no es un método común, y no lo debe probar gente que no esta entrenada para ello. En algunos países han

Tabla obstétrica

El cálculo se hace sobre la base del primer día después de la última menstruación

Ene	01	02	03	04	05	06	07	08	09	10	11	12	13	14	15	16	17	18	19	20	21	22	23	24	25	26	27	28	29	30	31	**Ene**
Oct	08	09	10	11	12	13	14	15	16	17	18	19	20	21	22	23	24	25	26	27	28	29	30	31	01	02	03	04	05	06	07	***Nov.***
Feb	01	02	03	04	05	06	07	08	09	10	11	12	13	14	15	16	17	18	19	20	21	22	23	24	25	26	27	28				**Feb**
Nov	08	09	10	11	12	13	14	15	16	17	18	19	20	21	22	23	24	25	26	27	28	29	30	01	02	03	04	05				***Dic***
Mar	01	02	03	04	05	06	07	08	09	10	11	12	13	14	15	16	17	18	19	20	21	22	23	24	25	26	27	28	29	30	31	**Mar**
Dic	06	07	08	09	10	11	12	13	14	15	16	17	18	19	20	21	22	23	24	25	26	27	28	29	30	31	01	02	03	04	05	***Ene***
Abr	01	02	03	04	05	06	07	08	09	10	11	12	13	14	15	16	17	18	19	20	21	22	23	24	25	26	27	28	29	30		**Abr**
Ene	06	07	08	09	10	11	12	13	14	15	16	17	18	19	20	21	22	23	24	25	26	27	28	29	30	31	01	02	03	04		***Feb***
May	01	02	03	04	05	06	07	08	09	10	11	12	13	14	15	16	17	18	19	20	21	22	23	24	25	26	27	28	29	30	31	**May**
Feb	05	06	07	08	09	10	11	12	13	14	15	16	17	18	19	20	21	22	23	24	25	26	27	28	01	02	03	04	05	06	07	***Mar***
Jun	01	02	03	04	05	06	07	08	09	10	11	12	13	14	15	16	17	18	19	20	21	22	23	24	25	26	27	28	29	30		**Jun**
Mar	08	09	10	11	12	13	14	15	16	17	18	19	20	21	22	23	24	25	26	27	28	29	30	31	01	02	03	04	05	06		***Abr***
Jul	01	02	03	04	05	06	07	08	09	10	11	12	13	14	15	16	17	18	19	20	21	22	23	24	25	26	27	28	29	30	31	**Jul**
Abr	07	08	09	10	11	12	13	14	15	16	17	18	19	20	21	22	23	24	25	26	27	28	29	30	01	02	03	04	05	06	07	***May***
Ago	01	02	03	04	05	06	07	08	09	10	11	12	13	14	15	16	17	18	19	20	21	22	23	24	25	26	27	28	29	30	31	**Ago**
May	08	09	10	11	12	13	14	15	16	17	18	19	20	21	22	23	24	25	26	27	28	29	30	31	01	02	03	04	05	06	07	***Jun***
Sep	01	02	03	04	05	06	07	08	09	10	11	12	13	14	15	16	17	18	19	20	21	22	23	24	25	26	27	28	29	30		**Sep**
Jun	08	09	10	11	12	13	14	15	16	17	18	19	20	21	22	23	24	25	26	27	28	29	30	01	02	03	04	05	06	07		***Jul***
Oct	01	02	03	04	05	06	07	08	09	10	11	12	13	14	15	16	17	18	19	20	21	22	23	24	25	26	27	28	29	30	31	**Oct**
Jul	08	09	10	11	12	13	14	15	16	17	18	19	20	21	22	23	24	25	26	27	28	29	30	31	01	02	03	04	05	06	07	***Ago***
Nov.	01	02	03	04	05	06	07	08	09	10	11	12	13	14	15	16	17	18	19	20	21	22	23	24	25	26	27	28	29	30		**Nov**
Ago	08	09	10	11	12	13	14	15	16	17	18	19	20	21	22	23	24	25	26	27	28	29	30	31	01	02	03	04	05	06		***Sep***
Dic	01	02	03	04	05	06	07	08	09	10	11	12	13	14	15	16	17	18	19	20	21	22	23	24	25	26	27	28	29	30	31	**Dic**
Sep	07	08	09	10	11	12	13	14	15	16	17	18	19	20	21	22	23	24	25	26	27	28	29	30	01	02	03	04	05	06	07	***Oct***

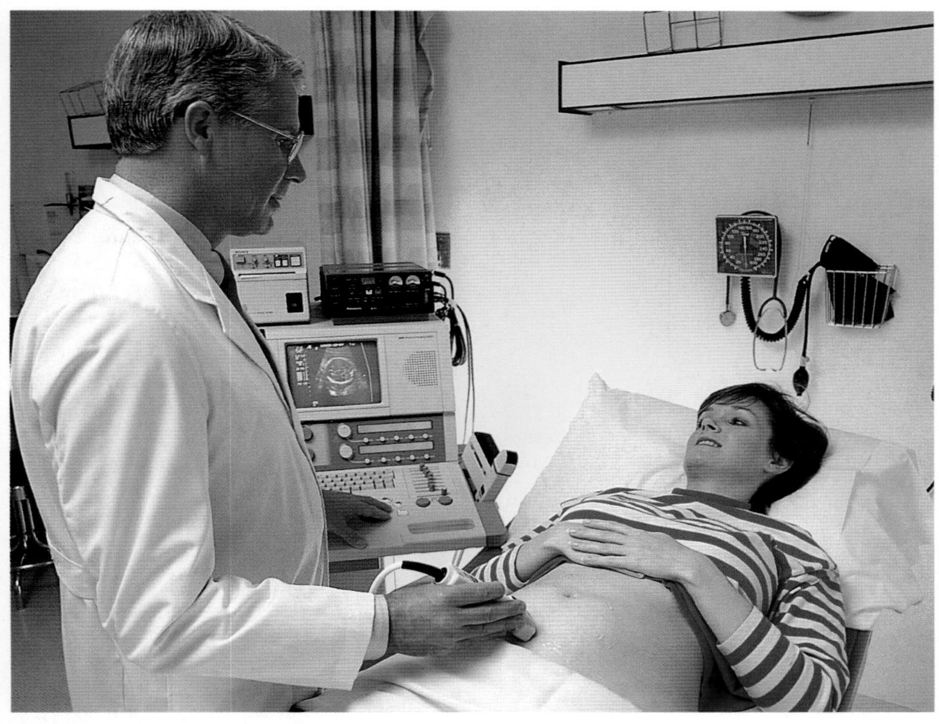

La mayor parte de los hospitales dispone de equipos de ultrasonido, que ayudan al médico a observar cómo se desarrolla el feto (ecografía).

muerto mujeres que han practicado este sistema, como consecuencia de que los encargados del parto no eran profesionales. Evítelo como la peste. Adhiérase a los métodos conocidos y probados, y recurra a profesionales que trabajen en instituciones aprobadas por profesionales.

La llegada del bebé

La pregunta que toda madre desea se le conteste en cuanto se confirma su embarazo es: "¿Cuándo nacerá el bebé?"

Esta es una pregunta muy lógica, que se puede contestar muy pronto. En efecto, usted misma puede calcular la fecha.

Hay cantidad de maneras de averiguar la fecha del parto, y todas dan más o menos los mismos resultados. La duración del embarazo, en promedio, es de 266 días. Es la cantidad de días que transcurren desde el momento de la concepción hasta el instante del parto, cuando el feto pasa a ser una persona que respira, un bebé completamente separado de su madre.

Pero por conveniencia se acostumbra a calcular esta fecha no a partir de la concepción, sino del primer día del último ciclo menstrual. Esto, en una mujer con un ciclo normal de 26 a 32 días, es de 280 días. Equivale a nueve meses calendarios (o diez meses "lunares" de 28 días cada uno).

La abreviatura UPM (Ultimo Período Menstrual) la usan mucho los médicos y los hospitales para referirse a esa fecha tan importante. A partir de ella se puede calcular fácilmente el momento cuando llegará el bebé. A esto se refiere la sigla PCI, que quiere decir: "Período Calculado de Internación".

Para evitar la pérdida de tiempo que implica añadirle 280 días al UPM, se han diseñado tablas que lo indican claramente. En la tabla de arriba la línea superior indica el UPM de cada día del año. Inmediatamente debajo está el PCI correspondiente. De manera que esta tabla le puede dar la respuesta en un momento. Hemos incluido esta tabla para darle una rápida respuesta a su pregunta.

Otro método sencillo

¿No usan los médicos un método más sencillo todavía?

Sí señor. Muchos médicos usan otro método. Sencillamente le añaden 10 días al UPM, y descuentan tres meses. Así se llega a una fecha bastante exacta; entonces se la proyecta hacia adelante.

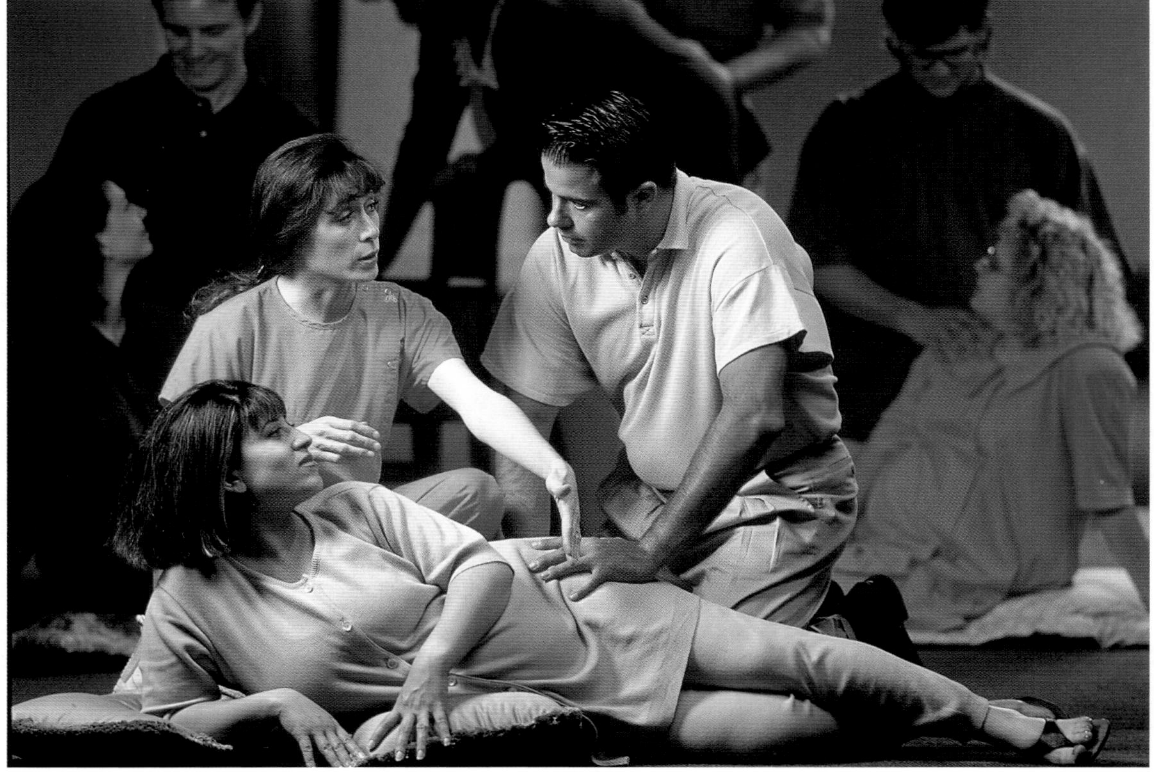

Las clases prenatales ayudan a los padres en perspectiva a prepararse para el parto, al darles instrucciones y al compartir experiencias, con el objeto de que desarrollen confianza.

Por ejemplo, digamos que el UPM era el 10 de junio.

10 de junio + 10 días = 20 de junio, menos tres meses = 20 de marzo.

El PCI será entonces el 20 de marzo del año siguiente.

Es tan sencillo como esto, y es notablemente exacto. Muchos médicos emplean este método rápido, y el cálculo se puede hacer en instantes. En efecto, las pacientes siempre se impresionan por la velocidad a que se llega a una fecha, especialmente cuando ellas mismas ya la han calculado mediante una tabla, y descubren que las fechas coinciden.

Hay diversos otros métodos para determinar la fecha del nacimiento del bebé. El "momento de las pataditas" se usa a veces para hacer un cálculo aproximado. Se refiere al instante cuando se sienten los movimientos del bebé por primera vez. Pero como éstos pueden comenzar entre la 16a. y la 24a. semanas, su valor es ciertamente limitado.

A medida que pasa el tiempo, el doctor generalmente mide la altura del fondo, es decir, presiona con la mano el abdomen de la paciente para ver hasta donde llega el "fondo" de la matriz que está aumentando de tamaño.

La matriz crece a un ritmo bastante regular, y su altura, como se la llama, generalmente coincide con la cantidad de semanas del desarrollo del bebé.

Por ejemplo, al llegar a la 12a. semana, el fondo recién comienza a aparecer justo por encima de la sínfisis, a saber, la parte delantera del hueso de la pelvis. Al llegar a la 16a. semana, se eleva a medio camino entre la sínfisis y el ombligo. A la 20a. semana ya llega a la altura del ombligo.

Cada dos semanas el crecimiento equivale al grosor de dos dedos, hasta que llega al ombligo. Después crece a razón de un dedo por semana.

Usted no se tiene que preocupar por nada de esto, pero para el doctor es una buena guía. Si el fondo crece muy rápidamente, o si no está creciendo al ritmo esperado, significa que algo no anda bien, y que será necesario practicar algunos exámenes para averiguar qué está pasando.

El ultrasonido o la ecografía

¿No se usa, acaso, con bastante amplitud el ultrasonido o la ecografía para controlar el embarazo, como asimismo el progreso del bebé durante toda la gestación?

Efectivamente. Casi todos los hospitales modernos están equipados con estos aparatos. Pueden confirmar los diagnósticos muy al principio, y pueden controlar los embarazos, factor muy importante, especialmente si hay alguna anormalidad en el bebé, o en su posición en la matriz. También es posible predeterminar el sexo del bebé, y se pueden observar a voluntad diversas partes de su cuerpo. La imagen se ve en una pantalla parecida a la de un televisor. También se pueden obtener fotos y películas para el archivo y para futuras comparaciones. A veces se le da a la madre una pequeña "foto" para que la tenga junto con sus recuerdos. Después a los chicos les encanta ver cómo eran ellos cuando estaban en el vientre de la mamá antes de nacer. Es un buen recuerdo que se puede conservar para siempre.

El ultrasonido o la ecografía es perfectamente inocuo tanto para la madre como para el bebé, ¿no es cierto?

Es prácticamente seguro. Puesto que son ondas sonoras (y no rayos X), se cree que son totalmente inofensivas.

Las consultas previas al parto

No se puede poner demasiado énfasis en la importancia y el significado de las consultas al médico antes del parto, ¿no es verdad?

Es muy cierto. Es esencial que las consultas se hagan tan pronto como sea posible. Si hay alguna pregunta que hacer acerca del embarazo, la consulta es obligatoria.

La primera visita le sirve de molde a las que seguirán. Pero además de esto, le da al doctor una serie de informaciones básicas que le sirven para comparar el estado de salud de la paciente en las futuras visitas. Esto puede ser de valor inestimable, especialmente si aparecen complicaciones en algunas de las etapas posteriores, y eso suele ocurrir con algunas personas. No se puede saber desde el principio si usted es o no uno de esos casos "de riesgo".

Las consultas prenatales tienen por lo menos tres objetivos importantes:

1. Asegurarse de que la madre termine el embarazo tan sana (o mejor aún) que antes.
2. Descubrir cualquier defecto físico o psicológico tan pronto como sea posible, y corregirlo a la brevedad.
3. Que la madre dé a luz un bebé sano y normal.

Sólo en los últimos 50 años se le ha dado tanta atención a las 40 semanas del embarazo como a las 14 horas que dura un parto, en promedio.

El valor y los beneficios de esto se reflejan en el descenso de las cifras de mortalidad, tanto de madres como de bebés, y basta con darle una mirada a la dramática reducción de estos índices para enterarse de los verdaderos beneficios de la insistencia actual en el cuidado prenatal.

Si usted tuvo alguna vez la oportunidad de visitar un antiguo cementerio, seguramente le habrá impresionado indeleble-

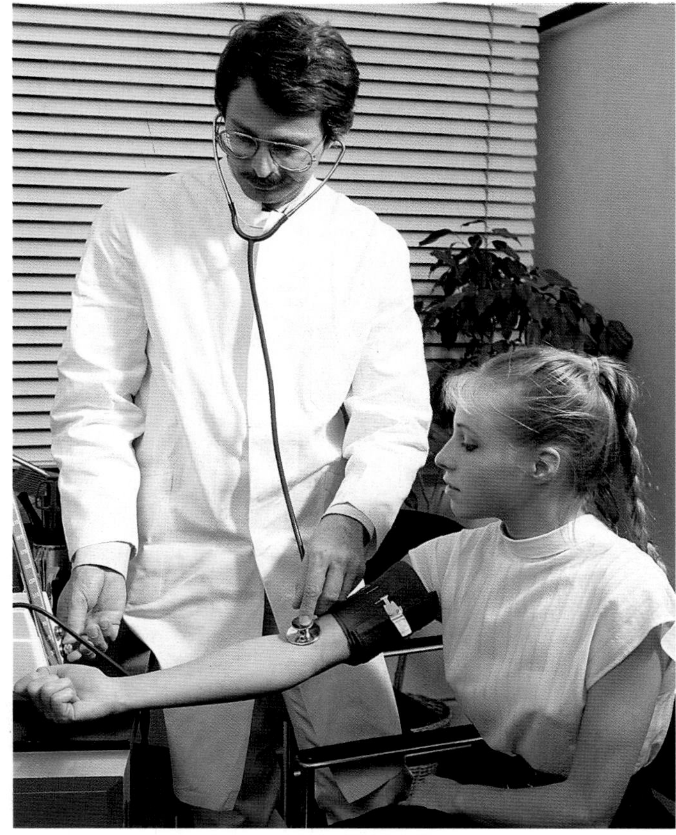

Parte de la rutina de un primer examen médico implica ver cómo está la tensión arterial.

mente la verdad de lo que se acaba de decir.

Efectivamente. Una fugaz mirada a las lápidas nos permite verificar la cantidad de niños (y a veces de madres jóvenes) que morían, sin duda en ocasión del parto o muy poco después. Las novelas históricas, e incluso los relatos de los miembros ancianos de la familia, nos ponen al tanto de los desastres que ocurrían antaño, y que regularmente alcanzaban a los niños y los bebés de casi cada familia.

El médico hará un examen completo en la primera consulta.

Eran, ciertamente, días malos. Los cuidados prenatales o no existían o eran muy precarios. Las comadronas hacían lo que podían. Los médicos generalmente estaban mal equipados, y los hospitales no tenían esperanza alguna en sus intentos de encarar un parto que fuera más o menos normal. No existían los antibióticos, la anestesia adecuada, los métodos seguros de transfusión de sangre ni la clasificación de los grupos sanguíneos, y faltaba mucho todavía para que llegaran métodos como el ultrasonido para controlar el desarrollo del feto.

Use la ayuda que tenga a mano

¿Es cierto que el nivel de adelanto de la obstetricia es muy alto en los días que corren?

Claro que sí. Y es necesario que la futura mamá aproveche todas las ventajas de que se dispone. Nadie la puede obligar a que visite al médico en forma regular. Nadie puede obligar a nadie a usar al máximo los excelentes servicios que existen actualmente. La persona misma tiene que hacer cuidadosas decisiones en este sentido.

Para las mujeres que tienen embarazos normales, se recomienda que visiten al médico cada cuatro semanas hasta la 28a. semana. Después de esto conviene que las visitas sean quincenales hasta la 36a. semana. Después las visitas serán semanales hasta el nacimiento del bebé.

En el caso de que surjan problemas, las visitas deben ser más frecuentes. Le corresponde al médico decirle con cuánta frecuencia y cuándo debe venir a visitarlo.

No desoiga el consejo de su médico. No crea que usted es alguien sumamente especial, que puede prescindir de exámenes médicos regulares. Sólo porque nunca ha estado enferma, no quiere decir que está en condiciones de dejar de cumplir los requisitos correspondientes. Aférrese al plan. Siga con exactitud los consejos de su médico en cada detalle. De esta manera se le podrá garantizar un embarazo más seguro y más cómodo. Esto también significa que usted es considerada con el bebé que está por nacer. Después de todo, en esta etapa de su vida, usted es completamente responsable tanto del bienestar de su bebé como del propio.

La primera visita

Ya hemos señalado algunas de las cosas que el doctor procurará encontrar en la primera consulta prenatal. Si su propio doctor se hace cargo de atenderla durante todo el embarazo, seguramente hará un examen general en esa primera visita. O el obstetra lo hará en la primera consulta que la haga.

¿Qué espera una mujer que ocurra entonces?

1. *Historia del actual embarazo.* El doctor querrá saber en qué fecha tuvo usted su última menstruación, y le pedirá detalles de los síntomas que está teniendo, con la idea de determinar si está embarazada o no. En muchos casos esto es totalmente obvio.

2. *Historia de los embarazos anteriores.* Al doctor le interesará saber algo acerca de los embarazos anteriores: si llegaron a término, o si hubo abortos espontáneos o provocados. Cualquier dificultad especial ocurrida durante o después del embarazo también tiene su importancia. Si los bebés eran normales, si tenían un peso adecuado, y la duración aproximada de cada parto; todo esto será de ayuda cuando llegue el momento de evaluar el presente caso. El doctor también le preguntará si hubo transfusiones de sangre o no.

3. *Historia de enfermedades anteriores.* Puesto que ciertas enfermedades pueden ser importantes, se le harán preguntas acerca de enfermedades pasadas y actuales. La diabetes, las afecciones cardíacas y renales pueden ser muy importantes.

4. *Examen físico.* El médico llevará a cabo entonces un examen físico total. Se revisará cada órgano, cada aparato y cada

sistema. Se examinará el corazón, los pulmones y el aparato digestivo, como asimismo todo lo demás. Se examinarán los pechos y los pezones también. Al médico le interesará saber cuál era su peso promedio antes de quedar embarazada. La pesarán, se le revisará la estatura y se le controlará la tensión arterial. En efecto, este control es uno de los más importantes. Es indispensable que el doctor disponga de datos básicos, que le sirvan para establecer comparaciones con controles ulteriores.

¿Se lleva a cabo un examen ginecológico?

Sí, y es muy importante también.

5. *Examen de la pelvis.* Para esto el doctor introduce en la vagina un instrumento llamado espéculo. Esto le permite disponer de una visión bien amplia del canal vaginal y del cuello de la matriz, y la parte del vientre que se une con la pared superior de la vagina.

El médico procede entonces a examinar cada parte detenidamente. Si hay pequeñas hemorragias, se obtendrá una muestra de esa sangre para exámenes patológicos.

Es probable que también se apliquen tópicos (tocaciones) al cuello de la matriz con un ungüento especial con el fin de hacer un test (prueba), que también se enviará al laboratorio patológico para su correspondiente examen.

A esto le seguirá un examen manual. De esta manera los dedos que exploran sentirán la matriz. Así se descubren anormalidades que podrían desempeñar un papel importante en las etapas posteriores del embarazo. El tamaño y la posición de la matriz se pueden determinar al tacto, y se toma nota de los resultados.

6. *Exámenes de laboratorio.* Además de las pruebas que acabamos de mencionar, el doctor hará arreglos para que se lleven a cabo ciertos exámenes y análisis importantes. Casi siempre incluyen varios análisis de sangre. Se hace un cálculo de la hemoglobina presente. De esta manera se puede saber de qué calidad es la sangre. Si no es muy buena, habrá que administrar un tratamiento.

Se debe saber también cuál es el grupo sanguíneo de la futura mamá, porque podría ser vital más tarde en el caso de una pérdida anormal de sangre. Estos grupos son A, B, AB y 0 (cero), más el factor Rh (por Rhesus) cuando está presente. Esto también es muy importante para todas las mujeres, pero en especial en el caso de madres primerizas. Hoy se pueden prevenir muchos de los desastres de antaño cuando

Diversos análisis, incluso varios de sangre, se requieren bien al principio del embarazo.

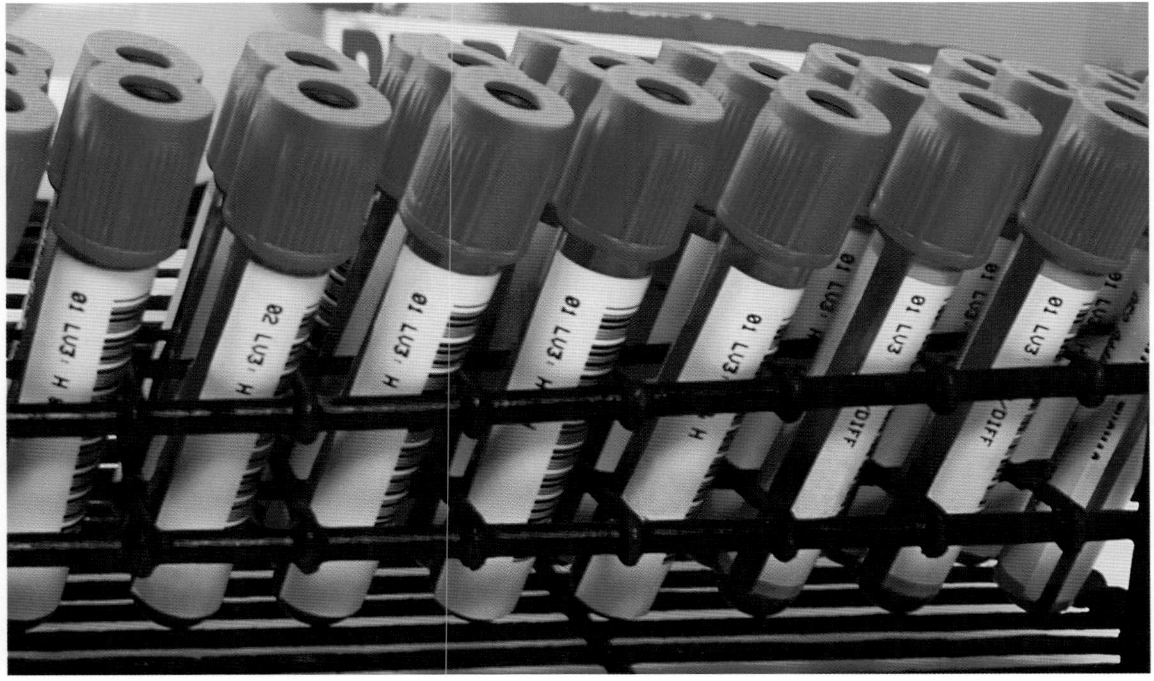

se producían graves complicaciones por causa de este factor de la sangre (Rh). El progreso de la medicina moderna ha eliminado virtualmente los problemas que surgían antes a raíz de ciertos tratamientos. Nos vamos a referir a esto de nuevo más adelante. El elemento clave consiste en saber si la paciente tiene o no el factor Rh.

Exámenes para prevenir las infecciones

Se hace la prueba de VDRL, y cuando es sospechosa se confirma con la prueba de FTA-ABS (para verificar la presencia o no de enfermedades venéreas), y también se hace un sencillo análisis de orina para detectar ciertos elementos que podrían afectar adversamente el embarazo (mayormente albúmina y azúcar). A veces se ordena un cultivo especial de orina si el doctor tiene sospechas de que podría haber alguna infección en el tracto urinario.

Algunas de estas pruebas se llevan a cabo en el consultorio del doctor. Otras requerirán una visita al departamento de patología del hospital, o a un patólogo particular. A veces el doctor saca la muestra de sangre y la envía al patólogo.

Si hay alguna duda acerca del embarazo, también se puede hacer en ese momento la prueba correspondiente.

¿Se hace en estos días una prueba para verificar si hay SIDA o no?

Depende del doctor y del hospital. Es muy posible que se hagan pruebas para detectar la presencia de los anticuerpos del VIH o SIDA, para protección del bebé, el doctor y el personal de enfermería.

¿Qué hay de la próxima visita al doctor?

7. *La próxima visita.* Se fijará un turno para la próxima visita al doctor, que será dentro de 4 semanas. Las siguientes visitas serán mucho más cortas que la primera.

Se reducirán mayormente a controlar la tensión arterial, a hacer un análisis de orina (principalmente por la presencia de albúmina, porque si ésta está presente es una indicación de que los riñones no están funcionando bien), y del aumento de peso.

La futura mamá tendrá entonces la oportunidad de informar al doctor cualquiera anormalidad que haya notado, y recibirá en este caso el consejo apropiado.

Después de la 28a. semana, los exámenes tienden a ser más abarcantes. El doctor procederá a practicar un examen del abdomen además de los otros procedimientos. Se controlará la altura del fondo del útero, ya que esto da una buena indicación del índice de crecimiento del bebé.

También se controlará la posición del feto en la matriz, ya que el médico puede determinar fácilmente dónde se encuentra cada parte del cuerpo del bebé, dónde están la cabeza, la espalda y las nalgas. Se controlará el sonido de los latidos del corazón del feto por medio de un estetoscopio obstétrico especial, y también su grado de actividad. Todos estos datos son importantes, y si se apartan de lo normal hay que averiguar por qué.

Cada doctor, por supuesto, adherirá al sistema que le ha dado mejores resultados a lo largo de los años. De manera que si su doctor tiene un sistema que difiere de éste, no se alarme. No caben muchas dudas de que todos los factores importantes se irán cubriendo poco a poco. El doctor puede decidir hacer ciertos exámenes antes o después, según las circunstancias, de manera que le conviene aplicar estas sugerencias constantemente.

Más tarde es posible que se ordenen análisis de sangre adicionales. Si la cantidad de glóbulos rojos no fuera satisfactoria en el primer análisis, es seguro que habrá uno o dos análisis más adelante.

Si hay alguna duda acerca de los problemas que podría provocar el factor Rh, se requerirán más análisis a medida que el embarazo sigue su curso.

¿Cuál es el valor de todas estas pruebas?

Cada prueba se lleva a cabo por una razón especial. Son para asegurarse de que la madre y el bebé en gestación permanezcan bien durante todo el embarazo, y que lo seguirán estando cuando éste llegue a su fin. Estas pruebas nunca se hacen arbitrariamente y sólo por hacer algo.

El aumento de peso implica un riesgo

El control del peso es importante. La fu-

Cómo afecta al útero el embarazo

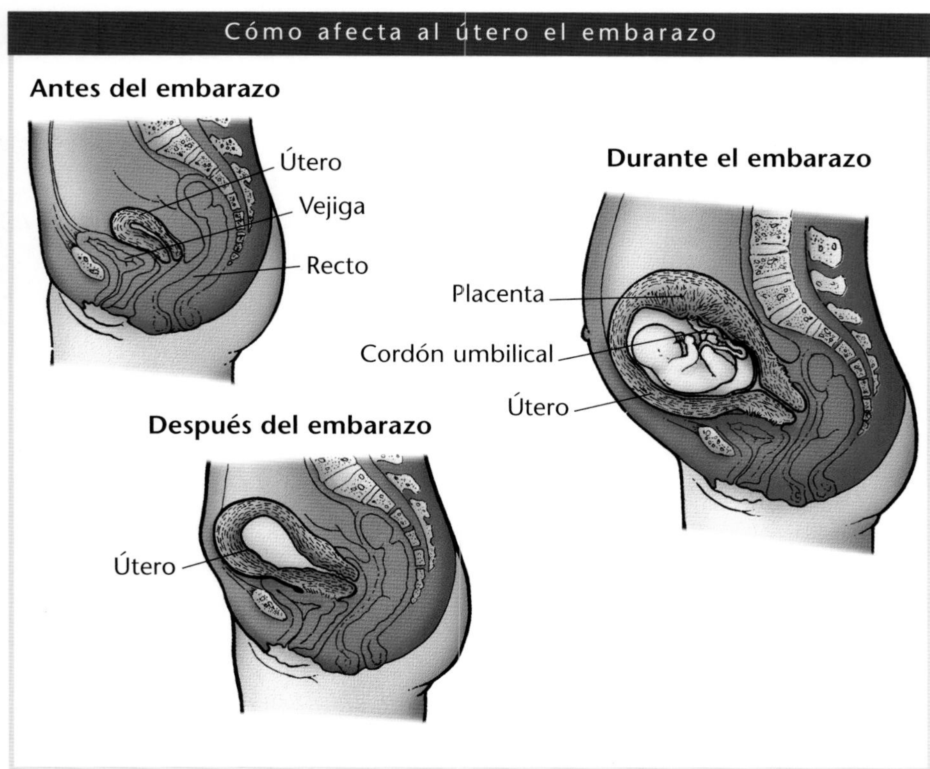

tura mamá no debería aumentar más de 1/2 kg por semana. Si se pasa de esto, podría indicar un riesgo creciente de que más adelante se produzca una eclampsia, una de las más graves complicaciones del embarazo.

El control de la tensión arterial también es muy importante. Muchos doctores consideran 14/9 es el límite normal máximo. Si la tensión comienza a elevarse por encima de estas cifras, es causa de preocupación y una invitación a actuar, porque una de las graves complicaciones del embarazo se caracteriza precisamente por una repentina elevación de la tensión arterial. La única manera de detectarla consiste en hacer controles periódicos y exactos de la tensión arterial.

Los análisis de orina tienen por objeto descubrir en ella una sustancia que se llama albúmina, que es proteína pura. Si aparece, eso indica que no todo anda bien, y que se debe actuar de inmediato. Puede ser la advertencia de que está comenzando una grave complicación médica.

Los análisis de sangre también son importantes. La cantidad de glóbulos rojos presentes en ella permite evaluar clara y acertadamente la calidad de la sangre de la madre. Esto se hace al principio. Si la cantidad de glóbulos rojos es reducida, se debe prescribir el tratamiento adecuado para que lleguen a su nivel normal.

Se recomienda la repetición de este análisis después. De esta manera se pueden hacer evaluaciones periódicas, si el doctor lo considera necesario.

De tanto en tanto el doctor puede decidir que se necesitan otras pruebas, según las circunstancias en una determinada consulta. Cumpla con estos requerimientos. Son todos para su bien, y se los prescribe para beneficiar especialmente a su bebé.

Cuando todo sale al fin como usted lo esperaba, mucho de esto será consecuencia de su propio esfuerzo, como también de los esfuerzos y las recomendaciones de su doctor. De manera que haga caso de las recomendaciones que se le hacen.

capítulo 3

EN ESTE CAPÍTULO

- La esterilidad y sus problemas psicológicos.
- Los factores masculinos y femeninos relacionados con la esterilidad.
- Avances recientes.
- Los programas denominados IAD, FIV, TIFG y la posible intervención de la cirugía.
- El valor de las clínicas dedicadas a la fertilidad.

¿Por qué no puedo quedar embarazada?

Algunas parejas no consiguen un embarazo por más que se lo proponen – Las causas de esto pueden encontrarse tanto en el hombre como en la mujer – Se usan muchos métodos dignos de confianza – Las clínicas especializadas disponen de excelente tecnología – Hay disponibles buenos métodos para lograr embarazos – Cada día se desarrollan nuevos métodos.

Una notable paradoja del curioso mundo en que vivimos es que mientras la mitad de las mujeres toma todas las precauciones posibles para que no se produzca un embarazo, o está intentando ponerle fin a uno en caso de que se haya producido, la otra mitad hace tantos esfuerzos o más precisamente para conseguir un embarazo.

Concuerdo con esta declaración. Probablemente las proporciones no sean exactas, pero el mensaje es correcto.

La mayoría de las mujeres tiene una notable inclinación hacia la reproducción. Si consideramos las pocas horas que hay en cada período menstrual cuando el embarazo es posible, parece increíble que la población del mundo sea tan numerosa como lo es. Si no pasó de los seis mil millones, no le falta mucho para llegar a esa cifra.

Pero si hay algo peor que la superpoblación es la incapacidad total de reproducción. La masculinidad (y la femineidad) tienen como fin lograr reproducirse aunque sea sólo una vez en la vida. Las leyes fisiológicas dirigen la estructura física y mental de las personas en esa dirección. Un rápido examen de la forma como funcionan todos los órganos y sistemas pronto nos revelará que uno de los objetivos principales de la vida es la reproducción de la especie, es decir, la producción de seres semejantes a nosotros, y de sus descendientes.

Una cantidad de parejas aparentemente sanas tiene dificultades para reproducirse.

Es verdad. A esta condición se le da el nombre de esterilidad. Hubo una época cuando se creía que la mujer era la única culpable de esta situación. Pero ahora se sabe perfectamente bien que se debe a los dos sexos. En más o menos un 40% de los casos la mujer tiene que ver; en el otro 40% la falla es del hombre; y en el 20% restante el problema es de ambos.

Afortunadamente se puede hacer mucho para ayudar a las parejas que están pasando por estas dificultades. Pero no hay una panacea para todo el mundo. A pesar de los esfuerzos que se hacen, uno de cada diez matrimonios seguirá implacablemente sin hijos.

Mediante exámenes y tratamientos se puede lograr buen éxito en un 35% de los casos. Mientras más edad tenga la mujer, menos posibilidades habrá de alcanzar el éxito.

Se dice que existe esterilidad cuando una pareja no ha podido concebir después de doce meses de relaciones sexuales normales y sin usar métodos anticonceptivos de ninguna especie.

Nueve de cada diez mujeres quedan embarazadas al cabo de doce meses si se lo proponen. Un 4% más quedará embarazada al año siguiente.

No hay tiempo que perder

Pero si tomamos en cuenta que los jóvenes son los que más desean lograr embarazos, el tiempo que transcurre es perdido, y entonces invariablemente surge la presión de "hacer algo antes que sea demasiado tarde".

Así es. Esto es incluso más importante si el hombre considera que está avanzando en años y que tiene más edad que su juvenil esposa. Para él, la vida se le está yendo, y teme que el ansiado heredero no llegue nunca.

Desgraciadamente muchas parejas aquejadas por los problemas de la esterilidad entran insensatamente en la variante de consultar una serie de doctores, muchos de los cuales les podrían ayudar, pero no les dan el tiempo necesario para que logren resultados.

En términos generales, este campo es para especialistas. A muchos doctores les falta experiencia en el tratamiento de pacientes con este problema. Del mismo modo, muchos ginecólogos están tan ocupados con sus tareas diarias que no desean entrar en este terreno. Pero hay otros que han dedicado todo su tiempo y su esfuerzo a esta especialidad, y ponerse en contacto con uno de ellos es realmente reconfortante.

Pero la pareja debe entender claramente que nada es mágico en este difícil aspecto. A cada una de las personas implicadas les tomará tiempo y esfuerzo. Se necesitarán a lo menos cinco consultas mensuales con el doctor, y una plena cooperación es esencial en cada etapa del proceso.

Se debe desanimar a las parejas que desean consultar a curanderos o a los que pretenden alcanzar resultados espectaculares. En todas las áreas existen en abundancia estos personajes. Si se produce un embarazo después de haberlos consultado, lo más probable es que sea pura casualidad, y no por causa de sus conocimientos ni de su pericia. Por lo tanto, tengan cuidado.

Las parejas con problemas de esterilidad se derivan a un ginecólogo, que es un especialista en este campo.

En las últimas dos décadas la gama de las investigaciones médicas se ha ampliado mucho. Pero desgraciadamente el índice de éxitos en esta materia no ha mejorado tanto.

Es cierto. Hay quienes creen que se ha producido un valioso beneficio como fruto de estas investigaciones, a saber, la connotación psicológica que implica. Muchas de las pacientes pensarán, por ejemplo: "A lo menos algo se está haciendo". Es bien sabido que los factores psicosomáticos son una poderosa causa de esterilidad, y algunos se han animado a adelantar la cifra del 30%.

En el 40 % de los casos la causa de la esterilidad se encuentra en la mujer; pero hay otro 40 % en el que la causa está en el hombre.

Espasmos de las trompas

De qué manera estos espasmos pueden impedir los embarazos, no se entiende con mucha claridad todavía. Las tensiones, el estrés, las ansiedades, las preocupaciones por no quedar embarazadas (más una cantidad de otros factores no relacionados) pueden transmitir impulsos nerviosos al cerebro. A su vez estos repercuten en los órganos de la pelvis, y entonces se producen los espasmos de las trompas.

¿Qué significa esto? Precisamente, que se producen espasmos en las trompas de Falopio que reducen la amplitud de su canal interior. Esto a su vez produce una obstrucción de las trompas, lo que implica una barrera infranqueable que impide que el óvulo se una con el espermatozoide.

¿No le parece que en los últimos tiempos es cada vez más evidente que algunas parejas son incompatibles?

Así es. La mujer desarrolla una reacción inmunológica hacia los espermatozoides de su marido, de manera que su sistema inmunológico los destruye en cuanto llegan a la vagina. Se los llama "anticuerpos antiespermáticos". Esto significa que las posibilidades de que ese hombre la llegue a dejar embarazada son prácticamente nulas. A la vez, se ha demostrado que el esperma de ese mismo hombre ha producido embarazos en otra mujer. Este mecanismo es muy parecido al de las inyecciones inmunológicas contra el tétanos, la tos convulsa y la difteria. Estos anticuerpos antiespermáticos son actualmente motivo de estudio por parte de los investigadores, que tienen la mira de desarrollar por medio de ellos en el futuro un método anticonceptivo en vasta escala.

Regresemos a la pareja estéril.

Muy bien. Generalmente es la esposa la que consulta al médico primero. Llega convencida de que ella tiene la culpa. Con frecuencia un examen físico completo, y ginecológico en especial, no pone en evidencia ninguna patología en particular. En ese momento es esencial que se le haga un examen al marido, porque no vale la pena seguir examinándola a ella si el esposo es el que tiene la culpa.

Un estudio practicado con 1.500 parejas puso en evidencia los principales factores que producen esterilidad. A menudo más de uno de ellos se presenta en un determinado caso (por eso las cifras superan el ciento por ciento).

¿Cuáles son los factores que causan la esterilidad?

El factor masculino: 40%.

(Producción de espermatozoides defectuosos, o dificultades para mantener relaciones sexuales.)

El factor femenino:

Definida enfermedad pélvica: 12%.

Problemas del cuello de la matriz: 10%.

Factores uterinos: 4%.

Problemas de las trompas: 50%.

Factores relacionados con los ovarios: 4%.

Factores psicosomáticos: 30%.

El hombre

Tomemos en consideración al hombre.

Es esencial que se examine al hombre, o que a lo menos tenga una conversación franca con el doctor. Con frecuencia, como resultado de una charla general, el doctor puede descubrir razones importantes que probablemente desempeñen un papel integral en el problema.

El doctor averigua algo acerca de la salud del hombre en el pasado, si ha tenido paperas o alguna enfermedad de transmisión sexual (tal como se llama hoy a lo que antes denominábamos "enfermedades venéreas"). Las preguntas se referirán a la frecuencia de las relaciones sexuales, sus hábitos con respecto al alcohol y el tabaco, el volumen y la naturaleza de su trabajo; todos estos datos pueden ser muy importantes.

¿No le parece a usted que a muchos hombres les disgusta tremendamente que se les hagan preguntas acerca de su vida sexual?

Sin duda alguna. Les parece que se está poniendo en duda su virilidad y su potencia sexual. Esto, por supuesto, es una insensatez total. El doctor está allí para hacer su trabajo y para ofrecer toda la ayuda posible, tan pronto como sea posible, con el mínimo de incomodidad. Esta actitud só-

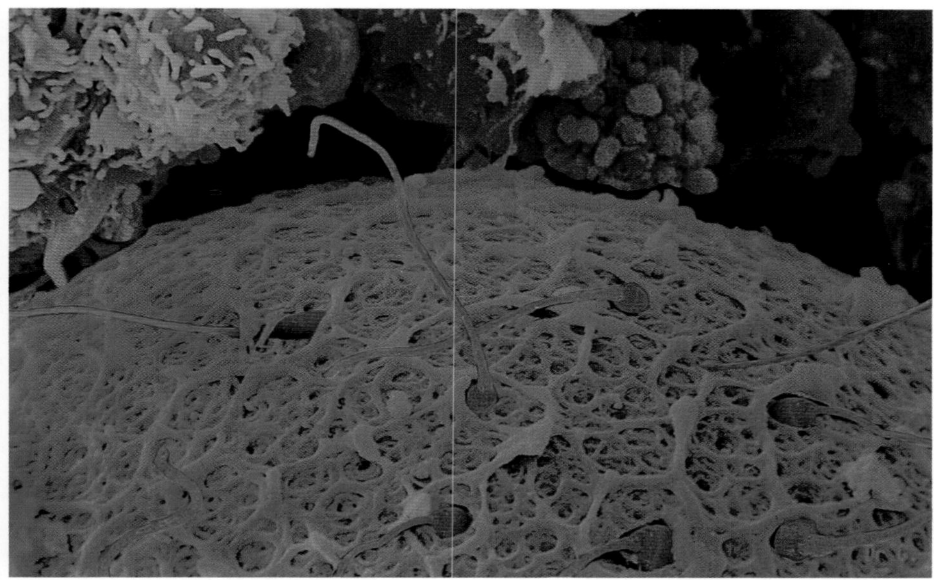

En esta imagen muy ampliada se ve a un espermatozoide intentando penetrar en el óvulo.

lo existe en la mente del hombre demasiado consciente de sí mismo, y él es el único que invoca todos esos temores imaginarios. Mientras más pronto los ahuyente, mejor será.

Si se aborda el tema con una actitud mental positiva, sin prejuicios ni fobias, habrá más posibilidades de lograr el éxito. Mientras más pronto entienda esto el marido, y decida cooperar plenamente, mejor será para la pareja.

La investigación capital a que seguramente se someterá al hombre es el examen de su fluido seminal. Este es el material que se deposita en la vagina de la mujer en el momento del orgasmo. Normalmente contiene por lo menos medio millón de espermatozoides sumamente activos, que son las células masculinas de la reproducción.

Pero el cuadro puede variar muchísimo. Si el examen del semen revela ciertas deficiencias, entonces éstas podrían ser una causa importante de la aparente esterilidad de la pareja.

Háblenos un poco acerca del semen.

Los doctores han establecido actualmente y en forma arbitraria los niveles mínimos de los componentes del fluido seminal. Si las cifras son inferiores a éstas, habrá problemas, aunque un embarazo todavía podría ser posible. Esta es la composición de un semen normal, en cifras que son el mínimo absoluto:

Volumen: 2 ml.

Cantidad: 20 millones por ml.

Movilidad: Más del 40% se sigue moviendo después de 4 horas.

Formas normales: Más del 60%.

Mientras menor sea la cantidad de semen que se produce con cada eyaculación, menos espermatozoides habrá para producir una concepción. Debe haber a lo menos 20 millones en cada mililitro. A menos que sus colas sigan moviéndose activamente varias horas después, las oportunidades de éxito se reducirán muchísimo. El espermatozoide se parece a un renacuajo (vea la figura), y se mueve con mucha rapidez gracias a su sistema de autopropulsión.

Algunos hombres producen una gran cantidad de espermatozoides deformados, que no están en condiciones de producir una descendencia normal y saludable. De modo que mientras más espermatozoides defectuosos haya, menores serán las posibilidades de que se produzca un embarazo satisfactorio. El cuerpo dispone de mecanismos propios para abortar los fetos defectuosos. Esta es una asombrosa forma de controlar la calidad de la especie. De manera que aun en el caso de que se produzca un embarazo (lo que es poco probable), es bastante seguro de que será expulsado, probablemente en la forma de una menstruación demorada. Muchos investi-

Cómo maduran los espermatozoides

Abajo: *Un conjunto de espermatozoides tal como se ven examinados por medio del microscopio.*
Arriba a la derecha: *La cabeza de un espermatozoide magnificada 15.000 veces, fotografiada por medio de un microscopio electrónico.*

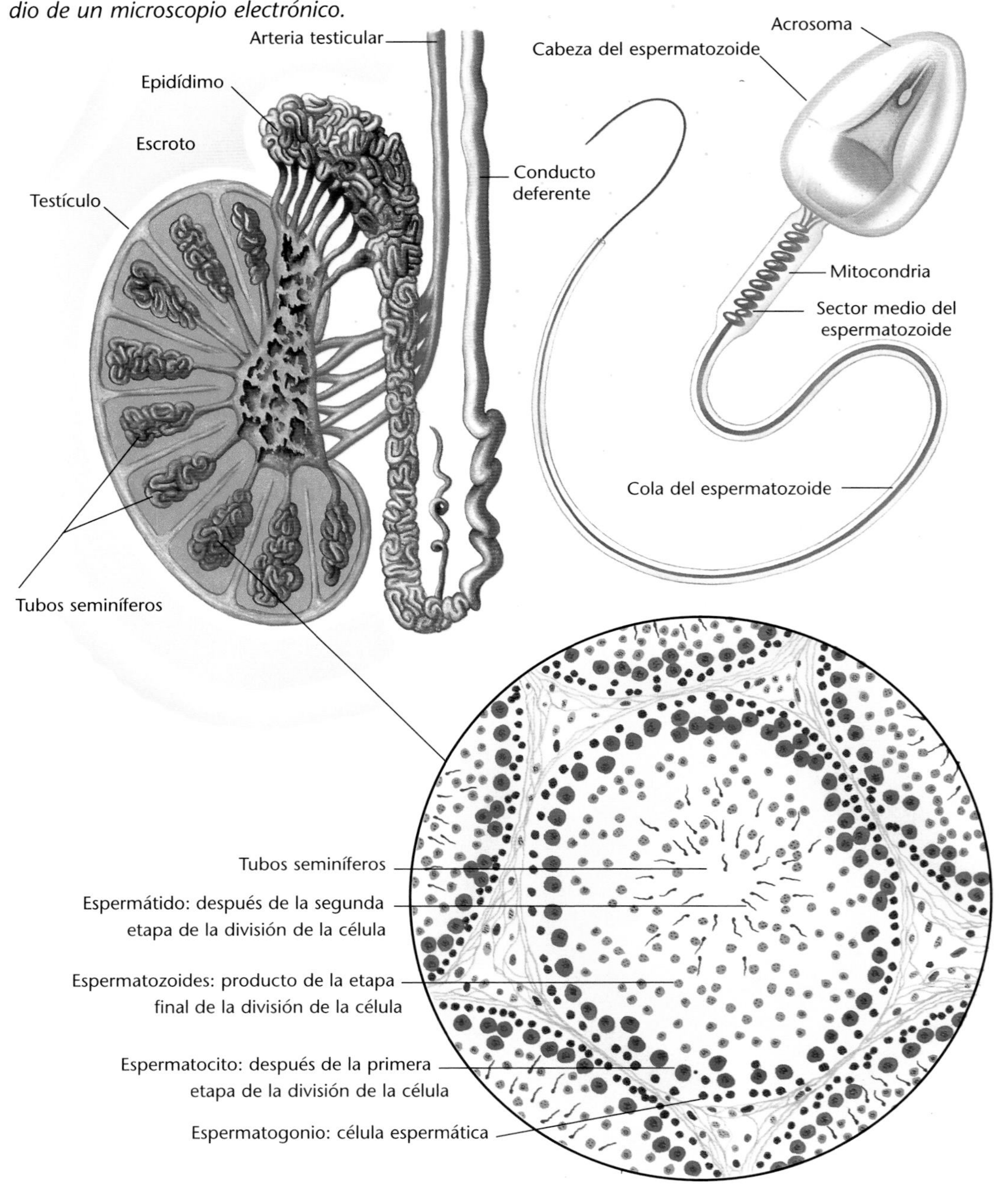

A partir de la pubertad, siempre se están produciendo espermatozoides en los tubos seminíferos. Para que lleguen a serlo plenamente, las células espermáticas básicas pasan por tres etapas de división de la célula (ilustración) antes de pasar por medio de los tubos seminíferos al epidídimo donde se los almacena. Un espermatozoide normal, maduro (arriba a la derecha) tiene una cabeza, un sector medio y una cola.

gadores creen actualmente que las leyes que rigen nuestro cuerpo le ponen fin hasta el 80% de los embarazos en su esfuerzo por producir sólo bebés normales y saludables.

Muchos médicos prefieren disponer de los informes de por lo menos tres muestras de fluido seminal antes de decidir que existen graves deformaciones. Si los tres demuestran que los espermatozoides están por debajo de lo normal, entonces se llega a la conclusión de que lo más probable es que el hombre sea la causa de la infecundidad.

A veces el semen carece totalmente de espermatozoides. A esto se le da el nombre de *azoospermia*. Pero lo más común es que la cantidad de espermatozoides es reducida y no que sean de calidad inferior.

¿Pueden producir problemas en la producción de espermatozoides las enfermedades que el paciente ha tenido?

Por supuesto. A veces la enfermedad puede producir una obstrucción en los tubos que van desde los testículos hasta la vesícula seminal, donde se los almacena a la espera de la eyaculación. Las paperas, especialmente cuando se las contrae después de los doce años, producen infecciones en los testículos en hasta una tercera parte de los casos. Se sostiene que en una tercera parte de esta tercera parte se producirán en el futuro deficiencias en la producción de espermatozoides. Ciertas infecciones, especialmente la gonorrea y otras enfermedades de transmisión sexual, que se han difundido muchísimo en la sociedad en los años recientes, también pueden producir obstrucciones y deficiencias en la calidad de los espermatozoides.

En algunos casos estos efectos los puede producir trabajar a altas temperaturas con ropa interior que oprima los testículos y los ajuste al cuerpo, aumentando así su temperatura. El hábito de fumar puede tener un efecto perjudicial, según algunos. Los estudios practicados han demostrado también que los que son lo suficientemente insensatos como para fumar marihuana, reducen sus posibilidades de producir espermatozoides.

¿Qué nos puede decir del varicocele?

El *varicocele* es una hinchazón formada por la dilatación varicosa de las venas del escroto y del cordón o tubo espermático. A veces se lo puede corregir quirúrgicamente con muy buenos resultados.

La multitud de vitaminas, hierbas, esteroides, antibióticos y hormonas que se han recetado de tanto en tanto carecen, por lo general, de todo valor como tratamiento de esta afección.

¿Cuál es la posición en cuanto a la inseminación artificial?

En los últimos años una cantidad creciente de parejas ha recurrido a la inseminación artificial con el fin de conseguir un embarazo. Es esencial que ambos cónyuges estén totalmente de acuerdo antes de dar este paso.

En algunos países, como los Estados Unidos, por ejemplo, se han establecido bancos comerciales para el almacenamiento de semen. El semen se conserva en nitrógeno líquido. Se lo proporciona a pedido, y el ginecólogo (generalmente un especialista en atender casos de esterilidad) usa este semen almacenado. Se lo introduce en el momento de la ovulación.

A este método se lo suele llamar IAD (Inseminación Artificial por un Donante), a diferencia de IAM (que sería Inseminación Artificial por el semen del Marido), que ocurre a veces, en cuyos casos se usa el semen del esposo. Pero si el examen de semen del marido demuestra que sus espermatozoides son defectuosos, se emplea el otro método, que evidentemente suscita problemas éticos, pero que se usa ampliamente y de diversas maneras.

La mujer

¿Qué se puede decir en este caso acerca de la mujer?

La mujer debe ser examinada cuidadosamente por el doctor. En este aspecto existen errores vastamente difundidos que conviene dilucidar en este momento:

1. No es necesario que la mujer experimente un orgasmo para que se produzca la concepción.

2. A menudo ocurre que se produce normalmente un derrame de semen proveniente de la vagina después de las relaciones sexuales, y esto no es señal de nada

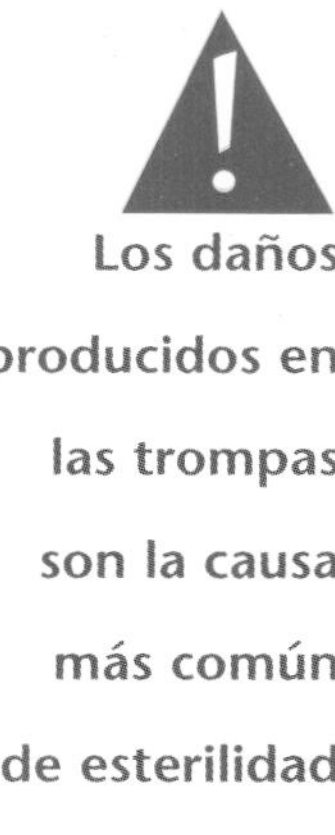

Los daños producidos en las trompas son la causa más común de esterilidad femenina.

malo.

3. La mayoría de los métodos anticonceptivos (siempre que no haya complicaciones) no reduce la fertilidad de la mujer. (Algunas mujeres experimentan suspensión de los períodos menstruales cuando dejan de usar la píldora, pero ésta es una complicación muy rara. Otras mujeres, que usan el DIU, sufren de infecciones como complicación, y esto podría producir obstrucción de las trompas más adelante.)

4. El uso de tampones vaginales durante la menstruación tampoco impide la fertilidad.

Pero existen unos cuantos factores que pueden desempeñar sus respectivos papeles en la reducción de la fertilidad. Ciertas anormalidades que se pueden desarrollar en el útero, ciertas enfermedades generalizadas (anemias, etc.), enfermedades de transmisión sexual (presentes y pasadas), y muchos otros factores pueden causar esterilidad. Se los puede descubrir mediante pruebas o tests apropiados.

Examen de las trompas

Algún impedimento en el tracto normal de las trompas es la causa más común de esterilidad femenina. Algunas infecciones, a veces no detectadas en el momento de su aparición (lo que pudo ocurrir muchos años antes), son una poderosa causa de esta condición.

La inflamación de la pelvis es una de las más comunes, que se puede producir especialmente cuando la mujer mantiene relaciones sexuales con muchos hombres sin tomar las debidas precauciones.

Se puede hacer una prueba muy sencilla para determinar si las trompas están obstruidas. La inventó un ginecólogo llamado Isidoro Rubin, y por eso se la conoce como la prueba de Rubin. Se introduce a presión dióxido de carbono en el útero. Si las trompas están expeditas en toda su longitud, la presión registrada en un manómetro caerá rápidamente a medida que el gas se difunda por la cavidad abdominal.

Pero si por lo contrario la presión permanece alta, lo más probable es que las trompas estén obstruidas. Si el gas no puede pasar, es muy poco probable que puedan transitar por ese mismo conducto los espermatozoides y los óvulos para unirse finalmente.

Otra prueba que proporciona suficientes evidencias, digna de toda confianza, y que se puede fotografiar, recibe el nombre de prueba de histerosalpingografía. En es-

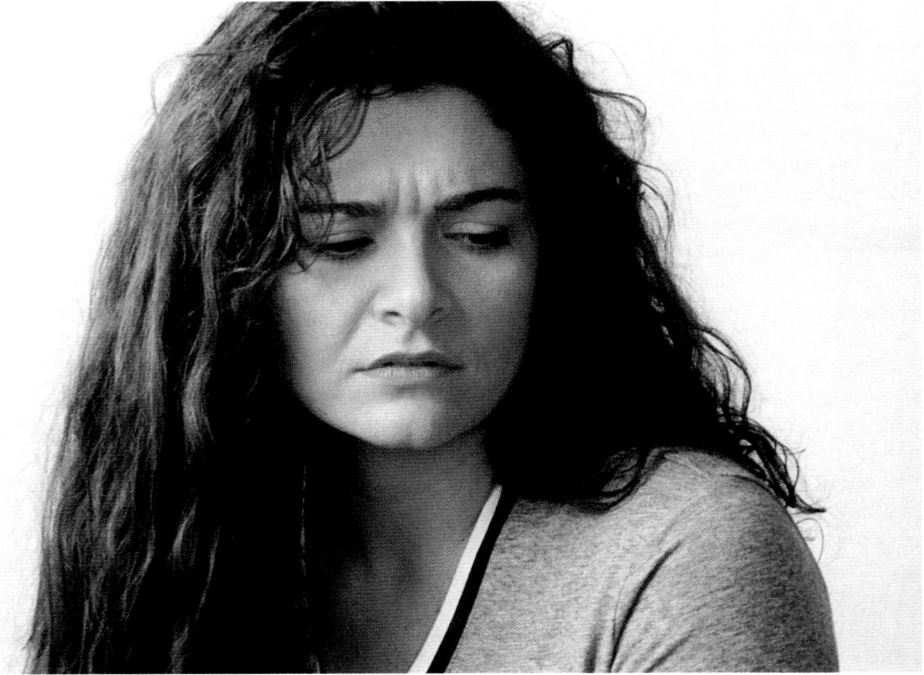

La esterilidad femenina requiere una exhaustiva investigación para determinar exactamente cuáles son sus causas.

ta prueba se inyecta a presión en el útero un líquido opaco a los rayos X. Si los trompas están obstruidas, el líquido permanecerá en el útero, y esto se puede verificar fácilmente con ayuda de los rayos X. Pero si las trompas están expeditas y no hay impedimentos, se verá que el líquido recorre toda su longitud, y que se derrama en la cavidad pélvica cuando llega al extremo.

¿Sería posible que esta prueba resolviera el problema original?

Sí. A veces el estudio se convierte en tratamiento. La presión, aunque suave, puede eliminar una obstrucción menor. Pero con toda probabilidad no logrará hacerlo si la obstrucción es más grave.

Cuando existe obstrucción de las trompas, a veces se recurre a la cirugía plástica. Los resultados positivos rondan el 25%. Este método parece bastante accesible gracias a los progresos actuales de la microcirugía. No hay carencia de material para injertos (consecuencia de la gran cantidad de histerectomías que se llevan a cabo diariamente en los hospitales más importantes). Es posible que las plenas posibilidades de este sistema estén apenas comenzando a manifestarse. Las cifras actuales podrían ser muy pobres a la luz de lo que el futuro nos podría deparar.

Otras pruebas

¿Qué nos podría decir acerca de otras pruebas que se pueden hacer?

Se han ideado otras pruebas que tienen diversos índices de éxito.

En los estudios acerca de la esterilidad, determinar la fecha de la ovulación es un método que se practica ampliamente. Es bien sabido que la progesterona eleva la temperatura general del cuerpo. Por lo tanto, si se toma la temperatura sistemáticamente cada día, se puede obtener información muy valiosa.

Esto se debe llevar a cabo en ciertas condiciones básicas. Significa que se lo debe hacer antes de que la paciente se levante por la mañana, antes de que coma o tome líquidos, y preferiblemente antes de que abra la boca para que no entre aire frío. Los resultados se anotan en un gráfico. A menudo, justamente antes de la ovulación, la temperatura desciende ligeramente. A esto le sigue un súbito ascenso de hasta medio grado. Esta temperatura se mantiene durante todo el ciclo (y mientras se esté produciendo activamente la progesterona).

Teóricamente, las relaciones sexuales practicadas en el momento de la ovulación, o dentro de las 48 horas siguientes, deberían producir un embarazo, con todos los demás factores en su respectivo orden. A menudo esto es precisamente lo que sucede, y la mayoría de los doctores cree que vale la pena hacer la prueba, si ambos cónyuges son normales. Algunos descalifican este método con el argumento de que en este caso a las relaciones sexuales las determina el termómetro y no los sentimientos o el deseo de los cónyuges. Algunas mujeres, por otra parte, pueden desarrollar una especie de "fijación por la temperatura", y esto puede producir barreras psicológicas, justamente lo contrario de lo que se desea conseguir.

Todo esto parece medio complicado.

Y lo es. También se usan otros métodos. Se extraen células de la vagina y se las examina; se hace lo mismo con el mucus del cuello de la matriz; se hacen biopsias de la membrana interna del útero (endometrio) para examinarla, y se ensaya con hormonas.

Si la ovulación es defectuosa, algunos medicamentos, entre ellos el clomifeno, pueden conseguir que se produzca una ovulación. Este producto, aunque da buenos resultados, es famoso por producir en algunos casos embarazos múltiples cuando se lo usa.

Otro medicamento, llamado bromocriptina, por alguna razón puede resolver el problema en un tiempo asombrosamente breve en mujeres que no están ovulando. Se lo debe administrar bajo estricto control médico, pero parece que estimula la reaparición de la ovulación, aunque no haya habido señales de esto (evidenciadas por la falta de menstruaciones) por meses y hasta años.

Muchas mujeres han dado a luz bebés, todos normales y saludables, después de este tratamiento, y al parecer esto le resolverá el problema a algunas mujeres previamente estériles.

La esterilidad causa tensión en la pareja, y requiere una cabal investigación.

Con el nuevo test de inmunoensayo de que disponemos ahora, se ha descubierto que una hormona conocida como prolactina, si está presente en concentraciones más bien elevadas, puede impedir la ovulación. A su vez la bromocriptina inhibe la acción de la prolactina, de manera que la ovulación puede comenzar otra vez.

¿Qué se puede decir de los factores psicológicos?

Los mencionaremos de nuevo, porque parecen ser un factor predisponente muy común de todo este problema.

Todos los doctores y muchos lectores se habrán encontrado alguna vez con la situación de que una pareja aparentemente estéril decidió adoptar un bebé. Los casos en que estas decisiones (sin hablar de todos los trámites que implican) se vieron seguidos en pocos meses por el embarazo de la esposa son tan abundantes, que han dejado de ser noticia.

Esto de nuevo nos indica de que a pesar de que los sucesivos fracasos parecen irreversibles, el éxito a menudo puede aparecer de la forma más inesperada.

Todos los doctores se pueden referir a casos inusuales, con los cuales han tenido contacto personal.

Sí. A continuación presentamos sólo dos, muy diferentes del que acabamos de mencionar.

Una mujer, aparentemente normal y saludable, nunca tuvo más de dos menstruaciones por año. Con frecuencia era sólo una. Antes de casarse su temor más grande era que nunca podría concebir por esta razón. Se casó muy feliz a los 21 años, y en cuatro años dio a luz a tres bebés normales y sanos.

Una pareja casada desde hacía cuatro años aparentemente no podía concebir. El hombre tenía azoospermia, es decir, total ausencia de espermatozoides en el semen. Se hicieron arreglos para una adopción, y se hicieron todos los trámites pertinentes. A los siete meses la señora quedó embarazada, y dio a luz después a un bebé normal. Un análisis posterior confirmó que el marido era azoospérmico.

Los mal pensados dirán que ella tuvo relaciones con otro hombre, pero un conocimiento de la familia y sus hábitos nos indica que no fue así. Lo más probable es que el marido no era en realidad azoospérmico, y aparentemente estaba en condiciones de producir de vez en cuando las cantidades adecuadas de espermatozoides. Fue lo suficientemente afortunado de dar en el blanco —por así decirlo— esa vez.

Hemos insertado estas dos historias para demostrar que el tema de la esterilidad es extraño e inexplicablemente caprichoso. Nunca se debería perder la esperanza. Piense en el éxito, y al parecer por fin se producirá.

Importantes progresos

En los últimos pocos años los diagnósticos y los tratamientos relativos a la esterilidad han hecho progresos importantes. Nuevas técnicas —tecnología de punta—, nuevos medicamentos y nuevas investigaciones han revolucionado el tema. ¿Qué podría decirnos al respecto?

¡Exactamente! El paso más importante

se dio en 1978, cuando el Dr. Patrick Steptoe, un ginecólogo británico, ideó el laparoscopio (con la ayuda de otros) y produjo el primer "bebé de probeta" (que ahora se llama Louise Brown), y de esta manera revolucionó la obstetricia.

Aunque murió diez años después, se lo considera el padre de los tratamientos modernos relacionados con la esterilidad. Hoy se conoce este método por la sigla FIV (Fertilización in Vitro), pero abarca una amplia y creciente gama de técnicas médicas y quirúrgicas, todas ellas orientadas hacia la obtención de embarazos (y el nacimiento de bebés) para parejas que hasta ese momento se consideraban estériles.

Aunque se siguen usando el IAD y el IAM, hoy se considera que estos métodos son bastante toscos para lograr embarazos. Se llevan a cabo cuidados estudios de la paciente, y se le hacen tests complicados para determinar su verdadera condición. Si parece ser una candidata adecuada, se la puede invitar a participar en un programa de FIV, o tal vez un TIFG (Transferencia Intrafalopiana de Gametos), o algún otro sistema. En la actualidad existen diversos métodos, y numerosas clínicas especializadas en diferentes técnicas.

¿Cuál es la base de todos estos métodos?

Generalmente el objetivo consiste en lograr que haya ovulación en la mujer. Entonces se extraen de su cuerpo varios óvulos (por medio del laparoscopio), y se los transfiere a otro dispositivo en el cual se le añade semen (del esposo o de un donante). Entonces los óvulos fecundados se transfieren ya sea a la matriz de la mujer o a sus trompas. Se espera que uno o varios se desarrollen como si fuera un embarazo normal. Esto es, en términos sencillos, lo que ocurre.

¿Tiene siempre éxito este procedimiento?

En realidad, el índice de fracasos es bien alto. Pero muchas mujeres, una vez que están participando del programa, persisten en él hasta lograr el éxito, o sencillamente al parecer nunca van a quedar

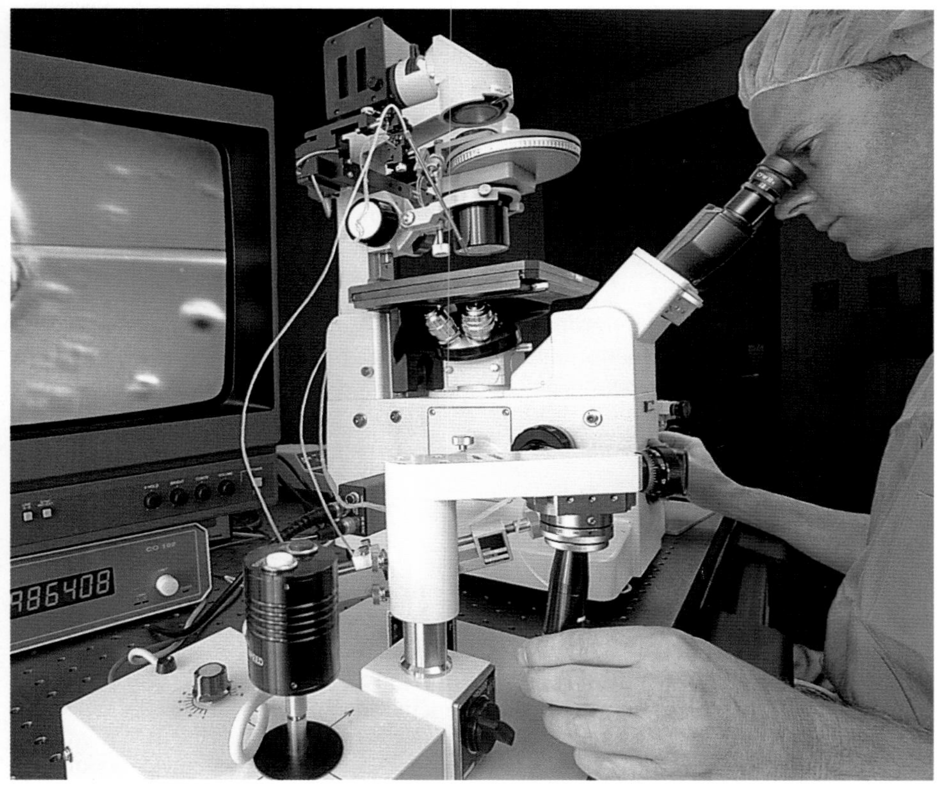

Nuevas técnicas y métodos de alta complejidad ayudan hoy a superar el problema de la esterilidad.

embarazadas, a pesar de las medidas que se tomen. Ya han nacido miles de bebés como consecuencia de este método.

¿Es posible la aplicación de estos métodos en los países latinoamericanos?

Lamentablemente carecemos de estadísticas al respecto. Por lo demás, América Latina nunca ha sido famosa por sus estadísticas. Lo que sí sabemos es que en algunos países latinoamericanos no es posible hacer esto libremente por razones religiosas. Pero sabemos que incluso en estos países estas técnicas se suelen llevar a cabo en forma restringida, por cierto, y con muchísima discreción.

Entendemos que también se usan otros métodos y tecnologías. ¿Podríamos tener un resumen de algunos de ellos, además de lo ya mencionado?

Muy bien. ¿Qué le gustaría saber?

¿Qué se entiende por laparoscopía?

Significa usar un aparato que se llama laparoscopio. Se lo inserta en la cavidad abdominal a través de una pequeña incisión practicada debajo del ombligo, lo que le brinda al ginecólogo una excelente visión del contenido de la zona pélvica. Muchas afecciones, que antes no se podían diagnosticar, ahora se pueden descubrir fácilmente. Entre ellas se encuentran las causas de la esterilidad, y la información así obtenida se usa para la fertilización in vitro.

¿Qué papel desempeña la prolactina?

Se ha descubierto que esta hormona es la causante de numerosos casos de esterilidad. El ensayo radioinmunológico puede descubrir niveles demasiado elevados de esta hormona, que inhiben la ovulación y el embarazo. Esto, más el uso de la bromocriptina, ha revolucionado el tratamiento de muchas mujeres. Algunos casos los produce un pequeño tumor no canceroso que se llama adenoma de la glándula pituitaria, ubicada en la base del cerebro. Además de reducir los niveles de la prolactina y favorecer la ovulación, los tumores pueden ser eliminados con mucho éxito mediante radiación, o quirúrgicamente.

¿Cuál es su opinión acerca de los "bancos de semen"?

Se los encuentra ahora en numerosos hospitales de los países donde se permiten estas técnicas, y muchas mujeres en diversas partes del mundo reciben con éxito tratamientos regulares llevados a cabo por los médicos que trabajan en esos establecimientos. Es una especialidad de muchísimo éxito que en muchos lugares está plenamente disponible, y que proporciona semen para la fecundación in vitro y otros programas similares.

Hemos oído que la microcirugía puede ayudar.

Se han hecho progresos notables en este terreno, y se ha tratado a muchas mujeres con esta especial e intrincada forma de cirugía. En los países que la permiten está plenamente disponible, y muchas veces puede rectificar la causa de la esterilidad.

Investigaciones en una clínica de fertilidad

Si una pareja desea participar activamente en una investigación relativa a su propia esterilidad, ¿cuál le parece a usted que es la mejor manera de lograrlo?

Esto se puede llevar a cabo privadamente al consultar a médicos (y clínicas) donde se estudia y se trata todo el problema (lo que por cierto cuesta una buena cantidad de dinero).

Como alternativa, la pareja, en los países donde esto funciona, puede visitar los hospitales que cuentan con clínicas de fertilidad. Actualmente se las denomina Unidades de Reproducción Humana (porque algunos todavía le adjudican un estigma a la palabra "esterilidad"). Muchos grandes hospitales en diversos países del mundo cuentan con estos servicios.

¿Tienen éxito?

Por supuesto. Si tomamos el caso de Australia y lo usamos como ejemplo, 250.000 parejas están aprovechando estos servicios relacionados con la esterilidad. Esto representa entre el 10 y el 15% de la población adulta del país, una cantidad ciertamente apreciable. Ya han nacido varios miles de bebés de parejas que de otra manera nunca habrían logrado reproducirse.

Fertilidad, sus problemas y tratamiento

Fertilización normal

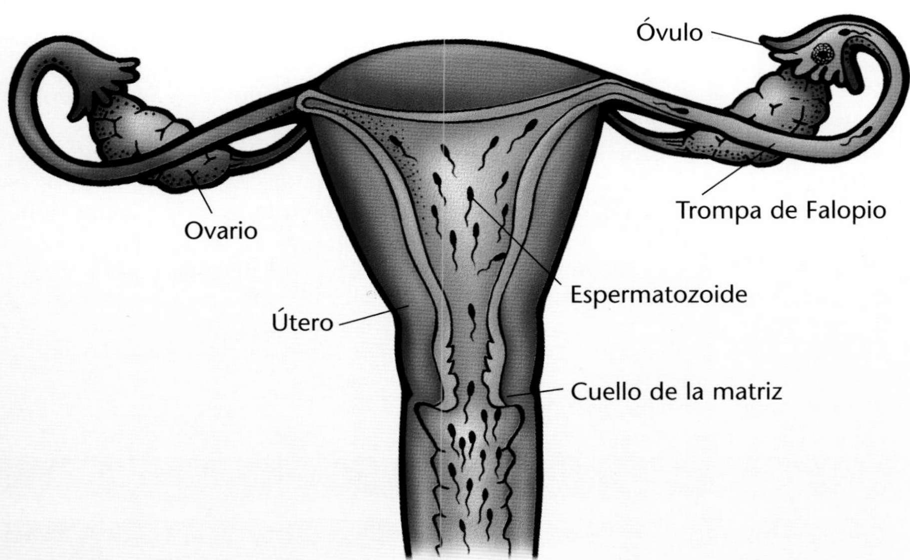

La fertilización es el acontecimiento más importante del calendario de la fertilidad. El proceso normal es intrincado y frágil.

Un óvulo madura en el ovario.

La ovulación libera al óvulo y éste se traslada a la trompa de Falopio.

El semen está en constante producción en el hombre. Los espermatozoides quedan almacenados entre dos y tres meses.

La eyaculación libera más de 500.000 espermatozoides y los deposita en la vagina de la mujer. Los espermatozoides avanzan rápidamente a través del cuello de la matriz, después por el útero y finalmente llegan a las trompas de Falopio.

Horas después de la ovulación, un óvulo y un espermatozoide se unen. Esa unión se produce en un momento cuidadosamente cronometrado dentro del ciclo menstrual. Generalmente es el día 14 si el ciclo es de 28 días.

La complejidad del acontecimiento que enfrenta al óvulo y al espermatozoide significa que incluso las parejas fértiles disponen de un 25% de posibilidades de producir un embarazo dentro de un período menstrual. *Y esto es precisamente un 25%.*

Esterilidad

Es la incapacidad de procrear (de lograr un embarazo). Este problema afecta a entre el 10 y el 15% de las parejas. Las pruebas de fertilidad investigan el problema. Estas pruebas muchas veces conducen a diagnósticos.

Una evaluación de fertilidad pregunta...

1. ¿Existen óvulos adecuados?
2. ¿Hay semen en suficiente cantidad?
3. ¿Se pueden poner en contacto el óvulo y el semen?

4. ¿Se puede implantar un embrión?

Responsabilidad...

La responsabilidad de este problema se divide entre los dos cónyuges.

- El 40% de los casos es de responsabilidad del hombre.
- El otro 40% de los casos es de responsabilidad de la mujer.
- Una combinación de estas situaciones, o sin causa determinada, es el 20% restante.

Factores femeninos...

- Ciclos menstruales irregulares.
- Desequilibrio hormonal.
- Adherencias pélvicas (tejido cicatricial).
- Las trompas de Falopio no funcionan.
- Endometriosis (desplazamiento del tejido uterino interior).
- El mucus del cuello del útero es hostil a los espermatozoides.
- Existen anticuerpos que destruyen los espermatozoides en los fluidos del organismo.

Factores masculinos...

- Anormalidades en los espermatozoides.
- Muy pocos espermatozoides o ninguno.
- Poca movilidad de los espermatozoides.
- Aumento de los espermatozoides deformados.
- Agrupamiento de espermatozoides provocado por anticuerpos.

Puede ser causado por el aumento de tamaño de una vena en torno del canal del esperma o a obstrucciones de este conducto.

Factores combinados...

Problemas menores, entre los que se cuentan ovulaciones esporádicas y cantidades reducidas de espermatozoides, se pueden agregar a las anteriores.

El tratamiento

Un espermatozoide normal, dotado de gran movilidad, tiene muchas posibilidades de producir un embarazo. Los espermatozoides anormales, dotados de poca movilidad, muy posiblemente no darán buenos resultados.

Un diagnóstico correcto determina el tratamiento. Se prueban primero las soluciones más sencillas. Se deben usar combinaciones de tratamientos.

Control de la ovulación...

Esto asegura óptimas posibilidades de conseguir la fertilización.

Las técnicas disponibles...

1. **Control de la ovulación.** Existen medicamentos que controlan la maduración del óvulo. Hay medicamentos especiales para problemas especiales.
2. **Inseminación.** Si se usa el semen del cónyuge: se lo introduce por el cuello de la matriz. Se puede usar el semen congelado de un donante. A esto se lo llama factor masculino.
3. **Cirugía conservadora.** Reconstrucción de las trompas en la mujer y de los conductos deferentes en el hombre. Extirpación de la endometriosis. Eliminación de tejido cicatricial.
4. **Fertilización in vitro (FIV).** Se la usa con muchos diagnósticos. Básicamente se pasan por alto las trompas de Falopio. Fertilización en el laboratorio "in vitro". Los óvulos se obtienen quirúrgicamente. Se los insemina. Se desarrollan durante 48 horas. Se los transfiere quirúrgicamente a la matriz.

5. **Transferencia intrafalopiana de gametos.** Se usa este método cuando no se encuentra la causa del problema. El funcionamiento normal de las trompas de Falopio es esencial. Los óvulos se obtienen quirúrgicamente. Se los coloca, junto con el semen, en las trompas. La fertilización ocurre en las trompas.

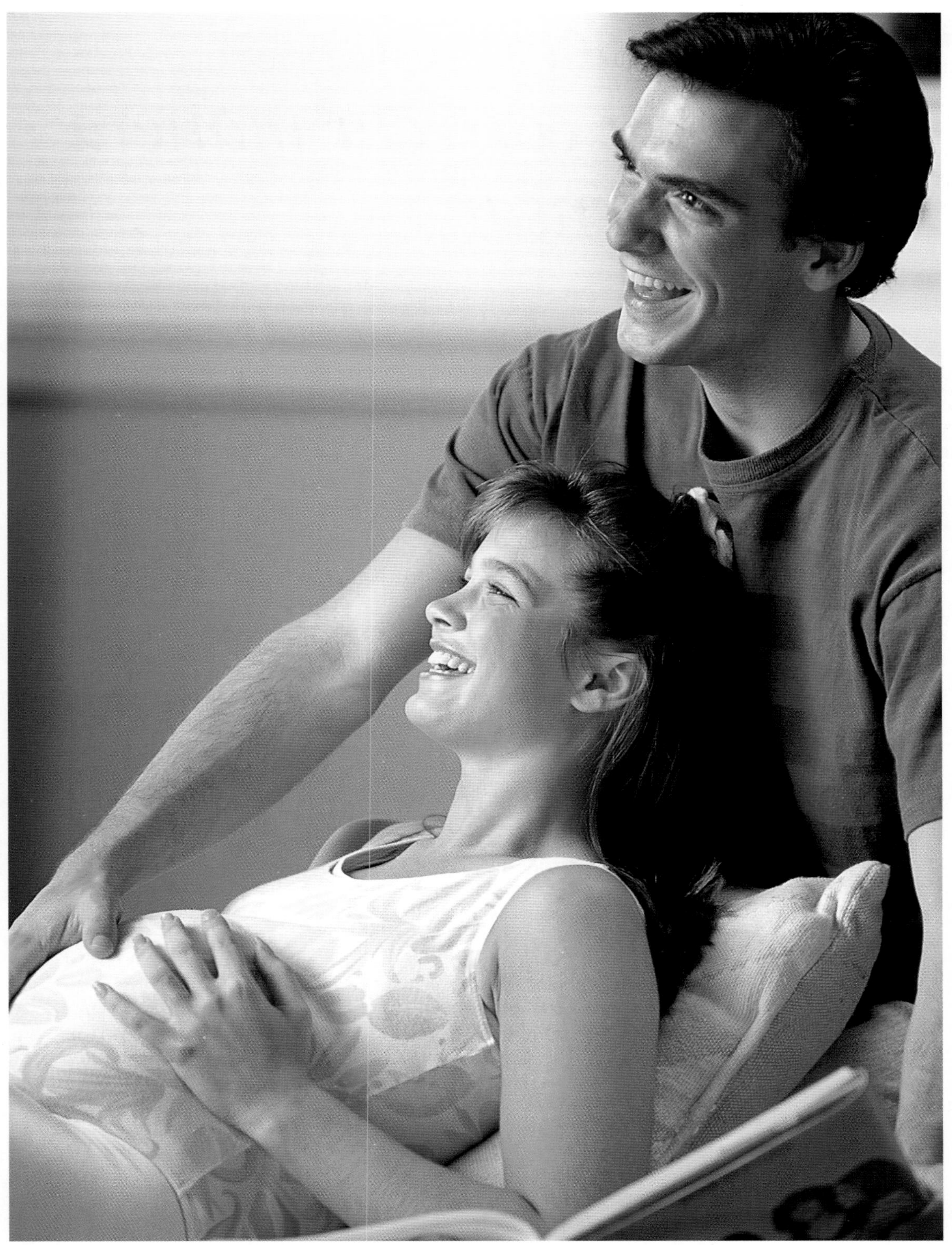

Un sistema de entrenamiento prenatal que aplique técnicas de relajación prepara a la futura mamá para reaccionar positivamente a las contracciones que se producen durante el parto.

capítulo 4

EN ESTE CAPÍTULO

- Pensamientos positivos orientados hacia el éxito.
- Un método de educación para toda la familia.
- El valor de las respuestas sinceras.
- Entrenamiento para el gran día.
- La preparación es vital.

Los beneficios de la correcta manera de pensar

Una actitud mental positiva es esencial durante el embarazo – Cuando se toman los baños es un excelente momento para educar a la familia – Aprenda los principios básicos de la relajación – Si los aprendemos, podremos hacer frente con éxito a las tensiones de cada día – Los beneficios de una vida libre de tensiones.

¿No le parece que el embarazo, después de todo, es una situación sumamente normal?

Claro que sí. Usted no es "paciente" —aunque la llamemos así—, puesto que una paciente de verdad recibe atención médica por causa de una enfermedad. El embarazo es una manifestación normal y natural de la vida. Así como comer, dormir y hacer ejercicios son normales, aspectos cotidianos de una vida saludable.

El embarazo es solamente el empleo temporario de una porción definida del cuerpo que sólo se usa de vez en cuando. Es sencillamente una consecuencia de la actividad sexual normal.

¿Hay mujeres que deberían considerar el embarazo de acuerdo con este enfoque?

Por supuesto. Una vez que se han convencido de que es un fenómeno natural, muchos de los conceptos raros que a menudo rodean al embarazo —incluso en estos días que consideramos modernos— quedarán definitivamente en el olvido. Es el mejor lugar que pueden ocupar. No tienen otro en estos tiempos modernos, cuando hemos entrado en el siglo XXI.

Pero, aunque parezca extraño, las ideas antiguas tardan en morir. Un sólido conjunto de ideas creadoras de problemas todavía persiste entre nosotros, perpetuando extrañas fantasías y falacias de una era ya extinguida.

Afortunadamente, sin embargo, uno de los efectos benéficos de la era actual de iluminación y de franqueza, es la gradual erradicación de muchas de esas ideas antiguas e insensatas acerca del sexo y la sexualidad.

Si una está embarazada, no es inválida, ¿no es cierto?

Claro que no. Sólo está entrando en otra etapa de la vida de una mujer. Y extraordinaria, además de gratificante tanto desde el punto de vista de lo mental como de lo psicológico. Nunca olvide esto. Manténgalo firmemente afianzado tanto en su consciente como en su subconsciente. Que quede allí para siempre. De esta manera usted se estará fortaleciendo a sí misma contra cierta información insensata que le puede llegar mientras está embarazada. Ciertamente no eliminará todos los obstáculos. Pero pensar es un factor importante de la vida diaria, y la mujer embarazada no es la excepción de esta regla.

"Así como piensa el hombre, así es", dice el Libro de Dios. Esto se aplica a mu-

chos factores de la vida diaria. Incluye el embarazo. Estoy seguro de ello, aunque no se lo mencione específicamente en este texto.

El pensamiento positivo

¿Se refiere usted a que debemos pensar en el éxito?

Por supuesto. Si usted elabora pensamientos felices orientados hacia el éxito, las posibilidades de logros positivos serán más seguras en su vida. Elabore pensamientos sombríos, tristes y de infelicidad o dolor, y tendrá más posibilidades de caer en esos problemas. Hay muy poca duda acerca de esto, ya que incontables millares de mujeres lo han declarado así.

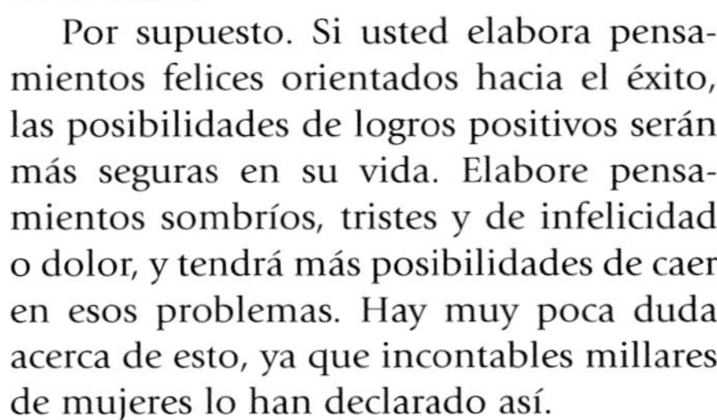

El embarazo debería ser motivo de felicidad no sólo para usted sino también para toda la familia.

Nadie les dijo a los animales que su existencia tiene que estar llena de dolor, sufrimiento y horror, de manera que se deslizan por ella con total tranquilidad. Numerosas tribus "carentes de educación", según lo suponemos, nunca recibieron información en el sentido de que sus mujeres deben esperar sufrimientos, agonías y las torturas de los condenados cuando tienen que dar a luz, de manera que no los esperan. Y de acuerdo con los informes de muchos investigadores testigos de los sucesos, sufren muy poco dolor físico o mental cuando llega ese momento.

¿No le parece que todo eso del dolor y el sufrimiento está sólo en la mente?

Claro que sí. Desde el momento cuando se le confirmó a usted el embarazo (y preferiblemente mucho antes de eso, cuando tuvo la primera impresión al respecto), comience a programar correctamente su mente. Hágalo con regularidad, preferiblemente todos los días, y varias veces al día.

"Esto es normal y natural, y tengo la intención de disfrutar de cada momento de mi embarazo", se dice usted a sí misma con palabras claras y dichas en voz alta. Repita ese mensaje muchas veces en el curso del día, y justo antes de retirarse a descansar. Repítalo si se despierta durante la noche, y dígalo de nuevo, como la primera cosa, al despertarse en la mañana.

Gradualmente, como consecuencia de esta constante infusión de ideas positivas, felices y de éxito, su subconsciente se estará programando para esperar y alcanzar lo mejor.

No se pueden exagerar los beneficios psicológicos de una programación positiva y práctica de la mente.

Claro que no. Trate de vivir una vida sensata, normal y natural. No se ablande a sí misma. Esto sólo la conducirá al fracaso. Ciertamente, las leyes que rigen la mente "harán lo suyo" en su debido momento. Pero usted estará cometiendo una injusticia contra sí misma si se vuelve negativa en estos momentos tan vitales. Es un instante cuando usted debe estar feliz y contenta.

No es sólo un momento de felicidad para usted, sino para toda la familia también. Su esposo debe estar más que contento al ver cómo crecen en usted las ganas de vivir. Si ya hay otros miembros en la familia, que compartan el secreto. No hay nada como el estar juntos, en familia, cuando se espera la llegada de otro integrante de ella.

Educación para la familia

¿No le parece que este es un momento ideal para darle un poco de educación a la familia al respecto?

Claro que sí. Ofrece una de las mejores oportunidades que se pueden encontrar para explicarles a los chicos "los hechos de la vida", como se dice.

Depende en cierta medida de la edad de los chicos. Pero usted se sorprenderá al descubrir cuán inteligentes son con respecto a este tema, aún los más pequeños. Son sumamente observadores. Hasta los pequeñines están programados para absorber lo que oyen y lo que ven. Todo esto es parte del proceso del crecimiento. Es la forma como la psiquis incorpora en sus mentes conjuntos de informaciones que los acompañarán por el resto de la vida.

Muchos no dejarán de notar los cambios que se producen en el cuerpo de la mamá. Harán preguntas. La forma más sencilla y más fácil de solucionar el problema es darles respuestas directas y honestas.

Dígales que la mami está esperando otro bebé. Deje que los chicos toquen ese abdomen que crece cada vez más. Déjelos que lo sientan ellos mismos, que lo oigan.

El sentido del tacto es muy agudo en los niños. Fácilmente captarán los movimientos del feto cuando éstos se produzcan. Los llenará de orgullo y felicidad.

En resumen, es una buena oportunidad de revelarles los hechos de la vida a los otros niños.

En efecto. Si surge la oportunidad, y muchas veces aparecerá, explíqueles con algunos detalles cómo llegó el bebé allí. No se sienta ni perturbada ni incómoda. Los chicos no albergarán esos sentimientos; entonces, ¿por qué usted?

Muéstreles

Muéstreles cómo llegó allí la semillita. Indíqueles cómo saldrá el bebé de allí. No señale el ombligo para decir "por aquí". Lo hacen cantidad de futuras mamás no muy inteligentes, y la verdad es que esto es insensato. Sáquele el máximo de provecho a cada oportunidad, y nunca se sentirá incómoda cuando descubra que sus hijos se refieren a los hechos de la vida tal vez con alguna crudeza si se trata de un chico un tanto precoz.

Usted ya les ha dicho todo, poco a poco. Esta es la forma más natural, eficaz y beneficiosa de presentar la historia de la vida, del sexo y la reproducción a su creciente familia. Aproveche toda oportunidad, y sáquele el jugo mientras dure.

¿No le parece que la hora del baño también ofrece excelentes oportunidades?

Ya lo creo. En esas ocasiones los chicos están desnudos. Esta circunstancia ofrece una excelente oportunidad para hablar provechosamente acerca del cuerpo, sus funciones y su potencial.

Incluso en estos días de tremendos adelantos, muchos jovencitos todavía no tienen una idea clara acerca del sexo y la reproducción. Aprenden de contramano, de mala manera. Abundan las revistas y los libros baratos. Pero la mayoría de ellos presenta una versión torcida del tema, resalta el lado sensual del asunto, y se explaya demasiado en el placer, al punto que muchísimos jóvenes creen que se trata sólo de eso y nada más.

Las palabras sencillas de una madre embarazada que habla con sus hijos en un idioma que ellos pueden entender, con frecuencia le pondrá el fundamento a una comprensión sensata y sólida del sexo en toda su verdadera belleza. Aproveche la oportunidad de hacer esto en cuanto aparezca.

¿No le parece que los chicos, aun en su tierna infancia, están ya adquiriendo ciertos valores? Enfrentan la vida con honestidad. Aceptan, a veces sin discutir, la información que se les imparte.

Efectivamente, así es. Dé respuestas honestas y saque provecho de esta circunstancia. No finja, no se haga la distraída, no sea deshonesta. De esta manera sencilla usted puede estar acumulando información subconsciente sumamente valiosa en

La futura mamá debería aprovechar la oportunidad de explicar a sus hijos las realidades de la vida de forma sencilla y natural.

el banco de la memoria de sus hijos. Les servirá para el resto de la vida, lo reconozca usted o no. De modo que sea natural y directa, tomando en cuenta, eso sí, la edad de los chicos. Esto producirá jugosos dividendos en los años venideros.

Haga esto, y nunca llegará ese día terrible cuando usted tenga que hablar con sus hijos acerca de los hechos de la vida. Ellos ya estarán enterados de todo. Incorporaron las nociones básicas que usted les proveyó, y tendrán un concepto limpio e inteligente de la vida. En este mundo en que vivimos esto es de un valor incalculable.

La participación de las futuras madres

En los últimos años se le ha dado más atención a los aspectos naturales de todo el proceso del embarazo, ¿no es cierto?

Efectivamente. Aunque ciertas rutinas se llevan a cabo en la mayoría de las maternidades de los hospitales, muchas de estas instituciones fomentan actualmente la participación activa de la madre misma durante el embarazo. Mediante un entrenamiento inteligente y sencillo, llevado a cabo con anticipación, se puede hacer mucho para aliviar los temores y las fobias que albergan muchas mujeres.

Un sistema denominado "psicoprofilaxis", o terapia de relajación, se está usando cada vez más. Lo mencionamos aquí no con la intención de reemplazar la practica normal de la obstetricia, sino porque es un sistema tan sensato, que muchas mujeres están ansiosas de probarlo.

En muchos casos permite el parto con un uso mínimo de medicamentos. En efecto, los patrocinadores afirman que el 45% de las pacientes que aplican este sistema no necesita inyecciones de analgésicos (para calmar dolores). Alrededor del 45% necesita sólo una inyección (o a lo sumo dos). El 10% restante aparentemente no recibe beneficio alguno del sistema.

¿Por qué sucede esto?

Este sistema se aplica bastante en Europa. Los rusos sostienen que el 90% de sus mujeres embarazadas adopta este sistema, y se afirma que lo sigue el 70% de las mujeres francesas. Todo esto tiene que ver con la actitud mental con que se encara el embarazo, y en última instancia la llegada del bebé.

Como todos sabemos, muchas mujeres siguen entrampadas con la idea de que el embarazo es una enfermedad, y además dolorosa. Por esta razón, puesto que esperan que haya dolor, van a tener dolor. Llega a ser una especie de "reflejo condicionado". Esta ha sido una teoría psicológica bien establecida por muchos años, y no tiene nada de nuevo. La pobre mujer queda embarazada, espera lo peor, y el dolor y el sufrimiento aparecen sin falta.

La actividad reemplaza al temor

Pero mediante un entrenamiento inteligente, este reflejo condicionado puede desaparecer, para ser reemplazado con éxito por otro nuevo. De manera que cuando por algún motivo baja la presión, las sensaciones que la mente generalmente interpreta como dolores no aparecerán más como tales. En realidad se convierten en "actividad motriz". En otras palabras, la actividad reemplaza al temor.

¿Cómo ocurre esto en la práctica?

Desde un punto de vista práctico, y para decirlo brevemente, así funciona este sistema.

1. *Reflejo condicionado.* La futura mamá asiste a una serie de charlas sencillas. En su transcurso se describe con claridad el proceso del parto, y lo que ocurrirá durante la internación.

Con palabras que ella puede entender, se presenta la idea del "reflejo condicionado". Se le muestra cómo pueden aumentar, reducirse o alterarse sus reacciones a los estímulos.

Se le enseña que los "dolores" que anuncian el comienzo del parto son realmente señales de que ella debe comenzar a desempeñar su propio papel. Inmediatamente empieza a practicar una serie de ejercicios de respiración aprendidos previamente. De esta manera, al concentrarse en su respiración, el nivel del dolor se supera inmediatamente. El ciclo continúa, de modo que ella llega a ser una participante entrenada para esta situación, en lugar de ser una receptora asustada que teme lo peor y que terminará experimentando lo peor.

Así se reduce notablemente la necesidad de medicación para atenuar el dolor. La experiencia enseña que esto es lo que ocurre con frecuencia.

Esto parece fácil y sensato. ¿Qué pasa después?

2. *Ejercicios respiratorios.* Esta es una rutina clave que la paciente aprende durante la segunda mitad del embarazo. Los ejercicios asumen dos formas. La primera está diseñada para las etapas preliminares del parto. La segunda, para la etapa final y el parto mismo.

La respiración es al principio lenta y relativamente liviana. Aumenta en profundidad y ritmo al aumentar las contracciones y cuando los "dolores" se vuelven más agudos. Pronto la respiración superficial se intercala a ciertos intervalos con fuertes resoplidos. Estos ejercicios respiratorios se combinan con golpecitos livianos dados con los dedos sobre el abdomen o la zona del sacro. La idea consiste en estimular más aún la actividad mental.

También se le enseña a la futura mamá a hacer todo lo posible para colaborar físicamente, en especial en las últimas etapas.

¿Cuál es el paso siguiente?

3. *Control neuromuscular.* Se le enseña a la paciente, durante las clases prenatales, que el estímulo debe ir del cerebro a los músculos. Mientras un juego de músculos se contrae —se le dice—, otros se relajan. De esta manera ella se puede programar para que ciertos músculos se contraigan o se relajen a su debido tiempo.

¿No requiere esto un entrenamiento intensivo?

Sí, pero para una persona bien entrenada los resultados pueden ser muy gratificantes. En las etapas finales del parto una paciente bien ejercitada puede participar activamente mediante la contracción de sus músculos abdominales, para relajar activamente los de la base de la pelvis, de manera que pueda colaborar en el nacimiento de su bebé.

El efecto final puede ser muy placentero. Pero la paciente necesita ayuda y tierna colaboración durante todo el proceso. Las que han practicado este sistema dicen que produce una agradable sensación de felicidad. Muchas añaden que lo mejor ocurre cuando el bebé llora por primera vez, mientras la madre está plenamente consciente, libre del efecto de los medicamentos, y puede disfrutar de ese momento incomparable. Es más, algunas sostienen que este momento se graba indeleblemente en la memoria, y se lo recuerda siempre con ternura.

¿Qué se puede decir acerca de la medicación?

Por supuesto, la medicación adecuada siempre debe estar al alcance de la mano, como asimismo las formas comunes de la obstetricia tradicional, en el caso de que la madre súbitamente descubra que ya no puede más. Un personal atento, entrenado para actuar de las dos maneras, estará bien al tanto de estas posibilidades.

No obstante, vale la pena tener en cuenta este sistema, ya que cada vez más obstetras en todo el mundo están comenzando a ponerlo en práctica. Algunos médicos no quieren saber absolutamente nada de estas ideas relativamente nuevas (aunque en realidad se las ha conocido desde hace bastante tiempo).

A lo menos le ofrece a las mujeres otra forma de atención obstétrica, y es muy fácil de combinar con la forma tradicional.

Es cierto. Aparentemente se adapta muy bien al enfoque natural relativo al cuidado del bebé, y da como resultado una mente relajada, lo que es muy importante.

En algunos hospitales de las grandes ciudades del mundo, estos métodos se enseñan en clases, y posiblemente ésta sea la mejor manera de abordar el asunto. Pero el hecho de practicar la psicoprofilaxis de ningún modo invalida las otras recomendaciones que ya le hemos hecho a la futura mamá acerca del cuidado general del cuerpo, las frecuentes consultas al médico y demás. Estas recomendaciones son vitales, al margen del método que se aplique al fin en el momento del parto.

capítulo 5

Importantes advertencias médicas

EN ESTE CAPÍTULO

- El SIDA: un peligro que reiteramos.
- El ejercicio, la ropa y el cuidado de la dentadura.
- Las relaciones conyugales, el cuidado de los pechos, los viajes.
- El consumo de tabaco y alcohol.
- Los peligros de la inmunización (vacunas).

El contagio con el virus de inmunodeficiencia humana (HIV) implica enormes riesgos para la madre y el bebé – El ejercicio regular es beneficioso – Use ropa adecuada y cómoda – Se recomienda prestar atención a la dentadura y a los pechos – ¡No fume más! – El ideal es reducir y, mejor aún, suspender el consumo de bebidas alcohólicas.

Por suerte, un embarazo normal es muy divertido.

Es verdad. No es necesario considerarlo un período anormal y difícil, ni siquiera un problema especial.

En efecto, mientras más "natural" y "normal" se lo considere en todos sus aspectos, más natural y más normal será.

Muchas de las dificultades relacionadas con el embarazo están sólo en la mente. Piense bien y obre bien, y todo el proceso será un placer que usted recordará con ternura por muchísimos años.

Hay muchas ideas insensatas dando vueltas por ahí, y como consecuencia de ellas muchas mujeres jóvenes alientan un gran temor desde el mismo momento de la concepción.

Es cierto. Y este temor con frecuencia lo fomentan algunos parientes y amigos tal vez bien intencionados, pero que hablan demasiado.

Si usted llega a escuchar esas voces desesperadas, ignórelas por completo. Borre a esa gente de la lista de sus relaciones sociales. Estará mucho mejor si no escucha sus lamentos llenos de desesperación, fracaso y dificultades. No hay lugar para el pensamiento negativo cuando una vida nueva, cero kilómetro, está por llegar a su casa.

Todo este proceso debe estar rodeado por una atmósfera de éxito, y por sobre todo de felicidad. Al pensar de esa manera, y al obrar en consecuencia, su vida será placentera, y el producto final será de tal calidad que tanto usted como su familia estarán orgullosos de él.

La clave para vivir los siguientes meses consiste en poner el acento en lo normal. "Soy normal en todo sentido", debe decirse a sí misma constantemente. "Este es uno de los acontecimientos más importantes de mi vida. Cada día será una etapa más en el curso de mi embarazo. Quiero hacer de éste un día feliz para mí. Quiero vivir normalmente en todo sentido".

Este es el primer enfoque. Viva después de acuerdo con lo que se está diciendo a sí misma. Su doctor le dirá lo mismo, aunque tal vez con otras palabras.

Ahora, mientras lo vemos todo tan lindo y tan normal, ¿no podríamos hablar, a pesar de todo, de algunos de los riesgos que implica el embarazo?

Podría ser una buena idea. Es importante que estemos adecuadamente informados.

El riesgo del SIDA

Como consecuencia de la enorme publicidad que ha recibido el SIDA en los últimos años, muchas mujeres se preguntan cuáles son los riesgos que implica. Por ejemplo: ¿Es posible que una mujer se

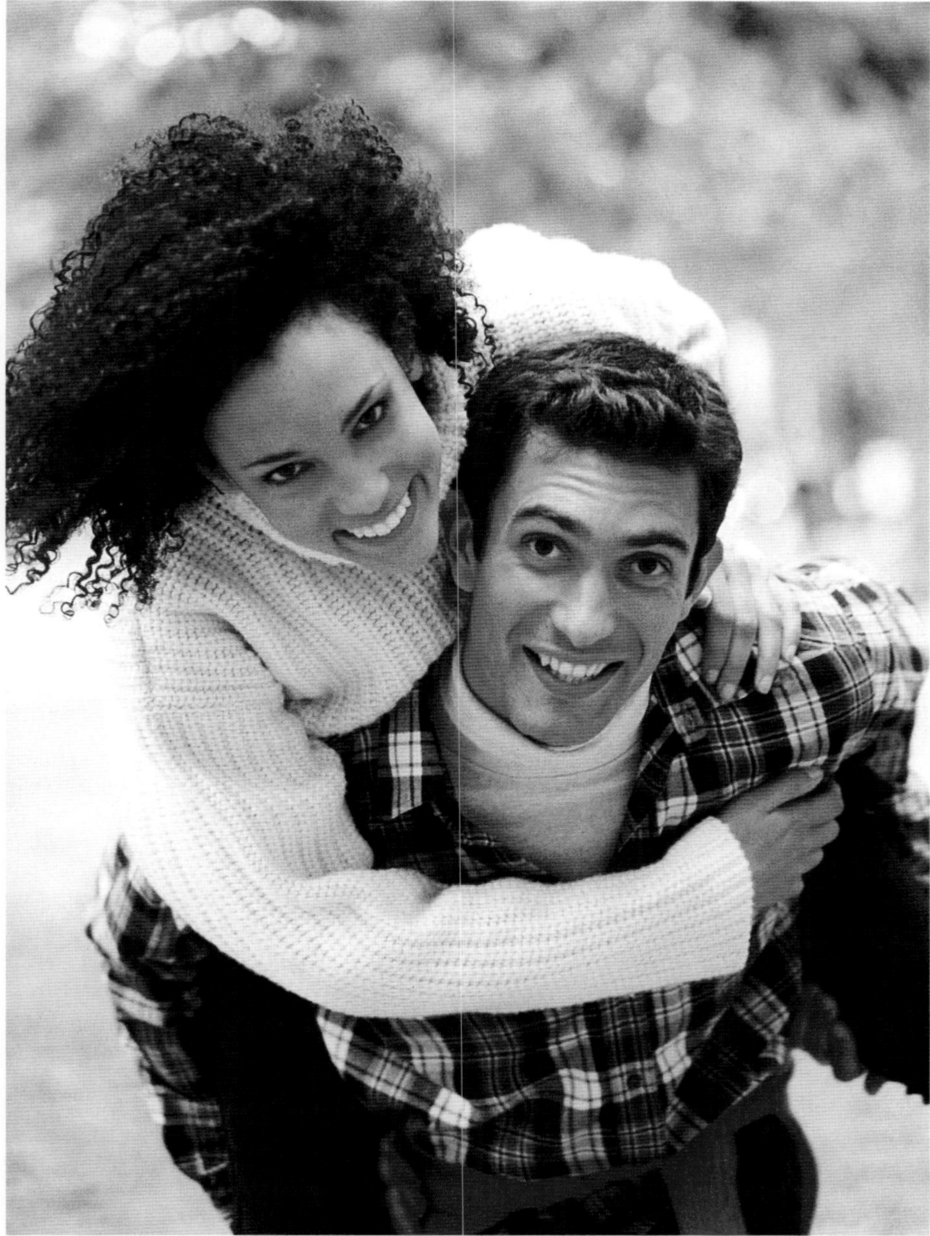

Si los miembros de la pareja se mantienen fieles el uno al otro, no hay peligro alguno de que el bebé se infecte con el HIV.

contagie de SIDA mientras está embarazada? ¿Qué sucede si tiene SIDA? En este caso, ¿qué le pasará al bebé? ¿Podría aclararnos algunos de estos conceptos ahora mismo?

Permítanme hacerlo de inmediato. Si alguien vive con un único compañero que no está afectado por el SIDA, y ninguno de los dos tiene relaciones sexuales con nadie más, y no consumen drogas ilícitas (lo que quiere decir que no usan agujas hipodérmicas que podrían estar infectadas), el riesgo de contagiarse de SIDA es prácticamente nulo.

¿Quiénes son, entonces, las mujeres que dan a luz bebés con SIDA?

Es perfectamente claro, a partir de la información reunida en todas partes del mundo, que el SIDA afecta a una cantidad relativamente pequeña de personas que participan de un estilo de vida similar.

¿Y cuál es ese estilo de vida?

La mayoría de los enfermos de SIDA son hombres homosexuales. Mientras mayor sea la cantidad de personas con las que mantengan relaciones sexuales, mayor será el riesgo de contraer el virus VIH (abreviatura de "Human Immunodeficiency Virus", es decir, Virus de Inmunodeficiencia Humana), el germen que produce el SIDA. De paso, ésta es la sigla de "Síndrome de Inmunodeficiencia Adquirida". El énfasis está en la palabra *adquirida*, es decir, que se lo ha recibido por contagio de alguien; no aparece por casualidad. Por algún tiempo la enfermedad estuvo prácticamente limitada a los homosexuales.

¿Cómo llegó a propagarse a las mujeres y las familias?

Algunos hombres son "bisexuales", es decir, tienen relaciones sexuales con hombres y con mujeres. De modo que sólo era cuestión de tiempo para que la enfermedad se transmitiera a las mujeres, y pronto se convirtió en una enfermedad heterosexual. A esto contribuyó la gran cantidad de prostitutas que contrajeron el SIDA al tener relaciones con hombres infectados, que a su vez se la transmitieron a otros hombres, y éstos a sus esposas.

¿Qué nos puede decir de los que consumen drogas?

Una gran cantidad de drogadictos, o los que consumen drogas ilícitas, ya sean adictos o no, frecuentemente usan jeringas hipodérmicas para inyectarse la droga. Con mucha frecuencia las jeringas no están esterilizadas, y además están infectadas con el VIH. Esto garantiza que en poco tiempo más el que usó esa jeringa llegará a ser VIH positivo; en otras palabras, se habrá infectado, y a su debido tiempo el SIDA se desarrollará en él.

¿Qué relación existe entre todo esto y el embarazo y los bebés?

No hay nada que impida que una mujer VIH positiva, es decir, que ha contraído el SIDA, quede embarazada. Muchas quedan, y pueden llevar silenciosamente el germen en sus organismos por años antes que la enfermedad se manifieste plenamente. Por otra parte, es sumamente probable que el bebé llegue a ser VIH positivo antes de nacer. Esto significa que casi cualquier mujer que tenga SIDA dará a luz un bebé con SIDA. Es como el beso de la muerte. Algunas mujeres, en los países donde esto está legalizado, conscientes de la situación, recurrirán a un aborto legal. Pero otras muy probablemente se sentirán felices, y seguirán con el embarazo hasta tener su bebé. En algunos casos incluso es posible que no sepan lo que le están transmitiendo a su bebé.

¿Qué le depara el futuro a ese bebé?

No estamos seguros. Muchos especialistas afirman que una vez que se ha contraído el VIH, lo más seguro es que tarde o temprano el SIDA se desarrolle. Puede tomar años: diez o más, de acuerdo con las informaciones con que se cuenta en este momento. Pero llegará el día cuando morirá víctima de esa enfermedad.

¿Puede una mujer, o cualquier otra persona, contraer SIDA como consecuencia de contactos casuales con personas enfermas?

La respuesta decididamente es "no". Esto lo han estudiado a fondo los servicios de salud de todo el mundo. Nadie se contagia de SIDA por besar a un enfermo, usar sus utensilios (cuchillos, tenedores, cucharas, platos, vasos, etc.). Tampoco por darle la mano, recibir su dinero, o usar los mismos servicios sanitarios, o tocar sus juguetes, sus libros, sus paquetes, etc.

Puede haber contagio por medio de la sangre. En ese caso la sangre de la persona infectada debe entrar de alguna manera en el organismo de la persona sana. O el semen infectado de un hombre puede entrar en el organismo de una persona no infectada. La forma más común, en este caso, es por medio de la mucosa anal; también es posible que sea por medio de la mucosa vaginal, pero esto ya no es tan común. Está bien documentado que el VIH no es muy infeccioso, y realmente se necesita un cierto esfuerzo para que la infección se instale en el organismo. Es necesario dejar bien en claro que la selección cuidadosa de un compañero o compañera para tener relaciones sexuales es algo vital.

¿Podemos hablar ahora de un embarazo normal?

Sí. "Dispare" las preguntas.

El ejercicio

¿Cuánto ejercicio se debe hacer para no excederse?

La recomendación en este sentido consiste en actuar normalmente. Si usted es muy deportista, siga así tanto como pueda. No hay la más mínima necesidad de que empiece a mimarse a sí misma como si sufriera de una enfermedad debilitante. Usted está sana, en buen estado físico y bien. De manera que puede seguir disfrutando de todo lo que le gusta en lo que se refiere a ejercicios y deportes. Esto se aplica tanto a las actividades vigorosas como a las que no requieren tanto esfuerzo.

Si usted juega bien al tenis, siga jugando. Si le gusta el paddle, el patinaje o lo que sea, tanto mejor. No hay razón alguna para disminuir la actividad.

Tanto como para que esté bien segura, le diremos que algunos doctores recomiendan una ligera disminución de las actividades vigorosas en los momentos cuando deberían manifestarse normalmente los cuatro primeros períodos menstruales. Esto se puede calcular y recordar muy fácilmente. Pero hay quienes no creen que esto sea importante. Si ya ha habido tendencia a abortos espontáneos, esta regla se debe aplicar con más cuidado.

La natación y el surf también se pueden practicar en forma normal y natural. A muchas mujeres, especialmente en el mundo anglosajón, les gustan estos deportes. La natación pone en actividad virtualmente todos los músculos del cuerpo, y es una actividad sana y buena.

El surf tiene ventajas similares, y además actúa como un masaje externo de todo el cuerpo. Es una actividad muy buena y contribuye muchísimo a conservar el organismo en forma.

Camine y corra tal como lo hacía antes de quedar embarazada. Pero hay mujeres a las que no les atraen los ejercicios vigorosos. Por lo tanto, no necesitan comenzar a hacerlos ahora. No se deriva beneficio alguno cuando se aumenta repentinamente la actividad física cuando el organismo no estaba acostumbrado a ella.

Convertirse de golpe en fanática del ejercicio por el ejercicio en sí (o por causa del bebé, como lo dicen algunas) es insensato. Al mismo tiempo, tampoco es bueno convertirse en alguien que no lleva a cabo ninguna actividad física. El punto medio entre estos dos extremos es el camino que se debe seguir.

La ropa

¿Qué clase de ropa debe usar una mujer embarazada?

La respuesta es muy sencilla. Use ropa que le siente bien, que concuerde con su personalidad y con la ocasión. Use un tipo de moda que realce su aspecto y que corresponda con su persona.

Si lo hace se verá más natural y más atractiva. Si el espejo le sonríe, eso le ayudará muchísimo a mejorar su propia actitud mental, lo que es muy importante durante el embarazo. A su vez, esto provocará las palabras de admiración de su esposo, y posiblemente de otros miembros de la familia también.

En cuanto a la ropa interior, depende de cómo se siente usted. La mayoría de las mujeres está más cómoda si usa un corpiño (sostén) que ajuste bien. Pero en estos días cuando muchas mujeres más jóvenes ya "quemaron el corpiño", y siguen los consejos de las partidarias de la liberación femenina y otros movimientos similares, algunas mujeres pueden preferir la libertad que confiere la total ausencia de corpiño.

Algunas prendas abdominales provistas de elásticos (fajas de maternidad, trusas elásticas), si se usan, pueden proporcionar una sensación de comodidad y satisfacción. Muchas marcas de medias combinadas con bombachas *(panties)* tienen la cintura provistas de elásticos, y generalmente ajustan con suavidad. Pero hay mujeres a las que estas prendas no les gustan.

Si los embarazos anteriores han aflojado mucho los músculos abdominales, alguna prenda que dé apoyo puede brindar una agradable sensación de comodidad. Es más que todo un asunto de bienestar y gusto personal.

No hay ninguna necesidad de que usted se agobie durante el embarazo, como si estuviera sufriendo de una enfermedad debilitante.

MANITOU

Cómo mantenerse en forma durante el embarazo

Es fácil que durante el embarazo ciertos músculos que solían ser firmes y elásticos se comiencen a aflojar. Usted está aumentando de peso, su figura está cambiando y puede llegar a la conclusión de que los músculos flojos son consecuencias inevitables de esos cambios. Pero ciertos ejercicios suaves y tonificantes, con el fin de fortalecer sus músculos abdominales y evitar el dolor de espalda, le pueden hacer mucho bien a usted y a su bebé.

Rotación de la pelvis

Acuéstese sobre una superficie plana, con la cabeza y los hombros apoyados sobre almohadones, las rodillas dobladas y los pies sobre el piso. Apoye la parte superior de la espalda sobre el piso o la cama, y después afloje de manera que se produzca un movimiento de rotación a la vez rítmico y suave. A continuación mueva las caderas en un lento movimiento circular.

1. Con la parte superior de su espalda afirmada abajo, levante suavemente las caderas y las nalgas, y muévalas con lentitud hacia adelante y hacia atrás.

2. Haga movimientos circulares con la pelvis, como si estuviera haciendo la danza del vientre lenta y lánguidamente, mientras permanece de espaldas.

Cómo comprobar si los músculos abdominales están en buenas condiciones.

Si usted comienza a hacer ejercicios en los últimos tres meses del embarazo, averigüe si sus músculos abdominales están en buenas condiciones. Deberá tener mucho cuidado al hacer ejercicios para que tonifiquen esos músculos si están dañados.

1. De espaldas y con las rodillas dobladas, levante lentamente la cabeza y los hombros hasta alcanzar unos 20 cm, mientras estira sus brazos hacia adelante.

2. Ponga las manos sobre el bajo vientre. Si nota un pequeño bulto blanco en el medio, por debajo del ombligo, es probable que los músculos abdominales estén dañados.

Deslizamiento de las piernas

Este es un ejercicio suave que le permitirá tonificar los músculos del bajo vientre sin tensionarlos. Hágalo al principio 5 ó 6 veces, y vaya aumentando de a poco hasta llegar a 10 ó 15 veces. Si le duele la espalda, pare. El deslizamiento de los pies se hace mejor si se está de espaldas sobre una superficie firme, con una almohada o varias de ellas debajo de la cabeza y los hombros.

1. Mantenga la parte superior de la espalda bien abajo, doble las rodillas de manera que sus pies se apoyen plenamente sobre el piso.

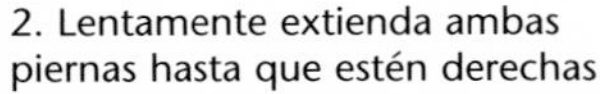

2. Lentamente extienda ambas piernas hasta que estén derechas.

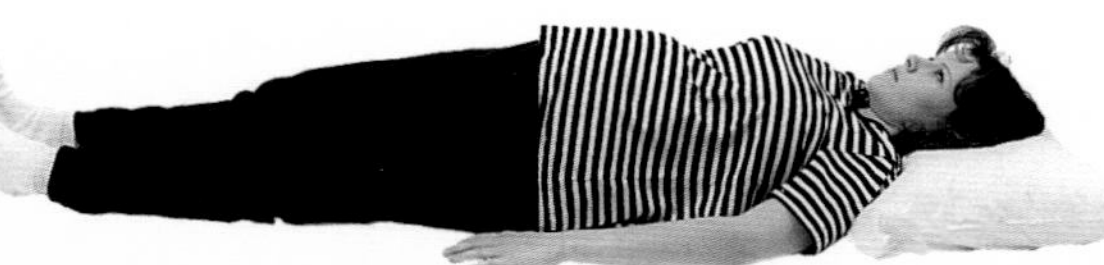

3. Levante una rodilla y después la otra sin que la parte superior de su espalda se eleve sobre el piso.

Incorrecto

La elevación de los dos pies para después sentarse son ejercicios que a menudo se le recomiendan a las mujeres embarazadas, pero en realidad no fortalecen los músculos abdominales. No ejercitan las piernas sino que estabilizan la parte inferior de la espalda. Si la mujer no es lo suficientemente fuerte como para comenzar, no podrá llevar a cabo el esfuerzo que se demanda cuando se levantan las piernas y el tronco, y el resultado será dolor de espalda y torsión de los músculos abdominales.

La elevación de las dos piernas rara vez es eficaz para el fortalecimiento de los músculos abdominales, y jamás se lo debe hacer durante el embarazo o las cuatro semanas posteriores al parto.

Los ejercicios que implican sentarse mientras se está previamente de espaldas, pueden ser perjudiciales durante el embarazo. Nunca se los debe hacer durante la gestación mientras las rodillas y la espalda están derechas, o en las primeras seis semanas después del parto.

El calzado que se use debe ser adecuado. A medida que avanza el embarazo, el centro de gravedad se suele alterar, de manera que los zapatos con tacos altos se convierten en un problema y dejan de ser cómodos. Por eso son preferibles los zapatos con tacos bajos. Se recomienda tener cuidado para evitar los extremos en el uso del calzado, especialmente cuando ciertos zapatos están de moda, y pueden fácilmente predisponer a la persona que los usa a tropezar, deslizarse y caerse. El sentido común debe ser la regla.

El cuidado de la dentadura

¿Cuál es su consejo con respecto al cuidado de la dentadura?

Es bueno visitar al dentista al comienzo del embarazo. La beneficiará la solución de cualquier anormalidad. Las caries deben ser atendidas. Esto le asegurará mejor salud en general. Pero también le ayudará a prevenir los dolores de muelas y otros problemas similares durante el embarazo. Hay tantos asuntos que atender durante las últimas etapas del embarazo, que un repentino dolor de muelas está completamente fuera de lugar. Y esta situación es común.

Es mejor atender la dentadura cuando promedian los tres primeros meses del embarazo. Si se lo hace en los primeros meses, los medicamentos que el dentista podría prescribir no son precisamente los más recomendables, y también es posible que las bacterias de las zonas infectadas se difundan por todo el organismo. En los últimos meses el simple inconveniente de tener que sentarse en el sillón del dentista es una experiencia que de cómoda no tiene nada.

Las relaciones conyugales

Todas las parejas desean saber qué pasa con las relaciones conyugales durante el embarazo.

La idea general es que no hay restricción alguna para estas actividades en ninguna de las etapas del embarazo. Sin embargo, se deberían evitar las relaciones sexuales en las cuatro primeras fechas en que normalmente se producían las menstruaciones. Hay una tenue posibilidad de que se produzca entonces un aborto espontáneo, aunque este riesgo tampoco es demasiado grande.

El aumento de la producción de hormonas durante el embarazo puede tener en la mujer diversos efectos físicos y emocionales. Algunas creen que sus sensaciones sexuales se agudizan, y tienen más deseos de hacer el amor. En otras sucede todo lo contrario. Les parece que la mera idea del sexo no es tan agradable, e incluso hay algunas que no quieren saber nada del asunto.

Espero que los esposos lean este importante mensaje. Desgraciadamente muchos maridos interpretan esta situación como que sus esposas repentinamente han dejado de amarlos. No se dan cuenta de que ciertas sustancias químicas sobre las cuales no tienen control alguno son la verdadera causa, y que esto no tiene nada que ver con los verdaderos sentimientos de sus esposas.

Los maridos harían bien en aceptar calladamente esta alteración temporaria de los afectos de sus esposas, para ponerlo en la cuenta del embarazo, que es la verdadera causa. En su debido momento toda la situación volverá otra vez a lo usual, normal y feliz. Las escenas y las reacciones pueriles no contribuyen en absoluto para mejorar la situación. Ciertamente pueden abrir una brecha que es capaz de ensancharse a medida que progresa el embarazo.

Este período —el del embarazo— es una época de unión y colaboración. Esto se aplica a lo sexual y a todo lo demás, y ambos cónyuges lo deben recordar.

Por otra parte, la esposa tampoco debe usar su sexualidad y sus sentimientos como un arma para atacar a su marido. Ambos deberían condicionarse para actuar en todo momento tan normal y naturalmente como sea posible. De esta manera prevalecerán el sentido común, el calor y un afecto mayor del uno para el otro.

El cuidado de los pechos

¿Hay algunas sugerencias para la atención de los pechos durante el embarazo? Se espera que la futura mamá le dé leche materna a su bebé cuando llegue.

Los pechos se hicieron para los bebés, y teóricamente son su principal fuente de

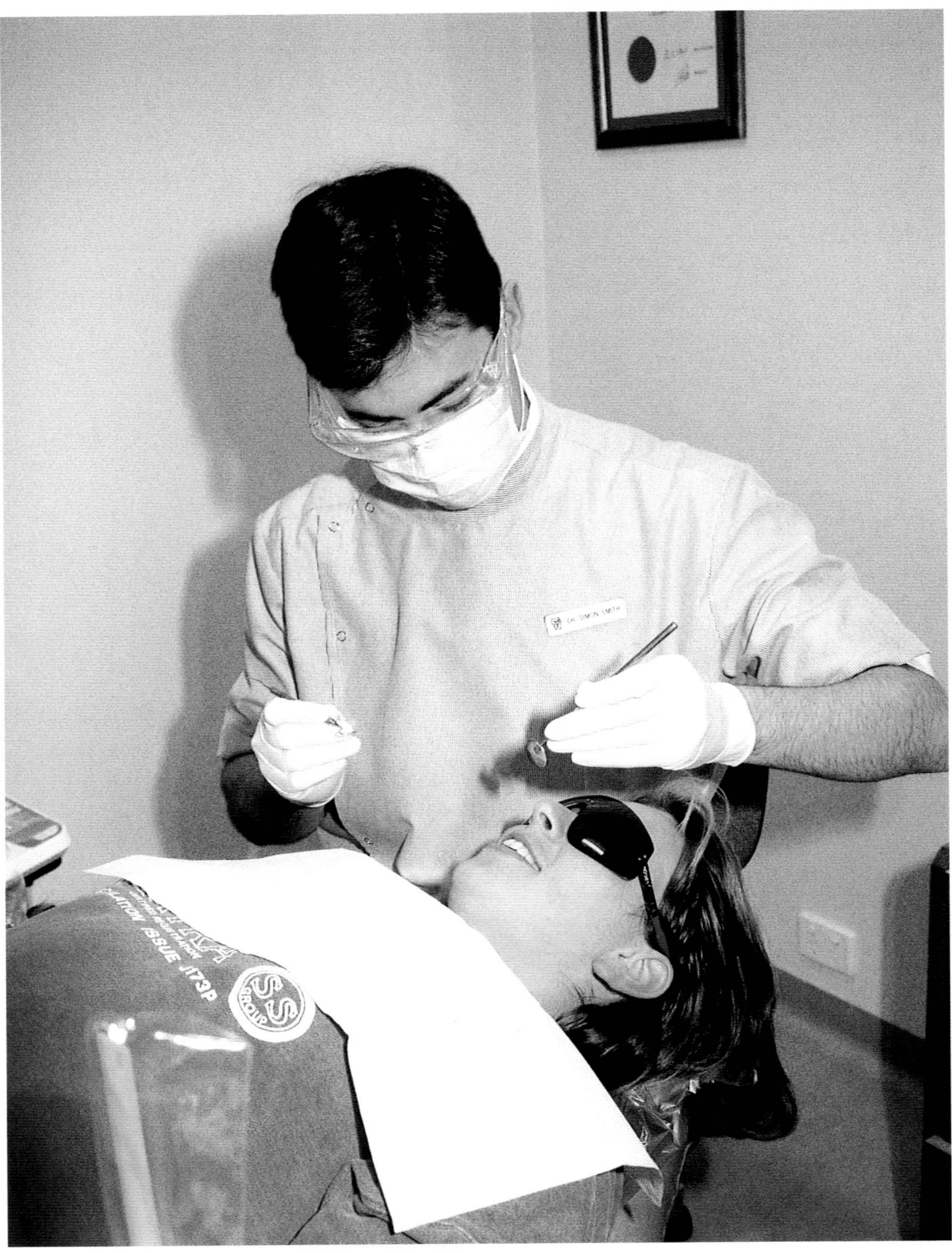

Es bueno consultar al dentista antes de que el embarazo avance mucho, para que él pueda solucionar con tiempo cualquier problema odontológico que pudiera aparecer.

alimentos durante la primera parte de su presencia en este planeta Tierra. Es aconsejable, entonces, ejercer cuidado con el propósito de preparar los pechos para que desempeñen este papel. Incluso en el caso de que la mujer no use corpiño, se sugiere que lo use durante el embarazo, porque los pechos con frecuencia aumentan rápidamente de tamaño, tienden a aumentar de peso y a volverse incómodos hacia el tercer mes, a menos que se los sostenga de alguna manera.

Se recomienda un corpiño de buena calidad, especial para maternidad, y que sea del tamaño adecuado. La comodidad y el apoyo es lo que se procura alcanzar. Si los breteles son más anchos, y si están provistos de tejido que ayude a conservar el calor, serán más cómodos aún. Más tarde, si la madre tiene que amamantar, se recomienda un corpiño que se pueda abrir hacia adelante, puesto que esta operación será más fácil de llevar a cabo. A menudo los pechos vierten un líquido que se llama calostro. Para solucionar este problema se recomienda que en la concavidad del corpiño se coloque un trocito de tela absorbente, que se puede hacer con un pedazo de toalla, por ejemplo, o que se puede comprar.

¿Qué se puede decir acerca del cuidado de los pezones?

Esto es importante. Están hechos para alimentar al bebé. Lo ideal es limpiarlos cada día. Debe desaparecer todo rastro de calostro. Masajee con los dedos la zona circundante, rosada o marrón, que se llama aréola. Esto se asemeja a la succión del bebé, y prepara al pezón, al pecho y a sus mismos sentimientos para lo que sucederá después.

Durante el embarazo la aréola tiende a producir sus propios aceites, pero las duchas los hacen desaparecer, de manera que aplicarles alguna crema es una buena idea. Algunas mujeres notan que en las aréolas aparecen unas pequeñas protuberancias. Esto es consecuencia de que se hinchan las glándulas sebáceas (las que producen grasas). No es peligroso, y es perfectamente normal. Después esas protuberancias desaparecen.

Los viajes cortos, de placer, están muy bien; pero no se recomiendan los viajes en avión, largos y cansadores, en los últimos tres meses del embarazo.

¿Qué nos cuenta de los pezones invertidos?

El pezón normalmente sobresale, y se agranda con el estímulo (como ser las succiones del bebé). Pero algunas mujeres tienen los pezones hundidos. Se recomienda el uso de protectores para los pezones durante los últimos meses del embarazo. Tienden a ejercer presión sobre los tejidos circundantes, y les ayudan a los pezones a proyectarse en forma normal, es decir, que sobresalgan y no que estén hundidos. Es necesario limpiar con frecuencia estos protectores también para eliminar el calostro que se puede acumular en ellos. Una vez lavados, hay que secarlos bien.

Los viajes

¿Está bien hacer viajes durante el embarazo?

No existen restricciones para los viajes, con la condición de que se lleven a cabo tranquilamente, sin presiones ni exigencias para la mujer.

Pero es prudente tomar en consideración las posibles implicaciones de los viajes largos. Si el viaje es largo y en auto, a través del país, por ejemplo, para atravesar posiblemente zonas desprovistas de comodidades adecuadas, no sería prudente hacerlo, especialmente en las etapas finales del embarazo.

Del mismo modo, tampoco es prudente hacer un viaje largo en avión cuando el embarazo está por terminar, pues puede estar lleno de dificultades. En dos oportunidades dos mujeres embarazadas comenzaron repentinamente con el trabajo de parto y tuvieron a sus bebés a 11.000 metros de altura, en medio del cielo. Por suerte, en ambos casos, había entre los pasajeros médicos y enfermeras que pudieron asistir a las mujeres, de manera que los bebés nacieron sanos y salvos. Pero no había allí una sala de partos, ni medio alguno para atender una complicación.

Como todo obstetra lo sabe, cierta cantidad de casos, garantizados por las estadísticas, producen complicaciones durante el parto. Por lo tanto, ¿por qué tentar a la suerte? ¿Por qué correr el riesgo (tanto para usted como para su bebé)? ¿Por qué hacer cosas insensatas e indiscretas siendo que son innecesarias? Sea sensata, por favor, y los riesgos disminuirán considerablemente.

Fumar durante el embarazo es muy perjudicial. Ninguna futura mamá fumará si tiene algo de consideración por su bebé que todavía no nació.

El hábito de fumar

¿Cuál es la actitud que prevalece actualmente con respecto al hábito de fumar durante el embarazo?

Estamos abordando un tema sumamente importante. Los hechos que se refieren a los efectos deletéreos del hábito de fumar tanto sobre la madre como sobre el bebé que está por nacer, se han ido acumulando gradualmente en el transcurso de los últimos años. Ahora está bien documentado el hecho de que el hábito de fumar es definidamente dañino. Afecta a la madre, es cierto, pero los efectos adversos sobre el bebé son mucho mayores.

El humo del cigarrillo contiene tres ingredientes básicos:

1. *El monóxido de carbono.* Cuando éste se une con la sangre, forma una poderosa sustancia química que se llama carboxihemoglobina. Se une a la hemoglobina, la sustancia de color rojo de la sangre que normalmente lleva el oxígeno a todo el organismo. De esta manera se reduce drásticamente la capacidad de la sangre de transportar oxígeno. Esta es una de las importantes razones que nos explican el daño que le hace el cigarrillo al cuerpo en general.

Pero cuando la sangre, con una cuota reducida de oxígeno, llega a la placenta y al cuerpecito del bebé, también están reducidas las cantidades de oxígeno que llegan para su uso por sus centros vitales. Se pueden producir efectos sumamente dañinos, y sus resultados son graves para el bebé. En numerosas maternidades de todo el mundo se han hecho estudios similares, y los resultados son los mismos.

2. *La nicotina.* Esta sustancia es un poderoso estimulante del sistema nervioso. Pero mientras estimula los nervios, actúa directamente sobre las paredes de los vasos sanguíneos, obligándolos a contraerse, y esto puede iniciar un aumento de la tensión arterial. Esta situación, en el caso de una embarazada, es definidamente inde-

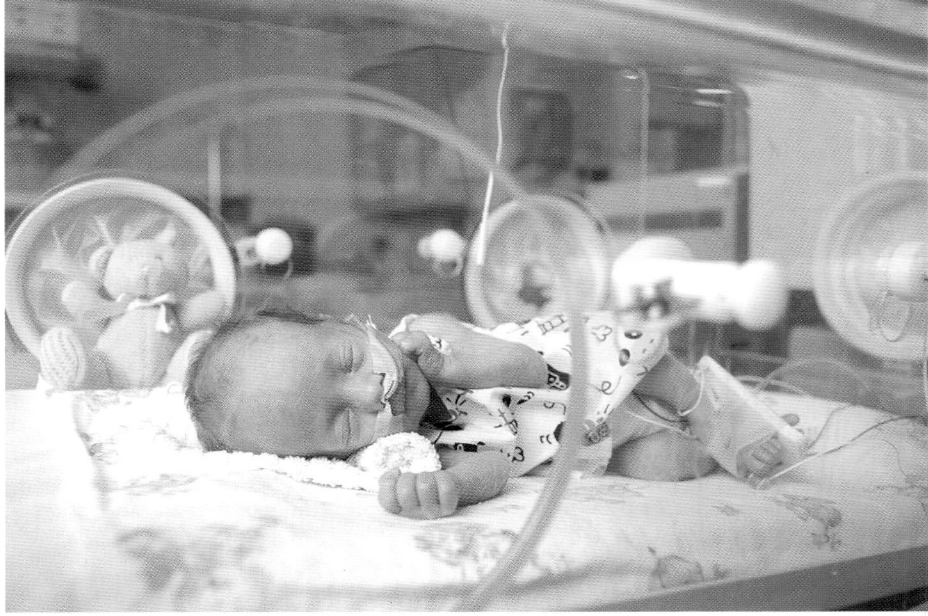

Las mujeres que fuman durante el embarazo corren el riesgo de tener bebés prematuros.

seable. Además, si una constante dosis de nicotina se sigue introduciendo en el organismo, se producirá un efecto deprimente sobre el corazón y los vasos sanguíneos. También es peligroso que el bebé reciba esta droga, y esto es inevitable si la madre fuma. El hábito de fumar nunca ha sido virtud; durante el embarazo es doblemente perjudicial. Ninguna futura mamá que tenga algo de consideración por su hijo que no nacido aún, se dejará dominar por este hábito.

3. *La sustancias cancerígenas.* Son una cantidad de complejas y poderosos sustancias químicas que se sabe son capaces de producir cáncer. Durante los 9 meses en que el bebé permanece dentro del claustro materno, no son muchas las posibilidades de que se forme un cáncer. Pero la constante irritación de los bronquios de la madre por causa de estas sustancias contribuye muy poco a conservar el alto nivel de salud que es esencial que la madre posea durante el embarazo.

La evidencia es muy positiva, muy real. Ya no es un producto de la imaginación de los doctores. Por eso muchos médicos que antes fumaban ya no lo hacen más. Esto se debe a que hay una mayor conciencia acerca de la propia salud. Más importante es aún que las madres que están llevando en su seno un feto en desarrollo desistan de este hábito. Por favor, no diga: "No puedo". Si le interesa su bebé, usted *debe* dejar de fumar. Por favor, no deje que la controle un poco de hierba envuelta en un trozo de papel.

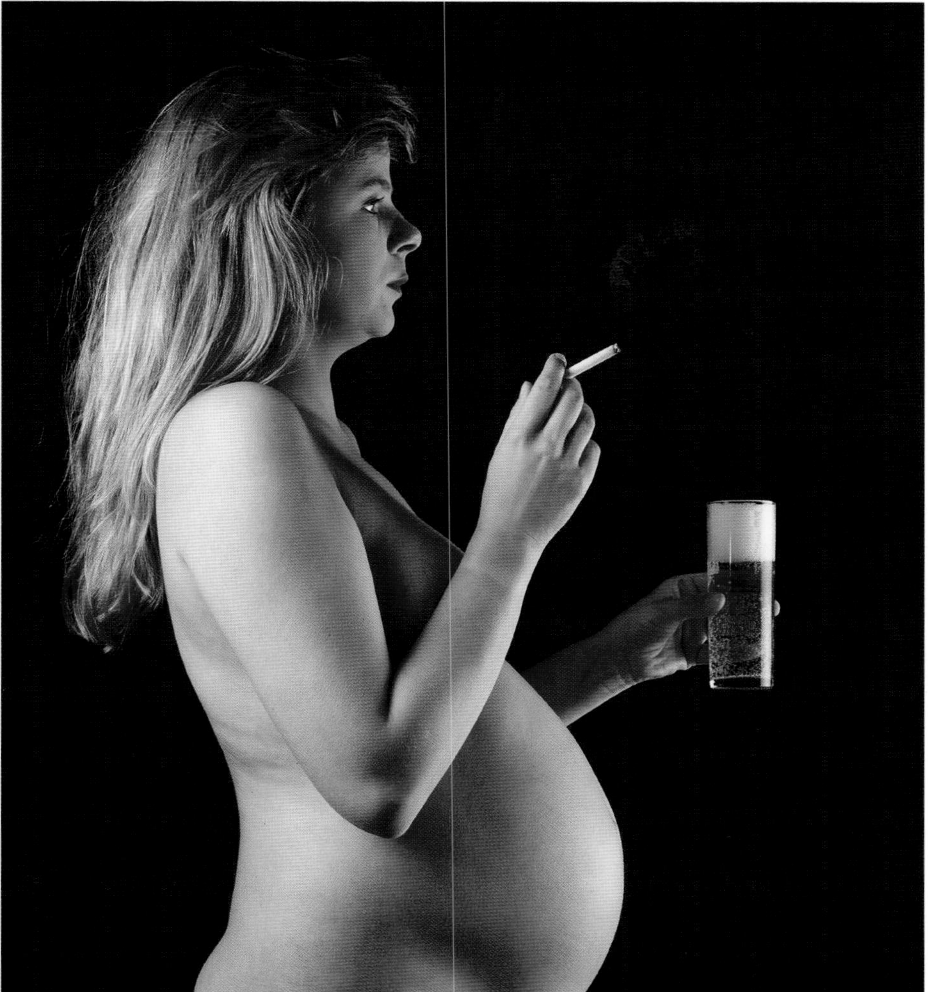

Dos sustancias sumamente dañinas para el feto son la nicotina y el alcohol.

El alcohol en cualquier forma y en cualquier cantidad sencillamente está fuera de lugar durante el embarazo.

Los peligros

¿Qué peligros entraña la persistencia en el hábito de fumar durante el embarazo?

Los periódicos especializados en temas médicos están publicando continuamente más y más evidencias que sugieren la creciente gama de posibles graves efectos colaterales tanto para la madre como para su bebé que acarrea el hábito de fumar. A continuación les damos sólo algunos de los peligros más conocidos:

Abortos espontáneos. Existe un creciente riesgo de aborto. Esto se debe tal vez a la cantidad insuficiente de oxígeno disponible para desarrollar al bebé como consecuencia de la carboxihemoglobina que se forma en los pulmones. El monóxido de carbono compite con éxito con el oxígeno, y así se impide la oxigenación de la sangre. De modo que el bebé se asfixia, muere y se lo expulsa.

Nacimientos prematuros. Esto quiere decir que el parto comienza antes de lo esperado. En muchos de estos casos, con el tiempo, el bebé es normal. Pero hay muchos riesgos. Lo normal es que los bebés permanezcan nueve meses en el claustro materno. Las desviaciones de lo normal inevitablemente provocan riesgos.

Bebés con menos peso de lo normal. Los nacimientos prematuros generalmente producen bebés con un peso inferior al normal. Esto significa que esos bebés nacen con desventajas. Están menos equipados para hacerle frente a los rigores de este mundo. Están mucho más expuestos a los riesgos, y por eso entre ellos la mortalidad infantil es alta.

Mayor mortalidad infantil. El índice de fallecimientos de hijos de madres fumadoras poco después del parto es más alto que el de las madres que no fuman. Considere esto con seriedad.

Retardo mental. Evidencias obtenidas recientemente acerca de los efectos a largo plazo en los hijos de madres fumadoras, indican que años más tarde estos niños están en franca desventaja frente a los hijos de madres no fumadoras. La capacidad mental y las habilidades de estos chicos son menores. En algunos casos las diferencias no son grandes. Pero en este mundo que es cada vez más competitivo, cuando se pone énfasis en las proezas académicas, a largo plazo esta situación puede gravitar pesadamente en el desempeño de ese niño que ahora está en desarrollo.

Infecciones. Las madres fumadoras tienden a seguir fumando después del nacimiento de sus bebés. Otra vez se manifiestan los efectos deletéreos de este hábito sobre el bebé, obligado a ser un "fumador pasivo". El niño, en este caso, no sólo corre los mismos riesgos del fumador, sino que se manifestará en él en forma creciente la tendencia a contraer durante la infancia diversas enfermedades de las vías respiratorias, con una incidencia mucho mayor que en el caso de los hijos de madres no fumadoras. Esto predispone al bebé a muchas de las complicaciones que pueden acarrear las enfermedades crónicas de las vías respiratorias, como ser bronquitis, asma, etc.

¿Es tan peligroso fumar pasivamente como hacerlo en forma activa?

Muchos médicos creen que es tan peligrosa una cosa como la otra. El aparato respiratorio del bebé no está en condiciones de inhalar el humo del cigarrillo, que está lleno de las toxinas que ya enumeramos.

Es imperativo que las madres no fumen. Si lo hacen, deberían descubrir algún sistema que les ayude a reducir el hábito y hasta a eliminarlo. Existen varios excelentes planes para esto en los diversos países del mundo.

¿Dónde se puede encontrar ayuda en este sentido?

En América Latina se ha probado con muchísimo éxito, y desde hace muchos años, un sistema conocido como "Plan de Cinco Días para Dejar de Fumar". Consiste en cinco sesiones nocturnas, a cargo de un médico y de un psicólogo, durante las cuales el médico le prescribe a los participantes un tratamiento que básicamente tiene como fin desintoxicar el organismo, eliminando la nicotina que en los fumadores se encuentra en todo el cuerpo, y que es necesario desalojar sin falta. Este tratamiento se refuerza mediante una dieta con abundancia de líquidos, frutas y jugos de frutas, que ayudan eficazmente a eliminar la nicotina del organismo.

El psicólogo, por su parte, intenta ayudar a los participantes a fortalecer su fuerza de voluntad (valga la redundancia), sugiriéndoles insistentemente que se abstengan de fumar durante esos cinco días. Generalmente al cabo de ese tiempo la mayoría de los participantes pasa a la categoría de ex fumadores. Estos cursos son gratuitos, y la participación en ellos es libre.

Si usted tiene interés en participar en uno de estos planes —que se están dando constantemente en todos estos países— consulte con la editorial que publica esta obra. Encontrará la dirección en las primeras páginas de este libro.

El alcohol

¿Qué nos puede decir de las bebidas alcohólicas?

Las futuras mamás ciertamente estarán mejor si reducen o eliminan del todo el alcohol de su régimen alimentario mientras estén embarazadas y durante la lactancia. Es mejor para su salud en general, y es en beneficio del bebé también.

En los últimos años muchas maternidades han publicado evidencias documentadas acerca de los efectos deletéreos del alcohol sobre los bebés. Una afección conocida como síndrome de alcoholismo fetal se está volviendo cada vez más común. Esta afección produce efectos físicos y mentales adversos, y el niño puede quedar mentalmente deficiente para el resto de la vida. Los casos más graves provocan la muerte.

Los médicos han declarado categóricamente que el alcohol, en cualquier forma y en cualquier cantidad, no es recomendable en absoluto durante el embarazo. Los riesgos de traer al mundo un bebé defectuoso son demasiado altos, tanto en el corto como en el largo plazo. No hace mucho cierta facultad de psiquiatría declaró que se considera actualmente que el alcohol es la causa más común de retardo mental en los bebés nacidos en el mundo occidental.

Mientras más alcohol se consuma, peores serán los efectos sobre el bebé. Efectivamente, existen informes de graves deformaciones mentales y físicas en estos niños.

Conviene recordar que la cerveza es la bebida alcohólica con la menor concentración de alcohol. En cambio, las bebidas llamadas blancas: whisky, pisco, caña y otras similares, contienen concentraciones muy elevadas de esta sustancia. De modo que si se ha de seguir con el hábito de beber, el consumo de las bebidas menos alcohólicas será mejor (aunque la abstinencia es lo correcto e ideal). Pero las mujeres sensatas han descubierto, en su beneficio y en el de sus bebés, que obtendrán más placer si reemplazan las bebidas alcohólicas con jugos de frutas, o simplemente con agua fresca y pura. Los jugos de fruta son ricos en vitaminas, y se las pueden proveer en abundancia a la futura mamá, que ciertamente las necesita, como asimismo su bebé en gestación.

Se aconseja que no se apliquen vacunas durante los tres primeros meses del embarazo.

La inmunización

¿Qué nos puede decir acerca de la inmunización y las vacunas?

Algunas mujeres tendrán que viajar al extranjero durante su embarazo. A su vez, algunos países todavía exigen que los viajeros se vacunen contra diversas enfermedades.

De todos modos la mujer no se debería vacunar durante los dos o tres primeros meses del embarazo.

Con la viruela eliminada del mundo, pocos países insisten en la aplicación de esta vacuna. Los países anglosajones —e incluso varios países latinoamericanos— ya no requieren más la presentación de este certificado.

Las vacunas contra el cólera y la tifoidea tienen fama de ser inocuas; no obstante, muchos doctores preferirían no aplicarlas durante los tres primeros meses del embarazo.

Se asegura que la revacunación contra la poliomielitis no produce ningún problema.

Otras precauciones

¿Existen algunos otros peligros?

Hay otras precauciones que es necesario tomar durante el embarazo, y que son indispensables. En efecto, pueden desempeñar un papel tan importante en el desarrollo del feto, que las consideraremos por separado en el siguiente capítulo.

Por favor, lea cuidadosamente las páginas que siguen, porque es muy posible que esta información le haga mucho bien.

capítulo 6

Hay ciertos riesgos. ¡Cuidado!

EN ESTE CAPÍTULO

- Los riesgos implícitos en la organogénesis.
- El SIDA, la rubéola, el herpes y otras infecciones.
- Todas las drogas están fuera de lugar en las etapas preliminares.
- Las píldoras anticonceptivas y los peligros de los rayos X.
- La ecografía elimina algunos de estos peligros potenciales.

Ciertas infecciones durante el embarazo implican riesgos – Los virus pueden afectar adversamente el desarrollo del bebé – La protección contra la rubéola es esencial (a veces se la aplica ya como algo rutinario) – El herpes genital es grave – Póngase de acuerdo con su médico en cuanto a los medicamentos que debe tomar – Algunos medicamentos son inocuos; otros no lo son – El ultrasonido ha reemplazado totalmente a los rayos X durante el embarazo.

En los últimos años la evidencia indica en forma creciente que en ciertas circunstancias existen verdaderos peligros para el bebé que no ha nacido aún.

Así es. Muchas de estas situaciones están ahora perfectamente establecidas. Muchas se pueden evitar por completo.

Pero algunas mujeres no tienen la menor idea de los riesgos que corren, o los conocen en forma muy fragmentaria.

Puesto que son tan importantes —como una continuación del capítulo anterior, en el cual dimos algunos consejos y señalamos algunas precauciones generales—, en este capítulo presentamos ciertas advertencias especialmente importantes.

Se les aconseja a las mujeres embarazadas, o a las que están procurando estarlo, que lean cuidadosamente este capítulo, porque la información que presenta es muy actual y es sumamente importante. En efecto, puede marcar la diferencia entre un embarazo fracasado y otro de éxito. Puede afectar a todo el mundo, en todas partes y todo el tiempo. Nadie está inmune. Cada semana los periódicos especializados en temas médicos —el principal método de información para los médicos acerca de nuevos asuntos— publican información fresca acerca de la importancia de estos factores.

Algunas de estas informaciones se han conocido por años. Pero en muchos casos la documentación más reciente ha fortalecido y ampliado las opiniones que se tenían antes.

Hay otras informaciones que son bastante recientes. El transcurso del tiempo sin duda les va a añadir peso a muchas de ellas. Podría modificarlas o alterarlas también. Pero lo más probable es que fortalecerá las ideas que ya se tienen.

¿Implican principalmente los puntos que vamos a considerar los riesgos importantes que existen para el bebé no nacido aún?

Así es. Es bien sabido que hay muchísima actividad en relación con el embrión en desarrollo durante las primeras e importantes semanas del embarazo. En el curso de las diez primeras semanas se produce la "organogénesis". Las células se dividen y se subdividen, y gradualmente van tomando forma los órganos vitales del bebé. En realidad, es increíble la velocidad con que esto sucede.

Después de las 10 primeras semanas el proceso pierde velocidad. Pero la división y la subdivisión de las células continúa con un ritmo más lento por muchas semanas más. En realidad se están formando

Una mujer embarazada corre muchos riesgos que pueden afectar no sólo su propia salud sino también la de su bebé no nacido aún, de manera que conviene estar al tanto de ellos.

nuevas células hasta el momento mismo del nacimiento.

Durante el tiempo de esta rápida división de las células y de la formación de los órganos, el embrión atraviesa por un peligro muy especial. Si queda expuesto a ciertas influencias anormales durante este período, pueden comenzar a producirse varios desastres. A su vez, al afectar adversamente la división de las células, comienzan a producirse rápidamente ciertos desórdenes, a los que les damos el nombre común de malformaciones congénitas.

Infecciones virósicas

¿Cuáles son las principales formas en que esto se puede producir?

1. *El virus del SIDA.* Probablemente el virus más asombroso e impredecible que aflige a las mujeres en estos días es el virus que los médicos denominan VIH, responsable por la aparición del SIDA. Era virtualmente desconocido antes de 1980, pero a partir de entonces se ha convertido en una epidemia de alcance mundial. Las mujeres se pueden contagiar antes o durante el embarazo, y en ese caso el VIH se desarrolla en su organismo. Aunque los síntomas pueden estar completamente ausentes o reducidos al mínimo, el virus puede infectar al bebé que se está gestando.

¿Qué le hace al bebé?

Hace que el bebé sea VIH positivo, lo que significa que tiene el virus en su organismo y que nunca se va a poder librar de él. Llegado el tiempo avanzará para desarrollarse como un caso declarado de SIDA, y probablemente le cause la muerte. Pueden pasar algunos años, probablemente diez o más. Pero también puede ser muy virulento y provocar problemas en muy corto tiempo.

Hoy nacen en cantidades cada vez mayores bebés contagiados de SIDA, en la misma proporción en que aumenta la cantidad de hombres y mujeres infectados por la enfermedad. Hoy muchos hospitales someten a las mujeres que se vienen a internar a chequeos para descubrir si son o no VIH positivas. En este momento no hay cura conocida para el SIDA, aunque ciertos medicamentos pueden producir un alivio momentáneo, y muchas otras medicinas y vacunas están en vías de experimentación.

¿Qué otras afecciones virósicas pueden aparecer?

2. *La rubéola.* Hace algunos años un oculista llamado Norman Gregg notó la aparente relación que existía entre las mujeres que habían sufrido de una infección viral común, relativamente inocua, llamada rubéola o sarampión alemán, y ciertas anormalidades que se manifestaban en los ojos de sus bebés.

Esto lo indujo a estudiar el tema con mayor profundidad, y éste fue el comienzo de uno de los más importantes descubrimientos de los tiempos recientes relativos al tema de la maternidad. Los primeros estudios de Gregg tuvieron repercusión mundial desde el mismo momento de su enunciación.

Muy poco pudo él haberse dado cuenta cuando publicó su informe original en un periódico especializado en oftalmología, de que estaba tocando la extremidad de un enorme témpano. En efecto, los resultados de este estudio todavía están surtiendo efecto, ya que este principio general se sigue investigando en muchos campos relacionados con él.

¿Qué descubrió el oftalmólogo?

El descubrimiento básico de Gregg es éste: La madre contrajo rubéola, una enfermedad inocua en sí misma, que produce una suave erupción de la piel, unos cuantos ganglios inflamados en el cuello, y los síntomas de un resfrío más bien suave. Pero el organismo de la madre estaba lleno del virus, por así decirlo. Algunos de ellos atravesaron "la barrera de la placenta" e invadieron el embrión que se estaba desarrollando en la matriz.

Ojos, oídos y corazón

Durante esas vitales primeras semanas del desarrollo pudieron interferir dramáticamente en la subdivisión de las células y la formación de los órganos en el embrión. Al pasar el tiempo, resultó por demás evidente que no sólo los ojos habían sido dañados. Los oídos y el corazón también fueron blancos preferidos de la enfermedad.

No pasó mucho tiempo hasta que el

trabajo de Gregg recibió un reconocimiento mundial. En efecto, a las epidemias importantes de rubéola les siguen una plétora de niños ciegos y sordos, o con malformaciones cardíacas. La situación se ha vuelto tan grave que si una madre en las primeras etapas de su embarazo contrae rubéola, se considera que es candidata segura para la práctica de un aborto legal. Esto es una disposición común y aceptada en muchos países del mundo.

Por supuesto, muchas mujeres siguen oponiéndose a esta operación, y quedan por el resto de la vida a cargo de un chico o chica deformes. Es algo triste, pero que sigue ocurriendo en gran cantidad de casos en todo el mundo.

¿Cuáles son los riesgos?

Se ha calculado, sobre la base de las grandes epidemias que ocurren en muchas partes del mundo, que una mujer embarazada contagiada con rubéola dará a luz un hijo congénitamente deforme, o va a tener un aborto espontáneo en el 40% de los casos. Si la infección se produce en las primeras seis semanas del embarazo, hay un 50% de posibilidades de que se produzcan graves malformaciones congénitas.

El cristalino del ojo, y la mayor parte del oído se desarrollan en el embrión entre la 4a. y la 12a. semanas. Las aurículas y los ventrículos del corazón se forman entre la 5a. y la 7a. Por lo tanto, se puede apreciar la importancia de las infecciones en esos momentos tan vitales.

A la luz de estos descubrimientos, se puede decir ahora con bastante exactitud qué anormalidades se pueden esperar. Por ejemplo, si la rubéola ocurre entre la 5a. y la 7a. semanas, se pueden producir cataratas en los ojos. (Esto significa que el cristalino se vuelve opaco, y que el niño virtualmente no puede ver.) La sordera se producirá si la rubéola ataca durante la 8a. y la 9a. semanas. Las anomalías del corazón aparecen si la infección ocurre entre la 5a. y la 10a. semana. Esto es tan exacto ahora como lo estamos diciendo.

Protección contra la rubéola

¿Hay algún tratamiento efectivo contra la rubéola?

Si se convence a la mujer de que se ha-

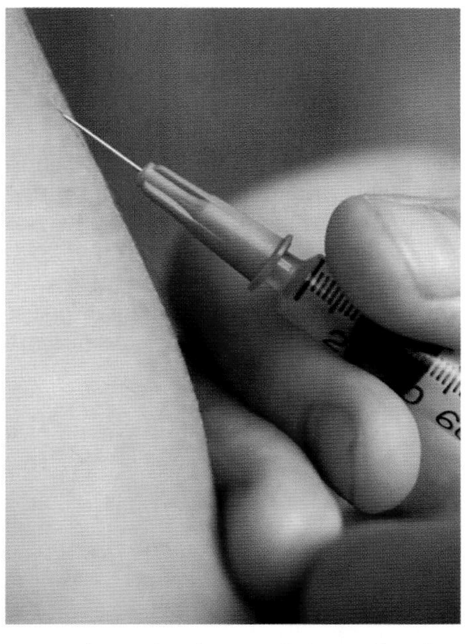

La rubéola puede producir deformidades congénitas. Es conveniente darles a los niños una inyección combinada entre los 12 y los 15 meses de edad.

ga un aborto legal, se podrán resolver los problemas con rapidez. Pero si abrimos el abanico de posibilidades, hoy se puede hacer mucho por las mujeres en este sentido.

La rápida disponibilidad de vacunas contra la rubéola ya ha cambiado todo el cuadro. La forma más satisfactoria de protección es que una niña tenga un ataque de rubéola durante su infancia. Esto brinda excelente protección contra los ataques subsiguientes. En muchos países se vacuna ahora a las chicas contra la rubéola a una edad en la que no es tan posible que queden embarazadas. Esto les confiere una excelente inmunización. Por cierto, no es ciento por ciento efectiva (como se creía originalmente), pero es mucho mejor que no disponer de ninguna protección.

Ahora se les da a los bebés vacunas combinadas contra el sarampión, las paperas y la rubéola, cuando tienen entre 12 y 15 meses de edad. Las mujeres adultas, que no han sido vacunadas todavía, pueden serlo con la condición de que no queden embarazadas durante los próximos tres meses (preferiblemente cuatro). Con la facilidad con que se pueden conseguir los métodos anticonceptivos en estos días, esto no debería ser difícil. Si por desgracia se produce el embarazo dentro de ese período de los tres meses, el feto corre serios riesgos, pero menores comparativamente.

No hace mucho tiempo, en un chequeo que se les hizo a cien mujeres en los Estados Unidos, que habían sido vacunadas dentro de los tres primeros meses, sus bebés no manifestaron en absoluto malformaciones congénitas. Oficialmente el riesgo de malformaciones va del 0 al 5%. Esto establece un agudo contraste con el 20 al 35% de casos que ocurren en mujeres que no han recibido ninguna vacuna, y que se enfermaron de rubéola en los tres o cuatro primeros meses del embarazo.

Es mejor no tomar medicamentos durante los primeros meses del embarazo, y si hay que hacerlo debe ser bajo estricto control médico.

¿Hay manera de saber si una mujer está protegida contra la rubéola?

Puesto que muchas mujeres desconocen totalmente si han tenido rubéola o no en su niñez, existe un test para descubrir si esto ha sucedido. Se lo conoce como test HAI, sigla de la expresión inglesa "Haem-Agglutination Inhibition", es decir, "Inhibición (o suspensión) de la Coagulación de la Sangre" ("haem" es la abreviatura de *háimatos,* palabra griega que quiere decir "sangre"). Este test lo llevan a cabo presta y exactamente los laboratorios patológicos. Mide el nivel de los anticuerpos que hay en el organismo contra la rubéola, elementos que ciertamente brindan protección contra esta enfermedad. Por lo tanto, si el nivel de los anticuerpos es alto, la mujer estará bastante segura de no ser víctima de ataques en el futuro.

Si la infección ocurre durante el embarazo, y hay dudas acerca de si la mujer está vacunada o no, se debe hacer inmediatamente un test de HAI. Se lo debe repetir en dos o tres semanas más. Si hay una repentina elevación del índice de anticuerpos, se está ante la evidencia de que la infección de rubéola se produjo alguna vez, se le puede informar a la paciente acerca de los riesgos que corre y se le puede dar un consejo acertado.

¿Qué viene a continuación en esta lista de calamidades?

3. *Infecciones por citomegalovirus (CMV).* Estas infecciones son comunes en los adultos, y generalmente pasan inadvertidas. Pero si una mujer embarazada se contagia por primera vez, el virus pasa con toda facilidad a través de la barrera de la placenta y penetra en el embrión. Entonces se pueden producir consecuencias graves. En efecto, en muchos casos causa la muerte del bebé en formación. Pero en los casos en que éste logra sobrevivir, invariablemente se manifiestan graves enfermedades neonatales.

El hígado queda afectado, y se puede manifestar una ictericia grave. Pero los daños más importantes se producen en el cerebro. Este virus es responsable de serias complicaciones neurológicas, que con frecuencia producen retardo mental. En efecto, se calcula que el 10% de los casos de retardo mental de Gran Bretaña, por ejemplo, se deben a la infección con CMV antes del nacimiento. En el mejor de los casos el tratamiento es deficiente, y el pronóstico para los bebés afectados por este mal antes de nacer ciertamente es sombrío.

El herpes genital

¿Qué nos puede decir del herpes? Parece que estamos oyendo hablar más acerca de este mal en los últimos años.

4. *Infecciones por herpes.* Lo que usted dice es verdad. Las infecciones causadas por el virus del herpes se han vuelto más comunes, o a lo menos así parece. Muchos las vinculan con la forma promiscua como vive ahora tanta gente, las costumbres sociales de la actualidad y la actividad sexual con tantos compañeros. A su vez, esto aumenta el riesgo de que las madres se infecten. Aunque esta infección básicamente no es grave para la madre misma, el bebé infectado con herpes corre riesgos muy grandes. Se deben hacer todos los esfuerzos posibles para tratar a la madre, y si hay lesiones en el momento del parto (comúnmente erupciones cutáneas en la zona de la vulva y la vagina), probablemente el bebé tendrá que nacer mediante una cesárea para evitar las posibilidades de infección.

¿Se puede tratar esto mediante medicación?

Hay un medicamento llamado aciclovir que se usa con éxito para combatir el herpes genital. Pero se debe tener cuidado, porque por lo general no se administran medicamentos durante las primeras etapas del embarazo. Se deben evaluar los riesgos

El té y el café contienen cafeína, una sustancia que tiene efectos adversos sobre el organismo.

y los beneficios para determinar qué hacer. El obstetra tendrá que tomar esta decisión, y hacer lo que considere mejor para el bebé y su mamá. A lo menos disponemos hoy de antibióticos que son eficaces para el tratamiento de la infección, un gran paso hacia adelante si lo comparamos con lo que teníamos antes.

¿Qué nos puede decir acerca de otras infecciones?

5. *Otras infecciones causadas por virus.* Desde que nos informamos de las infecciones virósicas que acabamos de describir, se han llevado a cabo muchísimas investigaciones referentes a otras formas comunes de estas infecciones.

Aunque la evidencia no es tan concreta, parece que casi toda infección viral durante las primeras etapas del embarazo puede producir problemas de desarrollo en el feto en algunos casos. El resfrío común, producido por una cantidad de virus mutantes (que están cambiando constantemente), y varias formas de influenza (gripe), también han sido señaladas como causantes de estos problemas. Sin duda el tiempo y las futuras investigaciones nos presentarán un cuadro más claro acerca de su virulencia y los peligros que implican durante el embarazo.

Por suerte la poliomielitis es una enfermedad que prácticamente ha desaparecido del escenario médico del mundo occidental, pero de vez en cuando nos enteramos de algún caso. Vale la pena informar que las mujeres embarazadas están muy expuestas a esta enfermedad, y el riesgo de parálisis al parecer es mayor en las primeras etapas del embarazo.

Por lo tanto, aconsejamos a las mujeres que todavía no se han vacunado contra la polio, que lo hagan cuanto antes. Esto es más importante aún si están haciendo planes de viajar en el cercano futuro a un país donde esta enfermedad todavía no está controlada, y desgraciadamente hay muchos países en el mundo donde éste es el caso precisamente.

6. *Infecciones de origen bacteriano.* Hay otras dos infecciones que vale la pena mencionar. Las dos son de naturaleza venérea (de transmisión sexual), y son la gonorrea y la sífilis. Ambas tienen un efecto adverso sobre el embrión, y tienen también serias consecuencias sobre la madre si no se la trata.

Estas dos enfermedades son de origen bacteriano. Por lo tanto, son mucho más susceptibles a los tratamientos. Los antibióticos de uso corriente, administrados en dosis masivas, pueden destruir rápidamente las bacterias antes de que le puedan hacer daño al embrión, con la condición de que esto se haga pronto.

Pero debe haber contacto sexual constante (presumiblemente con un compañero o compañera infectados) antes de contraer la enfermedad. Estas dos enfermedades han pasado hasta no hace mucho por una especie de letargo, pero ahora ambas están experimentando un notable resurgimiento. Se sabe ahora que la promiscuidad, es decir, el hecho de tener muchos compañeros sexuales, constituye una de las formas más comunes de contraer una o las dos enfermedades.

Ciertos medicamentos pueden ser peligrosos

¿Qué nos puede decir acerca de los medicamentos que implican riesgo para el feto?

A comienzos de 1960 la primera advertencia acerca de que ciertos medicamentos administrados durante las primeras etapas del embarazo podrían ser peligrosos la lanzó un obstetra llamado William McBride.

Su informe apareció en *Lancet,* un periódico médico de Londres, bajo la forma de una carta de un lector. Por supuesto, lo que se informaba entonces es ahora una realidad médica mundial bien establecida.

Por causa de los riesgos que implica, las mujeres no deberían tomar medicamentos durante las primeras etapas del embarazo, a menos que hayan sido recetados por el médico.

Fue el comienzo de la revelación del desastre causado por la talidomida. Este medicamento lo recetaron con buena intención los médicos de todo el mundo como un sedante seguro y digno de confianza. Pero administrado a mujeres durante las primeras etapas del embarazo demostró que era un monstruo disfrazado. Tenía una profunda influencia sobre el desarrollo de ciertas partes claves del cuerpo del bebé, y como consecuencia de ello nació una gran cantidad de niños deformes e incapacitados.

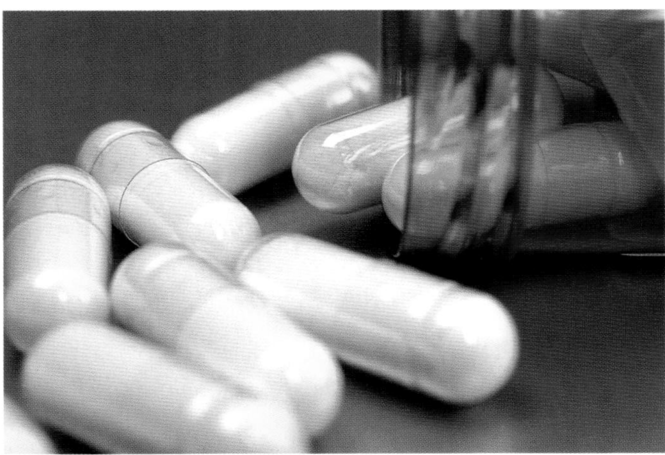

Desde esa trágica década de 1960, una enorme cantidad de investigaciones se ha dedicado al estudio de la terapia por medio de medicamentos durante el embarazo. Los resultados han sido tan sorprendentes que ahora los obstetras del mundo occidental dan en común un consejo sencillo, claro y directo, que se puede sintetizar mediante esta declaración: "No administrar medicamentos de ninguna clase durante el embarazo".

En la práctica esta declaración se ha modificado un poco. El riesgo es mayor durante los primeros meses del embarazo (especialmente los primeros cuatro). Por eso los doctores no quieren prescribir ningún medicamento durante esos primeros meses, cuando las células se están dividiendo y subdividiendo tan rápidamente, y se están formando los órganos vitales.

Tal vez las únicas medicinas que escapen de esta disposición sean ciertos preparados sencillos que contienen hierro, que a menudo necesitan las mujeres embarazadas.

¿Qué nos puede decir acerca de las vitaminas?

Muchos médicos recetan preparados con vitaminas, y yo creo que es una buena idea. Durante los últimos años se ha publicado bastante desinformación acerca de las vitaminas, pero hay mucha evidencia que confirma su valor tanto para la gente normal y sana como para las mujeres embarazadas. Creo que les pueden hacer mucho bien. La mayoría son solubles en agua, y cualquier exceso se elimina fácilmente. Conseguimos suficiente vitamina D de los rayos del sol, y probablemente sucede lo mismo con la vitamina A, sólo que ésta proviene de los alimentos. Las vitaminas A y D son las que pueden producir problemas si se las ingiere excesivamente. En efecto, se cree que la vitamina A impide ciertas malformaciones congénitas.

Algunas mujeres pueden haber oído hablar de un medicamento llamado Debendox, o algún equivalente, que se usó por muchos años para evitar los vómitos durante el embarazo. No hace tanto se lo retiró de las listas de medicamentos y se lo dejó de fabricar. La presión del público se ejerció en contra de este medicamento, a pesar de que por muchos años miles de mujeres lo habían tomado con buenos resultados y sin efectos nocivos ni para ellas ni para sus bebés. En la actualidad los médicos están volviendo a la sencilla vitamina B_6 —conocida también como piridoxina— para evitar las náuseas. Es segura, sencilla y por lo común muy eficaz.

Pero para todos los otros medicamentos los doctores dicen: "¡Nada de eso!" Y esto se extiende hasta medicamentos de uso cotidiano, de venta libre, como la aspirina y los compuestos que la contienen.

Por eso a todas las mujeres embarazadas les aconsejamos NO tomar ningún medicamento en ninguna circunstancia, especialmente durante los primeros tres o cuatro meses. Sigan fielmente las recomendaciones de sus doctores. Y recuerden que esto se aplica también a todo producto fácilmente accesible que usted no clasificaría como medicamento. ¡Piense dos veces antes de poner algo en la boca mientras está embarazada! Podría ser la única manera de garantizarle completa seguridad.

La píldora

¿Cuál es su opinión, en este caso, acerca de la píldora anticonceptiva?

En tiempos recientes se ha prestado más atención a las malformaciones congénitas y sus posibles causas.

Con creciente frecuencia las nuevas porciones, de bien documentada evidencia que se añaden, provienen de las investigaciones practicadas en los principales hospitales de diversas partes del mundo. En conjunto, resulta interesante leerlas, e inducen a la reflexión.

Existe ahora la sospecha de que el consumo de productos que contienen hormonas en las primeras etapas del embarazo podrían ser una causa importante de algunas malformaciones congénitas. Las pueden consumir muchas madres de diversas maneras y sin darse cuenta.

La más posible es que se siga tomando la píldora anticonceptiva a pesar de que se ha producido un embarazo. Aunque es muy difícil que esto ocurra mientras se está tomando la píldora estrictamente como se la prescribió, se pueden producir algunas situaciones cuando inadvertidamente se dejó de tomar una. O la paciente tuvo un problema gástrico por algunos días, y vomitó la píldora sin darse cuenta. En esos casos la protección disminuye, y por consiguiente se puede producir un embarazo. Si eso ocurre, la mujer puede seguir tomando la píldora sin saber que está embarazada.

Aunque en la actualidad la evidencia aún no es concluyente, hay suficiente documentación registrada como para indicar que esto podría provocar problemas en el desarrollo del feto. Por lo tanto, por lo que parece, el embarazo y la píldora no van de la mano.

¿Qué en cuanto a los productos que contienen hormonas?

Otra causa potencialmente grave de problemas en este mismo sentido es el uso de productos con hormonas para llevar a cabo pruebas relativas al embarazo.

Antes de que fueran ampliamente accesibles los tests inmunoquímicos del embarazo (que analizan la orina o la sangre para descubrir la presencia de HCG), se usaban comúnmente las hormonas para lle-

Existen riesgos de deformidades congénitas en el bebé si una mujer queda embarazada sin saberlo mientras sigue tomando la píldora.

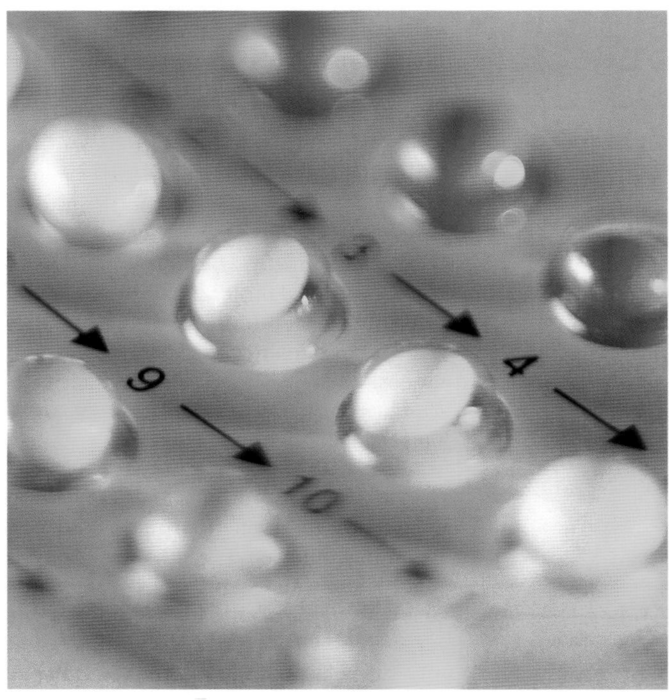

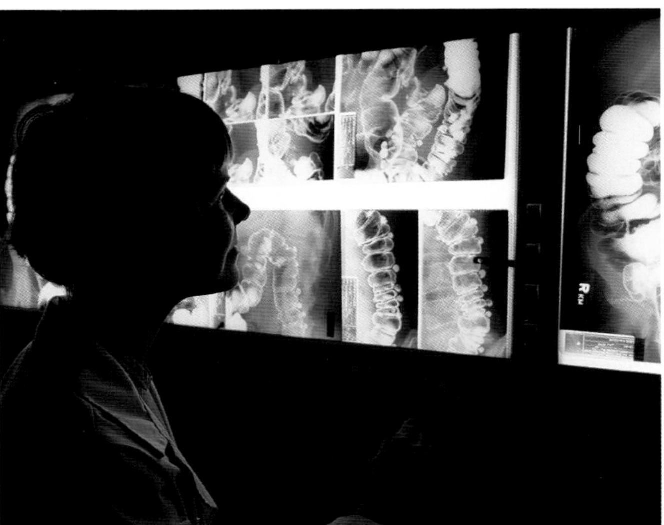

Hoy se sabe a ciencia cierta que los rayos X dañan las células en desarrollo del feto.

var a cabo los chequeos correspondientes.

Se las administraba como inyecciones o tabletas. Si la paciente tenía una leve hemorragia después de las hormonas, eso era una evidencia presuntiva de que no estaba embarazada. Pero si no había sangre, era sumamente probable que estuviera embarazada.

Estos tests se hicieron durante muchos años, y se creía que eran seguros en cuanto a no producir malformaciones congénitas. Pero se comenzó a acumular la evidencia de que esto no siempre era así. En la actualidad muchas evidencias condenan el empleo de productos que contienen hormonas. En algunos países los gobiernos han prohibido su uso, y virtualmente se los ha dejado de usar. De cualquier manera, con los tests modernos son totalmente innecesarios.

Otros productos con hormonas han sido acusados también. La progesterona, que antes se les administraba a las madres que tenían tendencia a los abortos espontáneos, ha sido acusada de producir malformaciones en el bebé en desarrollo. Ya no se la recomienda más para ese caso.

Otro serio problema que se ha reconocido recién en los últimos años es el efecto a largo plazo de ciertos preparados con hormonas que se les administraban a las madres durante el embarazo. Parece que una apreciable cantidad de mujeres fue tratada con la hormona stilboestrol. Aunque sus bebés parecían normales, muchos casos de cáncer de vagina se informaron varios años después entre la descendencia femenina de esas mujeres. No se usan más esos medicamentos.

La medicación para las epilépticas

¿Existen otros medicamentos capaces de provocar problemas?

Se han publicado muchos informes acerca de la relación que existe entre los medicamentos tomados por pacientes que sufren de epilepsia, y las malformaciones congénitas.

El tratamiento de la epilepsia es permanente. Pero como consecuencia de los estudios practicados en muchos países, parece que se corre un riesgo cuando una mujer queda embarazada mientras está sometida a esta clase de terapia.

Esto naturalmente crea un problema en la mente de muchas mujeres jóvenes que desean tener familia. ¿Tienen que reducir su medicación, quedar embarazadas, y correr el riesgo de tener ataques epilépticos? ¿O deben correr el otro riesgo de dar a luz un bebé anormal, pero sin tener ataques de epilepsia?

Deben analizar todo este asunto con su obstetra antes de suspender la medicación o embarcarse en un embarazo.

¡Cuidado con los rayos X!

¿Qué pasa con los rayos X durante el embarazo?

Hace 60 años era casi rutinario que las mujeres embarazadas se sometieran a un procedimiento denominado "pelvimetría". Tenía por objeto medir la abertura de los huesos de la pelvis para determinar si había suficiente espacio para que el bebé pudiera pasar por allí durante el parto.

Pero en los últimos años ha resultado más evidente la influencia del poder de los rayos X sobre las células fetales que se dividen tan rápidamente.

Hoy se reconocen universalmente los daños producidos por las radiaciones, y el posible desarrollo de malformaciones congénitas. Por eso se detuvo de golpe el gran entusiasmo por las radiografías durante el embarazo.

Ahora se hacen todos los esfuerzos posibles para proteger a las mujeres de posibles riesgos. En efecto, en muchos hospita-

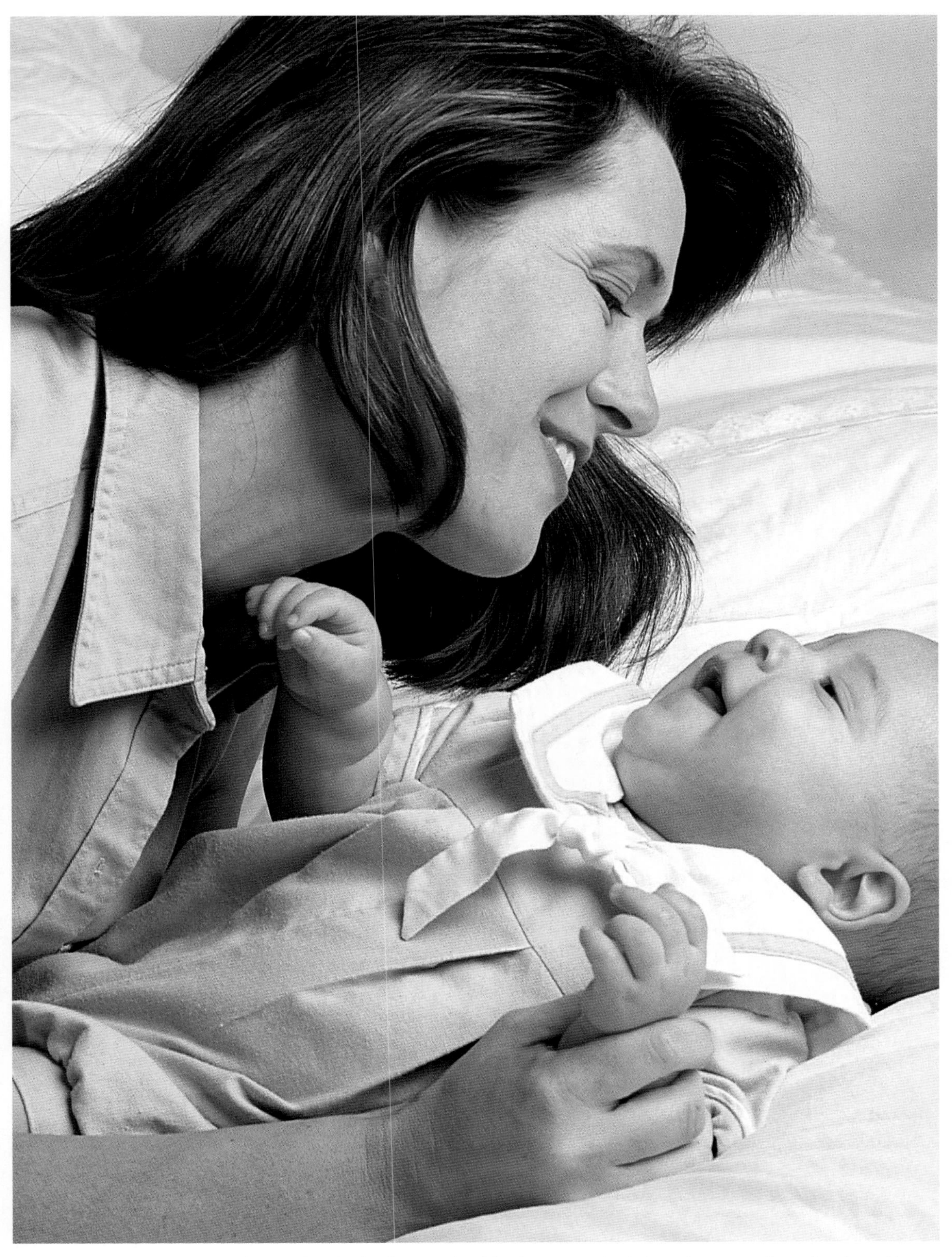

A pesar de todos los riesgos potenciales, la mayor parte de los embarazos se desarrollan sin problemas.

Si el bebé nace con un defecto importante, o si se le desarrolla años después, es una situación difícil que hay que encarar a veces.

les grandes, la aplicación de rayos X a la pelvis o la zona abdominal sólo se lleva a cabo si se sabe con plena seguridad que la mujer no está embarazada.

Se están haciendo muchos esfuerzos en este sentido. En algunos casos los rayos X durante el embarazo pueden ser indispensables. En esa circunstancia están disponibles precauciones especiales para la madre y su hijo que están corriendo un riesgo. Lo que sí puede suceder es que una mujer embarazada se exponga inadvertidamente a ciertas dosis de rayos X.

Un experto en obstetricia escribió una vez: "Ninguna mujer que podría estar embarazada debe someterse nunca a un estudio radiológico de su pelvis en la segunda mitad de su ciclo menstrual". Pero este concepto ha sufrido alguna modificación últimamente.

¿No ha reemplazdo virtualmente a los rayos X el uso de la ecografía?

Así es. Y se considera que la ecografía, constituida por ondas sonoras, es completamente inocuo para el bebé en gestación. No sólo se usa la ecografía para la matriz de la embarazada, sino también para muchas otras investigaciones en otras partes del cuerpo que antiguamente requerían el uso de los rayos X. Esto incluye los diversos órganos alojados en el abdomen.

También, en lugar de usar rayos X para otras situaciones potencialmente peligrosas, ahora se usan otros métodos. Por ejemplo el endoscopio para los problemas relacionados con el estómago y el duodeno, el colonoscopio para el intestino grueso, y la ecografía para la vesícula biliar. El tiempo avanza, se producen cambios, y aparece una tecnología cada vez más segura.

Es importante que estemos alerta

La razón por la cual hemos incluido este capítulo en esta obra no es inspirar temor, sino aconsejar. Se han producido tantos dolores y sufrimientos en los últimos años, que esta actitud ha asumido súbitamente una gran magnitud en las vidas de muchos, y en las mentes de muchos más, incluidos los doctores.

Por ignorancia se cometen constantemente muchísimos errores. Si el conocimiento aumenta, las posibilidades de reducir esos errores también aumentan. Menos errores significa menos desastres. A su vez, esto produce menos dilemas y menos penosos incidentes.

Todos queremos saber cómo se desarrolla y nace una nueva vida. Pero nadie se regocija cuando la vida se malogra como consecuencia de una desgraciada y fea deformidad. No hay laureles para esos mártires en los días que corren. Nacer con un grave defecto, o lo que es peor, desarrollar un grave defecto algunos años más adelante por razones que escapan completamente a nuestro control, y que tienen que ver con influencias que se ejercieron antes de que nazcamos, es una desgracia que cuesta mucho más enfrentar.

El conocimiento de que disponemos ahora nos permite impedir que esos problemas se desarrollen antes de que ocurran. Tener cuidado con la medicación, con ciertas enfermedades que uno podría contraer, buscar sin demora el consejo médico, todo esto desempeña un valioso papel.

Es absolutamente necesario que toda madre en perspectiva (y padre también, si vamos al caso) esté a lo menos al tanto de los peligros potenciales que existen en el mundo de hoy. Son numerosos. Pero del mismo modo muchos de ellos se pueden evitar usando sólo el sentido común.

Por favor, lea estos consejos, trate de recordarlos, y a lo menos practíquelos. Le podría proporcionar a alguien un futuro más brillante.

capítulo 7

Cuide su peso durante el embarazo

EN ESTE CAPÍTULO

- Aumentos de peso aceptables e inaceptables.
- Los componentes del feto.
- Los componentes de la madre.
- Un problema que posiblemente se prolongue.
- Principios generales sensatos que dan buenos resultados.

Aunque usted no lo quiera, aumentará de peso – Los aumentos de peso súbitos y excesivos se deben consultar con el médico – Una alimentación equilibrada y sensata es importante.

¡Cuide su peso durante el embarazo!

Hoy las mujeres se preocupan mucho más de su peso que antes. Esto se debe a que el peso está directamente relacionado con la apariencia personal, con la "figura". En la sociedad occidental una "buena figura" equivale a atractivo físico y femineidad. Pero muchas mujeres descubren que la tentación de comer en exceso es difícil de resistir, y por eso aumentan de peso.

Cuando el espejo les reprocha su figura, la mayoría se da cuenta de que han sido insensatas, pero por lo general ya es demasiado tarde.

Se reconoce que el exceso de peso es el emblema nacional de los países ricos... y no tan ricos también. Mientras más dinero haya, más come la gente (hombres y mujeres). Pero esto no tiene nada de gracia cuando la mujer descubre que ha perdido su atractivo, y que ha pasado a engrosar las filas del gremio de las que una vez fueron atrayentes pero ahora ya no lo son más.

Pero es inevitable que durante el embarazo se produzca una modificación de la apariencia.

Correcto. Esto forma parte de la fisiología de la reproducción, y este aspecto de la vida de una mujer es aceptable y está aceptado. Si se ejerce un buen control, por lo general sólo es cuestión de tiempo para que la mayoría de las mujeres recupere su antigua silueta. Pero como muchas que ya han sido madres lo saben muy bien, se corren varios riesgos durante el embarazo en lo que al peso se refiere.

Seguramente habrá aumento de peso y alteración de la figura durante el embarazo. Pero es muy fácil interpretar esto como un aumento de peso inaceptable. Si esto ocurre, una vez que el embarazo terminó, puede ser bastante difícil volver al peso o a la figura que se tenían antes del embarazo.

De manera que por consideraciones meramente "sociales" las mujeres deberían darle una segunda consideración al tema del peso durante su embarazo.

Así es. Como regla general el aumento total de peso durante el embarazo no debería exceder los 15 kilos. Se aconseja bien a las mujeres cuando se les dice que no deben aumentar más de 1/2 kg por semana durante las últimas 20 semanas del embarazo.

Cuando se exceden estos límites, es muy alto el riesgo de que el aumento de peso se vuelva permanente. Todas las mujeres saben cuán difícil es bajar de peso. Después del nacimiento de un bebé esto puede ser más difícil aún, de manera que muchas mujeres se deslizan en silencio hacia una condición de permanente exceso de peso, con todos sus riesgos potenciales, tanto desde los puntos de vista social como médico.

El aumento de peso durante el embarazo también es importante, ya que puede estar relacionado con algunas serias complicaciones. Una de las más graves es la preeclampsia. Si llega a ocurrir, puede conducir a otras complicaciones más peligrosas todavía, que con el tiempo pueden constituir serios problemas para la madre y el bebé. Esto se trata más plenamente en el capítulo 10, titulado: "Cosas que pueden andar mal y cómo corregirlas". (Vaya a ese capítulo si desea disponer de más información acerca de este importante tema.)

Por qué se aumenta de peso

¿Por qué aumentan de peso las mujeres durante el embarazo?

Existen varias razones y dos componentes principales que vale la pena analizar.

1. *Los componentes del feto.* Incluyen el feto propiamente dicho, más la placenta y el líquido en medio del cual se desarrolla el bebé, llamado "líquido amniótico".

2. *Los componentes de la madre.* Incluyen la matriz (útero) y los pechos; una mayor cantidad de sangre; el organismo almacena grasas y proteínas, como asimismo líquidos.

Demos algunos detalles más acerca de estas cosas.

Con mucho gusto.

1. *Los componentes del feto.* Como toda madre lo sabe, el peso de los bebés recién nacidos varía considerablemente. Además de las diferencias que se observan en los bebés nacidos en el mismo país, hay por cierto una notable diferencia de nación a nación.

En la Argentina, por ejemplo, el promedio de peso de los bebés es de 3.300 gramos. Pero en la India el promedio es de 2.900 gramos. Y en ambos casos los bebés pueden estar en buenas condiciones y ser sanos.

La edad de la madre no ejerce ninguna influencia sobre el peso del bebé, pero existe la tendencia a que el peso de los sucesivos bebés nacidos de la misma madre sea mayor que el del primero. Mientras más alto sea el nivel socioeconómico de los padres, más suele pesar el bebé.

Una razón muy bien establecida del bajo peso de los bebés al nacer es el hecho de que las madres sean fumadoras y hayan fumado durante el embarazo. Esta situación ha cobrado tal importancia en los países occidentales, que se les recomienda a las futuras madres que se abstengan totalmente de fumar durante el embarazo. Los bebés de bajo peso (y los prematuros) corren muchos riesgos que desconocen los que nacen en condiciones normales.

En las primeras etapas, y hasta la 20a. semana, el feto aumenta de peso muy lentamente. Pero después se produce un aumento constante.

La placenta, el vínculo vital entre el bebé y su madre, es un gran órgano carnoso. En las primeras etapas del embarazo crece rápidamente hasta la 16a. semana. Después su índice de crecimiento disminuye, de modo que al nacer llega al 20% del peso total del bebé.

El "líquido amniótico", el fluido que contiene la matriz y que envuelve total-

Caminar es uno de los mejores ejercicios para conservar el peso dentro de límites razonables.

mente al bebé durante su vida intrauterina, es un gran causante del aumento de peso. Su volumen crece rápidamente durante el embarazo. Hay 300 ml al llegar a la 20a. semana, 600 ml al llegar a la 30a., y cerca de 1.000 al llegar a la 38a. Después desciende rápidamente.

¿Qué nos puede decir de los otros factores, los componentes de la madre?

2. *Los componentes de la madre.* La matriz (el útero) aumenta rápidamente de peso durante las primeras semanas del embarazo, especialmente durante las primeras 20. Después de esto crece más lentamente hasta llegar a la 40a. Cuando llega el momento en que el bebé tiene que nacer, pesa unos 900 gramos más que antes del embarazo.

Como regla general, el peso de una mujer no debe aumentar más de 15 kilos durante el embarazo.

Los pechos se desarrollan rápidamente desde el mismo principio, bajo la influencia de ciertas hormonas. Están preparados para el día cuando el bebé nazca, de modo que pueda recibir su alimento normalmente. También aumenta mucho la cantidad de sangre que irriga todo el organismo durante el embarazo. Esto contribuye asimismo al aumento de peso.

Una buena parte del aumento de peso de la mujer embarazada se debe al almacenamiento de grasas. En efecto, suelen aumentar hasta 4 kg. Todo esto ocurre antes de la 30a. semana. La mayor parte proviene de los carbohidratos y las grasas de los alimentos, y una pequeña cantidad proviene de las proteínas extras que se ingieren.

Hay una razón muy importante que explica esta cantidad extra de grasa. Se ha comprobado que cerca de 35.000 calorías se pueden obtener de estos depósitos de grasa si súbitamente la madre las necesitara durante las semanas que siguen al nacimiento del bebé. En otras palabras, se la está programando para que haga más trabajo del normal. Pero debemos insertar aquí una palabra de advertencia: no se debe usar esto como pretexto para aumentar deliberadamente de peso. Como ya lo demostramos antes, el aumento excesivo de peso durante el embarazo predispone a que prosiga como algo permanente después, y puede durar mucho tiempo.

A partir de la 30a. semana, la razón más importante del aumento de peso es la retención de líquidos por parte del organismo. Durante las 30 primeras semanas la futura madre retendrá hasta un poco más de 3,5 litros, más 3 litros adicionales entre ese momento y el del parto.

Hábitos sensatos

¿Cuán a menudo deberían pesarse las mujeres?

Deberían hacerlo en forma regular. Se debe observar cuidadosamente el exceso de peso durante las 10 últimas semanas. Pesarse en forma regular es indispensable. Si hay un aumento de peso que supere los 900 g en cualquier semana, es evidencia de que hay exceso de retención de líquidos, y eso puede ser una señal precoz de eclampsia, una grave complicación del embarazo.

No hay por qué alarmarse por lo que acabamos de decir acerca del excesivo aumento de peso. Básicamente es muy normal y relativamente fácil de entender.

El aumento de peso durante el embarazo es normal y natural. Lo que se debe evitar es el exceso de peso, y esto se puede hacer muy fácilmente si se adopta un régimen alimentario sensato, que evite todos los alimentos que se deben eliminar no sólo durante el embarazo, sino siempre, durante la vida normal de la mujer también, es decir, cuando no está embarazada.

Existe una precaución adicional en el sentido de que cualquier aumento excesivo de peso necesita una inmediata investigación, especialmente en las últimas 10 semanas del embarazo. Si se aferran a estos principios generales, muchas mujeres saldrán de su internación en la clínica o el hospital para recuperar pronto su antiguo aspecto y su atractivo.

No existe la más mínima razón para que una mujer entre a competir con las demás durante el embarazo. A menudo se le echa la culpa a éste por la figura poco atractiva que la mujer presenta después, cuando en realidad la verdadera razón se encuentra en las insensatas indiscreciones y en la falta de atención a unos cuantos detalles sencillos por parte de la mujer misma.

Realmente depende de usted. No lo olvide.

capítulo 8

El valor de una alimentación equilibrada vale la pena

EN ESTE CAPÍTULO

- La alimentación no tiene que costar mucho.
- El valor para todos de la alimentación vegetariana.
- Algunos principios relativos a la alimentación.
- El valor de los alimentos y el régimen alimentario.
- Las excepciones, y las tabletas que contienen hierro.

Es esencial una amplia variedad de alimentos nutritivos – Las posibilidades actuales son enormes – Hay alimentos con carne y sin ella – Recomendamos consumir pocas grasas – Es esencial un adecuado consumo de calcio – Se sugiere añadir adecuadamente ciertas cantidades de vitaminas y minerales.

¿Qué debería comer la mujer embarazada?

Se ha escrito y se ha dicho mucho acerca de esto. Se ha dado una tremenda cantidad de consejos ridículos al respecto, y seguramente se los seguirá dando. Por alguna extraña razón la mujer embarazada siempre ha sido el blanco de toda clase de consejos bien intencionados por parte de gente que piensa que dispone de información "especial".

Por supuesto, ya que muchas futuras madres son jóvenes, y sin posibilidades de establecer comparaciones, son vulnerables a los proyectiles verbales de los así llamados expertos en este campo.

Las mujeres embarazadas también son muy interesantes para los comerciantes.

Por supuesto. No sólo está implícita su propia salud, sino que son responsables de la salud de su bebé en gestación. Por esta razón muchas se creen en la obligación de procurar lo mejor de lo mejor, cueste lo que costare, para dárselo a su futuro bebé. Por eso los expertos en publicidad apuntan con su propaganda a la infortunada futura mamá.

Déle al bebé esto; quítele eso; coma algo más; tome regularmente este compuesto de vitaminas, porque si no lo hace Ud. estará privando a su bebé de "lo mejor". Y así sigue la historia. Cada día las madres del mundo reciben el bombardeo de una publicidad correcta en apariencia pero que en realidad es dudosa, especialmente en interés del comercio, presentada de tal manera que parecería que el principal interés es la salud, la vida y la vitalidad de la madre y su bebé.

Como regla general, las mujeres embarazadas harían bien si ignoraran por completo esta avalancha de "consejos". Es mejor practicar principios sencillos y bien establecidos cuando se trata de la alimentación. Pase por alto los avisos relativos a la moda que tanto abundan. Olvídese de la astuta propaganda y los lujosos folletos de los laboratorios farmacéuticos.

Algunas de estas empresas suelen dar consejos razonables, pero, ¿no le parece que la razón principal de su propaganda consiste en alivianarle el bolsillo?

Así es. La industria de los bebés es un gran negocio en todo el mundo occidental. De manera que puede leer, por cierto, todo el material que le llega, pero hágalo con ojo crítico.

Su médico le detallará los principios generales importantes relativos a la alimentación. Aplíquelos como fundamentos de su régimen alimentario. No se deje engañar, y no gaste fortunas en productos de fantasía. Ni usted ni su bebé se beneficiarán con eso.

En términos generales, la mujer embarazada come prácticamente lo mismo que consumía antes de su embarazo. En esto no va a cambiar mucho. El antiguo concepto de que "ahora tiene que comer por dos" es una idea totalmente superada. Hay lo suficiente en su régimen diario para atender sus propias necesidades y las de su bebé, con la condición de que sea cuidadosa y sensata en la selección de sus alimentos.

El consumo normal de alimentos por parte de una persona suele variar. Depende del país en que vive y de las costumbres locales. Tiene que ver con su rutina normal, y ésta a su vez se relaciona con su nivel socioeconómico.

Cuando el dinero no es problema, las familias tienden a consumir más alimentos que contienen proteínas, ya que generalmente son más caros, y tal vez porque gustan más. La gente más pobre tiende a consumir más carbohidratos.

Hace poco un renombrado obstetra resumió esta situación de la siguiente manera: "En los países ricos el consejo debe ser: 'Compren todo lo que puedan en la carnicería, la verdulería y la granja, y gasten lo menos que puedan en la confitería, el almacén y la farmacia'".

Este es un excelente resumen de lo que es mejor en este aspecto para la mujer embarazada. Se lo puede usar como una guía permanente durante todo el tiempo que antecede al nacimiento del bebé.

El régimen vegetariano

¿Qué opina usted de las mujeres que siguen un régimen vegetariano?

Mis ideas al respecto son positivas, porque en el régimen vegetariano hay muchas cosas buenas. En estos días se le está dando un énfasis creciente, no sólo para las mujeres embarazadas sino para la comunidad en general. Se sabe muy bien que los sustitutos de la carne son perfectamente seguros y muy adecuados. Las mujeres que optan por un régimen vegetariano ciertamente descartan el consumo de productos de origen animal. Pero éstos deben ser reemplazados por las cantidades adecuadas de proteínas alternativas.

Muchos alimentos que contienen sustitutos de la proteína animal son fáciles de preparar, y se basan en el poroto soja, o los productos derivados de él, el gluten de la harina de trigo, y los numerosos alimentos que se pueden preparar fácilmente con todo esto, y muchos productos preparados con leguminosas. Muchas nueces contienen bastante proteína, como ser las nueces mismas, las castañas de cajú del Brasil, las almendras, el maní, etc.

En la actualidad en varios países latinoamericanos estos productos ya vienen listos para usarlos, precocidos y enlatados, y se los puede adquirir con relativa facilidad en el comercio. Quiere decir que para los que deseen obtener proteínas de esta manera, no hay escasez de productos.

Para las mujeres que no están familiari-

Dosis diaria

Esta es la "dosis diaria" de nutrientes que le recomendamos a las mujeres embarazadas en general (a partir de la 20a. semana):

Total de kilojulios* diarios	**10.500**
Proteínas	65,0 g
Tiamina	1,0 mg
Riboflavina	1,5 mg
Ácido nicotínico	15,0 mg
Ácido fólico	1,0 mg
Ácido ascórbico	50,0 mg
Vitamina A	6000 UI
Vitamina D**	400 UI
Calcio	1.000,0 mg
Hierro	15,0 mg

* Un "kilojulio" son 1.000 julios. El "julio" es la cantidad de trabajo o energía que se necesita para realizar determinada tarea.

** El consumo de vitamina D adicional no se requiere en los países tropicales o subtropicales, donde las mujeres están suficientemente expuestas a los rayos del sol, pues esta vitamina la fabrica el mismo organismo con la condición de que haya exposición a los rayos solares.

Una mujer embarazada come aproximadamente la misma cantidad de alimento que consumía antes del embarazo.

Es falsa la idea de que la futura mamá "debe comer por dos". Una alimentación equilibrada que contenga una cantidad de alimentos nutritivos será suficiente para ella y para su bebé.

zadas con la cocina vegetariana, existen actualmente folletos con cantidad de recetas vegetarianas, e indicaciones en cuanto a cómo prepararlas. Si algunas lectoras se interesaran en este tema, póngase en contacto, por favor, con la editorial que publica esta obra. Sus representantes les darán con mucho gusto toda la información que haya en relación con este tema.

¿Qué nos puede decir de las mujeres que todos los días toman vitaminas, además de su régimen de alimentación normal?

A continuación damos un detalle más completo de los elementos esenciales que necesita ingerir una mujer, en lo que a vitaminas se refiere

Los alimentos que se necesitan durante el embarazo

Al parecer, entonces, el consumo diario e inteligente de alimentos es esencial para la salud de la madre y de su bebé. También se debería recordar que este sistema debe comenzar antes del embarazo, de manera que los hábitos ya estén arraigados cuando éste se produzca.

De acuerdo. Continuar con el consumo sensato de alimentos es fácil cuando los hábitos ya están arraigados. En lugar de decir: "¡Oh! Estoy embarazada. Debo comenzar a comer como se debe. Debo dejar de comer todas esas cosas sin valor que siempre he comido, y debo empezar a ingerir alimentos buenos y nutritivos", debe tener ya el hábito de hacer todo eso. Las cosas no ocurren porque sí. A nosotros, los seres humanos, por ser lo que somos, es decir, generalmente perversos, nos resulta difícil cambiar de golpe los hábitos, especialmente cuando se refieren a las comidas.

¿Qué debe hacer cada día la futura mamá?

Todo se resume en unas pocas reglas sencillas y fáciles de cumplir. Ahora se sabe perfectamente bien que se deben incluir en el menú los alimentos que provienen de ciertos grupos bien establecidos. Por ejemplo:

(a) Pan y cereales: cuatro porciones o más por día.

(b) Verduras, ensaladas y frutas: cuatro porciones o más por día.

(c) Carne, pescado, pollo, queso, huevos, nueces, legumbres: dos porciones.

(d) Leche: 600 ml (un poco más de medio litro).

(e) Manteca (mantequilla) o margarina: de 15 a 30 g por día.

Este es un buen comienzo. Examinemos esto con más detalles.

● Panes y cereales

Hoy los expertos en nutrición recomiendan cuatro porciones por día, que deberían incluir pan y cereales integrales. Son una excelente fuente de fibra (celulosa), vitamina B_1 (tiamina o aneurina) y proteína. También contienen valiosos minerales indispensables. En la actualidad, con el énfasis que se le da a la fibra natural, añadirle una o dos cucharadas de salvado de trigo a los cereales es una buena idea.

Una porción equivale a una rebanada de pan, o media taza de cereal para el desayuno (como ser copos de trigo, o de arroz, o de maíz, muesli, granola, etc.), dos bizcochos o dos rebanadas de pan tostado, o media taza de arroz cocido, de fideos, o de soja, u otros porotos, o lentejas.

Esto no debe ser difícil de conseguir. En unos cuantos países latinoamericanos muchas futuras mamás ya están usando estos productos para el desayuno. ¿Qué hay en cuanto al siguiente subtítulo?

● Verduras, ensaladas y frutas

Como ideal, se sugiere ingerir cuatro o más porciones al día de estos alimentos. Son muy ricos en las vitaminas y los minerales básicos, y contienen bastante fibra.

Una porción típica contiene media taza de verduras cocidas, o ensalada de verduras, o una fruta, o media taza de jugo de frutas.

La vitamina C es indispensable, y por eso se recomienda que diariamente se consuman porciones de frutas y verduras que contengan en abundancia esta vitamina. Los alimentos ricos en vitamina C son las naranjas, los limones, las mandarinas, los pomelos, las frutillas, las fresas, los melones, los ananás, los tomates, los mamones (papayas), etc. Los jugos ricos en vitamina C incluyen: naranja, tomate, limón y pomelo. Es mejor que usted misma exprima la fruta y beba el jugo cuando está fresco. Se los considera superiores a los jugos congelados y enlatados. La cocción tiende a destruir la vitamina C. Las bebidas conservadas, que contienen una gran cantidad de azúcar, no se consideran un buen sustituto de los jugos de frutas. Hay una buena cantidad de vitamina C en algunas verduras, como ser la coliflor, los repollitos de Bruselas, los repollos, el bróculi y la humilde papa (patata). Esta contiene casi tanta vitamina C como en una naranja de tamaño mediano.

¿Qué nos puede decir acerca de otras verduras?

Se recomienda incluir en el menú diario una verdura verde y otra amarilla. Pueden ser zanahorias, lechugas, espinacas, arvejas, porotos, perejil, como asimismo las que mencionamos antes. Es mejor someter las verduras a cocciones breves (hasta que se pongan tiernas). No las cocine demasiado, porque esto tiende a destruir ciertas vitaminas, e incluso otros elementos (como ser algunos minerales) se disuelven en el agua y se van con ella cuando ésta se descarta. No le ponga bicarbonato a las comidas, porque también destruye las vitaminas. Algunos prefieren las ollas y los recipientes de vidrio o de acero inoxidable a los de aluminio, que ha pasado a ser ahora un elemento sospechoso para el arte culinario.

Las ensaladas frescas son una fuente de calcio ideal –vital para la formación de los huesos–, y también de proteínas esenciales para la formación de nuevas células, músculos y órganos.

Estoy seguro de que estos alimentos son muy importantes, su consumo diario parece lógico y no provocan problemas de ninguna clase. Pero, ¿qué más hay para comer? Vayamos ahora, por favor, al tercer subtítulo.

● Carne, pescado, pollo, queso, huevos, nueces, legumbres

Este subtítulo abarca una buena cantidad de alimentos, y se deberían ingerir dos porciones de ellos por día. Todos son ricos en proteínas, que es el elemento productor de células en el organismo. Conserva el cuerpo de la madre con buena salud, y le ayuda a hacer frente al trabajo y el cansancio de todos los días. Hacen lo mismo en favor del bebé que se está gestando, proporcionándole los materiales para edificar un nuevo cuerpo y sus miles de millones de nuevas células. Los músculos, huesos y órganos del nuevo bebé dependen esencialmente de una alta y continua provisión de proteína. Las carnes magras, el pollo, el pescado y ciertas legumbres también son ricas en hierro, que es indispensable para la producción de sangre.

Para la principal comida del día (ya sea a mediodía o a la noche), se recomienda una porción (entre 75 y 100 gramos) de carne magra cocida, o de pollo, o un huevo, o una taza de legumbres (porotos, lentejas). Elimine la grasa de la carne, pues ya hay bastante entre las fibras musculares, y no le hace bien al organismo un exceso de grasas saturadas.

Me parece que las cantidades de alimento que usted está recomendando son más o menos las que yo podría comer cada día, ¡y no estoy embarazada!

Exactamente. Este plan de alimentación es general, adecuado virtualmente para cualquiera que desee vivir una vida saludable, y comer los alimentos correctos en las cantidades adecuadas. Por supuesto, las mujeres embarazadas no son la excepción a esta regla.

Muy bien. ¿Cuál es el siguiente tema que vamos a tratar?

● La leche

Sugerimos que se tome un poco más de medio litro de leche por día. No es necesario que se lo consuma sólo como bebida, porque se la puede añadir a cualquier otro alimento, o usarla de diversas maneras. Tómela como bebida, o mezclada con otras bebidas, o con los cereales, postres, salsas y sopas. De cualquier manera es buena, ya sea fresca, evaporada (deshidratada), en polvo o condensada (aunque a esta última se le suele añadir mucha azúcar, y eso no es bueno).

También se recomiendan los productos derivados de la leche, como el queso, por ejemplo. Una porción de 30 g de queso proporciona la misma cantidad de calcio que 200 ml de leche. Un envase de yogur de unos 200 g tiene aproximadamente la misma cantidad de calcio que 1/4 l de leche. (Algunas marcas de leche de soja fortalecida con calcio contienen tanto calcio como la leche de vaca.)

La leche y sus derivados son ricos en calcio y proteínas. El calcio es esencial para la formación de los huesos, y la proteína para la formación de nuevas células, músculos y órganos.

No se considera que la ricota, la ricota con crema, el queso de crema y otros productos similares sean buenas fuentes de calcio, y no se los debería considerar como sustitutos de la leche.

¡Qué bueno que puedo disponer de 600 ml de leche cada día, con o sin 30 g de queso! ¿Qué hay en cuanto a la margarina?

● La manteca (mantequilla) o la margarina

Se debería usar entre 15 y 30 g por día. Ambas son ricas en vitaminas A y D, y son fuentes concentradas de energía (materias grasas).

Esto es un resumen de las cantidades y las clases de alimentos que se pueden consumir cada día. Ahora bien, para que nuestros lectores lo entiendan un poco mejor, ¿qué le parece si les damos la idea de un menú sencillo que ellos o ellas podrían usar como una especie de guía?

Por supuesto. Resulta claro a partir de la lista que ya dimos qué cantidades de alimentos se deben ingerir cada día. Para tra-

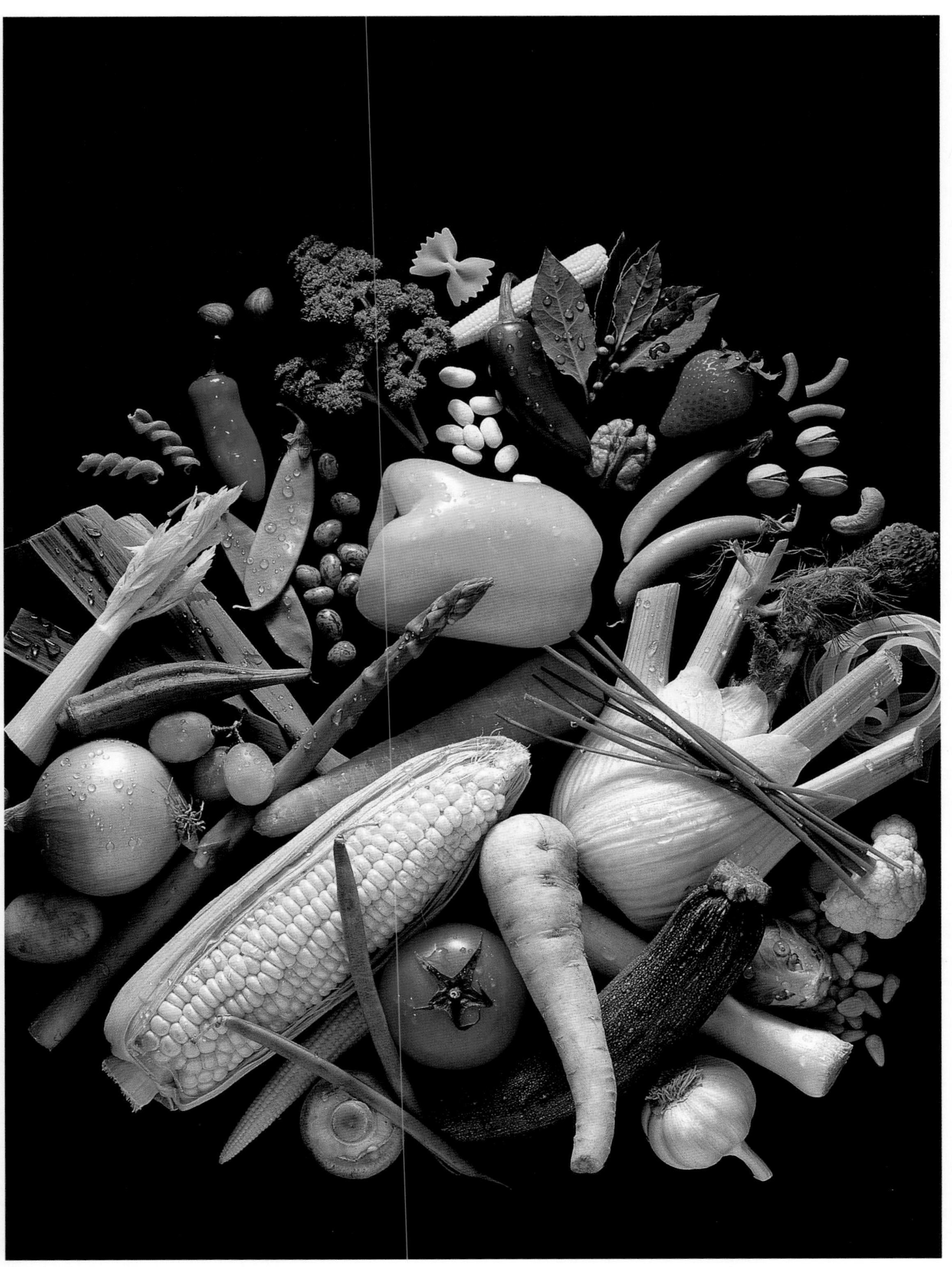

Para evitar el riesgo de anemia, conviene consumir las cantidades adecuadas de alimentos ricos en hierro.

ducirla a la realidad, damos aquí una sugerencia que se puede usar como guía, y que se puede variar de acuerdo con las ideas que ya hemos dado.

Desayuno:

Cereal (muesli, granola, avena machacada [quáker], copos de trigo, de maíz o de arroz). Añádale a esto dos o cuatro cucharadas de salvado de trigo.

Un huevo (preferiblemente no frito), queso. (Como alternativa: media porción de porotos asados sobre una tostada de pan integral.)

Una rebanada de pan integral (puede ser de varios cereales), con manteca (mantequilla), margarina o manteca (mantequilla) de maní.

Una porción de leche, jugo de fruta, agua, té de hierbas, café de cereales.

Almuerzo:

Algo con proteínas, como ser carne magra, pollo, huevo, queso, pescado, legumbres, ensaladas, verduras o verduras cocidas.

Pan integral (de varios cereales) con manteca (mantequilla), margarina, manteca (mantequilla) de maní. Fruta fresca (o ensalada de frutas, sin azúcar).

Bebidas: agua, leche, jugo de fruta, té de hierbas, café de cereales.

(Esto se puede preparar en casa en el momento. Si está trabajando, lo puede colocar en un recipiente de plástico para llevarlo al lugar donde trabaja, o lo puede organizar allí mismo antes de comer. Es preferible que esté caliente en el invierno y frío en el verano. No cuesta nada preparar un emparedado.)

Cena:

Esto probablemente sea muy parecido al almuerzo, a lo menos en lo que se refiere a sus componentes; también puede ser frío o caliente, según cómo esté el tiempo o cuál sea el gusto personal. Puede estar compuesto por:

Un alimento proteínico, como ser carne magra (desprovista de grasa), pollo, pescado, legumbres (porotos, lentejas, etc.).

Verduras (cocidas o en ensalada; cualquiera de la lista).

Papas (o arroz, o pastas). Porciones pequeñas.

Frutas frescas al natural, o como ensalada de frutas. (No se entusiasme agregándoles mucha azúcar.)

Leche, ya sea como bebida o en forma de flan, budín o helado.

Bebidas, tal como en las otras comidas: leche, agua, jugo de fruta (preferiblemente exprimido por usted misma), té de hierbas, café de cereales, té, café.

Todo esto parece muy interesante y seductor. Ahora, ¿qué nos puede decir acerca de comer entre comidas? Yo siempre tengo apetito entre las comidas, y estoy segura de que las futuras mamás tendrán deseos de comer un bocadito de vez en cuando.

Ciertamente. Como ideal, tenga cuidado con los bocaditos, porque al fin del día pueden sumar unas cuantas calorías. No obstante, algo nutritivo será mejor que "calorías vacías". Coma un poco de fruta, algunas nueces, un poco de fruta seca, leche o jugo de fruta, un vaso de agua helada, o un pequeño sándwich de pan integral, queso y tomate, o una pequeña porción de yogur. Lo ideal es evitar las tortas, las galletitas dulces, los caramelos y los productos hechos con harina refinada y mucha azúcar. Añada también sal en cantidades mínimas; demasiada sal no es bueno tampoco.

¿Qué nos puede decir de las comidas rápidas? Son tremendamente populares en estos días, y sus bocas de expendio se encuentran casi en cada barrio. ¿Se las puede recomendar?

Algunas de esas comidas son muy nutritivas; en cambio, no se puede decir lo mismo de otras. Muchas tienen un alto contenido de harina refinada, azúcar y materias grasas, ninguna de las cuales es recomendable para la mujer embarazada, y en ningún otro momento tampoco si se desea gozar de buena salud.

Las comidas rápidas que contienen una buena cantidad de ensaladas frescas, pan integral y buenos alimentos con proteínas, son buenas. Por lo demás, si hay posibilidades de elegir, conviene hacer una buena decisión. Trate de evitar los alimentos ricos en grasa, harina refinada, azúcar y sal. Este debe ser siempre el principio guiador, ya sea que usted esté embarazada o no.

¿Se debería hacer algún esfuerzo para evitar el exceso de peso durante el embarazo?

Por supuesto. En promedio puede haber un aumento de peso de entre 10 y 12 kilos. Para el común de las mujeres, no se recomiendan las drásticas reducciones de peso, pero un régimen diario bien equilibrado es esencial, especialmente si usted queda embarazada mientras está excedida de peso. Se recomienda la aplicación de sencillos principios generales, y esto le ayudará a mantenerse dentro de límites razonables.

Como una guía general, durante los primeros 3 meses del embarazo habrá un aumento de peso de entre 1,5 a 2 kilos, y después entre 1,5 y 2 kilos cada mes sucesivo.

¿Qué pasa cuando el embarazo se produce en niñas adolescentes?

Una mujer joven, especialmente si tiene menos de 17 años, todavía está creciendo, de modo que necesitará más alimentos que una mujer de más edad. Sugiero que siga los consejos acerca de la alimentación que acabamos de dar, pero tendrá que aumentar la cantidad de leche de 600 a 900 ml. También podría aumentar el consumo de yogur y queso. Por favor, no se inscriba en uno de esos insensatos regímenes para adelgazar mientras está embarazada, porque cierto aumento de peso es normal y natural en ese período. Es muy posible que su doctor le aconseje que consuma más ácido fólico y hierro.

¿Qué pasa si se toma una tableta por día de las que contienen hierro?

La mayoría de las mujeres se beneficiará si toma tabletas con hierro cada día. La dosis exacta podrá variar de acuerdo con los resultados de los análisis de sangre ordenados por el doctor en las primeras consultas.

Las vitaminas

Algunas mujeres que viven en condiciones socioeconómicas más bien pobres,

Las comidas rápidas a menudo se caracterizan por su gran cantidad de "calorías vacías", es decir, elevados niveles de harina refinada, azúcar, sal y alimentos grasos.

y las mujeres que viven en los países menos ricos, posiblemente necesiten más vitaminas y minerales si su alimentación es deficiente. Esas personas se beneficiarán mucho si toman una tableta de hierro tres veces al día, y una tableta de vitaminas que contenga 50 mg de ácido ascórbico, 1 mg de ácido fólico, 2 mg de tiamina, 2 mg de riboflavina y 15 mg de ácido nicotínico.

Los nombres de las vitaminas a veces se prestan a confusión.

Es verdad. Muchas mujeres se confunden por el mero hecho de que las vitaminas tengan tantos nombres. Las más famosas son las del complejo B. Las forman una serie de componentes, y existen varios sinónimos.

La vitamina B_1 se conoce también como tiamina (o aneurina).

La vitamina B_2 se conoce también como riboflavina.

La vitamina B_3 se conoce también como niacina (o nicotinamida, o ácido nicotínico).

La vitamina B_5 se conoce también como ácido pantoténico.

La vitamina B_6 se conoce también como piridoxina.

La vitamina B_{12} se conoce también como cianocobalamina.

La otra vitamina múltiple que se usa comúnmente es la vitamina C, que también se conoce como ácido ascórbico.

capítulo 9

Problemas del embarazo

EN ESTE CAPÍTULO

- Acidez de estómago, constipación, dolores de cabeza y desmayos.
- Várices, hemorroides, micciones (emisiones de orina) constantes.
- Mareos, dolores de espalda, calambres en las piernas.
- Insomnio (no se puede dormir), pies hinchados, transpiración.
- Oscurecimiento de la piel, vómitos, hemorragias vaginales.

Surgen muchos problemas durante el embarazo – Muchos se solucionan con tratamientos mínimos – Hable con sus amigas; ellas también los han tenido – Use métodos naturales siempre que sea posible – Descanse tanto como pueda – Los malestares matinales son inevitables – Las pérdidas de sangre requieren inmediata atención médica.

Para la mayoría de las mujeres, los días del embarazo son felices y relativamente libres de incomodidades y problemas.

Es verdad. Pero es inevitable que algunas anomalías ocurran de vez en cuando. Después de todo, en la región pélvica se están produciendo grandes cambios. Una masa que crece rápidamente se está desarrollando allí, y con el tiempo gradualmente desplazará los órganos de la zona abdominal. Cuando eso ocurre, éstos se tienen que desplazar para dar lugar al bebé. Además, ciertas presiones y tensiones son propias del embarazo.

Además de esto, la producción de sustancias químicas en cantidades extraordinarias por parte de los órganos de la pelvis suele ejercer una profunda influencia sobre todo el organismo. Aunque las mujeres se ajustan automáticamente y de manera notable a esas alteraciones, en algunas se suelen producir síntomas preocupantes.

¿Cuáles son los principales síntomas productores de incomodidad temporal?

Aquí va la lista, junto con algunas recomendaciones acerca de cómo se los puede contrarrestar.

La acidez de estómago

La pequeña válvula de la parte inferior del esófago tiende a debilitarse. Por esa razón los ácidos del estómago fácilmente pueden ser regurgitados o "devueltos" hacia la parte inferior del esófago.

Esto produce una sensación de ardor que comúnmente se llama "acidez de estómago". No tiene nada de siniestro, y no es indicio de enfermedad alguna.

Si se presta atención a las comidas se suele aliviar este mal. Si se evitan los estimulantes, por ejemplo, se dará un buen paso en esa dirección. Si se eliminan las especias, los condimentos, las salsas y los pickles, y se evita la ingestión de té verdadero (no de hierbas), o de café, se reducirá el problema. Cantidades reducidas de alimentos tomados a intervalos regulares pero más a menudo, que no contengan estimulantes, ayudará. Tomar más leche, o productos derivados de ella, puede ser útil.

A veces ciertas tabletas que contienen antiácidos pueden proporcionar alivio si la acidez es intensa. Algunos compuestos que contienen ácido algínico y que se presentan en forma de gránulos, le ayudan a algunas mujeres. Estos preparados son completamente inocuos.

Un par de almohadas más, que le ayuden a la paciente a dormir semisentada, mantendrá los ácidos estomacales donde deben estar. Algunas han descubierto que es una buena idea poner un ladrillo debajo de la almohada (lo que las obliga a dormir en una posición similar a la descrita). Pero para otras esto es incómodo, y existe también la tendencia de deslizarse hacia el fondo de la cama. (Algunos maridos se quejan amargamente y en voz alta por este motivo.)

La constipación

¿Qué nos puede decir de la constipación? Parece que es bastante común.

Es verdad. La constipación es común durante el embarazo, especialmente en las últimas etapas. Los intestinos han perdido algo de su tensión y su firmeza, y tienden a ablandarse. Más adelante, con el aumento de presión que ejerce la matriz agrandada, la situación se agrava.

Un aumento de la ingestión de líquidos ayuda (preferiblemente si son jugos de fruta o agua pura, pero no té, ni café, ni bebidas azucaradas o alcohólicas.)

Trate de restablecer el movimiento normal de los intestinos. El momento acostumbrado es después de una comida. Fije un momento para cada día, digamos después del desayuno, y concéntrese en esto; los resultados frecuentemente son buenos.

Últimamente se reconoce que es sumamente importante añadirle fibra a los alimentos para ayudarle al intestino a cumplir su función. El mero hecho de agregarle de una a tres cucharadas de salvado de trigo a cada comida puede dar excelentes resultados. El salvado absorbe los líquidos. De esta manera aumenta el volumen de lo que pasa por allí, y se reduce muchísimo el tiempo de permanencia de ese material en los intestinos.

El salvado se puede ingerir con otros alimentos que ya tienen un índice alto de fibra. Al cereal del desayuno, por ejemplo, se le puede añadir salvado. También es una buena idea añadirle dátiles partidos en rodajas, higos secos, ciruelas secas y pasas de uva. Añádales un poco de leche, o agua con miel, si lo desea.

Existe un producto que se llama granola. Consulte a la editorial que publica esta obra para conseguir más información al respecto. La granola se prepara con cereales naturales. Es un alimento de valor nutritivo relativamente alto. Es una especie de garantía escrita para el normal funcionamiento de los intestinos.

Si se emplea este sencillo sistema, el uso de laxantes y enemas —la alternativa— será completamente innecesario.

Los dolores de cabeza, las palpitaciones y los desmayos

¿Qué nos puede decir de los dolores de cabeza y otras molestias afines?

Esa heroína que se desmayaba (y que

El consumo de fruta fresca y de alimentos con fibra (celulosa) ayudan a aliviar la constipación.

Problemas del embarazo

Ciertos síntomas molestos, como dolores de cabeza y la sensación de que se va a perder el conocimiento, suelen ocurrir durante el embarazo, pero rara vez son graves.

por casualidad también estaba embarazada) era el "cliché" de miles de novelas y películas de tiempos idos. (El otro "cliché", usado y requete usado, con monótona regularidad, era la del doctor que iba a la casa para que la mamá diera a luz allí a su bebé. Pedía baldes, baldes y más baldes de agua hirviente. Una gran cantidad de médicos modernos nos seguimos preguntando: ¿Qué hacían esos médicos con tanta agua caliente?)

Pero como muchas mujeres embarazadas lo saben muy bien, no es raro que de vez en cuando se produzcan desmayos. O pueden aparecer dolores de cabeza, a menudo suaves y muy pocas veces fuertes. Sentir los latidos del corazón, se haga ejercicio o no, también es muy común.

Ninguno de estos síntomas es grave. En realidad, se suelen manifestar en la mayoría de las mujeres embarazadas. Se debe sencillamente a que las reservas de sangre del organismo están alteradas.

Con el embarazo, una gran cantidad de sangre se desvía de la circulación usual a la región pélvica, donde tiene que ayudar a esa vida nueva que se está desarrollando allí. Por esta razón tienden a producirse esas anormalidades circulatorias.

Estos síntomas no son ni graves ni peligrosos. No son señales de que se está desarrollando alguna enfermedad siniestra. Son totalmente limitados, y desaparecerán por completo con el tiempo. Acuéstese y póngase una bolsa con hielo en la frente. Con frecuencia esto alivia.

Las várices

A muchas mujeres les aparecen várices en las piernas durante el embarazo.

Así es. Son el desarrollo de vasos sanguíneos prominentes, particularmente en las piernas, muy comunes durante el embarazo. En realidad muy pocas mujeres se libran de esto. En algunos casos es muy notorio, y desafortunadamente pueden persistir después del parto.

Con frecuencia duelen las piernas, y mientras más prominentes sean las venas, mayor será la incomodidad. Se agravan si la mujer pasa muchas horas de pie, especialmente en superficies duras, como ser pisos de baldosas. Muchas mujeres que siguen trabajando durante el embarazo, y que tienen que estar de pie todo el día, pueden certificar que esta situación es bastante incómoda.

La tendencia a tener várices a veces se hereda, de manera que si los padres de la paciente las tuvieron, lo más probable es que ella también las tenga.

Las produce esa masa que crece en la pelvis y que oprime las venas grandes que llevan la sangre de las extremidades hacia los pulmones. Cuando la presión es demasiado grande, se suelen romper las válvulas de las venas que retienen la sangre de manera que no caiga, y por eso se forman esos nódulos que llamamos várices.

¿Existe algún tratamiento sencillo y satisfactorio?

Se puede hacer mucho para intentar solucionar este problema. Es importante que la paciente se mantenga lejos de los pisos duros por tanto tiempo como pueda.

El uso de medias elásticas a veces da buenos resultados. En muchos lugares se venden prendas especiales para embarazadas, y entre ellas están estas medias.

Tanto como sea posible, mantenga los pies en alto, preferiblemente al nivel de las caderas o más alto aún. Esto le ayuda a la sangre a regresar al centro del cuerpo. A algunas mujeres les ayuda acostarse de espaldas sobre el piso, con las piernas en ángulo recto apoyadas contra la pared. Esto tiene el mismo benéfico efecto que acabamos de describir. Puede contribuir muchísimo a la comodidad personal. Un sencillo masaje a las piernas, mediante el uso de movimientos suaves y de barrido desde los pies hacia arriba, también puede ser de mucha ayuda.

La aparición de venas varicosas es común durante el embarazo.

A veces los doctores ponen inyecciones en las venas más prominentes, pero es mejor hacerlo después del parto. Muchos de los vasos hinchados vuelven a la normalidad en ese momento, y entonces se pueden tratar los problemas si todavía persisten. Hay doctores que creen que las venas varicosas no se deben tratar sino después de la menopausia, cuando la capacidad reproductiva de la mujer se ha extinguido definitivamente.

Las hemorroides (almorranas)

Muchas mujeres sufren de hemorroides —o almorranas— durante el embarazo.

Es verdad. Y esto a veces es peor en las últimas etapas del embarazo y durante el parto mismo. Son otra versión de las várices de las piernas, y son en realidad várices que aparecen en la zona del ano. En algunas mujeres son muy prominentes y bastante molestas.

La eliminación de la constipación ayuda a solucionar este problema. Un desayuno diario de granola con salvado es una terapia excelente. A veces, mediante la aplicación de algunas cremas con lanolina se puede obtener un efecto suavizante. Si se dan masajes a las hemorroides prolapsados, es decir, que salen al exterior, con trozos de tela, puede ser muy incómodo. La aplicación local de una pomada puede reducir la incomodidad. A menudo la aplicación de supositorios también los puede reducir.

Las hemorroides son fundamentalmente un problema mecánico, y casi siempre desaparecen después del parto.

La emisión excesiva de orina

¿Qué le pasa al aparto urinario de la mujer durante el embarazo?

En las primeras etapas del embarazo los riñones tienden a producir más líquido que de costumbre. Esto da como resultado que la mujer orina muchas más veces que lo normal. En realidad este síntoma es tan común, que a menudo se lo considera como una de las primeras señales del embarazo.

Las frecuentes ganas de orinar suelen ser uno de los primeros síntomas de un embarazo.

Hacia el fin del embarazo, cuando la cabeza del feto se posa sobre la vejiga, la frecuencia de las micciones es de nuevo bastante común. Esta vez se trata de una causa mecánica.

¿Es grave esto?

Ninguno de estos síntomas es grave. No indican la presencia de una enfermedad y, aparte de una incomodidad pasajera, se los debería pasar por alto.

Las mujeres están más expuestas a las infecciones de las vías urinarias durante el embarazo. Esto a menudo va acompañado por la emisión de una orina que tiene un olor bastante desagradable, dolores y malestares, y a veces un poco de fiebre. La orina suele contener sangre y ser turbia. A menudo hay deseos de orinar, y la micción suele estar acompañada por una sensación de ardor, a lo que siguen de nuevo las ganas de orinar, a pesar de que la vejiga se desocupó. Esto es bastante incómodo.

Es importante que la infección del aparato urinario se trate adecuadamente, y es posible que haya necesidad de administrar medicación. A veces la fiebre, los dolores de la vejiga y de la espalda suelen acompañar a los otros síntomas.

Es posible que el doctor ordene algunos análisis para determinar si existe una infección. También prescribirá la mejor terapia para ella.

Los mareos y la falta de fuerzas (o cansancio)

Muchas mujeres encuentran que se sienten sumamente cansadas y hasta mareadas durante el embarazo.

Así es. Algunas descubren que el cansancio llega a ser abrumador, y sienten la necesidad de dormir más. Muchos de estos fenómenos son la consecuencia de los efectos colaterales de la mayor cantidad de hormonas que se produce durante el embarazo. La progesterona puede causar estas sensaciones. Es parte del proceso normal del embarazo, y no hay por qué preocuparse.

El cansancio excesivo se puede acentuar como consecuencia de la reducción de la hemoglobina, la sustancia colorada que se encuentra en los glóbulos rojos. Ciertamente es posible que en algunas mujeres el nivel de hemoglobina disminuya durante el embarazo, y uno de los efectos de esta circunstancia es esa falta de energía y ese cansancio que va en aumento.

Esa es la razón por la cual el doctor solicita que se hagan análisis de sangre bien al principio del embarazo. Se mide entonces el nivel de hemoglobina. Si está reducido, se recetan medicamentos que contienen hierro. Esto tiende a elevar la hemoglobina a niveles normales otra vez.

Los dolores de espalda

A muchas mujeres les duele la espalda, especialmente en los meses finales del embarazo.

Es verdad. Las coyunturas sacroilíacas son las más afectadas, y sus ligamentos se debilitan. Son los ligamentos del extremo inferior de la espalda, donde la columna vertebral se une a los huesos de la pelvis.

A medida que avanza la gravidez, se altera el centro de gravedad del cuerpo. Para compensar esto, la mujer tiende a ubicar los hombros más atrás. Esto aumenta la tensión de la parte inferior de la espalda, lo que acrecienta la incomodidad y produce un dolor sordo, constante y molesto.

La aplicación del sentido común cuando se trata de usar calzado es esencial. Se recomienda evitar el uso de zapatos con tacos altos. Si se conserva toda la espalda tan derecha como sea posible, y no sólo la parte inferior, se conseguirá solucionar el problema. Estos sencillos consejos proporcionarán mucho alivio con el transcurso del tiempo. Si se los comienza a aplicar a principios del embarazo, se lo hará automáticamente a medida que la situación se acentúe.

Algunas mujeres descubren también que los ligamentos de las otras coyunturas de la pelvis (especialmente las del frente, donde se unen los huesos de esa zona) se aflojan de manera anormal. Esos huesos tienden a frotarse, lo que produce dolor e incomodidad.

El mejor consejo que podemos dar en este caso es que la mujer repose en cama por unos cuantos días, y que se acueste de un lado, o del otro. Un fuerte vendaje en la zona de la pelvis puede ayudar.

Los calambres en las piernas

Son comunes los calambres de las piernas, y muy incómodos por cierto. Suelen aparecer en las etapas finales del embarazo.

Se desconoce la causa de estos calambres, y el tratamiento no es muy satisfactorio.

Con frecuencia el uso de tabletas de lactato de calcio, ya sea 2 g al acostarse, o 2 tabletas de 300 mg con cada comida, puede aliviar bastante.

Los masajes pueden aliviar a veces. Otras mujeres han descubierto que si se puede impedir, mediante diversos ingeniosos procedimientos, que las sábanas y las frazadas toquen las piernas, se puede conseguir un notable alivio de esta molestia. Si se hace un cubo de madera de unos 30 cm por lado, y se lo coloca entre las piernas y el extremo de la cama, se pueden poner las sábanas y las frazadas de manera que no presionen las piernas. Es algo sencillo y los defensores del método aseguran que vale la pena el esfuerzo extra que demanda. A lo menos lo puede probar si éste es su problema.

Otro método sencillo consiste en llenar una funda con ropa vieja, atarle los extremos, y ponerla entre los pies cuando la paciente está acostada. Esto alivia el peso de las sábanas y las frazadas sobre las piernas, y permite que la circulación de la sangre vuelva a la normalidad.

Algunas mujeres han descubierto que si toman más leche reciben más calcio, y esto también les ayuda.

El dolor de espalda es un problema común durante el embarazo. Su causa es el desplazamiento del centro de gravedad del cuerpo.

El insomnio

¿Qué nos puede decir del insomnio durante el embarazo?

Ciertas mujeres encuentran que los problemas se acumulan en las últimas etapas del embarazo, y llegan a abrumarlas un poco. Pueden aparecer calambres en las piernas e incomodidad en la espalda. El aumento de volumen del vientre limita las posiciones en que la mujer puede dormir. En ese caso aparece el insomnio.

Hay médicos que recetan sedantes suaves para que la paciente los tome de vez en cuando. Hay una tendencia creciente a descartar el uso regular de sedantes antes de dormir. Pero por un breve tiempo, si ésta es la única manera de pasar una buena noche, harán muy poco daño.

Pero algunas cosas sencillas, como ser un vaso de leche caliente, o una bebida a base de malta, también tendrán un suave efecto sedante. Vale la pena probar. Se debe evitar el té y el café, porque la cafeína que contienen es estimulante, y el resultado final será lo contrario de lo que se estaba buscando. Un baño caliente antes de acostarse también tiene un efecto sedante.

La hinchazón de los pies

¿Qué nos puede decir de los pies hinchados? Muchas mujeres se quejan de este problema, que por lo demás es muy común.

Esto, en el idioma de los médicos, se llama "edema". Es común durante el embarazo, por causa de la mayor presión sobre los vasos sanguíneos de las extremidades inferiores, a lo que se une su distensión provocada por la circulación de las hormonas. Empeora cuando hace calor, y cuando la mujer tiene que pasar muchas horas de pie. El tratamiento es similar al de las várices.

Alrededor del 50 % de las mujeres tiene náuseas y vómitos en las primeras etapas del embarazo.

Pero la repentina aparición de un edema de tobillos, especialmente si se presenta con una tensión arterial elevada, y con la presencia de proteína en la orina, puede ser la señal de un problema muy serio. Puede indicar el comienzo de una complicación del embarazo que se conoce como preeclampsia. De manera que si usted se despierta una mañana con los tobillos hinchados, comunique esta situación a su doctor sin pérdida de tiempo.

La transpiración y las oleadas de calor

¿Cuál es su opinión acerca de la transpiración y las oleadas de calor?

Las hormonas que circulan a veces dilatan los vasos sanguíneos de la piel. Por eso son comunes una sensación de calor y una transpiración fuera de lo normal, especialmente en los últimos meses del embarazo. Los días calurosos agravan esta situación.

Si la paciente bebe más líquidos, si trata de refrescarse, si reduce la actividad física y descansa más, si toma con frecuencia duchas frescas, puede alcanzar alivio.

Las manchas en la piel

Muchas mujeres descubren que les aparecen manchas oscuras dispersas sobre la piel.

Es verdad, y suelen aparecer bien al principio del embarazo. Este es otro de los efectos de las hormonas que circulan con la sangre. La zona que rodea los pezones y éstos mismos se oscurecen.

Esto frecuentemente es más notable en mujeres de piel oscura, y en especial en aquellas cuya piel es de tono aceitunado. La exposición al sol tiende a acentuar esta situación.

La frente, las mejillas y el cuello son muchas veces zonas de riesgo. Las cicatrices y la línea media del abdomen son los lugares predilectos para la aparición de esta pigmentación.

Por lo general, después del parto, cuando el nivel de las hormonas vuelve a la normalidad, muchas de esas zonas oscuras se desvanecen y desaparecen por completo. En otros casos persisten, especialmente en las aréolas, los pezones, las cicatrices y la línea media del abdomen.

Las mujeres que toman la píldora (que contienen hormonas similares a las que actúan durante el embarazo) notan también la aparición de esas manchas oscuras. Se las conoce como "cloasmas". No se exponga demasiado a los rayos solares.

Los vómitos

¿Qué nos puede decir acerca de las náuseas y los vómitos?

Alrededor del 50% de las mujeres tiene náuseas y posiblemente vómitos durante las primeras etapas del embarazo. Generalmente aparecen en torno de la 6a. semana, y por lo común cesan en la 12a. En el 45% de los casos esta condición es suave; en el 5% es moderada, y en sólo 2 casos en cada 1.000 adquiere proporciones graves.

Pueden ocurrir en la mañana después que se acumularon las secreciones gástricas en el estómago en el curso de la noche. Pero también pueden ocurrir en cualquier momento del día. Los factores emocionales y patológicos desempeñan un gran papel una vez que esta situación está establecida. Las tensiones y ansiedades la pueden empeorar. Con frecuencia la paciente se siente miserable e infeliz. Tiende a quedarse sin comer, lo que a su vez agrava la situación.

¿Cuál es el remedio?

Comer poco, y alimentos secos (6 veces o más por día), puede causar algún alivio. Se recomienda evitar alimentos grasos y comidas condimentadas. Es mejor beber sólo entre comidas. Puede ayudar si se toman bebidas que contengan glucosa. Esta sustancia es conocida por su facultad de aliviar las náuseas, se la absorbe fácilmente y sirve de alimento también.

Si los síntomas producen mucha incomodidad, el doctor podrá recetar algunas medicinas, aunque es mejor que se tome la menor cantidad de medicamentos que se pueda durante el embarazo. No se debería tomar ninguno a menos que sea por prescripción médica.

Algunas mujeres tal vez se acuerden de un medicamento llamado Debendox, que con frecuencia reducía en forma dramática las náuseas. Se lo retiró del mercado en 1983. Se usa mucho ahora un clásico que se llama piridoxina, o vitamina B_6, que casi siempre tiene éxito. El doctor la puede recetar en forma de inyecciones, y por lo común reduce abruptamente las náuseas y los vómitos. Puesto que es una vitamina natural, es perfectamente inocua.

Ciertos doctores creen que las náuseas son sencillamente un síntoma de deficiencias en la nutrición que se producen durante el embarazo, y no la indicación de una grave patología oculta. La piridoxina comúnmente tiene un sabor extraño, pero los médicos dicen que ésta es la señal de que el organismo está recibiendo una dosis adecuada. Se la puede combinar con otra de las vitaminas de la serie B, a saber, la tiamina.

Una forma grave de vómitos persistentes se llama *hyperemesis gravidarum*. Puede requerir hospitalización y algunas otras medidas de terapia intensiva. Estos casos son muy raros; en promedio son de 2 para cada 1.000 embarazos.

Las hemorragias vaginales

¿Qué ocurre si aparece una hemorragia durante el embarazo?

Las hemorragias vaginales en cualquier etapa del embarazo se deben considerar con mucha cautela. La sangre puede ser de un color pardusco oscuro, o puede ser de un rojo brillante. No importa cómo sea, informe de este caso inmediatamente al médico.

En las primeras etapas del embarazo podría ser indicación de que un aborto es inminente. Si se toman las medidas del caso esto se puede evitar. Puede o no ir acompañada de dolor.

En las últimas etapas del embarazo, cualquier hemorragia después de la 28a. semana, se debe considerar con mucha seriedad. Puede ser indicación de la presencia de una condición que recibe el nombre de *placenta previa*. En este caso la placenta está tapando la parte interna del cuello de la matriz. Puede producir graves consecuencias, y requiere la supervisión de un experto desde el mismo momento cuando se presenta.

Una de sus características es que generalmente aparece sin la presencia de dolor alguno. Otra condición, llamada *hemorragia accidental*, también puede ocurrir en las etapas finales del embarazo, y en este caso la presencia de sangre es también la primera señal.

De modo que es conveniente consultar al médico cuando la hemorragia ocurre en cualquiera de las etapas del embarazo.

Sí, una regla cardinal es que la presencia de sangre en la vagina durante el embarazo requiere la urgente atención de un médico. No lo deje para después; no lo demore. Puede ser peligroso.

Vamos a decir algo más acerca de la presencia anormal de sangre en la vagina en el siguiente capítulo, titulado: "Cosas que pueden andar mal y cómo corregirlas".

Si algunos síntomas preocupantes surgen de repente durante el embarazo, no se desespere. Vale la pena probar con remedios sencillos primero. Muchos de estos síntomas tienen explicaciones sencillas y son de corta duración. Desaparecen con el tiempo ya sea que se los trate o no.

Si las sencillas sugerencias que estamos dando aquí resultan inadecuadas, consulte a su doctor, que le podría dar algunos consejos adicionales.

Hablando en general, no hay necesidad de sufrir en silencio. El alivio a veces está al alcance de la mano, y sólo se necesita de un poco de acción de su parte.

Sentarse para quejarse y lamentarse es una manera negativa de abordar el problema. Se sentirá miserable, y esa sensación aumentará a medida que usted esté más y más desconsolada. En este caso, acción es la palabra.

capítulo 10

Cosas que pueden andar mal y cómo corregirlas

EN ESTE CAPÍTULO

- El embarazo ectópico, la presencia de sangre durante el embarazo, las toxemias.
- Las infecciones urinarias, la carencia de hierro, las enfermedades del corazón.
- La diabetes, los bebés con Rh, los fluidos vaginales.
- La amniocentesis, la ecografía; otras complicaciones.

Consulte al médico en cuanto comience a tener pérdidas de sangre – Se debe controlar constantemente la tensión arterial – Los problemas urinarios son comunes – La anemia se presenta con frecuencia; se la puede solucionar con una sencilla medicación – La diabetes necesita un tratamiento especial – El factor Rh todavía es importante – Convienen los chequeos con ultrasonido.

El promedio de los embarazos llega a "término" sin mayores problemas, y entonces nace un bebé normal y sano. La madre y su bebé estarán bien. La familia participará de esta alegría.

Es cierto. No obstante, a pesar de que ésta es la situación general, ciertas anomalías pueden ocurrir. Algunas mujeres al parecer son un riesgo especial, y están más expuestas a los problemas que otras.

A continuación detallamos brevemente algunas de las complicaciones más importantes que suelen producirse durante el embarazo. No lo hacemos para asustar a las futuras madres; tampoco para desanimar a nadie en cuanto al embarazo. El propósito de este capítulo es sólo informar a las mujeres que algo puede salir mal.

Es importante que se conozcan estas anomalías. Mientras más pronto esto suceda, más pronto se podrá aplicar el tratamiento adecuado. La mayoría de estas complicaciones son fáciles de tratar.

Muchas de las así llamadas complicaciones sólo las descubrirá el doctor durante un examen de rutina. Esta es una de las muy importantes razones por las cuales no se deben descuidar estas consultas prenatales, porque tal vez sin que usted lo sepa está comenzando a desarrollarse un problema siniestro. El doctor puede descubrir esto a tiempo, pero si no se lo consulta, puede ser que la situación no sea evidente hasta que revista mayor gravedad.

Considere, pues, estos puntos. Presentamos a continuación los síntomas importantes. Si usted percibe que alguno de ellos está comenzando a manifestarse, es indispensable que consulte pronto a su doctor.

El embarazo ectópico o en las trompas

El embarazo producido en las trompas es algo raro realmente. Significa que el óvulo fecundado no llegó a la matriz durante su viaje desde el ovario, desde donde salió.

Así es. En lugar de ello, se detuvo en algún sector de las trompas de Falopio (oviducto). Este raro suceso aparece con más frecuencia en los países en vías de desarrollo, donde alrededor de un embarazo en cada 150 es de esta naturaleza. En los países desarrollados la incidencia es mucho menor, siendo de uno cada 250 embarazos.

Las trompas son tubos diseñados para transportar los óvulos. Ciertamente no lo están para soportar un feto que crece cada día más, y es imposible que un embarazo siga allí por mucho tiempo.

Por eso los síntomas del desastre son inevitables. Es sólo cuestión de tiempo. Generalmente aparecen entre la 6a. y la 10a. semanas.

Si el óvulo fecundado se asienta en el extremo de la trompa más cercano al ovario, generalmente ocurre lo que se llama un aborto ectópico. Esta puede ser la salida menos dramática del problema. El óvulo fertilizado sencillamente muere, y aborta espontáneamente en la cavidad abdominal.

Si el óvulo fertilizado se implanta más profundamente en el tracto de la trompa, aumenta de tamaño y gradualmente se adhiere a los tejidos circundantes. Finalmente un vaso sanguíneo importante se daña, y repentinamente se produce una hemorragia interna. La sangre se puede derramar dentro de la cavidad pélvica, para producir a menudo una situación de emergencia que requiere la atención de expertos.

¿Cuáles son los síntomas?

Si esta complicación se produce repentinamente, y hay una considerable pérdida de sangre, la paciente sentirá un dolor fuerte en la zona del bajo vientre. Los desmayos son comunes en estos casos, y puede haber shock como consecuencia de la hemorragia. También puede aparecer sangre en la vagina.

La urgente internación en un hospital y la consiguiente atención médica son indispensables. Con un diagnóstico precoz y una intervención quirúrgica, los resultados por lo general son satisfactorios.

La señal clave para cualquier mujer que parezca estar recientemente embarazada (con la falta de una o dos menstruaciones), son los dolores repentinos en el bajo vientre. En ese caso debe procurar con prontitud la atención de un médico. Llámelo o vaya directamente al hospital.

En los últimos años se ha sostenido que ciertos procedimientos tienden a aumentar el riesgo de embarazos ectópicos. El uso de la píldora anticonceptiva compuesta únicamente por progestogén (llamada también "la mini píldora") se consideró en cierto momento que era una de sus causas.

Según algunos, las operaciones practicadas con el fin de reconstituir las trompas de Falopio bloqueadas, estuvieron seguidas de un aumento de embarazos ectópicos.

La inflamación de la pelvis, producida por una cantidad de gérmenes de transmisión sexual, es mucho más común en la actualidad que antes. Es también una causa potencial del bloqueo de las trompas y de los embarazos ectópicos.

Un embarazo ectópico aumenta el riesgo del siguiente si se llega a producir una nueva concepción. (Este riesgo es aproxi-

Embarazo ectópico

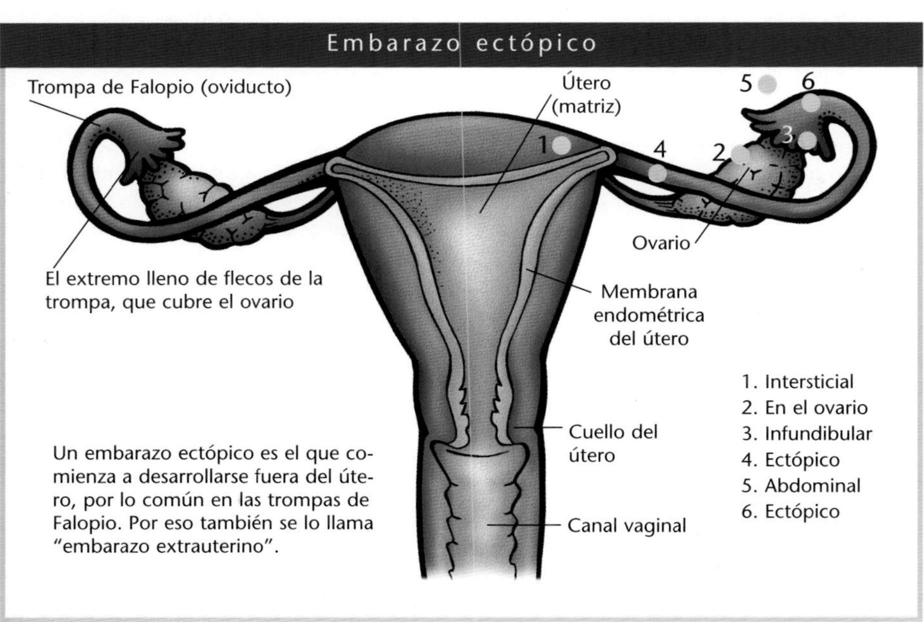

Un embarazo ectópico es el que comienza a desarrollarse fuera del útero, por lo común en las trompas de Falopio. Por eso también se lo llama "embarazo extrauterino".

madamente del 10%). Sólo un 60% de las mujeres que han tenido un embarazo ectópico vuelven a quedar embarazadas.

Presencia de sangre durante el embarazo

La presencia de sangre en la vagina en cualquier etapa del embarazo es un síntoma que se debe informar inmediatamente al médico. En las primeras etapas puede significar que un aborto está por producirse.

Así es. Pero a partir de la 28a. semana podría significar una grave complicación que requiere atención especializada e inmediata.

Cualquier hemorragia que se produzca después de la 28ª semana se debe considerar grave.

1. *Placenta praevia.* Esto es latín; en castellano es "placenta previa", y significa que la placenta está ubicada en el fondo de la matriz. Generalmente el óvulo fecundado se implanta en la parte superior, pero a veces lo hace cerca del cuello del útero. En ese caso, si cualquier porción de la placenta cierra la salida de la matriz, habrá problemas.

Esto significa que cuando comienza el parto y llega el momento cuando el bebé tiene que nacer, la placenta aparece primero e impide el nacimiento. En ese caso se produce una profusa hemorragia que amenaza la vida del bebé y de su madre.

Por eso se le debe prestar mucha atención a cualquier hemorragia que se produzca a partir de la 28a. semana. Por lo común no hay dolor.

¿Qué sucede entonces?

El médico interna inmediatamente a la paciente en un hospital. Si el embarazo está en la etapa que va de la 28a. semana a la 36a., se harán todos los esfuerzos posibles para que el embarazo continúe antes de cualquier intervención. Esto le da al bebé mucha mayor oportunidad de sobrevivir. Descanso en cama y medicación son los tratamientos comunes. En muchos casos las cosas se tranquilizan y se puede llegar a las 36a. y 37a. semanas.

En ese momento se lleva a la paciente al quirófano, se le administra anestesia general y se examina la zona pélvica. En este caso es frecuente que se reciba al bebé mediante una operación quirúrgica que lleva en nombre de "cesárea". Se practica una incisión en el bajo vientre. Los resultados de esta operación son por lo común excelentes, y puede significar la preservación de la vida del bebé y de su madre. Generalmente se da también una transfusión de sangre. La recuperación es por lo común bastante rápida.

¿Qué otras hemorragias pueden ocurrir?

2. *Hemorragia accidental.* Esto ocurre rara vez, en más o menos el 2% de los embarazos (si se lo compara con las de la placenta previa, que es del 1%).

En este caso la placenta está ubicada en la posición normal. Por razones que no se entienden muy bien todavía, comienza a desprenderse del lugar donde estaba adherida a la matriz. Cuando esto ocurre, se produce pérdida de sangre. Una parte de ella sale por la vagina.

La gravedad de este problema es variable, y el tratamiento también lo es. En los casos benignos, si el embarazo no ha llegado todavía a la 37a. semana, se da atención hospitalaria y se hacen todos los esfuerzos posibles para que el embarazo continúe. Se dan transfusiones de sangre y se administra medicación de acuerdo con la condición de la paciente.

Cuando se llega a la 37a. semana, y el bebé tiene buenas posibilidades de sobrevivir, se puede inducir el parto, y con frecuencia el resultado es excelente. Otras veces, en casos más graves, una intervención quirúrgica y una cesárea son de rigor para asegurar la feliz llegada del bebé.

Las toxemias del embarazo

Nos referiremos a una serie muy importante de problemas. Se les da el nombre general de toxemias del embarazo.

Es verdad. Aclaremos que "toxemia", según el diccionario, es el conjunto de accidentes patológicos causados por las toxinas que lleva la sangre. Este término abarca tres tipos de problemas diferentes que se pueden producir durante el embarazo, y que tienen un conjunto de síntomas similares. Los nombres que se les dan a esas enfermedades son:

(a) Preeclampsia.

(b) Hipertensión esencial (elevación de la tensión arterial).

(c) Nefritis crónica (enfermedad de los

riñones).

Si estas afecciones no se tratan, pueden desembocar en una situación más grave aún, que se llama eclampsia.

La posible aparición de estos problemas es otra de las importantes razones por las cuales la mujer embarazada debe consultar regularmente a su médico, para poder disponer de una evaluación prenatal adecuada mientras dure su embarazo.

Durante estos exámenes se hacen chequeos de rutina que casi siempre descubren el comienzo de estas complicaciones. De esta manera se puede comenzar a aplicar pronto el tratamiento adecuado. También se puede evitar esa grave enfermedad que llamamos eclampsia, y la madre y su hijo podrán ser dados de alta satisfactoriamente.

¿Cuáles son los síntomas?

Los tres síntomas claves que busca el doctor, que le permiten descubrir el comienzo de estos problemas, son:

Elevación de la tensión arterial. El doctor siempre quiere saber cuál era su tensión arterial normal antes de su embarazo. Este dato se usa como base para comparar las subsiguientes tomas de tensión. Si se observara una súbita elevación de la tensión, sería definidamente una señal de alarma. Mientras más elevada sea la tensión, más grave será el caso, y mayores las posibilidad es de que aparezcan problemas.

Un súbito aumento de peso. Es sospechoso un aumento de peso que exceda de 1 kg en cualquier semana, o la aparición de hinchazones en los tobillos, especialmente al levantarse en la mañana.

La presencia de proteína en la orina. Esto se chequea en cada consulta, y la presencia de una proteína llamada albúmina indica la posibilidad de un peligro.

La preeclampsia se manifiesta con más frecuencia en las madres primerizas. Se dice que puede aparecer si están presentes dos de los factores que detallamos antes.

La manifestación de la enfermedad es rara antes de la 28a. semana. Puede ser suave, o puede aparecer repentinamente con síntomas más graves. Es una complicación que abarca al 6% de los embarazos, y al 12% de las madres primerizas. Se desconocen sus causas.

¿Cómo se trata a la paciente?

La rápida intervención del médico es fundamental; él se hará cargo de la situación. Se hacen todos los esfuerzos posibles para observar el progreso de la enfermedad, para impedir que pase a la etapa siguiente (que es la eclampsia propiamente dicha), y conseguir que el bebé siga en la matriz hasta que el embarazo llegue a término. Esto comúnmente se logra con éxito, pero con mucha frecuencia es necesario "inducir" el parto, para que ocurra antes de lo normal.

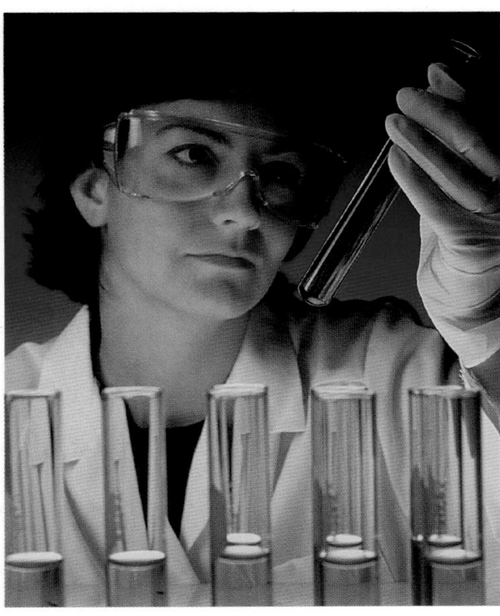

La elevación del índice de proteínas en la orina puede indicar el desarrollo de una toxemia.

Se prescribe reposo en cama, y se administran varios medicamentos con el fin de reducir la cantidad de fluidos del cuerpo, y para conseguir que la tensión arterial descienda a niveles normales.

Si no se la trata, la preeclampsia probablemente avanzará hacia la etapa siguiente, que es la eclampsia propiamente dicha. Esto ocurre en algo más del 1% de las pacientes de los países desarrollados. En los países en vías de desarrollo este índice es mayor. Los mareos, las perturbaciones de la visión y los dolores de cabeza son los precursores de las convulsiones y el coma. Esto es grave y requiere una inmediata atención médica en un hospital o en una institución similar, a cargo de personal especializado.

Esta enfermedad implica un gran riesgo tanto para la madre como para su bebé. Por eso, repetimos, no se puede exagerar la importancia de una adecuada atención médica preventiva consistente en frecuentes chequeos médicos prenatales. La mayoría de los casos se puede prevenir o descubrir por medio de esta sencilla metodología.

Las pacientes que padecen de una elevada tensión arterial o de enfermedades renales, necesitan tratamientos adecuados tan pronto como se les diagnostican estas enfermedades. Una terapia que da buenos resultados está al alcance de todos, y se la debe administrar bajo supervisión médica.

Las infecciones urinarias

El aparato urinario parece ser una fuente común de problemas.

Lo es ciertamente. Las infecciones que comienzan en la vejiga y se transmiten a esos tubos angostos que van hacia los riñones, que se llaman uréteres, son comunes durante el embarazo, especialmente después de la 20a. semana. Algunas de ellas suelen revestir gravedad.

Como consecuencia del aumento de hormonas en el torrente sanguíneo, los uréteres tienden a dilatarse, y esto puede animar a los gérmenes a trasladarse por ahí a las cavidades de los riñones.

Debido a los cambios que se producen en la pelvis, la total evacuación de la vejiga a veces resulta difícil. Quedan pequeños residuos de orina, lo que le sirve a los gérmenes de excelente caldo de cultivo. Allí se multiplican rápidamente. Con frecuencia no hay síntomas de ninguna clase, y la infección sencillamente se difunde en silencio.

¿Qué sucede entonces?

Cuando los gérmenes comienzan a avanzar por los uréteres en dirección de los riñones, los síntomas pueden aparecer abruptamente: fiebre alta, escalofríos, dolores en la parte baja de la espalda, frecuentes deseos de orinar, la aparición de este deseo cuando prácticamente se acaba de vaciar la vejiga y sin lograr mucha satisfacción, todos éstos son síntomas comunes. También puede haber vómitos y pulso acelerado.

Todo esto requiere pronta atención médica. Es posible que el doctor ordene un análisis de orina. De esta manera se pueden aislar los microorganismos que producen la enfermedad, y se puede determinar cuál es el antibiótico más eficaz para combatirlos. Por lo común el tratamiento comienza inmediatamente. El reposo en cama y el consumo de mucho líquido son indispensables.

¿Cuál es el resultado?

Los resultados son por lo general satisfactorios, de manera que se produce con rapidez el alivio de las molestias, el descenso de la temperatura, la disminución en la frecuencia de los deseos de orinar y la desaparición de la previa sensación de ardor. Pero en vista de que durante el embarazo las infecciones suelen ser frecuentes, puede ser necesario continuar con este tratamiento hasta la conclusión de la gravidez.

Siga muy de cerca las indicaciones del médico. Tome los medicamentos recetados tal como él los prescribe. Es para su bien.

Aunque el uso de medicamentos durante el embarazo es un tema que ya hemos tratado, cuando aparecen síntomas graves es a menudo indispensable administrar una determinada medicación. Los riesgos que podría acarrear deben ser comparados minuciosamente con los riesgos de una infección. El doctor recetará ciertos medicamentos con el ojo bien puesto en los riesgos posibles.

Pero la mayoría de las complicaciones recién aparece en la segunda mitad del embarazo. En ese momento los riesgos que implica la ingestión de medicamentos ya han desaparecido. La rápida multiplicación de las células en el feto y la formación y el desarrollo de cada órgano ya está completa desde hace tiempo, y por todas esas razones disminuye el riesgo de malformaciones congénitas.

La falta de hierro

¿Qué nos puede decir acerca de la provisión de hierro durante el embarazo?

A medida que el embarazo avanza, más demandas se le hacen a las reservas de hierro de la madre. Durante las últimas 12 semanas una considerable cantidad de hierro pasa de la madre al bebé. Es fundamental reabastecer esas reservas disminuidas para que vuelvan a sus niveles normales.

Incluso cuando una mujer no está embarazada, corre serios riesgos de que sus reservas de hierro disminuyan. La menstruación que ocurre cada mes contribuye a esa disminución. Aunque este déficit se cubre en parte durante el mes, es muy común que los niveles sean inferiores a lo normal incluso durante los primeros meses del embarazo.

Por eso el médico ordena un análisis de sangre al principio del embarazo, especialmente para determinar el índice de hemoglobina que hay en ella. La hemoglobina es la sustancia que se encuentra en los glóbulos rojos, y el hierro es el principal componente de esa sustancia. A menos que se halle presente en los niveles normales, el organismo, incluso el feto, no será capaz de captar las cantidades necesarias de oxígeno, y eso puede provocar problemas.

En las formas más graves de anemia (que es el nombre que se le da a los bajos niveles de glóbulos rojos en la sangre), aparecen síntomas típicos, como ser cansancio (mayor de lo normal), falta de aire, palidez e hinchazón de ciertos tejidos (edemas).

Estos síntomas son muy importantes, e indican la necesidad de un tratamiento inmediato. Pero el doctor por lo común toma estos asuntos entre manos mucho antes de que aparezcan los síntomas.

¿Se dan tratamientos?

Sí. Los tratamientos por lo común tienen mucho éxito. Generalmente se los da por vía oral. Vienen en diferentes formas. Algunos pacientes son sensibles a las sales de hierro, y resulta necesario hacer cambios. Pero generalmente hay en existencia una determinada marca que es adecuada y que resulta satisfactoriamente tolerable.

A veces escasea cierto medicamento que se llama ácido fólico, de manera que se lo administra en combinación con otro. También se lo necesita para que la sangre esté en buenas condiciones. Además se previene, tomando ácido fólico desde el comienzo del embarazo, una enfermedad mortal para el bebé llamada anencefalia (no formación del cerebro).

Al seguir un régimen alimentario rico en hierro, disminuyen los riesgos de la anemia. (Este tema lo tratamos con más detalles en el capítulo 8 de esta sección, y le recomendamos que lo lea de nuevo.)

Un régimen alimentario rico en hierro lo es generalmente también en vitaminas. Si la futura mamá sigue un régimen así, se reducirá la necesidad de medicamentos.

El primer análisis de sangre hecho en la primera consulta al principio del embarazo se repite en las semanas 32a. y 36a., porque son momentos críticos, de alto consumo de hierro. Cualquier déficit debe volver rápidamente a sus niveles normales.

Enfermedades del corazón

¿Qué nos puede decir acerca de la situación del corazón durante el embarazo?

Algunas mujeres que quedan embarazadas sufren del corazón. La cifra es baja: no pasa del 1% o menos. Muchas de ellas han sufrido de fiebre reumática en otras épocas, y ésta es la causa de sus problemas cardíacos.

Las enfermedades del corazón son progresivas, y cada embarazo le añade su carga al aparato circulatorio.

Con la condición de que la paciente sea sensata, que cumpla las instrucciones de su doctor, y que le haga consultas prenatales frecuentes, más seguidas que si se tratara de una mujer sana, el pronóstico será satisfactorio.

Los esfuerzos decididos para evitar aumentos de peso anormales, una atención cuidadosa con respecto a los hábitos relacionados con la alimentación, períodos adecuados de descanso, y no intentar llevar a cabo actividades que están por encima de sus posibilidades, le ayudarán a la mujer a estar bien hasta que el embarazo llegue a término.

Los síntomas claves que indican que algo anda mal son la falta de aire al hacer un esfuerzo, y la tos. El doctor debe estar al tanto de estos síntomas, especialmente si tienden a agravarse en cualquier momento.

El doctor querrá ver a la paciente semana por medio desde el momento de la concepción hasta la 28a. semana. Después las consultas serán semanales o más frecuentes aún si el médico tiene algunas preguntas que hacer. Siga fielmente las indicaciones que se le dan. Es sumamente importante.

La diabetes

Hay muchos diabéticos en todas partes. ¿Qué nos puede decir de esa gente?

A muchos diabéticos no se les descubre la enfermedad hasta que llegan a la edad adulta, a menudo entre los 30 y los 40 años. Se lo suele llamar diabetes del adul-

En los países occidentales, alrededor del 85 % de la población tiene el factor denominado Rh.

to Tipo II, no insulino dependiente. Pero hay gente que nace con este mal, que se manifiesta en la niñez o la adolescencia. Otro grupo, llamado "prediabéticos", suele ser de edad avanzada. Pueden llegar a ser diabéticos adultos Tipo II, no insulino dependientes. Pero en ciertas circunstancias desarrollan todas las características de la diabetes.

Un diabético es alguien cuyo páncreas está enfermo. Por eso la provisión de insulina es reducida, y el individuo no puede disponer debidamente del azúcar que circula en la sangre. El doctor ordenará frecuentes análisis de orina para descubrir su nivel de azúcar, porque algunos prediabéticos súbitamente manifiestan presencia de azúcar en la orina.

¿Cuál es el tratamiento adecuado?

El tratamiento de una diabética embarazada es por lo general bien directo durante las primeras 28 semanas. Pero después progresivamente resulta más difícil tratarla. Lo mejor es que estas pacientes se internen en establecimientos donde se le puede prestar atención adecuada tanto a su diabetes como a su embarazo. Muchos hospitales, clínicas y sanatorios de las grandes ciudades disponen de equipo para atender estos casos como corresponde.

La paciente se interna en el hospital más o menos cuando llega a la 32a. semana. Esto es muy importante para determinar los niveles de azúcar, garantizar un descanso conveniente y chequear otras posibles complicaciones (mayormente preeclampsia).

El factor Rhesus
Una mujer con factor Rh negativo rara vez tiene problemas con su primer bebé, porque en un embarazo normal la sangre materna y la fetal nunca se mezclan. En el momento del parto, sin embargo, algunas de las células de la sangre del bebé pueden entrar en el torrente sanguíneo de la madre. Si el bebé es Rh positivo, la sangre de la madre desarrollará anticuerpos para combatir las células de la sangre del bebé. El peligro consiste en que en futuros embarazos esos anticuerpos atraviesen la placenta y ataquen las células de la sangre del bebé.
En cada embarazo subsiguiente
En el primer embarazo
En un segundo embarazo estos anticuerpos atraviesan la placenta. Si el nuevo bebé también es Rh positivo, su sangre recibirá daños (en algunos casos graves; incluso será destruida) por parte de los anticuerpos de la madre.
El factor Rh sólo es importante cuando una mujer Rh negativa concibe un bebé Rh positivo. En el momento del parto algunas de las células de la sangre del bebé entran en el torrente sanguíneo de la madre. Como resultado, la mujer desarrolla anticuerpos que destruyen todas las células Rh positivas.
La solución
Clave
Sangre RH negativa
Anticuerpos contra el factor Rh
Sangre Rh positiva
Los doctores ahora le inyectan sistemáticamente un suero a la madre apenas nacido el bebé. El suero impide que se formen anticuerpos en la madre, que actuarían en un futuro embarazo, contrarios a las células del próximo bebé.

Muchas pacientes se pueden controlar debidamente sólo con dieta. Otras pueden necesitar medicación antidiabética, y aún otras tendrán que recibir regularmente inyecciones de insulina. En algunos casos, cuando el bienestar de la madre está en peligro, ponerle fin al embarazo puede ser la única salida. Pero a otras se les permitirá

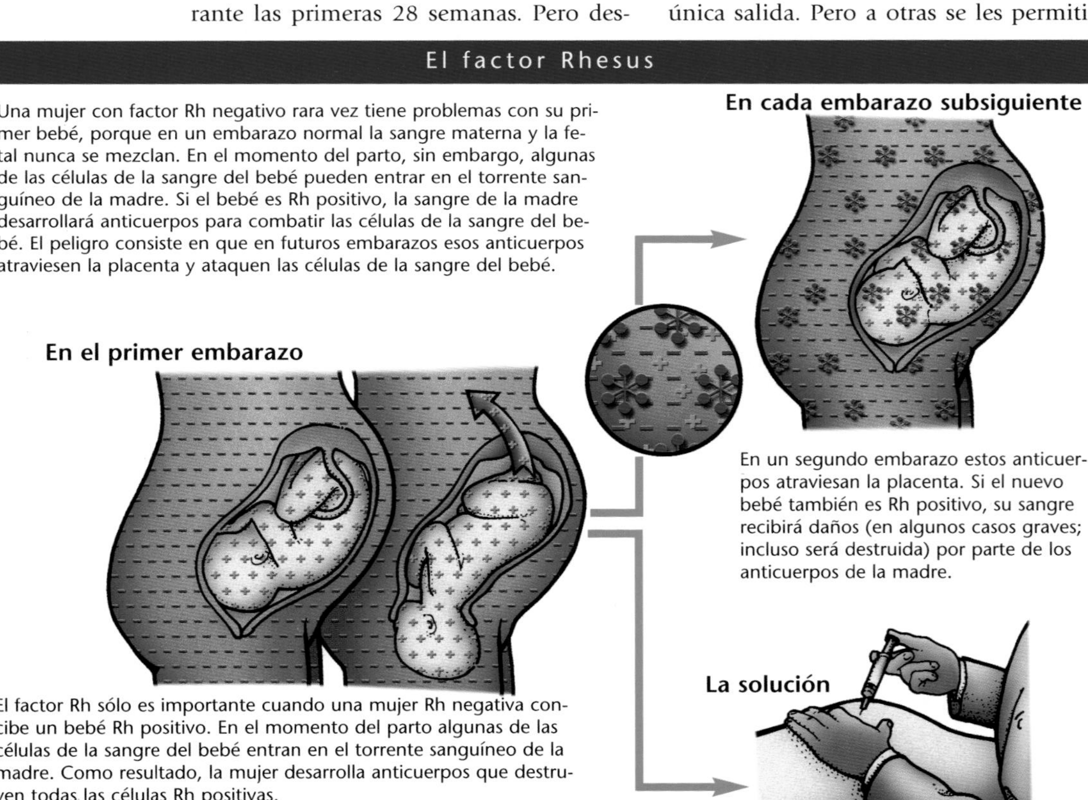

llegar hasta la 38a. semana, cuando se podrá inducir el parto. En algunos casos el obstetra decidirá practicar una cesárea.

Bebés con factor Rh

Hace rato que estamos oyendo hablar de bebés con Rh y del factor Rh. ¿De qué se trata?

En los países occidentales, alrededor del 85% de la gente tiene un factor o "antígeno" en la sangre al cual se le da el nombre de factor Rh. Esto es una abreviatura de "rhesus", porque se lo descubrió por primera vez en monos de la clase *rhesus.* A las personas que poseen este factor se las llama "Rh positivos, o positivas". El 15% restante no posee este factor y se los llama "Rh negativos".

El factor Rh es una característica heredada y compleja. Se pueden producir problemas cuando una mujer que es Rh negativa queda embarazada de un hombre que es Rh positivo.

En el momento del parto, algo de la sangre Rh positiva del bebé entra en el torrente sanguíneo de la madre. Esto puede producir unas sustancias químicas que se llaman "anticuerpos", que circularán junto con la sangre de la madre a partir de ese momento. Los riesgos de que esto tenga un afecto adverso en el primer bebé no son altos, pero si un futuro embarazo produce otro bebé Rh positivo, entonces comenzarán los problemas. Los anticuerpos de la madre pueden atravesar las barreras de la placenta y entrar en la sangre del bebé. Allí pueden tener un efecto sumamente perjudicial. Pueden destruir progresivamente los glóbulos rojos de la sangre del bebé. En los casos más graves pueden causar la muerte del bebé antes que nazca.

Se ha trabajado mucho para impedir que esta situación se produzca. Es bien conocido ahora que si una mujer recibe una transfusión de sangre durante su vida, esto puede actuar de manera similar, y se pueden formar anticuerpos que combatan el factor Rh. Esto puede tener un efecto adverso similar sobre su próximo bebé, sea o no el primero. En general, los riesgos para el primer bebé son mínimos si la madre no ha sido sensibilizada previamente por una transfusión de sangre Rh positiva o por una inyección. Pero en cada embarazo sucesivo el riesgo para el feto aumenta en forma dramática.

Se han elaborado diversos métodos con el fin de conjurar el riesgo para el bebé. A medida que avanza el embarazo se pueden analizar muestras del fluido en medio del cual se encuentra el bebé (que se llama "líquido amniótico"), y el índice de destrucción de los glóbulos rojos se puede calcular sobre la base de la cantidad de una sustancia que se llama bilirrubina y que se encuentra en ese fluido. Mientras más bilirrubina haya, más grande será el riesgo para el feto.

¿No se les hacen transfusiones de sangre?

Sí. Algunos bebés adversamente afectados recibieron poco después de nacer una transfusión que consistió en un verdadero cambio de sangre. De esta manera se elimina totalmente la sangre dañada, y se introduce en el torrente sanguíneo sangre completamente nueva y fresca. Así se han salvado numerosas vidas.

Un obstetra llamado Liley inventó un ingenioso sistema para darle a los bebés afectados una transfusión de sangre mientras todavía estaban en el vientre de sus madres. De este modo también se salvaron muchas vidas.

Pero tengo información en el sentido de que la tecnología moderna ha resuelto en gran medida este problema.

Así es. A las madres que son Rh negativas y están gestando un bebé Rh positivo se les puede dar ahora una inyección especial de "anti D gama globulina" muy potente, a las 48 horas de nacido el bebé. Esto reduce eficazmente la formación de anticuerpos maternos contrarios a las células del bebé. En resumen, elimina la posibilidad de muerte por causa del factor Rh en futuros embarazos.

Esto se debe hacer en cada ocasión. Se ha estado practicando este método desde hace varios años, y los resultados han sido sumamente promisorios. Es posible que no elimine totalmente los efectos del factor Rh, pero se estaría avanzando mucho en esa dirección.

Sigue habiendo mujeres que se reproducen, y que tuvieron su primer embarazo antes de la invención de este suero. Corren

Las enfermedades de transmisión sexual pueden poner en peligro la salud y la vida de su bebé y, por lo tanto, deben ser evitadas.

los mismos riesgos de antes, y el suero no les servirá de nada, porque ya desarrollaron los anticuerpos, y éstos circulan junto con su sangre.

Pero para las mujeres que están dando a luz a su primer bebé, este método les ofrece una buena protección. Es uno de los grandes avances de esta era moderna. A su debido tiempo eliminará totalmente la necesidad de transfusiones tendientes a cambiar por completo la sangre del bebé, y hasta las transfusiones intrauterinas de Liley. Entonces el mundo será más feliz. Muchas madres serán más felices también.

Flujos vaginales

Algunas mujeres aparentemente sufren de una variedad de desagradables flujos vaginales.

Es verdad. Durante el embarazo hay naturalmente un aumento normal de los flujos vaginales. Esto no es grave, y no debería ser causa de preocupación.

Pero hay dos organismos que manifiestan una especial predilección para reproducirse en la vagina de la mujer embarazada.

1. *Candida Albicans.* Es un hongo que aparece comúnmente en la región vaginal durante el embarazo. Es también más común en las que padecen de diabetes (estén embarazadas o no).

Produce una abundante secreción blanquecina. Esto a su vez causa una especie de ablandamiento, y a menudo una picazón muy marcada en la entrada de la vagina.

El doctor puede descubrir rápidamente esta afección, y al practicar su examen, puede confirmar el diagnóstico. Existen pruebas sencillas que revelan la presencia del hongo al microscopio.

El tratamiento suele tener mucho éxito. Los supositorios de nistatina, con este u otro antibiótico contra los hongos, se insertan una o dos veces al día por una semana en la vagina, después uno por día por dos semanas, o aún más tiempo. La reinfección provocada por el esposo o el compañero se suele producir, lo que causa más problemas, a menos que se continúe con el tratamiento.

2. *Trichomonas Vaginalis.* Esta infección la provoca un microorganismo provisto de una cola sumamente movediza que le sirve de propulsor para desplazarse. Produce una secreción amarillenta muy irritante. Se lo puede detectar mediante ciertas pruebas patológicas bien definidas. Una vez descubierto, se recetan supositorios de metronidazol, que son por lo general bastante eficaces. Con frecuencia se necesitan aplicaciones locales para reducir la irritación externa que produce esta secreción. Esta enfermedad se contrae de un compañero infectado durante las relaciones sexuales.

Infecciones causadas por el herpes

Nos parece que estamos oyendo hablar bastante acerca del herpes en estos últimos tiempos. ¿Es importante esto duran-

te el embarazo?

La respuesta es sí, y a menos que se tomen las medidas adecuadas, el bebé también se puede infectar y podría ser fatal. La infección de la zona vaginal por el virus herpes simplex - 2 (VHS - 2) provoca pequeñas ampollas que después se abren y producen unas dolorosas úlceras amarillentas. El virus está presente en esas llagas. Es fácil que el bebé se contagie a su paso por el canal vaginal. Por eso, cuando la infección por herpes es activa, el nacimiento del bebé se hace por cesárea, precisamente para evitar el contagio.

¿Hay algún tratamiento que se podría aplicar antes del parto?

Un medicamento que se conoce como aciclovir con frecuencia logra con éxito destruir el virus y curar las llagas infectadas.

Hay otras infecciones posibles, como ser clamidia, micoplasma y las enfermedades de transmisión sexual como la gonorrea y la sífilis, pero dependen del estilo de vida de la persona.

Embarazos múltiples

¿Qué nos puede decir de los embarazos múltiples?

Normalmente en los embarazos hay un solo feto. Pero en 1 de cada 90 aparecen mellizos o gemelos.

El índice de trillizos es de 1 embarazo en 90 por 90, es decir, un conjunto de trillizos por cada 8.100 embarazos. El de cuatrillizos es de 1 embarazo en 90 por 90 por 90, es decir, un conjunto de cuatrillizos cada 729.000 embarazos. Este índice corresponde a los países occidentales. Los casos son más comunes en Africa y Asia, donde importantes factores hereditarios aparentemente desempeñan un papel primordial.

Cómo se conciben los mellizos y los gemelos

La concepción se produce normalmente cuando un espermatozoide masculino fecunda un óvulo femenino. El 70% de los mellizos resulta del hecho de que en un determinado momento la mujer produjo dos óvulos, que resultaron fecundados independientemente por dos espermatozoides (éstos son los mellizos). Comúnmente los dos óvulos fecundados se implantan y se desarrollan separadamente en el útero. A veces un solo óvulo fertilizado por un solo espermatozoide se divide, y da como fruto dos bebés que tienen las mismas características heredades (éstos son los gemelos).

Gemelos

Los gemelos se producen después de la fecundación, y no durante ella, y a menudo después de la implantación en el útero. Como resultado los gemelos comparten la misma placenta, a pesar de que cada uno tiene su propio cordón umbilical y su bolsa de líquido amniótico.

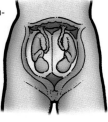

Mellizos

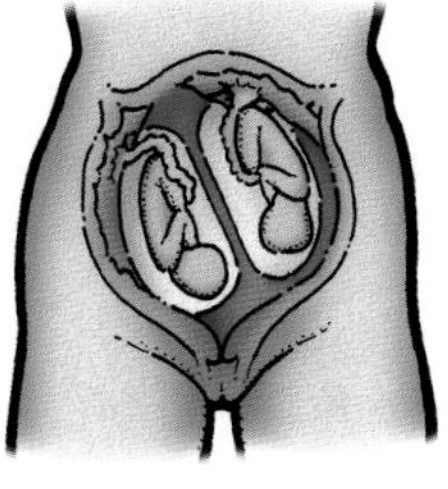

Los mellizos tienen por separado bolsas de líquido, cordones umbilicales y placentas. A veces los dos óvulos fecundados se implantan en el útero muy cerca el uno del otro, de manera que las placentas se fusionan, y parece que los mellizos sólo tienen una placenta.

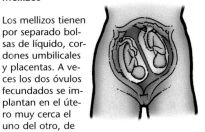

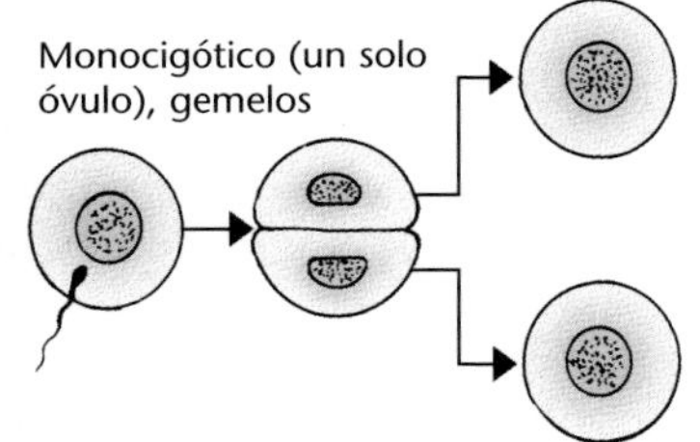

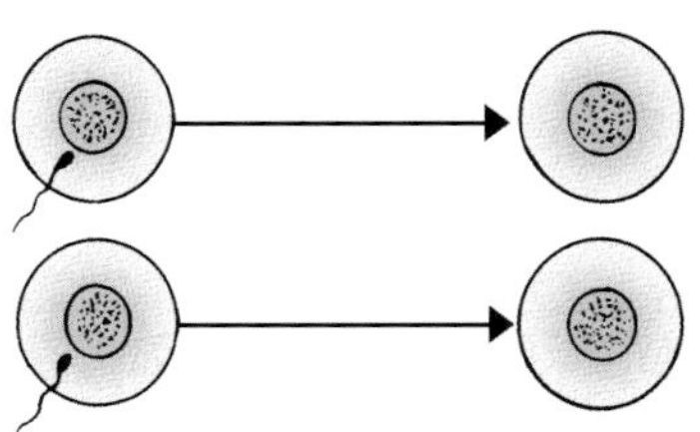

Dicigóticos (dos óvulos), mellizos

Cosas que pueden andar mal y cómo corregirlas

Los gemelos (idénticos) provienen de un solo óvulo; los mellizos, de dos óvulos que se desarrollaron juntos.

Hay mellizos y gemelos. Los mellizos son el resultado de que el ovario de una mujer, en uno de sus períodos, liberó dos óvulos, que fueron fecundados por dos espermatozoides diferentes. En este caso cada feto es un ente separado, y es básicamente distinto de su compañero.

En cambio los gemelos son el resultado de un solo óvulo fecundado, que bien al principio de su gestación se divide en dos, que de allí en adelante se desarrollan como entes separados, pero compartiendo la misma placenta. Su parecido entre sí es notable. Por eso se los suele llamar también "mellizos idénticos".

Tanto la presencia de mellizos como la de gemelos se puede diagnosticar antes del parto, pero en el 20% de los casos esa presencia recién se descubre en el momento de nacer. Los síntomas de un embarazo múltiple, tanto para la paciente como para el doctor, son que el abdomen y la matriz llegan a tener un tamaño que no era dable esperar en ninguna de las etapas del embarazo.

A veces el doctor, al examinar a la paciente, puede sentir con sus manos expertas la presencia de dos cabezas a través de la pared abdominal. A veces la única manera segura de diagnosticar un embarazo múltiple es el examen del vientre por medio de la ecografía. Las dos cabezas y los dos cuerpos son perfectamente detectables por este medio.

Por lo general los embarazos múltiples llegan a término normalmente. Pero el riesgo de que aparezcan complicaciones es mayor, y por eso se le solicita a la madre que se someta con más frecuencia a chequeos prenatales. Algunos casos terminan en nacimientos prematuros.

Amniocentesis

A veces oímos hablar de un procedimiento que se llama amniocentesis. ¿Cuándo es necesario aplicarlo y por qué?

Si surge el riesgo de que la madre esté gestando un bebé con alguna malformación congénita, se suele aplicar la amniocentesis más o menos al llegar a la 14a. semana del embarazo. Se introduce una aguja sobre los huesos púbicos de la parte inferior de la pelvis, y se extrae una pequeña cantidad de líquido. Se lo analiza con el fin de descubrir algunas sustancias químicas que podrían indicar la presencia de algún problema, como ser el síndrome de Down, o columna bífida, dos graves malformaciones congénitas que ponen en peligro la vida del bebé. Una gama de defectos que cada vez se acrecienta, se puede descubrir mediante este método.

¿Qué sucede después?

Depende de los resultados. Pero si son positivos, se celebrará una conferencia con la participación de todas las partes interesadas para determinar si se sigue con el embarazo o no.

La ecografía

Aparentemente, la ecografía ha hecho grandes progresos en el cuidado de la mujer embarazada.

Claro que sí, y este valioso auxiliar del diagnóstico se usa hoy muy ampliamente. "Ecografía de tiempo real" es el cuadro que aparece en una pantalla muy parecida a la de un televisor, para mostrar todo lo que ocurre en el interior del útero de la mujer embarazada. La posición del bebé, las anomalías estructurales, la posición de la placenta y muchas otras informaciones valiosas están así rápidamente al alcance del obstetra. Se pueden obtener fotografías y películas que servirán más tarde para hacer comparaciones si fuere necesario. Todo esto es indispensable para poder conducir el embarazo hacia una culminación feliz. No tiene efectos colaterales perjudiciales conocidos, a diferencia de los rayos X, que solían ser un riesgo para el bebé en desarrollo.

¿De qué otros elementos dispone el doctor para llevar a cabo eficientemente su tarea?

Existen otros sistemas de control que se usan tanto antes del parto como en su transcurso, y que capacitan al doctor para detectar rápidamente cualquier anormalidad, y que dan la señal de alarma si está sucediendo algo malo que requiere atención inmediata. Las evidencias de que el feto está sufriendo también se pueden comunicar con rapidez al doctor y a su personal.

Las complicaciones

Puede haber otras complicaciones, ¿no es cierto?

Sí. Pero son de atención exclusiva de los obstetras, cuya tarea consiste en descubrirlas, y seguirlas de acuerdo con el tratamiento que se haya prescrito.

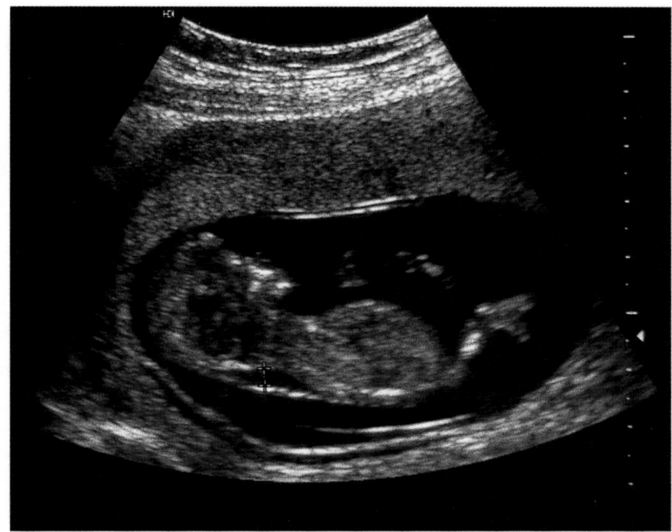

Hoy se usa el ultrasonido para diagnosticar cualquier anomalía que podría existir en el feto.

Otros problemas pueden surgir en el momento de la internación. También se los trata de manera práctica cuando se manifiestan.

Las dificultades que hemos detallado en estas páginas aparecen para dar una idea de algunas de las posibilidades que pueden ocurrir. Aunque es posible que la mayoría de ellas nunca aparezcan, siempre existe la posibilidad, por remota que sea, de que lo hagan. Por eso es bueno estar al tanto. Al saber cuáles son algunos de los síntomas más importantes, la persona está en mejores condiciones de saber si se necesita la pronta atención del médico.

Esto también acentúa la necesidad de elegir cuidadosamente al doctor que se encargará de atenderla durante todo su embarazo y su internación. También orientará su elección —y orientará su mente para tomar en cuenta la proximidad— de un hospital moderno y bien equipado para que la atienda durante su embarazo (si hace falta), y ciertamente durante el parto.

Los detalles que hemos dado tienen la intención de informar, no de asustar ni producir aprensión o desaliento. La mayoría de las internaciones con propósitos de parto terminan a entera satisfacción, tanto para la madre como para el bebé. Nunca lo olvide, pero tampoco pase por alto las señales de peligro. Es necesario informarlas inmediatamente al médico cada vez que aparecen. Este consejo es para su propio bien.

capítulo 11

Interrupciones en el proceso del embarazo

EN ESTE CAPÍTULO

- El control natural de la calidad.
- Algunos abortos que ocurren normalmente.
- Los abortos legales y sus indicaciones.
- Consideraciones médicas y morales.
- Esperanza para al futuro.

Muchos embarazos terminan en abortos – Si eso ocurre en las primerísimas etapas del embarazo, generalmente no se detectan, y se los confunde con una menstruación atrasada – El control de calidad natural de la especie humana – Los abortos legales (en aquellos países que su legislación lo permite) a menudo se practican por razones médicas – El aborto suele producir un impacto emocional muy grande.

¿Qué se entiende por aborto? Una buena cantidad de embarazos nunca llegan a término. Por una multitud de razones terminan prematuramente. Cuando eso ocurre antes de la 28a. semana se lo denomina aborto espontáneo.

Se lo llama así para diferenciarlo del "aborto", sin calificativo, palabra que en la mente de muchos sugiere algo ilegal o inmoral. Éstos, por cierto, son sólo un porcentaje del total, y al parecer están disminuyendo como consecuencia de las modificaciones que se les ha introducido a muchas leyes en diversos países del mundo.

Cuando el feto llega a la 28a. semana se lo considera legalmente vivo, aunque si naciera en ese momento difícilmente podría sobrevivir.

Las cifras de los abortos espontáneos varían considerablemente. Algunos expertos afirman que el 10% de todos los embarazos normales terminan de esta manera. Otros insisten en que la cifra es de 1 en 4, o sea el 25%. Un reciente estudio practicado en el Reino Unido (Inglaterra) determinó que entre el 70 y el 80% de todos los embarazos terminan prematuramente de esta manera.

Las leyes fisiológicas en acción

¿Es ésta la forma como el ser se empeña en producir sólo bebés sanos, y al hacerlo es realmente bondadosa tanto para las madres como para los bebés?

Ciertamente es así. Estas declaraciones se basan en cuidadosos estudios de miles y miles de casos. Muchos creen ahora que un aborto espontáneo es solamente la forma como la fisiología conserva un mínimo de calidad en la especie humana.

Ahora que los estudios genéticos y los patrones cromosomáticos se pueden estudiar con nuevas técnicas y en más detalle que nunca antes, parecería que la gran mayoría de los abortos son en realidad la consecuencia de deformidades genéticas. Por lo tanto, las leyes que gobiernan nuestro ser ha intervenido con anticipación para evitar la multitud de dificultades por las que tendría que pasar durante toda su vida un ser humano genéticamente afectado.

Mediante métodos que todavía no se entienden bien, un embrión genéticamente deforme tiene mayores dificultades para ser aceptado por la membrana interna de la matriz. Ciertas influencias naturales, al parecer, se le oponen. El resultado es una rápida expulsión bien al comienzo del embarazo. En realidad, la mayoría de las mujeres ni cuenta se da de que se ha producido un embarazo, y menos aún de que han tenido un aborto espontáneo.

A menudo esto simula "una menstruación atrasada". Cuando llega, puede parecer más "densa" que de costumbre, o pueden aparecer algunos coágulos. Este fenómeno puede ser completamente indoloro, o puede haber un poco más de incomodidad que de costumbre. Pero esto se asume como la suerte normal de la mujer, y poca atención se le presta a ese acontecimiento irreconocido. En otros casos, por supuesto, el proceso es más largo.

¿Cuándo ocurren más comúnmente los abortos espontáneos?

Cerca de las 3/4 partes de los abortos

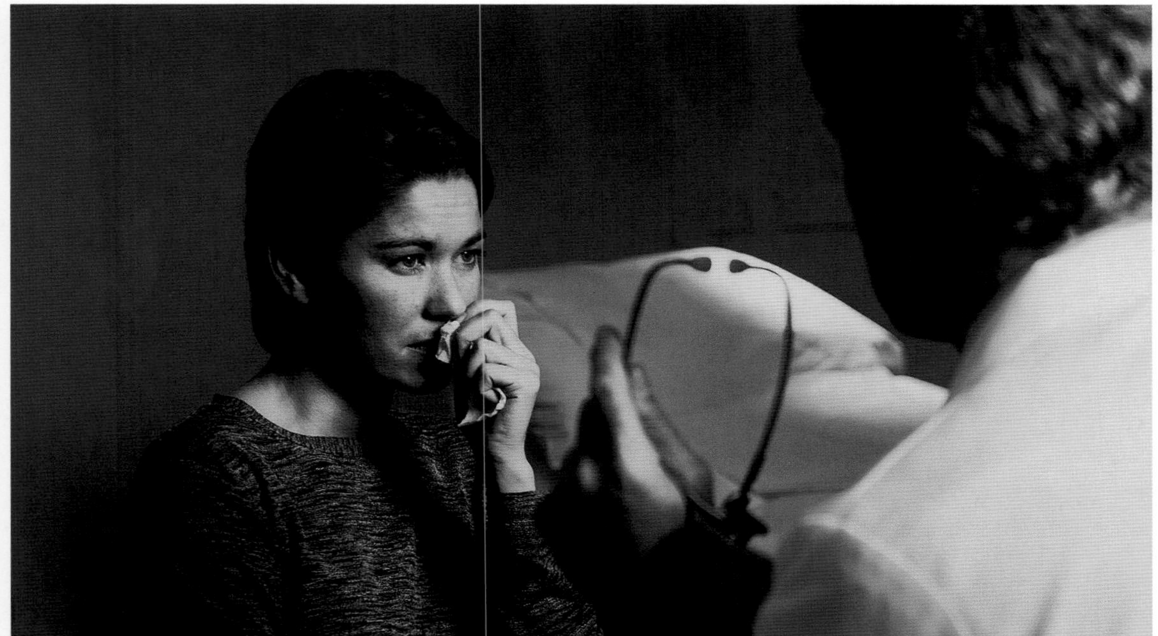

reconocidos ocurren entre la 6a. y la 10a. semanas del embarazo. Las razones de esto no se conocen muy bien. Algunos sostienen que se produce en ese momento una reducción temporal de la hormona llamada progesterona. Esta podría ser la causa de que el embrión se desplace de su posición en la pared uterina para ser expulsado.

Parece que algunos abortos se pueden producir por infecciones y picos de fiebre en la madre en el momento de la implantación del óvulo fecundado. Tal vez algunos virus logran pasar la barrera de la placenta y llegan hasta el embrión, para producir daños tales que provocan su rápida expulsión.

Algunos expertos creen que ciertas causas psicosomáticas desempeñan un papel en esto también. El sistema nervioso y el cerebro son estructuras sumamente complejas. Al parecer las complicadas redes de neuronas (las células nerviosas) son capaces de producir hormonas que pueden provocar la prematura expulsión del embrión de la pared uterina.

A veces el hombre es el responsable. El 50% de los cromosomas y los genes del óvulo fecundado provienen de sus espermatozoides. Por lo tanto, cuando se produce la unión, si hay defectos presentes en su mitad, esto podría provocar un aborto espontáneo. Se sabe de casos de mujeres que tenían sistemáticamente abortos espontáneos (o habituales) que se volvieron a casar, y con los nuevos maridos los embarazos llegaban a término normalmente, para dar a luz bebés normales y sanos.

Los abortos que ocurren normalmente

Desde un punto de vista técnico, el doctor reconoce varias clases de abortos. Pero desde un punto de vista práctico no importan tanto los detalles técnicos. Lo que sí importa es que se ha producido una súbita interrupción del progreso normal del embarazo. Con frecuencia esto requiere una pronta atención médica con el fin de evitar graves consecuencias.

¿Qué sucede?

La primera indicación de que no todo anda bien es la aparición de sangre en la vagina. Puede ocurrir en cualquier momento durante las primeras ocho semanas del embarazo, pero con más frecuencia en el período que va desde la 6a. hasta la 10a. semanas.

La sangre puede comenzar como una secreción pardusca cuyo volumen aumenta gradual o rápidamente. Puede llegar a

Muchos abortos se producen antes de la décima semana, y a menudo requieren atención médica.

ser de color rojo, y estar asociada con dolores y calambres en el bajo vientre. La cantidad de sangre puede ser reducida o profusa.

Si al comienzo es de color rojo, y gradualmente se reduce y se vuelve pardusca, hay muchas posibilidades de que todo vuelva pronto a la normalidad. Si la secreción de color marrón continúa, aumenta el riesgo de un aborto. Si la secreción pardusca aumenta y se vuelve de rojo brillante, hay más riesgo aún de que el embrión aborte.

Muchos casos se normalizan y llegan a término. Pero otros prosiguen gradualmente, y por fin abortan por completo. La paciente puede sentir de repente que algo le está sucediendo. Esto puede ir acompañado por algunos fuertes dolores y calambres, más hemorragias de un rojo vivo, y después ambas cosas. A veces los productos de la concepción salen espontáneamente por la vagina. En otros momentos sólo sale parte de estos productos, y la hemorragia y la incomodidad continúan.

Algunos expertos afirman que alrededor del 10 % de los embarazos terminan en abortos espontáneos.

¿No se debería procurar atención médica rápidamente?

Por supuesto. No importa qué suceda, si hay pérdida de sangre con o sin dolor, es una señal urgente de que sin dilación se debe procurar atención médica. Un examen apropiado le permitirá al doctor aconsejar si algunas medidas sencillas pueden evitar que se produzca ese aborto inminente, o si es necesario practicar una intervención quirúrgica para evitarle mayor riesgo y pérdida de sangre a la paciente.

En este último caso será necesario, por supuesto, tramitar la inmediata admisión a un hospital, y aplicar los procedimientos correctos antes de que la hemorragia siga su curso. Muchas mujeres se sienten muy afectadas cuando un aborto prematuro le pone fin a un embarazo que habían estado esperando ansiosamente. No obstante, la mayoría de los doctores asume la posición sensata y trata de explicarle la situación a sus pacientes. Esta es generalmente la forma como la fisiología soluciona una situación que más tarde le podría producir problemas mayores a los padres.

Cuando esto se destaca, todo el cuadro se ve de manera diferente, y la mayoría de las pacientes se siente bastante satisfecha y ciertamente contenta de que las cosas hayan terminado de esta manera, en lugar de tener que encarar las posibles dificultades del futuro.

El aborto legal

¿Qué se entiende por "aborto legal"?

En los últimos años en la mayoría de los países se han producido grandes cambios en la actitud hacia los abortos terapéuticos. Esto significa que el aborto lo practica un médico como una manera de tratar a su paciente y en su beneficio.

Pero en otros países el aborto, no importa cuál sea su causa y su intención, se considera lisa y llanamente un crimen, tanto por parte del médico que lleva a cabo la operación como por parte del personal de enfermería que colabora y por parte de la paciente que se somete a ella. En esos países sólo bajo circunstancias sumamente especiales se autoriza la práctica de un aborto justificado.

Pero en el mundo en general esta actitud está cambiando. Cuando hace unos años la explosión demográfica comenzó a convertirse en un problema mayúsculo en muchos países, las leyes respectivas se enmendaron o sencillamente se redactaron de nuevo. Ahora en los países escandinavos, en el Oriente y en el Japón, el aborto es libre, y activamente promovido por razones sociales y económicas.

En muchos lugares el aborto está a la disposición de quien lo requiera y en forma totalmente gratuita, y se lo lleva a cabo en los hospitales del gobierno y por su cuenta. Sin embargo, existen ciertas, salvaguardias, pero muchos consideran que es un intento por parte de esos países de sobreponerse a las urgentes presiones que acarrea la explosión demográfica.

¿Qué ocurre en el mundo occidental?

El mundo occidental ha sido un poco más lento en esto y más cauteloso también. Pero Gran Bretaña abrió el camino, y en abril de 1968 se promulgó la "Ley Relativa al Aborto de 1967". Eliminó básicamente muchas de las barreras previas para el aborto practicado por razones terapéuticas. El aborto pasó a ser legalmente permitido, con la condición de que se respetaran ciertas pautas claras. Pero en la práctica esas pautas se han prestado a muchas interpretaciones. El resultado ha sido un aumento enorme de los abortos legales.

A partir de las cifras más bien bajas de 1968, éstas llegaron a una cantidad que superó los 200.000 en 1995. Después de esa fecha se observó una leve disminución, posiblemente porque el aborto pasó a ser legal en otros países europeos también, de manera que las mujeres extranjeras que viajaban con este fin a Gran Bretaña, ya no necesitaban hacerlo más.

Pero estas cifras se sumergen en la insignificancia cuando se las compara con las de Japón, donde ya en 1955 se calculaba que se habían practicado en el año 1.750.000 abortos. Esta cifra ha descendido ahora a otra que se mantiene estable en torno de los 750.000 casos por año, una cifra muy alta, de todas maneras.

En Norteamérica la mayoría de los Estados ha emprendido "reformas", y los abortos legales están a la disposición de quien quiera, por así decirlo. La cifra anual se había mantenido en alrededor de 2.000.000 de casos por año hacia fines de 1995. Esto no quita que en ese país, por razones religiosas, haya aparecido un poderoso y dinámico movimiento contrario al aborto, cuyos partidarios frecuentemente salen a las calles a manifestar y a ventilar enérgicamente sus ideas. Los partidarios del aborto legal, por su parte, hacen lo mismo, y la policía trata tanto como puede que no se encuentren, porque cuando eso ocurre la violencia se desata.

¿Qué sucede en América Latina al respecto?

América Latina, a pesar de su origen ibérico común, o tal vez por esta misma causa, es muy heterogénea al respecto. En los países donde la Iglesia Católica sigue teniendo una influencia dominante, el aborto legal no existe, salvo en muy pocas y muy justificadas circunstancias, y sigue siendo un delito penado por la ley. En los otros países que se han emancipado en cierto modo de esta influencia, el aborto legal funciona como en cualquiera de los países que lo practican.

Los resultados finales

¿Cuáles han sido los resultados en los paí-

El procedimiento que se sigue después de un aborto espontáneo

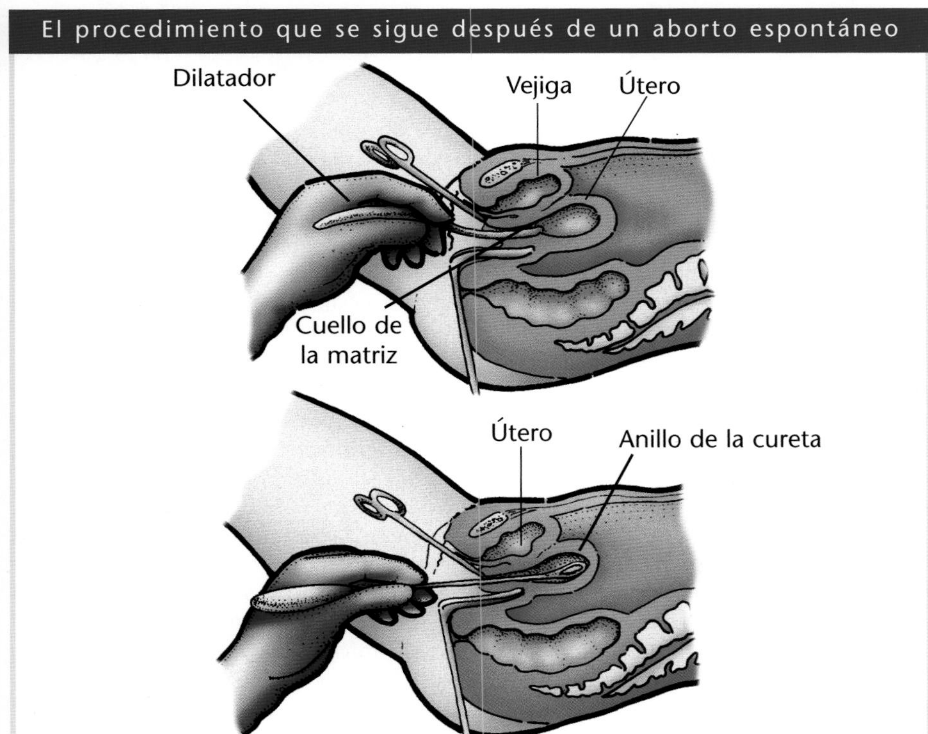

Si se produce un aborto espontáneo, se procede a hacer una dilatación y un curetaje para limpiar la matriz.

ses que han probado una legislación que permite el aborto?

El resultado neto de esto ha sido un rápido aumento del índice de abortos legales. Los médicos suelen pensar que las leyes se han interpretado para que el procedimiento sea lo más fácil posible. Pero los defensores del sistema sostienen que estas medidas han erradicado casi por completo los abortos clandestinos, y realmente criminales, que en años pasados produjeron tantos y tan penosos problemas médicos.

De manera que para bien o para mal, no quedan muchas dudas de que la actitud actual hacia los abortos legales perdurará por mucho tiempo más en los países occidentales.

Aunque algunos le den a estas leyes una muy amplia interpretación, al punto de someter a estas operaciones casos muy cuestionables, muchos otros doctores se aferran firmemente a lo que creen que es correcto. Recomendarán un aborto legal sólo cuando están implícitas la salud y el bienestar de las vidas que están en juego.

¿Acaso la legalización del aborto no le ha puesto fin a los terribles desastres provocados por los "abortos ilegales" del pasado, que le causaron la muerte a tantas mujeres y dejaron lisiadas a tantas otras?

Ciertamente. A lo menos, de acuerdo con las declaraciones de sus defensores, ha reducido muchísimo (y en algunos países ha eliminado por completo) a los "abortistas" aficionados que operaban en el patio trasero de sus casas. Una gran cantidad de mujeres (se calcula que llegaban a entre el 10 y el 15% de todos los embarazos del mundo occidental) se convertían en víctimas de estos abortos que no sólo eran ilegales, sino además criminales.

Las circunstancias por lo general estaban muy lejos del ideal. La higiene y la esterilización eran deficientes, y en muchos casos inexistentes.

Las decisiones a menudo eran apuradas, y la persona que practicaba la "operación" por lo general no estaba calificada para llevarla a cabo. En los registros se ha tomado nota de muchos casos de chapucerías e ineficiencias. Muchas pacientes se infectaban y abundaban los fallecimientos. Algunas mujeres se internaban después en un hospital para que les practicaran operaciones de limpieza, y para tratarse de las infecciones que habían contraído.

A lo menos bajo este nuevo sistema los abortos legales se llevan a cabo en las salas de operaciones de hospitales adecuadamente equipados con todos los elementos necesarios para hacer frente a cualquier eventualidad. Los cirujanos son ginecólogos expertos, bien calificados para desempeñar su profesión.

Consideraciones médicas

¿Qué nos puede decir acerca de las razones válidas para practicar un aborto legal?

Existen ciertas indicaciones médicas que condicionan la necesidad de practicar un aborto terapéutico (o legal, si se quiere). Si se lo lleva a cabo en el lugar adecuado, será de gran ayuda para una madre necesitada.

¿Cuáles son algunas de esas razones médicas aceptadas?

A continuación damos algunas de las razones más importantes por las cuales un ginecólogo podría considerar la posibilidad de practicar un aborto legal:

Una grave afección del corazón. Si el embarazo se complica por una grave enfermedad del corazón, y no resulta práctico o posible operar a la madre, el aborto legal podría ser la única salida para ella, la única manera de salvarle la vida.

Enfermedades de los pulmones. La tuberculosis es rara en estos días, pero si aparece podría ser una razón para practicar un aborto legal, especialmente si la paciente no es capaz de tolerar su medicación.

Enfermedades de los riñones. Si los riñones están muy dañados, resulta obligatorio practicar un aborto legal.

Enfermedades mentales. Para algunos de estos casos el aborto es un beneficio. (Reconocemos que éste es el aspecto que más se presta a abusos. Pero el médico debería evaluar cada caso con toda honestidad, y tomar la decisión correspondiente después de examinar cuidadosamente toda la historia clínica de la paciente.)

El cáncer. Esta maligna enfermedad suele desarrollarse rápidamente en las mujeres jóvenes, y puede ser fatal si se produce

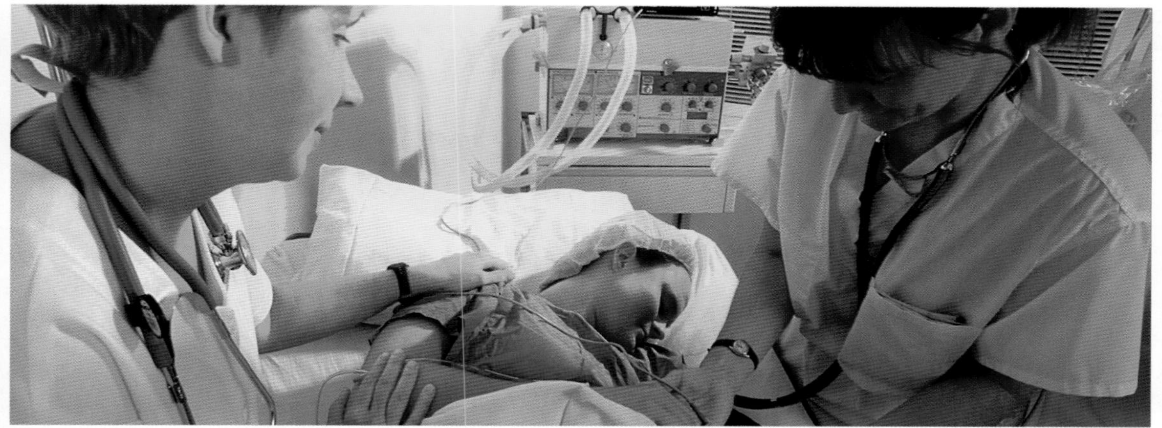

un embarazo. Una paciente de este tipo es candidata segura para un aborto legal.

Desórdenes durante el embarazo. A veces ciertos síntomas que se manifiestan durante el embarazo aconsejan la práctica de un aborto legal.

Las enfermedades producidas por virus. La rubéola, si se contrae durante las 12 primeras semanas del embarazo, casi con seguridad le producirá graves malformaciones congénitas al bebé en gestación. En este caso por lo general se le ofrece a la mujer un aborto legal. Hay otras infecciones causadas por virus que son suficiente causa de una determinación semejante.

La presencia del factor Rh. En algunos casos graves, provocados por el factor Rh, se justifica el aborto.

¿Qué se sabe de las malformaciones congénitas?

A veces se las llama "razones eugenésicas" (del griego: *eu* = bien, bueno, y *genes* = nacido; bien nacido).

Las razones eugenésicas. Algunos embarazos de alto riesgo justifican el aborto, especialmente si se sospecha con mucha seguridad (y esto es por lo general posible hoy gracias a los nuevos métodos de diagnosis prenatal) que el bebé será mentalmente defectuoso o vendrá con graves malformaciones. (En esta categoría entra el síndrome de Down, llamado también mongolismo, y bebés con la espina dorsal bífida (partida en dos en el extremo, una grave malformación por cierto.)

La violación. La violación, el incesto y otras manifestaciones de violencia sexual también deberían considerarse como causas que justifican el aborto legal.

Consideraciones morales

¿Podría decirnos algo acerca del carácter moral del aborto?

Antes que una mujer embarazada se apresure a presentarse en una clínica donde se practican abortos para destruir a su bebé (y de esto precisamente se trata), que por favor piense en los aspectos morales implícitos.

El feto que usted destruye es en realidad un ser vivo. Aunque pequeño, es un perfecto ser humano. ¿Es correcto que usted tome la vida de ese ser humano sólo porque no le conviene que nazca? ¿Tiene derecho usted a decidir si vivirá o no, simplemente porque su presencia puede interferir con su vida social, gravitar sobre su presupuesto, o perjudicar su carrera o avergonzarla con su presencia?

Usted carece totalmente del derecho de decidir si ese bebé, que aún no ha nacido, podrá vivir o no. Si usted toma la decisión equivocada, nunca estará libre del sentimiento de culpa que se instala en la conciencia de la gente que, a pesar de saber que obra mal, elige el camino más fácil.

El futuro

¿Qué nos puede decir acerca del futuro?

Muchos expertos creen que con el empleo creciente de métodos anticonceptivos y la facilidad con que se los puede conseguir en sus diversas formas, la necesidad de practicar abortos irá reduciéndose gradualmente con el transcurso del tiempo.

Hay ciertos síntomas reconocidos que le permiten al médico recomendar un aborto legal.

capítulo 12

Los emocionantes acontecimientos del embarazo

EN ESTE CAPÍTULO

- El mapa de los cromosomas.
- Los maravillosos cromosomas y el papel que desempeñan.
- La concepción, los embarazos múltiples y el ciclo menstrual.
- Una manera, muy inteligentemente diseñada, para que las cosas funcionen.
- Los sistemas de apoyo vital y de desarrollo del feto.

Las características genéticas quedan establecidas en el momento de la concepción – Los genes del padre y de la madre se unen – Ciertas hormonas se desarrollan en las primeras etapas del embarazo para garantizar la seguridad del bebé – Se producen muchos cambios psicológicos – El embarazo puede afectar las actitudes de la mujer – Los bebés crecen rápidamente.

¿No le parece que el embarazo es la experiencia más íntima y más dulce en la vida de una pareja?

Por supuesto. No sólo los acontecimientos que llevan al embarazo son muy personales, sino que la misma situación implica la fusión de los rasgos esenciales de los dos cónyuges.

Las características de ambos padres: físicas y psicológicas, se unen de manera asombrosa. Esto ocurre en el momento de la concepción, e inevitablemente acompañarán a esa nueva vida desde ese momento en adelante.

En los últimos años se ha llegado a saber más acerca de la vida prenatal. A los cromosomas, esos microscópicos filamentos que llevan los genes —los factores responsables de la herencia—, se los puede estudiar hoy detalladamente mediante el empleo de procedimientos especiales. La asombrosa extensión de la "predeterminación genética" se entiende cada vez más a medida que se pueden observar esos intrincados elementos mediante el empleo de poderosos microscopios.

Mediante la extracción de células del líquido amniótico —la sustancia acuosa en medio de la cual flota el bebé durante su vida prenatal—, y al examinarlas por medio de un proceso que se llama amniocentesis, se puede obtener muchísima información.

Es posible determinar el sexo del bebé. Si tiene anomalías, esto también se puede descubrir. Incluso, en ciertos juicios llevados a cabo en Gran Bretaña, los investigadores afirmaron que podían prever que cuando el bebé en gestación llegara a la edad adulta, ¡sería un criminal!

El mapa de los cromosomas

Lo que usted acaba de decir, ¿no es lo que se suele llamar "el mapa de los cromosomas"?

En efecto. Hay una enorme cantidad de genes en los cromosomas, y cada uno de ellos es responsable de ciertos factores hereditarios. Determinan gradualmente cuáles son esos factores, y la posición de los genes.

Hoy se le da a los genes posiciones con nombres definidos, que se llaman *locus* (del latín, "lugar, ubicación"), y gradualmente se instala allí una enorme cantidad de información. Más adelante será posible determinar cómo será la salud del bebé en el futuro mediante la amniocentesis y el chequeo de los mapas genéticos. Esto puede ir desde las enfermedades del corazón más comunes hasta la diabetes y diversas otras dolencias, e incluso hasta algunas más raras, como el mal del Alzheimer, por ejemplo, que se ha vuelto tan común y que reviste tanta gravedad.

Los dos elementos

En cada embarazo debe haber dos elementos: uno masculino y otro femenino.

¡Por supuesto! El hombre contribuye a la reproducción con una sola célula que se llama espermatozoide. Estos se producen constantemente en unas glándulas que se llaman testículos y que están alojadas en el escroto.

Una vez producidos, se los lleva a unas bolsitas ubicadas detrás de la vejiga que se llaman *vesículas seminales*. Llegan allí por medio de un estrecho tubo denominado *conducto deferente*.

Ciertas glándulas añaden un líquido, de manera que los espermatozoides se puedan mover libremente. Ese líquido contiene nutrientes que les permiten vivir y conservarse muy activos.

Cada espermatozoide tiene una cabeza y una cola sumamente activa que usa para impulsarse. En la cabeza se encuentra el núcleo, y muy dentro de él están ubicados esos tenues filamentos que llamamos cromosomas. Contienen pequeños nudos que se extienden a lo largo, llenos de un elemento especial que en conjunto se llama genes. Los cromosomas y los genes son los elementos encargados de transmitirle al bebé los rasgos hereditarios.

Justo antes de que los testículos los expidan, la cantidad de cromosomas de cada espermatozoide se reduce a la mitad. Una célula normal contiene 46, pero el espermatozoide tiene sólo 23. Entre estos se encuentra el cromosoma que determina el sexo. Se los conoce como cromosomas X o Y.

Cuando el espermatozoide por fin se une con su contraparte femenina, el óvulo (cuyos cromosomas también se han reducido a la mitad, de manera que son 23), el sexo del bebé se determina inmediatamente. Si el espermatozoide es X, producirá una niña; si es Y, producirá un niño. El óvulo sólo contiene cromosomas X, de manera que el elemento masculino es el que determina el sexo del futuro bebé.

Investigaciones recientes

¿Es posible determinar de antemano el sexo del bebé?

El sexo de su bebe

Tanto el óvulo de la mujer como el espermatozoide del varón contienen 23 cromosomas cada uno, uno de los cuales es siempre el cromosoma del sexo. Cada óvulo siempre tiene un cromosoma X (femenino), mientras que los espermatozoides contienen ya sea un cromosoma X o un Y. El óvulo fertilizado por un espermatozoide que contiene un cromosoma X resultará en una niña, pero si lo fertiliza uno que contiene un espermatozoide Y, el resultado será un niño.

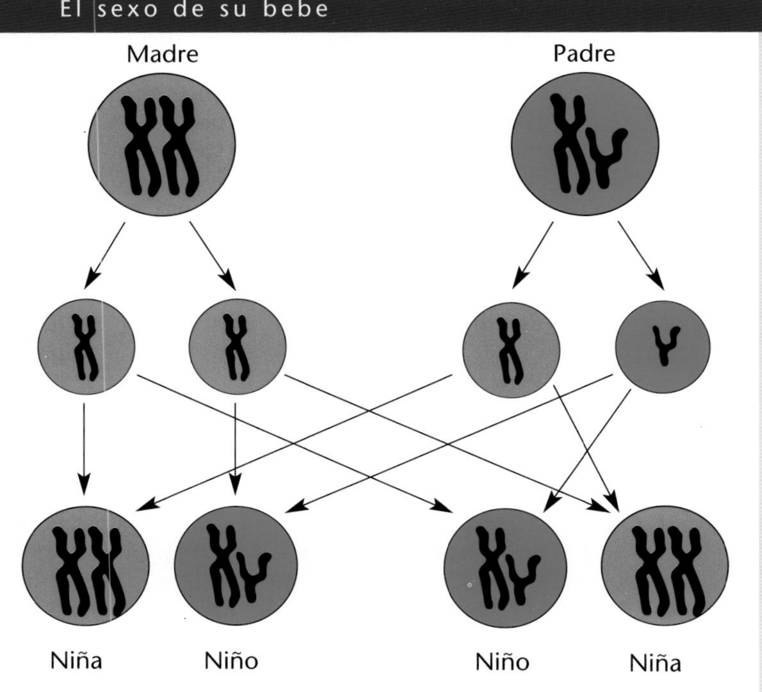

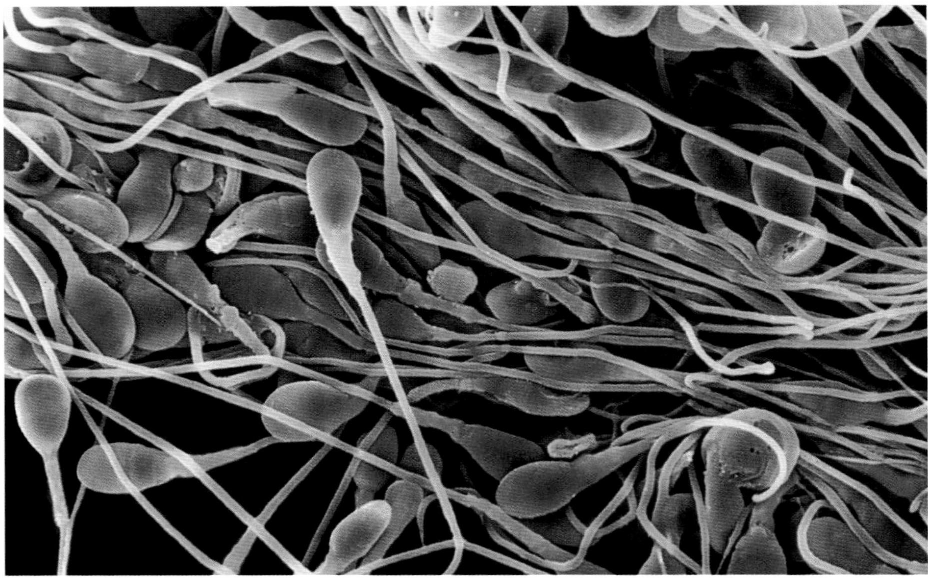

Una eyaculación contiene unos 200 millones de espermatozoides, pero sólo uno de ellos produce un embarazo.

En los últimos años se han llevado a cabo muchísimos estudios para tratar de descubrir qué espermatozoides llevan el elemento X y cuáles el Y. Si esto se pudiera perfeccionar, entonces el sexo de la criatura se podría predeterminar por elección y preferencia.

Algunos trabajos llevados a cabo recientemente en Gran Bretaña pretenden haber avanzado mucho en este sentido. Mediante el empleo de procedimientos complejos han llegado a la conclusión de que se puede preparar una solución que contenga mayormente espermatozoides X, y otra espermatozoides Y. Los detalles no han podido ser afinados todavía, pero probablemente será posible muy pronto, mediante la inseminación artificial, elegir el sexo del bebé. Llamamos la atención al hecho de que esto todavía está en la etapa de experimentación.

Pero, ¿y en la actualidad?

En la actualidad, para todos los efectos prácticos, esto sigue librado a la casualidad. Cuando se produce la fecundación,

X (espermatozoide) + X (óvulo), producirá XX; es decir, una nena.

Y (espermatozoide) + X (óvulo), producirá XY; es decir, un varón.

Otra idea propuesta no hace mucho por algunos obstetras norteamericanos es que ciertos espermatozoides son más susceptibles a la destrucción por parte de los ácidos vaginales mientras más cerca esté la fecha de la ovulación. Por lo tanto, según ellos, si se aplican sus fórmulas cuidadosamente calculadas, se puede elegir el sexo del bebé programando las relaciones sexuales en la fecha cuando el óvulo se desprende del ovario. Puesto que nada extraordinario ha sucedido desde que estos señores ventilaron sus ideas, se presume que en la actualidad la gente prefiere seguir confiando en la casualidad, o que este sistema es demasiado fantástico para ser práctico. Al parecer la mayoría prefiere que la fisiología se salga con la suya.

Los espermatozoides

¿Qué más nos puede decir acerca de los espermatozoides?

En el fluido seminal se encuentran presentes una gran cantidad de espermatozoides. La cantidad se acumula hasta que se producen las relaciones sexuales. Entonces, como consecuencia de esa intensa y sensual experiencia que llamamos orgasmo (lo que la gente llama "acabar"), se depositan en el fondo de la vagina de la mujer entre 2 y 4 ml de fluido. Este acto se conoce también como coito, y la emisión de líquido como eyaculación.

El orgasmo es la culminación del acto sexual, y para el hombre es la parte más agradable. Pero está revestida de un profundo contenido psicológico para ambos sexos. Ciertamente este tremendo impacto físico y mental le ha dado el "sexo" en todo el mundo (en la plenitud de su significado) esa poderosa connotación.

Puesto que el pene erecto del hombre se conserva firme y prolongado durante todo el acto sexual, el líquido seminal se deposita por lo general en el fondo de la vagina. En ese fluido se encuentran miríadas de activos espermatozoides que nadan con vigor, moviendo sus colas a una velocidad increíble. Su cantidad puede llegar a los 700 millones, aunque en promedio suele andar por los 200 millones.

Imaginen esto: en una sola eyaculación hay suficientes espermatozoides, si nos atenemos a la cifra más baja, como para aumentar casi seis veces la población de la República Argentina. Pero la verdad es que se necesita sólo un espermatozoide para conseguir un embarazo.

Esto nos enseña que la ley de la reproducción es sumamente cuidadosa para atender los detalles. Desde el punto de vista estrictamente biológico, la tarea de dicha ley es garantizar la reproducción de la especie. Por lo tanto, para contar con la absoluta seguridad de que esto va a suceder, se hace una provisión superabundante.

Los muchos atractivos de las relaciones sexuales, es decir, de la relación hombre mujer, y las placenteras sensaciones que se derivan de los contactos físicos, son otros de los recursos de las leyes de la reproducción. Pero las parejas inteligentes comprenden que las relaciones sexuales, aunque agradables y deliciosas, se deben reservar para después del casamiento. La producción de vida nueva requiere mucho más que las relaciones promiscuas e intermitentes que pueden ofrecer las relaciones sexuales premaritales o extramaritales. Una nueva vida implica un hogar donde ésta se pueda desarrollar en todos los aspectos.

Una vez que el orgasmo y la eyaculación se han cumplido, terminan los aspectos físicos de la participación del varón, a lo menos por el momento.

Comienza el viaje

¿Qué sucede después?

Los espermatozoides, que mueven sus colas vigorosamente, pronto encuentran su camino hacia la matriz a través del cuello del útero. Este vincula la vagina con la parte inferior de la matriz. Un estrecho canal permite el paso hacia la parte inferior de la matriz, que está recubierta con unas células que se conocen como endometrio (la parte interior de la matriz).

Si las relaciones sexuales ocurren a mitad de camino del ciclo menstrual, entonces las posibilidades de que un espermatozoide se encuentre con un óvulo son bastante grandes.

Varios miles de espermatozoides van a poder entrar a la parte interna de la matriz, pero muchísimos perecerán en el intento.

Conectadas con la parte superior de la matriz, por ambos lados, hay dos aberturas que conducen a las trompas de Falopio (oviductos). Estas trompas tienen unos pocos centímetros de longitud, y terminan en un punto íntimamente relacionado con el ovario de cada lado.

El ovario produce un óvulo cada mes. Hay dos ovarios, uno a la derecha y otro a la izquierda. Esto de nuevo nos indica cuán cuidadosa es la fisiología humana. Si uno de ellos se destruyera por cualquier razón, hay otro en reserva.

Díganos algo, por favor, acerca de los óvulos.

Cuando nace una niña, sus ovarios ya contienen miles de óvulos en ciernes. Al llegar a la pubertad, es decir, de los nueve años en adelante, los ovarios comienzan repentinamente a ponerse activos, y producen un óvulo cada 28 días más o menos. En las mujeres cuyo ciclo es de 28 días esto ocurre en el 14o. día. El óvulo se acerca a la superficie del ovario y emerge de allí, para quedar libre en la cavidad pélvica.

Cuándo se produce la concepción

¿Cuándo ocurre la concepción?

La trompa de Falopio, que está muy cerca de allí, tiene unas especies de tentáculos que se parecen a dedos que le ayudan al óvulo a introducirse en la trompa. Si en ese momento el óvulo se encuentra con un espermatozoide que ha logrado sobrevivir y llegar hasta allí, se produce una fusión repentina, y así surge el "óvulo fecundado".

Este es el momento de la concepción, y

En el momento de la concepción, los rasgos hereditarios de la nueva vida quedan sellados para siempre.

Los primeros días de la vida

La ilustración que sigue nos muestra el recorrido del óvulo a lo largo de la trompa de Falopio —donde se lo fecunda— para llegar al útero. Durante este viaje de cinco días la célula original, que era única, se ha dividido para constituir cientos de células.

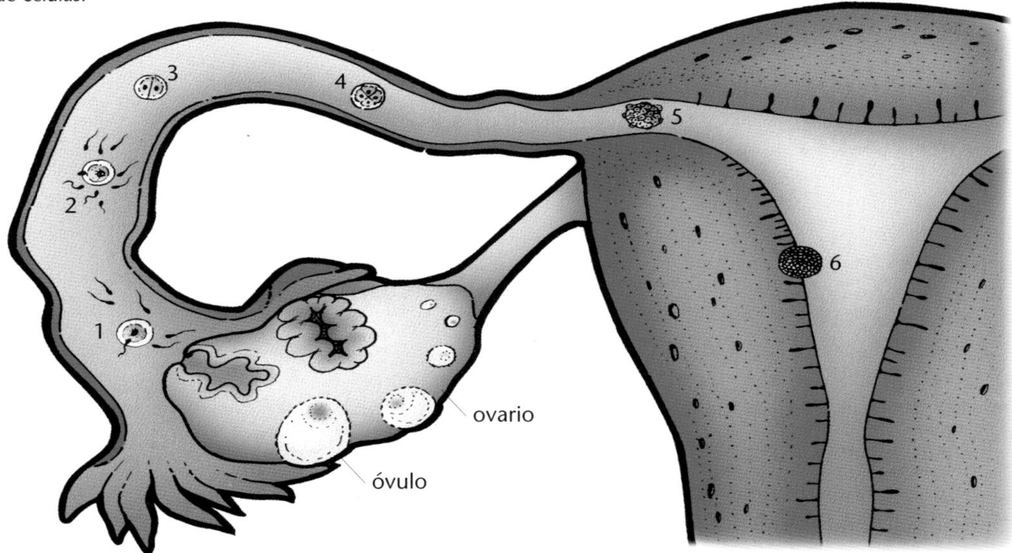

(1) Uno de los espermatozoides que ha llegado a la trompa de Falopio penetra y fecunda al óvulo. (2) La cabeza del espermatozoide se separa de la cola y se aproxima al núcleo del óvulo. (3) Los cromosomas de los dos núcleos se emparejan para crear un óvulo fecundado —o huevo— que tiene dos células. (4) las dos células se dividen a medida que el huevo sigue su curso a lo largo de la trompa de Falopio (5) Alrededor del quinto día el huevo llega al útero y pierde su cubierta gelatinosa. (6) Seis o siete días después de la fecundación, el huevo se adhiere a la membrana interna del útero.

en ese instante los rasgos hereditarios de la persona se fijan para siempre. En ese momento también se determina el sexo de ese nuevo ser humano.

De ese momento en adelante no puede haber cambios. Es asombroso que ciertas características mentales y físicas que permanecen ocultas por muchos años, tal vez por décadas, queden íntimamente selladas en una fracción de segundo en esa nueva vida que comienza a desarrollarse.

¿Es éste el momento cuando se determina si habrá o no embarazos múltiples?

Efectivamente. En ese momento se determina también la producción de mellizos, trillizos y otras formas de embarazos múltiples.

Los embarazos múltiples pueden ser la consecuencia de la liberación y la fecundación simultáneas de dos o más óvulos (los así llamados "embarazos múltiples dicigóticos"), o como consecuencia de la precoz división de un sólo óvulo fecundado (a lo que se llama también "gemelos monocigóticos").

La incidencia de mellizos es de 1 en 90 embarazos, de trillizos es de 1 en 90 por 90, y de cuatrillizos de 1 en 90 por 90 por 90 embarazos en los países occidentales. Los mellizos son más comunes en el África y en Asia, y en las familias cuya historia registra con cierta frecuencia el nacimiento de mellizos, en mujeres que ya van avanzando en la edad. La posibilidad aumenta si la familia es numerosa.

En los últimos años, ciertas hormonas que se emplean para tratar a las mujeres que padecen de esterilidad han influido para que haya más embarazos múltiples que en las que conciben normalmente y sin dificultad.

El cuerpo lúteo

Volvamos al ovario, por favor.

Muy bien. Se produce una especie de súbita brecha cuando se libera un óvulo. Quedan entre 100.000 y 200.000 óvulos en vías de desarrollo que quedan atrás, y cierta cantidad de ellos se liberará uno por uno, y uno cada mes. Pero por el momento cesa la producción de óvulos. El hueco que deja el que se fue se llena de sangre. En poco tiempo se desarrollan allí ciertas células especiales, para formar un órgano que recibe el nombre de *cuerpo lúteo*. Este en muy poco tiempo comienza a producir sustancias químicas que se llaman hormonas, que tienen un efecto dramático en la parte interior de la trompa y del endometrio, la membrana que recubre la matriz.

Cada mes esa membrana se prepara para recibir un óvulo fecundado. Si eso ocurre, otros cambios ocurrirán rápidamente también. Pero si no se produce un embarazo, todo esto se expulsará en la forma de un flujo menstrual normal.

En el curso de la vida de cualquier mujer, la cantidad de veces que puede quedar embarazada es muy reducida. Pero por fortuna ni el ovario ni la matriz están al tanto de esto, porque pronto se desesperarían si lo supieran. Por eso tenazmente cumplen su tarea, con inquebrantable regularidad, mes tras mes.

Pero cuando por fin se fecunda un óvulo, debe de haber sumo regocijo, porque las posibilidades no son altas. A menos que la fecundación ocurra dentro de las 36 horas de la liberación del óvulo, éste muere y desaparece. El espermatozoide puede vivir hasta 48 horas después de haber salido del cuerpo del hombre. De manera que hay sólo entre 36 y 48 horas cuando un embarazo puede ser posible.

Si tomamos en consideración la cantidad de bebés supuestamente no queridos en este mundo duro y frío, es asombrosa la cantidad de veces que tiene que haber relaciones sexuales en el momento preciso para que se produzca una concepción. Pero todos los recursos están provistos, tal como ya lo hemos visto.

No todas las oportunidades

¿No se producen acaso en la mujer ciertos cambios psicológicos y en sus deseos en el momento de la ovulación?

Claro que sí. Como consecuencia de los cambios hormonales, muchas mujeres experimentan un aumento progresivo del deseo sexual, de manera que el cenit de todo esto coincida con el momento de la ovulación o muy poco después. De manera que no es todo oportunidad y buena suerte. Que con tanta frecuencia se produzcan embarazos es consecuencia de un sistema muy inteligentemente diseñado.

En cuanto se produce la concepción, y la cantidad de cromosomas vuelve a los 46 normales (incluyendo los XX o XY que le darán al bebé sus características sexuales), la célula comienza a dividirse y a subdividirse. Durante todo ese tiempo esa pequeñísima masa es impulsada a lo largo de la trompa de Falopio por suaves movimientos musculares auxiliados por las pulsaciones de los "cilios", diminutas vellosidades que surgen de la membrana que recubre la parte interior de la trompa. Los movimientos se parecen a pequeñas ondas que impulsan al óvulo fecundado en dirección de la cavidad de la matriz.

Para el momento cuando el óvulo fecundado ha llegado a la matriz, la membrana está lista para recibirlo. Muy rápidamente este óvulo se sumerge en el endometrio (así se llama esa membrana), generalmente en la parte superior de la matriz, hacia el frente o hacia atrás. Muy rara vez se asienta en la parte inferior, cerca de la salida. Eso puede causar problemas más adelante, y ya los hemos tratado en otro capítulo cuando nos referimos a *placenta previa*. (Vea el capítulo 10 de esta sección.)

En ese momento el óvulo fecundado se ha convertido en una sólida masa de células que se llama *mórula*. Bajo la influencia de las hormonas que produce el cuerpo lúteo del ovario, unas pequeñas proyecciones denominadas *villi* surgen en la parte exterior de la mórula. Le ayudan a sumergirse más aún. Muy rápidamente, en pocos días, la unión de la pared uterina y la mórula se desarrolla para constituir un poderoso órgano que llegará a ser más tarde la placenta.

Un sistema de apoyo de la vida

Háblenos más, por favor, de este maravilloso órgano que es la placenta.

Con mucho gusto. Este es el órgano por medio del cual el bebé en gestación se pondrá en íntimo contacto con la provisión de sangre de su madre. En realidad es su canal de provisión de alimento, oxígeno, vitaminas y todos los nutrientes que necesita. También es el medio por el cual

Hay un lapso de unas 36 a 48 horas en cualquier período menstrual, cuando se puede producir un embarazo.

se desprende de sus productos de desecho.

En ningún momento la sangre de la madre se pone en contacto directo con la del bebé. Los dos torrentes sanguíneos están totalmente separados, pero sólo por medio de una membrana muy fina. Por medio de ella los alimentos y los productos de desecho van en un sentido o en el otro. Es un asombroso sistema de intercambio, muy eficaz y práctico, por cierto.

El óvulo fecundado se desarrolla rápidamente. Se forma la placenta, y el resto de la matriz se llena con un fluido llamado líquido amniótico. Al bebé, en sus primeras etapas de desarrollo se lo conoce como embrión, y cuando se desarrolla más pasa a ser un feto.

¿Produce la placenta algunas sustancias químicas u hormonas?

Claro que sí. Además de ser el medio de intercambio de oxígeno y alimentos, la placenta también es una poderosa fábrica. Produce sustancias químicas que llamamos hormonas, que son indispensables para el seguro desarrollo del bebé. Una de ellas, muy importante, se llama "GCH", la abreviatura de "Gonadotrofina Coriónica Humana". Al cabo de pocas semanas esta producción se eleva muchísimo, a tal punto que los excedentes se vuelcan al torrente sanguíneo y la madre los expulsa junto

Anatomía de la placenta

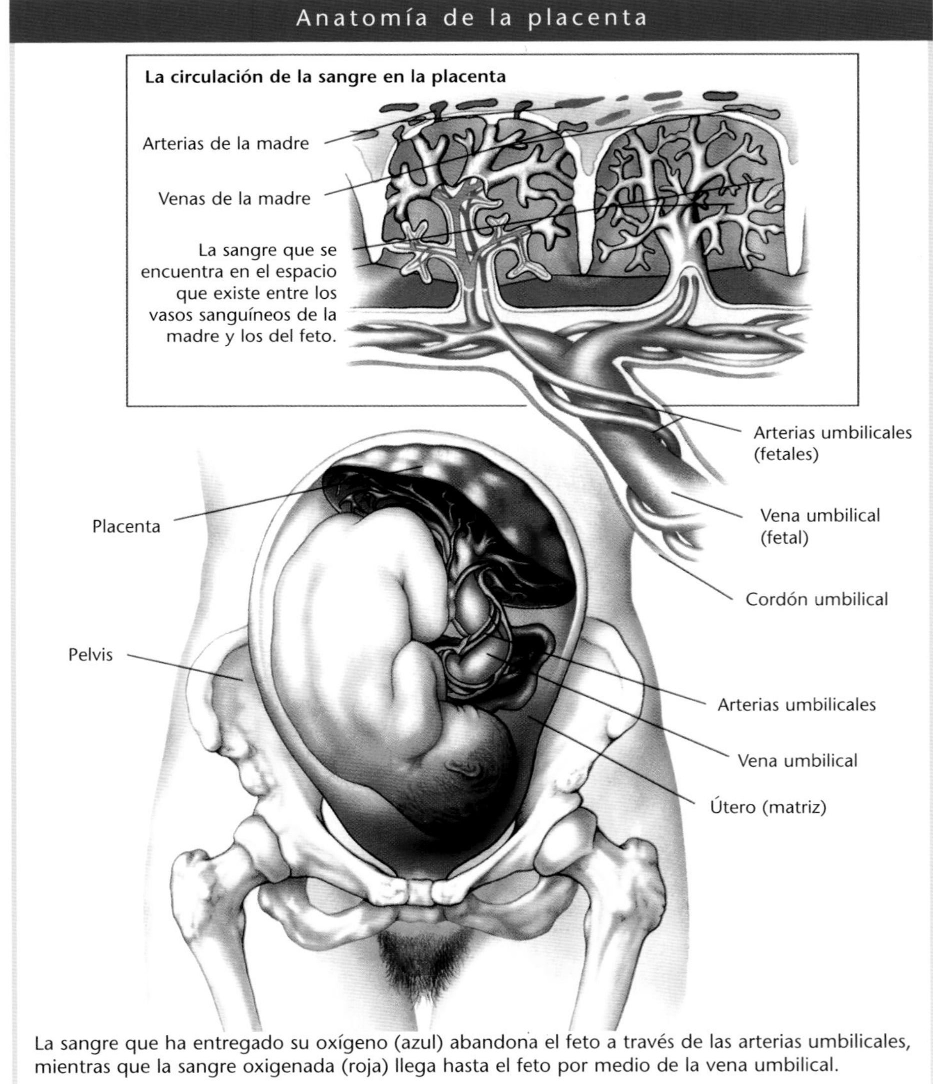

La sangre que ha entregado su oxígeno (azul) abandona el feto a través de las arterias umbilicales, mientras que la sangre oxigenada (roja) llega hasta el feto por medio de la vena umbilical.

con su orina.

Esto constituye la base de las pruebas que se usan con frecuencia para determinar la presencia o la ausencia de un embarazo cuando la mujer no está segura. Por medio del uso de una técnica especial para analizar la sangre llamada "ensayo radioinmunológico", o un sencillo análisis de orina que se conoce como "test inmunológico", se puede determinar con mucha facilidad la presencia de la hormona. Quiere decir que el doctor está aprovechando situaciones naturales cuando hace estas pruebas.

Estrógeno y progesterona

¿Qué otra cosa hace la placenta?

La placenta también fabrica otras sustancias químicas en conjunto con los ovarios. Produce estrógeno y progesterona, junto con otras hormonas que ejercen su influencia sobre el organismo. En efecto, todo está organizado para que el bebé pueda crecer con seguridad, y para satisfacer sus necesidades cuando nazca. Por eso los pechos comienzan a desarrollarse en las primeras etapas del embarazo como consecuencia de la influencia de estas hormonas.

¿Qué sucede entonces?

Los pechos se agrandan, los pezones se vuelven más blandos y más grandes. Las glándulas mamarias también se agrandan, y pasado cierto tiempo comienzan a producir leche. Esta es muy espesa, amarillenta y cremosa al principio, y se la conoce como calostro. Pero poco después de haber ocurrido el nacimiento, aparece una leche normal y sumamente nutritiva. Puede satisfacer las necesidades del bebé y durar muchos meses.

El desarrollo del feto

¿Qué aspecto tiene el feto entonces?

Para dar una idea de la apariencia del feto durante las 40 semanas que dura el embarazo, las ilustraciones de las páginas 130 y 131 nos muestran las diversas etapas de ese desarrollo.

Cuando se produce un aborto espontáneo al comienzo del embarazo, un examen superficial del feto revelará esas características.

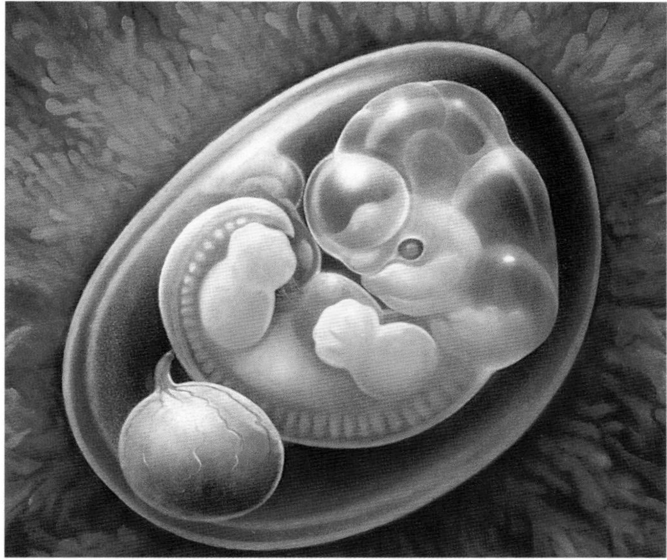

Un embrión, en el cual ya se nota el desarrollo de ciertas características físicas.

Muchas concepciones terminan en un aborto espontáneo. Los estudios practicados recientemente indican que tal vez entre el 60 y el 80% de todos los embarazos pueden terminar prematuramente, por lo común en las primeras semanas. Se sabe ahora que se pueden producir muchos defectos congénitos, y se cree que de esta manera las leyes de la naturaleza protegen la calidad de la especie.

Al eliminar una nueva vida mucho antes de que llegue a significar algo para los padres, y por cierto muchos meses antes del parto, por medios normales y naturales se pueden rectificar graves defectos y deficiencias, tanto físicos como mentales. Muchas veces se ha dicho que ésta es la manera como las leyes fisiológicas ejercen el control de la calidad de la especie humana.

La "naturaleza" (en realidad es Dios) está tratando de ser bondadosa. De esta manera evita dolores de cabeza y del corazón. El cuidado que se le debe dar a los niños física y mentalmente subnormales (y adultos también) es un tremendo problema. De este modo se los evita naturalmente. Por lo tanto, cuando una mujer sufre un aborto espontáneo no debe afligirse. Si se consideran las posibles alternativas, se verá que Dios le está haciendo un favor. Nunca hay que olvidarlo.

Cuarenta semanas de vida

Aquí aparece el embrión humano desde la 5a. hasta la 6a. semanas de su desarrollo, aumentado tres veces y, con fondo blanco, en tamaño natural. Aunque a las 5 semanas no es más grande que un grano de arroz, ya tiene en ciernes un cerebro y una médula espinal. Dos semanas después aparecen los rudimentos de los brazos y las piernas, y dentro de una semana más esos rudimentos empiezan a parecerse a brazos y piernas.

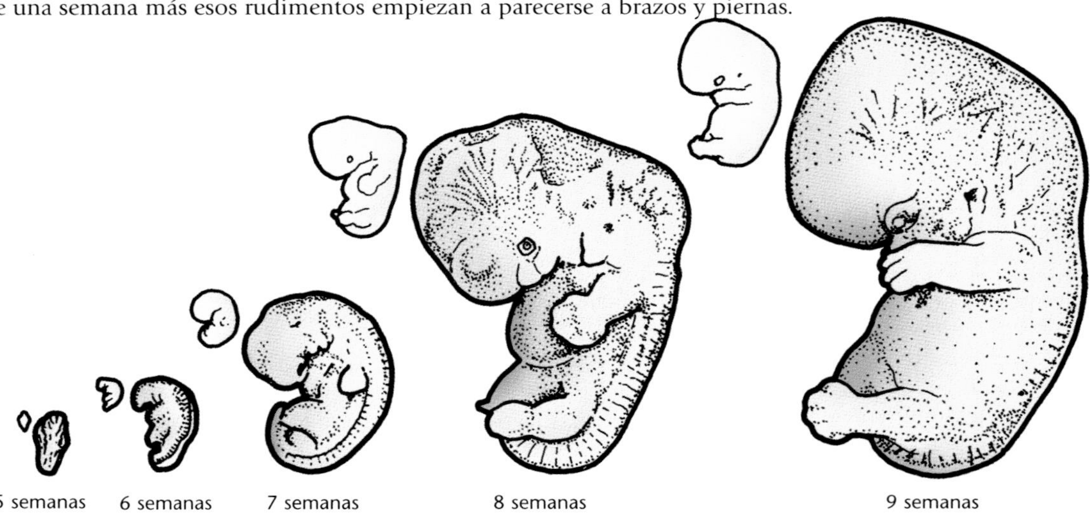

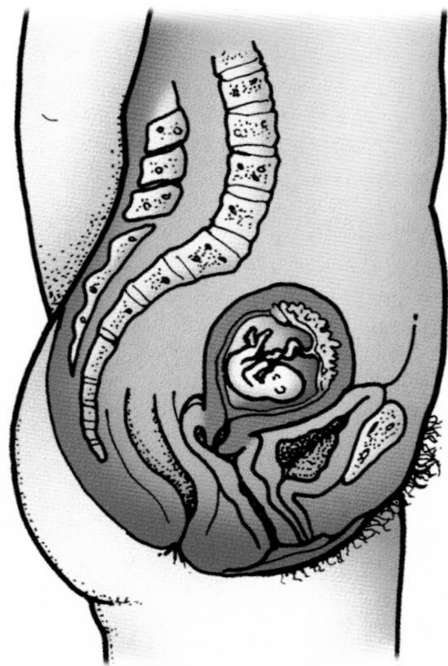

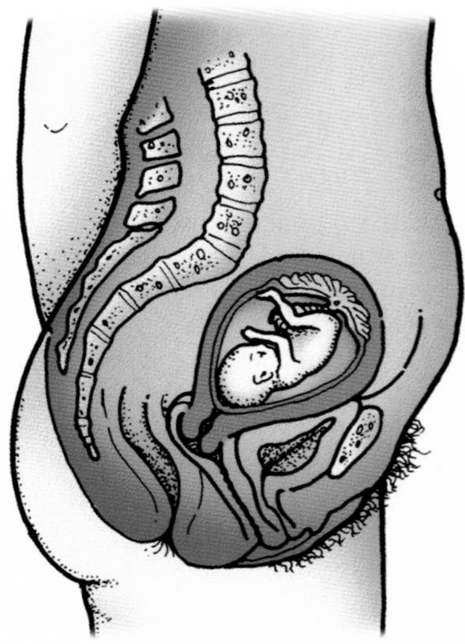

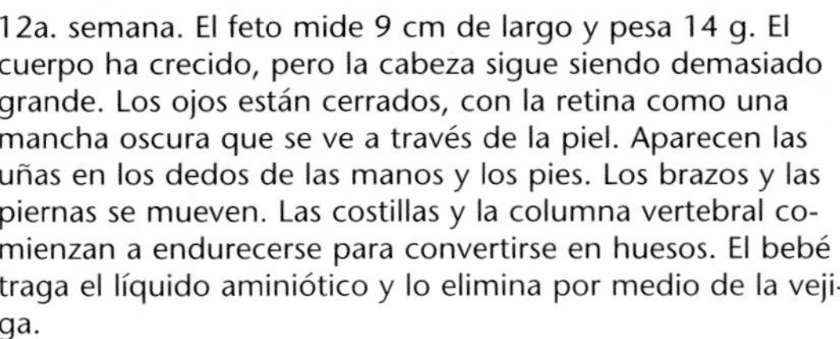

12a. semana. El feto mide 9 cm de largo y pesa 14 g. El cuerpo ha crecido, pero la cabeza sigue siendo demasiado grande. Los ojos están cerrados, con la retina como una mancha oscura que se ve a través de la piel. Aparecen las uñas en los dedos de las manos y los pies. Los brazos y las piernas se mueven. Las costillas y la columna vertebral comienzan a endurecerse para convertirse en huesos. El bebé traga el líquido aminiótico y lo elimina por medio de la vejiga.

16a. semana. El feto mide 18 cm de largo y pesa 100 g. En el rostro comienzan a aparecer rasgos humanos, aunque los ojos son grandes, están cerrados y muy separados. Los vasos sanguíneos aparecen intensos y se los ve a través de la piel transparente. El corazón late enérgicamente y los músculos se vuelven activos. Se pueden percibir ciertos movimientos furtivos como el aletear de una mariposa. Se puede distinguir el sexo del feto.

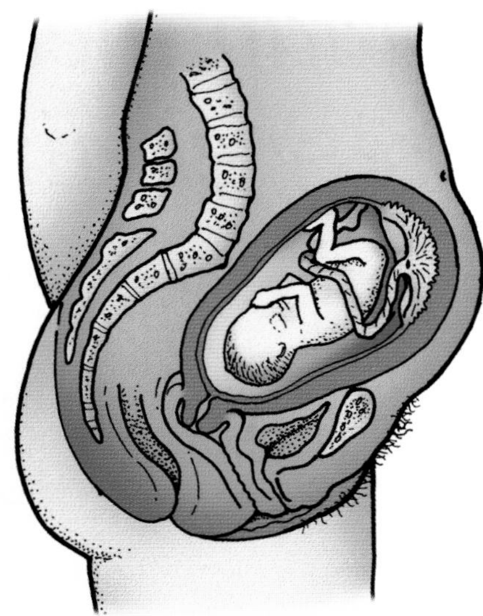

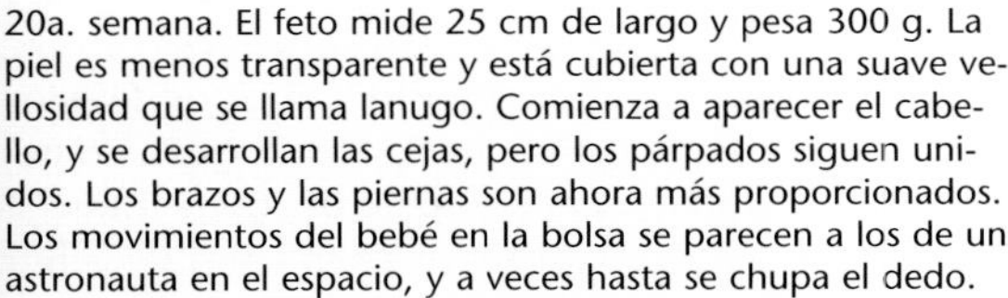

20a. semana. El feto mide 25 cm de largo y pesa 300 g. La piel es menos transparente y está cubierta con una suave vellosidad que se llama lanugo. Comienza a aparecer el cabello, y se desarrollan las cejas, pero los párpados siguen unidos. Los brazos y las piernas son ahora más proporcionados. Los movimientos del bebé en la bolsa se parecen a los de un astronauta en el espacio, y a veces hasta se chupa el dedo.

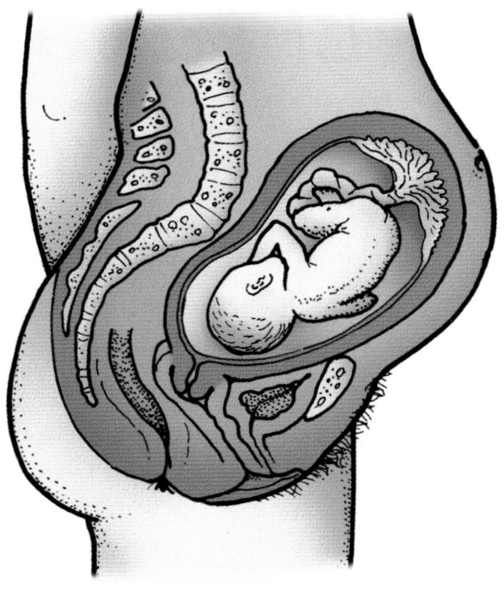

24a. semana. El feto mide 32 cm de largo y pesa 650 g. El bebé es delgado y tiene la piel arrugada porque le falta tejido adiposo (grasa), que comenzará a depositarse debajo de la piel a partir de ahora. Esta está cubierta por una sustancia entre cremosa y cerosa que la protege dentro del útero. Los párpados se han separado, pero una membrana cubre las pupilas. El bebé reacciona a los ruidos fuertes y a la música.

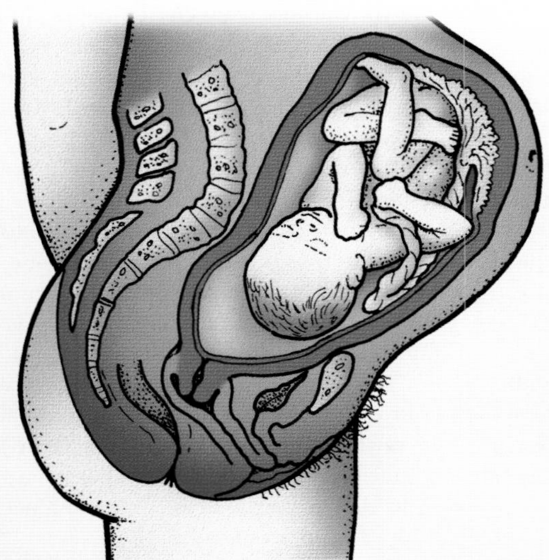

32a. semana. El feto mide 43 cm de largo y pesa 1.800 g. Los movimientos del cuerpo son más vigorosos. La piel todavía está rojiza y arrugada, aunque ya hay algo de grasa debajo de ella. Los huesos de la cabeza son blandos y flexibles. Los pulmones se han desarrollado y podrían sostener la vida. Si naciera en este momento, el bebé tendría un 80% de posibilidades de sobrevivir, si recibiera atención especializada.

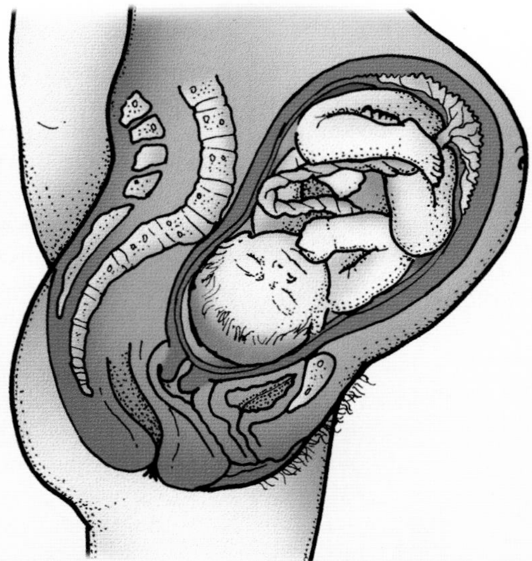

40a. semana. El bebé mide 50 cm de largo y pesa 3.300 g. Los niños pesan alrededor de 100 g más que las niñas. La piel es suave, ya que la mayor parte del lanugo ha desaparecido, aunque todavía está cubierta con esa sustancia entre grasosa y cerosa. La cabeza del bebé está cubierta con algo de cabello, y los huesos del cráneo son más firmes y están más juntos. Los ojos están abiertos, y habrá que cortarle las uñas cuando nazca.

capítulo 13

El parto: Cuidado médico de la madre y el niño

EN ESTE CAPÍTULO

- Las etapas del parto.
- El parto inducido.
- La cesárea.
- La mortalidad perinatal.
- Internación de emergencia.

El parto se desarrolla en tres etapas – La primera es por lo general la más difícil – Las siguientes son más fáciles, pero no siempre – La mayor parte de los hospitales están equipados con aparatos de elevada tecnología – Estos les aseguran un máximo de seguridad tanto a la madre como al bebé – Los problemas fetales se detectan pronto y se los puede tratar a tiempo – Se puede recurrir a una cesárea si se producen dificultades – Las internaciones se siguen produciendo con frecuencia.

Así que el embarazo avanza día tras día. Los signos físicos externos aparecen. La mujer descubre de repente que su menstruación se ha suspendido, y en ella se manifiestan las características típicas del embarazo. ¿No es así?

En efecto. El desarrollo en las primeras semanas es rápido. Las células continúan dividiéndose velozmente. Los vitales órganos internos de la nueva vida van cobrando su forma, y muy pronto el corazón y los vasos sanguíneos comienzan a funcionar.

Los movimientos comienzan a manifestarse poco después; a esto se le llama el momento de la actividad. Cuando esto ocurre, las mujeres inteligentes ya hace tiempo que han consultado a su doctor, y ya están dando los pasos necesarios y tomando las debidas precauciones que les garantizarán a ellas y a sus bebés en formación un viaje seguro a lo largo de los senderos de la prenatalidad.

El embarazo por lo común se divide en tres etapas. Se los llama "trimestres", y cada uno de ellos equivale a la tercera parte de la duración total del embarazo, en otras palabras, a unas 13 semanas.

Es sencillamente una subdivisión arbitraria diseñada para facilitar la descripción de los acontecimientos que ocurren durante las diferentes etapas del embarazo.

Hacia el fin del embarazo, el feto sólo aumenta de peso. Legalmente es "viable" a la 18a. semana, es decir, que puede vivir. Pero es muy poco probable su supervivencia si naciera en ese momento, aunque con la moderna tecnología y los sofisticados medios de apoyo vital que existen ahora en los grandes hospitales, a menudo bebés muy pequeñitos logran sobrevivir.

A veces me pregunto si algunos de estos métodos realmente valen la pena, especialmente si el resultado final será un bebé vivo, pero con serios problemas de salud para el resto de su vida. Se me ocurre que es otra historia y para otro día. El hecho es que la tecnología moderna puede mantener la viabilidad de ciertos bebés, lo que era imposible no hace tanto tiempo.

Para todos los efectos prácticos, el bebé debe tener 36 semanas, y aun así, si naciera, sería prematuro y le faltaría peso. Pero en ciertas circunstancias apremiantes, cuando su vida está en peligro por causa de algunas complicaciones, se hacen todos los esfuerzos posibles para que llegue a la 36a. y la 37a. semanas antes de encarar un parto. Cada día que pasa aumenta las posibilidades de supervivencia.

Pero para la mayoría de los bebés (lo que quiere decir el 85% de los que nacen, y posiblemente esto incluya al suyo), la duración promedio del embarazo es de 280 días a partir de la última menstruación. Esto equivale a nueve meses.

Durante semanas e incluso meses antes de la posible fecha del parto, comienzan a producirse contracciones indoloras en la matriz. Se las puede sentir si se coloca la mano suavemente sobre el abdomen de la embarazada. Esto ocurre especialmente de noche, y puede repetirse después de algunas horas. Se lo llama "preparto", y tiene como propósito preparar la matriz para el parto propiamente dicho.

Finalmente, al acercarse esa hora tan importante, comienza ese parto propiamente dicho.

El parto propiamente dicho

Háblenos, por favor, un poco acerca del parto.

Esto con frecuencia se anuncia mediante uno o más sucesos:

1. Se producen en el abdomen contracciones dolorosas y regulares.

2. Súbitamente aparece una "muestra". Es una especie de tapón de algo así como gelatina manchada de sangre que despide la vagina. (Es precisamente el "tapón" que obturaba el canal cervical del cuello de la matriz, el estrecho conducto que comunica la vagina con el útero.) Ahora que el parto es inminente, desaparece el tapón de ese canal, y se lo prepara para la salida del bebé.

3. Aparece un líquido. En lenguaje popular se dice que "se rompió la bolsa de agua". Significa que se rompió la bolsa llena de líquido amniótico y herméticamente cerrada en la que permaneció el bebé durante todo el embarazo, y que el líquido que contenía fluye ahora a través de la vagina. Esto puede suceder o no en ese momento. A veces ocurre cuando el nacimiento es inminente. Las circunstancias suelen variar.

Si aparece alguno de estos síntomas, la madre ya sabe que el momento del parto está muy cerca. También es señal de que lo mejor que puede hacer es preparar la valija y apresurarse para ir al hospital.

Los dolores abdominales muy pronto se vuelven más agudos, más rítmicos y más incómodos.

El parto se divide tradicionalmente en tres etapas. Cada una de ellas está marcada por un acontecimiento característico.

La primera etapa del parto

Por favor, dénos algunos detalles de la primera etapa.

Comienza con los eventos recién mencionados. En las primerizas dura unas 14 horas. En las que ya han tenido otros hijos este período es más corto, y es en promedio de siete horas.

Al principio las cosas están bastante calmadas. Pero con el transcurso del tiempo la actividad se acentúa cada vez más. Hacia fines de la primera etapa del parto, los dolores (que en realidad son contracciones de la matriz) se producen a intervalos de 3 o 5 minutos, y duran entre 60 y 90 segundos. Son cada vez más fuertes, y hacia fines de la primera etapa las membranas finalmente se rompen (si esto no ha sucedido todavía). Esto significa que mucho líquido amniótico se derrama a través de la vagina. Es algo perfectamente normal.

Durante la primera etapa, el canal cervical (del cuello de la matriz), el conducto que va de la parte interna de la matriz a la externa, se dilata para dar lugar a la salida del bebé. Cuando este canal está totalmente dilatado, el bebé está a punto de nacer. La madre automáticamente se prepara para la segunda etapa del parto.

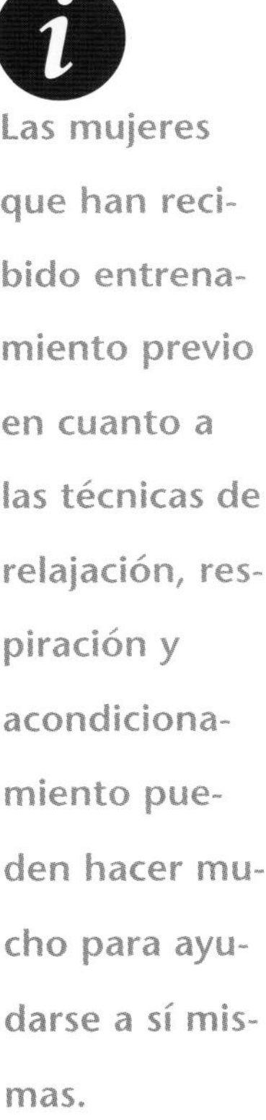

i
Las mujeres que han recibido entrenamiento previo en cuanto a las técnicas de relajación, respiración y acondicionamiento pueden hacer mucho para ayudarse a sí mismas.

La segunda etapa del parto

¿En qué consiste esta segunda etapa del parto?

Esta es la "etapa de expulsión", que culmina con el nacimiento del bebé. Su duración va desde la total dilatación del canal cervical hasta que el bebé ya está afuera.

La madre está en ese momento poseída del intenso deseo de dar a luz, y eso es lo que hace con estoicismo y determinación. Los dolores prosiguen a intervalos regulares y son intensos. La respiración de la mujer es corta y fuerte, la contiene con cada contracción, y hace trabajar sus músculos abdominales y el diafragma en su esfuerzo para que el bebé encuentre su camino de salida por el canal vaginal. Transpira y gime al continuar sus esfuerzos por expulsar al bebé. Es una tarea dura, y por eso, y con razón, se suele llamar "trabajo de parto".

Cuando se hacen fuerzas para contraer los músculos superiores, los de la parte inferior de la pelvis están más relajados. Esto les permite dilatarse para que pase la cabeza del bebé.

Las mujeres que se han entrenado previamente en la técnica de la relajación (llamada también "psicoprofilaxis"), pueden hacer mucho para ayudarse a sí mismas durante esos momentos tan enervantes. Al usar el estímulo de las contracciones uterinas como medio de iniciar el proceso, se

El paso a través de la pelvis

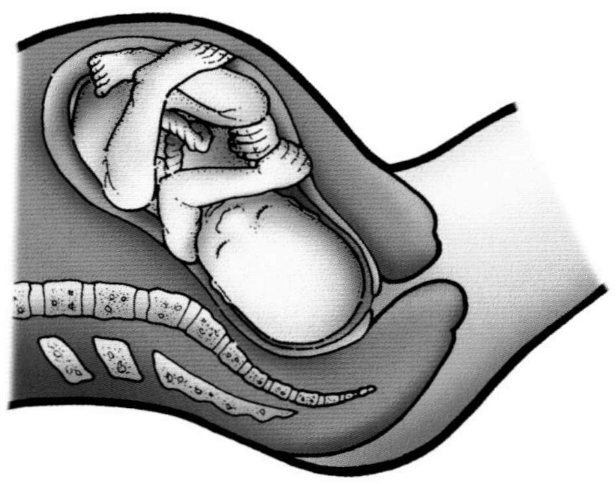

1. La vagina se encuentra casi en ángulo recto con respecto al útero. De manera que el bebé tiene que salir mediante un movimiento parecido al del pie cuando se lo pone dentro de una bota. Pero hay varios huesos que se pueden endurecer e impedir el avance del bebé. El sacro es el extremo inferior de la columna vertebral que forma, junto con el hueso púbico al frente y el ilion a los costados, el borde de la pelvis. Una vez que la cabeza del bebé pasó ese borde, se encuentra en la cavidad pélvica.

2. Cuando el bebé pasa el borde de la pelvis, avanza hacia su salida, que tiene el coxis en el extremo posterior (el coxis es el huesito que se encuentra en el extremo de la columna vertebral), la parte baja del pubis al frente, y los isquiones, que son dos proyecciones en forma de pequeñas crestas que se encuentran a los costados de la pelvis. El coxis se desplaza cuando desciende la cabeza del bebé.

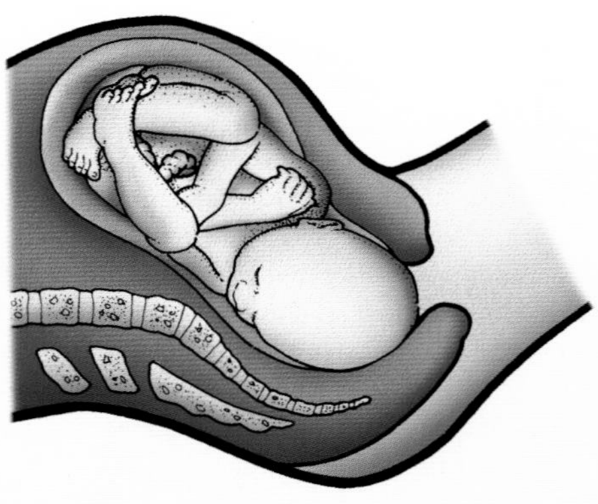

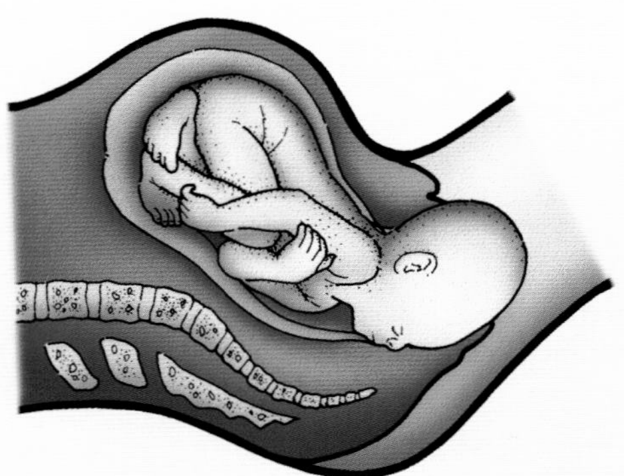

3. Por lo general la presión que proviene de arriba y que impulsa hacia abajo, consecuencia de las buenas contracciones, dirigirá la cabeza del bebé hacia abajo de manera que, al llegar a la aguda curva que se encuentra a la entrada de la vagina se extenderán los músculos de la parte posterior del cuello. Esto significa que el rostro del bebé estará hacia abajo justo antes del parto y mientras éste dure.

Alrededor del 80% de las mujeres tienen la pelvis buena y bien redondeada para dar a luz a sus bebés. Hay problemas cuando la pelvis de la mujer es estrecha: una "pelvis androide" (masculina), por ejemplo, tiene la forma de un triángulo en el borde, y al bebé le cuesta mucho pasar por allí. Aunque la forma de la pelvis no sea la ideal, el útero trabaja para que el bebé nazca de manera que con un poco de tiempo pueda hacer su viaje sin mayores dificultades. La actividad de un útero que se está contrayendo bien da como resultado que el bebé tome la forma adecuada para hacer su viaje a través del canal vaginal.

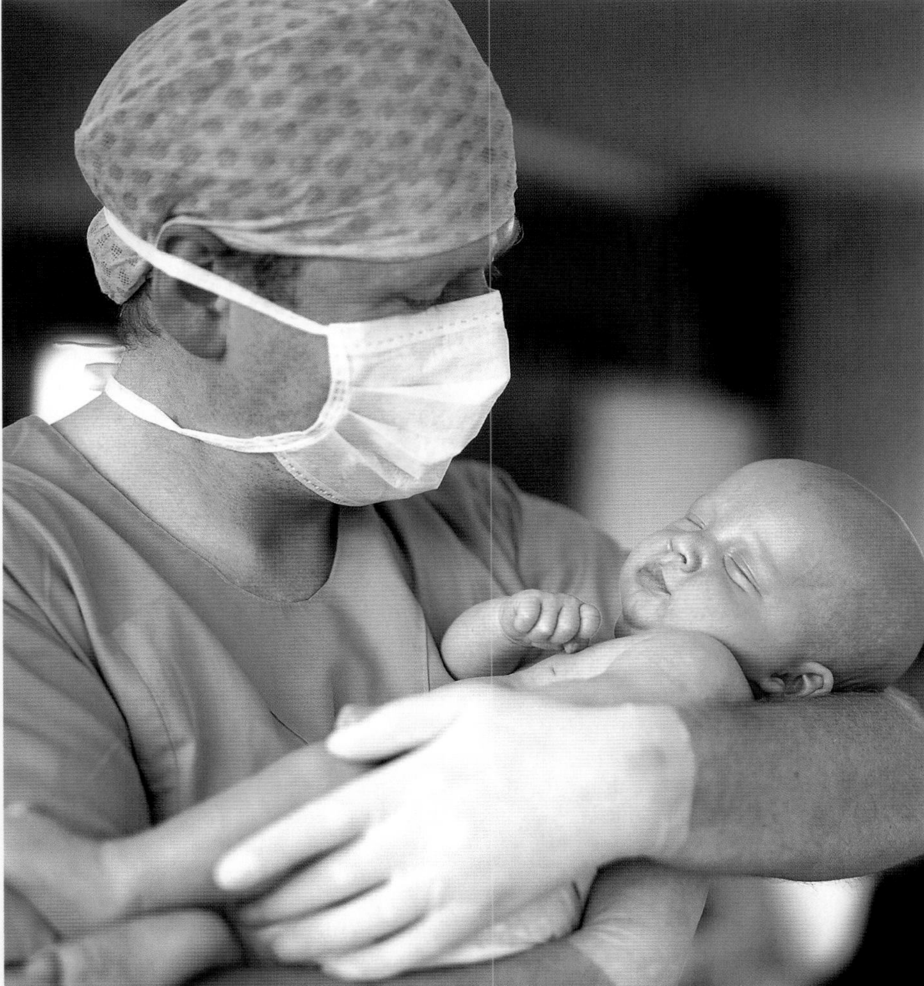

La segunda etapa del parto culmina precisamente cuando nace el bebé.

pueden motivar para desarrollar una mayor actividad con el fin de ordenar a los músculos correspondientes a contraerse (o relajarse), para que a su vez colaboren en el parto. Al mismo tiempo descubren que su sensación de dolor es mucho menor cuando dedican su tiempo y su atención tal como lo aprendieron durante el entrenamiento. Esto puede contribuir mucho a ayudar a la madre y a los que la están asistiendo.

Por fin la cabeza del bebé aparece a través de los labios de la vagina. Por lo común la parte posterior de la cabeza es lo primero que se ve. Es lo que se conoce como occipucio. Con cada esfuerzo para expulsar aparece una nueva porción del occipucio. Finalmente el o la obstetra entra a actuar, y al tomar firmemente la cabeza del bebé, lo extrae suavemente.

¿Es este el momento cuando se le administra anestesia a la paciente?

En este momento —depende de la actitud de la madre y el doctor— se le puede administrar anestesia a la paciente, aunque algunas mujeres prefieren que no se lo haga.

Con algunos movimientos diestros se extrae al bebé, que todavía está unido a la madre por el cordón umbilical. El doctor entonces lo sostiene cuidadosamente por las piernas, y en instantes éste da unos gritos breves cuando el aire penetra en sus pulmones, y súbitamente tiene que empezar a vivir de otra manera. Con frecuencia

Saber si todo anda bien, y si la criatura que viene es un nene o una nena, son las dos preguntas que más comúnmente se hacen.

a estos gritos breves les siguen otros más prolongados y fuertes. ¡Parece increíble la velocidad con que el bebé se adapta a su nuevo ambiente!

En este momento termina la segunda etapa del parto. El bebé ha nacido, y una nueva vida ha hecho su entrada en este mundo.

La tercera etapa del parto

¡Oh! ¡qué alivio! ¡todos sonríen! Y, ¿qué pasa ahora?

La tercera etapa del parto se extiende desde el nacimiento del bebé hasta el momento cuando se expulsa la placenta.

Poco después del nacimiento del bebé, las contracciones que se habían suspendido comienzan de nuevo, aunque con menos fuerza.

La matriz al parecer es consciente de que la tarea todavía no está terminada. Es necesario eliminar ese órgano voluminoso que alimentó al bebé durante todos los meses del embarazo. Por eso las contracciones comienzan de nuevo, y en ese momento se desprenden de la pared uterina la placenta que ya no sirve y las membranas que constituían la bolsa donde se alojaba el bebé hasta ese instante.

Finalmente aparecen señales que indican que todo terminó. Entonces el doctor le da a la parte superior de la matriz un firme apretón, y todo eso se expulsa por la misma vía por donde vino el bebé. Esto por lo común viene acompañado de 250 a 300 ml de sangre. Casi en el mismo momento cuando esto ocurre, el músculo uterino se contrae, y sella efectivamente sus vasos sanguíneos que estaban expuestos, y que desempeñaron un papel tan importante durante las diferentes etapas del desarrollo del bebé.

Por lo común se dan inyecciones para asegurarse de que la matriz se ha contraído, y para impedir que se produzca más pérdida de sangre.

¿Qué pasa con el cordón umbilical?

Al llegar ese momento ya se ha cortado y atado el cordón umbilical que conectaba al bebé con la placenta. Se le hace un examen general al bebé. Cualquier líquido que pudiera haber en la garganta y en la tráquea se extrae mediante una suave succión. Se cubre el extremo del cordón umbilical cortado, se le da un ligero masaje a los ojos del bebé para eliminar cualquier suciedad, y se arropa a esa nueva personita con una frazada de lana caliente, y se la coloca en su cunita.

Pero en ese momento la madre comienza a hacer preguntas: "¿Qué es? ¿niño o niña? ¿está bien? ¿lo puedo ver un momentito? ¿no es adorable? ¡y está llorando!"

Estas preguntas y exclamaciones, con muy pocas diferencias, se hacen en todos los casos. Las madres desean saber si todo está bien, y si se trata de un niño o de una niña. Estas son las preguntas más comunes que se hacen en esta ocasión. La preocupación de la madre debe ser atendida.

El cariño

¿No es éste el momento de mayor intimidad de la madre y su bebé?

Por supuesto. Muchos doctores, conscientes de los vínculos extraordinariamente estrechos que se forjan en ese momento crucial entre la madre y su hijo, le entregan el bebé para que lo tenga por unos momentos. La expresión del amor y el afecto maternal que se manifiestan en ese momento es de lo más emocionante y celestial que un ser humano puede presenciar. Es la ternura y la devoción de la madre en su punto culminante. Pocos médicos, obstetras y enfermeras podrían perderse ese momento maravilloso, no importa cuántas veces lo hayan presenciado antes. Esta íntima relación entre la madre y su hijo merece que le demos un nombre. ¿Qué les parece "cariño"?

Los doctores creen que mientras más pronto ocurra esto mejor será, y a los pocos minutos del nacimiento es un buen momento, sin duda. También se cree que muchas de las actividades adversas a las que se dedican los niños, y que se desarrollan con el tiempo, se deben a una inadecuada relación con sus madres en los primeros momentos de su vida. De manera que se debe hacer lo máximo cuando el bebé todavía es chiquito.

Poco después el bebé regresa a su cuna y se lo lleva a la guardería ("nursery"). Entretanto se le da a la madre un baño de esponja, se le pone ropa limpia, tal vez se le da una bebida, porque el parto ha sido largo y cansador. Se limpia la cama, y poco después se la lleva a la sala donde por lo común se sumerge en un sueño placentero y bien merecido.

La duración del parto

¿Podría resumir lo que nos acaba de explicar?

Han pasado ya algunas horas desde que la madre salió de la maternidad. En efecto, y en resumen, ésta es la forma como ha transcurrido el tiempo.

Estas cifras, ciertamente, son promedios, pero dan una idea aproximada acerca de lo que pasa. Las mujeres mayores que tienen su primer bebé, o las tímidas y asustadizas, o las que dan a luz a bebés muy grandes, o aquellas cuyos bebés vienen en posición anormal, con frecuencia tienen partos más prolongados. Pero no siempre es así. Las cosas suelen ser diferentes.

La duración del parto se puede reducir si la mujer asume una actitud sensata. Si goza de buena salud, esto ayuda. Si tiene confianza en el doctor y en el personal, si tiene una actitud mental positiva, si se siente feliz y es equilibrada, todos estos factores contribuirán a que el parto sea mucho más corto y satisfactorio.

Es bueno que cada vez más mujeres descubran las ventajas de una actitud positiva, y si dedican tiempo y hace esfuerzos previos dispondrán de enormes ventajas cuando llegue el momento y el parto esté en marcha.

¿Qué se piensa acerca del padre mientras todo esto sucede?

En los últimos años cada vez más padres se interesan en el nacimiento de sus hijos. Muchos doctores también respaldan esta actitud, y a menudo se le provee al padre del atuendo necesario: gorro, túnica, guantes, máscara, para que presencie el nacimiento de su hijo. Puede ser sumamente emocionante que ambos miembros de la pareja participen en el nacimiento de su bebé. Cuando se trata del primero, posiblemente sea para ambos el momento más tierno y significativo.

En resumen

De manera que este es el fin de ese viaje de 40 semanas.

Efectivamente. Aunque este informe de la historia de un embarazo es lo que le sucede a la mayoría de las mujeres, existe la posibilidad de que se produzcan toda clase de variaciones. En todo el mundo cada país tiene sus propios estilos. Estos por lo común se desarrollan a través de los años, y se los aplica porque los doctores en todas partes tienen sus propias ideas con respecto a los diferentes aspectos de la medicina. Aunque en la práctica son los mismos, y concuerdan con la doctrina y los procedimientos de la medicina en todo el mundo occidental, hay diferencias que son inevitables.

¿Qué se entiende por "parto inducido"?

Hoy se ha extendido la idea de que muchos bebés tendrán más oportunidad de empezar bien la vida si nacen por medio de un "parto inducido". Por eso este método es una práctica bien establecida en muchos hospitales del mundo occidental.

A veces se ha dicho que es el método de "la conveniencia del médico", pero no es verdad. Se cree que existe una razonable posibilidad de reducir la mortalidad infantil cuando se consigue que el bebé nazca en otra fecha y no en la prevista. En otras palabras, se cree que reduce el riesgo para el bebé.

¿Qué es una anestesia peridural?

El criterio acerca de si se debe anestesiar o no a la madre durante el parto también varía bastante. En los Estados Unidos la anestesia peridural es muy popular. Es una inyección que se da en la parte inferior de la espina dorsal, la cual reduce el dolor durante el parto. De tanto en tanto se repiten estas inyecciones para añadir más anestesia, con el fin de eliminar o reducir el dolor.

En otros países también se usa pero no tanto. En efecto, en el resto del mundo se usa mucho menos, y a veces sólo cuando

La duración del parto

Etapa de parto	Primer bebé	Más de uno
Primera etapa	13 horas	7 horas
Segunda etapa	1 hora	1/2 hora
Tercera etapa	1/4 de hora	1/4 de hora

la madre la pide.

Parece que en algunos lugares las mujeres se inclinan más por los métodos de relajación, y esto con frecuencia reduce el deseo o la necesidad de anestesia durante el parto. Pero en todos los hospitales por lo común existe abundante provisión de anestesia y medicamentos para aliviar el dolor en caso de necesidad.

Del mismo modo, durante el embarazo existe una enorme variedad de métodos con respecto al cuidado que se debe prestar a la madre que espera a su bebé. En algunos centros se dispone de técnicas muy modernas y aparatos bien complicados para chequear todo, especialmente si existe el riesgo de alguna anormalidad.

El íntimo contacto físico después del parto contribuye mucho a establecer vínculos afectivos entre la madre y el recién nacido.

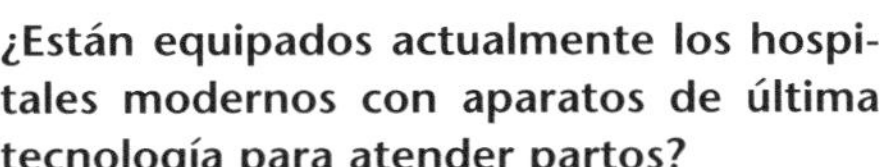

¿Están equipados actualmente los hospitales modernos con aparatos de última tecnología para atender partos?

Claro que sí. El empleo de la ecografía y la cefalometría (la medida del tamaño de la cabeza) se aplica en la actualidad en muchos centros médicos. Se encuentran disponibles técnicas especiales para monitorear el desarrollo del feto. También se practica la amniocentesis, que consiste en extraer líquido del útero durante el embarazo para examinar las células, y para analizar ciertas enzimas que predicen con razonable exactitud desórdenes tales como la espina bífida y el síndrome de Down. Los problemas que provoca el factor Rh también se pueden detectar de esta manera.

La mayoría de los hospitales cuenta con centros de investigación genética, de manera que este tipo de anormalidades se puede descubrir con suficiente anticipación, para dar el consejo apropiado cuando surge la necesidad.

Todo esto es parte del desarrollo sumamente activo de las nuevas ideas que van surgiendo en el campo de la medicina obstétrica. Con el tiempo sin duda se desarrollarán nuevas técnicas más avanzadas, junto con otros métodos que todavía no se han considerado.

Pueden ocurrir complicaciones

Por supuesto, lo que nos ha dicho aquí es sólo un resumen de los aspectos esenciales de un embarazo normal. Pero en la realidad pueden aparecer numerosas complicaciones, ¿no es cierto?.

Efectivamente. A veces hay que hacer una operación si el bebé no está haciendo su entrada en el planeta Tierra tal como se lo había planeado. Por varias razones, conocidas algunas y otras desconocidas, el parto se puede demorar mucho. Esto puede requerir una cesárea.

Esta es una operación quirúrgica para la cual se le da a la madre una anestesia total, y se extrae al bebé por medio de una incisión practicada en el abdomen. Elimina rápidamente cualquier tensión que se podría haber ejercido sobre la madre y el bebé, y a menudo es la única manera de salvarles la vida. Con los hospitales modernos bien equipados, y con los médicos y el personal que dominan una increíbles cantidad de técnicas especializadas, los riesgos se reducen al mínimo.

¿Se practica esta operación para proteger a la madre o al bebé?

Para proteger a ambos. El bebé puede comenzar a sufrir de lo que se conoce como malestar fetal, o inclusive se puede asfixiar. Esto lo descubren muy pronto los aparatos de monitoreo. El bebé a su vez se puede estar moviendo en forma anormal, o su ritmo cardíaco se eleva súbitamente, o pueden aparecer otros síntomas de que no todo anda bien. En resumen, el bebé está diciendo: "¡Por favor, sáquenme de aquí. Estoy en problemas!" Los monitores modernos son muy sensibles, y descubren muy pronto las anomalías.

Pero, ¿pueden servir también para ayudarle a la mamá?

Claro que sí. La madre puede estar exhausta de tanto pujar sin resultado alguno. Llega a un punto más allá del cual no puede seguir, o el bebé queda atascado a mitad de camino, aunque al principio parecía que había suficiente espacio. Es posible que el doctor la haya sometido a un "parto de prueba", con la esperanza de que podría ser normal. O la placenta puede estar obturando el canal del parto, lo que se llama "placenta previa". En estos casos la cesárea es de rigor, porque si no se producirán hemorragias que pondrán en peligro la vida de ambos.

La vida de la madre y la de su bebé es-

Incisión de una cesárea

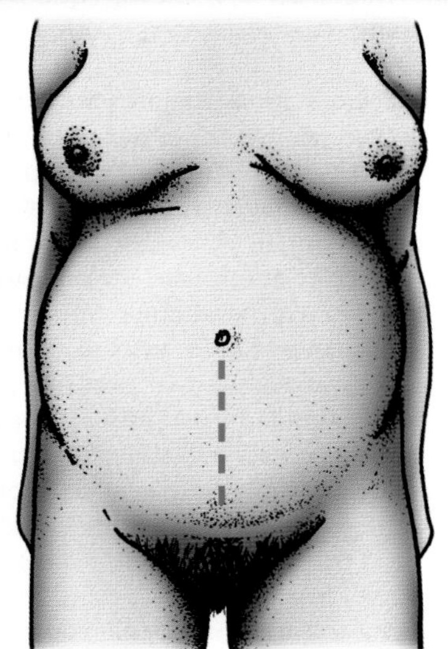

La incisión clásica de una cesárea es vertical. Aunque se la sigue usando en casos de emergencia, por razones estéticas la incisión horizontal es más común en la actualidad.

tán en peligro por muchas razones. La decisión de practicar una cesárea nunca se hace a la ligera, sino después de analizar cuidadosamente todas las circunstancias.

¿Qué ocurre cuando se practica esta operación?

Se traslada a la madre al quirófano y se le administra una anestesia general. A veces se hace con anestesia local o peridural, con lo que se anestesia la mitad inferior del cuerpo. En este caso la madre permanece consciente, a veces con el esposo a su lado para apoyarla y consolarla. A los doctores les gusta esta anestesia porque tiene muy poca acción sedante sobre el bebé, si es que la tiene, y las funciones respiratorias no se deprimen.

¿Qué pasa entonces?

Se practica una incisión en la parte inferior del abdomen. A continuación se hace un corte en la parte inferior (o "segmento") de la matriz. El bebé aparece de repente y se lo extrae con suavidad, se lo pasa a una enfermera que lo suspende, y casi siempre el recién nacido comienza a gritar con todo entusiasmo. A continuación ella lo envuelve y lo pone en una cuna caliente.

Se extrae lo que queda de líquido y se elimina la placenta, la incisión se cose bien, y en pocos momentos la operación termina. Dura sólo una media hora. Se lleva entonces a la madre a la sala, y todo entra en la normalidad.

Debe ser muy emocionante que el bebé nazca mientras los dos padres están allí, y la madre está plenamente consciente.

Claro que sí. En efecto, el programa de televisión de más éxito que yo hice, y más emocionante a la vez, fue la filmación de una cesárea. Mostramos con algunos detalles la vital incisión que se practica —en presencia de la madre y el padre—, antes, durante y después de la operación. El punto culminante se produjo cuando se puso en brazos de los padres el bebé recién nacido. Cuando mostramos este video, delante de una cantidad de gente en un estudio, en todos los ojos había lágrimas. Hasta el duro personal del canal de televisión estaba llorando. Fue emocionante y conmovedor. Pero así es en realidad.

Miles de televidentes escribieron o llamaron por teléfono para decir cuán emocionante había sido todo. La vida puede ser conmovedora, especialmente cuando una pequeña vida entra en el mundo por primera vez después de un poco de lucha.

¿Cuánto tiempo pasa hasta que la madre se recupera?

No mucho. En poco tiempo se levanta y anda por todos lados, dándole de mamar a su bebé, bañándolo y acicalándolo, y pronto regresa a casa. Su herida sana en un tiempo sorprendentemente corto. Debe tener cuidado por algunas semanas para no someter a tensión esa herida. Pero por lo general sana bien pronto.

Por ahí se dice que se están practicando más cesáreas de las que convienen. ¿Qué hay acerca de eso?

Hay quienes lo dicen, y es posible que en algunos países sea cierto. Pero en las naciones adelantadas lo único que por lo general se considera es el bienestar tanto de la madre como del bebé.

¿Qué otras circunstancias requieren una operación quirúrgica?

La cesárea es la más grande. A veces el bebé queda en la matriz más tiempo del razonable por muchas razones rectificables, y en ese caso el parto se debe llevar a cabo con ayuda de los forceps. Este instrumento toma la cabeza del bebé aún no nacido, de manera que el médico pueda recurrir a un movimiento de tracción adicional, para colaborar con los esfuerzos de la madre.

¿No le deforma la cabeza al bebé este procedimiento?

Temporalmente puede ser, pero a los pocos días desaparecen las marcas de las hojas del forceps, y la cabeza del bebé recupera su forma normal. No causa ningún daño.

¿Qué significa "episiotomía"?

Es indispensable cuando el parto se hace con la ayuda de los forceps, y con frecuencia también durante un parto ordinario, cuando el tamaño de la cabeza del bebé sugiere que se va a producir un desgarrón en el canal de la vagina. En lugar de permitir que esto se produzca (lo que puede dañar otros órganos), el doctor puede hacer una incisión deliberada con unas tijeras especiales con el fin de agrandar la abertura. A esto se lo llama "episiotomía". También permite que el bebé nazca más pronto.

¿Qué sucede después?

Se le aplican puntos a la incisión en cuanto nace el bebé. Hay dolor por unos cuantos días, pero si se hacen curaciones diarias, se aplica calor, y si el servicio de enfermería es eficiente, la madre sanará en forma satisfactoria.

Episiotomía

Las dos clases de incisión más comunes

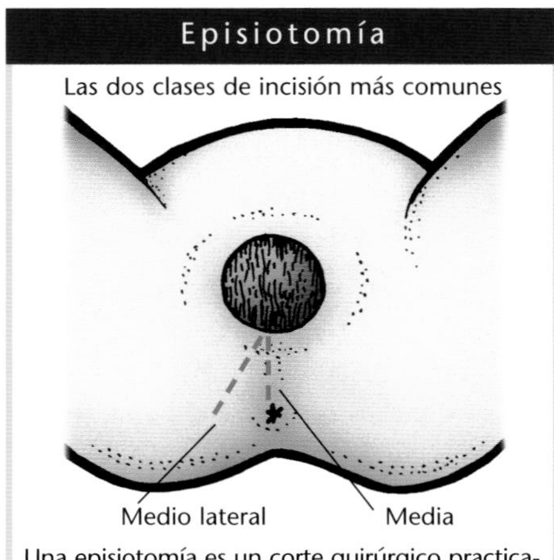

Una episiotomía es un corte quirúrgico practicado con el fin de agrandar la abertura del parto.

¿Se le hace a algunas mujeres atadura de trompas tan pronto como nace el bebé?

Así es; especialmente si ha sido una cesárea y se ha logrado entrar en la cavidad pélvico abdominal, y también si la pareja ya cuenta con la cantidad de hijos que pensaba tener. Una atadura de trompas, ya sea si se las ata o se colocan clips, impedirá futuros embarazos. Con frecuencia se tiene mucho cuidado con esta operación, para que la contraria (la de desatar las trompas) sea posible, si más tarde la pareja cambia de opinión.

Progresos generales

Progreso y avance parece que son ahora las palabras claves.

Así es; el cuadro general es de progreso. Se están haciendo todos los esfuerzos posibles para asegurarse de que el bebé en gestación tenga un buen viaje y llegue a destino con felicidad.

Se están haciendo más esfuerzos que nunca antes para reducir la mortalidad "perinatal", es decir, la muerte de los bebés recién nacidos. Los problemas relacionados con las madres se han reducido notablemente. Ahora el énfasis se pone sobre el niño.

De manera que si su obstetra considera la conveniencia de aplicar varios procedimientos durante su embarazo o su parto, se los sugerirá si es posible ponerlos en práctica en el lugar donde usted vive.

Son para su beneficio. Nunca lo olvide. Estos especialistas están aprovechando los descubrimientos más recientes, siempre que estén a su alcance, y los estarán aplicando para su bien.

Su bebé ha nacido en perfectas condiciones. Usted es ahora una mamá feliz. Su esposo está sumamente contento con el bebé que usted le ha dado.

En la siguiente sección usted encontrará muchas soluciones para su nuevo conjunto de problemas: cuidar de sí misma al regresar al hogar, y criar a su hijo.

¡Nuestros mejores deseos, y de nuevo, felicitaciones!

Atención de emergencia

En la actualidad, con las modernas facilidades disponibles en general, por lo menos en las grandes ciudades, para las futuras madres de los países de América Latina, no hay excusa para que un bebé no nazca en un hospital relativamente moderno y bien equipado. Los transportes son mejores en algunos lugares que en otros, pero en las ciudades grandes suelen ser buenos. En muchos lugares hay autos, taxis, aviones, trenes, helicópteros y ambulancias.

Hoy en general no hay lugar para partos caseros a causa de los riesgos que implican. Estos, si bien es cierto que son de menor importancia cuando el parto es normal, suelen ser catastróficos si surge una emergencia. El mayor riesgo es el de una hemorragia inmediatamente después del nacimiento del bebé, un parto difícil, probablemente de nalgas, o un parto interrumpido, probablemente porque la pelvis es demasiado pequeña para que la cabeza del bebé pueda salir (lo que es peor si se trata de un primer parto).

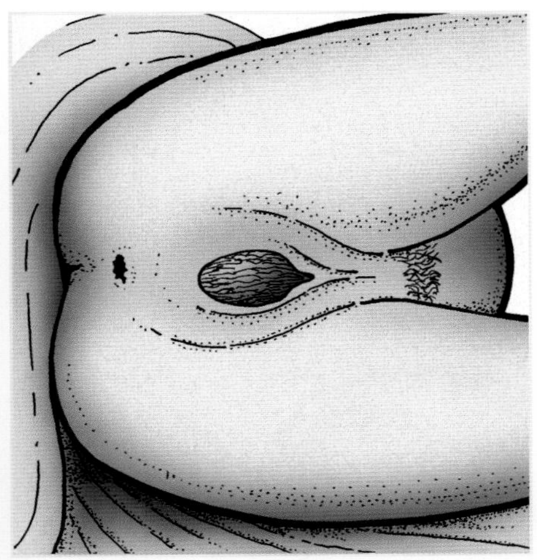

Figura 1. La cabeza del bebé aparece en el orificio vaginal, y está por nacer. Note cómo se produce la protuberancia del orificio rectal (ano).

En la sociedad occidental moderna, los bebés deben nacer en los hospitales, donde se cuenta con todos los elementos necesarios para atender partos normales, y servicios disponibles por si surgen complicaciones. La mortalidad infantil en América Latina en general es todavía comparativamente alta —aunque en algunos países está descendiendo—, y por supuesto hay lugar para mejorar.

Aparte de las grandes malformaciones congénitas, y ciertos males para los cuales no hay soluciones completas todavía, la mayoría de los bebés debe nacer vivo y debe seguir con vida. Un padre o una madre pueden colaborar para que esto ocurra, si hacen los arreglos necesarios con el fin de que su bebé nazca en un hospital. Recomendamos que se hagan con tiempo los arreglos necesarios para la internación, y que la futura mamá consulte con regularidad, ya sea a su doctor o a la clínica del

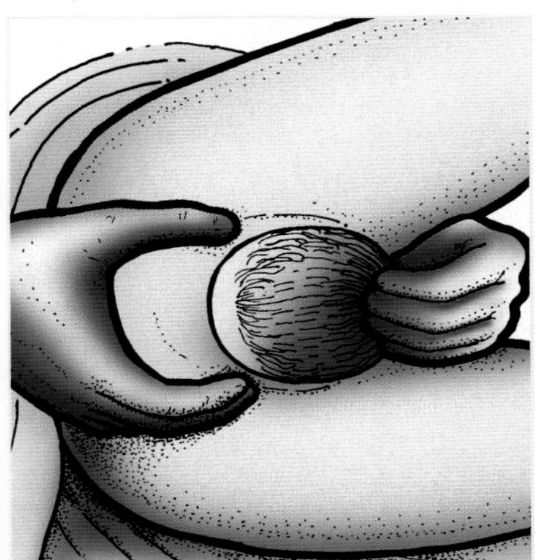

Figura 2. La mano izquierda del obstetra levanta la cabeza, mientras la muñeca y los dedos de la mano derecha impulsan la cabeza hacia adelante, y así protegen el perineo. Una venda esterilizada cubre el ano.

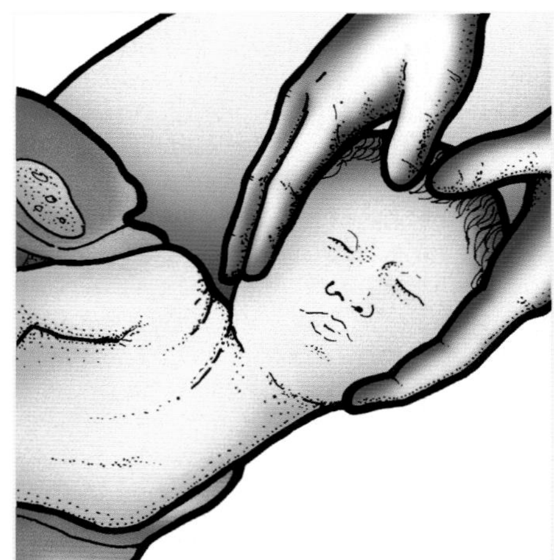

Figura 4. El segundo paso es la expulsión de los hombros. La cabeza se tira hacia adelante, en dirección del abdomen de la madre, para evitar que haya demasiada presión sobre el perineo durante la salida de los hombros y el cuello del bebé.

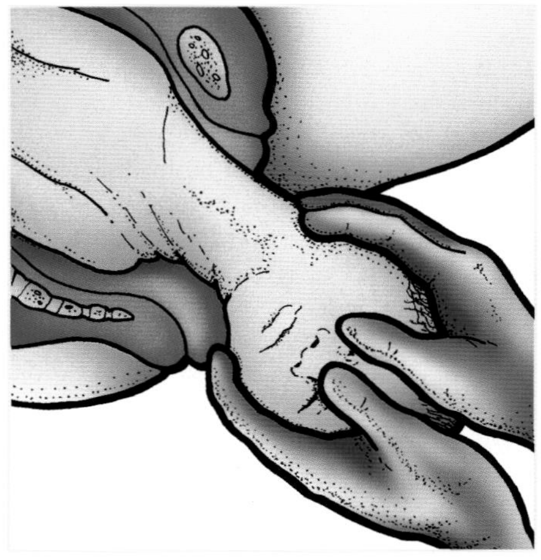

Figura 3. El primer paso es la salida de los hombros. Se tira la cabeza hacia abajo, hacia la espalda de la madre, hasta que la parte superior de la espalda se "fija" debajo del pubis y está a punto de ser expulsado.

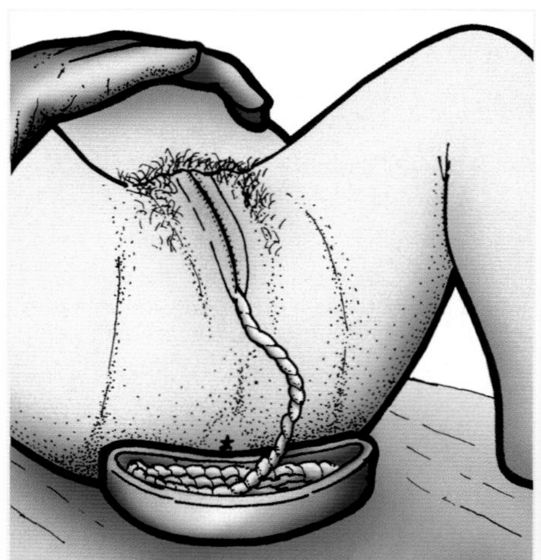

Figura 5. Después del nacimiento del bebé se protege el útero de una posible hemorragia, mediante una firme y constante presión hacia abajo, hasta que salga la placenta.

Posibles posturas del bebé en el momento del parto

Cuando el bebé está con la cabeza hacia abajo, por lo general el útero puede trabajar bien para abrir el cuello de la matriz y empujar al bebé hacia abajo por el canal de parto. Otras posturas del bebé pueden provocar problemas.

Esta es una de las posturas del parto de nalgas, que de todos modos permite que el cuerpo del bebé se flexione durante el parto.

En esta postura el pie del bebé es lo primero que sale.

A esta postura se la llama parto de nalgas. En este caso se vuelve difícil la flexión del cuerpo del bebé.

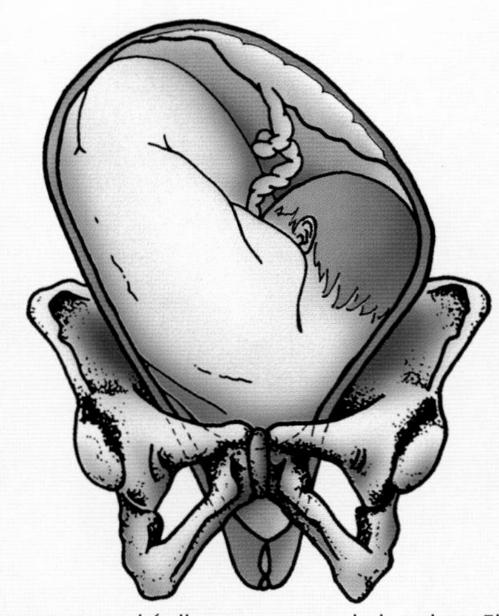

Esta postura podría llamarse parto de hombro. El hombro o la espalda del bebé se encuentran a la salida.

hospital, ya sea que se trate de su primer parto o de cualesquiera de los sucesivos.

No obstante, probablemente por no hacer bien los planes, de vez en cuando se puede producir un parto de emergencia. Puede ocurrir súbitamente en casa; puede ser un parto prematuro, o la madre sencillamente no presentó ninguno de los síntomas corrientes que indican que el parto ya comenzó.

Por esta razón estamos incluyendo una breve sección que hemos titulado "Atención de Emergencia". La escribió un médico amigo mío que tiene especial interés en este tema. Esto es sólo un resumen.

Sugerencias para atender un parto de emergencia

- Si el nacimiento parece inminente, la madre debería guardar cama de inmediato.

- El enfermero o la enfermera —o quien esté ayudando— debe lavarse cuidadosamente las manos y los brazos con agua caliente, jabón, un cepillo de uñas limpio y una solución desinfectante. Se debe usar una túnica limpia, y el cabello debe estar cubierto con una toalla limpia.

- Lave los genitales externos de la paciente con agua hervida y caliente, a la que

Un parto de nalgas

Los bebés que nacen en un parto de nalgas pueden salir por la vagina con tal que el espacio de la pelvis sea lo suficientemente amplio como para que pase la cabeza del bebé.

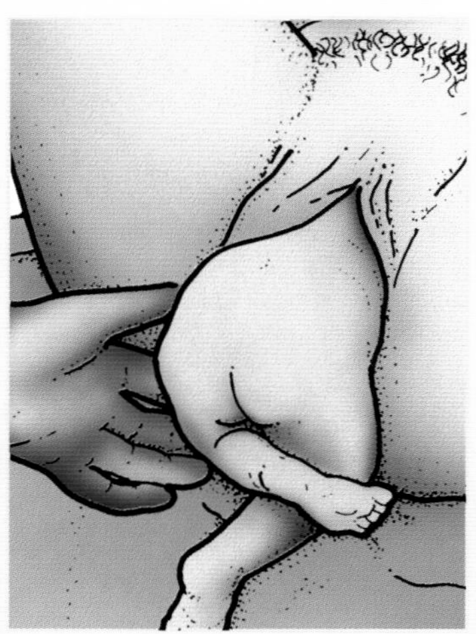

a. Las nalgas salen por lo común primero, seguidas por las piernas.

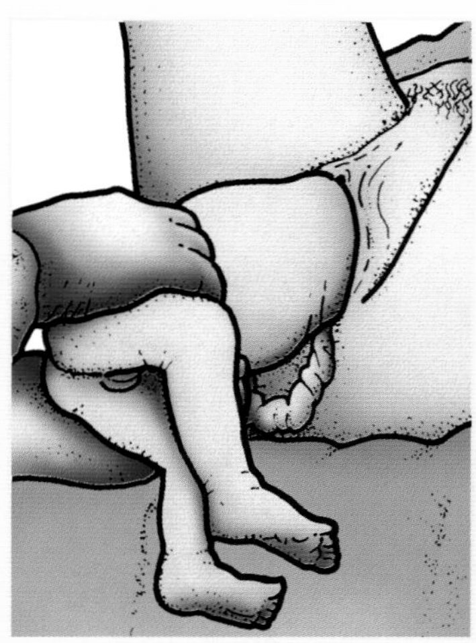

b. Se da vueltas al bebé de manera que los hombros puedan salir tan fácilmente como sea posible.

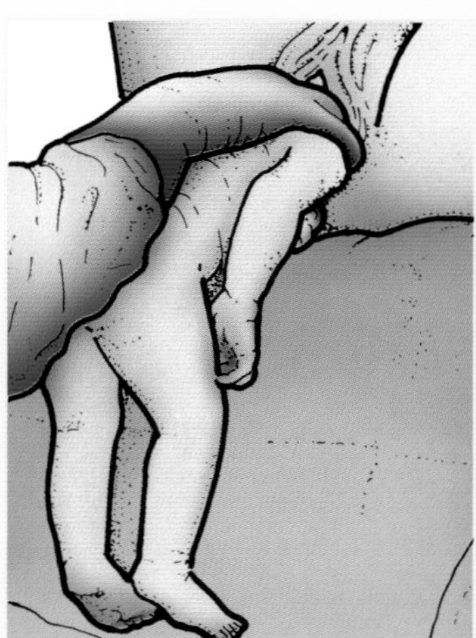

c. El mismo peso del bebé atrae la cabeza hacia abajo, y entonces se le levantan las piernas para extraer la cabeza.

se le añade un poco de desinfectante. Use una escobilla suave con mango, si está a mano, o una toallita de cara perfectamente limpia para lavar esas partes.

● Después de acomodar la túnica de noche de la paciente, ponga un trozo de tela limpio y doblado (preferiblemente esterilizado) debajo de las nalgas de ella. Use también calcetines esterilizados si están a mano.

● Prepare un chal caliente o "receptor" para el bebé. Debería estar sobre una toalla limpia y suave.

● Observe cuidadosamente el progreso del parto, y vea si la cabeza del bebé aparece por el orificio vaginal durante los dolores. Figura 1.

● Instruya a la paciente para que haga fuerzas cada vez que sienta dolor, reteniendo la respiración y empleando todas sus energías en eso, en lugar de malgastarlas llorando.

● Instrúyala para que deje de hacer fuerzas y para que respire con la boca abierta durante los últimos dolores, cuando la cabeza del bebé ya está por salir.

● Ordene a la persona que le ayuda que se ubique al lado de la paciente y con una mano oprima con firmeza la parte superior del útero, presionando hacia abajo cada vez que hay dolores, para ayudarle a avanzar al bebé.

● Tan pronto como la cabeza del bebé este "coronada" por el orificio vaginal, ayude para que salga, entre dolores; en este momento la paciente debe estar respirando fuertemente en lugar de hacer fuerzas. Este procedimiento puede impedir que se produzca la rasgadura del perineo. Vea la figura 2.

● Tan pronto haya salido la cabeza, verifique si el cordón está rodeando o no el cuello del bebé. Si así fuera, aflójelo y sáquelo del cuello por encima de la cabeza, si es posible; si no se hace esto la placenta se puede desprender antes de tiempo.

● Cuando se produzca el siguiente dolor, ayude para que salgan los hombros, tal como se lo ilustra en las figuras 3 y 4. Una vez nacido, mantenga la cabeza del bebé hacia abajo por un momento para que salgan por la nariz y la garganta los líquidos que podría tener.

● Limpie los párpados del bebé con trocitos de algodón humedecido.

● Tan pronto como el cordón umbilical deje de palpitar, átelo en dos lugares y córtelo entre ambas ataduras con una tijera.

● Envuelva al bebé en su frazadita (el "receptor"), y ubíquelo en un lugar seguro y a buena temperatura, con la cabeza por debajo del nivel del cuerpo. Obsérvelo con frecuencia para verificar si está respirando bien y si el cordón está sangrando.

● Proteja a la madre para que no tome frío, y espere a lo menos 20 minutos para la separación de la placenta. Durante todo ese tiempo una enfermera deberá estar presionando firmemente con una mano la parte superior del útero para impedir que se llene de sangre. En los casos normales, la placenta por lo general se separa y aparece por el orificio vaginal al cabo de 20 minutos. Una firme presión en la parte superior del útero ayudará a su expulsión. Se debe colocar la placenta en un recipiente limpio, y hay que guardarla para que el doctor la examine después. Figura 5.

Probablemente para ese momento la ambulancia ya habrá llegado, y como la paciente está limpia y cómoda, se le permitirá descansar mientras su bebé recibe la debida atención.

Las instrucciones que acabamos de dar se aplican al caso de que un bebé nazca en posición normal. Si se tratara de un parto de nalgas, se debería hacer todo lo posible para llevarla de inmediato al hospital. Si no se puede conseguir ayuda, los ayudantes deben dejar que la fisiología haga su obra hasta que aparezcan las piernitas y las caderas del bebé. Entonces se debería hacer un esfuerzo para conseguir extraer la cabeza así como lo mostramos en las figuras a, b y c.

Lo que debe saber una madre

capítulo 14

Consejos sensatos para las madres

EN ESTE CAPÍTULO

- La llegada al hogar con el bebé.
- Es indispensable dormir lo suficiente.
- Cómo hacerle frente al estrés.
- Si se alimenta inteligentemente, se verá mejor y tendrá más vitalidad.

La llegada del nuevo bebé al hogar es un evento inolvidable en la vida de una familia – La cantidad adecuada de sueño es importante (pero difícil de lograr) – El estrés es inevitable, pero trate de conservar la calma – Una alimentación equilibrada es vital – Los cereales, las frutas, las verduras, las legumbres, la carne magra o el pescado, los granos y las nueces son de suma importancia – Cuídese de las grasas, los alimentos muy refinados y los dulces.

Hemos dedicado bastante tiempo para referirnos al matrimonio, el embarazo y la reproducción, y la cantidad de sucesos que conducen a este fin.

Tiene razón. Nos ha parecido apropiado dedicar una sección de esta obra a la madre misma. Por eso su título general es "Lo que debe saber una madre". Esto por cierto abarca a los hijos, y probablemente al que acaba de llegar del hospital. Pero hay algo muy importante que incluye a la madre también. Por eso, mamá, quédese con nosotros, porque tenemos algunos consejos muy útiles que le ayudarán a estar bien y en forma, y en buenas condiciones para poder atender a su familia que aumenta, y para atenderse a sí misma.

Siempre considero a la madre como el factor más importante del núcleo familiar. Por cierto ella no sale a ganarse el pan de cada día, que es fundamentalmente la tarea del padre, algo que sin duda es muy importante (aunque ahora muchas lo hacen también). Pero la madre tiene la responsabilidad de hacerle frente cada día al trabajo que implica que "el barco siga navegando", por así decirlo. Su tarea es, lo crea o no, mantener a la familia unida, bien alimentada, con suficientes reservas de alimento, con la heladera llena (el refrigerador), la ropa lavada y planchada, y los estantes llenos de ropa linda y limpia.

Preparar las comidas, preservar la paz y la armonía —¡qué trabajo!—, escuchar los detalles de los interminables problemas familiares, actuar como jueza, maestra y consejera general, es una tarea de nunca acabar, que requiere una notable inversión de energía nerviosa y física, y que produce mucho estrés. Por cierto el papá está en la oficina, el taller, el negocio o el campo, atendiendo su trabajo, pero a lo menos él puede desprenderse de todo cuando suena la sirena, el timbre o la campana. Pero la mamá está al frente de su tarea las 24 horas del día, porque no termina nunca.

Pero eso, querida mamá, los siguientes capítulos están dedicados a usted. Por favor, léalos con cuidado y meditando en ellos, porque están llenos de muchas ideas que le pueden ayudar a hacer frente a la rutina de todos los días, a estar bien y en buena forma, tanto mental como físicamente.

La vuelta a casa con el bebé

Siempre pienso que es un poco cruel la forma como una mujer entra al hospital, da a luz a un bebé, y después de muy pocos y cortos días de descanso se las arroja de golpe y de nuevo en medio de un mundo frío y duro, para regresar al hogar y reiniciar las tareas allí donde las dejó. En realidad pasan por una tremenda experiencia física y emocional. Dar a luz a un bebé no es poca cosa. Pregúntenle a cualquier hombre que haya presenciado un parto y sin duda estará de acuerdo con lo que estamos diciendo.

A lo largo de los años he trabajado para ayudar al nacimiento de miles de bebés, y siempre me asombro ante el estoicismo con que las mujeres entran sin quejarse en este asunto de traer bebés al mundo. Pocas se quejan. Es increíble. Lo soportan todo, lloran y ríen al mismo tiempo cuando el bebé se prende de un dedo, llora y comienza una nueva vida.

Todo se olvida. El dolor, el parto mismo, los sudores, los resoplidos y las pujas, los quejidos y los gruñidos. Es asombrosa la rapidez con que todo eso se olvida, a medida que la atención se concentra en el nuevo bebé.

Pero poco después está en la casa de nuevo, para reiniciar las tareas allí donde las dejó muy pocos días atrás.

¿Se han dado cuenta de que la familia parece esperar que la madre vuelva a ser instantáneamente esa persona chispeante y alegre que era antes de partir? ¿Con el mismo vigor y la misma energía que tenía antes de internarse en el hospital? Temo que muchos esposos están esperando también que vuelvan instantáneamente al lugar que ocupaban antes de la internación. A trabajar y trabajar, a lavar, limpiar, sacudir, preparar las comidas y salir de compras...

Creo que esto sucede porque en general las mujeres son tan buenas que tienden a reasumir sin quejarse lo que consideran es la tarea que se les asignó en la vida. Es increíble cómo ellas se deslizan de nuevo hacia la rutina, y casi sin queja siguen atendiendo a la familia en la forma acostumbrada.

Por supuesto, cuando se trata del bebé Número Uno, las cosas suelen ser un poco diferentes, porque al nuevo padre también le interesa profundamente el recién llegado. Me lleno de alegría cuando observo a estos papás primerizos ayudándoles a sus esposas en esos momentos tan importantes. Probablemente el primer bebé es el más importante en la vida de una pareja. Todos los nacimientos son importantes por cierto, pero la primera vez es realmente una ocasión muy especial. Puedo añadir que es un acontecimiento lleno de ternura, y con frecuencia tiende a unir emocionalmente más aún a la pareja. Siempre es un placer presenciar esto.

Cuando llegan los siguientes bebés la novedad se ha diluido un poco, aunque cada nuevo bebé es único y muy importante. Nunca perdamos de vista el hecho de que cada vez que llega un nuevo bebé, ha sucedido algo asombroso. Es una experiencia profundamente tierna, tanto desde el punto de vista emocional como del psicológico, no importa si se trata del primer hijo, o del segundo, el tercero o el cuarto. Sí, aún hoy hay parejas que optan voluntariamente por tener cuatro hijos o más. Nosotros tenemos cuatro y nunca nos hemos arrepentido. Tenemos ahora esta adorable familia, todos de más de 20 y 30 años, algunos con sus propias familias ya. Pero el vínculo que nos une a esta familia extendida durará para siempre.

Nos estamos desviando un poco de nuestro tema. Estábamos hablando de una mamá que llega de regreso a su casa con su bebé. ¿Se acuerda?

Sí, me acuerdo. Pero cada vez que me toca hablar acerca de bebés no me puedo contener. ¡Los amo tanto! Ahora bien, la mamá acaba de pasar por una tremenda experiencia, tanto desde el punto de vista físico como del emocional. Con frecuencia la fatiga es un factor muy importante, y es indispensable que entre todos sus deberes y responsabilidades ella pueda disponer cada día de algunos momentos de descanso. Puede ser difícil, pero es para su bien. Tal vez un descanso en cama de 30 a 60 minutos, idealmente mañana y tarde, le ayudará a reponer sus energías. Esto es posible por lo general si ella se ha organizado de tal manera que disponga de un horario para cada día. Esto debería ser así.

Es indispensable dormir lo suficiente

¿Qué nos puede decir acerca del sueño durante la noche?

Esto también es importante. Con un nuevo bebé, las veces que tendrá que amamantarlo de noche se cobrará lo suyo, además de las porciones de descanso nocturno que no tendrá. Es verdad que esto ocurre relativamente por poco tiempo. Pronto

La flamante mamá, lo mismo que los demás miembros de la familia, se beneficiarán si duermen ocho horas cada noche.

se pueden omitir las mamadas nocturnas, porque a esa altura el bebé tiene que haber aprendido por fin a dormir toda la noche.

Lo he estado diciendo todos estos años: "Usted se puede engañar a sí misma, pero no puede engañar a la naturaleza". Dicho de otro modo, usted necesita dormir cierta cantidad de horas cada día. En mi opinión (y hay muchos doctores que están de acuerdo conmigo), cada cual necesita de 6 a 8 horas de sueño por noche. Para la nueva mamá, después del parto, lo más cerca que se esté de las 8 horas mejor será. Si se trata de sueño ininterrumpido, será mejor aún.

De manera, querida mamá, que usted debe planificar sus actividades de tal modo que se pueda meter en cama a una determinada hora cada noche, e idealmente hablando trate de dormir 8 horas. Esto le ayudará al organismo a reconstituirse, a las células gastadas a renovarse para hacer frente a los enormes cambios que se han producido, a llegar de nuevo al nivel en que estaban antes del embarazo y la internación. Estoy seguro de que si usted sigue este consejo tan sencillo y natural, no le va a pesar. Le pagará jugosos dividendos.

¿Cuáles son los beneficios más notables que se derivan de una buena noche de descanso?

Son muchos. El cuerpo se sentirá mejor, como consecuencia de que las neuronas habrán recibido nuevo vigor. La mujer se sentirá más brillante mental y físicamente. La capacidad mental aumentará, y la agudeza mental mejorará. En resumen, la capacitará para hacerle frente con más éxito al día que comienza. Podrá enfrentar en paz y con ecuanimidad las presiones que comenzarán a caer como una tromba.

También se beneficiará físicamente. A medida que las células nuevas reemplazan a las gastadas y fatigadas, la mujer se sentirá más robusta, más enérgica y más fuerte. En pocas palabras, se repondrá mucho más rápidamente de su experiencia en el hospital.

Quiero añadir que este sistema de sueño no es sólo para la primera semana después de haber regresado a casa. Idealmente, esto debería formar parte de su estilo de vida de ahora en adelante. Y si el esposo y el resto de la familia ponen en práctica esta sencilla idea, todos se beneficiarán.

¡Tenga cuidado con el estrés!

En los días que corren todos estamos al tanto de la existencia de ese problema que llamamos "estrés". Nos aflige a todos, y parece que forma parte del estilo de vida de comienzos del siglo XXI.

Así es. Las madres lo conocen muy bien, porque las tensiones y las idas y venidas que implica manejar una familia, la atención del nuevo bebé, y el tratar de sobrevivir, son en verdad estresantes.

Las ideas que presentamos en este capítulo le ayudarán a las madres y a toda la familia a enfrentar este fantasma. El sueño desempeña un papel importante en el descanso del sistema nervioso y del organismo en general. Debe ser de varias horas cada día para permitir que se repongan las células gastadas. Asimismo, las ideas acerca de la alimentación, el ejercicio y otros aspectos importantes de la vida, también desempeñan papeles importantes en este sentido.

Recuerde, usted puede hacerles frente. Nada es imposible, y al seguir ciertas sensatas pautas generales, usted podrá llegar primero. En la primera parte de este libro le dimos consejos y sugerencias acerca del embarazo. Eso ya pasó, y usted ahora se tiene que preocupar "por lo demás, que también forma parte de su vida". Y no sólo de usted, sino de los que dependen de usted cada día.

Muy bien, mamá, esperamos que usted le preste atención a todos estos consejos, tanto los que se refieren al sueño y sus beneficios, como a los que tienen que ver con el estrés y sus consecuencias. ¿Qué viene ahora?

La alimentación inteligente mejora su aspecto y le da vitalidad

Lo que viene ahora es lo que llamamos "alimentación inteligente", porque es indispensable, no sólo para mejorar su aspecto (y su estima propia), sino también para mejorar su vida, aumentar su energía, su vitalidad y la felicidad de estar viva.

Muchas mujeres encuentran que su vientre queda un poco suelto, se cae algo o sobresale de una manera que no les gusta. Esto es muy común y es consecuencia de traer un bebé al mundo. Los músculos abdominales, como resultado del gran peso que tuvieron que soportar, inevitablemente se estiran. Ahora que el bebé está afuera y no adentro, los músculos tienden a quedar sueltos. Además, lo que hay dentro del vientre intenta extenderse hacia afuera, de manera que las paredes abdominales se estiran, y esto les puede parecer poco atractivo a algunas.

Por lo común hay un aumento de peso durante el embarazo. En efecto, muchas mujeres suelen subir unos 6,5 kilos como resultado de ello. Esto significa que su peso varias semanas después del nacimiento del bebé es considerablemente mayor que antes del embarazo. Lo que significa que las caderas, los muslos, las nalgas, la región abdominal y probablemente los pechos, han crecido bastante. Algunas mujeres conservan este peso por el resto de sus vidas, a menos que den los pasos necesarios para conseguir una gradual reducción.

¿Qué sugiere usted: que se coma menos o que se haga más ejercicio?

Sugiero las dos cosas. En primer lugar, hay algunos sencillos ejercicios que a menudo ayudan a estilizar el cuerpo después del nacimiento del bebé. Estoy entrando en detalles acerca de esto en el siguiente capítulo. Son muy fáciles de hacer, y sólo toman 15 minutos por día. Pruébelos. Le ayudarán a afirmar los lugares sueltos, de manera que su cuerpo se vuelva espigado y flexible como antes. El tiempo que se dedica a esto es por lo común bien empleado.

Esfuércese por reducir al mínimo el consumo de alimentos ricos en sustancias grasas, azúcar y harina refinada.

Si usted está alimentando a pecho a su bebé, es indispensable que se ajuste a un régimen de alimentación bueno, sensato, equilibrado y nutritivo. Pero incluso después de suspender la alimentación materna, cada madre debe seguir un inteligente plan de alimentación. El objetivo de esto debe ser proporcionarle los adecuados nutrientes esenciales, pero hay que ayudarle a que no aumente de peso innecesariamente, e idealmente reducirlo a niveles satisfactorios.

Ahora hablemos un poco acerca de los alimentos.

¿Por qué no? Para empezar, las cosas se simplifican muchísimo si todos en la casa se alimentan de la misma manera. El tratar de ajustarse a regímenes es a veces un problema, y si alguien intenta hacerlo mientras prepara la comida del resto de la familia, rara vez alcanzará el éxito. El esfuerzo es demasiado grande, y la mayoría de la gente no se quiere tomar esta molestia. Pero si toda la familia sigue más o menos el mismo régimen, será una buena idea, y es muy posible que todos lo sigan.

¿Cuáles son los principios generales que tienen que ver con la alimentación?

En un sentido ideal debería haber tres

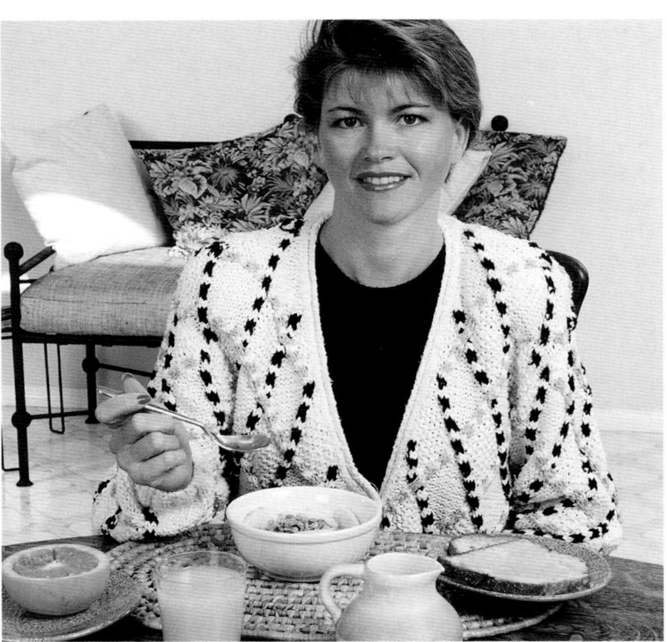

El desayuno ideal debería contener cereales ricos en fibra (celulosa).

comidas sencillas por día. Probablemente una pequeña cantidad de alimento entre comidas no sea mayor problema, especialmente si hay chicos que crecen en la casa, pero en términos generales tres comidas por día es lo recomendable.

Al planificar las comidas, esfuércese por reducir a un mínimo los platos que contengan azúcar y harina en cualquiera de sus formas. Dé lugar también a un amplio consumo de frutas y verduras, crudas si es posible, o tan crudas como se pueda. Si se siguen estas reglas generales, toda la familia se beneficiará, no sólo la madre.

El excesivo consumo de azúcar y de productos confeccionados con harina refinada —de la cual se ha eliminado lo mejor del trigo—, invariablemente conduce al sobrepeso, no importa qué edad se tenga. Llenan a la persona sin proporcionarle verdadero alimento, y engordan sin brindarle lo esencial para el desarrollo y la buena salud.

El desayuno

Entonces, ¿qué clase de alimentos recomienda usted?

En líneas generales éstas son algunas de mis recomendaciones. Para el desayuno, ¿por qué no usar granola? (La "granola" es un cereal enriquecido con nueces, almendras y miel, que se puede comer con leche caliente, tibia o fría. Consulte al respecto con la editorial que publica esta obra. En las primeras páginas encontrará la dirección.) Una porción de granola (o copos de maíz, o de trigo, o de arroz), con un par de cucharadas de salvado de trigo, es un excelente desayuno. Se le pueden añadir algunos otros ingredientes, como ser pasas de uvas, ciruelas secas u otros productos similares. Si el cereal no las tiene, es bueno añadir un poco de nueces picadas o castañas de cajú (si se pueden conseguir), maníes o almendras. También se puede añadir al cereal algunas semillas de girasol o de zapallo. Contienen excelente proteína, y son ricas en vitaminas y minerales.

Por supuesto, les estoy sugiriendo mi desayuno preferido. Úselo como una guía, y prepare el suyo a su gusto, y añada ingredientes y sustráigalos como le parezca. Prepare su desayuno con el cereal que más le plazca.

¿Qué usa usted para endulzar el desayuno? Porque el cereal sin algo dulce debe ser como comer cartón remojado en leche.

Si usted quiere añadirle algo dulce a su cereal, media cucharadita de miel es suficiente. De paso, si usted reduce el consumo de sustancias dulces, al poco tiempo descubrirá que no las necesita, y que el cereal tiene buen gusto a pesar de todo. Muy pronto, demasiado dulce (o lo que usted antes creía que era lo normal) le resultará desagradable. Yo dejé de añadirle sustancias dulces a mi desayuno hace como 20 años, y ahora me gustan los alimentos así como vienen. Con el tiempo, el gusto natural será para usted una verdadera delicia. Haga la prueba por sí misma y vea. Pero pueden pasar varios meses antes que llegue a esta situación. Cuando llegue, comenzará a disfrutar del verdadero sabor de los alimentos naturales, sin azúcar ni nada que se le parezca.

El salvado (fibra, celulosa)

¿Cuán importante es el salvado? Sabemos que es rico en fibra o celulosa.

Es muy importante. En los últimos años los doctores han descubierto que si se añade salvado a los alimentos se puede mejorar mucho la salud. (El mejor es el que viene en copos grandes, aunque no necesariamente tiene que ser de tipo comercial, ese que viene con sabores artificiales y sometido a procesos de fabricación.) Hace años, cuando los molinos de piedra molían el trigo para reducirlo a harina, ésta siempre contenía salvado. Pero cuando se introdujeron los molinos de rodillos hacia fines del siglo XIX, las nuevas técnicas permitieron eliminar la áspera cáscara del trigo, es decir, el salvado. Lo usaron para alimentar cerdos y vacas, y lo consideraron como algo sin valor.

Consiguientemente, con la eliminación del salvado, todo el mundo comenzó a consumir harina refinada, desprovista de su cáscara y del germen del trigo. Además de eliminar ingredientes indispensables, como ser vitaminas y minerales (especialmente las vitaminas B y E), la falta de volumen en el material que recorre el aparato digestivo también produjo muchos males.

¿Dónde estuvo lo malo?

La constipación y la necesidad de hacer fuerzas cada vez que había que defecar es uno de esos males. Otros son las molestias abdominales, la flatulencia y la dispepsia. También provoca la aparición de venas varicosas en el recto y el ano, llamadas hemorroides (almorranas), y una dolencia llamada diverticulitis. Son bolsitas que aparecen en el colon (intestino grueso) como consecuencia de la presión provocada por la lentitud con que desarrolla su actividad el intestino. Con frecuencia, cuando estas bolsitas se infectan, se produce una dolencia caracterizada por malestar abdominal y dolor; se trata de la diverticulitis, y ésta a veces se convierte en motivo de una operación quirúrgica.

Además, se cree que la apendicitis, las úlceras de duodeno, la hernia hiatal y muchas otras molestias están relacionadas con una pobre actividad intestinal. Cuando se consumen cada día abundantes cantidades de salvado sin procesar y líquidos, se reduce el tiempo que necesitan los alimentos para viajar desde un extremo al otro del aparato digestivo. Se reduce el "tiempo de viaje", como suelen decir algunos médicos, la presión intestinal disminuye, y consiguientemente se reducen también los riesgos. Es verdad que el salvado es medio insípido, pero es definidamente bueno para nuestra salud en general.

Podría agregar que en la gente de más edad, puesto que el salvado se combina con ciertas sustancias químicas producidas por la vesícula biliar, llamadas también sales biliares, convirtiéndolas en inocuas, el cáncer de colon es mucho menos probable si han consumido regularmente, cada día, salvado de trigo. De manera que además de los beneficios inmediatos hay efectos a largo plazo. Vale la pena recordar esto. Hágalo parte de sus comidas diarias, y no sólo de las suyas, sino de las de toda la familia.

El salvado, las fibras y los líquidos ayudan a reducir el tiempo en que los alimentos viajan de un extremo al otro del tracto intestinal.

¿No se han probado otras formas de fibra en los últimos años?

Así es. Se ha trabajado mucho en algunos países, y se ha descubierto que lo que se suele llamar "fibras solubles" también son valiosas. El salvado de trigo, tan bueno para reducir el tiempo de viaje de los alimentos, es una fibra insoluble, y simplemente transita por el organismo, absorbiendo líquidos y otros productos, antes de su eliminación final.

El salvado de avena, una fibra soluble (procedente de la cáscara de la avena), hace más que eso. En realidad absorbe grasas, incluso el colesterol que se encuentra en el aparato digestivo, e impide que el torrente sanguíneo lo vuelva a absorber en el intestino grueso. De esta manera, según se afirma, efectivamente reduce los altos niveles de sustancias grasas de la sangre (colesterol y probablemente triglicéridos también), y sustancias que provocan problemas y que pueden crear las condiciones para que las enfermedades de las arterias se extiendan al corazón y al cerebro. En resumen, puede reducir en el futuro el riesgo de enfermedades cardíacas, ataques al corazón, angina péctoris e infartos. De manera que un aditivo tan sencillo como éste puede producir beneficios a largo plazo. Pero, en el caso de que usted quiera comenzar a probarlo, use un salvado de buena marca, porque no todo lo que se ofrece en el mercado es de buena calidad.

¿Qué nos puede decir acerca de otras fibras solubles?

Algunas de ellas tienen mucha fibra. Uno de ellos se llama "psylium", y es una planta cuyas semillas vienen en vainas. Una vez que están plenamente desarrolladas tienen mucha fibra, y se las puede preparar como bebida. Si se añaden dos o tres cucharadas a un vaso de agua fresca (o a una bebida con sabor a jugo de naranja), se producen en el aparato digestivo todos los beneficios que proporciona la fibra de buena calidad. (En algunos países su nombre comercial es "Metamucil".)

Recordemos, sin embargo, que el arroz integral y la cebada contienen fibra soluble, y que también están adquiriendo popularidad. Hay disponible asimismo una cantidad de otros productos que contienen fibra, y que los doctores suelen recetar.

Parecería, por lo que usted dice, que la fibra es la panacea (el curalotodo) de nuestros días.

No realmente. Algunos médicos no están de acuerdo con todo lo que hemos dicho aquí, y sostienen que el salvado (o la fibra) desempeña en todo esto un papel relativamente secundario. Pero no hay duda de que no le hará mal, y puede hacerle muchísimo bien.

Una vez más, algunos de los productos de buena marca son el ideal. Podemos mencionar el pan integral, las galletitas integrales, los copos de trigo, de maíz y de arroz, que se fabrican con granos integrales. Son ricos no sólo en fibra, sino en vitaminas y minerales, y su índice de materias grasas es bajo. Consulte con la editorial que publica esta obra para conseguir más información al respecto. En las primeras páginas de esta obra usted encontrará la dirección.

Los tés de hierbas y los cafés de cereales son preferibles a los otros porque no contienen estimulantes.

Desayunos de invierno

Si no se le ha olvidado, estábamos hablando de un desayuno saludable para la familia. Hasta ahora hemos hablado acerca de la granola. ¿Qué más hay?

A algunos no les gusta la granola en invierno. Generalmente se la mezcla con leche, a veces fría, de manera que según ellos en invierno es mejor un desayuno caliente. En algunos países se ha vuelto al desayuno preparado con avena machacada (quáker), que los ingleses llaman "porridge".

La estoy recomendando como una alternativa para el invierno. Claro, añádale algo de salvado si quiere. El "quáker" es rico en fibra, y se ha descubierto que su consistencia espesa tiende a impedir la absorción por la sangre en el intestino grueso de ciertos azúcares y sustancias grasas. Y parece que también tiene la capacidad de extraer el azúcar del torrente sanguíneo con el objetivo de devolverlo al intestino para su eliminación. Por eso algunas clínicas están recomendando el "quáker" como un buen tratamiento para la diabetes. En una gran clínica norteamericana dedicada al tratamiento de la diabetes, cerca del 85% de los pacientes han podido eliminar la insulina sencillamente por comer un plato de "quáker" por día.

También, al reducir la absorción de grasas, se cree que el "quáker" contribuye a la reducción, más adelante en la vida, de los ataques al corazón y las enfermedades cardiovasculares.

Aquí tiene, pues, una alternativa muy conveniente para el invierno. No se apure en añadirle azúcar o miel, porque esto podría reducir el valor de lo que quiere lograr.

¿Qué otros productos puede haber en el desayuno?

Depende del gusto de cada cual. Creo que debe haber algo de proteínas, y de vez en cuando un huevo, mejor si está hervido o "poché", es bueno (es preferible que no esté frito, porque si lo está, la proteína queda encerrada en una capa dura, difícil de digerir). Probablemente algo de fruta cocida (ricas en vitaminas, especialmente las amarillas), pobre en azúcar, o también algo de fruta fresca podría ser recomendable.

A algunos les podría gustar un par de tostadas. Es mejor que sean de pan integral y no de harina blanca refinada. Úntelas con un poco de manteca (mantequilla) o margarina, y extracto de levadura de cerveza. Elimine, tanto como sea posible, las mermeladas y los productos ricos en azúcar.

La bebidas

¿Té o café?

Los cafés de cereales o los tés de hierbas son mejores. El té y el café comunes contienen un alto porcentaje de cafeína, que azota el cuerpo y lo estimula por unas cuantas horas, para dejarlo caer después en una depresión. El principal efecto de estas bebidas debe ser darle calor al cuerpo en los días fríos. Pruebe las bebidas naturales. Hay muchas por ahí y son excelentes.

¿Qué bebe usted?

¿Quién? ¿Yo? Usted creerá que estoy loco. Pero en invierno yo me contento con un vaso... ¡de agua caliente! Su sabor es neutro, y realmente calienta el cuerpo en invierno. En verano prefiero un vaso de agua fría, de lluvia. No hay nada más refrescante que esto, en mi opinión.

No crea que soy loco o excéntrico hasta probar esto por sí misma y hasta experimentar la lógica de lo que le estoy diciendo. Carente del azúcar capaz de añadir kilos, no produce aumento de peso, es inocuo (no hace daño), no contiene ni drogas, ni medicamentos ni estimulantes; es muy refrescante y, según yo lo creo, es lo mejor de lo mejor.

De vez en cuando me gusta un té de hierbas. Hoy los hay de muchas clases. Me gusta el té de rosa mosqueta, que viene en una bolsita para preparar la infusión. Le añado la cuarta parte de una cucharadita de miel. Tome su té de hierbas; la que más le guste. No tienen medicamentos y son productos naturales.

El almuerzo

Las ensaladas frescas, compuestas por varias clases de verduras, se pueden combinar para lograr un plato muy apetitoso.

Bueno, ya hemos hablado bastante del desayuno para el padre, la madre y la familia. ¿Qué podemos decir del almuerzo?

Idealmente debería estar compuesto por diversas verduras y frutas. En verano las ensaladas son una delicia, y en general las verduras con las que se las confecciona son fáciles de encontrar. Las verduras de hojas, y las que produce la huerta, pueden constituir una excelente comida. Lávelas bien para eliminar impurezas y las sustancias químicas que se le pueden haber añadido en el comercio.

Asegúrese de añadir algo de proteína, como ser un huevo duro, queso (incluso ricota). Alimentos derivados de algunas clases de nueces y varios cortes de carne pueden proveer las cantidades adecuadas de proteína. Una buena cocinera (o cocinero) puede conseguir del poroto soja una gran cantidad de alimentos ricos en proteína. No estoy sugiriendo que se añada a la comida porotos soja hervidos, porque tienen muy mal gusto. Pero molidos y preparados de diversas maneras pueden llegar a ser un plato nutritivo y delicioso. Si usted quiere darle la oportunidad al poroto soja, pero no sabe cómo, consiga un recetario que le indique como hacerlo, y no deje pasar la oportunidad porque el poroto soja es el producto vegetal con el más alto contenido de proteína natural no de origen animal. Todos los porotos —y hay una gran cantidad de ellos— son muy nutritivos. Lo mismo podemos decir de las lentejas y otras legumbres.

Algunas frutas frescas, al natural o como ensalada de frutas, pueden completar el almuerzo. Si desea comer pan, lo ideal es que sea de muchas semillas o integral, porque son sumamente nutritivos e incluyen una amplia gama de proteínas de buena calidad, saludables y satisfactorias.

La cena

Parece razonable. ¿Qué nos puede decir acerca de la cena?

Cuando hace calor puede ser muy similar al almuerzo. O puede ser una comida caliente. Repetimos: consuman verduras y frutas. En la mayoría de los países de nuestra región hay abundancia de ellas. Úselas al máximo posible.

Trate de que cada comida sea diferente. Asegúrese de que haya verduras amarillas, rojas, algunas verdes y, por supuesto, la inevitable papa, aunque no mucha, porque es rica en hidratos de carbono, aunque también tiene fibra, hierro, proteína y vitamina C. ¿Lo sabía? Muchos lo ignoran.

No las cocine demasiado. Mejor de menos que de más. Use la mínima cantidad de agua posible, o sométalas a la acción del vapor. Por lo común las vitaminas solubles se disuelven en el agua de la cocción. Es mejor guardar el caldo que resulta para usarlo después con el fin de preparar sopas y comidas, en lugar de arrojarla al resumidero y perder los nutrientes que contiene.

El exceso de cocción también destruye muchas vitaminas. Las verduras verdes se deben cocinar al mínimo. Si alguien no llega a tiempo a la hora de comer, y los alimentos quedan en la cocina por horas, casi todo lo bueno se va, y la gente termina comiendo algo que carece de valor. Cocine las verduras con la olla tapada, porque de este modo se consigue que tengan buen gusto más pronto, sin tanto calor.

Además de las verduras, se recomienda consumir algo de proteína. Muchos prefieren la carne, ya sea de vaca, pescado o pollo. En este caso recomendamos que se elimine la grasa de antemano, tanto como sea posible.

¿Qué opina usted de los platos vegetarianos ricos en proteína?

Personalmente me gustan, y los prefiero a la carne. Esta es una decisión personal, por cierto. Pero en la actualidad hay muchos productos ricos en proteína que nada tienen que ver con la carne, y que tienen prácticamente el mismo gusto y el mismo valor proteico. Ya mencionamos el poroto soja y otros porotos, como asimismo las lentejas y otras legumbres.

También el gluten, la proteína del trigo, es muy valioso. Viene en muchas formas, entre ellas harina y pasta de gluten. Con ellos se pueden preparar muchos platos sabrosos, como ser milanesas de gluten, que son idénticas a las de vaca. Me animo a desafiar a cualquiera para que me diga dónde está la diferencia.

Pero esto es sólo un producto. Una cocinera (o cocinero) emprendedora, con un poquito de imaginación, y probablemente con la ayuda de un buen recetario, puede aprender muy rápidamente a usar el poroto soja y otras legumbres para bien, no sólo de sí misma, sino de toda la familia.

Se me ocurre que usted es un entusiasta de los porotos en general.

Es cierto. Porque contienen en plenitud muchos nutrientes. Son muy ricos en proteína, como ya lo dije. Y se trata no sólo del poroto soja, sino de todas las leguminosas, entre ellas las lentejas, las arvejas y otras parecidas.

Además, tienen mucha fibra, y todos los efectos colaterales de la fibra dan sus benéficos resultados cuando se los incluye en la alimentación de todos los días. También son ricos en ciertas vitaminas y minera-

Las frutas frescas, con su bajo contenido de sustancias grasas, constituyen un postre ideal.

les indispensables. Además, contienen carbohidratos complejos, que proporcionan energía y estabilizan el nivel del azúcar. El poroto soja y toda la extensa gama de las leguminosas tienen un extraordinario valor nutritivo. Consúmalos regularmente, ya sea frescos, secos (y cocidos), o precocidos, de esos que vienen en latas, si tiene apuro.

Los dulces

¿Qué nos puede decir acerca de los dulces?

El ideal consiste en consumir frutas frescas, y mientras menos productos ricos en azúcar se ingieran, mejor será. No hay nada más refrescante que las diferentes ensaladas de fruta, o frutas cortadas en trozos, en cubitos o en combinaciones de frutas crudas. Especialmente en el verano, cuando abundan las frutas tropicales, son una delicia, y muchas son ricas en vitaminas y minerales, además de ser refrescantes y saludables.

Es mejor prescindir de las jaleas saturadas de azúcar, los flanes y otros productos similares. Repito que mientras menos azúcar consuma, menos la va a desear, y pronto esos productos dejarán de gustarle. Haga la prueba.

Se nos dice que algunas vitaminas y ciertos minerales están ubicados inmediatamente debajo de la cáscara de muchas frutas y verduras. ¿Es cierto esto?

Es verdad. Allí están, y por esa razón yo creo que es mejor comerlas con su cáscara tanto como sea posible. Asegúrese de que las frutas y las verduras están bien lavadas y que se ha eliminado todo el polvo y las sustancias químicas. Entonces cómalas con su cáscara con el fin de lograr de ellas el mayor beneficio posible.

¿Qué nos puede decir de las bebidas, no sólo durante la cena sino en cualquier momento?

Existen ahora una cantidad de bebidas sin cafeína, como ser los tés de hierbas y las bebidas a base de cereales. Creo que son el ideal. Para variar, las bebidas frías pueden ser una delicia. Los jugos de frutas frescas están en el tope de la lista, y probablemente los mejores son los de naranja y limón. Tenga cuidado con los jugos comerciales, porque con frecuencia tienen demasiada azúcar; se la añade para realzar el sabor. Además, suelen tener ciertas sustancias químicas que se usan como preservativos, y por eso los jugos de frutas frescas son mejores.

Evite los postres con un alto contenido de azúcar y harina refinada.

Guarde muchas naranjas en la heladera (refrigerador), y exprímalas inmediatamente antes de usarlas. Así dispondrá de una bebida refrescante en cualquier momento. Pruebe y verá.

¿Qué nos puede decir del agua fresca y pura? Usted nos dijo que era su bebida favorita. Pero, en términos generales...

Beba mucha agua cada día. No daré cantidades, porque no todas las personas son iguales. Pero recuerde que el agua constituye una buena parte de nuestro organismo, y especialmente de la sangre. Estas copiosas cantidades de agua reemplazan la que pierde el cuerpo cada día por medio de la orina y la transpiración. También ayudan a eliminar los productos de desecho del metabolismo, originados en los filtros de los riñones, y que deben ser expulsados del cuerpo por ser potencialmente dañinos. Esta eliminación lo ayuda a usted a sentirse mucho mejor.

El agua es mejor que los refrescos comerciales y otros productos cargados de azúcar. Beba varios vasos durante el día. Le ayudarán a mejorar su salud, créame.

capítulo 15

EN ESTE CAPÍTULO

- El peso ideal y pautas de peso.
- La fijación de objetivos.
- Sencillos ejercicios que ponen en funcionamiento el organismo.
- Regímenes de alimentación para bajar de peso con facilidad.

Cómo hacerle frente al exceso de peso

Aumentar de peso durante el embarazo y después del parto es inevitable – Los ejercicios posparto ayudan a recuperar la figura original – Formas simples de averiguar cuál es su peso ideal – Los ejercicios, practicados con regularidad, contribuyen a recuperar el vigor físico – Algunos secretos para desarrollar una figura atractiva – Consuma pocas sustancias grasas e hidratos de carbono.

A pesar de estar en constante movimiento, muchas madres jóvenes y no tan jóvenes están excedidas de peso. Sin duda los consejos que usted ya les dio les van a ayudar a conservarse esbeltas y a no engordar, pero, ¿no tendrá usted, doctor, algunos consejos adicionales en este sentido?

Las ideas generales que hemos presentado también les vienen bien a las damas que desean bajar de peso. La mayoría de los alimentos que hemos mencionado tiene un índice de calorías bastante bajo. Si las señoras consumen alimentos con bajas calorías, el exceso de peso desaparecerá automáticamente, en especial si lo combinan con un plan bien pensado de ejercicios físicos.

¿Cómo puede saber alguien (él o ella) que su peso está excedido?

Lo descubrirá cuando se desnude y se mire al espejo. Su veredicto es irrefutable. ¿A cuántas mujeres les gusta que les digan que son gordas? Casi todas son conscientes de su figura. Esto es tan importante para la sociedad de hoy, que a muy pocas hay que llamarles la atención al respecto. Muchos hombres no se dan cuenta hasta que alguien se lo dice, pero con las mujeres es distinto.

El peso ideal

¿Cuál es el peso ideal?

En la mayoría de los casos el peso ideal es el que la persona tenía en el día de su boda. También podemos decir que el peso que alguien tenía a los 20 años es el peso ideal. Esta es una de las sugerencias que emplean con éxito muchos médicos.

Pero para que resulte sencillo, estamos incluyendo una tabla de pesos que hemos titulado "Su peso ideal". Le permitirá saber cuál debería ser su peso en relación a su altura y su sexo. Úsela como una guía. Después aplique los sencillos principios relativos a la reducción del peso y tendrá éxito: comer menos alimentos ricos en azúcares y farináceos.

Tablas de pesos

¿No usan los doctores, acaso, varios métodos para verificar si alguien tiene exceso de peso, cuando tienen que recomendar un método para adelgazar?

Es verdad. Un método que se basa en el índice de la masa corporal (IMC) ha reemplazado en gran medida las balanzas de antaño, y lo usan los médicos y los investigadores. Pero para que esto sea práctico y se pueda usar en la vida de todos los días, el sistema del "peso ideal" sigue siendo válido cuando se lo usa como una guía general. Todavía suele aparecer en muchos periódicos médicos del mundo cuando se tratan los temas del régimen alimentario y la reducción del peso.

Además de conseguir que la persona se vea más atractiva, la mayoría sabe que si mantiene un peso ideal reduce en gran medida el riesgo de mala salud y de enfermedades graves prematuras.

Es verdad. El exceso de peso predispone para muchas enfermedades. Entre ellas están la diabetes, la tensión arterial elevada y las enfermedades cardiovasculares (del aparato circulatorio y el corazón), angina péctoris, obturación de las arterias del corazón y del cerebro, que con el tiempo pueden desembocar en ataques prematuros del corazón (o infartos del miocardio como dicen los doctores) y ataques fulminantes del corazón.

También predispone para la formación de cálculos biliares y renales, para los dolores de las coyunturas en la artritis, porque éstas tienen que soportar un peso mayor. Las extremidades excedidas de peso suelen rozarse entre sí, lo que provoca escoriaciones (heridas) e infecciones, que a su vez pueden conducir a otras enfermedades. La actividad sexual se ve muy limitada por las dificultades mecánicas que provoca el exceso de peso. Las heridas quirúrgicas sanan muy lentamente. Una enfermedad llamada gota es más común entre los gordos. El exceso de peso tiene muchas desventajas y no tiene ninguna ventaja.

Fíjese objetivos

¿No le parece que es una buena idea fijarse objetivos cuando se trata de bajar de peso?

Por cierto. Mucha gente se vería y se sentiría mejor si bajara unos 6,5 kg. Esto se puede lograr con bastante facilidad en unos tres meses. En promedio es algo así como medio kilo por semana. Aférrese a los pesos que estamos recomendando, y fíjese metas propias también. Para que sea más fácil, prepare una tarjeta y téngala siempre delante de sí frente a la balanza en el momento cuando se va a pesar, o en el espejo del baño. Podría ser así:

Con un objetivo en mente, la meta final es más fácil de alcanzar.

Al final de este capítulo estamos incluyendo unas pocas dietas sencillas que Ud. podría usar como guía general. Le ayudarán a pensar y a planificar. Cada una de ellas equivale a 1.200 calorías.

El peso que usted tenía a los 20 años es el ideal.

Su peso "ideal"

Peso (Con zapatos)

El peso "ideal" para MUJERES, en kilos (Para calcular sin ropa reste 1 kilo y medio)

Estatura cm	Pequeña kg	Mediana kg	Grande kg
1,52 m	47,6 - 51,3	50,8 - 54,4	54,0 - 58,5
1,55 m	48,5 - 52,2	51,7 - 55,3	54,9 - 59,4
1,58 m	49,9 - 53,5	53,1 - 56,7	56,3 - 61,2
1,60 m	51,3 - 54,9	54,4 - 58,1	57,6 - 62,6
1,62 m	52,6 - 56,7	56,3 - 60,0	59,4 - 64,4
1,65 m	54,0 - 58,1	57,6 - 61,2	60,3 - 65,8
1,67 m	55,8 - 60,0	59,0 - 63,5	62,6 - 68,0
1,70 m	57,2 - 61,7	60,8 - 65,3	64,4 - 70,0
1,73 m	58,5 - 63,1	62,2 - 66,7	65,8 - 71,7
1,75 m	60,3 - 65,0	64,0 - 68,5	67,6 - 73,5
1,78 m	61,7 - 66,7	65,8 - 70,3	69,0 - 75,3
1,80 m	63,1 - 68,0	67,1 - 71,7	70,3 - 76,7
1,83 m	64,0 - 69,5	68,5 - 74,00	72,6 - 78,9

(Cortesía de la Metropolitan Life Insurance Company)

En esta tabla encontramos el peso ideal de las damas. Úsela como una guía general para decidir cuál debería ser su peso. Ha sido desplazada en gran medida por otros métodos sencillos, de aplicación personal, pero a muchas mujeres les sigue gustando. Aplique también el principio general de bajar de peso. No es difícil lograrlo.

Mis objetivos

El...................... mi peso será de............ kg
(escriba la fecha)

Mi peso ideal es............ kg

El........... declaro que mi peso habrá
(un mes después)

disminuido a................ kg

(= alrededor de 6,5 kg menos que el peso de la fecha inicial)
He decidido alcanzar este objetivo, y me comprometo a hacer todos los esfuerzos posibles para lograrlo.

Firma..

Algunos sencillos ejercicios ponen en marcha el organismo

Dejemos por ahora los alimentos, y hablemos acerca de algunas actividades. Usted acaba de explicarnos mediante ilustraciones de qué manera los músculos abdominales pueden recuperar su tamaño y su forma normales. Pero, ¿qué nos puede decir del ejercicio en líneas generales?

Muchas madres hacen bastante ejercicio al hacer las tareas de la casa. Andan mucho al barrer, limpiar, lavar, hacer las compras, etc. Pero yo creo que si se le añaden algunos ejercicios más a esta rutina, el cuerpo se beneficiará. El ejercicio consume calorías, mantiene la piel y los músculos bien tonificados, es decir, tersos y a punto. Un ejercicio bien sencillo consiste en caminar. Es el más barato y el más accesible. Si se puede caminar un kilómetro o dos cada día o día por medio, hará mucho bien. Mi esposa y yo caminamos todos los días media hora, y siempre sentimos los beneficios que eso nos da.

La natación posiblemente ocupe el segundo lugar entre los mejores ejercicios. Muchos creen que ocupa el primer lugar, y yo me siento tentado a creerlo también. Ejercita todos los músculos y órganos del cuerpo. Practíquela todas las veces que pueda. Llevar a los niños y a toda la familia a la pileta (piscina) es una excelente idea. ¿Que no tiene tiempo? ¡Tonterías! Siempre hay tiempo para lo que consideramos de valor. ¿No es cierto?

El exceso de peso predispone para muchas enfermedades.

¿No le parece que el ejercicio debería incorporarse al estilo de vida de cada uno?

Por supuesto. Tengo una paciente que trabaja para una firma que se dedica a distribuir folletos y material publicitario en los buzones de las casas. Yo sé que a la

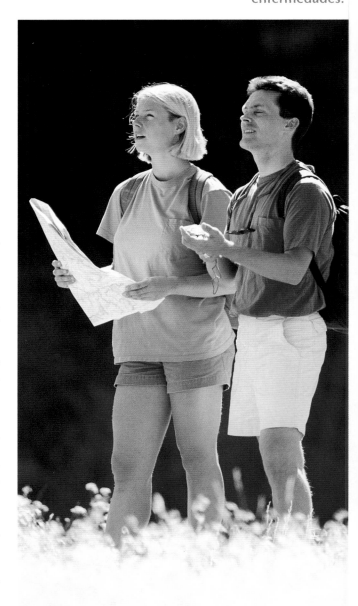

El ejercicio es algo de lo cual usted debe disfrutar, y hay que practicarlo regularmente.

EJERCICIOS PARA DESPUÉS DEL PARTO

Muchos de los ejercicios que se recomiendan para el embarazo también son buenos para que usted recupere su figura anterior después del parto. Recuerde, sin embargo, que los ejercicios posnatales deben ser progresivos. Haga sólo los ejercicios más suaves durante el primero y el segundo días, y pase después a los más vigorosos que presentamos aquí. Nunca haga un ejercicio que le cause dolor o le haga daño.

Para que el abdomen recupere su tonicidad

Con el fin de restaurar la tonicidad de los músculos del abdomen después del parto, pruebe con un suave deslizamiento de la pierna durante los primeros días, y después practique estos ejercicios abdominales cinco veces en cada ocasión. Siempre levante la cabeza y expulse el aire.

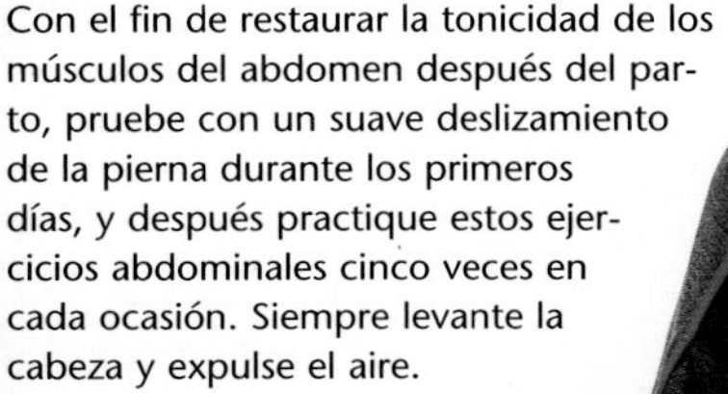

1. Acuéstese de espaldas con una almohada firme debajo de la cabeza. Levante las rodillas y ponga las manos sobre los muslos.

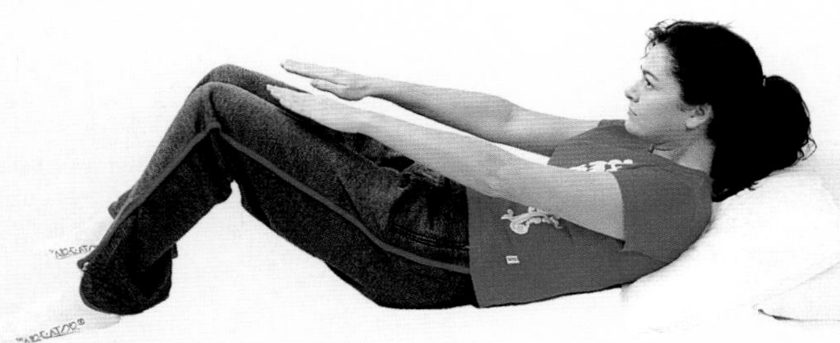

2. Levante la cabeza y estire las manos en dirección de las rodillas. Cuente hasta cinco, y relájese lentamente después.

3. Repita el ejercicio, pero estire ambas manos primero a un costado de la rodilla; relájese y haga lo mismo del lado de la otra rodilla.

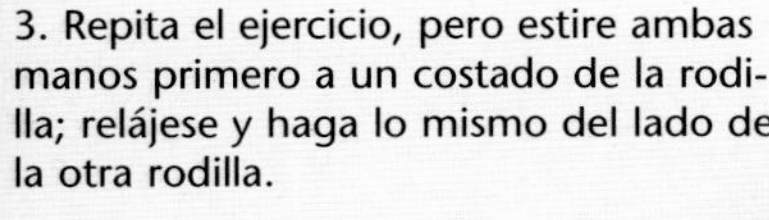

Ejercicio abdominal

Un ejercicio suave para recuperar la tonicidad de los músculos abdominales consiste en que usted se acueste con la parte inferior de la espalda bien afirmada contra el suelo o la cama.

Levante una pierna y crúcela sobre la otra hasta que su pie toque el suelo.

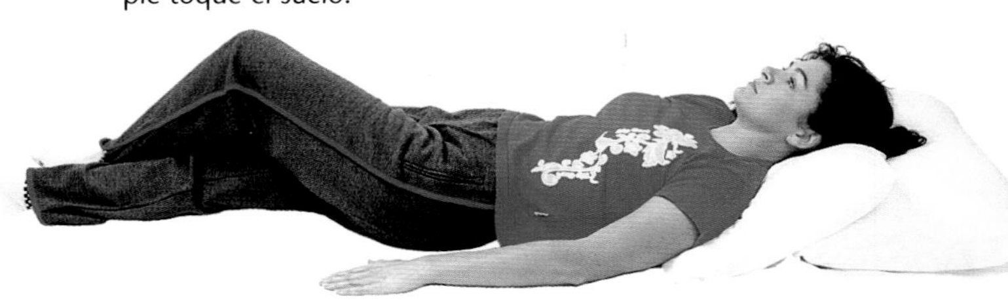

Cómo restaurar los músculos abdominales

Si los músculos abdominales están dañados, este ejercicio, practicado por unos tres días después del parto, puede ser beneficioso.

Póngase de espaldas, con las rodillas dobladas y las manos cruzadas sobre el abdomen. Al expeler el aire, levante lentamente la cabeza oprimiendo el abdomen y apretando al mismo tiempo los abdominales. Haga este ejercicio varias veces, dos veces por día.

Cómo acostarse cómodamente

Si le han tenido que dar puntos, acostarse boca abajo puede ser la posición más cómoda. Unas almohadas debajo de sus muslos le ayudarán a los órganos de la pelvis a volver a su posición normal. Una almohada debajo de la cabeza y los hombros eliminará la presión sobre el pecho.

Ponga dos almohadas debajo de sus muslos, no debajo del abdomen, de manera que su espalda no se ahueque y la pared abdominal se pueda relajar.

Equivocado

Nunca se acueste boca abajo apoyada en los codos, pues en esta postura la espalda se ahueca y se estiran los músculos del abdomen.

Reduzca el consumo de sustancias grasas y aceites en todas sus formas. Aumente, en cambio, el consumo de alimentos ricos en fibra, verduras, legumbres y pan. Haga ejercicios cada día durante 30 minutos por lo menos.

Escoja un ejercicio que cuadre mejor con su estilo de vida.

gente no le gusta que le atiborren los buzones con ese material. Pero ella lo hace casi cada día. Le pagan bien, y camina alrededor de 5 km por día. Su principal objetivo consiste en hacer un ejercicio que necesita imperiosamente, y que si no fuera por eso nunca lo haría. Así que ella combina su "trabajo" (si lo podemos llamar así) con un saludable placer y con la conservación de su salud. Yo creo que esto es inteligente, ¿no le parece?

Pero hay muchas otras maneras de hacer ejercicio, ya formen parte de una rutina diaria —ir de compras y cosas parecidas—, o sean eventos especialmente organizados, como ser jugar tenis con algunos amigos una vez por semana, o paddle, o trabajar en el jardín o la huerta, o cortar el pasto, o lo que sea. Busque una actividad que le guste, y después sumérjase de nuevo en su programa de todos los días. De esta manera el ejercicio no interferirá con otras actividades, y una vez que usted comienza con esto, va a seguir por mucho tiempo más. Nunca pase por alto el valor del ejercicio regular.

¡Oh! Casi me olvido. La bicicleta se ha vuelto popular entre muchas mujeres (y hombres también). Este es asimismo un excelente ejercicio. Pero, por favor, use casco. Ha habido graves accidentes y serias heridas en la cabeza gracias a la bicicleta.

Creo que ya es bastante para este capítulo. Espero, querida mamá, que le hayamos dado suficiente material como para meditar: algunas ideas, y disponer de algún estímulo mental.

Úselas como resortes para que salten otras ideas. Muy pronto usted estará trabajando con sus propias ideas, sistemas y esquemas. Pero aférrese a los ingredientes básicos que le hemos dado aquí. De esta manera se beneficiará usted y toda la familia. Así lo esperamos.

Ahora, ¿dónde dejé mi bicicleta? ¡Cielos! ¡Parece que mi señora se la volvió a llevar!

La natación es un excelente ejercicio, que no demanda mucho esfuerzo, y en el cual todos pueden participar.

Una dieta especial para bajar de peso

Siga esta dieta sencilla y sensata, y sin duda va a bajar de peso, posiblemente en menos tiempo del que usted había calculado. Carece de complicaciones, e incluye alimentos de bajo costo que normalmente se guardan en la heladera (refrigerador). Combínela con algún ejercicio regular y diario (hasta una caminata a buen paso es conveniente), más una actitud positiva en el sentido de que usted va a bajar de peso. Y el éxito ya estará en sus manos.

Los alimentos que indicamos son lo máximo que usted puede ingerir cada día. Puede reducir estas cantidades y hasta omitir algunos productos. Todas las porciones deberían ser entre pequeñas y medianas. Siga todas las instrucciones con exactitud.

El desayuno

1. Una porción mediana de granola con leche descremada. (La puede preparar usted misma. Incluya alguno o todos estos ingredientes: avena machacada [quáker], trigo machacado, centeno, cebada, arroz integral, salvado, germen de trigo, semillas de girasol, semillas de sésamo y coco rallado. Dátiles cortados en rebanaditas, maníes, pelones y orejones, peras y damascos secos. Una cucharadita de miel si lo desea. Leche en polvo. Evite los productos comerciales con alto contenido de azúcar. (Guarde estos productos en el freezer dentro de bolsas herméticamente cerradas para que no entre aire.)

2. Una tostada de pan integral, untada con margarina. (Añádale mermelada excepcionalmente, si lo desea.)

3. Tés de hierbas o café de cereales si lo desea, con pequeñas cantidades de leche descremada, o jugos de frutas recién exprimidas. (No bebidas comerciales, con preservativos y con mucha azúcar.) Coma despacio.

El almuerzo

1. Una o dos rebanadas de pan integral con margarina. Añádale manteca (mantequilla) de maní si lo desea. Añada cualquiera de las verduras que comúnmente se usan como ensaladas, como ser lechuga, tomates, remolacha (betarraga), pepinos, apio, cebollas, chauchas (porotos verdes). Para conseguir proteína añada queso, porotos, huevos duros cortados en rebanadas, carne (sin grasa), pollo. Cualquier sustituto de origen vegetal es conveniente.

2. Una taza de sopa (de sobre) si lo desea, en un día frío. O puede preparar su propio caldo.

3. Bebidas: como el punto 3 del desayuno, si lo desea.

La cena

1. Una ensalada mediana con los siguientes ingredientes:

a. Cualquiera de estas verduras: lechuga, tomates, pepinos, espárragos, zanahorias, radichetas, morrones, apio, cebollas.

b. Trocitos de queso, huevo pasado por agua en rebanadas, ricota.

c. Trozos fríos de pollo desgrasado, o carne fría (pero no salame o algo similar), o pescado asado, o cualquier sustituto vegetal rico en proteína.

d. Aderezo hecho con vinagre, limón, pimienta, mostaza. Se puede usar ajo si se desea. (No aderezos hechos con aceite.)

2. Una rebanada de pan integral con margarina o manteca (mantequilla) de maní.

3. Bebidas: similares a las del desayuno.

O

1. Una comida caliente preparada con:

a. Verduras: espinacas, repollo, zucchini, porotos granados o repollitos de bruselas.

b. Verduras amarillas: zapallo, calabaza, zanahoria o cebollas.

c. Proteínas: 120 gr de carne asada desgrasada, pollo, pescado fresco. (No agregar sustancias grasas a las comidas.)

Proteína vegetales (incluso porotos o len-

tejas, o productos preparados con gluten).

2. Los mismos productos de la lista 2 de la cena.

3. Bebidas: similares a las del desayuno.

Bebidas

Ración total diaria de leche descremada (un vaso chico, aproximadamente 200 ml).

Agua en abundancia (el agua fría tiene mejor gusto): 6 a 8 vasos por día.

Café de cereales y tés de hierbas, sin restricción.

El azúcar está prohibida. Se pueden usar edulcorantes, si se desea. Aprenda a disfrutar de los alimentos naturales. El consumo de sal se reduce al mínimo.

Frutas

Un poco de fruta se puede comer en cualquier momento del día (sola o acompañada), como ser naranjas, manzanas, la mitad de un melón mediano, sandía, un poco de frutillas (fresas), damascos, duraznos, ciruelas, un racimo de uvas, una tajada de ananá (piña). (No aconsejamos ni paltas, ni bananas ni peras.)

Medicamentos

¿Qué podemos decir de los suplementos de vitaminas, minerales y fibra? Aunque la ingestión de una buena cantidad de los alimentos esenciales normalmente proporciona todos esos elementos, las cantidades extras que se puedan tomar no hacen ningún daño, y en efecto pueden beneficiar a la persona. Las dietas estrictas que duran algún tiempo pueden contener cantidades menores de estos elementos, de manera que podemos sugerir la ingestión de una cantidad diaria adicional. En la actualidad están a la venta excelentes productos que contienen estos elementos.

La fibra, al absorber el agua, puede producir una sensación de plenitud que reduce el apetito, como asimismo el tiempo que demoran los alimentos para recorrer el aparato digestivo, y puede reducir también el riesgo de ciertas enfermedades.

DIETAS PARA BAJAR DE PESO

A continuación presentamos algunas dietas para bajar de peso fáciles de seguir, que contienen aproximadamente 1.200 calorías, y que abarcan los principales alimentos de los diversos grupos básicos. Úselas como guías. Sígalas muy de cerca durante las primeras semanas, e introduzca variaciones de día en día. Después, y una vez que haya comenzado a bajar de peso satisfactoriamente, puede pasar a alguna otra alternativa.

* Dieta Nº 1

Desayuno

Huevos revueltos hechos con 2 huevos.

1/4 de taza de leche descremada y perejil picado.

2 tostadas de pan integral con margarina.

1/4 de taza de leche descremada.

1 manzana pequeña, o una pera, o una naranja.

A media mañana

1 taza y 1/2 de pororó (palomitas de maíz), sin aceite ni sustancias grasas, o unas pocas almendras.

A la hora del almuerzo

Pollo con ensalada.

60 g de pollo (o proteína vegetal).

Un poco de lechuga, con hongos, pepinos, apio a gusto y jugo de limón.

250 g de suero de manteca (mantequilla) o 1/2 taza de yogur solo, sin añadidos.

* Dieta Nº 2

Desayuno

1/2 taza de trigo (cocido). Añádale 1/4 de taza de salvado sin procesar y 1/2 cucharada de germen de trigo.

1/2 taza de porotos asados con salsa; o 1 salchicha chica (mejor si es de origen vegetal).

1/2 taza de leche descremada.

A media mañana

1/2 taza de leche descremada.

6 almendras pequeñas.

Almuerzo

Queso tostado a la parrilla con tomates:

2 rebanadas de pan integral.

1 tomate grande.
2 tajadas de queso.
1 cucharadita de manteca (mantequilla)/margarina.
Tueste un lado del pan.
Unte la manteca en la parte no tostada.
Ponga el tomate y el queso sobre el pan, y tostar.

Servir con una ensalada de lechuga, morrones, cebolla cortada en rebanaditas y apio.

1/2 taza de jugo de naranja, sin azúcar.

Cena

60 g de carne de vaca o de pollo (o sustitutos vegetales de estos alimentos).
1/2 taza de zapallo cocido al vapor.
1/2 taza de arvejas también cocidas al vapor.
Yogur de frutas:
Mezcle 3/4 de taza de yogur descremado con
1/2 banana, o 2 damascos.
1/2 cucharadita de miel.
Sírvalo frío.

* Dieta Nº 3 (inclúyala 1 vez por semana)

Hoy es un día de ayuno, y usted sólo debe beber líquidos. Los puede tomar todas las veces que quiera, y deben incluir cualesquiera de los siguientes ingredientes:

Jugo de tomate.
Jugo de lima o limón.
Caldo de carne (o de sustitutos vegetales).
Agua fría.
Bebidas que no contengan azúcar.
Tés de hierbas.
Café de cereales.

No se le debe añadir azúcar a ninguna de estas bebidas. Si compra los jugos en el supermercado, asegúrese de que se trata de productos que no tienen ni azúcar ni sal. Puesto que el té y el café son estimulantes, usted descubrirá que los tés de hierbas y los cafés de cereales son más tranquilizantes, especialmente de noche.

* Dieta Nº 4

Desayuno

1/2 taza de avena (quáker) cocida.
1/4 de taza de salvado sin procesar con 1 cucharadita de germen de trigo.
1/2 taza de leche descremada.
1/2 taza de jugo de naranja, o de jugo de ananá (piña). (Los jugos deben ser fríos y sin azúcar).
1 huevo duro.
1/2 rebanada de pan integral untada con 1 cucharadita de manteca (mantequilla).

A media mañana

1/2 taza de leche descremada.
6 almendras pequeñas

Almuerzo

Ensalada de pollo:
60 g de pollo (o un sustituto vegetal).
1/4 de taza de zanahorias cortadas en bastoncitos.
1 tomate cortado en cubitos.
Lechuga, apio y pimiento cortado en rebanadas.
1 cucharadita de aderezo para la ensalada.
1 rebanada de pan integral con manteca (mantequilla) de maní.
1 manzana o 1 naranja.

Cena

90 g de carne de vaca asada (o su sustituto vegetal).
1/2 taza de bróculi cocido al vapor.
1/4 de taza de zanahorias cocidas al vapor.
Ensalada de frutas:
1/4 de taza de leche descremada y evaporada (fría y bien mezclada en la licuadora).
1/2 taza de frutillas (fresas), o 2 damascos, o 4 frutas de la pasión (mburucuyá), en leche batida.

ALGUNAS HISTORIAS ACERCA DE CÓMO BAJAR DE PESO

En los países del primer mundo (y en algunas regiones de América Latina los niveles son los mismos), uno de cada tres habitantes está excedido de peso, y eso les afecta adversamente a la salud, el estilo de vida, la longevidad, la felicidad y la sensación de sentirse bien y en forma.

Se han sugerido muchísimos remedios

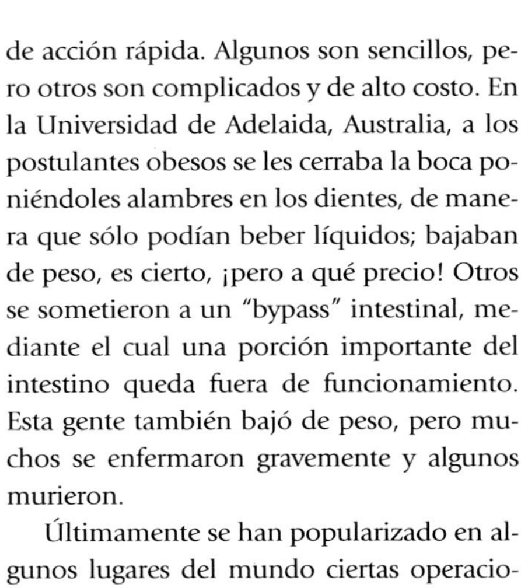

de acción rápida. Algunos son sencillos, pero otros son complicados y de alto costo. En la Universidad de Adelaida, Australia, a los postulantes obesos se les cerraba la boca poniéndoles alambres en los dientes, de manera que sólo podían beber líquidos; bajaban de peso, es cierto, ¡pero a qué precio! Otros se sometieron a un "bypass" intestinal, mediante el cual una porción importante del intestino queda fuera de funcionamiento. Esta gente también bajó de peso, pero muchos se enfermaron gravemente y algunos murieron.

Últimamente se han popularizado en algunos lugares del mundo ciertas operaciones practicadas en el aparato digestivo para dejar sin funcionar parte del estómago o de los intestinos. Para ello los cirujanos le aplican al estómago una serie de grampas o una tira de plástico esterilizada, y así lo reducen al tamaño de una bolsita que se comunica por un tubito al intestino delgado. La pequeña cantidad de alimentos que llena la bolsita da una sensación de plenitud. La persona ingiere menos alimentos, y a veces baja de peso con éxito y hasta dramáticamente.

La versión actual de esta operación es el globo gástrico. Se coloca en el estómago un globo de plástico y se lo infla, lo que también reduce la capacidad de ese órgano. Pequeñas cantidades de alimento pronto llenan el estómago, de manera que resulta imposible seguir comiendo. La perdida de peso es fenomenal. Pero implica una operación costosa y el uso de aparatos, y el seguimiento es indispensable.

Bajar de peso es un ejercicio sencillo una vez que usted se fija objetivos y adopta una actitud mental positiva. Al seguir los consejos que le damos en estas páginas, usted podrá alcanzar sus metas con éxito y facilidad. Pídale a su doctor que le diga cuál es su "peso ideal". Después usted puede trabajar para alcanzar ese objetivo. No se deje desviar de ese propósito. Siga la rutina; tal vez añada algunas vitaminas, minerales y salvado cada día. Pronto será otra persona, mental y físicamente, y con una apariencia muy atractiva.

EL MENÚ DIARIO DEL DR. WRIGHT

Muchos me preguntan qué como cada día. Bueno, en cierto momento mi peso comenzó a aumentar lentamente, y cuando descubrí que algunos de mis amigos se habían caído muertos o habían tenido un ataque al corazón, se me ocurrió que tendría que cambiar mis hábitos, aun cuando siempre había sido relativamente cuidadoso.

De manera que me dediqué a poner en práctica las recomendaciones básicas de hoy. Es decir, un régimen de alimentación pobre en grasas (de todas las clases) y rico en fibras. Al seguir este sencillo principio, bajé unos 13 kilos en unos 4 meses sin hacer grandes esfuerzos. Combiné esto con una caminata de 40 minutos diarios (los 365 días del año).

Desayuno

Una porción de cereal (no tostado, porque aumenta su contenido graso) y una rebanada de pan integral. Una cucharadita de miel. Una taza de agua caliente. Deje reposar todo por unos minutos. La rebanada de pan debe ser sin manteca (mantequilla) ni (250) margarina; úntela con mermelada. Una taza de café de malta.

En invierno suelo comer un plato de avena arrollada con una cucharadita de miel y sin leche.

Almuerzo

Un sándwich de pan integral, relleno con diversas ensaladas, un poco de queso, alguna rodaja de huevo duro, germen de trigo y un poco de manteca de maní.

Cada día puede ser diferente, y las combinaciones de verduras del relleno son infinitas. Sin manteca (mantequilla) ni margarina. Tal vez una taza de café de malta o un jugo de frutas.

En invierno un plato de sopa con verduras, con muy pocas sustancias grasas. De nuevo, las combinaciones son infinitas. Prepáreslas usted mismo o caliente las que vienen en latas de conservas, pero tenga cuidado con las marcas y el contenido.

Mientras menos sustancias grasas contengan y menos sal, mejor será.

Cena

En verano prefiero una ensalada, pero no en sándwich sino en un plato. De nuevo las combinaciones son infinitas; se puede incluir germen de trigo o de otras semillas. Las proteínas se consiguen de los porotos (fríjoles, incluido el poroto soja y sus derivados comerciales). Aquí también la variedad es muy abundante. El huevo es una buena fuente de proteínas.

En invierno conviene una comida caliente. Hay una gran variedad de verduras para prepararla: papas (no asadas), verduras rojas y amarillas (zapallo, calabaza, zanahorias), y verdes también (arvejas, repollos, bróculi, repollitos de bruselas). Las proteínas pueden provenir de las fuentes que ya hemos mencionado. (Soy vegetariano, pero reconozco que la carne magra y el pescado son buenas fuentes de proteína, preferiblemente si han sido asados.)

Como postre me gusta una porción de fruta fresca o en dulce, tal vez una pequeña porción de helado descremado, o un vaso de yogur. Es rico en calcio y de sabor agradable. Use uno que tenga acidófilos o bífidos, que contribuyen a enriquecer la flora intestinal.

Bebo entre 4 y 8 vasos de agua por día. No necesito comer nada entre comidas. Esto es en realidad un hábito, y no necesito comer a media mañana o media tarde.

Si necesita algo a esas horas, algo de fruta y unas pocas nueces está bien, y eso es mejor que una porción de torta, o papas fritas o cosas parecidas que por lo general son ricas en materias grasas. (Suele haberlas con bajo contenido graso si realmente las necesita.)

Algunos me preguntan si este régimen no es algo tedioso. La respuesta es "no", puesto que la variedad que existe de verduras, de alimentos proteicos, de nueces y semillas es tan grande que cada día se puede comer algo diferente. Estos alimentos le dejan siempre a uno un sabor fresco y agradable en la boca. Si yo ingiriera una comida rica en sustancias grasas enseguida me sentiría "pesado" y mi paladar se rebelaría.

Ya no se considera que el azúcar es "el malo de la película", como antes. Se quema pronto en el organismo, convirtiéndose en energía. Pero prefiero no usarla como aditivo. Si se la usa, debe ser con moderación. Los edulcorantes existen, pero ahora se los considera sólo "un cambio de sabor" y ya no se les asigna el lugar que antes tenían como reductores de peso.

Es bastante sencillo seguir este plan por tiempo indeterminado. Es sano, satisface, y proporciona los nutrientes, las vitaminas, las sales minerales, los antioxidantes, las fibras y los oligoelementos que necesita el organismo. Pruébelo. Las posibilidades de que le gusten son muy altas.

Caminatas

El ejercicio desempeña un papel importante en este régimen. De 30 a 40 minutos por día entran fácilmente en el programa diario de todos. Por lo general lo hago en la tarde, cuando está más fresco. Durante las caminatas matutinas, según he podido comprobar, los perros ya están despiertos, alerta y en plena actividad, y me han mordido varias veces. Camine más tarde, cuando las reacciones autodefensivas de los canes se encuentran en su nivel mínimo.

Ahora se ha llegado a la conclusión de que las cortas caminatas que se hacen a lo largo del día para hacer trámites y cumplir deberes también sirven. Entonces, trate de que el total de sus caminatas diarias llegue a 30 ó 40 minutos. Por ejemplo, hacer las tareas de la casa, lavar la ropa, correr alrededor de la casa, ir de compras, subir y bajar escaleras mientras se trabaja, todo ello puede formar parte de un programa de salud.

Resultado: mi vientre es ahora de 91 cm, y peso 66 kilos. Le recomiendo que piense positivamente.

Se sugieren otros alimentos tradicionales pobres en calorías, pero son más bien difíciles de implementar. En mi opinión apegarse a los principios generales es mucho más sencillo, y más fácil de cumplirlo en el largo plazo.

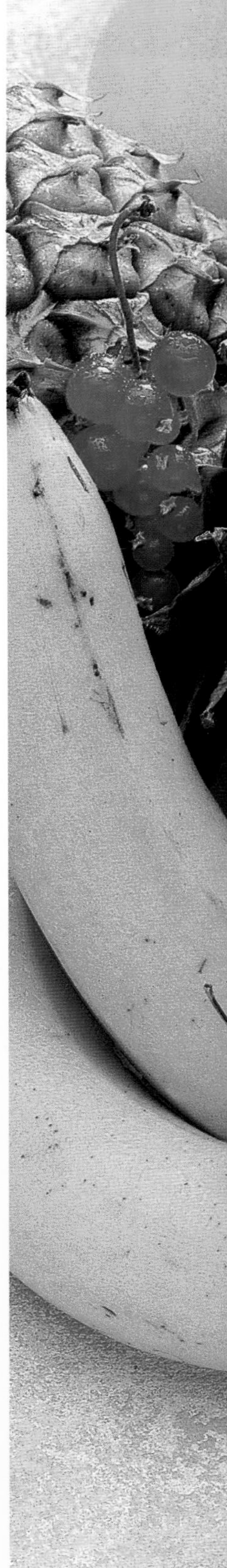

capítulo 16

Ya llegó el bebé. ¿Y ahora qué?

EN ESTE CAPÍTULO

- Cómo darle el pecho al bebé.
- Los bebés alimentados a biberón.
- Algunas pautas generales relativas al cuidado del bebé.
- Los ajustes que debe hacer la nueva mamá.
- Medidas anticonceptivas.

Se recomienda alimentar a pecho al bebé – Persistir en esto es bueno – Los especialistas en lactancia a menudo pueden ayudar – Si tiene dificultades insalvables para hacer esto, no se culpe – La alimentación a biberón puede ser satisfactoria – Se debe considerar la posibilidad de usar algún método anticonceptivo al volver a casa.

El bebé ha entrado con mucho apuro al planeta Tierra. ¿Y ahora qué? Esta es una experiencia emocionante, especialmente para las mamás primerizas, ¿no es cierto?

Así es. De repente comienza una nueve serie de eventos. Reorientar la vida para hacerles frente es un gran desafío. ¿Se lo alimentará a pecho? ¿O con biberón? Bañarlo, vestirlo, examinarlo, mientras al mismo tiempo la mamá cuida su propio cuerpo a medida que éste vuelve a la normalidad, son ciertamente eventos importantes.

¡Por fin llegó el bebé! La mamá, una vez lavada y acicalada, es posible que siga un poquito mareada, no tan bien, aunque disfrutando de una deliciosa sensación de calma y serenidad, y dándose cuenta de que los momentos difíciles ya pasaron (a lo menos por el momento). ¡Qué gran suspiro! Calma, reposo, tranquilidad.

Usted ya atendió a su bebé, posiblemente cuando todavía estaba pegajoso, cubierto de una sustancia blanquecina y cremosa. El personal del hospital ya eliminó todo eso, y usted recibió al bebé de nuevo fresco, limpio, de buen color y... ¡todo suyo!

Pero antes de mucho el bebé estará pidiendo su primera comida. Y poco después la siguiente, la siguiente y la siguiente.

Este será un proceso permanente desde el nacimiento y por un rato largo. ¡Alimento, maravilloso alimento! Y usted deberá proporcionarlo todo el tiempo. Espero que haya pensado en esto de antemano, y que haya hecho provisión para esas importantes ocasiones.

En otras palabras, sus pechos deben estar preparados para la llegada del bebé. Aunque pueden pasar unos días hasta que se disponga de la cantidad de leche adecuada y en forma regular, el bebé intentará chupar a las pocas horas de haber nacido.

El pecho es mejor

¿Qué nos puede decir de la leche materna y de la alimentación del bebé con ella?

La leche materna es la mejor. A las jóvenes madres se las ha educado en este sentido por años, y se lo sigue haciendo en muchas partes del mundo. Las razones son sencillas. La leche materna está hecha a medida para satisfacer las necesidades del bebé: su bebé. La leche de vaca también es buena, pero para los bebés de las vacas, es

En cuanto el bebé llega a casa, la mamá tiene que decidir si lo va a alimentar a pecho o con biberón, y debe atender sus otras necesidades como el baño, la ropa y cuándo cambiarlo.

decir, los terneros, para los cuales se la creó.

La leche materna casi siempre está disponible cuando se la necesita, con la fórmula adecuada y la temperatura correcta. No hay que calentarla ni esterilizarla. El bebé se prende del pecho, y eso es todo. No necesita ni refrigeración ni calor; es decir, es ideal, especialmente donde no es fácil mantener altas normas de higiene, o hay mucha gente y no hay tantas heladeras (refrigeradores).

La leche materna contiene antibióticos para proteger al bebé, especialmente de los gérmenes que lo quieren invadir. Estos abundan en los primeros años de la vida del bebé, y muchos, especialmente los que infectan el aparato digestivo, son responsables de una cantidad de muertes en algunos países. Hay quienes creen que la alimentación con leche materna ofrece protección contra la mortalidad infantil.

La leche materna también es ideal para los bebés alérgicos: predispuestos a erupciones, problemas intestinales y otras reacciones de este tipo. Aunque algunas de estas dolencias desaparecen cuando el bebé crece, suelen ser un serio problema en las primeras etapas de la vida.

¿Qué nos puede decir de la leche de vaca?

Los bebés alérgicos a veces no pueden soportar la leche de vaca. En efecto, muchos pediatras, expertos en nutrición, abogan por la total eliminación de la leche de

La leche materna contiene anticuerpos que protegen al bebé. También contiene antivirus definidos que ayudan a combatir los gérmenes y virus que pugnan por entrar.

vaca en el primer año de la vida del bebé.

El hecho de que éste pida a menudo de mamar, le ha servido de argumento a algunas mamás para pasar al biberón. Pero a la larga esto se compensa si se toma en cuenta la economía de tiempo, de costos, y la necesidad de esterilizar los implementos y la constante compra de alimentos artificiales. Y, como dicen algunos, el alimento natural viene muy bien envasado.

¿Se necesita mucho tiempo para que la alimentación con leche materna sea normal?

La leche materna es mejor para el bebé por causa de sus propiedades protectoras, y siempre está a la temperatura correcta.

Pueden pasar algunos días, posiblemente una semana o más. En las primeras etapas se descarta el calostro porque es muy espeso. Es rico en anticuerpos protectores para impedir que los gérmenes hostiles invadan al bebé. Pero después de algunos días comienza aparecer la leche normal, azulada y más diluida.

Entonces los pechos tienden a agrandarse y a veces se ponen blandos como consecuencia de la cantidad de líquido que están fabricando, y la natural hinchazón de las glándulas del tejido de las mamas. Pero a medida que el bebé aprende a mamar —a veces todo lo que estas glándulas pueden producir—, la producción de leche y el vaciamiento consiguiente se regularizan en pocas semanas.

¿Por cuánto tiempo debería mamar el bebé?

Se recomienda que en los primeros días lo haga sólo por unos pocos minutos. Cuando se trata del primer bebé, esto le da a los pezones la oportunidad de ajustarse. De vez en cuando éstos se agrietan y puede doler mucho, al punto que la alimentación con leche materna se vuelve imposible.

El bebé por lo general come lo suficiente en los cinco primeros minutos que está en el pecho, y con toda seguridad durante los 10 minutos siguientes. Pero a veces se queda hasta 20 minutos mamando despacio, y sin duda lo disfruta.

¿De qué pecho hay que darle de mamar?

¿De qué pecho debería mamar el bebé, del izquierdo o del derecho?

Ambos pechos producen normalmente la misma cantidad de leche. El acto de mamar y el vaciamiento de la mama estimulan la producción de leche. Es mejor ofrecerle primero un pecho y después el otro; el último por lo común no está vacío cuando el bebé decide no mamar más. En la próxima mamada invierta el orden, de manera que en el curso del día ambos pechos se vacíen regularmente, y así se estimulen para producir leche en forma constante. Si un pecho al parecer contiene leche todavía después de la mamada, para su propia comodidad trate de extraer lo que queda.

¿Cuál es la mejor posición para amamantar?

Este es un asunto de decisión personal,

y las damas descubren con el tiempo las posturas que les brindan más comodidad. La leche aparece con más prontitud si la mamá está cómoda. Acuéstese o siéntese al dar de mamar. Ponga unas cuantas almohadas debajo de la cabeza, el cuello y la espalda para disponer de más apoyo.

El bebé puede prenderse más fácilmente del pezón cuando su cabecita está en un nivel más alto. Esto se puede cambiar de manera que el bebé esté recostado después sobre un almohadón con la madre en un nivel más alto. Los bebés suelen necesitar de un poco de ayuda al principio, y al acariciarles suavemente las mejillas se puede estimular el reflejo de la succión. A veces pasa un minuto o algo más antes que llegue la leche. Si se extrae una gota de leche apretando levemente el pezón con los dedos, y se deja que el bebé la chupe, esto le dirá que algo más viene en camino, y lo animará a chupar.

Pero a veces la leche llega de golpe y ahoga al bebé. Si se aprieta levemente el pezón se puede reducir el flujo. A algunas mujeres les resulta mejor ponerse de espaldas, de manera que el bebé chupa "en contra de la corriente". Es una buena idea.

¿Cuán a menudo se debe dar de mamar al bebé?

En algunos hospitales hay horas fijas para esto: cada tres o cuatro horas. Pero muchas mujeres le dan de mamar a su bebé cuando éste lo solicita, y les da buenos resultados. Por eso lo alimentan cuando se despierta y manifiesta deseos de mamar. No importa qué método se adopte, esa alimentación "a voluntad" pronto se reducirá a mamadas a horas regulares.

¿Hay mujeres con pechos hinchados y doloridos?

Sí, las hay. En esos casos, los pechos parecen llenos y caídos. La madre y su bebé

Cómo producen leche los pechos

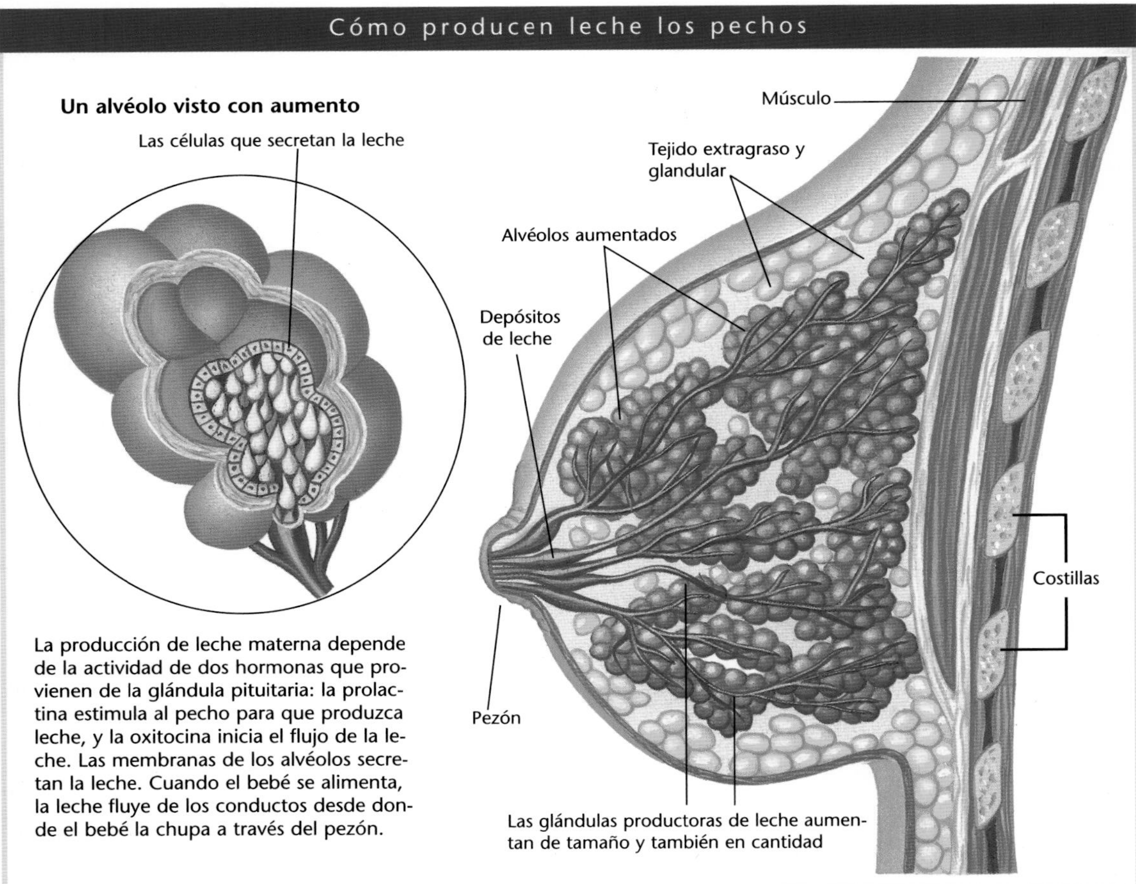

La producción de leche materna depende de la actividad de dos hormonas que provienen de la glándula pituitaria: la prolactina estimula al pecho para que produzca leche, y la oxitocina inicia el flujo de la leche. Las membranas de los alvéolos secretan la leche. Cuando el bebé se alimenta, la leche fluye de los conductos desde donde el bebé la chupa a través del pezón.

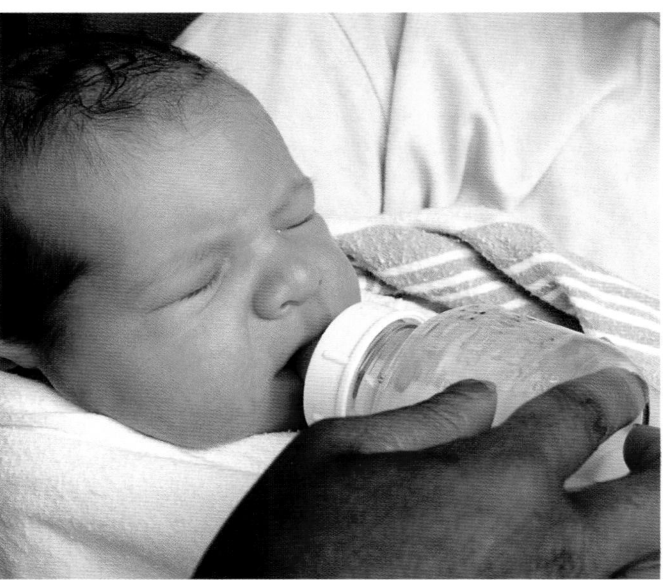

Algunas madres descubren que a las pocas semanas se ven obligadas a recurrir al biberón.

se ponen nerviosos, y al bebé le resulta difícil captar el pezón y el tejido circundante con sus labios. Si la madre toma una ducha caliente antes de dar de mamar, los pechos se suelen suavizar, y así comienza el flujo de leche y se resuelve el problema con facilidad.

¿Es cierto que algunas mujeres tienen que extraer algo de la leche que producen?

A veces es necesario. Los hospitales usan varias clases de extractores de leche, o lo hacen manualmente. Antes de mucho se puede saber si esta operación se está haciendo bien, porque la leche empieza a brotar del pezón. En ocasiones el pecho está tan tenso y tan lleno, que el bebé no lo puede manejar. Cuando se extrae algo de leche, y las mamas se ablandan, se le puede ofrecer el pecho al bebé.

Algunas mujeres se quejan de que sus pezones son muy blandos.

Es verdad, y esto es común en los primeros días después del parto. En general esto se soluciona a los pocos días con muy poco o ningún tratamiento. Algunas mujeres descubren que se alivian si se aplican una crema adecuada después de cada mamada, y si se masajean suavemente los pechos. Los pezones que permanecen constantemente mojados tienden a agrietarse y suelen doler.

Si se pone una tela absorbente en contacto con los pezones dentro de un corpiño maternal, absorberá todo el fluido y los mantendrá secos. No use material impermeable, porque los conserva húmedos. Si éstos se agrietan, suelen provocar un intenso dolor, y necesitan tratamiento inmediato.

La alimentación por medio del biberón

Hoy cada vez más mujeres tratan con éxito de alimentar a sus bebés con leche materna. Todas las madres deberían intentarlo, y sólo recurrir a la alimentación artificial si no hay otra solución.

Por supuesto. Pero a pesar de las conocidas ventajas de la alimentación natural, algunas madres jóvenes sólo lo pueden hacer por pocas semanas. La mayoría está de acuerdo en que vale la pena perseverar, y la sensata educación que se ha impartido en este sentido durante los últimos años revela que esto ha logrado mucha popularidad.

Pero persiste el hecho de que 1 de cada 5 mujeres no pasa de las 4 ó 6 semanas. De manera que para estos casos en particular, la alimentación artificial tiene un lugar bien establecido, y de acuerdo con la mayoría de los pediatras, el uso de alimentos artificiales, como ser la leche de vaca sometida a cierto proceso especial, le permite a los bebés crecer bien. Sus ingredientes son similares a los de la leche materna, y contiene los elementos esenciales para el normal desarrollo del bebé.

Se dice que hay dos clases de leches artificiales: las que se hacen con leche, y las que se hacen con soja. ¿Es cierto esto?

Así es. Las que se hacen con leche a su vez se subdividen en las que contienen mayormente suero, y las que contienen mayormente caseína. En general, las que tienen suero son más apropiadas para alimentar a los bebés pequeños. Las que contienen caseína no han sido muy modificadas, y son mejores para los bebés más grandes.

Las fórmulas que se basan en la soja son buenas cuando se necesita administrar una dieta sin leche. A veces se usa leche de cabra con la idea de que es buena para los bebés, paro desde el punto de vista de sus nutrientes y de la bacteriología no es adecuada para los bebés.

Si en la familia no hay alérgicos, la alimentación artificial puede comenzar a las cuatro o seis semanas, según el Dr. Michael Deloughery. Pero si los hay, se debe tratar de proseguir con la alimentación materna tanto como se pueda. Es indispensable que el bebé esté lejos del humo del tabaco, y si la mamá se preocupa realmente de la salud de su bebé, dejará de fumar.

¿No le parece que sería bueno darles algunas ideas prácticas a las mamás que tienen que alimentar a sus bebés con biberón?

Lean las instrucciones que aparecen en las etiquetas de las botellas o de las cajas en que viene la leche, y prepárenla tan exactamente como ahí dice. Asegúrense de lavarse las manos antes de preparar el biberón. Lávenselas bien con jabón y agua caliente. Laven y esterilicen todo lo que se va a usar.

¿Qué nos puede decir acerca del bebé?

Lo mejor es que usted tenga al bebé muy cerca cuando los alimenta. Esto también forma parte del afecto que merece su bebé, es decir, de la relación mamá-bebé. Seguramente esto es más íntimo e intenso cuando se alimenta al bebé con leche materna, pero el contacto del cuerpo de la madre con el del bebé es muy importante.

No obligue al bebé a tomar el biberón. Aliméntelo de acuerdo con sus necesidades, no con horarios ni cantidades preestablecidos. Tenga paciencia. Todo esto necesita tiempo, y toma tiempo también conocer al bebé, para saber qué le gusta y qué no le gusta.

Podría añadir que al revés de lo que muchos creen, realmente toma tiempo preparar y dar biberones. La alimentación artificial, en mi opinión, da más trabajo, toma más tiempo y requiere más esfuerzo que la alimentación materna.

¿Cuál es la mejor fórmula o receta que se puede usar?

Hay varios alimentos artificiales que se pueden usar. La enfermera o el doctor especialista en esta materia pueden ayudar a la mamá en este sentido, y seguramente de esas conversaciones saldrá lo mejor para el bebé. El costo y el trabajo también tienen que ver con la decisión que se va a tomar. Se aconseja que en las primeras etapas se consiga asesoramiento profesional para preparar biberones y descubrir la receta que beneficia más a su bebé. Con el tiempo esto llega a ser fácil, aunque demora algo.

¿Tiene algunos consejos más para las madres que deben alimentar a sus bebés con biberón?

Claro que sí. Idealmente la leche debe estar caliente. Rocíe un poco de ella sobre el dorso de la mano para verificar que no está demasiado caliente o fría. Verifique que la tetina deja salir un chorro adecuado: unas pocas gotas por segundo es lo conveniente. Asegúrese de que el bebé está cómodo y junto a usted mientras lo alimenta. Déle suaves toques en las mejillas para estimularlo a chupar. Acerque suavemente la tetina a los labios del bebé. Pronto abrirá la boca y comenzará a chupar. Conserve el biberón en un ángulo adecuado, y asegúrese de que el bebé está tomando leche y no aire. Hágalo descansar a mi-

La madre debe aprender a bañar al bebé, a cambiarlo y a alimentarlo a pecho antes de dejar el hospital.

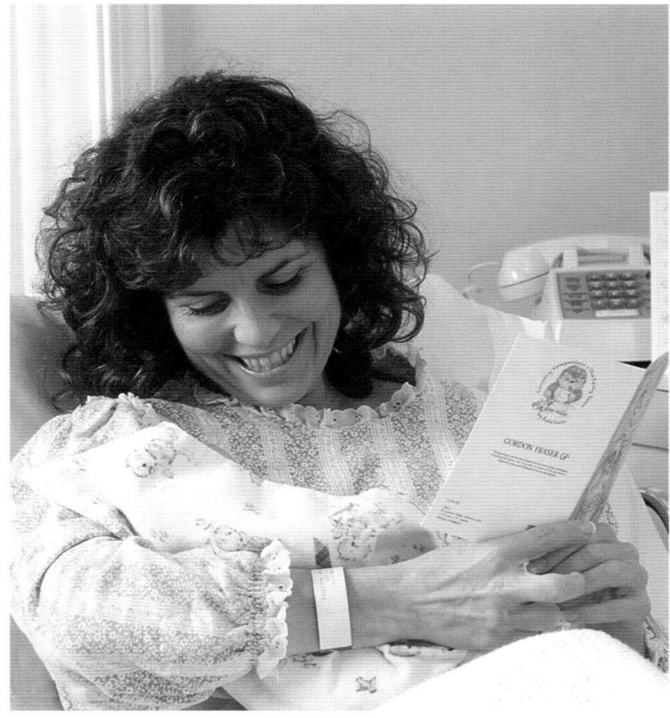

tad del biberón, y déjelo que tenga un eructo, si quiere.

¿Por cuánto tiempo debe chupar el biberón?

Depende, pero en promedio de 15 a 20 minutos es suficiente. Con frecuencia el bebé se duerme mientras come, o un poco después. No lo despierte. Las reacciones de su bebé son la mejor guía acerca de cuándo está satisfecho y no necesita nada más. Un bebé sano es su mejor barómetro.

En resumen, parece que la alimentación del bebé con leche materna es todavía lo mejor, de manera que siga con ella por tanto tiempo como le resulte práctico. Para el 20% de las madres que tienen problemas, la alimentación artificial es satisfactoria, si se usa leche de vaca preparada, desde la 4a. hasta la 6a. semanas. Por supuesto, para las madres que no le pueden dar el pecho al bebé, o para las que han decidido no hacerlo, la alimentación artificial desde el nacimiento también es buena.

Los problemas posparto son bien conocidos por el personal del hospital y por los esposos.

Si el bebé tiene tendencia a la alergia, trate de darle el pecho tanto como se pueda, porque los bebés no reaccionan bien ante los grandes grumos que contienen los productos artificiales o preparados con soja. No obstante, la alimentación artificial es por lo común bastante segura y satisfactoria para los que la requieren.

Algunos puntos generales

¿Aprenden mucho las madres en el hospital antes de regresar a sus casas?

A las madres primerizas se les suele dar, mientras están en el hospital, algunas lecciones prácticas acerca de cómo bañar y cuidar al bebé. Las que tienen más experiencia, por lo común ya lo saben todo; no obstante, también se les refresca la memoria. Cómo bañar al bebé, cómo cambiarle la ropa y los pañales, qué cuidados se debe tener con el cordón umbilical, son instrucciones que por lo común da gratuitamente el personal de la maternidad, que suele ser muy servicial.

¿Qué nos puede decir de los tests para bebés?

En los países del primer mundo, y en otros donde también existe preocupación por estos asuntos, se les hacen a los bebés ciertos tests para descubrir si se manifiestan en ellos o no ciertas afecciones como la fenilquetonuria y la deficiencia de la tiroides, que puede ser causa de retardo mental. Si estas pruebas resultan positivas, el doctor notificará rápidamente a la familia y aconsejará el tratamiento apropiado. Hay otros tests en estudio.

¿Qué nos puede decir de la circuncisión?

En la actualidad no se circuncida a los varoncitos, a menos que haya una razón para ello. Ciertas afecciones hacen imprescindible esta operación, pero si el bebé es normal, los pediatras no la recomiendan.

Pero este tema está volviendo a aparecer, y en los Estados Unidos (y en otros países también) se está poniendo de moda. Algunos investigadores afirman que los bebés circuncidados tienen menos infecciones urinarias en los primeros meses de la vida.

Las actitudes personales también desempeñan su papel en esto. Si al papá le fue bien con la circuncisión, entonces le tendrá que ir bien al hijo. Hoy muchos médicos satisfacen los deseos de los padres.

"¿Está bien mi bebé?"

Casi todas las madres hacen esta pregunta en el momento cuando nace su bebé. Comúnmente el doctor que atendió el parto hace una rápida evaluación para contar los dedos de las manos y los pies, examinar la boca, los ojos, el ano, la vagina y otras zonas para asegurarse de que todo está bien. Frecuentemente un pediatra examina al bebé poco después, para intentar descubrir cualquier anormalidad. Si aparece algo anormal, se le dará a los padres el consejo adecuado.

Cambios personales

¿Qué nos puede decir acerca de la madre?

Ella recupera pronto su forma normal, tanto interna como externamente. La matriz, que se puede sentir que está alta en el abdomen, gradualmente desciende y se asienta. Todo esto toma unas seis semanas, pero la mayor parte de los cambios hacia la normalidad ocurren en un par de semanas.

Algunas mujeres sufren de "dolores posteriores".

Así es. Esto se debe a que la matriz todavía se está contrayendo, tratando de eliminar los restos de cualquier cosa que podría haber quedado allí. Por pocos días puede haber un poco de sangre y algunos flujos. Pero pronto todo eso desaparece, los dolores disminuyen y terminan por extinguirse.

¿Qué nos puede decir de ciertos flujos vaginales?

Por un tiempo seguirán produciéndose flujos vaginales. Al principio son rojizos, y pueden tener algunos coágulos pequeños. Más tarde son amarillentos y finalmente blancos. Desaparecen al cabo de tres semanas, o algo así.

Algunas mujeres suelen sufrir de reacciones emocionales muy intensas.

Así es. Suele haber rápidos cambios de humor, que pueden culminar durante el 5o. día. La madre puede sentirse feliz y estar riendo en un determinado momento, y poco después se siente deprimida y desesperada. Esto suele ser temporal. A veces es grave y requiere atención médica.

El personal de los hospitales está muy al tanto de las "tristezas posparto", y muchos maridos también lo están. Es bueno que lo recuerde, y que tenga cuidado con lo que dice y cómo trata a su esposa en esos momentos.

¿Qué nos puede decir de los puntos de sutura?

A menudo las mujeres necesitan que se les haga una incisión durante el parto que se llama episiotomía, y a la que se le deben aplicar puntos de sutura. Hay que eliminarlos después. Algunos se absorben; depende del material que se haya empleado. En el hospital se atiende y se cura regularmente el perineo (la zona donde se aplican los puntos) para asegurarse de que no se han infectado y que están sanando satisfactoriamente.

¿Cuándo se le permite levantarse a la madre?

Si el parto ha sido normal, sin complicaciones, generalmente se le permite levantarse el mismo día, para ir al baño e higienizarse.

¿Necesitan descansar durante el día las nuevas mamás?

Las nuevas mamás pasan por una pesadilla bastante grande, y la mayoría de ellas se beneficiará si puede disponer de unos momentos de descanso durante el día. En los hospitales esto se suele programar. Cuando vuelve a casa, se le recomienda un período de descanso cada día y por un tiempo.

¿Qué en cuanto a las visitas?

A algunas mujeres les gusta que las visiten sus parientes y amigos, y se sienten felices en su compañía. A otras les resulta cansador, y prefieren que las visitas se reduzcan al mínimo indispensable. Es una decisión personal que se debe respetar.

¿Qué pasa si a la madre se la somete a un test de rubéola durante el embarazo y resulta negativo?

Hoy esto no suele ocurrir, pero es posible. El doctor le puede administrar una vacuna contra la rubéola antes de que salga del hospital. Pero es importante que no quede embarazada de vuelta por lo menos por tres meses.

¿Se puede hacer el amor durante ese tiempo?

Esto también es una decisión personal, y la consideración y el amor siempre deben prevalecer. A veces las mujeres no están dispuestas a eso por varias semanas. El parto mismo, y probablemente algunas heridas y algunos puntos en la zona vaginal, los flujos vaginales, normales después del parto, tienden a mitigar el deseo de volver demasiado pronto a hacer el amor normalmente.

Un cónyuge considerado comprenderá todo esto, y esperará con paciencia a que ella recupere su entusiasmo al respecto, lo que ocurre en la mayoría de los casos en pocas semanas o meses. Pasan entre ocho y diez semanas antes que se recuperen las glándulas que lubrican la vagina y comiencen a funcionar de nuevo. Se pueden usar con buenos resultados algunos lubricantes artificiales si la vagina está seca.

Los métodos anticonceptivos

¿Qué pasa con los anticonceptivos en estos momentos?

Cuando la mamá alimenta a su bebé con biberón, comienza a ovular (y a menstruar) mucho antes que si lo estuviera alimentando con leche materna, alimentación que produce hormonas que tienden a inhibir la ovulación y a impedir que la mujer quede embarazada de nuevo, aunque esto no es garantía absoluta. Con la alimentación a biberón, el embarazo podría producirse cuatro semanas después del parto; con la alimentación materna esto generalmente no es posible mientras la

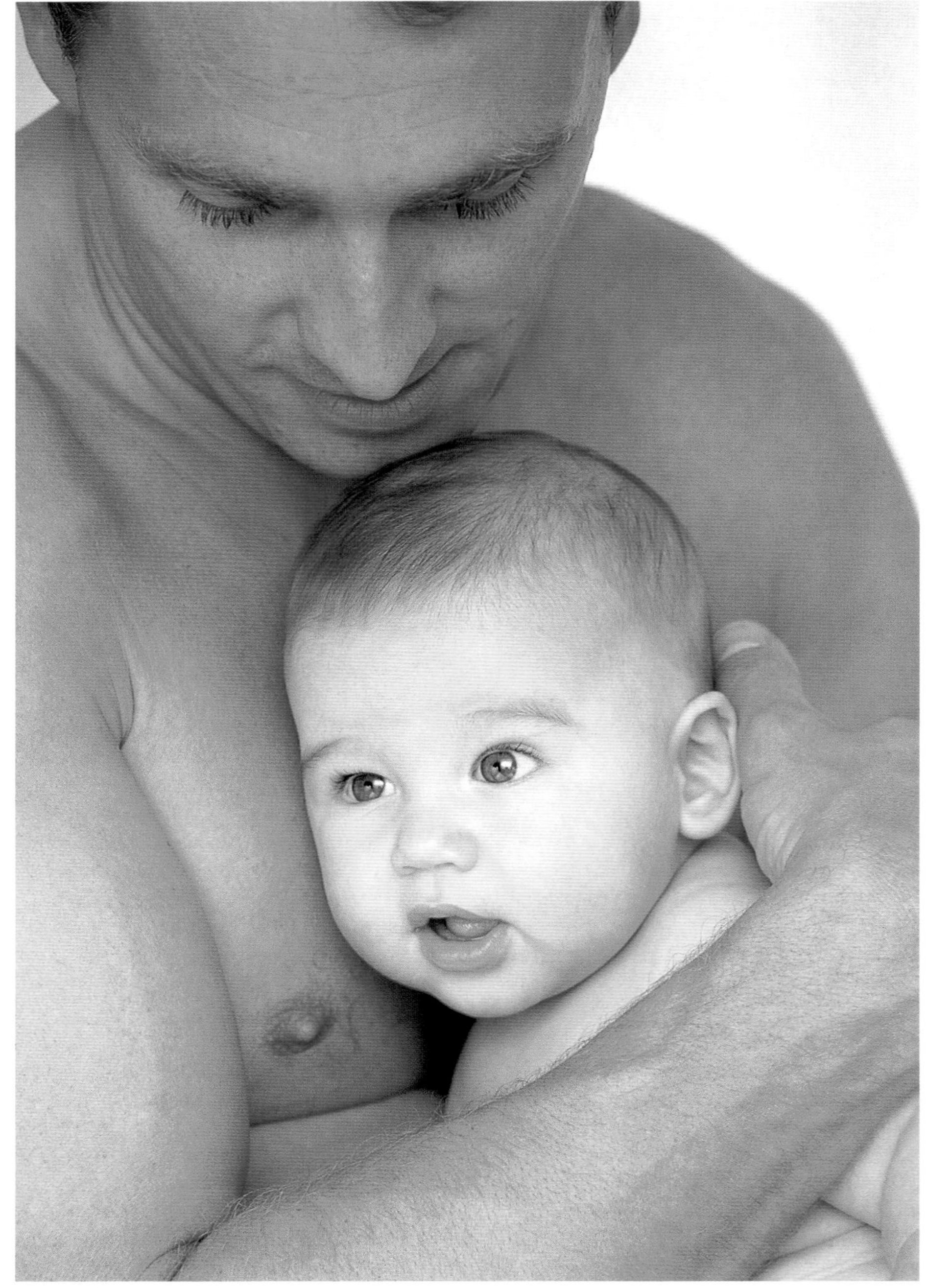

Últimamente los padres desempeñan un papel más activo y manifiestan más interés en la crianza del bebé.

mamá está amamantando a su bebé, aunque esto tampoco es una garantía absoluta.

Vale la pena discutir con el obstetra, con bastante anticipación, el tema de los anticonceptivos, de manera que usted pueda disponer de conceptos claros en cuanto a lo que conviene hacer, como por ejemplo cuándo comenzar a tomar de nuevo las píldoras anticonceptivas.

Cuando las mujeres han completado su planificación familiar, y tienen una cesárea, se suele aprovechar ese momento para hacerles una ligadura de trompas. Las trompas de Falopio se atan y probablemente se seccionan (o se eliminan), de manera que resulta imposible que haya futuros embarazos.

Aunque la vida les puede resultar difícil a las madres solteras, la mayor parte de ellas se las arregla bastante bien.

¿A qué se le llama el "examen de la sexta semana"?

Generalmente se examina a la madre cuando abandona el hospital. Cuando el bebé tiene seis semanas, ella vuelve para un chequeo ginecológico, y posiblemente también se le hace entonces la prueba de la aplicación de Pap, para de tener la seguridad de que todo está bien. Se examina de nuevo al bebé en esa oportunidad.

¿Qué pasa con el padre?

En estos últimos años se le está dando cada vez más énfasis al papel del padre en el proceso del embarazo y el parto. Suelen asistir con sus esposas a clases prenatales. Muchos de ellos están presentes en el momento del parto, y se interesan profundamente en todo el proceso.

Creo que esto es una excelente idea, y le da al esposo un concepto más amplio de lo que sucede. Mientras más participe él, más íntima será la relación familiar, y con frecuencia esto es impagable cuando la mamá y el bebé regresan a casa. El hecho de participar activamente en el cuidado del bebé es una buena manera de fortalecer la unidad familiar y compartir las tareas de la casa.

¿Qué podemos decir de la inscripción en el Registro Civil y todas las demás formalidades?

En algunos países los hospitales ya proveen a los padres de los formularios de inscripción en el Registro Civil. En América Latina, hasta donde sabemos, no sucede esto. La inscripción en el Registro Civil es un asunto que deben encarar directamente los padres del bebé y los familiares. Cada país tiene su legislación al respecto, y es bueno estar al tanto de todo esto para no incurrir en moras ni multas. Por supuesto, todo bebé que nazca debe ser inscrito en el Registro Civil, porque ésta es la única manera de que tenga existencia legal. Es un trámite que ningún padre ni ninguna madre, si son sensatos, deberá obviar.

capítulo 17

EN ESTE CAPÍTULO

- El autoexamen de las mamas.
- Bultos anormales y su tratamiento.
- Cirugía de mamas y los extensores de tejidos.
- Las mamografías y los chequeos médicos.
- ¿Causa cáncer la píldora? No hay riesgos.
- La cirugía plástica de las mamas.

No descuide los problemas de los senos

Todas las mujeres deberían examinarse regularmente – Consulte a su médico si no sabe cómo hacerlo – Los bultos y las durezas en los pechos necesitan inmediata investigación – Las mamografías han revolucionado el diagnóstico del cáncer de mama – La cirugía estética de pecho está muy difundida – Muchos métodos nuevos y seguros dan resultados aceptables – Las prótesis pueden ayudar a las damas después de una operación.

¿Le parece a usted que las madres se preocupan lo suficiente de su salud?

Me parece que en general las madres se preocupan más de la salud de su familia que de la propia. Es verdad que muchas mujeres saben lo que deberían estar haciendo regularmente, pero no quieren tomarse las molestias que esto implica. Están demasiado ocupadas con las actividades de cada día para pensar en ellas mismas. Están al tanto de todo lo que tienen que hacer, pero prefieren postergarlo hasta un momento más conveniente, y como todos sabemos, mañana es 24 horas después.

Así que la tendencia es a descuidarse a sí mismas. ¿No causa esto, con el tiempo, problemas mayores?

Ese es a menudo el caso. Pero ahora mismo trataremos dos situaciones muy importantes cuya atención regular es indispensable para las madres. Es la atención especial que se debe dar a las mamas y al cuello de la matriz. Sé que de esto se ha hablado a menudo, y de cada dos revistas dedicadas a la mujer, en una de ellas aparecerá probablemente un artículo que se refiere a la importancia de estos asuntos. Pero a pesar de eso, el problema sigue siendo de capital importancia, y en lo que se refiere a las mamas, las malas noticias siguen empeorando, cuando uno esperaría que mejoraran. Me alegro de poder decir que en cuanto al tema del cuello de la matriz las estadísticas indican que estamos haciendo relativamente buenos progresos.

¿Por qué es tan importante el autoexamen regular de las mamas?

El hecho es que una mujer de cada 15 desarrolla cáncer de mamas. Dé una mirada alrededor y piense en lo que esto significa. Si usted está asistiendo a una función teatral y hay allí 1.200 mujeres, 100 están destinadas a desarrollar cáncer de mamas dentro de un tiempo. Es un pensamiento sobrecogedor.

Lo que es más grave todavía es que a pesar de todo el desarrollo tecnológico, de lo avanzada que está la cirugía, el desarrollo de nuevos y más poderosos medicamentos citotóxicos (destructores de las células cancerosas), el índice de fallecimientos por esta causa no es menor ahora de lo que era hace 60 años. Esto es una bofetada en el rostro, ¿no les parece?

Ahora bien, si las cifras oficiales no son mejores, ¿cuál es la razón de que nos refiramos a este tema? Mientras más hablamos, al parecer, menos progresamos. ¿Es esto correcto?

Sí y no. El factor importante es éste. Hoy existen muchísimas posibilidades de que un cáncer de mamas se cure por completo. Pero —y subrayo el "pero"—, esto se consigue sólo si hay un diagnóstico precoz. Y ésta es la clave del éxito. Esta es la razón por la cual escribimos este capítulo y los doctores constantemente insisten con el mensaje de que las mujeres deben estar alerta, y que se examinen, se vuelvan a examinar y se sigan examinando por el resto de sus vidas.

Si el cáncer se detecta a tiempo, y se dan inmediatamente los pasos apropiados, entonces esa persona no pasará a abultar las estadísticas. No formará parte de la multitud de mujeres que mueren de cáncer de mama cada año en todo el mundo.

Pero lo contrario también puede ocurrir, ¿no es cierto?

Claro que sí. Si el cáncer de mama recién se descubre cuando ya se ha extendido a otras partes del cuerpo, el pronóstico es malo. Las posibilidades de salvar esa vida son muy pocas.

El autoexamen de las mamas

¿Cuál es el meollo de su mensaje?

Toda mujer debe convertirse en experta en el examen regular de sus propias mamas, y debe hacerlo en forma permanente a partir de fines de la adolescencia. Debe ser un ejercicio constante por el resto de su vida. Esto es así de simple.

Por supuesto, el cáncer de mamas entre las jóvenes no es común. Muy rara vez se lo ve en una adolescente, por ejemplo. Pero en la última década los periódicos médicos de todo el mundo han publicado más informes acerca de que el cáncer de mamas está apareciendo en mujeres cada vez más jóvenes, y que muchas de 20 años o poco más han contraído la enfermedad.

Tradicionalmente la edad en que aparece el cáncer de mama va de los 45 años en adelante. Las posibilidades aumentan con la edad, de manera que muchas mujeres de 60 años lo pueden contraer. Pero puede atacar a mujeres más jóvenes aún, y ésta parecería ser la tendencia en la actualidad.

El meollo de nuestro mensaje es, por eso mismo, que si las mujeres de todas partes del mundo se examinaran sistemáticamente las mamas, y que perseveraran con esta práctica por el resto de sus vidas, muchos casos se detectarían bien precozmente, con una elevada posibilidad de lograr su curación total.

¿En qué consiste el examen de las mamas?

El momento ideal para hacerlo es inmediatamente después de un período menstrual. A muchas mujeres los senos se les ponen tensos y sensibles justo antes de la menstruación, y pueden llegar a estar doloridos y provocar incomodidad. Pero cuando comienza la menstruación, grandes cantidades de líquido se expulsan generalmente por medio de la orina. La sensación de plenitud de los pechos tiende a disiparse, y ese es el mejor momento para hacer el examen.

Hay varias maneras sencillas de hacerlo. Muchas lo hacen mientras están bajo la ducha, cuando el cuerpo está mojado y las manos están enjabonadas. Revisen suavemente —o palpen, como dicen los médicos— toda la región de los pechos, abarcando cada lugar, y después concéntrense en la zona de los pezones y las partes que están debajo. Este examen dura unos pocos minutos. Si descubren alguna anormalidad o un bulto raro, recuerden que se trata de algo sospechoso.

Algunas mujeres tienen senos bastante grandes, y les resulta difícil determinar si aparecen bultos.

Es cierto, y para esas mujeres el examen lo pueden hacer mejor cuando yacen de espaldas en la cama. El tejido del seno tiende a caer. Entonces, del mismo modo, usando la palma de la mano y la parte interna de los dedos, se puede examinar cuidadosamente cada sector de la mama, con firmes movimientos de las manos, pero suaves y circulares. Hágalo sistemáticamente. La forma ideal de hacerlo es dividir mentalmente la mama en cuatro partes, como lo hacen los médicos. Entonces, mueva las manos sobre cada parte en el sentido de las manecillas del reloj, para terminar con la región central y el pezón. Use la mano derecha para el seno izquierdo, y la mano izquierda para el seno derecho.

Es posible que unas 60.000 mujeres pierdan la vida cada año en América Latina víctimas del cáncer de mama.

El autoexamen de los senos

1. Siéntese o permanezca de pie frente al espejo, con los brazos relajados a ambos lados, y examine cuidadosamente sus mamas para tratar de descubrir cualquier cambio de tamaño y forma. Examine para tratar de ver cualquier saliente y hundimiento de la piel, o cualquier pérdida de líquido por parte de los pezones, o cambio de forma.

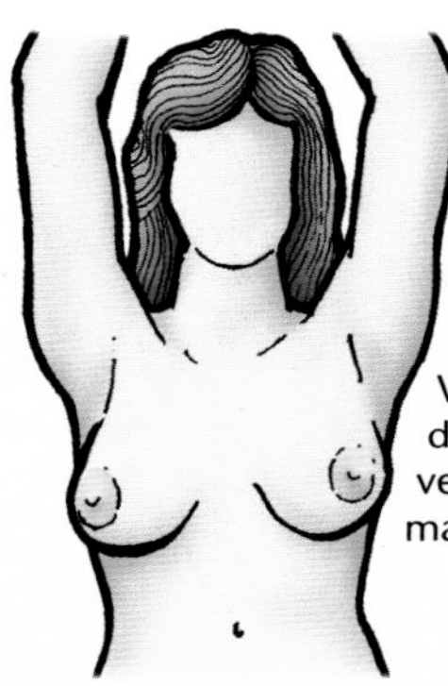

2. Levante ambos brazos por encima de la cabeza y busque exactamente esas mismas cosas. Vea si no se han producido cambios desde la última vez que usted examinó sus mamas.

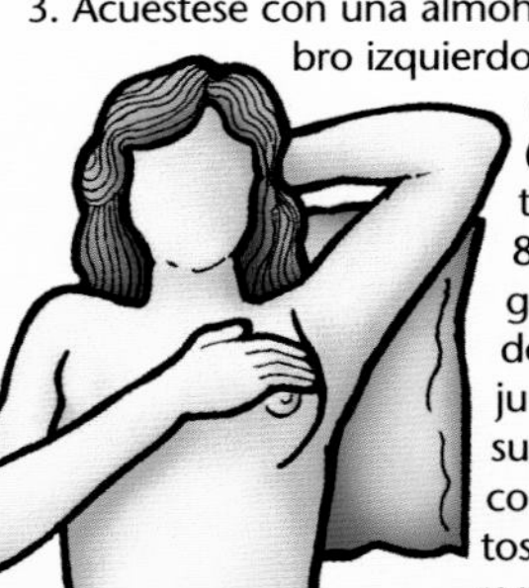

3. Acuéstese con una almohada debajo de su hombro izquierdo. Ponga la mano izquierda debajo de la cabeza. (A partir de este momento y hasta llegar al punto 8 busque durezas o engrosamientos.) Con los dedos de la mano derecha juntos y planos, presione suave pero firmemente con pequeños movimientos circulares para sentir la región interna y la superior de su mama izquierda, desde el esternón hasta el pezón.

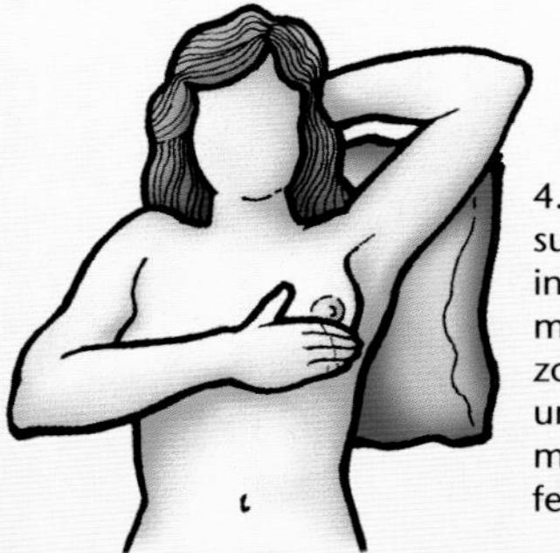

4. Con la misma presión suave examine la parte interna e inferior de la mama. De paso, en esta zona usted encontrará una porción de tejido firme de carne. Eso es perfectamente normal.

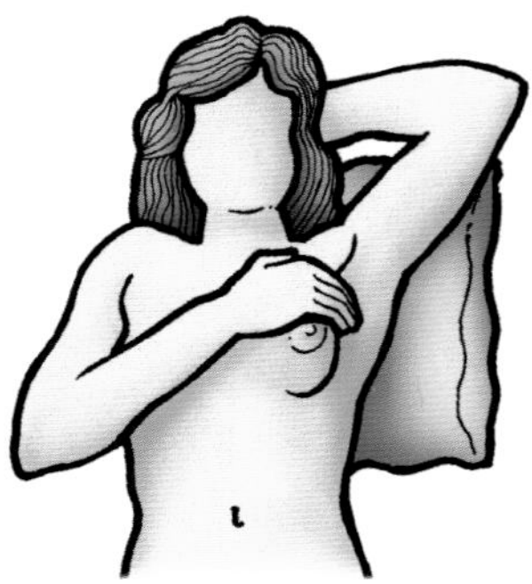

5. Ahora ponga su brazo izquierdo debajo de la cabeza, y con la parte plana de los dedos de la mano derecha examine la parte interna de la axila.

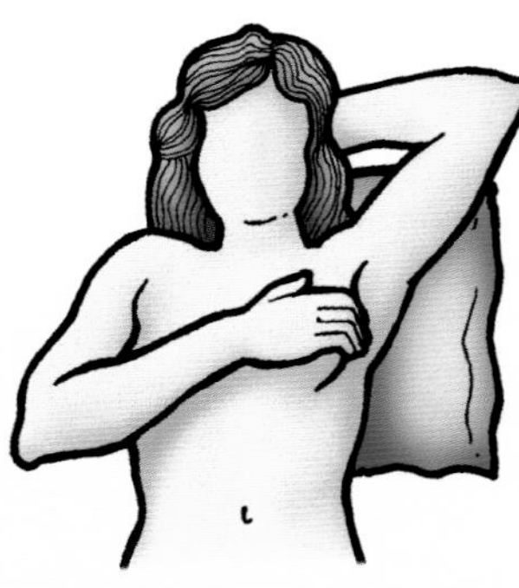

6. Use la misma presión suave para examinar la parte superior y externa de su mama desde la línea del pezón hasta donde su brazo está descansando.

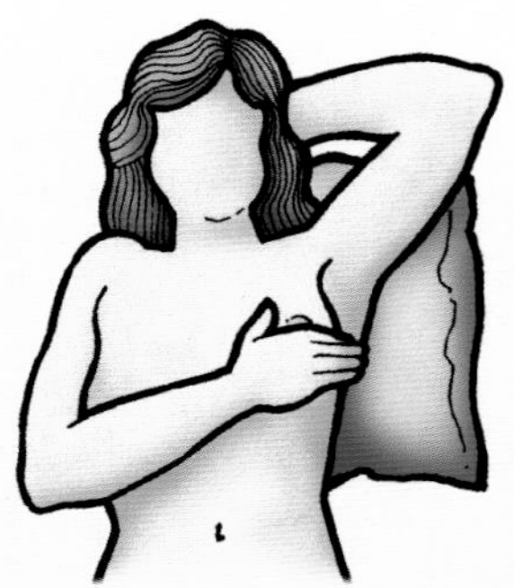

7. Finalmente examine la sección inferior externa de su mama, partiendo desde el exterior hasta el pezón.

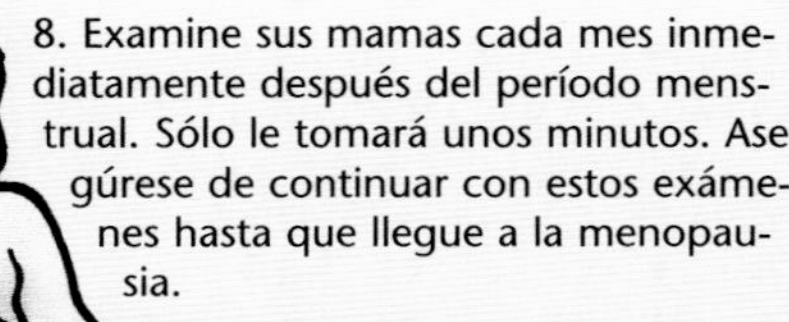

8. Examine sus mamas cada mes inmediatamente después del período menstrual. Sólo le tomará unos minutos. Asegúrese de continuar con estos exámenes hasta que llegue a la menopausia.

Si usted encuentra bultos, durezas o cualquier otro cambio, vea a su doctor. Sólo unos pocos de ellos son cancerosos, pero el doctor es el único que lo puede determinar.

¿A qué se parece un cáncer al tacto?

Típicamente, se siente como un bulto duro, medio parecido a una arveja o una pelotita inmediatamente por debajo de la piel, o más adentro en el tejido adiposo (graso). Muchas mujeres aseguran que sienten toda clase de bultos. Es cierto, porque las mamas contienen una cantidad de glándulas productoras de leche, que están allí precisamente porque sirven para alimentar al bebé. Pero muy pronto, con paciencia, se puede descubrir la diferencia entre una glándula mamaria y un nódulo o bulto duro.

Si no está segura, consulte con el doctor para determinar si lo está haciendo bien. El médico le demostrará con mucho gusto exactamente cómo hacerlo, y le explicará cómo es la clase de bulto que usted está buscando.

Bultos anormales en los pechos

¿Dónde hay más posibilidades de encontrar bultos o durezas anormales?

El segmento —o cuadrante— externo superior es el lugar más probable, y alrededor del 45% de los tipos de cáncer se desarrollan allí. La zona central del pezón ocupa el segundo lugar, con el 25% de los casos. Viene después el cuadrante superior interno con el 15%, el cuadrante inferior externo con el 10%, y finalmente el cuadrante inferior interno abarca el resto, que es el 5%.

¿Todos los bultos anormales los produce el cáncer?

Claro que no, y un especialista en cáncer con quien hablo a menudo me dice que sólo 1 ó 2 de cada 100 resultan cancerosos. Pero éstos son precisamente los que no se deben dejar de examinar. Lo que quiere decir que cada bulto anormal debe ser examinado por el médico.

¿Qué hace el doctor con el bulto que aparece en las mamas?

Depende de la edad de la paciente. Las mujeres jóvenes están más predispuestas a desarrollar quistes en las mamas. Un examen o mamografía lo puede confirmar. A veces se los puede extraer por aspiración. Otros desaparecen como por arte de magia, para no aparecer nunca más. Pero en otros casos el doctor puede recomendar una biopsia. Se extrae una pequeña porción del tejido de la mama, y el patólogo lo examina al microscopio.

Si se sospecha que el bulto es canceroso, los doctores también harán los preparativos necesarios para practicar una cirugía, porque si el informe del patólogo dice que es "cáncer", es prudente eliminarlo.

La mejor manera de descubrir si hay cambios en sus pechos es que los examine al menos una vez al mes.

Cirugía de pecho

¿No equivale la cirugía de pecho a una mutilación, y por lo tanto desfigura?

Hoy se llevan a cabo numerosas operaciones de cáncer de mama. En épocas pasadas a menudo se recurría a una mastectomía radical, como dicen los cirujanos. Se eliminaban todos los tejidos del pecho, más las glándulas linfáticas ubicadas en las axilas. Esta es ciertamente una operación mayor, pero se suele considerar que es la más segura.

Pero en años recientes muchos cirujanos llevan a cabo una operación de menor envergadura, que consiste en eliminar sólo el tumor canceroso con el tejido circundante, mientras el resto del pecho se deja intacto. Mucho depende de la naturaleza del crecimiento y de cuán avanzado está. Si las células cancerosas se han extendido a los ganglios linfáticos de las axilas o más allá, entonces el pronóstico es mucho más grave que si sólo se trata de un tumor en el pecho que no se ha extendido.

El cirujano, por su parte, tomará las medidas que mejor cuadren a cada caso individual.

Probablemente uno o dos de los bultos que se descubren al examinar los pechos se conviertan en tumores malignos.

¿Qué sucede después de la operación?

Esto también es asunto de decisión personal, y debe adecuarse a las necesidades de la persona. En muchos casos se dispone ahora de cirugía plástica, y el pecho se reconstituye mediante el injerto de otros tejidos, o se añade una prótesis para darle un aspecto normal. Los médicos son conscientes de la importancia que las mujeres le atribuyen a su figura, y hacen todo para recuperar la normalidad en la mayor medida de lo posible. Algunos lo hacen en el momento de la cirugía original, pero otros prefieren esperar para ver cómo resulta todo y cómo se lleva a cabo la curación. Esto es muy personal.

Los extensores de tejidos

Entiendo que se han logrado grandes progresos mediante la cirugía plástica.

Así es, y ciertos aparatos denominados "extensores de tejidos" se usan ahora ampliamente cuando se trata de cirugía de pecho. Parecen bolsas de plástico, y se insertan inmediatamente debajo de la piel junto a la herida. Se las llena gradualmente de líquido, generalmente a intervalos semanales. Esto tiene el efecto de que a la paciente se le desarrolla más piel sobre ese extensor.

Finalmente se elimina el extensor, y la piel nueva que se ha formado se usa para cubrir las cicatrices y la prótesis (el falso pecho) que se ha insertado. El cirujano puede hacer también un pezón y una aréola artificiales (pintando de oscuro la parte que rodea al pezón), de manera que el resultado final se ve sumamente normal. Es un gran adelanto de la cirugía plástica, y se la está aplicando mucho en los países del primer mundo, y en algunos de los otros también.

¿Qué se puede decir acerca del uso de prótesis? ¿A qué punto se ha llegado para proporcionarle a la paciente una apariencia normal?

Se ha trabajado mucho en este sentido, y con el consejo de los expertos se provee a muchas mujeres de prótesis que se usan con corpiños especiales, y que le dan contornos muy normales. En efecto, muchas mujeres operadas pueden usar bikinis en la playa actualmente, salir a nadar, y se ven tan bien como las que nunca pasaron por una operación; tan buenas son esas prótesis. Es importante que la paciente pida consejo al respecto, pero les puedo asegurar que estas posibilidades están al alcance de las damas no sólo en los países del Primer Mundo, sino en algunos de América Latina también. En algunos países las obras sociales, tanto estatales como privadas, ayudan a financiar estas prótesis.

He oído que a veces se administra terapia de radiaciones y se dan medicamentos después de una operación de esta clase. ¿Todavía se lo hace?

A veces se usa radioterapia cuando el médico sospecha que algunas células cancerosas se han extendido a otras partes del cuerpo. Se puede enviar a la paciente a una unidad oncológica o a una clínica de rayos donde se dan estos tratamientos. Varios médicos estudian el caso, y a cada paciente se la trata en forma personal.

También, de vez en cuando se usan medicamentos como terapia, y a esto a menudo se llama terapia coadyuvante. Existen ciertos medicamentos y combinaciones de ellos que reciben el nombre genérico de citotóxicos. Cuando se los administra, son capaces de buscar y matar todas las células cancerosas que aparezcan por ahí. Pero, de nuevo, el médico y sus colegas decidirán si este tratamiento es adecuado para una determinada paciente. Actualmente se hace un estudio sobre el tejido canceroso extirpado para comprobar si éste es estrogenodependiente, o sea, que su crecimiento esté favorecido por hormonas estrógenas. En dicho caso se trata con tamoxifeno, que bloquea los estrógenos. Esto se dará sólo con indicación médica.

¿Qué es mejor: visitar al doctor para que él examine las mamas, o que la mujer se las examine ella misma como aficionada?

Creo que si se consigue consejo profesional es bueno, especialmente en las etapas iniciales. También muchas mujeres visitan a menudo al doctor para que les renueve la receta de las píldoras anticonceptivas. Ha sido mi costumbre por muchos años (y la de muchos doctores) revisar sistemáticamente los pechos de mis pacientes, y a veces hacerles también aplicaciones al cuello de la matriz al mismo tiempo. Esto tranquiliza a la paciente, y cuenta con la doble seguridad de que es capaz de examinarse a sí misma.

Puedo añadir que vale la pena a veces sentarse frente a un espejo para examinar la apariencia de las mamas. Examine el tamaño relativo, si los pezones parecen raros, si están a nivel, o si sobresalen o si están invertidos. Si hay alguna cosa rara en la piel en algún lugar, porque a veces éste es el primer síntoma de un cáncer superficial. Si un pezón pierde líquido, especialmente si éste contiene sangre, también es una señal importante.

En resumen, si encuentra alguna anormalidad, comuníquesela inmediatamente al doctor, para que la examine, y para que la derive a una clínica especializada en exámenes de mamas.

Mamogramas

¿Qué nos puede decir de los exámenes de mamas con rayos X? ¿Se hacen con mucha frecuencia estos estudios?

No se los lleva a cabo en forma sistemática con mujeres de menos de 50 años, a menos que haya razones especiales para sospechar que algo no anda bien. Los pechos son muy sensibles a los rayos X, y los exámenes repetidos pueden provocar un cáncer de mama. En las mujeres de más de 50 años, donde el factor de riesgo no es tan alto, se los practica con cierta frecuencia.

Pero las actitudes están cambiando y es posible que en algunos países se generalice la práctica de la mamografía, incluso con patrocinio estatal, para que esté al alcance de cualquier mujer, probablemente de menos edad también. En este caso, podrían ser similares a los centros que había en años pasados para llevar a cabo exámenes masivos con el fin de detectar la presencia de la tuberculosis. De esta manera se podría descubrir mucho antes la presencia de una grave enfermedad, lo que daría la oportunidad de aplicar con tiempo la terapia adecuada y conseguir un resultado satisfactorio.

Los exámenes de mamas con mamografía son muy populares actualmente, y podrían ser los principales detectores de cáncer de mamas cuando éste está en sus comienzos. Son muy eficaces, y son completamente inocuos, y podrían servir también para exámenes masivos de mamas. La mayoría de los hospitales cuenta actualmente con equipos de mamografía y se usa muchísimo uno especialmente adaptado para el examen de mamas. Pero, según mi opinión, el autoexamen seguirá siendo la pieza clave del diagnóstico precoz.

Una mamografía es una imagen común de rayos X, con baja dosis de radiación, que muestra detalles de los tejidos blandos internos de la mama.

¿Se lo debería hacer cada mes?

¿Por qué no? La mayoría de las mujeres se ducha virtualmente todos los días. ¿Qué son cinco minutos de examen si se los considera parte de la rutina de la ducha? Es fácil de hacer, no cuesta nada y puede ser muy beneficioso.

Para que esto resulte fácil y sea claro, hemos incluido en esta obra un diagrama que ilustra cómo se puede hacer este autoexamen de mamas. Espero que usted lo lea y lo ponga en práctica (ver pág. 182).

La píldora y el cáncer

Para concluir, tengo un par de preguntas todavía. ¿Es posible que el uso sistemático de la píldora sea una causa de cáncer? Muchas mujeres jóvenes se hacen esta pregunta.

La píldora que se usa por lo común en nuestros días es la que se conoce como píldora combinada, porque es una combinación de estrógeno con progesterona, dos hormonas que se encuentran normalmente en el cuerpo, con la diferencia de que mediante la píldora se la toma en cantidades

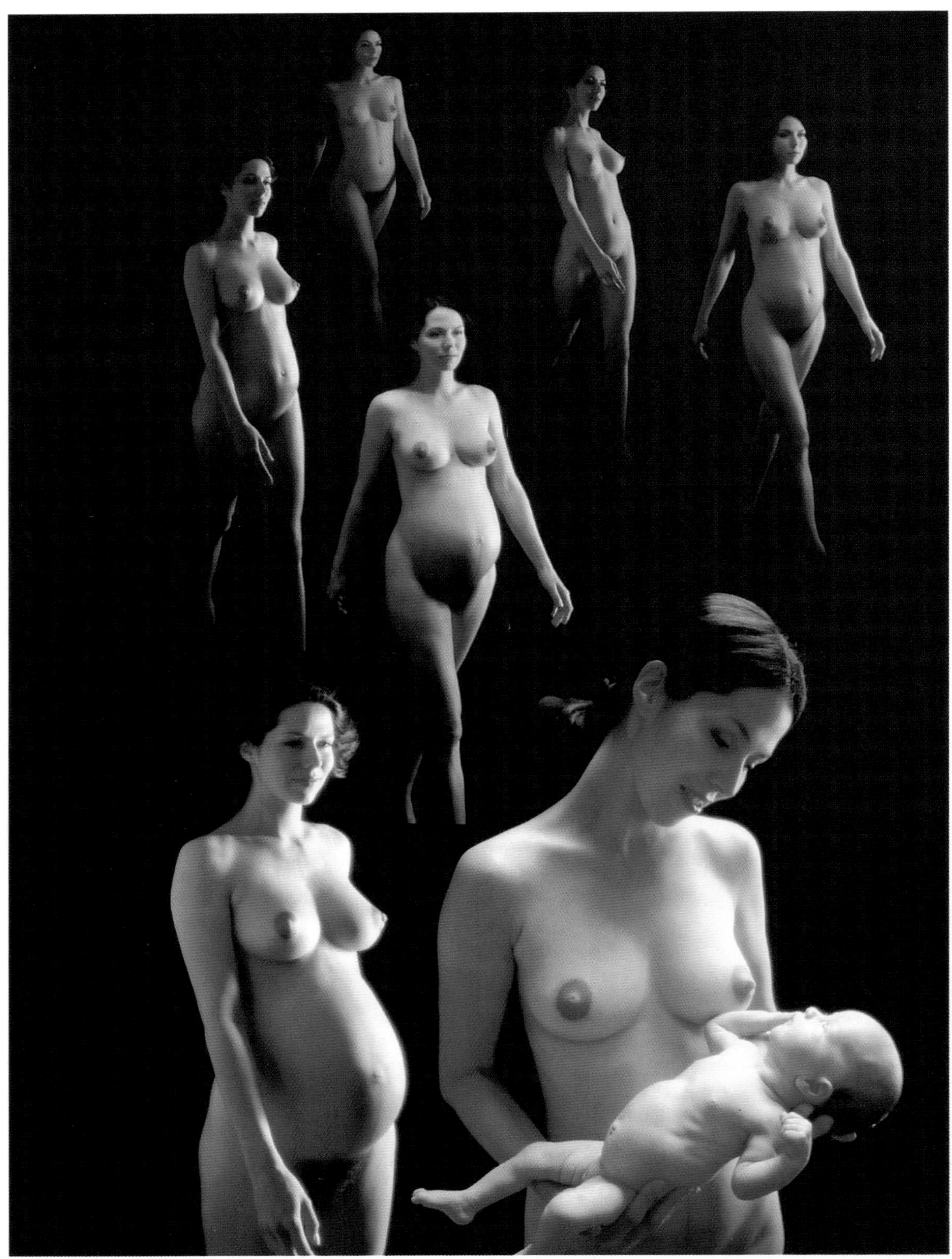

Las diversas etapas del embarazo, que muestran los cambios que se producen en su cuerpo según los puede observar una mujer.

bastante superiores, si se las compara con las que produce normalmente el cuerpo.

Se han hecho muchos estudios, y uno de los más importantes, llevado a cabo hace poco en Gran Bretaña, abarcó a miles de mujeres por varios años, y dio como resultado que el uso de la píldora reduce el riesgo de cáncer de mamas.

De manera que éstas son en verdad buenas noticias. El uso de la píldora parece que es una protección y no una amenaza en este caso. Pero todavía no estamos totalmente seguros. Se dice inclusive que impide el desarrollo del cáncer en los ovarios.

La alimentación con leche materna y el cáncer

¿Qué pasa con la alimentación con leche materna? ¿Es una ventaja o una desventaja en este caso?

La alimentación del bebé con leche materna aparentemente reduce el riesgo del cáncer de mamas. Esta también es una buena noticia, y debería animar a las mujeres a alimentar a sus bebés en forma natural.

La reproducción misma estimula a los pechos para que entren en actividad, de manera que la combinación de esto con el uso regular de los pechos para lo que fueron creados en primer lugar, ayuda a proteger a la mujer a medida que transcurre el tiempo.

Cirugía plástica de los pechos

¿Cuál es la opinión en estos días acerca de la cirugía plástica para las mujeres cuyos pechos no están bien desarrollados?

Muchas mujeres se quejan de que su figura no es lo que les gustaría que fuera. Las mujeres que antes tuvieron pechos hermosos descubren que con el tiempo, por causa de la reproducción y el hecho de amamantar a unos cuantos bebés, el tejido de sus pechos se ha aflojado, y por eso se sienten mal, con su estima propia disminuida.

A veces el uso de la píldora mejora la forma de los pechos, especialmente en las mujeres jóvenes. Pero no es recomendable tomar la píldora sólo por esa razón, porque cuando se la suspende, la forma de los pechos volverá a lo que era antes.

En la actualidad los cirujanos plásticos han desarrollado sus habilidades hasta alcanzar un alto nivel de eficiencia. Saben muy bien cómo se sienten las mujeres, y les pueden ofrecer mucha esperanza. Es mejor que usted aguarde hasta terminar su ciclo reproductivo antes de considerar la posibilidad de una cirugía plástica por razones estéticas. Pero muchas mujeres de entre 20 y 30 años ya han llegado a esa etapa, y la cirugía les proporciona gran satisfacción psicológica y física.

Yo no considero que esto sea vanidad, sino el intento de la mujer de preservar su identidad femenina. Es bien sabido que muchos problemas familiares ocurren después de la menopausia, y aparte de lo que nos guste creer, la atracción física (o la falta de ella) es a menudo el motivo de esas dificultades. Es triste, y no debería ocurrir, pero sucede. Por eso esta circunstancia le añade ímpetu, según yo creo, al deseo de la mujer de conservarse tan atractiva y femenina como sea posible, no importa qué método se emplee para lograrlo.

En la actualidad, con el uso de los extensores de tejidos y las prótesis de apariencia tan normal, los cirujanos plásticos pueden llevar a cabo milagros modernos para muchas mujeres. Los beneficios psicológicos y físicos de esto también pueden ser notables.

Debo añadir que la cirugía plástica, por estas razones, para mujeres de menos de 20 años, definidamente no es recomendable. El momento adecuado para hacerlo es la llegada de la menopausia, es decir, cuando el ciclo reproductivo está definitivamente cerrado, o aún después. Recordemos que estas operaciones están hechas a medida para satisfacer las necesidades individuales de cada persona.

Esto es lo que podemos decir acerca de la parte superior de la figura de la mujer. Creo que ahora sería bueno que nos ocupáramos un poco de la parte inferior, para hablar del útero, y muy especialmente del cuello del útero y las zonas circundantes.

Así es. Son partes vitales del cuerpo de cada mujer, y todas deberían tener un conocimiento cabal acerca de ellas, y de lo que puede andar mal por allí. Así que, mamita, dé vuelta la hoja y sigamos con esta historia.

capítulo 18

EN ESTE
CAPÍTULO

- La prueba de las aplicaciones.
- El virus de las verrugas.
- Cuando la prueba de las aplicaciones da un resultado positivo.
- El cáncer de matriz.
- Los fibromas y la endometriosis.
- La píldora y el riesgo del cáncer.

El test de los tópicos o Papanicolaou y los tumores ginecológicos

Las pruebas clínicas con aplicaciones al cuello de la matriz (tocamientos, aplicación de sustancias medicamentosas) son esenciales en la mujer a partir de los 18 años – Ciertas enfermedades predisponen para la aparición del cáncer del cuello de la matriz — Revise durante 12 meses las aplicaciones con resultados negativos – Si los resultados son positivos, hay que actuar de inmediato – Los fibromas no son cancerosos – Pueden producir profusas hemorragias – Desaparecen con la edad, pero se los debe extirpar si sangran – La endometriosis se produce cuando los tejidos de la matriz crecen e invaden los órganos de la pelvis – Producen mucho dolor y pueden ser causa de esterilidad.

¿Con cuánta frecuencia debería someterse una mujer al test de los tópicos o Papanicolaou en el cuello de la matriz?

Me alegro de que usted haga esta pregunta. Depende de su edad y de la cantidad de exámenes a que ya se haya sometido. El ideal es que tan pronto como una mujer se convierte en sexualmente activa, comience con exámenes regulares; de esto no hay la menor duda actualmente.

¿Por qué se debe hacer esto?

La mayoría de los médicos reconoce actualmente que el cáncer del cuello de la matriz es una enfermedad femenina bastante común. También que el factor etiológico —el tecnicismo que se usa para referirse a la causa del cáncer— probablemente llegue entonces por primera vez al canal vaginal.

No estamos seguros de las causas de cualquier clase de cáncer. Pero las evidencias que se han acumulado a través del tiempo sugieren la participación de algún virus (posiblemente el de las verrugas). O que el fluido seminal masculino sea en algunos casos cancerígeno, es decir, capaz de producir cáncer. Puede parecer algo raro, para la evidencia apunta en esa dirección.

El test de los tópicos o Papanicolaou

Por lo tanto, la mujer debe comenzar con la prueba de las aplicaciones tan pronto como empieza a tener relaciones sexuales, ya sea en forma regular u ocasional. (Se aplica a veces al cuello de la matriz mediante un pincel o algo parecido una sustancia especial, semejante a una pomada o crema, que permite descubrir si hay anormalidades en los tejidos o no.) En todo caso estas pruebas deberían empezar a más tardar a los 18 años. Tal como el cáncer de mama, el cáncer del cuello del útero es en general una enfermedad de mujeres de edad. Pero en los últimos años a muchas mujeres jóvenes, incluso algunas que se encuentran entre los 20 y los 30 años, se les ha diagnosticado este cáncer, lo que refuerza la idea de que estos chequeos deben comenzar temprano.

¿Qué sucede después del primer test?

Después del primer chequeo es recomendable repetir el examen alrededor de un año después —en el caso de que resulte negativo—, para estar doblemente seguros de que todo marcha bien. En el caso de que esta segunda prueba también sea negativa, se debería hacer un chequeo cada tres años hasta los 35, y después de esto cada 5 años hasta llegar a los 60.

Es posible que algunos doctores no estén de acuerdo con este plan, pero se lo publicó hace poco en *Lancet*, una revista médica londinense.

Es el sistema que yo mismo adopté hace algunos años, y me ha dado buenos resultados. En todo caso, me parece que es mejor exagerar que demorarse, y correr el riesgo de perder un caso. Por eso algunos médicos repiten cada año la prueba de las aplicaciones o Papanicolaou. No es mala idea.

¿Cree usted que los virus que producen las aftas (dolorosas llagas blancas que aparecen en la boca) desempeñan algún papel en la aparición del cáncer del cuello de la matriz?

No estamos seguros. Se han hecho muchos estudios al respecto, en especial por parte de ginecólogos australianos. Hace algunos años se afirmó que el virus que produce las aftas, llamado herpes simplex, era una posible causa de este cáncer. Yo creo que cualquier mujer que haya tenido una infección de herpes en la zona genital, o cualquier otra infección, debería estar más consciente de la necesidad de someterse a pruebas de aplicaciones cervicales o Papanicolaou en forma regular, posiblemente por el resto de la vida. Así de simple es el asunto.

El virus de las verrugas

¿Se considera ahora al virus de las verrugas como una de las principales causas del cáncer de cuello de la matriz?

Así es. Durante los últimos años se han acumulado más evidencias en este sentido. El virus de las verrugas se conoce entre los médicos como "virus humano papiloma", y es uno de los virus más comunes que encuentran las clínicas especializadas en enfermedades de transmisión sexual (ETS).

En los últimos 10 años, en una importante clínica británica especializada en enfermedades de transmisión sexual, la cantidad de casos de esta clase subió de 20.000 a 50.000, lo que ciertamente es un aumento enorme.

¿Qué relación tiene esto con el cáncer del cuello de la matriz?

Se encontró el virus papiloma en una elevada cantidad de casos de cáncer del cuello de la matriz, no sólo en esa clínica, sino en muchas otras del mundo occidental.

¿Afecta esto a las mujeres de todas las edades?

La respuesta es sí. Pero es interesante tomar nota que en muchos hospitales el índice de cáncer de cuello de la matriz en mujeres de más edad cayó sustancialmente (en la misma clínica, del 12,5 al 9 por 100.000, una reducción de aproximadamente el 30%). Cuando se examinó a mujeres de menos de 30 años, los casos de cáncer subieron más de cuatro veces en el mismo tiempo.

En resumen, es más frecuente en mujeres jóvenes, y menos frecuente en mujeres de más edad, y en general esta circunstancia posiblemente elevará en el futuro el índice de fallecimientos por causa del cáncer del cuello de la matriz.

¿Cómo se difunde el virus de las verrugas?

Como siempre existen formas desconocidas, y es "una de esas cosas raras", como se suele decir cuando se trata del contagio por virus. Por otra parte, el contagio puede ser también por vía sexual, por el contacto de una persona con otra. Mientras más contactos sexuales tenga alguien con diferentes personas, mayor será el riesgo de contraer la infección y de transmitirla a la siguiente pareja. Pero como dijimos antes, la transmisión se puede producir de muchas maneras, de modo que el contacto sexual sería sólo una de ellas.

¿Qué hace este virus?

Penetra en las células cervicales superficiales (del cuello de la matriz), y allí causa irritación, lo que a su vez altera la naturaleza de las células y su sistema de reproducción, lo que a su turno permite que se desarrolle una célula cancerosa, lo que a su vez produce muchas más. Este es uno

Las aplicaciones medicamentosas, con el fin de descubrir anomalías en el cuello de la matriz, deberían empezar a más tardar a los 18 años.

de los aspectos positivos de la prueba de las aplicaciones o Papanicolau: descubre las células anormales.

¿Se puede descubrir al virus de las verrugas también?

Se pueden encontrar ciertas partículas virósicas denominadas "secuencias 16 y 18" si se las busca cuidadosamente, pero ésta es una investigación delicada. Un método más sencillo consiste en usar un sistema llamado "colposcopio": se pinta el cuello de la matriz con un líquido especial, y al observar la zona mediante una lente de aumento, el ginecólogo puede descubrir ciertos cambios de color que se producen cuando está presente el virus de las verrugas.

Las aplicaciones son esenciales para descubrir con tiempo la aparición del cáncer.

Un aparato que se llama cerviscopio puede fotografiar con aumento la zona del cuello de la matriz, que ha sido pintada, y de este modo se pueden conservar fotografías en colores para futuras comparaciones. Es un excelente sistema.

Del mismo modo el varón debe someterse a un examen de pene para ver si tiene o no el virus de las verrugas. No es muy agradable, por cierto, pero es indispensable.

¿Cuán eficaz es el test de los tópicos o Papanicolaou para descubrir con tiempo la presencia de un cáncer?

Se cree que los cambios en las células pueden ocurrir entre 10 y 15 años antes que el cáncer aparezca. Por lo tanto, al hacer las pruebas, los doctores buscan cualquier célula sospechosa. Si hay dudas, pedirán que se haga otra prueba, o posiblemente una tercera entre tres meses y un año después.

En los países donde estas pruebas se han hecho masivamente y por muchos años, se reduce definidamente la incidencia de cáncer del cuello de la matriz. En Aberdeen, Escocia, y en la Columbia Británica, Canadá, se han llevado a cabo por muchos años vastos programas de esta clase, y ahora tienen bajos índices de esta enfermedad. En muchas regiones del mundo occidental ha habido una disminución de ella, aunque algunos doctores dicen que esto probablemente se deba a una reducción natural, así como la escarlatina es ahora una rareza. Pero yo me inclino a darle mucho del crédito de esta disminución a los programas públicos que animan a las mujeres a someterse regularmente a estas pruebas.

De paso, las mujeres suelen preguntar si la higiene personal desempeña algún papel en este caso.

Muchos doctores creen que la higiene personal puede desempeñar cierto papel, porque puede tener relación con la posible introducción de cancerígenos (incluso virus) al cuello de la matriz a través de la vagina. La incidencia de esta enfermedad es cuatro veces mayor entre las prostitutas; es muy rara en mujeres solteras. Es mucho menos común entre las judías. Algunos creen que se debe a que los judíos se circuncidan, y esto puede contribuir a una mayor higiene personal.

En general, la enfermedad es más común entre mujeres de clases sociales con menores recursos económicos; es posible que se cuiden menos también. Asimismo, es más común entre las mujeres que se dedican a actividades sociales intensas en los años de su juventud, y que tienen familia antes de los 20 años. También ocurre algo parecido con las mujeres que consultan poco al médico o que no se hacen la prueba de las aplicaciones o Papanicolaou.

¿Cuál es el mejor momento para hacer esta prueba?

Creo que es conveniente hacerlo cada vez que la mujer acude al médico para que le renueve la receta de la píldora. La mayoría de los doctores hace entonces un examen ginecológico, y sólo se necesitan pocos minutos más para hacer las aplicaciones o Papanicolaou.

También es el momento conveniente para hacer un examen de mamas y para tomar la presión sanguínea, porque es otro de los problemas de este mundo moderno. Todos estos chequeos se pueden hacer en pocos minutos. Lo importante es que se hagan.

Cuando el test de los tópicos o Papanicalaou da resultados positivos

¿Qué pasa si el test de los tópicos o Papanicolaou da resultados positivos?

¿Significa que el cáncer ya está presente?

Alrededor de un 20 por 1.000 de las pruebas de las aplicaciones o Papanicolaou llega de vuelta del laboratorio del patólogo al consultorio del doctor con el rótulo de "sospechoso". En las clínicas donde acuden las mujeres para hacerse atender durante el embarazo, el índice es del 10 por 1.000.

Pero esto no significa necesariamente que la mujer ya tiene cáncer. El doctor comúnmente lleva a cabo un test adicional que se vuelve a chequear. Si da positivo de nuevo, se suele derivar a la paciente a un ginecólogo para otro chequeo más. Con frecuencia se usa un instrumento llamado colposcopio, que permite disponer de una visión magnificada con buena luz del cuello de la matriz, y a menudo de esta manera se obtiene más información.

Si todavía hay dudas, se puede hacer una pequeña operación denominada biopsia cónica. Se extrae un conito de tejido del canal cervical, y se lo envía al patólogo para que lo examine. En muchos casos se trata de las células sospechosas, y si es un cáncer incipiente, por lo común es curable.

Muchos médicos usan hoy rayos láser para hacer esto, porque aparentemente reduce el riesgo de hemorragia, y con frecuencia la operación es más prolija, y su curación más rápida y con menos cicatrices. Otros doctores usan la aguja diatérmica o crioterapia, una aguja muy fría que destruye los tejidos como consecuencia del frío. Cada ginecólogo tiene su método especial, pero el resultado final en cada caso es la destrucción completa de la zona sospechosa. Si el cáncer está más extendido de lo que se creía en un primer momento, entonces se puede practicar una operación mayor.

¿Qué pasa si no se descubre el cáncer a tiempo?

Entonces avanzará gradualmente hasta llegar a la etapa de invasión, para diseminarse primero a un órgano y después a varios más. En las primeras etapas los síntomas suelen ser mínimos o inexistentes. Esto, por cierto, es una gran trampa. Después puede aparecer un flujo liviano, acuoso y sanguinolento. El dolor es un síntoma tardío.

Quisiera recordarles a las madres que si hay un flujo vaginal sanguinolento e irregular, deben hacerse examinar de inmediato. Pero usted misma se puede ayudar si se somete periódicamente a una prueba de aplicaciones o Papanicolaou y a un examen ginecológico. Esto es tan sencillo, pero sus beneficios son muy grandes.

¿Qué otras clases de cáncer pueden aparecer en esta zona del cuerpo de las mujeres?

Ciertamente hay un riesgo, pero entre las mujeres muy jóvenes es poco común. En la totalidad de los casos, el cáncer del cuello de la matriz es responsable de alrededor del 60% de cáncer de la pelvis (de los órganos de la reproducción). El cáncer de útero equivale al 25%, el de ovarios al 10% y el de vagina y otras zonas al 3%. En promedio, el 0,02% de las mujeres muere anualmente de cáncer a alguno de estos órganos. Si calculamos que en la Argentina, por ejemplo, hay 18 millones y medio de mujeres, es posible que 3.700 mujeres estén muriendo cada año por esta causa; una cantidad impresionante, ¿no les parece?

El cáncer de la matriz (del útero)

¿Qué nos puede decir del cáncer de la matriz?

Puesto que esta obra ha sido escrita teniendo en cuenta a las mujeres jóvenes, nos vamos a referir muy brevemente a las otras clases de cáncer, porque por lo común aparecen muchos años después. No obstante, y puesto que son importantes, es bueno saber algo acerca de ellas.

El cuello de la matriz (útero) conduce por medio de un angosto canal, llamado canal cervical, a la parte interna del cuerpo de la matriz. Esta zona está recubierta por células cuyo grosor aumenta o disminuye durante todos los años en que la mujer tiene la posibilidad de reproducirse. Esa capa de células, que constituye una membrana, recibe el nombre de endometrio.

A veces unas pequeñas protuberancias parecidas a verrugas se desarrollan en esta región y se convierten en pólipos. A menudo producen mucha pérdida de sangre, y son una causa muy común de hemorragias. La mayoría de estos pólipos son benignos, es decir, no son cancerosos.

Pero a veces se producen en ellos cambios de tipo canceroso, y dan origen a lo que se llama cáncer del endometrio.

¿Es peligroso esto?

Cualquier clase de cáncer es peligroso y pueden amenazar la vida de la paciente. Con frecuencia no hay síntomas, y no existe una manera sencilla de diagnosticar como lo es la prueba de las aplicaciones del cuello de la matriz o Papanicolaou. Pero cualquier mujer que tenga menstruaciones irregulares, especialmente si ocurren entre los 30 y los 40 años o más tarde, debe consultar inmediatamente al médico. Los diferentes tipos de cáncer comienzan en una etapa, y probablemente muchos de ellos empiecen siendo insignificantes cuando la mujer llega a la mitad de su vida.

Con frecuencia un curetaje puede eliminar los pólipos, o a lo menos proporcionar una indicación de que algo grave está ocurriendo. Por supuesto, el cáncer puede aparecer de otras maneras también, pero repetimos que la presencia anormal de sangre es un síntoma que no se debe descuidar.

¿Qué pasa con las mujeres que tienen flujos de sangre después de la menopausia, cuando se supone que esto debería haber terminado?

Cuando esto ocurre, los médicos presumen que se trata de un cáncer, a menos que haya pruebas de lo contrario. Cualquier flujo sanguinolento a esa edad es siempre una luz roja que indica que se debe consultar al médico sin tardar.

¿Qué se sabe del cáncer en otras zonas del aparato reproductor?

El cáncer del ovario no es muy común, y se presenta con más frecuencia en mujeres de edad. Pero cierta cantidad de mujeres jóvenes tiene quistes en los ovarios. Los puede descubrir el doctor durante un examen ginecológico de rutina, probablemente cuando la mujer viene para solicitar que se le repita la receta de la píldora. Con esto queremos subrayar la importancia de estos chequeos.

Muchos quistes son inocuos y algunos se revientan solos, sin daños mayores. Otros requieren cirugía, porque es bien sabido que si se los deja, con el tiempo algunos de ellos pueden llegar a convertirse en tumores cancerosos del ovario.

De vez en cuando el quiste puede crecer muy rápidamente, y le da a la mujer la impresión de estar embarazada. Por lo común no se presentan cambios en la menstruación, de manera que la mujer se confunde. Pero si se hace un examen descubrirá que se trata de un quiste que se ha deslizado hacia el interior de la matriz y puede simular un embarazo. Yo mismo he caído en esta trampa alguna vez, y estoy seguro de que muchos otros doctores (y pacientes) han pasado por experiencias similares.

Los exámenes de ecografía y con el laparoscopio, y otras tecnologías modernas, a menudo conducen a un diagnóstico acertado.

El cáncer de vulva (la entrada del canal vaginal) es raro, pero se puede desarrollar en mujeres de edad como consecuencia de una picazón persistente o erosión. Por eso no se debe descuidar nada anormal; se lo debe examinar sin demora. Recuerden esto. El cáncer de vagina también es raro.

Los fibromas

¿Qué nos puede decir acerca de los fibromas? Se habla mucho de ellos.

Son crecimientos fibrosos no cancerosos que aparecen en las paredes del útero. Son a veces una combinación de tejido fibroso y muscular, y se los suele llamar miofibromas. Pueden presentarse como un solo crecimiento o muchos de ellos; pueden ser grandes o pequeños. Uno de los síntomas que producen es una pérdida abundante de sangre. En efecto, algunas mujeres tienen períodos que parece que nunca van a acabar. También puede haber una pérdida de sangre irregular y abundante, posiblemente con coágulos, entre las menstruaciones normales.

Cualesquiera sean los síntomas, si existe pérdida anormal de sangre, especialmente si es muy abundante, la pronta intervención del médico es indispensable, no importa qué edad tenga la paciente.

Los fibromas son bastante comunes en las mujeres, especialmente si están entre los 30 y los 40 años. Alrededor del 20% los suele tener.

Al parecer son el resultado de la actividad de las hormonas, porque estas sustancias químicas se producen en grandes cantidades durante la etapa reproductiva de la mujer. Con el avance de los años se produce menos estrógeno, el crecimiento tiende a achicarse, y puede llegar a la insignificancia.

La presencia de sangre es el síntoma básico, especialmente en el 2o. y el 3er. días de la menstruación. A veces crecen mucho, oprimen los órganos vecinos y producen síntomas en ellos. Ocasionalmente si un fibroma se desarrolla en un tejido de sostén, éste se puede torcer, lo que provoca agudo dolor que requerirá una cirugía de emergencia. Algunos casos de esterilidad se pueden deber a los fibromas. En los casos graves, cuando los tratamientos sencillos no dan resultados, se podría recomendar una histerectomía (es decir, una eliminación quirúrgica de la matriz), pero cada caso es especial, y el ginecólogo trazará un plan hecho a medida para cada situación.

La endometriosis

De vez en cuando oímos hablar de la endometriosis. ¿De qué se trata, y cuán grave es?

Endometriosis significa que algunas de las células del endometrio, que normalmente recubre la cavidad interna de la matriz, de alguna manera se han escapado y han comenzado a desarrollarse en otras partes de la matriz, o en las trompas de Falopio, en los ovarios y hasta en algunas zonas del vientre.

Esto significa que durante el ciclo menstrual normal, cuando se producen diferentes hormonas, la cubierta de la matriz cambia. Ocurre lo mismo con esas células mal ubicadas. La membrana que recubre la matriz se desprende cada 28 días más o menos. Pero mientras esa membrana tiene su vía de escape, las otras células, las mal ubicadas, quedan atrapadas. Por eso se hinchan y pueden dar origen a quistes. Además, todo esto puede estar acompañado de fuertes dolores. El dolor en el momento de la menstruación es por lo común el síntoma más evidente. Algunas mujeres estériles manifiestan estos síntomas.

¿Existe algún tratamiento para esto?

Se han probado muchos tratamientos, con hormonas, pocos han dado resultados. Existen medicamentos que suelen mitigar los síntomas. Otros medicamentos que contienen hormonas se están investigando. Pero en el caso de muchas mujeres, especialmente en el de las que están dando muestras de empeorar, una histerectomía puede ser la solución definitiva y exitosa, con la eliminación de los nidos de células mal ubicadas donde estén. Afortunadamente en el 25% de los casos no hay síntomas. Otro 25% tiene otras afecciones de la pelvis, de modo que la cirugía es a menudo la solución final. Me alegro de poder decir que en muchos casos el resultado es satisfactorio.

El diagnóstico resulta más fácil últimamente porque los ginecólogos usan el laparoscopio. Se puede tratar con éxito a algunas mujeres con este instrumento cuando hay que separar las adherencias. Se puede evaluar tanto el progreso alcanzado como la terapia aplicada. Algunos doctores usan los rayos láser. Con el tiempo tendremos la solución completa; por el momento éste sigue siendo un señor problema ginecológico.

El uso regular de la píldora anticonceptiva aparentemente reduce la aparición del cáncer en el ovario.

La píldora y el riesgo del cáncer

¿Existe alguna relación entre la píldora anticonceptiva y el cáncer? Abreviando: ¿aumenta los riesgos?

Me alegro de que usted me haya formulado esta pregunta, porque muchas mujeres se la hacen constantemente. De acuerdo con las informaciones que obran en nuestro poder, los resultados de una gran cantidad de tests y observaciones practicados en muchos centros importantes de salud en todo el mundo occidental han sido similares. El uso regular de la píldora anticonceptiva aparentemente *reduce* el riesgo de cáncer de endometrio (la membrana que recubre el interior de la matriz) y de ovario. También puede ayudar a reducir la incidencia de fibromas. Así que además de impedir embarazos no deseados, la píldora tiene este beneficio adicional. Estas son sin duda noticias alentadoras.

¿Qué efecto tiene sobre las mamas?

Repetimos, muchas pruebas e investigaciones indican que no aumenta necesariamente el riesgo de cáncer de mamas. En efecto, puede disminuir levemente este riesgo. Estas también son buenas noticias, y un beneficio adicional para las mujeres que toman la píldora.

capítulo 19

Cómo hacerles frente a los problemas urinarios

EN ESTE CAPÍTULO

- La incontinencia de orina durante la juventud.
- La incontinencia en las personas mayores.
- Infecciones intermitentes de la vejiga.
- La "cistitis de la luna de miel".
- Carúnculas (excrecencias) de la uretra.

La cistitis recurrente (infección de la vejiga) es causa de pérdida de tiempo y además es incómoda – A menudo se recomiendan tratamientos prolongados para este mal – Los antibióticos y el consumo de líquidos pueden ayudar – Es esencial, en estos casos, descubrir exactamente de qué microorganismo se trata, para aplicar el tratamiento correcto.

Da la impresión de que el aparato urinario fuera medio voluble, y que es capaz de producirles a muchas mujeres estrés, tensiones y problemas. ¿Tiene usted algún consejo al respecto?

Por supuesto que sí, y en especial tengo algunas recomendaciones para mujeres que acaban de tener un parto, y que enfrentan dificultades.

La incontinencia de orina durante la juventud

¿Qué sucede?

Un problema muy común después del nacimiento de un bebé —aunque se puede producir en cualquier momento y a cualquier edad (y empeora con el paso de los años)—, es la involuntaria emisión de pequeñas cantidades de orina cuando menos se lo piensa y en el momento menos oportuno. Puede ser muy embarazoso, especialmente si usted salió de compras o está visitando a algunos amigos.

La mujer estornuda comúnmente, o tose o se ríe. Y las gotas empiezan a caer, y caen, y caen y caen, hasta que se produce el desastre, como se suele decir. Algo de orina se escapa, y entonces la mujer se siente terriblemente incómoda.

¿Cuál es la causa de esto?

A veces durante el parto se dañan y se estiran temporalmente los músculos de la vagina y de la vulva, que protegen el meato urinario, es decir, el orificio por donde sale la orina. O puede ser que con el transcurso del tiempo estos músculos se debilitan. También más tarde en la vida, cuando las hormonas disminuyen gradualmente o el organismo las produce en menores cantidades, las fibras de esas mismas zonas pierden su elasticidad, y así se instala la incontinencia urinaria.

¿Podría usted recomendar algunos remedios sencillos? Yo sé que usted es partidario de que la gente haga las cosas por sí misma.

Es verdad. Yo les digo a las madres que acaban de tener su bebé que prueben una serie de ejercicios sencillos. Los pueden hacer muy convenientemente mientras lavan los platos en la pileta. Hay bastante tiempo para pensar en esos momentos, y es una buena ocasión para que la dama se concentre en el problema y se trate a sí misma.

Les aconsejo que se imaginen que están orinando voluntariamente. Y de repente, en medio de la operación, las instruyo pa-

ra que imaginariamente cierren rápidamente y con fuerza el flujo de orina. Esto se debe hacer conscientemente y con firmeza. Deben seguir oprimiendo los músculos de la pelvis por unos 30 segundos, para aflojarlos después.

Al cabo de unos 30 segundos de relajación, les recomiendo que repitan todo el proceso. Idealmente esto se debe hacer muchas veces seguidas. Después de un tiempo el período de contracción y relajación se puede reducir, de manera que en 10 minutos hagan muchas veces este ejercicio. Es posible hacerlo 100 veces cada vez que se está lavando la vajilla.

¿De qué manera les ayuda esto?

Estos ejercicios tienden a afirmar los músculos y las fibras, y a devolverles su elasticidad. Produce, aumenta y mejora el tono muscular, como dicen los doctores. Hace que el esfínter se vuelva más sensible y más capaz de llevar a cabo su tarea. Pero, aunque no sepamos exactamente cómo funciona, da resultados. Muchas mujeres podrán solucionar su problema con este sencillo método.

La incontinencia en las personas mayores

Se dice que algunas mujeres sufren de este problema después en la vida, pero con características más graves.

Así es. Supongo que la mamá joven de la actualidad con el tiempo será abuela. Por eso, para contar la historia completa, voy a dar el siguiente paso, pero sin duda pasarán muchos años antes que usted pueda poner en práctica este consejo.

Como dije antes, a medida que la influencia de las hormonas se reduce y se produce menos estrógeno, después de la menopausia o cambio de vida, las paredes de la vagina se aflojan y pierden elasticidad. Eso le permite a la vejiga avanzar hacia adelante y hacia abajo. De esta manera se produce una afección que recibe el nombre de cistocele. Esto por lo común se asocia con una notable debilidad del esfínter de la vejiga. Entonces se produce una incontinencia de orina muy parecida a la que aparece después de un parto, pero mucho más difícil de controlar.

¿No tiene que ver esto con algunos problemas intestinales también?

Sí, puesto que la debilidad que se manifiesta adelante induce a la vejiga a desplazarse hacia atrás, los intestinos también se cambian de lugar. A esto se lo llama rectocele.

Algunas veces, en casos extremos, el útero entero desciende por el canal vaginal. Esto se llama prolapso. Puede mani-

El consumo abundante de líquidos, especialmente de agua, elimina eficazmente los gérmenes productores de infecciones urinarias.

festarse en diferentes grados, pero en los casos graves el útero sale por la vagina hacia el exterior. A esto se lo llama "procidencia". A menos que se le dé rápida atención médica, puede producir una ulceración, flujos muy malos, mucha incomodidad y problemas muy graves.

¿Cuál es la solución?

En muchas mujeres con toda clase de prolapsos, ya sea cistocele, rectocele, las etapas iniciales, medianas o finales de un prolapso del útero, o procidencia, la cirugía es la mejor forma de terapia. De esta manera se reparan las paredes de la vagina, y con frecuencia se procede a eliminar al útero —puesto que ya hace mucho que cumplió su función—, se refuerzan sus paredes, los problemas urinarios desaparecen como por arte de magia, y todo vuelve a la normalidad.

El consumo abundante de líquidos, especialmente de agua, es muy eficaz para eliminar gérmenes.

Podría añadir que a menudo se reduce el diámetro del canal vaginal, y esto contribuye a que las relaciones sexuales sean mucho más placenteras para ambos cónyuges. Una vagina distendida, dilatada, reduce las sensaciones para la mujer y su marido, pero en especial para este último, y puede dar origen a discusiones y disensiones matrimoniales. En efecto, he visto venirse abajo a muchos matrimonios por causa de esto. Si le ocurre a un matrimonio que fue feliz durante 30 años, digamos, ciertamente es muy triste.

Pero felizmente una operación quirúrgica bastante sencilla puede reparar este daño, tanto en el aspecto físico como en el emocional y el psicológico. Es bueno recordarlo porque, tarde o temprano, la feliz mamá joven de hoy se podrá ver obligada a enfrentar este problema. El hecho de saber que tiene solución es alentador, por cierto.

Las recurrentes infecciones de la vejiga

Además de los problemas urinarios que acaba de describir, muchas mujeres al parecer se encuentran con repetidas infecciones urinarias y otros síntomas.

Esto es muy común, y los síntomas incluyen deseos repentinos y frecuentes de orinar, pero las micciones son calientes, arden y tienden a quemar en todo su recorrido. Una vez que todo ya pasó, aparece el loco deseo de repetir el proceso de nuevo, a pesar de que sólo salen dos o tres gotas de orina caliente. Esas gotitas pueden producir una incomodidad inaguantable.

Además, de vez en cuando puede haber una fiebre suave, probablemente dolor en la zona pélvica inferior, y tal vez dolor de espalda, lo que quiere decir que existe la posibilidad de que los riñones también hayan sido afectados. Los escalofríos son comunes. En algunos casos hay náuseas y vómitos, lo que significa que la infección es grave. La orina puede tener una coloración lechosa, con la obvia presencia de un poco de sangre, y puede tener un olor bastante desagradable, muy similar a la de algo putrefacto.

¿De qué se trata todo esto? ¿De una infección de la vejiga?

Así es. Los gérmenes tienen fácil acceso a la vejiga. Allí se pueden multiplicar y provocar la inflamación de sus paredes. A su vez esto produce el deseo de orinar con frecuencia, y la orina que sale está caliente y produce ardor, "como si saliera vidrio molido" según lo dicen muchas pacientes. A medida que las toxinas que producen los gérmenes penetran en el torrente sanguíneo, y se distribuyen a otras partes del organismo, aparecen síntomas generalizados. De allí la fiebre, la transpiración, los dolores diseminados por todas partes, las náuseas y los vómitos, y la sensación de postración que puede acompañar a esta condición.

¿Cuáles son los mejores tratamientos para este caso?

Lo mejor es consultar al médico sin tardanza. Posiblemente se haga un análisis de orina (urocultivo con antibiograma). La medicación adecuada puede incluir un fuerte antibiótico. Hoy está de moda administrar una dosis de un antibiótico llamado norfloxacina en una tableta de 400 mg dos veces por día durante 7 a 10 días. O podría ser una serie de sulfaspoderosas como la sulfametoxazol + la trimetoprima ("Bactrim"), que también son muy eficaces. Tienden a detener la infección muy rápidamente, y a menudo a las 12 horas la paciente se siente ya bastante mejor. Exis-

ten muchos antibióticos, como la gentamicina inyectable de 80 mg 2 veces al día, y otros según el antibiograma.

Se recomienda beber mucho líquido, especialmente agua, para eliminar los gérmenes del organismo. A veces el doctor receta otra medicación. Podría decidir alcalinizar la orina, y para ello receta medicamentos especiales. Esto se parece un poco al agua de cebada que usaban antaño los abuelos. Había una serie de radio en la década de 1940, en la que figuraba un viejito que siempre tenía problemas en la vejiga, y por eso siempre pedía que le dieran agua de cebada. Esta agua, por ser alcalina, estaba perfectamente bien indicada para su afección.

Pero siga la medicación indicada, pues una vez que se la comenzó, cualquier otra podría ser contraindicada. Un medicamento podría neutralizar al otro, por lo que le pedimos que sea cuidadosa con lo que toma. El agua es inofensiva y contri-

Muchas mujeres jóvenes padecen de un mal comúnmente conocido como "la cistitis de la luna de miel".

buye a eliminar los gérmenes de la vejiga, como asimismo del organismo en general.

Algunas mujeres parece que sufren con frecuencia de infecciones urinarias.

Es verdad, y éstas damas al final necesitan un examen general. El mismo doctor de la familia lo puede hacer, o tal vez se la derive a un urólogo, es decir, al médico que tiene esta especialidad.

Con frecuencia se necesitan ciertas pruebas, cultivos patológicos y rayos X o ecografías para asegurarse de que no hay ninguna causa siniestra que cause esas repetidas infecciones. Por lo común el médico también indicará cuál será el siguiente plan de tratamientos, y es mejor seguirlo hasta descubrir el origen del mal con el fin de curarlo.

Algunas mujeres aparentemente padecen de estas molestias cada vez que tienen relaciones sexuales.

Esto también es común, y sólo quiere decir que durante las relaciones sexuales algunos gérmenes entran en la uretra de la mujer y de allí pasan a la vejiga, donde se asientan y producen la infección que acabamos de describir.

¿Cuál es el mejor tratamiento para esto? ¿La abstinencia sexual?

Yo no recomiendo esto, aunque en los casos agudos es mejor la abstinencia hasta que la mujer esté sana otra vez.

Con frecuencia es una excelente idea que una vez terminado el acto sexual la mujer salga de la cama y vaya a orinar. Esto puede ser un poco molesto, pero es posible que de esta manera se eliminen muchos gérmenes antes de que tengan la oportunidad de multiplicarse y producir graves infecciones.

También es buena idea beber constantemente mucho líquido. Algunos médicos recomiendan que los cónyuges vacíen la vejiga antes de tener relaciones sexuales. Esto podría parecer exagerado, pero también es una excelente terapia preventiva. Por lo menos dejamos lanzadas las ideas; usted decide.

La cistitis de la luna de miel

Algunas mujeres jóvenes sufren de problemas urinarios durante su luna de miel. ¿Sucede esto a menudo?

Esto es también muy común, y probablemente le ocurra al 90% de las parejas. Es tan frecuente que se la conoce como "la cistitis de la luna de miel". En esencia, es como las otras infecciones urinarias que hemos considerado. Al comienzo de la vida matrimonial la mayoría de las parejas jóvenes es muy activa sexualmente. Por eso, con frecuencia, tal vez por un poco de falta de tacto y consideración (se necesita tiempo para llegar a ser profesional en cualquier arte, y el sexo no es la excepción), las infecciones recurrentes suelen ser comunes.

Pero los mismos principios generales relativos a otros tratamientos se aplican a este caso. Yo siempre les aconsejo a los jóvenes que tienen la intención de casarse y salir de luna de miel, que tomen unas pocas precauciones, y les doy una receta adecuada para el caso de que aparezca la cistitis de la luna de miel. Pero los problemas urinarios son muy reales y pueden durar toda la vida matrimonial, y estoy seguro de que cualquier mamá joven que esté leyendo estas páginas puede haber experimentado ya uno o dos ataques de esto por lo menos. Por cierto, saber qué hacer en estos casos es útil.

Las carúnculas (excrecencias) uretrales

En algunas mujeres suelen aparecer unas pequeñas protuberancias dolorosas en el meato urinario, es decir, el orificio por donde sale la orina. ¿Se trata de algo grave?

Se las conoce como carúnculas uretrales, y son realmente excrecencias de la membrana que recubre la uretra, el tubo que conduce la orina de la vejiga al exterior. Pueden ser muy dolorosas, y cada vez que pasa la orina por allí se agravan más y más.

¿Cuál es el mejor tratamiento para esto?

Consulte al doctor. Probablemente se extraigan esas excrecencias. Es una operación sencilla que produce resultados muy satisfactorios.

capítulo 20

Problemas comunes a todas las mujeres

EN ESTE CAPÍTULO

- El síndrome premenstrual.
- Pechos doloridos.
- Dolores menstruales (dismenorrea).
- Migrañas (hemicraneas, jaquecas) menstruales.
- *¡Mittelschmerz!*

Muchas mujeres padecen de síntomas especiales relacionados con la menstruación – Estos a menudo producen tensiones en la pareja – Muchos hombres no los entienden y asumen una actitud negativa hacia ellos – Hay diversos tratamientos para los síntomas que suelen acompañar a la menopausia; algunos se basan en medicamentos, otros son naturales – La pelvis es el lugar preferido de muchas infecciones.

¿Sufren muchas madres de esa terrible condición femenina conocida como tensiones premenstruales o, como se dice ahora, síndrome premenstrual?

La respuesta es un rotundo sí. No sólo las madres sino también muchas mujeres soportan problemas durante el ciclo menstrual. En efecto, algunos doctores sostienen que entre el 30 y el 50% de ellas experimenta dificultades ya sea ocasionales o regulares. Esto quiere decir que se trata de muchísimas damas, y de una enorme cantidad de molestias.

El síndrome premenstrual

¿Cuál es la causa del síndrome premenstrual?

No estamos muy seguros. Muchos lo relacionan con los diversos niveles de hormonas que se producen durante el ciclo normal de 28 días. Por lo general, el estrógeno se produce a un ritmo más o menos constante durante todo el ciclo, aunque suele variar un poco. Esta es principalmente la tarea de los ovarios. Otras glándulas fabrican en otras partes del cuerpo ciertas hormonas llamadas endocrinas.

Catorce días antes del comienzo del siguiente período se produce la ovulación, es decir, se libera un óvulo. Desde ese momento en adelante, y hasta que comienza el período, el ovario empieza a fabricar en el cuerpo lúteo la otra hormona femenina llamada progesterona. El cuerpo lúteo es un pequeño órgano lleno de líquido que ocupa el lugar del óvulo liberado. Su propósito consiste en preparar la membrana interior del útero, llamada endometrio, para recibir a un óvulo fecundado. Si esto no ocurre, entonces la producción de progesterona termina, a lo que le sigue un período menstrual normal, durante el cual la membrana interna del útero se desprende y sale al exterior con el flujo menstrual.

Entonces, ¿dónde está el síndrome premenstrual?

Parece que en muchas mujeres se produce un desequilibrio que tiene que ver con la producción de estas dos hormonas, tal vez demasiado de una, muy poco de la otra, o una reacción anormal del organismo a una de ellas, o a la otra, o tal vez a ambas. Todavía no estamos muy seguros. La opinión actual culpa a la progesterona.

En resumen, se produce retención de líquidos, de manera que los pechos están llenos y rígidos. Los pezones tienden a sobresalir y se ponen muy sensibles al tacto, y eso se agrava a medida que se acerca el momento de la menstruación. Puede haber hinchazón de los tobillos, lo que se llama edema.

Con frecuencia el abdomen se siente lleno e hinchado, y puede haber una sensación de dispepsia y flatulencia, con náuseas y vómitos ocasionales, diarrea o constipación. Algunas mujeres presentan síntomas de tipo alérgico, y tienen mareos y estornudos, como si tuvieran fiebre de heno.

¿Es verdad que algunas mujeres se vuelven irritables o se deprimen, como si todos los problemas del mundo descansaran sobre sus hombros?

Exactamente. Esas son a las que este síndrome afecta más. Tienden a sentirse desequilibradas. Muchas se vuelven irritables, caprichosas o deprimidas. En lugar de seguir siendo normales, felices y despreocupadas, se encierran en sí mismas, se ponen irritables, pelean con los demás, se vuelven agresivas, se ponen de mal genio, y probablemente tengan severos dolores de cabeza o jaquecas. En resumen, abandonan su estilo de vida acostumbrado, y se convierten en la típica esposa gruñona. Esta es a menudo su propia descripción, no la mía. Saben que están fuera de foco, se sienten miserables y caprichosas, pero no se pueden sobreponer.

Esta situación se ha atribuido con frecuencia a la retención de líquidos en el cerebro bajo la influencia de las hormonas. Pero, cualquiera sea la causa, tiene que desempeñar un papel preponderante para que la persona se sienta nerviosa, deprimida y tan estresada. Es un motivo común de explosiones emocionales, y más de un hogar se ha visto dañado para siempre por causa de esto. Muchos maridos no pueden comprender qué está pasando, y he visto desmoronarse buenos hogares por esta causa y desembocar en el divorcio. Pero la buena noticia es que hoy existen tratamientos bien sencillos para esto, y a menudo eficaces.

Tratamiento del síndrome premenstrual

¿Existe tratamiento para esto? ¿Qué debe hacer la mujer que sufre del síndrome premenstrual?

Lo mejor es que consulte al médico. Existen varias formas de tratamiento. El doctor hará un examen, ordenará diversos análisis y después planificará un tratamiento.

Muchas mujeres al parecer reaccionan bien ante la píldora anticonceptiva. Aunque a veces se les echa la culpa a las hormonas, parece que si se impide la ovulación (que es el efecto de la píldora anticonceptiva), se impide la producción de progesterona. No importa qué sucede, el caso es que el síndrome desaparece.

Muchos doctores recetan diuréticos, es decir, medicamentos que estimulan la producción de orina. Aparentemente los prefieren en forma de píldoras. Por lo común se empieza con esto entre 7 y 10 días antes del comienzo del período normal. De esta manera se elimina el exceso de líquido, a menudo se alivia la hinchazón de los tobillos (o de los dedos, otro síntoma muy co-

Muchas mujeres padecen de síntomas relacionados con el síndrome premenstrual, con diferentes grados de gravedad.

mún), se reduce la sensación de plenitud en el abdomen, y es muy posible que disminuya la cantidad de líquido acumulado en el cerebro, que según algunos sería la causa del problema.

De cualquier manera, no importa cómo funcione esto, a menudo, aunque no siempre, este tratamiento da buenos resultados.

¿Qué más hacen los médicos?

La vitamina B con frecuencia tiene éxito. También se la conoce como piridoxina, y 25 mg dos veces al día puede dar muy buenos resultados. Si no hay mejoría, se duplica la dosis. Algunos médicos administran dosis mayores todavía, hasta 500 mg por día, pero por períodos muy breves. Esto lo puede hacer usted misma, porque esta vitamina es de venta libre en la farmacia.

Entre el 50 y el 30 % de la población femenina también tiene síntomas menopáusicos, ya sea ocasional o regularmente.

¿Hay algo más que la mujer puede hacer por sí misma?

Frecuentemente, medidas tan sencillas como aliviar la constipación mediante la ingestión diaria de salvado sin procesar: dos cucharadas en el desayuno con su cereal le ayudarán mucho. La ingestión de otros alimentos ricos en fibra también puede ser de ayuda. Hacer bastante ejercicio puede asimismo ser beneficioso. El descanso adecuado puede ser importante, como ya lo hemos dicho. Se aconseja lograr que las tareas hogareñas sean más sencillas, y reducirlas al mínimo indispensable durante esos días críticos, porque de esa manera no se recarga el sistema nervioso.

Idealmente, si el esposo y los demás miembros de la familia colaboran cuando la mamá no está como antes, sin duda le ayudará a reducir las tensiones. La hidroterapia, la aplicación alternada de agua caliente y fría, mejor aún como baños, duchas o compresas, puede aliviar los síntomas. Vale la pena probar, y no hace mal.

Últimamente se han promovido muchos remedios a base de hierbas. Un producto sencillo, de origen vegetal, el aceite de prímula, se puede conseguir en algunos lugares en forma de cápsulas. Tres cápsulas en la mañana y otras tres en la noche alivian considerablemente muchos de los síntomas del síndrome premenstrual. Los periódicos médicos dan fe de que es muy eficaz en muchos casos, y es posible conseguirlas en las farmacias. Ya sea que se las tome solas o en combinación con otros medicamentos u otras terapias, frecuentemente los síntomas disminuyen notablemente.

El punto principal es que estos remedios existen, y están al alcance de todos. No se esconda en un rincón a lamentarse, ni permita que se sienta miserable todo aquel que está al alcance de su voz. Haga algo. Aproveche las posibilidades y participe. De esta manera se sentirá mucho mejor, y lo mismo le pasará al resto de la familia.

Pechos doloridos

¿No es verdad que muchas mujeres se quejan de que le duelen los pechos en algún momento de la vida?

Así es. Esto es común. Con frecuencia es una de las molestias asociadas al síndrome premenstrual que acabamos de tratar. Pero puede aparecer en cualquier momento del ciclo, probablemente más en la segunda mitad, sin relación alguna con la depresión mental o la irritabilidad, y los otros problemas psicológicos que hemos mencionado. En efecto, algunas mujeres descubren durezas en los pechos en ese momento.

¿De qué se trata todo esto?

A veces las causas básicas son similares a las del síndrome premenstrual. Las variaciones hormonales pueden provocar retención de líquidos y la hinchazón del tejido de los pechos. Estos pueden ponerse muy duros, con dolor en los pezones, y toda la zona suele estar muy sensibilizada. Un leve roce causa dolor.

¿Existe un tratamiento para este mal?

Como con cualquier afección o irregularidad que tenga que ver con los pechos, el adecuado consejo del médico es lo mejor. Se hará un examen para tratar de descubrir la causa del mal. Aunque la retención de líquidos suele ser la más común, podría haber quistes también. Algunas mujeres sufren de quistes en los pechos que desaparecen durante el período menstrual. A veces una hormona del tipo de la progesterona, combinada con vitamina B, consigue reducir el dolor y la incomodidad mientras se disuelve el quiste.

En otras mujeres hay exceso en el torrente sanguíneo de la hormona llamada prolactina. La produce una pequeña glándula ubicada cerca de la base del cerebro. Es responsable de proveer una cantidad adecuada de leche inmediatamente después del parto. Se la puede descubrir en la sangre mediante una prueba que se llama radioinmunológica. Si el nivel de esta hormona es demasiado alto (por lo cual los pechos están doloridos y tal vez haya leche inclusive), un medicamento llamado bromocriptina suele ser eficaz para la reducción a niveles normales de la hormona, y la eliminación de los síntomas.

De paso, las mujeres que no logran recuperar su ciclo menstrual normal después de haber tomado por meses o años la píldora anticonceptiva, o que no vuelven a tener menstruación después de haber tenido un bebé, suelen tener elevados índices de prolactina también. Otro de los efectos de la píldora es inhibir la ovulación, lo que significa que no hay menstruación, y por eso mismo no hay posibilidad alguna de que la mujer quede embarazada. Esto es una causa común de esterilidad. Está muy bien si eso es lo que la mujer desea, pero es desastroso si quiere quedar embarazada de nuevo.

La bromocriptina, administrada bajo la adecuada supervisión de un médico, con frecuencia reduce la prolactina a niveles normales, permite la ovulación y los períodos menstruales comienzan otra vez. Su desarrollo es uno de los más importantes progresos de los últimos años, y le ha resuelto muchos problemas a muchas mujeres, y también a sus doctores.

Dolores menstruales (dismenorrea)

Supongo que todas las mujeres han sufrido alguna vez de menstruaciones dolorosas, y estoy seguro de que la mamá que está leyendo esto no es la excepción. Es posible que esté pasando ahora mismo por esto, aunque después de tener un bebé parece que se producen algunos ajustes. Se afirma que el embarazo es un buen tratamiento para este mal. Sería otra de las ventajas adicionales de la reproducción.

Además de consultar al médico, una mujer que ha llegado a la edad de la menopausia puede probar algunos remedios naturales y adoptar una actitud mental de serenidad con el fin de lograr una nueva perspectiva de la vida.

La presencia de dolor durante la menstruación, o dismenorrea como la llaman los doctores, es muy común. Es más probable que se presente en mujeres jóvenes que todavía no han tenido su primer bebé, pero ninguna está exenta.

El dolor suele aparecer inmediatamente después de la aparición del flujo menstrual, empeora rápidamente, y dura de 12 a 24 horas. Puede aparecer asociado a calambres muy agudos, no sólo en el bajo vientre sino también en la espalda y las nalgas. A veces hay náuseas y hasta vómitos. Se dice que en los Estados Unidos solamente se pierden 140 millones de horas de trabajo como consecuencia de este problema. Es posible que los niveles de América Latina sean similares.

¿Cuál es el remedio de este mal?

Se aconseja un chequeo médico. En algunos casos, especialmente en mujeres de cierta edad, puede haber algún problema pélvico (como endometriosis, por ejemplo), pero en la mayoría de los casos se debe a la producción anormal por parte del útero de una hormona que se llama prostaglandina. Esto obliga a la matriz a contraerse en el esfuerzo de expulsar los productos de la menstruación. Se trata de la prolongación de un proceso perfectamente normal.

Hay varios medicamentos que pueden suprimir los efectos de la prostaglandina. Estos, por extraño que parezca, son los mismos que se usan a menudo para la artritis. Parecen ejercer la misma acción sobre las coyunturas inflamadas como consecuencia de la acción de esta misma hormona.

Pero también se recetan otros medicamentos, con un buen porcentaje de éxito, como ser la indometacina, el ácido mefenámico, el naproxeno, el ibuprofeno (Ibupirac) y el ketoprofeno.

Remedios caseros

¿Qué se puede decir de los remedios caseros?

Suelen dar buenos resultados. La hidroterapia ha pasado la prueba del tiempo, y para los que están interesados en prescindir de las drogas a menudo es eficaz.

En resumen, se refiere al empleo alternado de agua caliente y fría. Puede ser en forma de duchas, baños, baños de asiento o fomentos aplicados a las partes afectadas. Por lo común es la aplicación de calor intenso por unos cinco minutos, tan caliente como se pueda soportar, y a continuación 1 ó 2 minutos de frío, a la temperatura del hielo, o tan frío como se pueda soportar.

El baño de asiento se toma en una palangana más bien grande con bastante agua, donde usted se sienta, de manera que el agua cubra los muslos, las nalgas y la pelvis, digamos, hasta el ombligo. El calor es suavizante, reconfortante y ciertamente reduce el dolor. El ideal es que los pies estén sumergidos en un recipiente con agua, que llegue hasta unos 10 cm por encima de los tobillos. Debe ser a la inversa del baño de asiento, de manera que cuando usted esté sentada en agua caliente sus pies estén en agua fría, y viceversa.

El calor atrae la sangre a la zona, el frío contrae los vasos sanguíneos e impulsa la sangre. Cuando esto se repite, se activa muchísimo la circulación de la sangre. Al mismo tiempo ésta se va a los pies, donde también circula, y se dice que esto reduce la cantidad de sangre en la pelvis, y por lo mismo reduce la sensación de plenitud, la hinchazón, los calambres y la incomodidad.

No importa cómo funcione esto, suele dar resultados, y si alguien lo quiere probar, que lo haga sin falta. Algunos combinan este sistema con la medicación que hemos mencionado más arriba. Los medicamentos se deben tomar con las comidas, porque irritan mucho el estómago y la membrana que recubre los intestinos.

Junto con los baños de asiento usted querrá probar un método alternativo, que podría ser un baño o una ducha. Haga lo que le resulte más fácil.

Las jaquecas de la menstruación

Algunas mujeres sufren de agudos dolores de cabeza durante la menstruación. ¿Tiene que ver esto con algunos otros problemas que se pueden producir en ese momento especial del mes?

Parece que sí. Repetimos: a medida que las hormonas se disuelven y desaparecen durante el período menstrual, casi todo el organismo se ve afectado de una manera u otra. El cerebro no escapa a esto, como ya lo hemos visto.

El cerebro parece ser particularmente vulnerable al estrógeno, y éste puede provocar fuertes dolores de cabeza cuando el período está por comenzar, y cuando los niveles de la sangre están más altos. Es posible que la progesterona también desempeñe su papel en este caso. En verdad, no estamos muy seguros.

Lo que sí sabemos es que muchas mujeres que toman la píldora, que es una combinación de estrógeno y progesterona, también sufren de dolores de cabeza, y muy a menudo de verdaderas jaquecas. En realidad esto es tan común que algunas mujeres suspenden la píldora precisamente por esta razón.

¿Cuál es la mejor forma de tratar este

Algunas mujeres padecen de dolores de cabeza provocados por los cambios de nivel hormonal que se producen en sus organismos.

problema?

Consulte a su médico para que le recete algo especial.

El tratamiento para este mal es similar al de cualquier otro dolor de cabeza. Existen muchos medicamentos que pueden servir. Últimamente los medicamentos que reducen la tensión arterial, los beta bloqueadores, parece que dan buenos resultados en las mujeres que sufren de jaqueca. Con frecuencia se usa propanolol, como asimismo algunos otros medicamentos.

Un remedio sencillo es la motoclopramida. Se lo toma oralmente (por boca), o mejor aún en inyecciones. Alivia los espasmos de la válvula del estómago, lo que suele ocurrir cuando hay jaqueca, y que puede provocar vómitos. Después hay que tomar dos tabletas de paracetamol, de 400 mg cada una. Se absorben muy rápidamente, y con frecuencia alivian con eficacia y por mucho tiempo la jaqueca. Este remedio es muy sencillo y da resultados, y vale la pena probarlo.

También se pueden probar algunos comprimidos que contienen tartrato de ergotamina, que suelen ser muy eficaces. Algunas personas se sienten mal cuando los toman. En ese caso los doctores suelen recetar supositorios en vez de comprimidos. Otros médicos recomiendan las terapias de relajación. Esto es información; no necesariamente recomendación.

Otros médicos han descubierto que da resultados tomar de una sola vez 3 tabletas de 250 mg contra la artritis, seguidas de una cada 30 minutos hasta que se consiga alivio. Esto puede tener que ver con los efectos de la prostaglandina a que nos referimos antes.

Los dentistas creen que la dislocación de la coyuntura que une el temporal con la mandíbula inferior puede producir jaquecas y otros dolores de cabeza. Aplican tensores que según ellos corrigen esa dislocación y eliminan así los dolores de cabeza. Otros dentistas manipulan las mandíbulas. Esta dislocación puede ser consecuencia de un accidente o caída acaecidos muchos años antes, probablemente de origen deportivo, que persiste y que con el tiempo produce síntomas.

Otros remedios caseros

¿Qué remedios caseros se pueden aplicar en este caso? ¿Dan algún resultado?

Siempre vale la pena probarlos. Según algunos, una planta llamada matricaria hace mucho bien. En otro tiempo se la estimaba mucho por sus presuntas cualidades tónicas. Suele venir en forma de hojas bien picadas, o en algunos negocios especializados inclusive en forma de cápsulas. Se dice que si se las toma con regularidad, curan la jaqueca.

La hidroterapia también puede ayudar. Se ponen los pies en un recipiente de manera que el agua caliente llegue a 10 cm por encima de los tobillos. Se coloca una bolsa con hielo picado sobre la parte dolorida de la cabeza. Si no se lo consigue, se pueden poner arvejas congeladas en una bolsa de plástico. La bolsa se amolda fácilmente a la cabeza y la refresca. El frío contrae los vasos sanguíneos dilatados que son los causantes de la jaqueca. Se supone que el calor lleva la sangre a las partes donde está el agua caliente, de manera que ésta se aleja del cerebro, donde está la congestión, para trasladarse a los pies. Por lo menos ésa es la teoría.

¿Qué nos puede decir de la terapia de relajación?

Sirve para toda clase de dolores de cabeza y de jaquecas en especial, no importa cuál sea la causa. He aplicado esta terapia por varios años con diversos grados de éxito. Parece que los resultados varían de una persona a otra.

Si desea practicar esta terapia, consulte sólo a médicos calificados, entrenados en su aplicación. No consulte ni a aficionados ni a gente sin preparación. Aprender a relajarse es bueno. Vale la pena probar esta terapia, especialmente cuando lo demás no da resultados.

No le haga caso a los amigos que se ríen de esta idea. Si lo hacen, sólo estarán poniendo en evidencia su ignorancia acerca de la naturaleza de esta dolencia, y de la cantidad de tratamientos que existen para combatirla.

Mittelschmerz

¿Cuál es el nombre raro que se le suele dar a cierta dolencia: Mittel... qué?

¡Ah, sí; Mittelschmerz! Es una palabra alemana que significa "dolor en la mitad"; "Mittel", mitad, y "Schmerz", dolor. Se aplica a un dolor que se produce en el bajo vientre, o zona pélvica, en la mitad del ciclo menstrual. Es bastante común, y en realidad es sencillamente una indicación de que la ovulación está en marcha. Cuando ocurre, cierta cantidad de sangre sale del ovario para alojarse en la cavidad pélvica, donde produce bastante irritación hasta que por fin se la absorbe y el dolor desaparece.

¿Es algo para preocuparse?

Por lo común, no, especialmente si se repite. Se ha extraído una buena cantidad de apéndices perfectamente sanos cuando los médicos creyeron que la paciente padecía de una apendicitis aguda.

En algunas mujeres esto se repite con regularidad cronométrica. Hay quienes usan esta situación para controlar la natalidad. Cuando esto sucede, saben a ciencia cierta que se ha producido la ovulación. Por lo tanto, se abstienen de relaciones sexuales durante las siguientes 48 horas. En teoría, por lo menos, no se podría producir un embarazo. Las señoras que usan este método afirman que es sumamente eficaz.

De manera que la fisiología misma puede a veces ser muy bondadosa, pero no siempre es así.

¿No le parece que las mujeres sufren demasiado de dolencias en la zona pélvica?

Claro que sí, y algunas de esas dolencias son muy comunes y provocan muchos problemas. Otras afortunadamente son más raras. Pero vale la pena considerarlas aunque sea en general.

De modo que la invitamos a que se quede con nosotros, porque estoy seguro de que va a encontrar algún consejo acerca de algunos de los problemas que la pueden aquejar. Pocas mujeres están inmunes a las dolencias propias de su sexo.

capítulo 21

Cómo tratar otras enfermedades femeninas

EN ESTE CAPÍTULO

- Infecciones producidas por hongos y tricomonas.
- Piojos (ladillas), sarna y lombrices.
- Síndrome de shock toxémico.
- Infecciones causadas por el DIU (incluso inflamación de la pelvis y clamidia).
- Herpes simplex.
- Enfermedades de transmisión sexual.

Hay una larga lista de problemas relacionados con la condición femenina – Muchos son relativamente sencillos, pero molestos – Algunos remedios suelen ser eficaces – Las enfermedades de transmisión sexual son perfectamente evitables – El hecho de tener una sola pareja reduce los riesgos – "Sexo seguro" con muchas parejas

A causa de su anatomía y su fisiología especiales, las mujeres parecen estar destinadas a una gran variedad de problemas que no comparten con sus afortunados compañeros.

No sea tan lapidaria, por favor, porque los hombres también tienen sus problemas, no lo olvide.

Pero entiendo lo que quiere decir. De manera que consideraremos algunas de las afecciones estrictamente femeninas que pueden afligir a nuestra joven madre y a sus pares. Es posible que usted sufra de algunas de ellas o, en raras ocasiones, de todas. Por eso es bueno tener a mano algunas fuentes de información para consultarlas en el caso de que aparezcan algunos síntomas. Además, al mostrar en términos sencillos lo que se debe hacer, se puede dar mucha tranquilidad, ya que la paciente sabrá de qué se trata.

Debo añadir aquí que cualquier anormalidad de los órganos de la pelvis debe recibir atención médica inmediata. Mientras más pronto se haga un diagnóstico acertado, mejor será. Recién entonces se podrá comenzar con la terapia correcta. Nunca se olvide de esto. ¡Tantas mujeres se han descuidado hasta que la enfermedad se ha instalado en ellas! Entonces el tratamiento es mucho más difícil, y se necesitará mucho más tiempo para solucionar el problema.

Infecciones producidas por hongos

¿Cuál es la primera afección que vamos a tratar? Tal vez deberíamos comenzar por las infecciones producidas por hongos, porque sospecho que toda mujer alguna vez sufrirá de esto.

Así es. Nos vamos a referir a una infección vaginal producida por un organismo llamado a veces hongo, cuyo nombre científico es *Cabdida albicans.* Pero el nombre no es lo importante. También se lo conoce por otros nombres. Es una especie de afta.

Produce un flujo en la entrada de la vagina, blancuzco, muy caliente e irritante, que provoca un deseo insoportable de rascarse. Pero mientras más se rasca la mujer, más se irrita la zona. Las marcas de los rascadas se pueden infectar, con lo que se agrava el problema. El interior de la vagina se pone rojo, y arde, y unas pequeñas manchas blancas se adhieren a sus paredes.

¿Cómo se diagnostica esta afección, y cómo se la trata?

El doctor llega a un diagnóstico al examinar los síntomas y el aspecto que presenta la zona. A veces también la patología ayuda a hacer el diagnóstico. La medicación consiste en la inserción de supositorios o la aplicación de una crema, generalmente de noche, por una semana o más.

Muchos remedios tienen éxito en el tratamiento de este mal, y el médico con toda seguridad le recetará la que más le conviene. Como dijimos, hay cremas y supositorios, pero también hay tabletas. Deje que el doctor decida esto. Hay remedios nuevos que constantemente se están descubriendo y produciendo.

Lamentablemente, las repeticiones de esta enfermedad son comunes, porque el hongo resuelve residir en el vientre de muchas mujeres, y tiene fácil acceso a la salida que está adelante, especialmente cuando se usa papel higiénico. Las repeticiones se tratan de la misma manera como la afección original.

Aparentemente esta dolencia es más común en las mujeres que toman antibióticos, o la píldora, o si son diabéticas, porque todo esto altera los fluidos vaginales y los hace susceptibles al desarrollo de estos hongos. Por eso es necesario chequear también estos factores. En efecto, es a veces un síntoma precoz de una diabetes que se está gestando, de manera que el examen del doctor debe abarcar este aspecto también. Podría añadir que cuando se usa papel higiénico con un "movimiento de adelante hacia atrás", en lugar de hacerlo al revés, se suelen reducir las repeticiones de la infección. Vale la pena recordarlo.

¿Se puede infectar el hombre también?

Sí, aunque no es lo común. El varón no es el portador usual de la infección. A veces necesitará tratamiento, especialmente si no está circuncidado, pero el tratamiento en general tiene que ver con la mujer.

El doctor podrá recetar cremas de aplicación externa para calmar la picazón, pero generalmente ésta desaparece cuando se va la infección y el flujo se suspende.

La epidemia de los hongos

¿Podría darnos alguna información acerca de la "epidemia de los hongos" que supuestamente habría invadido a los habitantes del mundo occidental, tanto hombres como mujeres?

Es toda una historia. A mediados de la década de 1980 el Dr. William Crook, un médico norteamericano, escribió un libro titulado *The Yeast Connection* (La conexión de los hongos). Según él, el uso masivo de antibióticos (tanto en humanos como en animales para engordarlos), el consumo excesivo de azúcar y nuestro estilo de vida, podrían haber contribuido a que estos hongos irrumpieran en el torrente sanguíneo de mucha gente, produciendo desagradables síntomas en todo el organismo.

Por lo general estos síntomas son suaves y difusos, como ser intranquilidad, falta de energía, cansancio, falta de concentración, falta de agudeza mental, dispepsia, abdomen hinchado, constipación alternada con diarrea, sensación de tensión y nerviosidad; es decir, la clase de síntomas que cualquiera puede sentir en algún momento de la vida, especialmente después de algunas trasnochadas, o exceso de trabajo o falta de sueño. ¿Conoce la historia? ¿Ha estado allí? ¿Le ha pasado?

¿Se puede probar esto científicamente?

No realmente, aunque algunos aficionados a la medicina pretendieron por ahí que tenían una máquina que les permitía ver los hongos desarrollándose en la sangre de los pacientes, disminuyendo la eficiencia de los glóbulos rojos, reduciéndolos a la inactividad y a la inercia, y produciendo en general mala salud.

¿Cuál era el remedio que recomendaban?

Sostenían que si se tomaba diariamente un producto llamado acidófilo, se lograría detener el exceso de hongos y su reproducción, y así se solucionaría el problema.

¿Cree usted esta historia?

No estoy seguro, pero varios doctores la descartan y aseguran que carece de fundamento, mientras otros afirman que tiene base.

En el programa de radio que yo dirigía en Sydney, Australia, recuerdo que un día entrevisté a un médico de Nueva York que se dedicaba al ejercicio de la profesión en la Quinta Avenida. Acababa de escribir un libro para ponerse de parte de esta teoría. Estaba muy entusiasmado, la creía y recetaba los remedios señalados por ella, y afirmaba que muchos pacientes habían recuperado la salud.

Así que dejo la decisión con ustedes. Sigo siendo de mente amplia, pero tengo mis dudas.

Otro tratamiento que se afirma tiene éxito consiste en introducir en la vagina

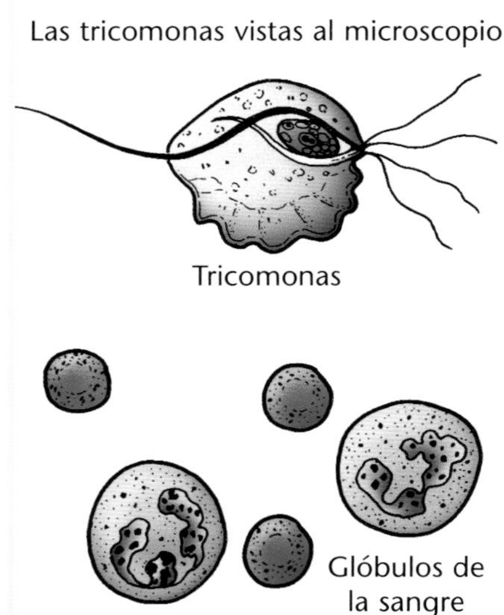

Muchas infecciones comienzan en la zona genital.

yogur sin sabor y sin azúcar. Detecta los hongos y a menudo da buenos resultados. Un detalle más para los partidarios de la medicina natural.

Infecciones provocadas por las tricomonas

A veces oímos hablar de una afección denominada infección TV. Suponemos que no tiene nada que ver con la televisión, ¿no es cierto?

Tiene razón, no tiene nada que ver con la televisión. La produce un germen que se llama *Trichomonas vaginalis.* Generalmente es de transmisión sexual, a diferencia del anterior. Un hombre infectado puede ser el vehículo, y puede transmitírselo a su compañera.

Produce un flujo muy irritante, verdoso y espumoso, que causa una sensación de especial incomodidad. Lo peor es que este germen se puede ocultar por semanas y meses en algún resquicio en ambos sexos sin causar problemas, y de repente aparece.

¿Qué nos puede decir del diagnóstico y el tratamiento?

El diagnóstico es por lo común bastante sencillo, porque este germen se puede descubrir por medio del microscopio. Una vez descubierto se lo puede reconocer por su forma típica y sus cuatro pelitos que aparecen en su dorso, los que le permiten desplazarse a buena velocidad.

Los efectos benéficos de la terapia a veces son dramáticos. Algunos medicamentos los liquidan en horas, y al día siguiente el flujo comienza a disminuir. En pocos días los síntomas han desaparecido por completo. Pero, repetimos, las reinfecciones son posibles, especialmente si el socio sexual no se ha tratado a su vez. Vale la pena que ambos se traten simultáneamente para evitar repeticiones.

El tratamiento con medicinas suele tener éxito. Algunos de ellos son tabletas que se toman por boca. Siga las indicaciones de su médico y tome los remedios que le recete.

Abscesos

Algunas mujeres suelen sufrir de abscesos en la región genital.

Así es. Estos abscesos a menudo están relacionados con dos glándulas llamadas de Bartolín, ubicadas cerca de la entrada de la vagina. Producen una buena cantidad de un líquido lubricante cuando hay excitación sexual, que facilita la penetración del pene. Desempeñan un papel importante. Pero de vez en cuando algunos gérmenes logran entrar a través de su estrecho canal de salida, y entonces estas glándulas aumentan rápidamente de tamaño y la hinchazón que se produce es muy dolorosa. Por lo común sólo se infecta una glándula.

Se parecen mucho a forúnculos. Con frecuencia el doctor les hace una incisión, y entonces sale una buena cantidad de pus maloliente. Pero el alivio que esto produce es instantáneo, y la afección se sana con mucha rapidez. En los casos en que se repite, es necesario o aconsejable la extirpación de la glándula. Los antibióticos pueden ayudar, pero a veces es difícil tratar estos casos con suficiente anticipación, y cuando se forma pus, los antibióticos son de escaso valor.

Otras infecciones

¿Qué nos puede decir acerca de otras infecciones en esa región?

Una gran variedad de infecciones se producen en la región genital. A veces los estafilococos penetran hasta la raíz de un pelo y provocan algo parecido a un forúnculo. Suelen doler mucho. Los antibióticos pueden ayudar, aunque a menudo la afección se repite. Hasta puede aparecer una serie de forúnculos.

Del mismo modo, como consecuencia de los rascadas, por la razón que sea —y la picazón en este caso es un síntoma común—, puede producirse un impétigo. Esta es una infección superficial producida por un estafilococo, que por lo común sana pronto mediante la aplicación local de pomadas con antibióticos recetados por el doctor. Existen cápsulas que se suelen emplear para uso interno.

¿Pueden aparecer piojos (ladillas) en esa zona?

Los piojos del pubis, conocidos también como ladillas, se pueden manifestar en seres humanos de cualquier clase social. Antes se creía que sólo las tenían los que carecían de hábitos de higiene, pero ese concepto ha cambiado. Producen irritación en la piel al transitar por ella, lo mismo que sus liendres, o los huevos que se adhieren a los pelos del lugar.

¿Qué tratamiento se recomienda para esto?

Por lo común la aplicación de un champú con piroform en la zona da resultados muy satisfactorios. Se lo deja unos 10 minutos, y después se lo lava. Se asegura que mata las ladillas y sus liendres. Existen muchos champúes y medicamentos, y generalmente son eficaces. Se usa bastante, con buenos resultados, un medicamento llamado gama benceno. Existen otros productos, además. Si las ladillas vuelven a aparecer, hay que repetir el tratamiento.

Lavar la ropa de cama y exponerla a los rayos del sol es también un buen plan. Converse con su pareja y averigüe si está infectado o no.

¿Qué nos puede decir acerca de la sarna?

Esta afección ha experimentado una especie de resurgimiento en los últimos tiempos, y puede producir una picazón muy intensa en la zona genital, con un deseo muy grande de rascarse constantemente. La cosa se pone peor cuando la persona está gozando de la tibieza de la cama durante la noche.

La sarna puede ser difícil de diagnosticar, pero es posible descubrir unas líneas de color marrón, que son las galerías hechas por los ácaros causantes del mal. Suele ser eficaz el tratamiento con gama benceno, crotamitón y otras aplicaciones locales.

¿Y las lombrices?

Los oxiuros suelen ser muy comunes en todas partes, y si los niños están infectados es probable que los adultos también lo estén. A veces los oxiuros llegan al canal vaginal porque no hay mucha distancia entre el ano y la vagina. Los oxiuros ponen sus huevos junto a la entrada del ano, y los gusanitos a menudo se equivocan de orificio durante la noche.

Una vez hecho el diagnóstico, el tratamiento más efectivo parece ser el uso de una sustancia llamada ditiazanida o yoduro de ditiazina (telmid o delvex). Lo ideal es que toda la familia se trate simultáneamente, porque los huevos son muy infecciosos y es probable que todos estén infectados (a veces la escuela entera).

¿Pueden ser dañinos los cuerpos extraños? Hemos oído unas cuantas historias al respecto.

A veces algunos cuerpos extraños pueden penetrar en el canal vaginal. Lo más probable es que se trate de un tampón olvidado. No se rían, por favor; suele suceder, y a menudo.

La pérdida de sangre pudo haber sido importante, y se insertó un segundo tampón después del primero, pero después se extrajo sólo uno. A veces el tampón olvidado se puede quedar ahí por semanas y meses hasta que por fin aparece. Puede producir un flujo muy maloliente, que impulsa a la paciente a acudir al médico de inmediato. Por lo común el diagnóstico es rápido y sencillo, y la curación también es rápida y eficaz.

A veces gente insensata, en compañía de otra gente insensata también, coloca cosas inconvenientes en el canal vaginal. ¡Si habré sacado cosas raras de ahí!

El síndrome del shock toxémico

Me imagino que este es el nombre que se le da a esta afección.

Correcto. En 1980 varias mujeres norteamericanas sufrieron de síntomas agudos a los cuales más tarde se les dio el nombre de síndrome del shock toxémico. En pocas palabras, en algún momento por la mitad del ciclo menstrual, la mujer siente una fiebre repentina, a veces acompañada de vómitos y diarrea, con una profunda postración y shock. Algunas entran en coma y otras mueren.

Después de los casos que se produjeron en los Estados Unidos, esta afección ha aparecido por todas partes, lo que quiere decir que se ha convertido en un problema mundial. Pero se ha llegado a la conclusión de que lo que produce la afección es el germen y no el tampón, porque ese mismo germen les ha producido shocks toxémicos no sólo a muchas mujeres, sino a algunos hombres también.

¿Cómo se lo puede prevenir?

Los expertos han dado muchos consejos al respecto desde entonces. El uso de tampones no está contraindicado, pero se recomienda que no se los use constantemente durante todo el período, sino que haya algún día de descanso. Los doctores también aconsejan que se cambien varias veces los tampones en el curso del día. Algunos llegan a aconsejar que no se los use de noche.

La verdad es que todavía no tenemos el cuadro perfectamente claro, pero tomar algunas precauciones sencillas no es mala idea. Quiero advertir que este síndrome de shock toxémico es todavía una afección rara, si consideramos la cantidad de tampones que usan las mujeres en todo el mundo.

¿Se suele presentar este síndrome en nuestros días?

Todavía aparecen algunos casos esporádicamente, pero por lo general son tan raros que sólo figuran en los periódicos médicos. La mayoría de ellos no tiene relación alguna con la menstruación. Pueden aparecer en algunas salas de operaciones y en las guardias de algunos hospitales muy bien administrados.

Hace poco sufrió estos síntomas un joven que se había hecho una cirugía plástica para remodelar sus grandes orejas. Por un tiempo no se conoció el origen de la enfermedad hasta que se descubrió que la causa era este estafilococo, el mismo que produce el síndrome de shock toxémico. El germen penetró en su organismo por medio de la herida quirúrgica. Se le aplicó un tratamiento y se recuperó rápidamente.

Estos son los casos acerca de los cuales se han dado informes recientemente. El síndrome de shock toxémico que atacaba a las mujeres aparentemente fue un mal de muy corta duración. A lo menos los fabricantes de tampones no se han sentido impresionados por él, y están contentos de que la revolución que produjo haya desaparecido.

Infecciones causadas por el DIU

¿Han sufrido infecciones algunas mujeres que usan el DIU como método anticonceptivo?

Si tomamos en cuenta la cantidad de DIU que se están usando actualmente en el mundo, el número es muy pequeño. El cordón que cuelga desde el cuello de la matriz y que desciende por el canal vaginal sirve de vínculo directo con el exterior, donde los gérmenes siempre están al acecho. Algunas mujeres experimentan infecciones leves, que al parecer no son muchas, ni producen tantos problemas.

Algunas mujeres sufren de una afección conocida como inflamación de la zona genital. En el pasado esta enfermedad la producía comúnmente el gonococo, pero en tiempos más recientes se ha vuelto común otra enfermedad, conocido como clamidia, también de transmisión sexual a través de un compañero infectado. Es probable que estas enfermedades las contraiga la mujer mientras está usando el DIU. Los síntomas varían, pero puede haber fiebre y dolores diversos, malestar y un flujo vaginal.

¿Cuál es el tratamiento?

Esto depende de los microorganismos causantes del mal, y del resultado de los estudios del patólogo acerca de la sensibilidad de éstos a los antibióticos.

¿Ha pasado de moda últimamente el DIU?

Así es. Cada vez menos doctores insertan DIU. Pero hay muchas mujeres que los conservan desde la época cuando eran populares y se los usaba ampliamente. Con el tiempo, a medida que se vayan eliminando estos dispositivos y no se los reemplace, estas infecciones relacionadas con el DIU también irán desapareciendo.

Infecciones producidas por el herpes

Ha habido una cantidad de discusiones últimamente acerca de las infecciones producidas por el herpes. ¿Qué se piensa en la actualidad al respecto?

Herpes es el nombre genérico para una cantidad de erupciones que han estado con nosotros desde hace siglos. Hay dos tipos muy similares, pero ligeramente diferentes.

El primero recibe el nombre de virus del herpes simplex N° 1. Produce incómodas erupciones en torno de los labios, la boca y el rostro. Son peores en verano, especialmente en las jóvenes que se exponen demasiado a los rayos del sol, o que tienen problemas emocionales y alergias.

Otro muy parecido, pero ligeramente diferente, es el virus del herpes simplex N° 2. Tiene predilección por las regiones vaginal y vulvar (la entrada de la vagina). También produce erupciones. Se cree que este virus es de transmisión sexual, porque vive en la piel, y aunque está allí es posible que no produzca lesiones activas, y un compañero infectado las puede transmitir sencillamente mediante el roce de una superficie con otra. Las erupciones que aparecen un tiempo después se parecen a llagas amarillentas incómodas y dolorosas, especialmente si se ponen en contacto con la orina, lo que a veces es inevitable.

¿En qué consiste el tratamiento?

La terapia más eficaz, especialmente para los casos graves que se repiten, es el aciclovir, un antibiótico. Cuando se lo toma con regularidad de acuerdo con la prescripción, cura rápidamente las lesiones, y destruye los virus que de otra manera seguirían viviendo en las erupciones y las llagas por mucho tiempo más. También sirve para prevenir repeticiones del mal.

Conviene destacar el hecho de que la presencia del herpes en la región vaginal y vulvar es algo muy serio si se produce un embarazo, y a veces los bebés deben nacer mediante una cesárea si la madre tiene un herpes vaginal activo en el momento del parto. Si el bebé se llegara a contagiar, le podría causar la muerte.

¿Existen remedios caseros para esta afección?

Sí, se pueden tomar algunas medidas sencillas que implican el uso de hielo. Si se lo aplica directamente como un fomento a la parte afectada (ya sea el rostro o la región vaginal), durante una hora, especialmente antes que la erupción se desarrolle, puede impedir que esto ocurra. A esto se le llama crioterapia (tratamiento por medio del frío). Al parecer el frío impide que los virus se multipliquen, y en consecuencia los síntomas desaparecen.

Un medicamento llamado idoxuridina también da resultados si se lo aplica *bien al principio*.

La loción de betidina aplicada a las erupciones frecuentemente ayuda. Algunos se limitan a aplicar ciertos líquidos que contienen metilo.

¿Son peligrosas estas infecciones?

La respuesta es no. Se las ha acusado de ser la causa mediata del cáncer del cuello de la matriz, pero en este momento eso no es de ningún modo seguro. Podría desempeñar un papel en esto en conjunto con otros virus y otras infecciones.

De vez en cuando el virus del herpes puede extenderse a otras partes del cuerpo —mayormente en adolescentes— y puede producir una seria y peligrosa infección del cerebro que recibe el nombre de encefalitis por herpes. Es rara y yo he visto sólo un caso. Afortunadamente la administración de un nuevo antibiótico le salvó la vida a esa joven, y ahora ha vuelto a la normalidad, salvo el hecho de que pasó por una experiencia traumatizante que en su momento fue horrible. Estuvo varios días en coma.

Enfermedades de transmisión sexual

La expresión "enfermedades venéreas" se ha reemplazado ahora por "enfermedades de transmisión sexual". ¿Cómo sucedió esto?

Si se mantienen relaciones sexuales con una sola pareja es prácticamente imposible contraer gonorrea o sífilis.

Cómo tratar otras enfermedades femeninas

El aumento de la incidencia de enfermedades de transmisión sexual parece estar relacionado con la liberalidad asumida por la sociedad, lo que ciertamente es uno de los cambios notables experimentados por el estilo de vida últimamente.

Se descubrió que muchas infecciones se transmitían sexualmente, incluso algunas muy sencillas como ciertos hongos, las tricomonas, el herpes y la clamidia. La expresión "enfermedades venéreas" parece contener un estigma que es difícil de olvidar. La mayoría de la gente relaciona la expresión con una vida disipada, y con dos de las formas más comunes de infecciones de la zona genital: la gonorrea y la sífilis.

Pero sin duda esas dos enfermedades siguen estando con nosotros.

Claro que sí, y en estos tiempos, con la actitud liberal que hay hacia el sexo y el matrimonio, andar por ahí y dormir con cualquiera se han generalizado. La gonorrea, la más común de las dos, todavía sigue haciendo estragos.

Podría decir que si la vida sexual se limitara al ámbito del matrimonio, sería imposible que alguien contrajera gonorrea o sífilis.

Los síntomas de la gonorrea son un flujo vaginal en la mujer, y peniano en el hombre, pocos días después de haber tenido relaciones con una persona infectada. Puede haber una fiebre leve, e incomodidad al hincharse las glándulas linfáticas de la zona. Si no se la trata, el germen se puede diseminar por otras partes del cuerpo, produciendo infecciones y probablemente el bloqueo de las trompas de Falopio. También puede producir una dolorosa artritis.

¿Qué tratamiento se recomienda?

Existe un tratamiento muy eficaz, pero se lo debe administrar en una clínica importante, o debe estar a cargo de un médico conocedor de ella, porque han surgido ciertos gérmenes resistentes a los tratamientos comunes —como ser a la penicilina—, y es indispensable que se tomen precauciones especiales para asegurarse de que el paciente se va a curar. Los compañeros sexuales del o la paciente deberían ser tratados al mismo tiempo.

¿Cuál es la situación actual con respecto a la sífilis?

La sífilis es una revoltosa que se ve mucho menos que la otra enfermedad, pero sigue siendo un problema difícil como consecuencia de la alteración de las normas de moralidad.

El punto de partida de la enfermedad es un chancro que aparece ya sea en el pene del varón o cerca de la entrada de la vagina en la mujer, o en la vagina misma. Ya sea que se lo trate o no, por lo común el chancro desaparece a los pocos días. Más tarde puede aparecer una erupción. Si no se la trata, muchos años después se puede desarrollar una tercera etapa de la enfermedad, con graves manifestaciones en cualquier órgano del cuerpo. Eso es raro en la actualidad.

¿Cómo se la puede tratar?

Repetimos, si se la descubre a tiempo y se la trata inmediatamente, los resultados serán buenos. Pero ambos compañeros sexuales deben tratarse simultáneamente, y lo ideal es que esto se haga bajo la dirección de médicos especialistas.

Hay otra enfermedad de transmisión sexual que se llama *lymphogranuloma venereum* (linfogranuloma venéreo). Por suerte se la ve poco. La mencionamos solamente para poner énfasis en el hecho de que las enfermedades de transmisión sexual andan rondando, para que cualquier síntoma anormal en la zona genital reciba rápida atención médica.

Las verrugas venéreas (de transmisión sexual)

Algunas mujeres se quejan de que les han aparecido pequeñas verrugas en la zona genital. ¿Son graves?

Son bastante comunes, y a veces se las llama por su terrible nombre científico, a saber, *condylomata acuminata*. Suelen ser de transmisión sexual, pero no siempre es ése el caso. Las produce un virus que de algún modo tiene acceso a la piel, haciéndola crecer rápidamente y dándole la forma de pequeñas verrugas. Se pueden irritar, especialmente si se las rasca o reciben golpes. A veces aparecen en gran cantidad: docenas o centenas.

¿Cómo se las trata?

La aplicación de podofilina mediante una especie de crema es por lo general efectiva. Hay que tener cuidado de tocar sólo las verrugas y no el tejido circundante. Suelen caerse a los pocos días. El ideal es que este tratamiento lo aplique un doctor. Si lo hace un inexperto, puede producir mucha incomodidad. En los casos graves se puede requerir la admisión en un hospital para poder anestesiar al paciente con el fin de cauterizarle las verrugas, o extirparlas mediante la aplicación de nitrógeno líquido o de rayos láser.

¿No le parece que las mujeres deberían estar más al tanto de los diversos problemas de salud relacionados con su cuerpo en general y con su aparato reproductivo en especial, y que deberían además buscar el consejo del médico más a menudo de lo que lo suelen hacer?

La respuesta a esta pregunta es sí. Lo ideal es que si la mujer observa algunos síntomas que le preocupan, o si sucede algo que no entiende, no se demore en consultar al médico.

Los remedios caseros y que usted misma puede aplicar están bien hasta cierto punto. Pero mientras más pronto vea al doctor, disponga del diagnóstico correcto y comience el tratamiento adecuado, mejor será. Valdrá la pena, y usted y su familia se sentirán más felices. Nunca se descuide a sí misma. Busque atención médica tan pronto como sea posible, porque mientras más rápidamente comience el tratamiento, sanará antes, y usted misma se sentirá más segura.

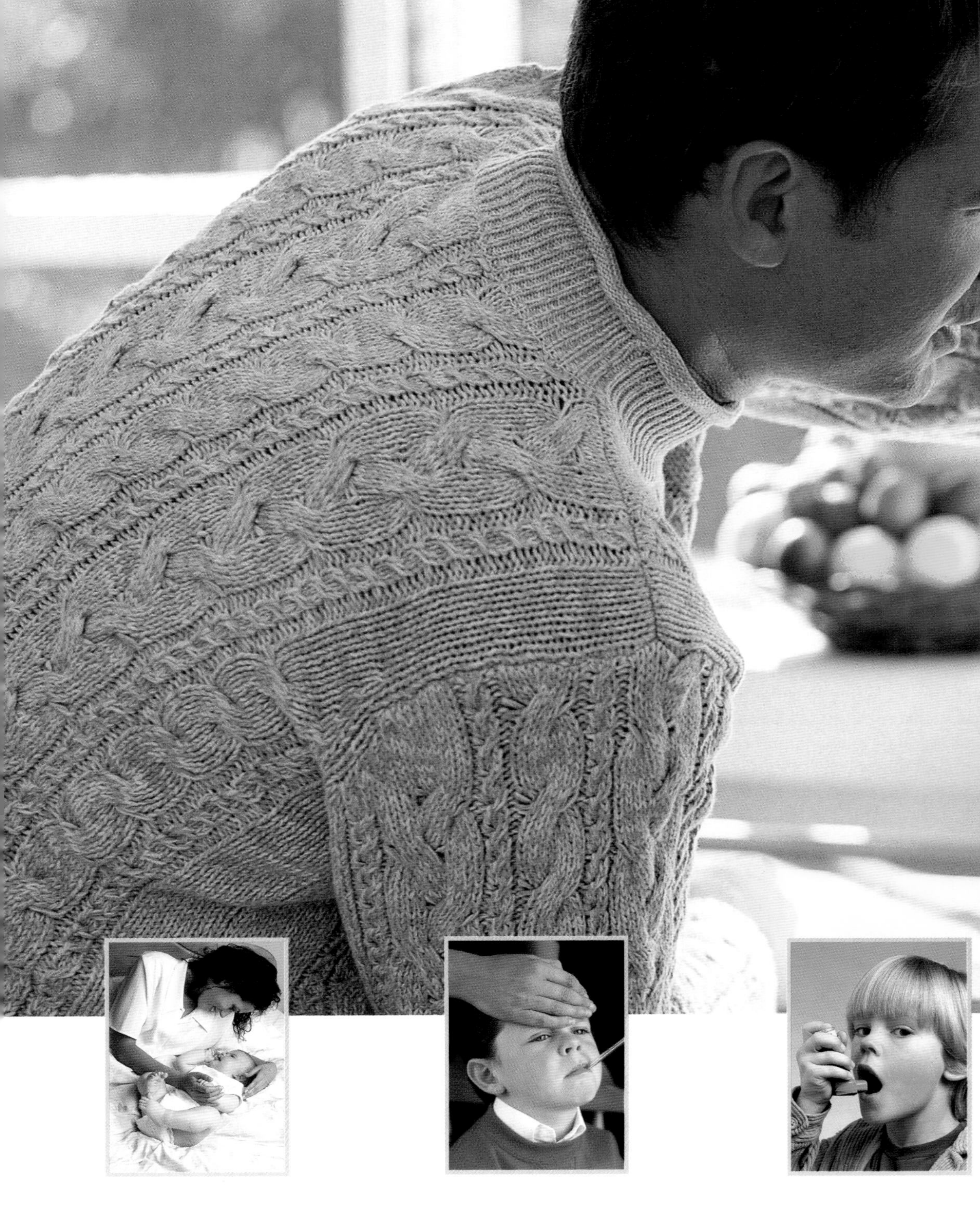

Problemas frecuentes de la niñez

capítulo 22

Las enfermedades infecciosas de la infancia

EN ESTE CAPÍTULO

- Vacunas, fiebres, sarampión, rubéola.
- Varicela, paperas, infecciones del hígado (hepatitis A y B).
- Mononucleosis, estomatitis (herpes simple).
- Meningitis, encefalitis (infección cerebral), poliomielitis.
- Rabia, tétanos, tos ferina (tos convulsiva), difteria.

El bebé se ha estado desarrollando durante nueve meses en su pequeño mundo. Pero un día la paz y la tranquilidad del seno materno terminan abruptamente cuando nace. Ahora tendrá que hacer frente a un nuevo mundo repleto de estímulos, luces y ruidos, en el que vivirá, crecerá y se desarrollará.

No es extraño, entonces, que la criaturita grite y llore en cuanto sale del tibio y agradable claustro materno. En él no hay nada que le haga la vida difícil. Recibe suficiente alimento por medio de la sangre materna que circula incesantemente por los vasos sanguíneos del cordón umbilical.

En el medio líquido en que flota no hay microbios que lo enfermen, y hay abundante oxígeno para mantenerlo sano y fuerte. Es de esperar que su mamá no fume, porque a las fumadoras les falta oxígeno en la sangre; como resultado de ello, sus bebés nacen con menos peso que los hijos de madres no fumadoras. Además, tienen menos probabilidad de tener buena salud; en efecto, muchos mueren durante el proceso del parto o poco después.

¿Quisiera decirnos algo acerca de la gruesa capa de material protector que cubre al bebé cuando nace?

Se trata de un mecanismo defensivo de la naturaleza. La piel de la criatura está libre de gérmenes, y a esta capa de material cremoso, parecido a la manteca (mantequilla), los médicos la llaman *vernix caseosa* la cual tiene el propósito de impedir que los virus y otros microorganismos penetren en el cuerpo.

Pero eso no dura mucho tiempo.

Así es. Después de su primer baño desaparece esta barrera protectora. Repentinamente su piel —y su organismo en general— quedan expuesta a la abundancia de virus y bacterias que nos rodean día y noche.

¿No le parece asombrosa la rapidez con que el bebé se adapta a su nuevo ambiente?

Es increíble. A las pocas horas comienza esta adaptación. A los pocos días causa la impresión de estar disfrutando de la vida. Pasa rápidamente del mundo líquido en el que vivía a un ambiente con aire, luz y ruido. Come, duerme y la mayor parte del tiempo está en paz con el mundo.

El bebé, afortunadamente, cuenta con mucha protección que ha recibido de su madre. De otro modo no le iría tan bien, especialmente en el primer año de su nueva vida.

¿Cómo ocurre eso?

Antes del nacimiento existe una estrecha relación entre la sangre del bebé y la de su madre. Aunque permanecen separadas y no se mezclan, el alimento, el oxígeno y otros elementos indispensables se transfieren de la sangre materna a la del bebé. Se encuentran pequeñísimas cantidades de compuestos químicos llamados anticuerpos, que protegen el organismo de los microbios invasores.

La madre, a lo largo de toda su vida, ha estado expuesta a una diversidad de gérmenes y enfermedades, incluyendo las que se contraen en la infancia.

¿Como la rubéola, las paperas y la varicela?

Correcto. Y decenas de otras afecciones. Cada vez que una nueva infección la ataca, su organismo reacciona y forma anticuerpos que tienen la misión de neutralizar el efecto de los gérmenes invasores. Estos anticuerpos permanecen definitivamente en el organismo. Por eso un ataque de ciertas enfermedades (no todas, por cierto) imparte una resistencia natural contra nuevos ataques.

Estos anticuerpos, afortunadamente, se transfieren al bebé en desarrollo antes del nacimiento. Por eso, durante los primeros 12 meses, el bebé tiene una notable resistencia contra las enfermedades infantiles.

Protección innata

¿Se trata, entonces, de una protección innata o natural contra las enfermedades, cuando la criatura es menos capaz de protegerse por sí misma?

Precisamente. Más que eso, los mismos anticuerpos se encuentran en la leche materna. Por eso los médicos recomiendan que se amamante al bebé todo el tiempo que resulte práctico. Significa que esta protección permanente se mantiene en un nivel elevado. Se sabe que numerosas enfermedades son menos comunes en los niños alimentados con leche materna que en los que han sido alimentados artificialmente durante los primeros meses de su vida. La llamada "muerte en la cuna" o síndrome de la muerte súbita del bebé, es un ejemplo destacado. Esta muerte súbita ocurre en los bebés durante los primeros seis meses de vida. Un bebé con buena salud simplemente muere en su cuna durante la noche por razones que generalmente se desconocen. Pero este mal es mucho menos frecuente entre los bebés alimentados con leche materna. Además, las infecciones gástricas, que son muy frecuentes entre las criaturas, se presentan con menos frecuencia entre los bebés alimentados a pecho. Muchas de las demás enfermedades infecciosas que estudiaremos en este capítulo son menos comunes entre estas criaturas durante los primeros 12 meses de vida.

Podríamos decir que este es un eficaz sistema natural de inmunización.

Efectivamente. Sin embargo, aunque la naturaleza creada por Dios es bondadosa y provee una gran cantidad de protección de forma automática, esta sólo dura un número limitado de meses. Disminuye drásticamente hacia el final del primer año de vida.

¿Quiere decir que después de eso el bebé se las tiene que arreglar por su cuenta?

Por cierto. Afortunadamente los médicos estamos al tanto de esto y contamos con numerosas vacunas que podemos dar a las criaturas para prolongar por varios años su protección inicial contra las enfermedades que en otro tiempo causaban la muerte durante los primeros años de la vida. Por eso valoramos tanto la adecuada vacunación de los niños. Debería comenzar pronto, para garantizar su eficacia.

En los primeros 12 meses de su vida, el bebé tiene una notable resistencia a muchas de las enfermedades comunes de la infancia.

Este capítulo abarca numerosas enfermedades infecciosas de la infancia. "Infecciosas" significa simplemente que las causan virus y bacterias (gérmenes). Por eso se comunican fácilmente de una persona a otra. Los bebés y los niños pequeños están especialmente expuestos a contraer esos gérmenes omnipresentes, y a manifestar los síntomas característicos de la enfermedad.

Sí, pero antes de comentar estas enfermedades una por una, consideraremos cuántas de ellas se pueden evitar. Como todos los médicos y la mayor parte de las madres lo saben muy bien, la prevención es mejor que la curación. Por eso conviene que lea con cuidado esta sección, porque es de vital importancia para el bienestar de su bebé o hijo de más edad.

Las vacunas

¿Cuál es la actitud actual con respecto a vacunar a los bebés?

Mi punto de vista personal —y el consenso de los médicos— es que es necesario vacunar a todas las criaturas con el fin de protegerlas de las enfermedades para las que existen vacunas.

¿Cuáles son esas enfermedades?

Es posible obtener excelente protección contra enfermedades que en otro tiempo causaban la muerte de miles de niños y pro-

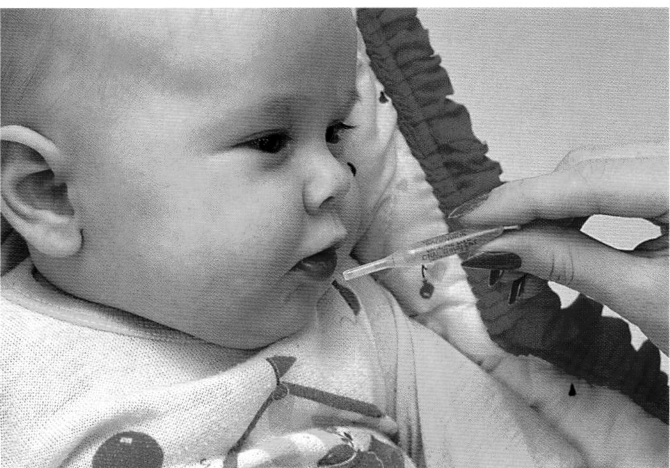

Los bebés deben recibir oralmente a los dos meses su primera vacuna Sabin. Con eso quedan protegidos contra la polio.

ducían peligrosas complicaciones en incontables criaturas: estas complicaciones ponían en peligro la vida, provocaban invalidez, deformaciones físicas, daño cerebral, esterilidad y otros temibles resultados.

En la actualidad existe excelente protección contra la difteria, la tos ferina y el tétanos. Además, contra la poliomielitis, el sarampión y las paperas. En la primera infancia, o más tarde en la vida, las niñas pueden recibir protección contra la rubéola, conocida comúnmente como sarampión alemán. Aunque la rubéola no es tan peligrosa en las primeras etapas de la vida, lo es más tarde, especialmente si la contrae una mujer embarazada, ya que puede ocasionarle graves malformaciones congénitas al bebé en gestación.

Existe una gran cantidad de vacunas que puede darse más tarde en la vida para combatir ciertas afecciones, pero no se recomiendan ni se dan durante la infancia a menos que exista alguna razón especial, como por ejemplo la necesidad de protección contra la tuberculosis, la rabia, el cólera, la fiebre tifoidea o la hepatitis. La viruela, que en una época era una enfermedad temible, ahora virtualmente se la eliminado de la faz de la Tierra, por lo que en la mayor parte de los países ya no se exige esa vacuna.

En estos tiempos modernos hay madres que dicen que es una crueldad clavarle agujas en la piel a los bebés. ¿Qué piensa usted de esto?

Esta es una queja común, lamentablemente. Una minoría mal informada causa mucho revuelo innecesario en torno a un asunto que es de vital importancia para la salud de las criaturas. Las generaciones más jóvenes desconocen los terrores causados por enfermedades que, gracias a las vacunas, han dejado de ser amenazas para la salud y la vida de la gente.

¿Qué madre joven ha visto alguna vez un solo caso de poliomielitis? ¿Quién ha presenciado el terrible sufrimiento de una criatura de tres meses afectada por la tos ferina (tos convulsiva)? ¿Quién ha sentido la respiración anhelosa y ronca de los bebés moribundos enfermos de difteria? ¿Quién ha visto la desesperación de un niño víctima del tétanos?

Hay incluso médicos que nunca han visto a pacientes afectados por estas enfermedades. Ya no se presentan en el mundo occidental sencillamente porque ha habido un número suficiente de madres sensatas que han hecho vacunar a sus hijos contra ellas. Es la única razón por la que han sido dominadas. Cuando una cantidad suficiente de criaturas ha sido vacunada, la enfermedad deja de producirse. Las estadísticas lo comprueban.

No es asunto de evitar un pequeño sufrimiento físico al bebé, sino que se trata de proteger su existencia misma.

Supongamos que una gran cantidad de padres se opusiera a que se vacunara a sus hijos. ¿Qué sucedería?

Se produciría una situación horrible que nadie querría ver. Debemos enfrentarnos con los hechos, porque actualmente cada vez hay una mayor cantidad de madres jóvenes que no se preocupan por vacunar a sus hijos.

Podría llegarse inevitablemente a un punto en el que la protección de toda una nación estaría por debajo del nivel que permite mantener a raya estas graves enfermedades.

Esto quiere decir que cualquier país que se descuide puede experimentar el desastroso regreso de numerosas enfermedades infecciosas.

¿Quiere decir usted que los gérmenes que producen estas enfermedades todavía están activos?

Por supuesto. Sólo tenemos que echar un vistazo a los países en vías de desarrollo. En ellos suelen abundar las horrorosas enfermedades contagiosas que en el pasado afectaban a los países desarrollados. No hace mucho, la Organización Mundial de la Salud (OMS) informó en la *Revista Médica Británica* que la poliomielitis, que en otros tiempos causaba muerte, deformidades físicas e invalidez, todavía se encuentra muy difundida en el mundo.

Hace poco, en un solo año se informaron oficialmente 50.000 casos. La OMS cree que este número es sólo una pequeña muestra, tal vez apenas el 10 % de lo que realmente está sucediendo con la poliomielitis.

Una sencilla vacuna proporciona un elevado nivel de protección contra esta terrible enfermedad que era muy común antes del comienzo de los programas de vacunación hace por lo menos 40 años.

¿Podría regresar esta enfermedad?

Sí, *podría* regresar. Si una cantidad suficiente de madres deja de vacunar a sus hijos, la poliomielitis volverá a ser un azote. No hay duda de ello.

Pero hemos oído decir que ciertas vacunas pueden tener efectos adversos. ¿Recuerda la alarma que la tos ferina provocó en Inglaterra hace algunos años?

Sí, lo recuerdo. Una cantidad muy limitada de bebés que habían sido vacunados contra la tos ferina sufrió de infecciones cerebrales como resultado de ello.

Lamentablemente los medios de comunicación divulgaron de forma tan exagerada este hecho, que miles de madres rehusaron correr el riesgo de vacunar a sus hijos. De manera que la cantidad de criaturas vacunadas disminuyó drásticamente.

Lo que no se divulgó en la misma medida fue que los riesgos de la vacuna eran ínfimos en comparación con los grandes beneficios que producía. Actualmente está apareciendo de nuevo la tos ferina en Gran Bretaña. Muchas madres están comprendiendo, demasiado tarde, la necedad de su oposición a las vacunas de sus hijos. Ahora, una mayor cantidad de criaturas se está enfermando de tos ferina, y el número de muertes aumenta paulatinamente.

Después de haber atendido numerosos casos de tos ferina en el ejercicio de mi profesión. y sabiendo que el tratamiento de esta enfermedad es difícil, puedo decir definidamente que la prevención es el mejor camino a seguir.

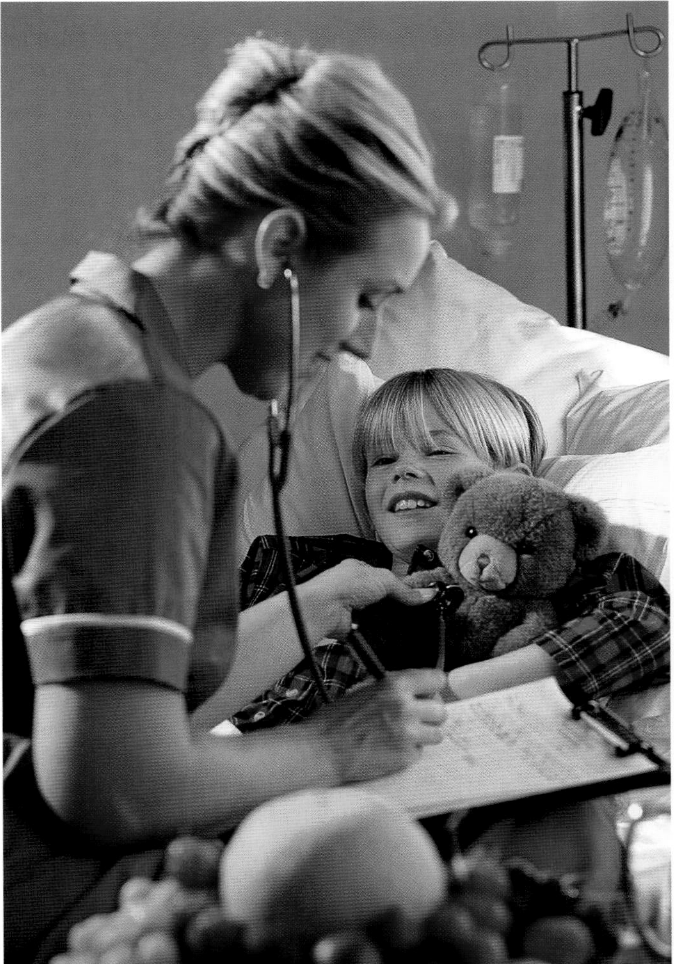

Las peligrosas enfermedades infecciosas del pasado ya no son motivo de preocupación para nadie, con la condición de que se lleve a cabo un amplio programa de vacunación.

¿Se podría decir que un poco de sentido común sería muy necesario cuando se trata de tomar una decisión con respecto a las vacunas?

Los médicos recomiendan que se estudie a cada criatura por separado antes de vacunarla. Si ha tenido en lo pasado algún trastorno del sistema nervioso, incluso convulsiones, ataques, conmoción cerebral u otra reacción adversa durante los primeros meses de vida, no se la debe vacunar contra la tos ferina. Estos casos se deben presentar al médico de la familia antes de que los padres decidan no permitir que se vacune al bebé.

Debo añadir que cualquier vacuna inyectable puede producir leve dolor local, enrojecimiento, y hasta hinchazón y fiebre leve por uno o dos días. Pero estas reacciones no son graves, de modo que el bebé se normalizará pronto sin ningún efecto adverso. Estos síntomas sin importancia médica no son razón suficiente para dejar de vacunar a los niños.

El registro de las vacunas

¿Cuándo debería una madre comenzar a vacunar a sus hijos?

Se ha recomendado numerosos programas de vacunación, y estos varían de un país a otro y hasta han diferido en diversas regiones de un mismo país. Pero, en general, la mayor parte de los países han adoptado las normas de la OMS y han puesto en marcha programas uniformes de vacunación. Un poco más adelante encontrará usted un programa de vacunas que recomienda la mayor parte de los médicos.

¿No cree usted que los padres deberían llevar un registro exacto de las vacunas recibidas por sus hijos? Al cabo de algunos años nadie recordará cuándo recibió Juancito su última vacuna contra la difteria o el tétanos. Esto es especialmente válido cuando hay varios niños en la familia. Después de todo, los pequeñines crecen con rapidez y los padres olvidan algunas cosas relacionadas con su salud.

Los padres deberían mantener un registro detallado de la historia clínica de sus hijos. Los médicos de la familia y las instituciones médicas suelen entregar una tarjeta de registro para facilitar esta tarea. Allí se anotan todas las vacunas y otros detalles importantes relacionados con la salud de los menores.

El tiempo anubla la memoria, y con varios niños en la familia hay decenas de asuntos que recordar. Un día, tarde o temprano, será indispensable tener presente todo lo que se relaciona con las diversas vacunas. En ese caso la tarjeta de control será de gran valor, ya que contiene la fecha de cada vacuna, la enfermedad contra la que se aplicó, la clase de vacuna que se dio, su efecto, las revacunaciones y otros datos útiles.

He hablado con muchos padres a lo largo de los años. Todos comenzaron con una tarjeta de control limpia para su primer bebé; pero al cabo de no mucho tiempo perdieron la tarjeta o la ensuciaron con comida, café u otra cosa, y quedó inservible.

De modo que para facilitar la tarea al lector, hemos incluido al final de esta obra hojas de control con los nombres de las enfermedades, para que coloquen junto a cada una la fecha de la vacuna. También, para hacer más completo el registro, hay lugar para una breve descripción de las operaciones y enfermedades padecidas por sus hijos.

Mantenga al día los registros

Por favor, use estos registros y manténgalos al día. Podrían ser de gran utilidad en el futuro. No sólo mientras sus hijos viven con usted, sino también después, cuando vivan por su cuenta y tengan sus propios hogares. Le sugiero que abra este libro en las últimas páginas y busque las hojas de registro de vacunas y enfermedades para que tenga una idea más clara de lo que estamos diciendo.

¿A qué edad se debería comenzar a vacunar a los hijos?

Se recomienda que se comience a los dos meses. La primera vacuna es una combinación de vacunas contra la difteria, el tétanos y la tos convulsiva (tos ferina, coqueluche); también se administra oralmente una vacuna contra la poliomielitis. Esta operación se repite a los cuatro y a los seis meses.

La tos convulsiva es más grave durante los primeros seis meses de vida, pero después de esa edad se omiten nuevas vacunas. Sin embargo, se continúa la protección contra el tétanos, la difteria y la poliomielitis con vacunas de refuerzo a los 18 meses y poco antes de entrar en la escuela.

Los médicos recomiendan que la protección contra el tétanos se mantenga durante toda la vida, porque esta temida pero fácilmente evitable enfermedad todavía causa más de un millón de muertes en los países en desarrollo y en otros lugares donde no se cuida mucho la higiene. Nadie debería morir por causa del tétanos en la actualidad.

¿Cada cuánto tiempo se deberían dar las inyecciones de refuerzo contra el tétanos?

Se recomienda una inyección de refuerzo cada 10 años. Una forma fácil de recordar esto es dar una inyección a los 5 años, luego a los 10 años, a los 20, a los 30, etc. El adulto debe preocuparse por pedir las vacunas de refuerzo en las fechas adecuadas. De todos modos, conviene que anote la fecha de cada vacuna en la hoja de control.

¿Qué puede decir acerca de otras formas de protección?

El bebé nace con una excelente protección contra diversas infecciones, por lo que no se recomienda una vacuna contra el sarampión antes de los 12 meses. Si se la administra antes del año pierde eficacia. Una sola vacuna dada a los 15 meses proporciona protección adecuada durante muchos años. Estudios recientes indican que esta protección se debilita con el paso de los años, por lo que conviene dar una vacuna de refuerzo cuando el médico lo aconseje.

Si se aplica una vacuna contra el sarampión entre los 6 y los 15 meses, conviene que se dé una vacuna de refuerzo 15 meses más tarde.

Vacuna contra el sarampión, las paperas y la rubéola

¿Qué nos puede decir acerca de la vacuna contra las paperas?

Esta vacuna comenzó a distribuirse hace varios años. Se recomendó una sola dosis dada a los 18 meses con la vacuna contra el sarampión, para disminuir la cantidad de inyecciones y evitar mayores molestias a las criaturas. En muchos lugares se administra esta vacuna combinada para el sarampión, la rubéola y las paperas entre los 12 y los 15 meses.

A las madres no les agrada que sus bebés reciban más inyecciones que las indispensables. A mí tampoco me agrada causar dolor a las criaturas, de modo que favorezco el menor número de inyecciones posible.

¿Otras vacunas?

Con fines prácticos, las vacunas recomendadas en la lista de la página siguiente son las que los médicos prescriben para las criaturas. Como ya dijimos, existe un gran número de otras vacunas para casos especiales. El médico recomendará las que correspondan a esos casos. Si se viaja a otro país puede ser necesario administrar cierta clase de vacuna. Además, el contacto con personas que padecen ciertas enfermedades contagiosas puede requerir vacunas tanto para los adultos como para los bebés; pero esto tiene que ver con un número reducido de personas.

¿Qué nos puede decir del programa de vacunas que aparece en la página siguiente?

La tabla de la página 224 presenta las vacunas que recomendamos, las edades en que se deben aplicar y las enfermedades contra las que protegen. Volvemos a recordar que al final de este libro hay hojas para el registro de las vacunas dadas a sus hijos. Mantenga en todo momento los registros actualizados. Anote, además, las enfermedades y la fecha en que ocurrieron. Esto constituirá una valiosa referencia para el futuro.

Las fiebres que producen preocupación

Cada bebé, criatura y niño experimentará tarde o temprano un aumento de su temperatura. Esta puede aumentar muy repentinamente, lo cual angustia a la madre, especialmente si no está acostumbrada a sentir su cuerpecito caliente, transpirado e incómodo.

Las fiebres son comunes. Pero en la mayor parte de los casos la temperatura vuelve con rapidez a su nivel normal. En muchos otros se desconoce la causa. La gravedad de la fiebre, a veces, no guarda relación con la causa que la produce. La temperatura elevada no significa necesariamente que la criatura ha contraído una enfermedad grave que amenaza su vida. Pero, al mismo tiempo, cuanto antes se controle la fiebre tanto mejor será.

La fiebre, en algunos casos se puede deber a una causa muy sencilla. Por ejemplo, en un día caluroso puede subir la temperatura del bebé, tanto más si está vestido con ropa gruesa o con exceso de ropa, porque en ese caso el calor del cuerpo no se puede disipar en el aire ambiente.

Podría ser también que la criatura no esté recibiendo una cantidad adecuada de líquidos. Los bebés transpiran profusamente cuando el tiempo es caluroso, y la evaporación del agua en la piel contribuye a mantener la temperatura del cuerpo en niveles normales. De modo que el exceso de ropa y la falta de líquidos en días calurosos puede contribuir a elevar la temperatura del bebé.

Las infecciones también pueden causar un aumento de la temperatura del bebé, ¿no es cierto?

Así es. Casi todas las infecciones, desde un simple resfrío común, o gripe, o dolor de

PROGRAMA DE VACUNACIÓN

La vacunación intensiva de las criaturas contra la difteria, el tétanos, la tos convulsiva y la poliomielitis, ha producido una notable disminución de estas afecciones y del número de muertes provocadas por ellas. La vacunación de las niñas escolares contra la rubéola casi ha erradicado los problemas que producía en los embriones humanos. La vacuna contra el sarampión y las paperas ha disminuido su frecuencia y su gravedad.

Plan recomendado

Edad	Enfermedad	Vacuna	Aplicación
2 meses	Difteria, tétanos, tos, convulsiva	Triple antígeno	Intramuscular
	Poliomielitis	Vacuna Sabin	Oral
4 meses	Difteria, tétanos, tos convulsiva	Triple antígeno	Intramuscular
	Poliomielitis	Vacuna Sabin	Oral
6 meses	Difteria, tétanos, tos convulsiva	Triple antígeno	Intramuscular
	Poliomielitis	Vacuna Sabin	Oral
Entre 12 y 15 meses	Sarampión, paperas	MMR	Subcutánea
	(Nota: Ahora se da a esta edad la vacuna sarampión-paperas-rubéola.)		
18 meses	Difteria, tétanos, tos convulsiva	Triple antígeno	Intramuscular
5 años o antes	Difteria, tétanos	Difteria infantil / Tétanos	Intramuscular
de entrar en	Poliomielitis	Sabin	Oral
la escuela			
10 a 16 años	Rubeóla (preferentemente en los últimos años de la escuela primaria o los primeros de la secundaria)	Vacuna contra la rubeóla	Subcutánea
15 años o más	Difteria, tétanos	Vacuna contra difteria y tétanos para adultos	Intramuscular

garganta, pueden elevar la temperatura del bebé. El mecanismo regulador de esta no está bien desarrollado todavía; pasarán algunos años hasta que alcance un nivel de eficiencia adecuado. Por eso su temperatura aumenta o disminuye abruptamente.

¿Son peligrosas las fiebres altas?

El cerebro es muy sensible a la temperatura, y prefiere que sea agradable y constante. Por eso algunos bebés entran en convulsiones cuando el calor corporal se eleva mucho. Esto significa sencillamente que el cerebro está emitiendo una serie de impulsos producidos por el calor anormal a que están sometidas sus neuronas. Estas manifestaciones, afortunadamente, no duran mucho, especialmente si se aplica algún tratamiento para que baje la fiebre.

Estas convulsiones pueden ser alarmantes, especialmente si se presentan en medio de la noche cuando la madre las ve por primera vez. Pero no hay que perder la calma, porque un tratamiento adecuado para bajar la temperatura solucionará este problema en pocos minutos. Es posible que en una cantidad muy reducida de casos estas convulsiones sean síntomas de epilepsia; pero entonces también ocurrirán aunque la temperatura de la criatura sea normal. Como medida de precaución hay que llevar el bebé al médico la primera vez que tenga convulsiones, para que diagnostique la causa que las provoca.

+ *Tratamiento*

¿Debería la madre administrar un tratamiento para bajar la fiebre?

Cualquier fiebre que persista durante algunas horas se debería tratar. Se pueden aplicar medidas sencillas para lograr que descienda.

¿Qué sugiere usted?

Primero busque las causas más obvias. Si la criatura está demasiado abrigada, aligérela de ropa, especialmente si hace calor o hay humedad. Coloque al bebé en una habitación más fresca, si es posible, con un ventilador, pero cuide que la corriente de aire no lo afecte directamente, para evitar el riesgo de una infección o enfriamiento.

Me parece que aplicar una esponja empapada en agua fresca es un recurso eficaz.

Es la forma más rápida y sencilla de lograr que baje la temperatura. Moje una esponja en agua tibia y pásela por el cuerpo del bebé con suavidad y rapidez. Luego cúbralo con una sábana para evitar que se enfríe, lo que puede ocurrir muy fácilmente.

En algunos casos resulta eficaz rociar al bebé con muy poca cantidad de agua de colonia, porque el alcohol que contiene se evapora con rapidez y enfría la piel. Además, deja un olor agradable. Es importante lo de la poca cantidad porque el alcohol se absorbe por la piel a la sangre.

A veces una bolsa con hielo, envuelta en tela para que no sea tan fría, puede producir alivio. También se puede aplicar una bolsa de plástico llena con porotos (frijoles) o arvejas (guisantes), enfriados previamente en la heladera (nevera, refrigerador).

Actualmente existe un aparato de plástico lleno con un líquido azul que se enfría pero que no se congela, que se mantiene en la heladera o nevera. Se coloca sobre la piel del bebé para bajar la temperatura. Produce una agradable sensación de frescura.

Este aparato es ideal para la cabeza y otras partes del cuerpo. Úselo con cuidado. Como está hecho para adultos, puede cubrir una parte considerable del cuerpo de la criatura,

Un ataque de fiebre no significa necesariamente que el bebé ha contraído una peligrosa enfermedad; pero mientras más pronto se la elimine, mejor será.

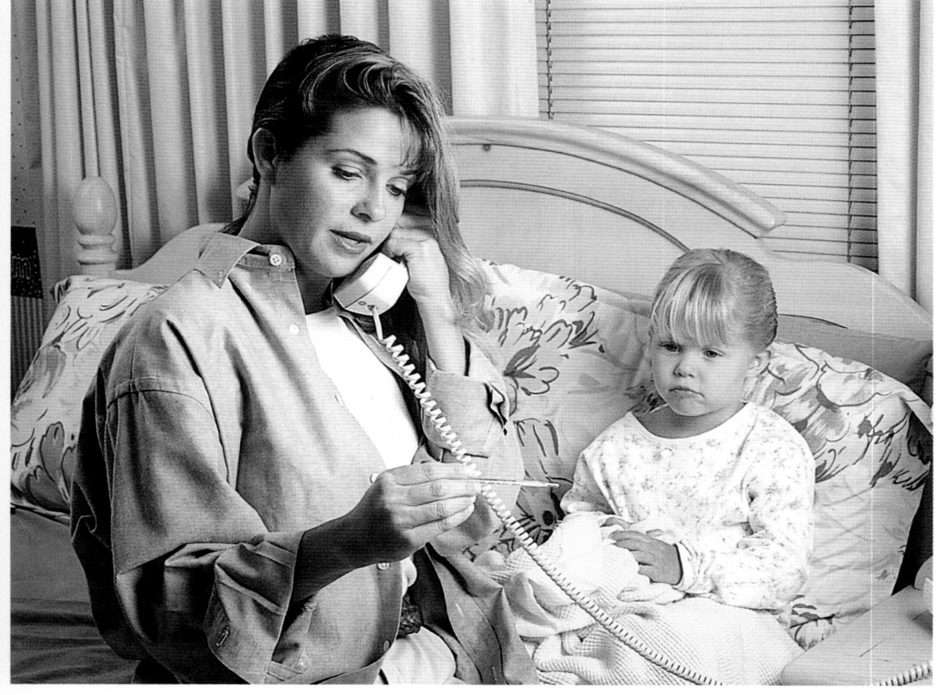

La fiebre puede ser un síntoma de una infección causada por un virus.

según su edad.

¿Conviene usar medicamentos para bajar la fiebre en los bebés?

Cuando los recursos sencillos que se emplean no logran bajar la fiebre en un tiempo prudencial, el uso de medicamentos lo consigue. Una dosis de paracetamol en gotas para bebés disminuirá la fiebre y el dolor. La dosis varía con la edad de la criatura, de modo que es necesario leer bien las instrucciones que aparecen en el envase.

Aunque la aspirina y los medicamentos que la contienen se usaron ampliamente con este fin, desde hace un tiempo no se recomiendan para los niños menores de seis años. Irrita la mucosa del estómago y, aunque reduce la fiebre, puede causar hemorragias internas y úlceras. El paracetamol no tiene estas desventajas, pero se recomienda no excederse en las dosis. Asegúrese de no dejar el envase al alcance de los niños y siempre ciérrelo bien. Los niños pequeños son muy curiosos y se llevan a la boca todo lo que encuentran al alcance de la mano, lo que ha producido graves intoxicaciones con diversos medicamentos.

¿Cree usted que es indispensable llevar al médico a una criatura con fiebre?

Si los tratamientos sencillos recomendados para disminuir la fiebre no producen resultados, y esta permanece elevada durante muchas horas, entonces es aconsejable que el médico vea cuanto antes a la criatura.

Si hay otros síntomas además de la fiebre, especialmente vómitos, diarrea continua, dolor, particularmente en el estómago, la cabeza, los oídos o el pecho, es todavía más necesario llevarlo al médico. Nunca descuide la debida atención médica de sus hijos enfermos. Los remedios caseros son buenos al comienzo, pero cuando los síntomas persisten es necesario buscar ayuda profesional.

La fiebre suele ser la primera advertencia de enfermedad. Dentro de uno o dos días pueden presentarse otros síntomas reveladores, como erupciones cutáneas que ponen en evidencia la existencia de sarampión, varicela u otra enfermedad eruptiva; o bien dolor de garganta, nariz congestionada o tos, que son síntomas característicos de infección del aparato respiratorio.

Sarampión

¿Cuál es la causa del sarampión?

Al sarampión lo causa un virus. El contagio se produce por el contacto con la saliva o las mucosidades de un niño enfermo en juguetes u otros objetos. Es probable que la mayor parte de los casos se deba a la inhalación de microscópicas partículas de humedad que contienen millones de virus transmisores de la enfermedad.

Los síntomas se desarrollan entre 8 y 14 días después del contagio. El sarampión es una enfermedad muy contagiosa. Se presenta con mayor frecuencia entre los 2 y los 14 años. Prácticamente todos los niños que no han sido vacunados contraerán sarampión antes de los 10 años.

¿Cuáles son los síntomas del sarampión?

El contagio con sarampión produce al comienzo síntomas parecidos a los del resfrío común. Casi siempre se inicia con fiebre, que puede ser bastante elevada y variar entre 38,3° y 40° C. Suele ser más elevada justamente antes de presentarse la erupción cutánea, tras la cual disminuye. Puede haber dolor de garganta y abundante mucosidad en la nariz, como en el resfrío. El enfermito con frecuencia tiene tos y le duelen los ojos, que pueden tener pus en los lacrimales. También puede haber dolor de cabeza. La luz molesta. Los ganglios linfáticos del cuello se hinchan y duelen.

¿Qué son los puntos de Koplik?

Muchos hablan de estos puntos, pero pocos los han visto. Son puntos blancos sobre un fondo rojizo en la mucosa que tapiza la boca y el interior de las mejillas. Comienzan en la parte posterior, detrás de los molares, y pueden extenderse hasta cubrir el interior de la boca y las encías. Son un síntoma precoz del sarampión que aparece dos o tres días después del comienzo de la enfermedad, y desaparece cuando se presenta la erupción de la piel.

¿Cuándo aparece la erupción?

Alrededor del quinto día de la enfermedad aparece en la piel un salpullido o erupción en forma de mancha irregular, que se oscurece hasta adquirir un color rojo intenso. Los extremos de las manchas se unen hasta formar extensas zonas rojizas. Comienza detrás de las orejas y en la cara, y se extiende con rapidez al pecho, al abdomen y finalmente a las piernas. Produce picazón.

La enfermedad dura generalmente 7 días. La piel se descama en forma de polvo fino durante los 2 o 3 días siguientes. Puede quedar con una pigmentación color marrón claro (café).

¿Suelen producirse complicaciones graves?

Los virus pueden trasladarse a diversas partes del cuerpo y producir complicaciones. Los oídos pueden infectarse al comienzo de la enfermedad y producir considerable dolor. También pueden infectarse la garganta y los pulmones.

La infección más grave afecta el cerebro y se denomina encefalitis. Esta puede aparecer aun en casos relativamente leves. Los primeros síntomas pueden ser fatiga, letargo que va en aumento y convulsiones. Esta afección se presenta en 1 de cada 3.000 casos. Su gravedad y tasa de mortalidad hacen que valga la pena vacunar a los hijos contra el sarampión.

Entiendo que posteriormente puede producir graves daños en el cerebro.

Así es. En años recientes se ha puesto más interés en los riesgos a largo plazo del sarampión. El virus puede permanecer inactivo en el cerebro durante muchos años y producir hasta 20 años después los temibles efectos de la encefalitis. Al cabo de uno o dos días puede convertir a un adolescente normal en un individuo con un cerebro dañado permanentemente, incapaz de valerse por sí mismo, parcialmente paralizado y desvalido por el resto de su vida.

La gravedad de esta enfermedad nos ayuda a comprender la importancia de vacunar a los niños.

+ *Tratamiento*

¿Cuál es el mejor tratamiento para el sarampión, sin complicaciones?

Los tratamientos caseros son eficaces en la mayor parte de los casos. El paciente debe guardar cama mientras duran la fiebre y la erupción. Es necesario aislarlo para evitar el contagio de otros niños. Baños de esponja con agua refrescante y beber abundancia de líquidos disminuirá la temperatura elevada y facilitará la salida del organismo de los gérmenes muertos. El agua fresca, los jugos de fruta, las limonadas y las sopas son apropiados.

Es mejor dar al enfermo alimentos blandos que se digieren con facilidad, pero no hay restricciones. Si los ojos están afectados, hay que limpiarlos en el exterior con una solución salina aplicada con un algodón. También hay que protegerlos de la luz fuerte, pero no es necesario mantenerlos en la oscuridad. El paciente no debe ver televisión durante algunos días. Mantenga tibio y húmedo el aire en la habitación, poniendo agua a hirviente en una olla u otro recipiente. Si el enfermito tiene la nariz o el pecho congestionados, o tos, puede darle un jarabe apropiado para aliviarlo. Las secreciones de la nariz y la garganta, que son muy infecciosas, se deben limpiar con pañuelos desechables, los que después se quemarán o destruirán para evitar el contagio. La persona que atiende a la criatura enferma debe lavarse bien las manos para evitar el contagio de otras personas.

El paracetamol líquido contribuirá a reducir la temperatura elevada. Consulte la etiqueta para dar la dosis debida, y no se exceda.

¿Cuál es el pronóstico de esta enfermedad?

Los casos sin complicaciones invariablemente sanan bien. Pero si los síntomas persisten, o si se presentan complicaciones, especialmente la encefalitis, es indispensable consultar al médico, y el resultado dependerá de la forma como reaccione al tratamiento el paciente.

Rubéola

¿En qué consiste esta enfermedad?

Es una afección producida por un virus que se manifiesta por medio de una erupción de la piel. Es siempre una enfermedad leve y pocas veces causa síntomas exteriores graves. No es muy contagiosa y se propaga de una persona a otra mediante partículas de saliva infectadas (tos, estornudos, secreciones). Los síntomas aparecen de 12 a 21 días después del contagio, con un promedio de 16 días.

¿Qué puede decir sobre el elevado riesgo que esta enfermedad representa para las mujeres embarazadas?

En la actualidad, casi todas las mujeres conocen los riesgos potenciales de esta enfermedad. El contagio con rubéola durante los

Los remedios caseros son buenos al principio, pero si los síntomas persisten hay que consultar al médico.

Cuando la rubéola se manifiesta en el primer mes del embarazo produce defectos congénitos en el 50 % de los bebés.

primeros meses de embarazo presenta un elevado riesgo de que el feto resulte muy afectado. El virus atraviesa rápidamente la barrera de la placenta y penetra en el feto. Los órganos vitales que se forman en las primeras 12 semanas: oídos, ojos, corazón y otros, quedan profundamente afectados.

El virus trastorna el crecimiento y el desarrollo normal del feto, y produce diversos daños, que van desde la sordera parcial a la total, problemas en los ojos y trastornos cardíacos. También puede afectar el cerebro, el hígado, el bazo y los huesos, lo que produce graves trastornos mentales, circulatorios y del crecimiento.

Se calcula que la rubéola que ocurre durante el primer mes del embarazo produce malformaciones congénitas en el 50 % de los bebés, lo cual es una tasa muy elevada. Cuando se presenta hacia el final del tercer mes el riesgo baja a un 10 %, que todavía es un índice muy elevado, especialmente cuando se piensa en que se lo puede evitar.

El medio más seguro de evitarlo es vacunar a tiempo, ¿no es cierto?

Efectivamente. Como dijimos antes, si se vacuna a las niñas entre los 12 y los 14 años,

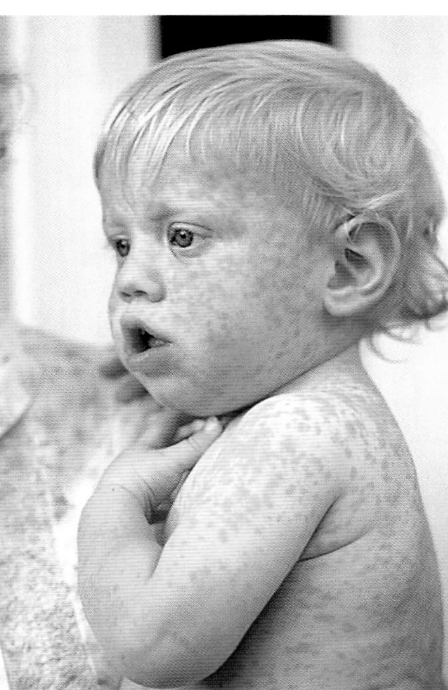

Las marcas de sarampión en el rostro y el cuerpo de un bebé.

mediante una sola inyección dispondrán de un elevado nivel de protección. Los bebés, en la actualidad, reciben protección contra el sarampión, las paperas y la rubéola mediante la administración de una vacuna entre los 12 y los 15 meses. Diremos de paso que si alguna mujer no está segura de haber sido vacunada contra la rubéola, antes de intentar quedar embarazada puede someterse a un análisis de sangre que revelará si está protegida o no.

¿Cuáles son los síntomas de la rubéola?

Son escasos y leves. Puede haber un poco de fiebre, algunos ganglios linfáticos hinchados en la parte posterior del cuello. O bien puede no haber síntoma alguno.

Una erupción suave es el primer síntoma y puede consistir en una serie de puntitos rosados que comienzan en la cara y se extienden al tronco, los brazos y las piernas. Puede durar uno o dos días o ni siquiera aparecer, por la rapidez con que se manifiesta y se desvanece. La temperatura casi nunca pasa de 38,3 °C.

+ *Tratamiento*

¿Cuál es el tratamiento de la rubéola?

La terapia es sencilla y mayormente sintomática. No hay medidas específicas, pero si hay síntomas que causan preocupación puede aplicarse el mismo tratamiento indicado para el sarampión. Abundancia de líquidos, paracetamol líquido para la fiebre y cuidado general; eso es lo que se recomienda.

En el caso improbable de que surjan complicaciones llame al doctor para que confirme el diagnóstico. Esto es importante si hay algún indicio de que una mujer con hasta 12 semanas de embarazo ha tenido contacto con un niño enfermo. Si eso ocurriera, habría que notificar de inmediato al médico para que le administre el tratamiento adecuado.

Las mujeres que se encuentran en cualquier etapa de su embarazo deben evitar ponerse en contacto con personas que padecen de rubéola.

Varicela

¿Qué es la varicela? ¿Tiene algo que ver con la viruela?

La varicela no tiene nada que ver con la viruela. Es una enfermedad eruptiva de los niños, producida por un virus, y es muy contagiosa. El contagio se produce por minúsculas gotitas de saliva infectadas, procedentes de la nariz o la garganta del enfermo, o bien por tocar directamente objetos o juguetes infectados. Una persona puede infectar a otra desde un día antes de la aparición de la erupción hasta seis días después de que esta desaparece. El virus demora entre 14 y 21 días (15 como promedio) en incubarse y producir síntomas.

¿Cuáles son los síntomas que produce la varicela?

La criatura enferma de varicela al comienzo se siente decaída por un día y tiene una fiebre leve.

El primer síntoma definido es la erupción. Esta se presenta en oleadas, y pueden ocurrir de 2 a 4 en un período de 2 a 6 días. Todas las etapas pueden presentarse simultáneamente y en una misma región del cuerpo. Generalmente comienza en el cuero cabelludo, se desplaza a la mucosa de la boca, luego se extiende al resto del cuerpo. La erupción raramente aparece en las palmas de las manos y en las plantas de los pies.

¿Qué aspecto tiene la erupción?

Cuando uno ve esta erupción no la olvida con facilidad. Es de fácil diagnóstico. Todas las etapas pueden ocurrir, y con frecuencia una criatura con un ataque leve puede presentar sólo unas pocas marcas típicas.

La erupción de la varicela comienza con una pequeña marca característica en la piel. Luego se forma una ampolla parecida a una gota de agua sobre un fondo rosado. La parte superior de la ampolla puede destruirse fácilmente mediante el roce con la ropa o con los dedos. Poco después se forma una costra dura. Al cabo de unos 13 días la costra se desprende, dejando a veces una depresión en la piel, especialmente cuando la ampolla se ha infectado con otros gérmenes. Estas marcas pueden quedar hasta la adultez, lo cual es molesto para las jovencitas, que detestan las imperfecciones faciales.

¿Pueden presentarse complicaciones graves?

Las ampollas pueden infectarse, pero las complicaciones graves no son frecuentes. Ocasionalmente se ha informado algún caso de infección cerebral (encefalitis con dolor de cabeza, fiebre y convulsiones); pero esta complicación no ocurre en la mayor parte de los casos.

+ *Tratamiento*

¿Qué tratamiento puede aplicar una madre, en caso de varicela?

No existe un remedio específico capaz de curar la varicela, de manera que la terapia se aplica a los síntomas. Se pueden dar lociones para mitigar la picazón, porque el acto de rascarse aumenta la posibilidad de infecciones de la piel.

Ponga al paciente en un baño tibio y séquelo sin restregarle la piel con una toalla suave, para no romper las vesículas. Algunos piensan que la infección se puede disminuir poniendo antisépticos en el agua del baño, pero esto no es indispensable.

Si el niño insiste en rascarse, puede cortarle las uñas o ponerle guantes para evitar que se haga daño. Las ampollas de la boca pueden tratarse con gárgaras de agua con sal o con un antiséptico que se llama listerine, o algún otro. Tome en cuenta que a la mayor parte de los niños no le agrada hacer gárgaras.

¿Es necesario llamar al médico?

Cualquier madre cuidadosa puede tratar un caso sencillo de varicela; pero si se presentan complicaciones, infecciones graves de la piel, fiebre persistente, dolores de cabeza o convulsiones, entonces es indispensable ponerse en contacto con el médico. No hay que correr riesgos.

La erupción producida por la varicela o viruela loca se manifiesta como marcas que se vuelven ampollas, que a su vez forman costras. El bebé es infeccioso hasta que las costras desaparecen.

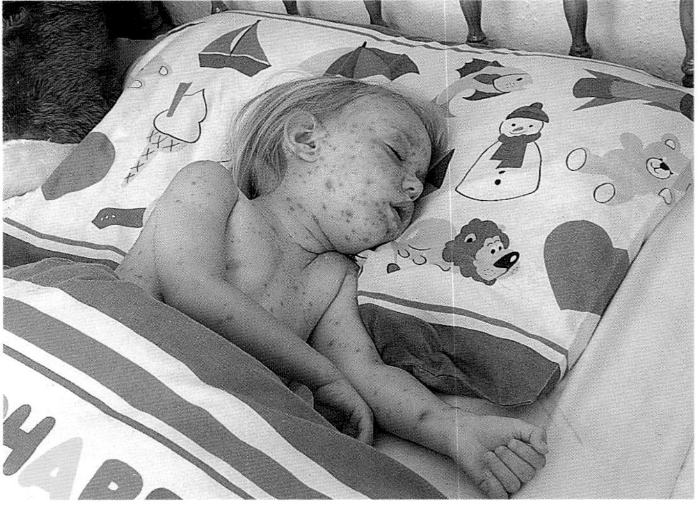

Los principales síntomas de las paperas son la fiebre y la inflamación de las glándulas del cuello.

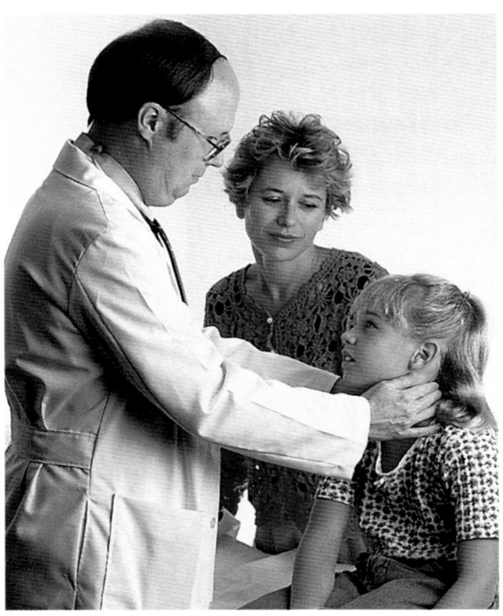

¿Tiene alguna relación la varicela con el herpes?

Sí. Se cree que el virus de la varicela, que provoca una erupción de la piel en los niños, también causa posteriormente, en la vida adulta, una inflamación muy dolorosa de los nervios llamada herpes zoster. El virus permanece en el cuerpo durante muchos años, tal vez indefinidamente.

El herpes se presenta comúnmente en la cara o en el tronco, generalmente en un solo lado. Los investigadores están trabajando para producir vacunas y nuevos medicamentos que prevengan el contagio con el virus de la varicela y el herpes. Según diversas revistas médicas, se han hecho progresos notables en este sentido. Actualmente se usa con éxito un medicamento llamado aciclovir, para tratar eficazmente el herpes zoster en los adultos.

Paperas o Parotiditis

Las paperas son muy frecuentes en la infancia. ¿Se contagió usted con paperas?

Sí, pero ya no era niño. Era un estudiante de 5° año de Medicina. Durante una conferencia médica en la universidad me sentí afiebrado y con escalofríos. Me fui a casa y me acosté. Estuve enfermo durante varios días, pero finalmente me repuse.

Pero la peor parte fue que mi encantadora novia, que después llegó a ser mi igualmente encantadora esposa, me había invitado a un *picnic* con sus compañeros y compañeras de la clase de Enfermería.

No pude ir debido a mi enfermedad; pero el autobús con los alumnos pasó frente a la ventana de mi habitación, y todos gritaron y silbaron para mostrarme lo felices que estaban porque iban a nadar, a comer y a jugar, mientras que yo me encontraba en cama. Me desearon una pronta mejoría y desaparecieron rumbo al hermoso lugar donde tendrían su paseo.

Para empeorar la situación, a su regreso volvieron a pasar frente a mí, para avisarme que habían tenido un día fantástico y que lamentaban que yo me hubiera perdido la diversión.

¿Qué puede decir de las paperas? ¿Hay epidemias de ellas?

Sí. Las paperas suelen presentarse como epidemia. La causa de esta enfermedad es un virus que pasa de una persona a otra por contacto directo y por medio de objetos infectados, como juguetes o útiles escolares. Una persona enferma puede contagiar a otros desde dos días antes de la aparición de los síntomas hasta el momento cuando las glándulas salivales se deshinchan.

¿Cuáles son las partes que se afectan comúnmente?

El virus tiene una afinidad especial con las glándulas salivales. Seis casos de cada 10 afectan las glándulas parótidas, situadas en el ángulo formado por la base de la oreja y la mandíbula. Generalmente los dos lados quedan afectados. Esta enfermedad puede presentarse a cualquier edad, pero no aparece con frecuencia en la primera infancia ni después de los 40 años. Los síntomas se desarrollan entre 12 y 24 días (17 como promedio) después del contagio. A veces también queda afectado el sistema nervioso, y entonces sí se producen síntomas graves.

¿Cuáles son los síntomas más notables? ¿Cómo puede saber la madre si su hijo tiene paperas?

Generalmente el chico no se siente bien por unos días. Puede tener fiebre, estar decaído, experimentar molestias detrás de los oídos, y tener dificultades para masticar y tragar.

Poco después se hinchan las glándulas salivales. La glándula parótida es la que se afecta con más frecuencia. Se pone delicada y duele al masticar. Hasta abrir la boca para hablar produce molestia, y el dolor de oído es frecuente. Los alimentos que estimulan la producción de saliva, como el limón por ejemplo, empeoran la situación. El dolor y la hinchazón pueden durar de 7 a 10 días. El dolor se siente también en el interior de la boca (en la cara interna de las mejillas y debajo de la lengua), y en las desembocaduras de los canales salivales.

El paciente puede tener fiebre elevada, hasta 40°C. Pueden producirse dolores en todo el cuerpo. La falta de apetito, el desgano y los dolores de cabeza pueden persistir varios días.

¿Se producen complicaciones?

Pueden producirse complicaciones bastante serias. La más grave se presenta cuando se afecta el cerebro. Aunque no es común, han ocurrido algunos casos. El comienzo suele ser repentino, con fuertes dolores de cabeza, vómitos, rigidez del cuello y la espalda, fiebre en aumento y letargo. La intervención del médico es indispensable.

¿Es verdad que las paperas pueden producir esterilidad más adelante?

El virus puede trasladarse rápidamente a los órganos de la reproducción: los testículos en el varón y los ovarios en la mujer. Estos órganos pueden hincharse y doler. Puede suceder con mayor frecuencia durante la adolescencia o después de ella, pero también puede ocurrir en la infancia. Puede suceder, además, aunque la enfermedad no afecte a las glándulas salivales.

El virus también puede invadir el páncreas (con vómitos, fiebre y decaimiento), ocasionalmente los riñones y el oído (con diversos grados de pérdida de audición).

Todo eso causa la impresión de ser muy grave.

Así es. Por eso las paperas deben tomarse en serio y tratarse de forma adecuada.

Una de las medidas más eficaces consiste en vacunar a los bebés entre los 12 y los 15 meses de edad. Una sola inyección produce un grado elevado de protección. En vista de la frecuencia de esta enfermedad y de la gravedad de las complicaciones que produce, se recomienda prevenirla antes de que se presente. La vacuna contra las paperas es un procedimiento sencillo y seguro. En muchos casos se da simultáneamente con la vacuna contra el sarampión y la rubéola.

+ *Tratamiento*

De modo que si se vacuna a los bebés habrá menos casos de paperas en el futuro. Pero, ¿qué se puede decir de los miles de niños que no han sido vacunados? ¿Qué tratamiento hay para ellos?

En este momento no hay medicamentos eficaces contra el virus de las paperas. Esto significa que cualquier tratamiento estará orientado sólo a los síntomas. Acueste al niño enfermo hasta que desaparezcan la fiebre, los dolores y la hinchazón de las glándulas. Déle líquidos, como ser agua fresca, limonada con glucosa D (esto es alimento), jugo de tomates y jugos de fruta. El jugo de limón puede contribuir a que la glándula produzca exceso de saliva, de modo que no le dé mucho si eso aumenta el dolor. Déle también alimentos blandos, jaleas, yogur, natillas, puré de verduras, fruta cocida y caldos, especialmente en las primeras etapas, aunque el paciente no desee comer mucho. Déle lo que quiera comer.

¿Qué se puede hacer con la fiebre?

Trate la fiebre de la forma indicada anteriormente: esponjamientos con agua tibia, compresas frías y paracetamol líquido son algunos recursos que se pueden usar. Las gárgaras de agua con sal refrescan la boca.

¿Qué se debe hacer en caso de complicaciones?

Cuando se producen complicaciones hay que llamar al médico sin demora.

Los padres deben preocuparse de vacunar a sus hijos contra las paperas a cualquier edad. Este recurso no es solamente para los bebés, de modo que cualquier niño o adolescente puede beneficiarse con la vacuna contra las paperas. Una sola dosis le puede impartir protección para toda la vida. En muchos aparecen sólo una pequeña cantidad de síntomas, especialmente durante las epidemias de paperas. El dolor en el cuello y una fiebre leve durante algunos días pueden ser los únicos síntomas indicadores de la infección.

Hepatitis (infección del hígado)

Algunos niños se ponen amarillos cuando se les infecta el hígado.

Virus productores de hepatitis vistos con la ayuda de un microscopio electrónico.

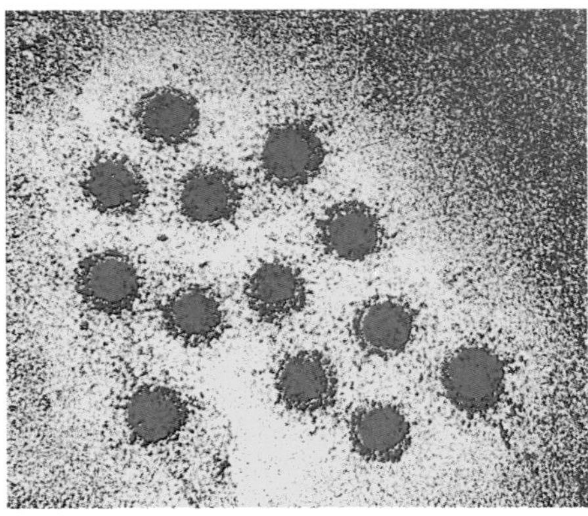

Eso recibe el nombre de ictericia, y significa que las células del hígado se han infectado y están inflamadas. Un producto pigmentado llamado bilirrubina se produce en el hígado y pasa al intestino para su eliminación; pero la inflamación de los tejidos impide su salida y la bilirrubina comienza a pasar a la sangre, lo que da una coloración amarillenta a la piel y a la parte blanca de los ojos.

¿Cuál es la causa de la hepatitis?

La hepatitis más común es la hepatitis A o hepatitis infecciosa. La causa un virus que se transmite por medio de la materia fecal de una persona infectada que maneja alimentos. Los síntomas se presentan de 30 a 40 días después del contagio.

¿A qué se llama hepatitis B?

Es una hepatitis parecida a la anterior, pero es más lenta, ya que demora de 40 a 110 días (promedio 65 días) en producir síntomas. Se cree que se transmite de forma diferente. Antes se creía que la producía sólo el uso de agujas hipodérmicas infectadas (especialmente entre los drogadictos). Pero actualmente los investigadores han descubierto que el virus de la hepatitis B se puede transmitir de una persona a otra de una multitud de formas.

En la sangre de un aborigen australiano se descubrió una sustancia que permitía hacer un diagnóstico exacto de la hepatitis B. Por muchos años se la llamó antígeno australiano, pero actualmente se lo denomina antígeno de la hepatitis B. Cuando los médicos tratan de confirmar la existencia de la enfermedad, buscan este antígeno en la sangre del paciente.

¿Qué síntomas produce la hepatitis? ¿Cómo pueden los padres saber si su hijo la tiene?

Los síntomas suelen comenzar abruptamente, con fiebre, dolor de cabeza, dolores en todo el cuerpo, inapetencia y vómitos. De 2 a 5 días después puede aparecer un color amarillo en la piel o en los ojos, lo que es una indicación de contagio con hepatitis. Pero no siempre aparecen todos estos síntomas. Con frecuencia duele la parte superior del abdomen, lo cual indica que el hígado o el páncreas están afectados e hinchados.

¿Qué deben hacer la madre o el padre en este caso?

Cuando detectan la presencia de estos síntomas, deben ponerse inmediatamente en contacto con el médico. Aunque el diagnóstico es difícil, los médicos cuentan con los recursos necesarios para identificar la hepatitis. Las pruebas de laboratorio permiten confirmar el diagnóstico.

+ *Tratamiento*

¿Qué sucede después? ¿Hay algún tratamiento especial?

No existe un medicamento específico, pero el médico aconsejará lo que se debe hacer. Además, la supervisión del facultativo es aconsejable, porque pueden producirse graves complicaciones que requieren la hospitalización del enfermo. Afortunadamente, en la mayoría de los casos este se recupera con ayuda de un tratamiento sencillo y fácil de aplicar.

¿Qué clase de tratamiento recomendará el médico?

Algunos días de reposo en cama permitirán que la capacidad de recuperación del organismo funcione sin inconvenientes. Abundancia de líquidos, especialmente de jugos de fruta con glucosa D en polvo, proporcionan alimento adecuado y de fácil digestión, y ayudan a evitar las náuseas. Los líquidos permiten expulsar del organismo las toxinas y los gérmenes muertos. También ayudan a reducir la fiebre.

No hay restricciones estrictas en cuanto a los alimentos, pero la comida con elevado contenido de grasa no es aconsejable.

¿Cuál es el pronóstico?

La mayor parte de los casos se recupera

sin inconvenientes, especialmente cuando la infección ha sido leve, lo que ocurre casi siempre. Sin embargo, a veces es necesario hospitalizar al enfermo, especialmente cuando los síntomas son graves y el paciente no puede comer.

La hepatitis B es una afección grave y peligrosa, y el resultado final suele ser dudoso
.

¿Puede alguien protegerse contra esta enfermedad?

Existe actualmente una vacuna contra la hepatitis B, que se administra a personas en situación de riesgo. El mayor peligro es la posibilidad de que una mujer embarazada infecte al hijo en formación.

No hay vacuna para la hepatitis A, pero los que se ponen en contacto con personas con esta afección pueden obtener protección mediante una inyección de suero especial con gammaglobulina.

Mononucleosis

Cada vez se oye más acerca de esta extraña enfermedad. ¿De qué se trata?

La mononucleosis infecciosa, que es el nombre que le dan los médicos, por diversas razones se ha difundido mucho en los últimos años. Primero, es más común en los adolescentes, por lo que muchos la llaman "enfermedad del beso" o "enfermedad de los enamorados".

Después de muchos años se ha descubierto que esta enfermedad la causa el virus de Epstein-Barr. Suele contraerse durante los tres primeros años de vida, pero sin manifestación de síntomas. Estos pueden presentarse repentinamente hacia fines de la adolescencia.

¿Cuáles son estos síntomas?

Aumento gradual de la temperatura hasta 38,9°C, acompañado por dolor de garganta, ganglios hinchados, decaimiento y posible agrandamiento del hígado y el bazo.

Muchas enfermedades tienen síntomas similares. ¿Cómo pueden los padres establecer la diferencia?

En la mayor parte de los casos no se puede, de modo que al ver síntomas tan evidentes que empeoran y no responden a los tratamientos caseros, les resultará claro que tienen que llamar al médico.

¿Qué hace el médico?

Si están ocurriendo muchos casos de mononucleosis, el diagnóstico resultará fácil. Pero es necesario hacer ciertos análisis para confirmar el diagnóstico.

+ *Tratamiento*

¿Qué clase de tratamiento se prescribe?

Como sucede con otras enfermedades producidas por virus, no existe un medicamento especial capaz de destruir los gérmenes que causan la enfermedad. El paciente tiene que guardar cama hasta que disminuya la fiebre y comience a sentirse mejor. El consumo de líquidos, y el uso de vitaminas y antipiréticos (medicamentos como el paracetamol que bajan la fiebre y disminuyen el dolor) ayudan a combatir los síntomas que afligen al paciente.

A veces el médico prescribe un tratamiento especial para el enfermo. En algunos casos los pacientes graves necesitan hospitalización, pero esto no es frecuente. La recuperación del enfermo puede demorar de 2 a 4 semanas y, en los casos graves, varios meses. Pueden presentarse depresión y problemas psicológicos, que se agravan en los adolescentes que deben estudiar para sus exámenes y que faltan a la escuela durante un período prolongado. Afortunadamente la repetición de la enfermedad no es frecuente; la perspectiva a largo plazo es buena y es muy raro que un paciente muera a causa de la mononucleosis.

Muchos se refieren en broma a la fiebre glandular como "la enfermedad del beso".

Herpes simple

Esta enfermedad suele comenzar de forma gradual, con fiebre que va en aumento y puede llegar de 37,8 a 40°C. El enfermo se siente decaído y sin fuerzas, y a veces le duele la garganta. De pronto aparecen ampollas en los labios y en las zonas vecinas de la cara, y con frecuencia en las encías, la lengua y el paladar. Cuando las ampollas se rompen dejan una dolorosa úlcera amarillenta. Con frecuencia el hálito se torna desagradable y el acto de comer se hace difícil y doloroso. La fiebre desaparece en una semana, pero en los casos graves las úlceras persisten durante dos semanas. Esta es una de las causas más comunes de dolor en las encías y en la boca en niños menores de 5 años.

¿Tiene tendencia a extenderse esta enfer-

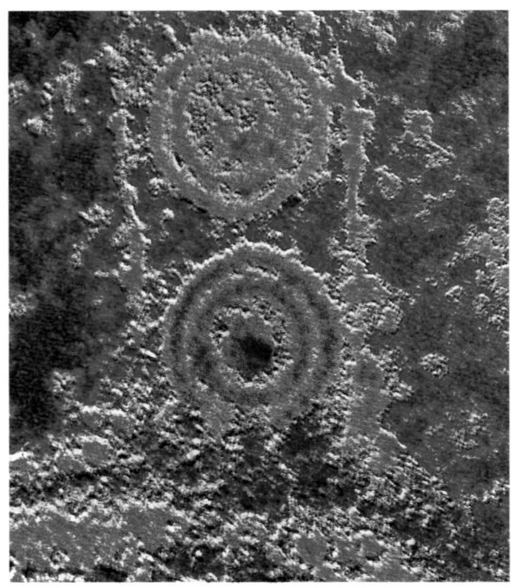

Una micrografía electrónica —en color anaranjado— del virus del herpes simple. Los virus están emigrando de las células que los hospedan —en color verde— al citoplasma que las circunda (azul).

medad?

La región de la boca es la que se afecta con mayor frecuencia. Pero el virus también puede infectar la región vaginal y los labios externos de la vulva. En algunos casos se infectan la parte superior de la cara y hasta los ojos. Con mucho menos frecuencia, pero de mayor gravedad, es la infección del cerebro por el virus, enfermedad que se denomina encefalitis viral.

¿Puede ocurrir el herpes en un recién nacido?

Así es. Y eso significa que el bebé ha sido infectado durante el nacimiento por su madre, que tiene herpes vaginal. Esta enfermedad afecta a las criaturas y es muy grave.

+ *Tratamiento*

¿Puede la madre tomar alguna medida para tratar a su bebé?

En los casos leves puede tratar de aplicar tratamientos sencillos. En los casos graves que se repiten, el médico suele recetar aciclovir, porque destruye los virus con rapidez. Pero, a pesar de eso, en muchos casos la enfermedad se repite periódicamente durante toda la vida.

El aciclovir también existe en forma de crema, la que disminuye la formación de vesículas si se aplica a tiempo. Después de un ataque, la madre y la criatura pueden anticipar la proximidad de otro ataque por la presencia de un cosquilleo en el labio o en la parte que será afectada. La pomada de aciclovir aplicada en ese momento resulta eficaz.

Además, la aplicación de una compresa de hielo durante 60 a 90 minutos puede detener la formación de vesículas, pero tiene que mantenerse por lo menos durante el período indicado. Es útil sólo cuando el problema se anuncia por el cosquilleo, es decir, en su etapa inicial.

¿Qué sucede con las vesículas ya formadas? ¿Pueden curarse?

Entre las medidas sencillas que se pueden tomar podemos mencionar el pincelamiento con mercurocromo o alcohol. Esto puede ayudar, secando las vesículas un poco antes. La loción de betadina también es eficaz. El alcanfor, disuelto al 10 % en alcohol, es bueno para tratar las vesículas.

Para las llagas o ulceraciones de la boca, se puede obtener alivio mediante gárgaras de agua con sal. Los analgésicos, como el paracetamol líquido, alivian el dolor pero no apresuran la curación.

¿Qué nos puede decir acerca de la repetición del herpes?

Se puede obtener cierto grado de protección si se evita la exposición a la luz directa del sol, especialmente al comienzo del verano. Las alergias y los trastornos emocionales también desempeñan su papel en la repetición de los ataques de herpes. Se puede usar crema de aciclovir para combatir las infecciones de herpes en los ojos.

Meningitis

Esta enfermedad siempre produce temor y angustia. Estoy seguro de que todas las madres se asustan cuando leen acerca de la meningitis.

Estoy de acuerdo. Meningitis significa que la membrana que recubre el cerebro se ha infectado. Pero los líquidos que bañan el cerebro y la médula espinal también pueden infectarse, lo que pone en peligro la totalidad del sistema nervioso.

¿Qué síntomas se presentan?

El síntoma más notorio es la fiebre elevada acompañada por rigidez y dolor en el cuello y la espalda. El niño enfermo generalmente no puede tocarse el pecho con el mentón, o bien no puede sentarse normalmente.

Las criaturas lloran con llanto agudo, manifiestan irritabilidad general y dificultad para comer. Puede ser que vomiten, y a veces esos síntomas van acompañados por una fiebre leve.

Con frecuencia ocurren una variedad de síntomas, lo que torna confuso el cuadro tanto para la madre como para el médico. La irritabilidad y los dolores de cabeza son comunes. En los bebés, la fontanela, o sea la parte blanda de la corona de la cabeza en la que los huesos no se han unido todavía, puede sobresalir.

Puede haber convulsiones parciales o generalizadas. El bebé se encuentra decaído y bastante aletargado. En los casos más graves puede entrar en coma.

+ *Tratamiento*

¿Qué debería hacer una madre si su criatura manifiesta estos síntomas?

En las primeras etapas, cuando el bebé sólo se encuentra desganado o está a punto de tener fiebre, puede aplicarle el tratamiento para la fiebre que ya se ha explicado.

Sin embargo, por lo general resulta evidente que se necesita más que eso, y cuanto antes consulte al médico tanto mejor será.

Si la meningitis se deja sin tratar, puede convertirse en una enfermedad muy grave y puede sobrevenir la muerte. Son indispensables la atención en el hospital, los análisis de laboratorio para confirmar el diagnóstico y para recomendar el mejor tratamiento. Esto sólo se puede llevar a cabo en un hospital bien equipado.

La fiebre alta, la disminución de la agudeza mental, los vómitos, los ruidos anormales, especialmente asociados a convulsiones, indican la necesidad urgente de consultar al médico. Si no se lo puede conseguir, lleve al enfermo al servicio de emergencia del hospital más cercano.

¿Qué efecto tiene sobre el resultado final la atención médica adecuada?

Afortunadamente, cuando se hace rápidamente el diagnóstico y se administra la atención médica adecuada, el resultado final es positivo. Cuanto antes se inicie el tratamiento del enfermo tanto más rápida será su curación. Cuanto más se demore su atención médica tanto peor será el resultado.

Encefalitis (infección cerebral)

¿Qué sucede cuando el cerebro mismo se infecta?

Numerosos virus específicos, como el del sarampión, las paperas y el herpes, son relativamente inofensivos con tal de que permanezcan confinados a determinados órganos. Los síntomas son mínimos y de corta duración. Pero ocasionalmente esos virus se salen de sus confines e invaden el cerebro con resultados sumamente graves, y a veces fatales.

¿Qué síntomas se producen que podrían alertar a los padres de que su hijo corre el riesgo de una infección cerebral?

Son numerosos y variados, pero los más frecuentes son la alteración de la consciencia, con letargo, pérdida del conocimiento y convulsiones. Estos síntomas constituyen las verdaderas señales de peligro de que existe una afección grave que requiere la intervención inmediata del médico, no mañana, sino hoy mismo.

¿Cómo se inicia el problema?

Los primeros síntomas suelen ser dolor de cabeza acompañado de náuseas y vómitos. En las criaturas de pocos meses el dolor de cabeza puede manifestare por medio de irritabilidad y desasosiego. La inapetencia, las náuseas y los vómitos pueden ser las primeras indicaciones de la existencia de esta enfermedad.

Con frecuencia también queda afectada la membrana de revestimiento del cerebro, lo que se revela por dolor en el cuello y tirantez o rigidez en la espalda. Si estos síntomas se presentan después de lo que parece una infección simple (como paperas, sarampión o erupción herpética en los labios o en la vulva en las niñas), entonces hay mayor riesgo de infección cerebral.

+ *Tratamiento*

Ahora, la pregunta del millón de dólares: ¿Qué se debe hacer en este caso?

Lo primero que se debe hacer es llevar a la criatura al médico sin pérdida de tiempo. Cuanto antes se diagnostique la enfermedad y se interne al niño en un hospital tanto mejor será. Fuera de algunos remedios sencillos que la madre da en la primera etapa, cuando hay fiebre, no hay ningún remedio casero que pueda ayudar en un caso como este.

Las convulsiones, la pérdida del conocimiento y la fiebre elevada requieren la atención del médico. No demore en llevar a un chico con estos síntomas al médico o al hospital.

Poliomielitis

La poliomielitis estuvo una vez muy difundida en el mundo occidental.

Así es. Antes de 1956 causaba numerosas muertes. Pero también provocaba muchas deformidades y desesperación en la gente joven que debía pasar el resto de la vida en silla de ruedas o con muletas.

El virus de la poliomielitis ataca el sistema nervioso y destruye sus células, con lo que paraliza vastas regiones del cuerpo. Cuando afecta el diafragma, que es la membrana que hace posible la respiración, el enfermo debe recibir respiración artificial en un pulmotor para poder seguir viviendo.

Pero todo esto ha cambiado dramáticamente. ¿No es cierto?

Con el descubrimiento de la vacuna Salk (posteriormente vacuna Sabin oral) y la vacunación masiva de los niños a partir de 1956, las infecciones y las muertes disminuyeron sensiblemente. En la actualidad difícilmente se encuentra un caso de esta enfermedad, y la mortalidad ha sido nula durante muchos años.

La poliomielitis —conocida también como parálisis infantil— es una infección virósica de la médula espinal y los nervios.

Lamentablemente, la gente suele olvidar lo que ha sucedido antes. Algunas madres y médicos nunca han visto un caso de polio.

La constante vacunación de todos los niños es indispensable para mantener esta protección. No hay otra forma de obtenerla. En los países que carecen de programas de vacunación, la poliomielitis continúa causando numerosas muertes. La vacuna se debe comenzar a dar a los dos meses.

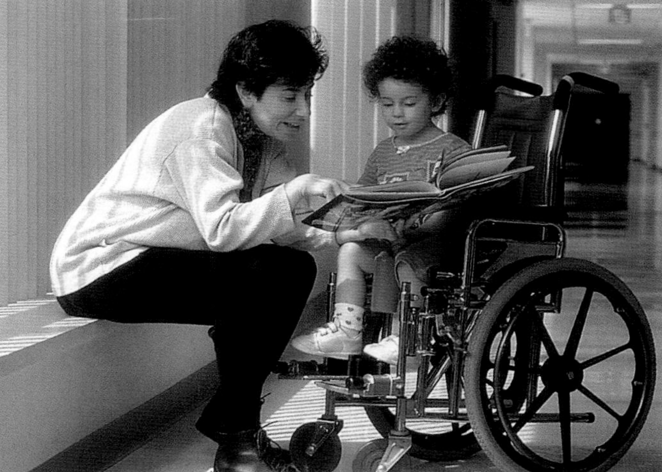

Tal vez convenga mencionar los síntomas causados por la poliomielitis, en caso de que en el futuro se presente un brote de la enfermedad en alguna parte.

El virus ataca el cerebro y la médula espinal, donde destruye las células de forma permanente. Como resultado, ocurre parálisis definitiva de los músculos; el 10 % de los enfermos muere.

Los síntomas suelen ser mínimos. Puede haber fiebre leve; cualquier esfuerzo sostenido puede provocar temblores en los miembros y la parálisis puede presentarse repentinamente. Con frecuencia no hay indicación alguna de que se trata de una enfermedad grave, especialmente en las criaturas.

Los síntomas varían según la parte del cerebro o de la médula espinal que estén afectados. Pueden abarcar desde partes de la cara y la cabeza, hasta el tronco y las extremidades. Cuando los músculos respiratorios resultan afectados, la respiración se torna paulatinamente más difícil.

✚ *Tratamiento*

¿Qué tratamiento se dio a esos enfermos?

Los casos graves se trataron en hospitales. Los casos más leves recibieron tratamiento adecuado en los hogares. Se usaron numerosos métodos curativos diferentes, pero una vez que la enfermedad ha causado daños, no hay mucho más que hacer. Algunos de los métodos usados eran reposo en cama, aplicación de calor (el famoso método de las hermanas Kenny), fisioterapia y respiración artificial mecánica.

Pero el tratamiento infalible consiste en evitar que la enfermedad ocurra. La aplicación continua y extensa de la vacuna contra la poliomielitis es la única garantía de seguridad.

La rabia

¿Para qué incluir esta enfermedad? No parece ser muy común.

Así es. Pero como se trata de una enfermedad muy grave, es necesario que el público la conozca. La rabia es una enfermedad causada por un virus particularmente agresivo. Se transmite a los seres humanos por la mordedura de un animal infectado. Frecuentemente produce la muerte, a veces sólo 10 días después de la mordedura.

Esta enfermedad es común en varios países de Europa, en el Oriente y también en América. Aunque se considera que los perros infectados son la causa más común, también numerosos animales silvestres, como murciélagos, zorros, coyotes, zorrinos y mapaches pueden ser portadores del virus y transmitirlo a los seres humanos por medio de sus mordeduras. Por eso es necesario mantenerse alejados de esos animales y no tocarlos, porque muerden con facilidad.

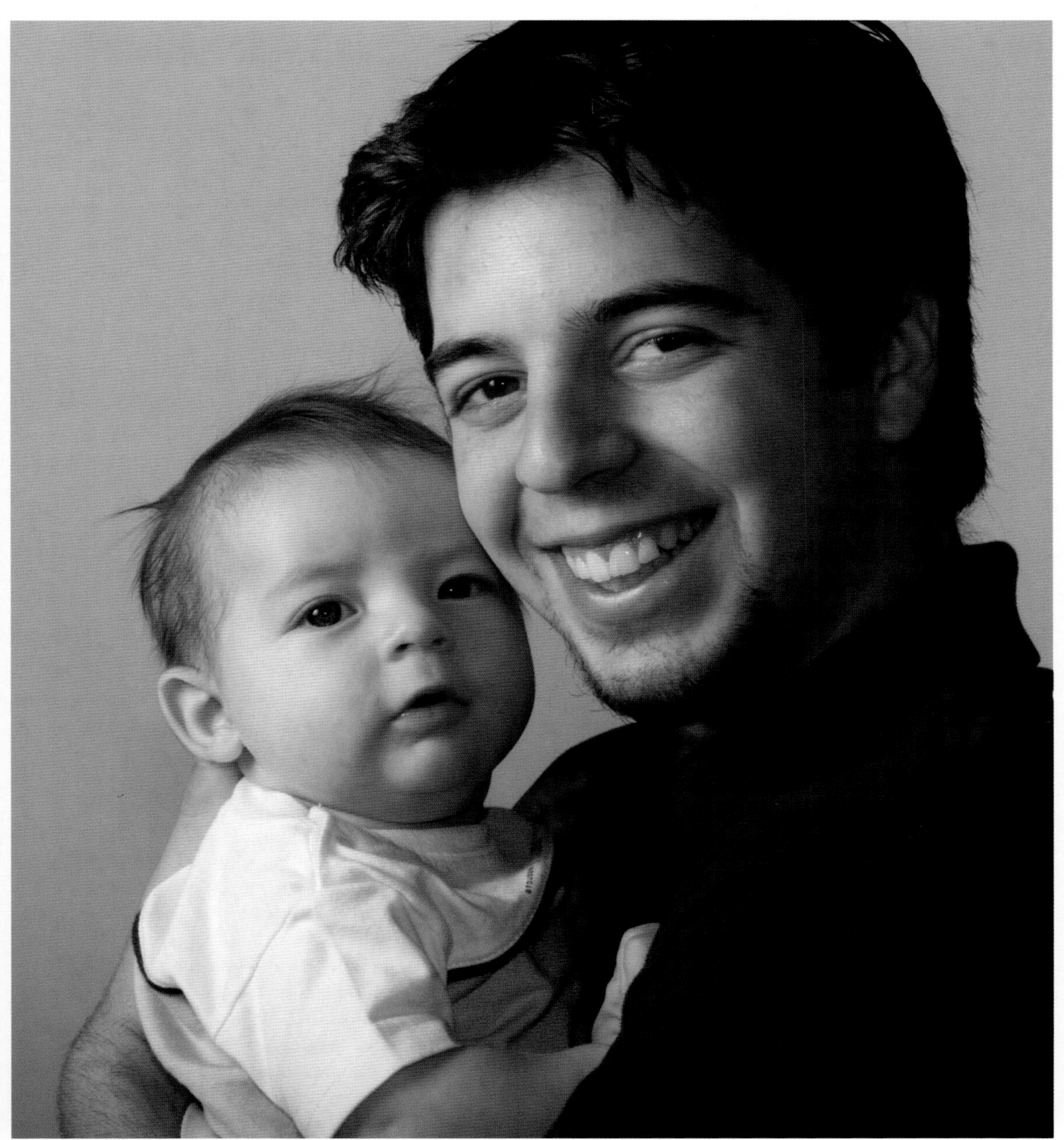

¿Qué clase de síntomas produce?

La aparición de los síntomas se puede producir al cabo de 4 a 8 semanas. Al comienzo el enfermo puede sentir irritabilidad, hormigueo, los movimientos se vuelven torpes, transpiración y salivación exagerados. Después de esto viene una etapa de excitabilidad, aprensión, rigidez en el cuello, contorsiones, convulsiones, fiebre elevada y espasmos de los músculos que se usan para tragar. Los síntomas empeoran con rapidez. Finalmente se producen la pérdida del conocimiento y la muerte.

+ *Tratamiento*

Afortunadamente, existe una vacuna que se puede aplicar a las personas que corren el riesgo de ser mordidas por animales. Cuando un animal que se sospecha que está infectado muerde a alguien, la víctima puede recibir un tratamiento de emergencia para evitar que la enfermedad se desarrolle.

El mejor consejo que podemos dar es vacunar contra la rabia a los animales domésticos y mantenerse alejados de los animales silvestres.

El tétanos

El tétanos es una enfermedad temible, que en tiempos pasados causó muchas muertes.

Así es, pero afortunadamente en la actualidad a la mayor parte de los bebés se los vacuna contra el tétanos cuando nacen. Muchísima gente conoce el sufrimiento que causa esta enfermedad, por lo que busca atención médica cuando sospecha la posibilidad de la infección.

El germen —o espora— productor de la enfermedad, el *Clostridium tetani*, está muy difundido en la naturaleza. Se encuentra en grandes cantidades en el excremento de los seres humanos y los animales. La mayor parte de los casos se producen por heridas con clavos, espinas, astillas u otros objetos penetrantes. La falta de higiene en el manejo del cordón umbilical en los recién nacidos causa una gran cantidad de muertes por tétanos en los países en vías de desarrollo.

¿Cuáles son los síntomas?

El microorganismo productor del tétanos demora de 5 días a 5 semanas en multiplicarse lo suficiente como para producir la cantidad de toxina capaz de causar síntomas. La manifestación de la enfermedad puede comenzar con espasmos musculares parecidos a calambres, en la espalda o en el abdomen, o bien en el lugar donde se produjo la infección. Después de eso aparecen intranquilidad, irritabilidad y dificultad para tragar.

Los músculos se ponen cada vez más rígidos y aumentan los espasmos. Los músculos faciales se ponen tensos, y los del cuello y las extremidades también se ven afectados por espasmos. Resulta difícil tragar.

Los terribles y extremadamente dolorosos espasmos musculares se extienden gradualmente a cualquier parte o a todas partes del cuerpo. Pueden durar de 5 a 10 segundos durante los cuales el cuerpo queda afectado por un paroxismo de dolor y rigidez. Las mandíbulas y las manos se aprietan, y los músculos de la espalda tienden a curvar la parte media del cuerpo.

+ *Tratamiento*

¡Esos síntomas infunden espanto!

Se trata de una enfermedad muy grave. En este caso, los remedios caseros no sirven. Es indispensable que el médico se encargue del enfermo y que a este se lo hospitalice.

El empleo intensivo de antitoxinas tetánicas, medicamentos, calmantes y tranquilizantes ofrece esperanza de curación.

Creo que en el caso del tétanos, como de otras enfermedades infecciosas, la vacuna es la clave.

Como ya dijimos cuando hablamos de las vacunas, el tétanos es una enfermedad perfectamente evitable. La vacuna se debería aplicar poco después del nacimiento. En caso de no haberlo hecho entonces, puede hacerse en cualquier etapa de la vida.

Si una persona que no ha sido vacunada se hiere con un clavo o una espina que piensa que están infectados, puede recibir un grado elevado de protección inmediata mediante la aplicación de inmunoglobulina humana antitetánica. Esto puede impedir el desarrollo de esta terrible enfermedad.

Los padres deben estar constantemente atentos para detectar cualquier situación que pueda producir tétanos, y adoptar las precauciones adecuadas. Pero nada es mejor que vacunar a la criatura a los dos meses de edad. Nadie debe descuidar este excelente medio de protección de los hijos.

Tos convulsiva (tos ferina, pertussis, coqueluche, tos convulsa)

¿Es la tos convulsiva una enfermedad común en la niñez?

Esta enfermedad, que puede causar la muerte, era muy frecuente en tiempos pasados, pero ahora no lo es gracias a la vacuna correspondiente aplicada a una edad bien temprana. Sin embargo, en años recientes muchas madres se han resistido a vacunar a sus hijos debido a supuestos problemas causados por las vacunas. Como resultado, sus hijos no están protegidos y corren el riesgo de contraer esta enfermedad.

¿Cuáles son los síntomas?

El germen productor de la tos convulsiva se difunde mediante las partículas de saliva contaminada que emite la boca del enfermo. Los síntomas demoran de 7 a 10 días en desarrollarse. En las primeras etapas esta enfermedad se parece a un resfrío común, con estornudos, ojos llorosos, secreciones nasales, fiebre leve y tos suave.

Pero la tos se vuelve cada más intensa en el curso de unas dos semanas, y se produce en accesos, con varias toses en una misma espiración de aire. A esto le sigue una repentina inspiración profunda, con el ruido característico producido por el aire al entrar nuevamente en los pulmones. Puede haber vómitos, especialmente a la hora de la comida. La tos puede persistir de 2 a 6 semanas. A veces dura más aún, cuando el niño ha desarrollado ya el hábito de toser.

Eso debe cansar mucho al niño enfermo.

Debido a que la mayor parte de los casos de tos convulsiva se presentan en los primeros meses de la vida, cuando el bebé no es muy fuerte todavía, la enfermedad resulta agotadora. A veces la criatura queda de espaldas, casi sin poder moverse, por el esfuerzo realizado al toser.

Algunos enfermitos mueren de pulmonía y otros sufren de diversas complicaciones. Partes del pulmón pueden colapsarse y posteriormente producir bronquiectasia, una infección pulmonar crónica. A veces se producen convulsiones durante un acceso de tos, debido a que el cerebro queda privado de una provisión adecuada de oxígeno.

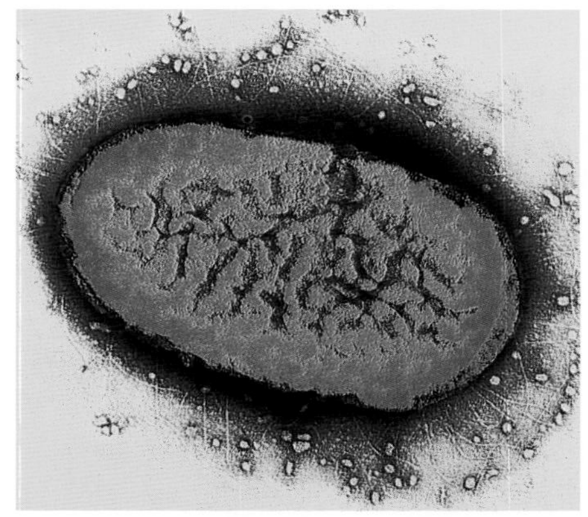

Una micrografía de la bacteria que produce la tos convulsiva (*Bordetella pertussis*).

En años recientes, debido a que han cambiado las actitudes hacia las vacunas, o tal vez a causa de un cambio en la naturaleza del germen productor del mal, esta enfermedad está afectando a chicos de más edad. Ahora, con frecuencia, una tos persistente es el síntoma principal, sin el ruido característico de la tos de antes.

+ *Tratamiento*

¿Existe algún tratamiento satisfactorio?

En el hospital o en la casa es indispensable atender constantemente al niño enfermo y mantenerlo bajo el cuidado de un médico. El tratamiento variará según el caso. También hay antibióticos que son eficaces.

Afortunadamente, la tos convulsiva es mucho menos frecuente ahora que hace muchos años.

¿Cuál es el pronóstico?

Diremos finalmente que las perspectivas de curación son menores cuanto menos edad tenga el enfermito. Pero son buenas cuando se administra un tratamiento a tiempo y de forma adecuada, especialmente en el caso de criaturas de más de un año de edad.

La difteria

¿Es la difteria una de esas enfermedades de otros tiempos?

En varios países lo es, pero de vez en cuando aparece un caso, invariablemente, en familias cuyos hijos no han sido vacunados. La vacuna contra la difteria es eficaz en el ciento por ciento de los casos.

¿Cómo se presenta esta enfermedad?

Aparece como una infección de la garganta producida por el *Corynebacterium diphteriae,* transportado por las partículas de saliva

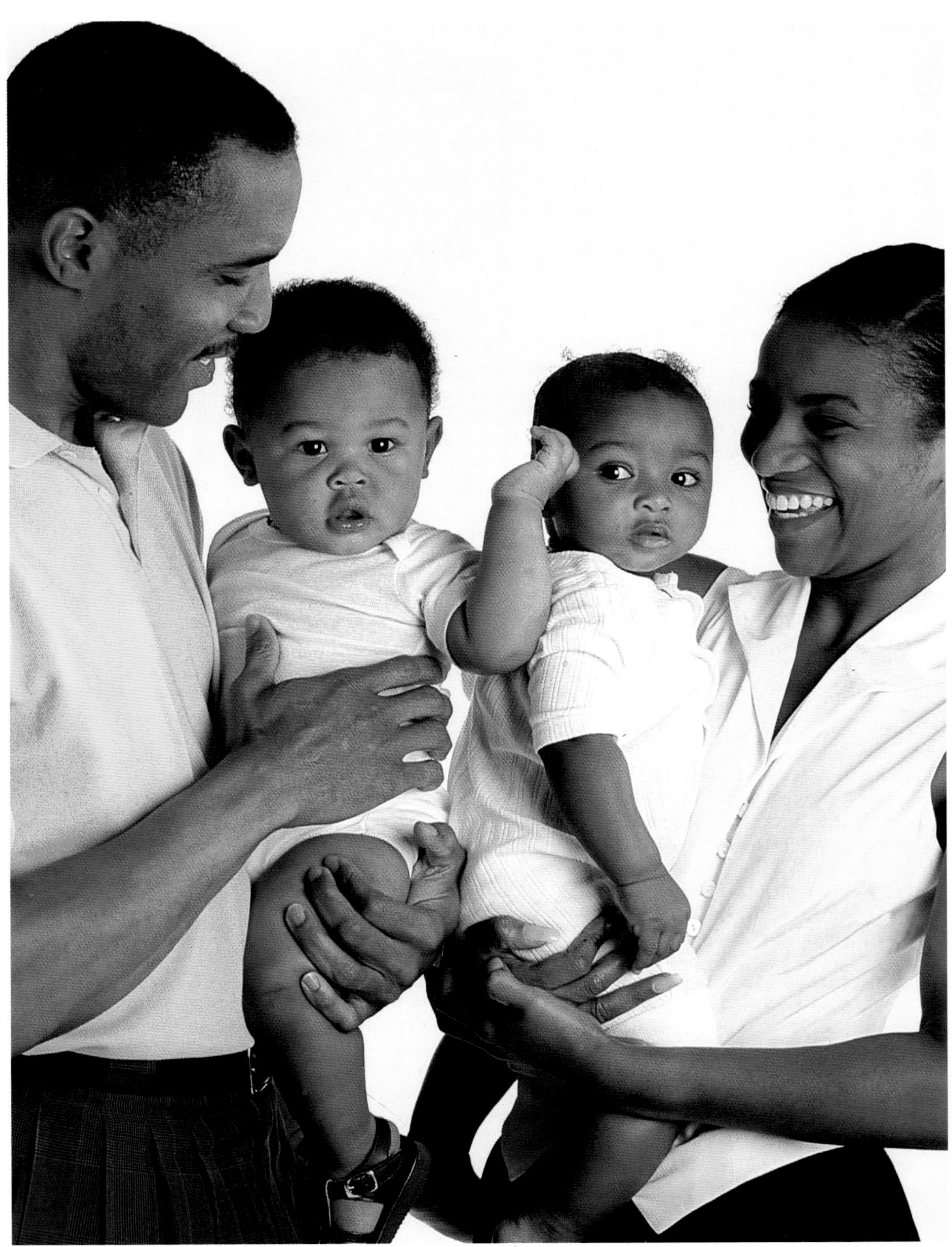

El hombre y la mujer contribuyen por igual a un embarazo, pero es el elemento masculino, que contiene los cromosomas que determinan el sexo, el que decide si el bebé será una nena o un nene.

contaminada despedidas por la tos. Los síntomas se producen de 1 a 7 días después de la infección. Primero ocurre dolor de garganta y fiebre moderados. Las amígdalas y la garganta se cubren gradualmente de una sustancia gris-verdosa.

Los gérmenes de la difteria producen un poderoso tóxico que circula rápidamente por todo el cuerpo, lo que causa pulso rápido, postración y estado de enfermedad grave. A medida que aumenta la fiebre, se desarrolla una tos ronca. Se produce poco a poco dificultad para respirar y la piel adquiere una tonalidad azulada debido a la insuficiencia de oxígeno en la sangre. El paciente empeora rápidamente, por lo que se produce una elevada tasa de mortalidad.

+ *Tratamiento*

¿Qué debería hacer la madre en caso de difteria?

Si un niño que no ha sido vacunado manifiesta alguno de los primeros síntomas de esta enfermedad, necesita tratamiento médico de urgencia. La atención en un hospital es indispensable porque es muy probable que se presenten graves complicaciones, especialmente en el corazón.

La terapia intensiva es necesaria. Se administran grandes dosis de antitoxina para neutralizar el tóxico de los gérmenes de la difteria. La recuperación del paciente requiere varias semanas de atento y esmerado cuidado.

Tal como lo dijimos antes...

Una sencilla serie de vacunas aplicadas al bebé puede hacer desaparecer todo este riesgo. Debido a que algunos casos de difteria suelen presentarse entre los adolescentes, los médicos han sugerido una vacuna de refuerzo (juntamente con otra contra el tétanos) en esta edad.

capítulo 23

Enfermedades del aparato digestivo

EN ESTE CAPÍTULO

- Molestias abdominales, dolor de estómago, vómitos y diarrea.
- Objetos extraños en el intestino, dentición, lombrices, giardiasis, dolor en el ano (desgarros o fisuras).
- Ictericias y desórdenes hepáticos, bultos en el vientre (hernias e hinchazón del escroto).
- Desórdenes menos comunes: obstrucción intestinal, estrechamiento del píloro y bloqueo del esófago.
- Enfermedad celíaca, fibrosis quística, defectos congénitos.

¿Está usted de acuerdo en que los dolores de estómago son algunos de los síntomas más comunes en la infancia?

Todas las madres habitualmente tienen que hacer frente a problemas del estómago y los intestinos en sus hijos pequeños. Los vómitos y la diarrea ocurren con frecuencia. Los dolores en la región abdominal son comunes. Pero también pueden ocurrir otros síntomas, como constipación, pérdida del apetito, gases intestinales, vientre distendido, pérdida de peso y fiebre. Suelen aparecer tumefacciones o bultos de diversos tamaños en el abdomen. Cualesquiera de estos síntomas pueden sugerir la presencia de algún desorden del aparato digestivo.

¿Qué incluye esto?

En realidad incluye la totalidad del tracto digestivo que comienza en la boca y se extiende hasta el extremo opuesto, es decir, el ano.

¿Se trata, entonces, de un solo tubo largo y de diversos grosores?

Sí, pero en su transcurso recibe diversos nombres, según sea su ubicación. Cada sección desempeña una parte importante en la digestión de los alimentos que el niño ingiere.

El alimento entra por la boca. Los dientes lo reducen a trozos pequeños que se pueden tragar fácilmente. La saliva, al mezclarse con la comida, facilita este proceso. El alimento masticado y con saliva se denomina bolo alimenticio y baja por el esófago hasta el estómago, al que entra a través de una válvula. Unas glándulas especiales de la pared del estómago producen un ácido y ciertas hormonas y enzimas que se mezclan con los alimentos y los convierten en una masa semilíquida. Cada pocos minutos se abre una válvula (el píloro) situada en el extremo inferior del estómago, para dejar pasar una porción de esta masa hacia el duodeno.

¿Qué sucede aquí?

Se vierten más jugos digestivos con enzimas en el duodeno, lo que convierte a esa masa en una mezcla que se absorberá fácilmente después. Luego se añaden sustancias químicas especiales procedentes de la vesícula y el páncreas.

Gradualmente, las contracciones empujan esa masa hasta introducirla en la siguiente porción, que se llama intestino delgado. Es un canal bastante largo y estrecho. Aquí los diversos componentes del bolo alimenticio son absorbidos por el torrente sanguíneo que se encuentra junto a las paredes del intestino. De allí se los lleva al hígado, donde ciertas sustancias químicas los preparan y purifican para ser usados por el organismo. Después de esto, el alimento se almacena o la sangre lo transporta por el cuerpo a los diversos órganos que lo necesitan, para su uso inmediato.

¿Qué pasa con los alimentos que quedan en el intestino?

La sangre no absorbe todo el alimento. Queda una buena cantidad que los movi-

METABOLISMO DE LOS ALMIDONES

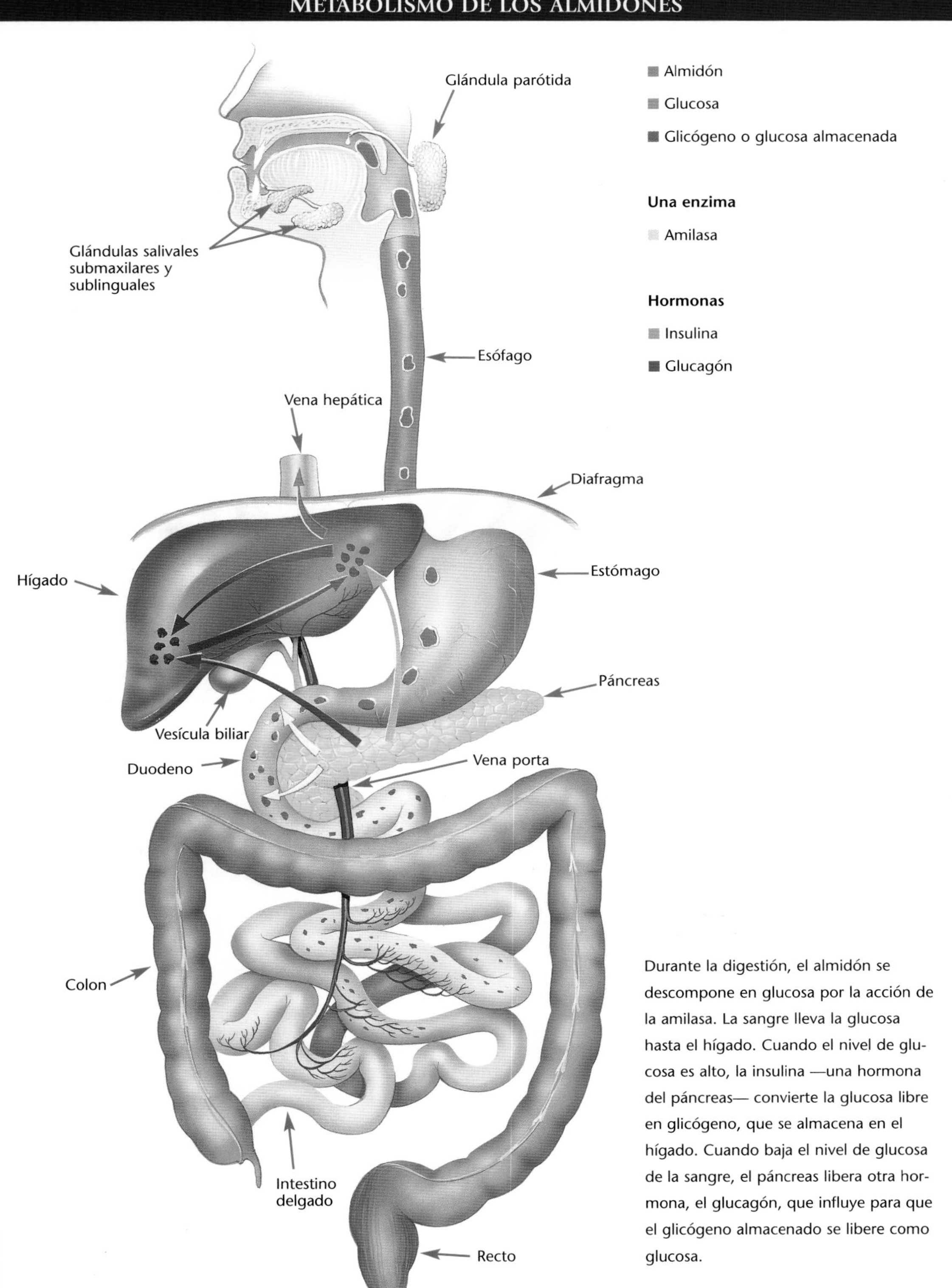

Durante la digestión, el almidón se descompone en glucosa por la acción de la amilasa. La sangre lleva la glucosa hasta el hígado. Cuando el nivel de glucosa es alto, la insulina —una hormona del páncreas— convierte la glucosa libre en glicógeno, que se almacena en el hígado. Cuando baja el nivel de glucosa de la sangre, el páncreas libera otra hormona, el glucagón, que influye para que el glicógeno almacenado se libere como glucosa.

mientos intestinales (movimientos peristálticos) impulsan hacia adelante hasta que llega a la porción siguiente, llamada intestino grueso. Aquí la sangre absorbe el agua del alimento, y la masa que resulta adquiere una consistencia más sólida.

Finalmente, el intestino grueso llega a una porción que se llama recto, que retiene esa masa hasta que llega el momento de su expulsión. Esto sucede a través del ano, y una válvula especial (esfínter) se asegura de que no se produzcan accidentes.

¿No es el intestino también un depósito de productos que el organismo ya no necesita más?

Así es. Los productos de desecho se depositan en él, para su eventual evacuación.

Los dolores abdominales, los vómitos, la diarrea y la fiebre son probablemente los síntomas más comunes de que algo no anda bien en el vientre del bebé o el niño.

¿Qué es el apéndice? Hemos oído mucho acerca de este famoso órgano.

En el lugar donde se unen el intestino delgado con el grueso se encuentra una porción denominada ciego. El apéndice es una proyección del ciego.

Normalmente todo funciona bien en el aparato digestivo. El alimento demora varias horas en recorrerlo de un extremo a otro, lo que significa entre 30 y 40 horas en los adultos. Mientras más demora, más de esa masa llega al intestino grueso, y se produce la constipación, o dificultad para defecar. Si la pared intestinal se irrita por cualquier razón (por ejemplo, por una infección), los movimientos peristálticos se vuelven más rápidos, se absorbe menos fluido y se produce una diarrea. Las infecciones pueden causar llagas en la pared intestinal, lo que produce sangre, gases y una sustancia gelatinosa, que despide un olor desagradable y causa los demás síntomas de las infecciones intestinales; además, hay dolor por la expansión del intestino causada por los gases.

Los síntomas siempre tienen una razón, y una madre atenta puede descubrir el porqué de las quejas de su hijo.

Los padres deben tomar en serio los síntomas de sus hijos, porque podrían ser indicios de una enfermedad grave.

Así es. Los dolores abdominales, vómitos, diarrea y fiebre son los síntomas más comunes que indican que no todo anda bien en la región abdominal. Todos ellos requieren pronta atención. Esto es todavía más urgente en el caso de los bebés.

Dolor de estómago

¿Ha sentido usted alguna vez dolor de estómago?

¿Quién no lo ha sentido? Los bebés y los niños no son la excepción. Este es un síntoma común. Con frecuencia seguirá presentándose. Pero nunca debe descuidarse.

Podría tratarse de un síntoma precoz de una afección grave, como ser una infección intestinal aguda, apendicitis, una torsión o una obstrucción (oclusión) intestinal. Otra causa bastante común es una afección llamada adenitis mesentérica, en la que se inflaman los ganglios de las paredes del intestino y causan dolor. Con frecuencia se confunde con la apendicitis, pero suele curarse sin consecuencias graves.

La acumulación de aire en el estómago, después que el bebé tomó su biberón con demasiada rapidez, puede provocar dolor, lo que influye para que el bebé llore hasta que expulsa el aire por medio de un eructo. Las infecciones que provocan rápidas contracciones del intestino también pueden causar molestias.

¿Hay dolores causados por trastornos emocionales?

Muchos lo son, especialmente en los niños en desarrollo. Con frecuencia algún trastorno emocional precede al comienzo de la molestia. La intensidad varía de leve a grave. También puede haber otros síntomas, como dolor de cabeza, náuseas, vómitos, diarrea, mareo, palidez, constipación e inapetencia. La presión de los gases puede producir dolor abdominal.

Con frecuencia el chico afectado quiere estar muy cerca de sus padres o de sus hermanos.

+ *Tratamiento*

¿Cómo trata la madre a su hijo en este caso?

En algunos casos la respuesta es obvia, como hacer que el bebé eructe después de comer. Ciertos productos, como los alimentos a base de leche, pueden ser la causa de esta situación, y la madre puede comprender la relación que existe. Si los trastornos emocionales son evidentes, deberían reducirse al máximo posible.

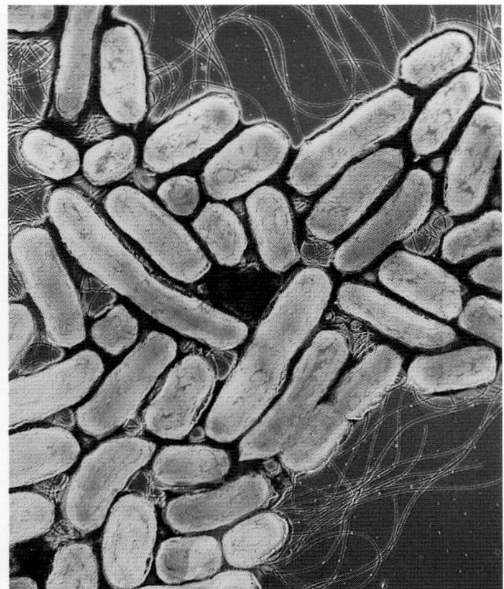

Micrografía de la bacteria *Salmonella enteritidis*, causante de la gastroenteritis.

¿Y si los problemas persisten y continúan presentándose?

Los dolores agudos con frecuencia requieren atención médica, lo mismo que los que se repiten. El facultativo puede encontrar la causa y eliminarla. Si la madre la conoce, puede hacer lo necesario para eliminarla y disminuir los síntomas.

Vómitos y diarreas

Estos son probablemente dos de los síntomas más comunes relacionados con el abdomen de los niños.

Es verdad. Pueden ocurrir separados o juntos. Por fortuna, en la mayor parte de los casos están autolimitados y no conducen a problemas ulteriores. Pero no deben descuidarse, especialmente en bebés que pueden empeorar con rapidez y alcanzar un grave nivel de deshidratación.

Cualquier niño con síntomas que se agravan en un período de 6 a 12 horas requiere atención médica. Si su estado es grave se lo debe llevar al médico sin pérdida de tiempo; y si el bebé es de pocos meses esto se debe hacer con urgencia.

¿Cuáles son las causas?

Son muy numerosas y varían con cada paciente. Una infección en otra parte del cuerpo (garganta, oídos) puede ser la causa. En el caso del bebé, los vómitos y la diarrea pueden deberse a errores cometidos en su alimentación. Los investigadores médicos han identificado diversos virus que ocasionan trastornos intestinales y gástricos.

La gastroenteritis (infección del estómago y el intestino) produjo muchas muertes de bebés en años anteriores. La causan microbios transportados por las moscas, que contaminan los alimentos: la leche, los biberones, etc. Pero la mortalidad ha disminuido porque los padres han comprendido la importancia de la higiene; además, los alimentos se mantienen refrigerados. En la actualidad hay un mayor número de madres que hierven o esterilizan los utensilios que usan en la alimentación de sus bebés.

Pero esto no quiere decir que se deba ignorar la gravedad que puede tener una gastroenteritis.

De ninguna manera. Una infección intestinal considerable puede amenazar la vida del bebé, y por esta razón un ataque de diarrea o vómitos nunca debe tomarse livianamente.

Esto es más importante todavía en bebés cuya resistencia a los agentes infecciosos ha descendido, aunque en los primeros meses de vida hayan recibido una cantidad adecuada de protección por medio de la leche materna. Las criaturas no resisten la pérdida excesiva de líquidos ocasionada por la diarrea y los vómitos. Además, las toxinas generadas por los microbios pueden causar un efecto adverso sobre ellos. Por eso todavía ocurren muertes por esta causa.

¿No es asombrosa la rapidez con que las criaturas y los niños pueden perder peso cuando tienen diarrea o vómitos?

Es increíble. Una criatura puede empeorar de forma alarmante. En un solo día puede producirse una pérdida de peso apreciable. El cuerpo está constituido mayormente por líquidos, y cuando estos disminuyen masivamente, también desaparece el aspecto saludable. No espere hasta que el cuerpo de su bebé adquiera un aspecto enfermizo para remediar el mal.

+ *Tratamiento*

¿Qué clase de tratamiento se recomienda para combatir la diarrea y los vómitos?

Casi de inmediato puede comenzar con

remedios caseros. Hay que interrumpir la alimentación normal. Se debe dar a la criatura cantidades pequeñas y frecuentes de líquidos, si no los vomita. Los bebés más grandecitos y los niños toleran mejor trocitos de hielo.

¿Qué clase de líquidos sugeriría usted?

Agua hervida fresca es lo mejor, sobre todo si se le añade un poco de azúcar. A un cuarto de litro de agua hervida añada dos cucharaditas de azúcar. Déle a beber con frecuencia. Déle también, alternadamente, jugo de manzanas cocidas con cáscara (compota), o bien limonada preparada en la proporción de 1 cucharada de limón en 4 de agua tibia. Déle a beber en pequeñas cantidades pero con frecuencia, para evitar los vómitos.

¿Hay medicamentos que la madre podría darle al bebé con vómitos o diarrea?

Hay compuestos líquidos para reemplazar con rapidez los líquidos, la glucosa y las sales o "electrolitos" que se pierden con los vómitos y la diarrea, y que son indispensables para la buena salud. El médico, una enfermera o el farmacéutico pueden recomendar lo que se puede conseguir localmente y cómo prepararlo y administrarlo, aunque el producto ya trae esas indicaciones (léalas con atención y sígalas con cuidado). Este preparado debe mantenerse en un lugar fresco y no debe mezclarse con leche, jugos de frutas ni con otros líquidos que contengan electrólitos. En general, este líquido se da a la criatura enferma a intervalos regulares. La cantidad diaria que debe recibir varía según la edad. Este reemplazo de líquidos debe continuarse de 1 a 3 días.

Recordamos a las madres y a los padres que los bebés y las criaturas pequeñas con vómitos y diarrea persistentes deben estar bajo el cuidado de un médico.

¿Qué puede decir acerca de los productos lácteos?

El elevado contenido de grasa de la leche y los productos lácteos los hacen inapropiados para los niños enfermos. Con frecuencia agravan las náuseas, los vómitos y también la diarrea. Se puede cuajar la leche, extraerle el suero y darlo en pequeñas cantidades a la criatura enferma. El suero tiene un elevado contenido de proteína, se absorbe fácilmente en el intestino y no tiene grasa. Se puede preparar con facilidad y guardar en la heladera o nevera.

¿Qué sucede después?

A medida que la criatura enferma mejora, lo que sucede usualmente es que la madre puede aumentar la cantidad y la variedad de líquidos: jugos de frutas, tisanas no concentradas de hierbas, caldo de verduras. Las jaleas (gelatina) son bien toleradas poco después. Poco a poco, a medida que desaparecen los síntomas de diarrea y vómito, puede darse a la criatura puré de manzanas cocidas o asadas, pasadas por cedazo para los bebés, puré de verduras sin leche ni manteca (mantequilla); la leche descremada se puede incluir poco a poco. También se le puede dar pan tostado, pero se debe tener cuidado de que no se atore. La criatura puede volver a la alimentación normal en pocos días, cuando termina el problema.

¿Qué se debe hacer si continúan los síntomas?

En ese caso se debe llevar la criatura con diarrea o vómitos al consultorio del médico. Si los síntomas empeoran, o si la criatura siente dolor en otras partes del cuerpo, hay que llamar al doctor, o llevarle la criatura, sin demora. No descuide la atención médica en casos así, porque podría salvar la vida de la criatura.

¿Es aconsejable dar medicamentos en estos casos?

Eso depende de las circunstancias. En años recientes se ha descubierto que muchas infecciones intestinales son causadas por microorganismos específicos, que se pueden combatir con antibióticos; pero estos se administran generalmente en los hospitales. En general, no son necesarios para los niños. No es aconsejable dar a las criaturas ni a los niños medicamentos destinados a los adultos.

Vómito recurrente (cíclico)

Hay niños que sufren de repetidos accesos de vómitos de forma bastante regular.

Así es. Eso recibe el nombre de vómito recurrente o cíclico, y es más común cuando en la familia ha habido casos de jaqueca o migraña. El vómito suele asociarse con dolores de cabeza y molestias abdominales. Aparece repentinamente y cualquier cosa que se ingiera se devuelve. El tratamiento es parecido al que ya se indicó para el vómito y la diarrea. Pero el médico debe ver a la criatura para confirmar el diagnóstico y recomendar el tratamiento más adecuado.

Constipación

¿Qué ocurre en la constipación?

En la constipación la materia fecal se seca y endurece. Esto se debe a diversas causas. En el bebé puede deberse a que en su alimentación hay pocos carbohidratos y grasas, ingestión inadecuada de líquidos o escaso contenido de celulosa (bulto) procedente de las verduras y las frutas.

El bebé, generalmente, tiene una evacuación de materia fecal blanda en el día; pero esto puede variar sin que haya un desorden intestinal grave. Los bebés alimentados con leche materna es menos probable que sufran de constipación; pero no sucede lo mismo con los que son alimentados con biberón, quienes tienen más tendencia a expulsar materia fecal seca y dura.

En muchos casos la constipación es pasajera y requiere poco tratamiento. Sin embargo, este varía con la causa que la produce.

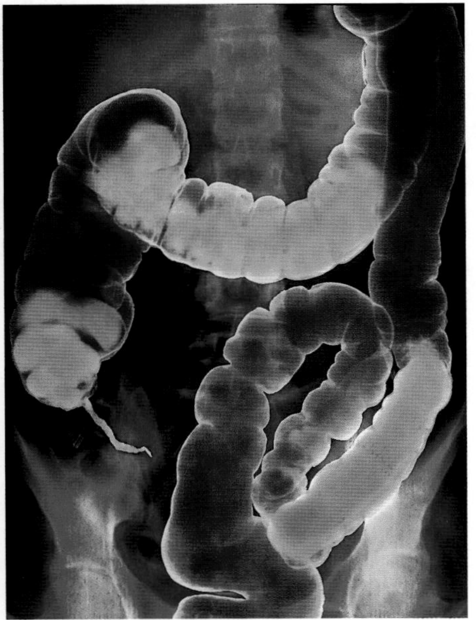

Radiografía del abdomen que muestra el intestino grueso (colon), que comienza a la izquierda (la delgada proyección es el apéndice), y está formado por las siguientes secciones: colon ascendente, transversal, descendente y sigmoideo (en forma de S).

La ingestión insuficiente de líquido produce constipación. Si el bebé tiene una infección en el aparato respiratorio, o una producida por virus o bacterias, generalmente pierde mucho líquido por la transpiración. Eso disminuye la cantidad de agua en el intestino, y la materia fecal se endurece.

Las heces duras suelen distender en exceso el esfínter anal, lo que puede producir fisuras, de modo que la defecación se torne dolorosa, lo que agrava el problema porque el bebé tenderá a retener la materia fecal con el fin de evitar nuevas molestias. La aplicación local de crema con anestesia poco antes de la deposición puede producir alivio. También puede ayudar la administración de un laxante suave hasta que sane la fisura.

Algunos padres emprenden con tanto entusiasmo la tarea de enseñar a sus hijos a no ensuciarse en los pañales que, sin quererlo, pueden inducir la constipación. El empleo excesivo de purgantes también puede producir el mismo efecto. Los niños más grandecitos, entusiasmados con sus juegos, pueden olvidarse de ir al baño cuando lo necesitan, y así se constipan poco a poco.

Otras enfermedades pueden ser la causa de la constipación, especialmente si hay pérdida de líquido. Algunos medicamentos reducen la frecuencia de la defecación, como el aluminio o el calcio (que a veces se usan en medicamentos para la acidez y otras molestias estomacales).

Muchos casos de constipación son pasajeros y requieren muy poco tratamiento. Pero como las causas son diversas también lo son los tratamientos.

+ *Tratamiento*

¿Debería tratarse la constipación o dejar que se resuelva por su cuenta?

Si la condición es aguda y causa dificultades, puede remediarse mediante la aplicación de recursos sencillos. La antigua práctica de insertar en el ano un supositorio de glicerina sigue produciendo resultados positivos. Se pueden adquirir en la farmacia. Después de media hora provoca una defecación abundante. A veces se hace necesario un enema de agua jabonosa, pero esto no es frecuente.

¿Qué puede decir sobre la constipación persistente?

Esto se puede corregir modificando la dieta del niño. Los bebés deberían ingerir más líquido entre las comidas. También se puede aumentar el contenido de azúcar en su alimentación. El jugo o el puré de ciruelas cocidas es con frecuencia eficaz.

En los niños de más edad, aumente el consumo diario de frutas y verduras. También se benefician con el aumento de alimentos con más contenido de celulosa, para dar cuerpo a la materia fecal. Las ciruelas frescas y secas, los damascos y los higos pueden ayudar. Además, la mayor parte de las frutas y las verduras con mucha fibra (lechuga, acelga, espinaca, bróculi, repollo, coliflor, zanahoria, etc.) contribuyen a una buena digestión.

El consumo de productos preparados con harina integral, y la ingestión de una porción de salvado cada día, pueden formar hábitos de alimentación adecuados que contribuirán a conservar la buena salud durante toda la vida. El salvado absorbe agua y aumenta el volumen de la materia fecal, lo que estimula la regularidad de los movimientos intestinales. También es beneficioso en el proceso de remoción de materiales de desecho del organismo. Reduce asimismo la posibilidad de enfermar de cáncer del intestino, de apendicitis, cálculos biliares, hernia hiatal y otras afecciones del aparato digestivo que suelen presentarse más tarde en la vida.

Le he oído mencionar varias veces el jugo de ciruelas secas cocidas. Sé que es sabroso y natural, y que tal vez por esa razón usted lo prefiere al empleo de medicamentos, especialmente en los bebés y los niños.

La creencia en que el jugo de ciruelas y de ciruelas secas cocidas son el "laxante ideal" ha existido desde hace mucho tiempo. Las ciruelas secas tienen un efecto beneficioso sobre los intestinos de los bebés y los niños pequeños.

Las ciruelas tienen la ventaja de ser un alimento natural, suave, fácil de conseguir y de preparar, y que generalmente es eficaz. Cualquier variedad de ciruela sirve para este fin.

Cuando las deposiciones del bebé son duras y secas, puede ser beneficioso darle jugo de ciruelas. La dosis común es 15 gramos. Es suficiente para producir cada día deposiciones blandas de fácil expulsión. En el caso de niños más grandecitos puede dárseles ciruelas secas cocidas y convertidas en puré, y coladas (tamizadas), solas o con el jugo. La cantidad necesaria variará con la edad del niño. Las madres pronto descubrirán cuál es la cantidad que produce mejores resultados.

Si la madre aumenta la cantidad de líquido que le da al bebé durante el día, obtendrá mejores resultados todavía. Una adecuada cantidad de agua es indispensable para la "regularización" del intestino, cosa que muchas madres pasan por alto. Esto es tanto más necesario en tiempo caluroso.

¿Qué nos puede decir acerca de los purgantes?

Deberían emplearse lo menos posible. Los recursos naturales bien aplicados son suficientes. Si en algún caso no funcionan, entonces hay que consultar al médico. Evite por todos los medios posibles que su hijo se acostumbre a los purgantes.

¿Y si existiera una causa definida que exigiera el uso de purgantes?

En ese caso el médico es quien debe recomendar el tratamiento adecuado. Las fisuras anales, que causan dolor durante la defecación, pueden ser diagnosticadas y tratadas con facilidad por el médico. El estrechamiento intestinal congénito, o un recto dilatado, pueden ser descubiertos fácilmente por el pediatra, quien recomendará el tratamiento necesario.

Gases y cólico

Las madres hablan mucho de los cólicos provocados por gases. Cuando niño vivía en una granja en la que con frecuencia se hablaba de los cólicos de los caballos. ¡Ese término me fascinaba!

Los cólicos son comunes en los niños. Se trata de dolores intestinales que los hacen llorar. Son más comunes en el primer hijo y preocupan mucho a la mamá. Suelen comenzar dos semanas después del nacimiento y pueden durar entre 3 y 4 meses.

¿Cuál es la causa de los cólicos?

Generalmente se deben a que el bebé traga aire mientras come. Cuando succiona el pecho materno también lo hace. Sucede lo mismo cuando se lo alimenta con biberón, especialmente si el agujero de la tetina es demasiado estrecho. Lo mismo pasa si tiene varios agujeros más bien grandes. Además, los bebés con hambre, o por alguna otra razón, se chupan el dedo y tragan aire.

Todo eso preocupa a la madre. ¿No es

Los cólicos —o los dolores producidos por gases intestinales— son una de las causas del llanto de los bebés.

cierto?

Así es. Para disminuir la incomodidad del bebé, la mamá le da de comer más a menudo, lo que distiende el estómago del bebé y lo hace llorar más aún. Los médicos han descubierto que los bebés tensos e hiperactivos están más expuestos a los cólicos, especialmente cuando los miembros de la familia no son muy estables emocionalmente. El bebé capta lo negativo de la situación, se inquieta y llora.

En algunos casos los bebés no toleran la leche de vaca, que les produce cólicos. En las farmacias y los supermercados se venden productos para la alimentación del bebé que reemplazan la leche de vaca.

+ *Tratamiento*

¿Qué diremos, entonces, a las madres preocupadas por este problema?

Hay numerosos recursos sencillos que la madre puede usar. La eliminación del aire del estómago del bebé es la primera medida que se debe tomar. Coloque al bebé sobre su hombro y frótele la espalda. Las burbujas de aire subirán al punto más alto del estómago y de allí se expulsarán al exterior mediante eructos. Puede ser necesario que el bebé eructe varias veces antes de que salga todo el aire atrapado en el estómago.

¿Qué otra cosa sugiere usted?

Frotar suavemente el vientre facilitará el movimiento de las burbujas de aire a lo largo del intestino, y lo hará salir por el recto. La sangre no absorbe el aire, por lo que este debe salir por un extremo o el otro, y cuanto antes lo haga, mejor. También puede ayudar la aplicación de una bolsa de agua caliente en el vientre, pero la mamá debe tener cuidado de no quemar al bebé. A veces resulta eficaz acunarlo suavemente en los brazos. Diremos de paso que este es un medio adecuado para calmar al bebé inquieto. A veces la aplicación de un supositorio en el recto puede ser bueno, especialmente cuando hay constipación.

¿Debería la mamá llevar al médico al bebé con cólico?

En caso de que las medidas sencillas descritas aquí no den resultado, debería hacerlo. Podría ser necesario introducir algún cambio en la alimentación de la criatura: aumentar la cantidad para evitar el hambre, alterar los ingredientes, descubrir si hay alergias a algún alimento, revisar los pezones de la madre si el niño se alimenta a pecho, hablar de la situación emocional de la familia, prescribir algún medicamento.

Generalmente se soluciona el problema y sólo queda el recuerdo del cólico del bebé con sus molestias.

Apendicitis

¿Es la apendicitis una enfermedad frecuente y grave en la infancia?

Es bastante común. Es, en la infancia, la enfermedad del aparato digestivo que con más frecuencia requiere una intervención quirúrgica. Puede aparecer a cualquier edad, especialmente entre los 4 y los 12 años. Se sabe de una operación con éxito llevada a cabo en un bebé de 6 semanas.

¿Cuál es la causa esta enfermedad?

No se sabe muy bien. En algunos casos un trocito de una sustancia dura se introduce en la abertura del apéndice, lo que produce una infección. En otros casos los gusanos (oxiuros) pueden causar el mismo efecto. El apéndice es una delgada prolongación que se

UBICACIÓN DEL APÉNDICE

La apendicitis ocurre cuando el pequeño órgano llamado apéndice se inflama a causa de una infección, lo que produce dolor en la parte inferior del lado derecho del abdomen.

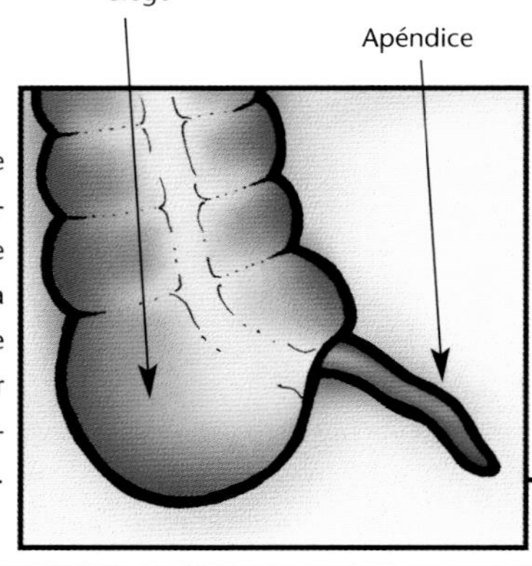

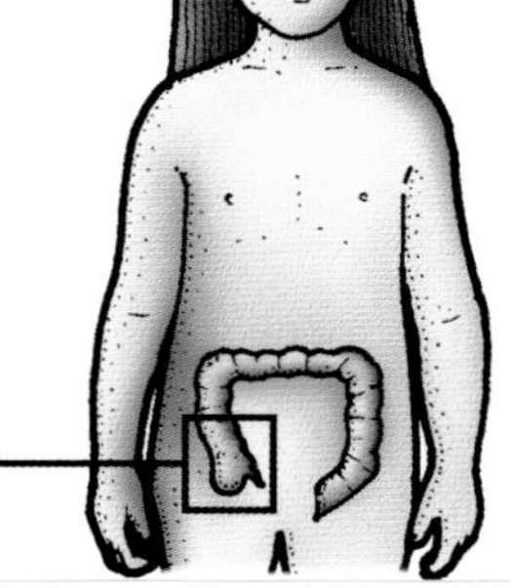

extiende desde la porción del intestino grueso llamada ciego, en el lugar de unión con el intestino delgado.

¿Qué síntomas pueden hacer pensar a los padres que se trata de una apendicitis?

El dolor es casi siempre el síntoma inicial. Comienza alrededor del ombligo y pocas horas después se ubica en el lado derecho del abdomen. Pueden producirse vómitos, constipación y ocasionalmente diarrea. Con frecuencia hay, además, síntomas urinarios, especialmente molestia para orinar. En algunos casos el niño afectado camina encorvado sujetándose el lado afectado para disminuir el dolor.

+ *Tratamiento*

¿Qué deberían hacer el padre o la madre?

Deben llevar el niño enfermo al doctor sin pérdida de tiempo. Esta enfermedad todavía causa la muerte de muchos adultos y niños cada año. En algunos casos los padres no obtuvieron ayuda médica a tiempo. Cuando más se espera, mayores son los riesgos de que ocurran complicaciones serias que amenazan la vida. La más grave es la ruptura del apéndice, que provoca la infección de toda la cavidad abdominal por la invasión masiva de microorganismos. Esto causa peritonitis, afección que puede ser fatal a pesar de los antibióticos y del buen servicio hospitalario.

No dé alimento al niño afectado por una apendicitis, porque en caso de operación es indispensable que el intestino esté desocupado. Con frecuencia hay ausencia de fiebre, y si la hay, es leve. La fiebre no es una guía indicadora de la gravedad de esta enfermedad.

¿Produce buenos resultados la cirugía?

La operación quirúrgica realizada por un cirujano competente en un hospital bien equipado produce resultados satisfactorios. El niño suele estar bien después de uno o dos días. Sale del hospital antes de una semana.

Existe una condición parecida a la apendicitis llamada adenitis mesentérica. Los ganglios linfáticos de la región abdominal inferior se inflaman y causan dolor. Con frecuencia los microbios llegan desde otro lugar infectado, como la garganta o los bronquios. En este caso no hay vómitos. Muchos casos de adenitis mesentérica han sido erróneamente diagnosticados como apendicitis, y el apéndice se ha extirpado sin necesidad.

A veces las infecciones de la vejiga, los riñones y los bronquios también pueden confundirse con apendicitis.

Objetos extraños en el intestino

A los niños les agrada meterse cosas en la boca. ¿Es peligrosa esa costumbre?

Es asombroso que eso no produzca resultados más graves. Pero así es. Esta costumbre no produce problemas en la mayor parte de los niños. Estos se llevan a la boca botones, canicas o bolitas, ojos de peluches, agujas, alfileres, tornillos, clavos, monedas, etc. Estos objetos por lo general pasan por el intestino y finalmente se los expulsa con la materia fecal.

+ *Tratamiento*

Muchas madres se asustan cuando descu-

bren que su hijito se tragó un objeto duro, especialmente si es una moneda. ¿Qué puede hacer en ese caso?

En la gran mayoría de los casos los objetos que no son absorbibles pasan en pocos días por el intestino y se los expulsa. No es necesario asustarse. Aun los objetos puntiagudos, como alfileres, clavos y agujas, tienden a pasar por el intestino sin causar dificultades.

¿Cuándo debería la madre buscar la ayuda del médico?

Si la mamá está ansiosa y preocupada, sugiero que lleve sin tardanza a su niño al médico. Si no se recupera el objeto dentro de 2 a 4 días, especialmente si es afilado, será necesario tomar una radiografía. Esto se hace más necesario aún si el niño siente dolor en algún punto del abdomen, si tiene vómitos o fiebre. Esto puede indicar que el objeto se ha insertado en algún lugar o ha perforado el intestino. Afortunadamente esos casos son muy poco frecuentes.

La dentición

Las madres se preocupan mucho cuando a sus hijitos les comienzan a salir los dientes. Además, los lloriqueos y el desasosiego de los niños les causan mucha molestia. ¿Podría presentar usted algunas sugerencias al respecto?

La dentición es un proceso normal. Afortunadamente para las madres que amamantan a sus bebés, estos nacen sin dientes; si no fuera así, las molestias serían insoportables. Numerosos desórdenes se atribuyen al proceso de la dentición.

¿Como cuáles?

Como fiebres, vómitos, diarrea, problemas respiratorios, erupciones de la piel y hasta convulsiones.

Con frecuencia parece existir una relación entre estas cosas, y creo definidamente que la resistencia del bebé disminuye temporalmente durante la dentición. Debido a esto las criaturas se tornan más vulnerables a las enfermedades, que pueden presentarse en cualquier momento. Pero antes de echar la culpa a la dentición, cada síntoma se debe considerar y se debe recomendar la terapia adecuada cuando sea necesario.

He notado que muchos niños mayorcitos tienen los dientes manchados.

Hace varios años la tetraciclina, un antibiótico popular, se aplicaba frecuentemente a los niños, hasta que se descubrió que causaba manchas amarillas en los dientes permanentes. Los médicos, en la actualidad, no usan este antibiótico en los niños. Lamentablemente esas manchas no se pueden eliminar.

Por ejemplo, mi hija estuvo muy enferma cuando era bebé. Le dieron tetraciclina, y aunque este valioso antibiótico probablemente le salvó la vida, sus dientes manchados son un mudo testimonio de la enfermedad.

¿Qué piensa del consumo de golosinas por parte de los niños? ¿Les afecta la dentición?

Los dientes tienen una delgada placa de material protector que debería mantener los dientes en buen estado durante muchos años; pero el azúcar la destruye y, como resultado, se producen caries.

Idealmente, cuanto menos azúcar consuman sus hijos tanto más sanos serán sus dientes y tanto más les durarán. Conozco a los hijos de un dentista que nunca comieron golosinas ni consumen azúcar. Ahora, con más de 20 años, todavía no han tenido su primera carie.

¿Ha notado usted que los bebés salivan durante la dentición?

Por cierto que sí, y además les encanta morder pan, galletas y otros objetos duros. Es un deseo natural que ayuda en el proceso de la dentición. Personalmente no me agradan

Mientras menos azúcar consuma su niño, más le durarán los dientes y en mejores condiciones.

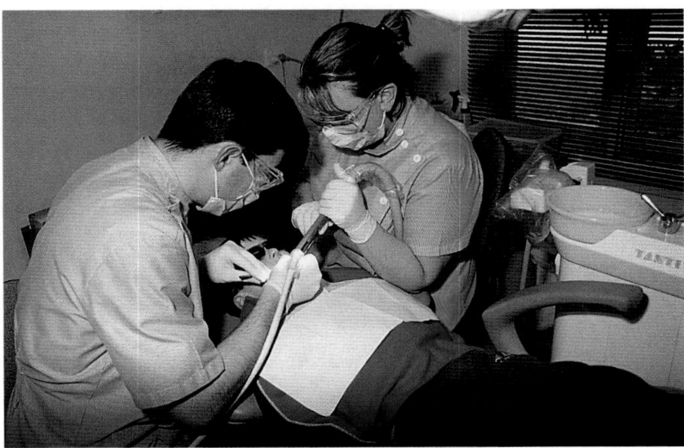

Las visitas regulares al dentista y un concienzudo cuidado de la dentadura evitarán las extracciones y la empastadura de los dientes.

Comer (tomar) helados ciertamente es algo placentero, pero puede aumentar en los niños el riesgo de caries precoces si no se toman los recaudos adecuados como, por ejemplo, frecuentes consultas al dentista.

DIENTES DE LECHE Y DIENTES PERMANENTES

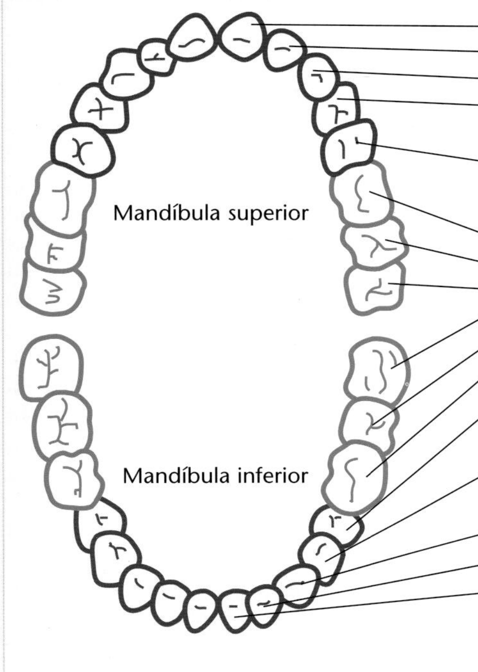

Los dientes de leche aparecen en color azul; los reemplazan los dientes permanentes. Estos aparecen en rojo; crecen debajo de los dientes de leche.

los anillos de goma que muerden los bebés, porque inevitablemente atraen a las moscas. Pero resultan útiles si se toman las correspondientes medidas de higiene.

¿En qué orden aparecen los dientes?

La tabla de esta página servirá de guía. Hay que tener en cuenta que en algunos bebés y niños los dientes aparecen antes o después de las edades indicadas.

La dentición de su bebé puede ser más rápida o más lenta que la de otros niños, y el orden de aparición de los dientes puede variar un poco. No se preocupe por eso. El resultado final es el mismo: un conjunto de hermosos dientes. El primer conjunto (dientes de leche) tiene 20 dientes y comienza a formarse a los 6 meses o antes. El segundo, o dientes permanentes, tiene 32 dientes. Comienza a formarse a los 6 años.

Vermes o lombrices

Supongo que la mayor parte de los niños tiene lombrices en algún momento de su vida.

La infección por vermes es muy común en los países latinoamericanos y en otros lu-

EDADES EN QUE SALEN LOS DIENTES

DIENTES DE LECHE (20)	(en meses)
Incisivos centrales inferiores (2)	5 - 7
Incisivos centrales superiores (2)	6 - 8
Incisivos laterales	7 - 9
Caninos	16 - 18
Primeros molares (4)	12 - 14
Segundos molares	20 - 24

DIENTES PERMANENTES (32)	(en años)
Incisivos centrales (4)	6 - 8
Incisivos externos (4)	7 - 9
Caninos (4)	9 - 12
Primeros premolares (4)	10 - 12
Segundos premolares	10 - 12
Primeros molares (4)	6 - 7
Segundos molares (4)	11 - 13
Terceros molares o (muelas del juicio) (4)	18 - 21

Las edades son aproximadas. La dentición de muchos bebés normales se presenta en edades diferentes de las establecidas aquí.

gares. La lombriz más común es el oxiuro. Tiene el aspecto de trocitos de hilo de algodón blanco. Se mueven, salen del recto y se trasladan por los alrededores del ano. En las niñas pueden llegar hasta la vagina y causar infecciones. A veces se ven en gran número en las deposiciones.

¿Cómo se infectan los niños?

Los huevos se depositan en la piel que rodea el ano. Producen escozor y el niño se rasca. Los oxiuros se depositan en las uñas, y se transmiten a otros niños con los juguetes y los útiles escolares. De allí pasan a la boca y al intestino, donde vuelve a comenzar el ciclo. Con frecuencia todos los miembros de la familia están infectados, y lo mismo sucede con muchos alumnos de la misma clase.

El escozor que se produce en el ano y la vulva es molesto, trastorna el sueño y produce irritabilidad. Los oxiuros pueden penetrar en el sistema urinario y hasta bloquear el apéndice causando apendicitis aguda.

Se puede descubrir los huevos de estos parásitos si se aplica cinta adhesiva a la región anal. Posteriormente el médico la examinará. Los padres encuentran los vermes en las deposiciones o alrededor del ano si examinan la criatura de noche. Se puede suponer que si un niño está infectado también lo pueden estar sus hermanos o hermanas.

✚ *Tratamiento*

¿Cuál es el tratamiento más adecuado?

El tratamiento es sencillo, y es mejor tratar a toda la familia al mismo tiempo. Hay disponibles numerosos medicamentos eficaces que pueden comprarse sin receta médica. Una sola dosis suele ser suficiente

¿Se usan todavía las píldoras de violeta de genciana?

Eran muy eficaces, pero hace mucho que no se las usa porque manchan la ropa interior. También algunos productos más recientes que causaban el mismo problema se han dejado de usar porque la gente no los compra.

¿Alguna otra sugerencia?

Hay que enseñar a los niños a lavarse las manos antes de comer. Hay que cortarles las uñas también. La ropa de cama, la ropa interior y los pijamas deben lavarse muy bien al comienzo del tratamiento; el asiento del inodoro (taza de retrete) debe cepillarse con esmero; hay que enseñar a los niños a no rascarse el ano ni llevarse la mano a la boca. Es difícil vigilarlos para que no se infecten, pero vale la pena intentarlo.

Quisiera añadir que hay otros vermes que infectan a los seres humanos, como los nematodos, los tricocéfalos, los anquilostomas y las tenias. Otro verme parásito del intestino de los niños es el *Ascaris lumbricoides*, que se reconoce en las deposiciones por su color blanquecino y su longitud de unos 20 centímetros en el macho y de 25 centímetros en la hembra. De todos los parásitos intestinales este es el más difundido. Tiene tendencia a emigrar a otras partes del cuerpo, por lo que puede causar trastornos en la vesícula biliar y en otros órganos; a veces puede invadir la nariz y la boca.

El *Nuevo diccionario médico* de la Editorial Teide, Barcelona, dice: "El tratamiento debe efectuarse cuando se encuentran huevos en las heces, porque el hallazgo de un verme que puede ser único no justifica el tratamiento. La medicación efectiva de la ascariasis es mebendazol, 200 mg por día durante 6 días para mayores de 6 años; menores de 6 años, 100 mg por día durante 6 días. Últimamente se aplica el *tiabendazol*, que también es útil para otros vermes a dosis de 25 miligramos por kilogramo de peso, dos veces al día, durante 3 a 4 días. Puede producir intolerancias digestivas".

Giardiasis

¿Qué puede decir sobre este parásito intestinal?

La giardiasis o lambliasis es una parasitosis humana que se manifiesta como una infección intestinal. Se contrae al beber agua contaminada con heces humanas o al consumir alimentos que contienen quistes eliminados por los portadores. Esta enfermedad, que es muy común en los niños, es producida por unos protozoos flagelados del género Giardia que se encuentran en las porciones del intestino denominadas duodeno y yeyuno.

Cuando estos parásitos sobreabundan pueden originar trastornos digestivos con diarrea aguda o crónica y esteatorrea o diarrea grasa. Las heces se tornan líquidas, voluminosas y con mal olor. La persona afectada manifiesta desgano, pérdida de peso, dolores abdominales y flatulencia.

+ Tratamiento

¿Cuál es el tratamiento más adecuado? ¿Qué deberían hacer las mamás?

La mamá, después de haber probado numerosos remedios caseros sin resultado positivo, llevará al niño enfermo al médico. Este, con la ayuda de algunos análisis o sin ellos, puede sospechar que se trata de una giardiasis. El médico generalmente receta los medicamentos metronidazol (Flagyl) o acranil. La supervisión médica es indispensable.

Dolor en el ano (Desgarros o fisuras)

Algunos bebés lloran y gritan cuando defecan. ¿A qué se debe esto?

Puede deberse a un pequeño desgarro o fisura en el esfínter anal. Este se distiende para dar salida a las heces, (especialmente si son duras y secas), lo que causa intenso dolor. De modo que el bebé llora y se niega a defecar.

+ Tratamiento

Esta parece una afección difícil de tratar.

Así es. A la madre le puede costar ver el desgarro o la fisura, por causa de su pequeñez. El médico debe hacer el diagnóstico.

Lo primero que se debe hacer es eliminar la constipación. La aplicación de una pomada para mitigar el dolor, de 20 a 30 minutos antes de la hora de la defecación, resolverá el problema. Las cremas con xilocaína son muy eficaces en estos casos.

Prepare jugos de fruta como se indica bajo el tema "Constipación", y délos a beber con frecuencia al niño afectado. El problema se resolverá muy pronto, porque la fisura sana sola.

Ictericia

Las madres suelen alarmarse cuando se enteran de que sus bebés tienen ictericia. A veces notan que lo blanco del ojo o la piel se ponen amarillos. ¿Es grave esto?

La ictericia puede tener diversas causas. Algunas carecen de importancia; en cambio, otras son bastante graves. Consideremos las principales.

Ictericia del recién nacido

Entiendo que a veces la piel de los recién nacidos adquiere un color amarillento.

Así es. Se la denomina "ictericia fisiológica" o "ictericia del recién nacido". Esto significa que el hígado del bebé todavía no está funcionando normalmente, por lo que hay una acumulación anormal y transitoria de bilirrubina en la sangre. Produce una decoloración pasajera de los ojos y a veces también de la piel. Ocurre durante la primera semana de vida, especialmente en los bebés que pesan menos de lo normal.

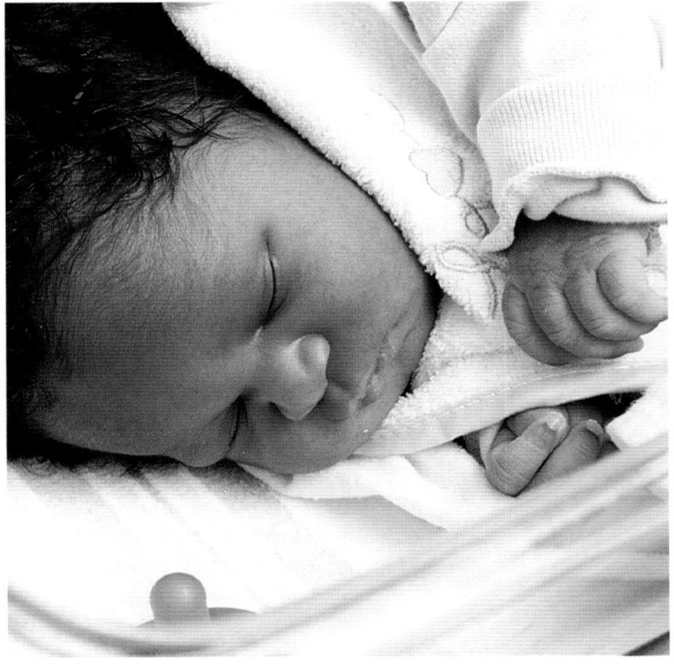

Los bebés a menudo tienen ictericia, pero esta por lo general desaparece sola.

Ictericia Rh

¿Existe una ictericia del recién nacido relacionada con el factor Rh de la sangre?

Así es, pero afortunadamente se hace cada vez menos común. Ocurre cuando una mujer con factor Rh negativo se casa con un hombre con factor Rh positivo y el bebé que nace es Rh positivo. A veces el primer bebé que nace no sufre ningún efecto adverso, a menos que la madre haya recibido previamente una transfusión de sangre o haya tenido un aborto con un feto Rh positivo.

¿Qué sucede entonces?

Los glóbulos rojos del bebé se destruyen y la ictericia se presenta durante las primeras 24 horas, y empeora con rapidez. Pueden ocurrir diversos grados de intensidad, desde leve hasta extremadamente grave. Además, generalmente suele haber anemia.

El bebé recibirá tratamiento adecuado en el hospital tan pronto como lo necesite. Antes se cambiaba totalmente la sangre del bebé, pero ahora se vacuna a las madres que están expuestas a este problema para que no se presente en su primer recién nacido. Gracias a esto, esta condición que antes era grave ahora se presenta raramente.

Hepatitis A y B

Estas son dos enfermedades del hígado en las que ciertos virus atacan las células hepáticas, y producen ictericia y diversos grados de enfermedad.

La hepatitis A es más común, y el enfermo se recupera casi siempre. La hepatitis B es más grave y dura muchos meses. Puede poner en peligro la vida. Afortunadamente, hoy existe una vacuna contra esta enfermedad, que ofrece un elevado nivel de protección.

Bultos en el abdomen

Hemos agrupado, por conveniencia, varios bultos que pueden aparecer en el abdomen y en el escroto.

Me parece un buen procedimiento.

Hernias

En primer lugar, ¿qué es una hernia?

Una hernia es la salida parcial de un órgano o de una víscera a través de un orificio natural de la cavidad que normalmente lo contiene, y siempre revestido por una membrana serosa. Las hernias más frecuentes son las abdominales. En los bebés se producen en las regiones inguinal (la ingle) y umbilical (el ombligo).

Los testículos del bebé varón descienden al escroto justamente antes del nacimiento, a través de un pequeño canal que después se cierra. Pero en algunos casos no se cierra bien, por lo que el contenido abdominal tiende a proyectarse a través de la abertura. Se nota más cuando el bebé está parado, cuando llora o cuando puja para defecar. En cambio no se ve cuando está acostado. La madre puede notar el bulto en un solo lado o en ambos lados.

HERNIA

Regiones afectadas

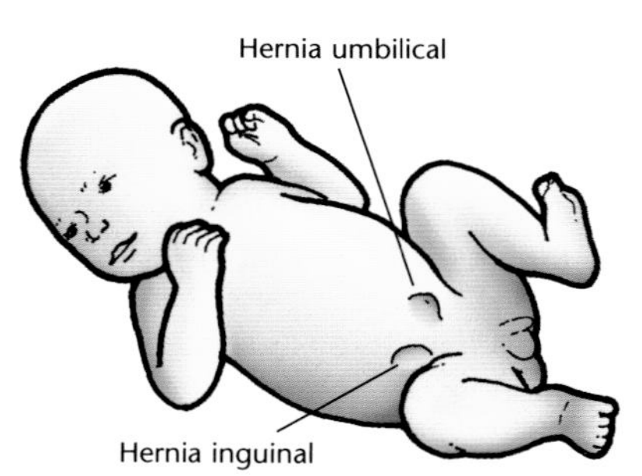

Una hernia se puede percibir como un pequeño bulto que se proyecta a través del músculo del abdomen del bebé.

¿Es una afección grave?

No lo es, pero puede llegar a serlo si el intestino queda atrapado en la abertura, porque entonces se produce una hernia estrangulada (obstrucción intestinal) que puede empeorar rápidamente.

¿Cuál es el tratamiento?

La reparación quirúrgica de la abertura es la solución más rápida, eficaz y definitiva. Lleve al bebé al médico si nota algún bulto anormal, aunque no se presente de manera constante.

¿Qué nos puede decir de las hernias umbilicales?

El agujerito umbilical se cierra después del nacimiento, pero en algunos casos la obturación no es completa, debido a lo cual se produce un bulto en el ombligo. Este empeora cuando el bebé llora, tose o hace fuerza.

¿Se trata de un problema grave?

En este caso las obstrucciones intestinales son infrecuentes. La mayor parte de las hernias se resuelve espontáneamente durante el primer año o en el segundo. Pero si el bulto crece, es necesario repararlo quirúrgicamente, en especial si el niño tiene más edad. Los resultados de la operación son invariablemente excelentes.

Hidrocele

¿Qué es el hidrocele?

Esta afección se relaciona frecuentemente con una hernia inguinal. Significa que se ha

OBSTRUCCIÓN INTESTINAL

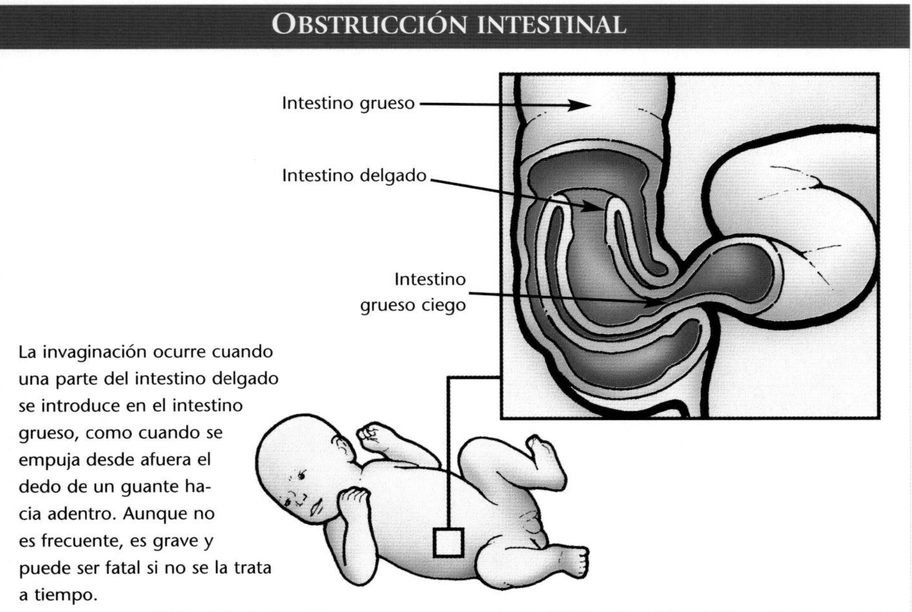

La invaginación ocurre cuando una parte del intestino delgado se introduce en el intestino grueso, como cuando se empuja desde afuera el dedo de un guante hacia adentro. Aunque no es frecuente, es grave y puede ser fatal si no se la trata a tiempo.

producido una acumulación de líquido en la bolsa testicular de un bebé varón, la que se hincha y puede agrandarse. Es una afección frecuente.

¿Qué puede hacer la madre entonces?

En muchos casos el organismo absorbe el fluido y, en consecuencia, desaparece la hinchazón. Pero si persistiera, el problema se puede solucionar mediante una sencilla y pequeña operación. Si el hidrocele está asociado con una hernia, se la reparará simultáneamente. La intervención del médico es indispensable.

Otros problemas intestinales

La mayor parte de los problemas abdominales de los que nos hemos ocupado son bastante familiares para la mayor parte de las madres. Por lo menos habrán oído hablar de ellos.

Pero hay otros problemas del aparato digestivo que no son tan comunes. La mayor parte de los padres no los reconocerían.

Con frecuencia resulta difícil llegar a un diagnóstico, por lo que el médico ordena diversos análisis especiales.

El lector no encontrará aquí todas las dolencias que pueden presentarse. Sólo estamos mencionando las más comunes y las más graves.

Obstrucción intestinal

¿Qué es la obstrucción intestinal?

La obstrucción o invaginación intestinal es una de las emergencias quirúrgicas más graves de la infancia. Es la penetración de una porción de intestino en otra inmediatamente contigua; generalmente la parte de arriba se introduce en la de más abajo. Produce una obstrucción en el intestino que impide el avance de las materias que deberían circular por él. Aunque no se sabe exactamente por qué se produce, la debilidad congénita de las paredes intestinales es un factor que contribuye a su aparición. Los médicos creen que la administración excesiva de purgantes enérgicos favorece la aparición de la invaginación. Ocurre mayormente entre los recién nacidos, aunque también se produce en bebés de hasta 12 meses de edad.

¿Cuáles son los síntomas?

Se producen dolores abdominales agudos repentinos en un bebé que hasta ese momento no había tenido problemas de salud. La criatura encoge las piernas para mitigar el dolor. Puede transpirar, tener fiebre y puede haber muestras de sangre en las heces. Después de algunas horas puede haber vómitos, y el bebé se ve pálido y deshidratado.

Hay que llevar de inmediato al bebé al consultorio. El médico lo examinará y notará una dureza en la región abdominal, que le ayu-

VISTA ESQUEMÁTICA DEL PÍLORO

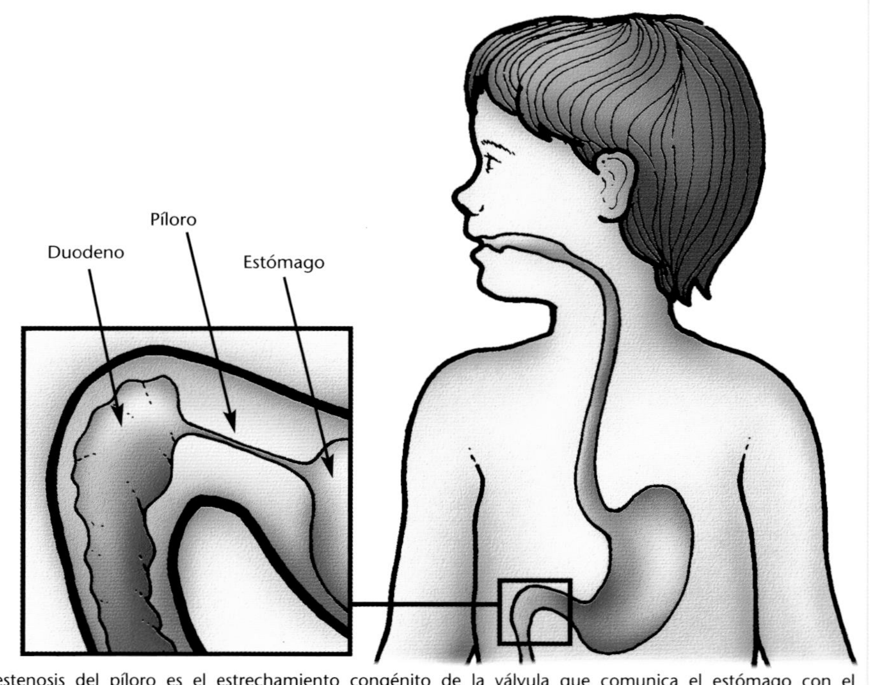

La estenosis del píloro es el estrechamiento congénito de la válvula que comunica el estómago con el intestino, lo que impide el paso del alimento. El bebé que sufre de esta afección vomita violentamente después de comer.

dará a reconocer el problema. La solución es operar al bebé para devolverle al intestino su condición normal. En algunos casos se utilizan otros recursos para obtener el mismo resultado.

Estenosis pilórica (estrechamiento del píloro)

¿Significa que hay un estrechamiento de la válvula que conduce del estómago al resto del aparato digestivo?

Así es. Se puede producir un estrechamiento del píloro, el conducto que lleva los alimentos del estómago al duodeno. Generalmente se manifiesta por medio de vómitos que comienzan durante el decimocuarto día de vida.

Se manifiesta más comúnmente en los bebés varones, y a menudo en los primogénitos. Aunque comienza con relativa suavidad, empeora, y termina en vómitos estrepitosos. Esto ocurre generalmente unos 30 minutos después de comer, y pronto el bebé obviamente vuelve a tener hambre y pide que se le dé de comer de nuevo.

Se me ocurre que con este programa el bebé no puede prosperar.

Claro que no. En efecto, no aumenta de peso, siempre tiene hambre, rara vez está satisfecho y sus deposiciones pueden volverse verdes. A veces hay sangre en las deposiciones y puede llegar a tener ictericia.

Es de esperar que la mamá se dé cuenta de que su bebé está declinando, para que busque a la brevedad posible la ayuda del médico.

Debería hacerlo, porque el bebé declinará cada vez más. Tan pronto como se haya llegado a un diagnóstico, hay sólo una cura: la cirugía. Se ensancha la estrechez congénita del canal, y el bebé pronto se normaliza y, por lo general, se cura para siempre.

Los resultados son espectaculares, y los factores de riesgo son mínimos, con tal que se someta al bebé a atención médica tan pronto como sea posible.

Estrechez del esófago

Entiendo que un problema similar suele

ocurrir en el extremo del tubo que lleva del esófago al estómago.

Se llama estrechez del esófago y es también una afección congénita. El síntoma más común es la regurgitación del alimento en el recién nacido, aunque los vómitos en serio comienzan recién cuando la criatura empieza a comer alimentos sólidos. Una vez establecido el diagnóstico, el tratamiento consiste en corregir quirúrgicamente el problema.

Enfermedad celíaca

Últimamente hemos oído hablar bastante acerca de esta afección de la infancia.

Efectivamente, aunque no se trata de una enfermedad muy frecuente, ya que afecta a una criatura de cada 4.000. Se trata de una afección del intestino delgado. Hay defecación frecuente y las heces tienen poca consistencia. El bebé no se desarrolla bien, se debilita y tiene abultado el abdomen. Los síntomas se presentan poco después que la criatura ha sido destetada.

Esta afección se produce por la sensibilidad al gluten del revestimiento del intestino delgado, es decir, a la proteína del trigo. Pueden pasar años hasta que se llega a un diagnóstico acertado. Con frecuencia se llega a eso cuando el patólogo examina una muestra de tejido intestinal.

¿Es eficaz el tratamiento?

El tratamiento adecuado es muy satisfactorio. Cuando se eliminan de la dieta los alimentos que contienen gluten, desaparecen los síntomas. El niño afectado mejora, aumenta de peso y pierde ese bulto que tenía en el abdomen, característico de la enfermedad celíaca.

¿No se convierte en una molestia para la madre la dieta del niño que padece esta enfermedad?

La mayor parte de las madres se ajusta rápidamente a esta nueva dieta, y encuentra que este pequeño inconveniente es mucho mejor que el trauma mental producido por la incapacidad de la criatura para asimilar el gluten.

El médico o una dietista pueden proporcionar recetas para preparar alimentos sin gluten que se pueden incluir en la dieta del niño; también pueden proporcionar una lista de productos comerciales sin gluten.

Fibrosis quística

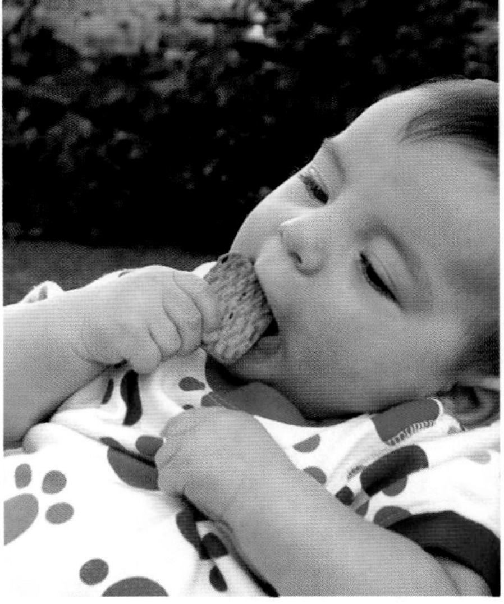

¿En qué consiste esta afección?

Es otra de esas enfermedades relativamente poco frecuentes, que ocurre una vez cada 2.000 nacimientos. Esta enfermedad se hereda y afecta especialmente el páncreas y el pulmón, en el abdomen y el tórax. Produce repetidas infecciones torácicas y abundante sal en la transpiración.

¿Cuáles son algunos de los síntomas?

El bebé enfermo tiene una tos persistente y crónica que no responde muy bien a la terapia. La criatura no se desarrolla normalmente, tiene diarrea y el abdomen distendido.

¿Cuál es el tratamiento adecuado?

El tratamiento es difícil y es más eficaz cuando lo administra un especialista en esta enfermedad, que esté conectado con un hospital provisto de todos los medios para hacer análisis y aplicar tratamientos.

Los padres de una criatura con esta enfermedad deben saber que existe una elevada probabilidad de que otros de sus hijos hereden la misma afección.

Defectos congénitos (malformaciones)

¿Nacen muchos bebés con defectos en su sistema digestivo?

Dentro del cuadro total la cantidad no es tanta. Pero en algunos casos, por ejemplo, el esófago termina en una bolsa ciega y no en el estómago. O bien puede haber una hernia diafragmática o del hiato, que es una hernia de es-

Hay un niño celíaco por cada 4.000 bebés.

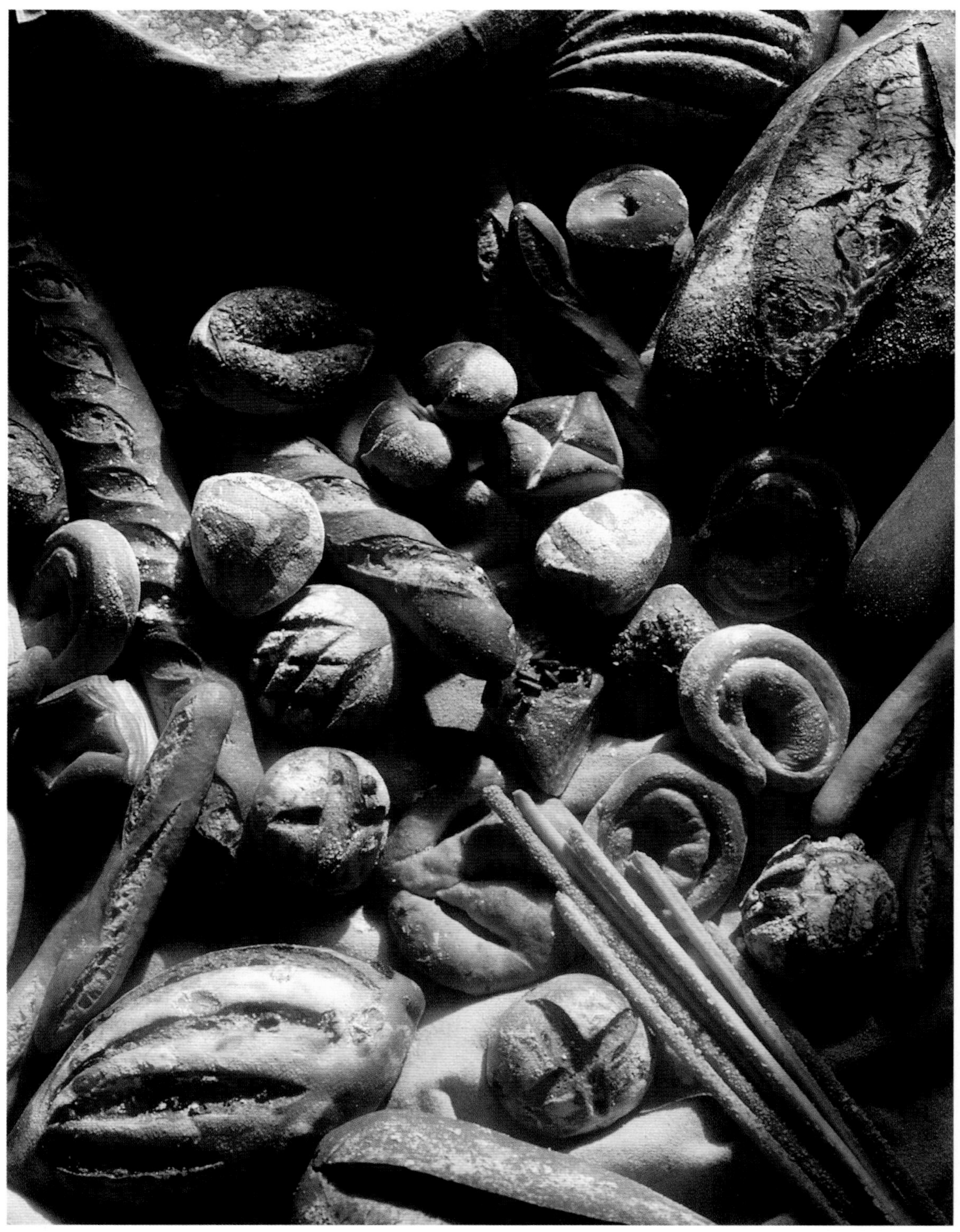

El pan, y todos los alimentos que contienen harina de trigo, se debe eliminar de la alimentación de los celíacos. Esta afección es una reacción alérgica de la mucosa del intestino delgado al gluten, la proteína del trigo.

tómago que se produce a través del hiato o agujero esofágico, que a su vez es una abertura situada en la porción anterior del esófago, en el lugar donde atraviesa el diafragma. En ese mismo lugar se encuentra el ligamento diafragmático-esofágico, de consistencia muy débil, debido a lo cual se forma una hernia en la que parte del estómago pasa a través del hiato diafragmático al tórax, debido a la presión proveniente del interior del abdomen. Esto produce un reflujo del contenido ácido del estómago hacia el esófago, lo que lo inflama. En algunos casos se produce una sensación de presión y ardor intenso detrás de la parte inferior del esternón, y dolor fuerte. A veces hay tos, dificultad respiratoria, palpitaciones y taquicardia. El bebé o niño con esta afección no se desarrollan en forma normal.

Por lo visto hay numerosas afecciones que afectan el aparato digestivo.

Así es. Por ejemplo, tenemos el divertículo de Meckel, de origen congénito. Se parece a un apéndice grande que se extiende por el abdomen. Pueden aparecer síntomas similares a los de la apendicitis si se llega a infectar, pero por lo general se queda quieto allí, sin más problemas ni sobresaltos. A veces aparecen en el intestino grueso pequeños crecimientos llamados pólipos.

Una afección que se llama megacolon o enfermedad de Hisrchsprung implica que el extremo del intestino grueso está anormalmente dilatado. La materia fecal se deposita allí, aumentando el volumen hasta que se acumula una gran cantidad. Se producen constipaciones obstinadas, y finalmente todo eso debe ser eliminado quirúrgicamente. Pero esto no es común. En mi experiencia como médico he visto un caso de estos en 35 años de práctica. Ocurrió en un varón de unos 20 años, y tenía el aspecto de una mujer embarazada. Por supuesto, ese no era el caso. Se sanó gracias a una operación.

¿Pueden nacer bebés sin orificio anal?

Sí. En esos casos no se ha producido la perforación anal. Este problema se descubre en el nacimiento, cuando el médico examina al bebé. Puede asociarse con otras malformaciones congénitas.

Afortunadamente, muchas de las numerosas afecciones del intestino son poco frecuentes, y la mayor parte de las madres no las verán nunca.

capítulo 24

Problemas respiratorios

EN ESTE CAPÍTULO

- Problemas respiratorios, resfrío común, bronquitis.
- Bronquiolitis, crup, respiración estridente.
- Cuerpos extraños en las vías respiratorias, pulmonía, pleuresía.
- Neumotórax, bronquiectasia, asma, fiebre del heno.
- Tuberculosis.

Todas las madres, tarde o temprano, se convierten en expertas en el tratamiento de las afecciones del aparato respiratorio.

Es verdad. Los problemas respiratorios constituyen las dolencias más frecuentes de la infancia. También se extienden a la vida adulta. La mayor parte de los médicos pasan una buena parte de su tiempo, especialmente en los meses del invierno y la primavera, ocupados con problemas de las vías respiratorias.

¿Cuáles son algunos de los síntomas más comunes indicadores de afecciones bronquiales o pulmonares?

El síntoma más común es la tos. Pero la fiebre —especialmente cuando va acompañada por dificultad para respirar—, la respiración forzada y jadeante, molestias en la garganta y el pecho, dolores en el pecho o en la región abdominal, sensación de cansancio, color azulado y ruidos respiratorios, son todos síntomas que apuntan al aparato respiratorio en general. En el caso de cualquier desorden de este aparato, habrá por lo menos algunos de estos síntomas que indicarán cuál es la región afectada.

¿Cuáles son los órganos del aparato respiratorio?

El aire, que contiene oxígeno, llega a los pulmones por medio de un sistema de tubos: los bronquios, bronquiolos y alveolos pulmonares. En los alveolos pulmonares el oxígeno del aire pasa a la sangre, y el anhídrido carbónico sale de esta y pasa al exterior. Este intercambio lleva oxígeno fresco a todo el organismo, y elimina los productos de desecho.

Todo parece tan sencillo que resulta difícil creer que pueda haber tantos problemas. ¿Podría explicarlo con más detalles?

Cuando respiramos, las costillas se elevan y el diafragma desciende. Este es un músculo plano y delgado que divide la cavidad torácica, con los pulmones y el corazón arriba, de la cavidad abdominal que está abajo. Esto permite la entrada de grandes cantidades de aire por parte de los pulmones. El aire entra por la nariz o la boca. De allí pasa a la faringe, en la porción posterior de la boca, y después por las amígdalas, grandes glándulas que atrapan y destruyen los cuerpos extraños que puede contener el aire.

La faringe conduce a la laringe, que es una porción más estrecha de las vías respiratorias. Ahí se encuentran las cuerdas vocales, las que al vibrar producen los sonidos que forman las palabras cuando hablamos. Están controladas por nervios especiales.

¿Qué sucede entonces?

Las vías respiratorias conducen desde allí hacia un tubo sólido llamado tráquea, que se mantiene abierto por medio de firmes anillos cartilaginosos. Se lo puede sentir en el cuello, por encima y debajo de la manzana de Adán. La tráquea penetra en el tórax y se divide en dos ramas principales llamadas tronco bronquial derecho y tronco bronquial

LOS PULMONES Y LAS VÍAS RESPIRATORIAS

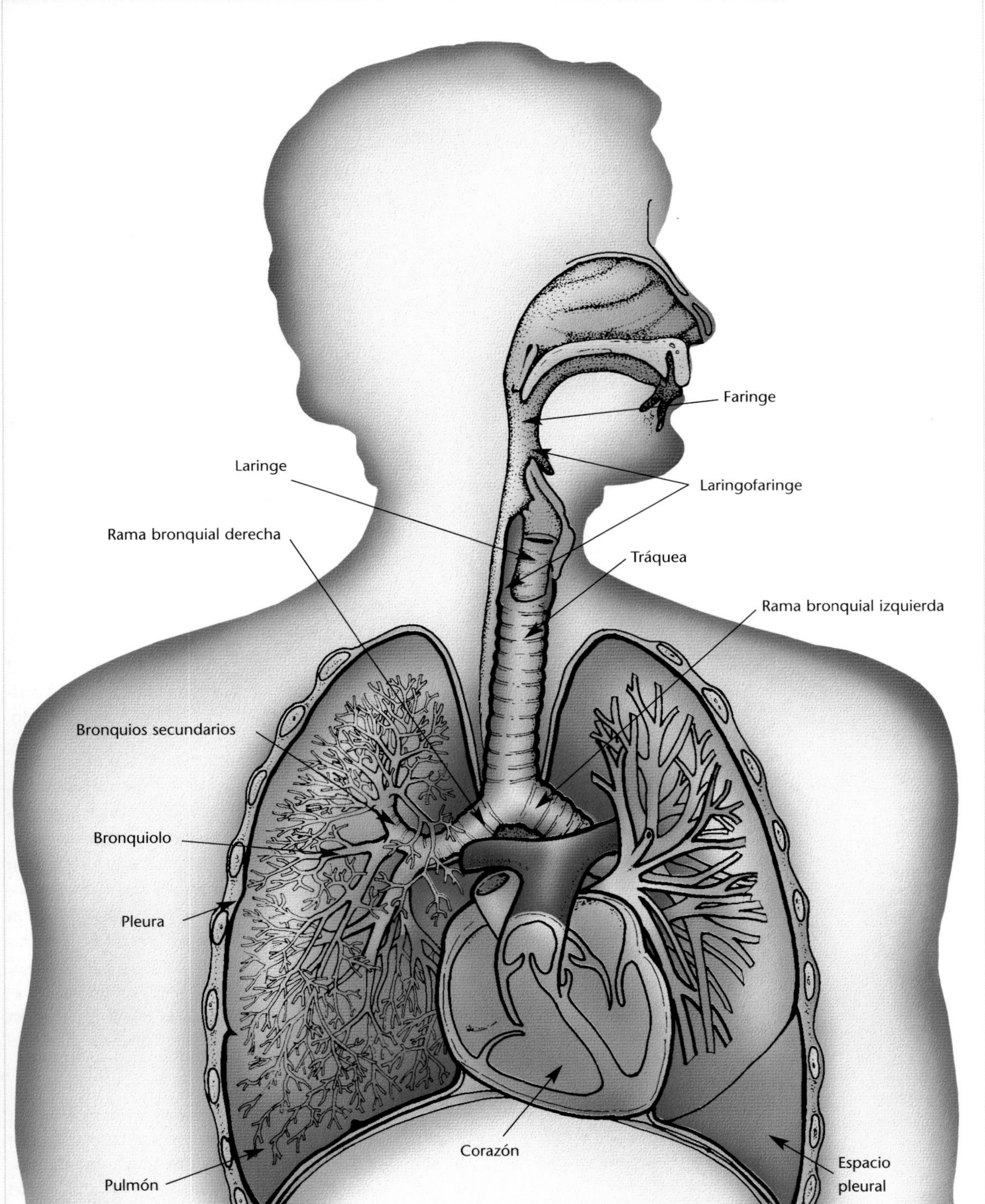

Corte esquemático de los pulmones, que muestra las vías respiratorias principales y sus derivaciones (con los bronquios y bronquiolos del pulmón derecho), y la ubicación del corazón.

izquierdo. Los bronquios entran en los pulmones y se subdividen rápidamente en ramas más pequeñas, que reciben el nombre de bronquiolos. Estos finalmente terminan en los alveolos.

¿Qué sucede en los alveolos?

Aquí se produce el intercambio de oxígeno. Pequeños vasos capilares se ponen en estrecho contacto con la pared de cada alveolo, y entregan el bióxido de carbono que pasa al alveolo. Al mismo tiempo una nueva provisión de oxígeno pasa a la sangre del capilar, y se combina con la hemoglobina de los glóbulos rojos, que tiene una gran afinidad con el oxígeno.

La sangre, que tenía un tinte azulado, en pocos momentos adquiere un color rojo brillante por el efecto del oxígeno. Luego vuelve al corazón, y desde allí se la envía por medio de las arterias a todo el organismo.

Al mismo tiempo la sangre cargada de bióxido de carbono circula constantemente por los pulmones, donde sigue purificándose.

Las infecciones de los diversos tramos de las vías respiratorias producen probablemente la mayor parte de los problemas de ese aparato.

Es un proceso que nunca termina...

Gracias a Dios, continúa de forma automática día y noche, año tras año. Si este proceso dejara de funcionar durante unos pocos minutos se producirían daños irreparables, o sobrevendría la muerte. Los componentes del sistema, especialmente las células del cerebro, no pueden vivir más que unos momentos sin el oxígeno vivificante. Por eso, en caso de emergencia es indispensable mantener la respiración y el funcionamiento del corazón, para que el oxígeno llegue a todos los órganos vitales.

El mecanismo protector de la naturaleza creada por Dios

¿Dispone el aparato respiratorio de algún recurso para mantenerse libre de infecciones, microbios y restos contaminantes?

Por cierto que sí. La porción superior está en contacto directo con el exterior y con los microorganismos que lo habitan. Pero las vías respiratorias no están contaminadas, debido a los mecanismos de defensa con que están provistas. La porción inferior del sistema respiratorio está revestida de células protectoras especiales, llamadas epiteliales, que son ciliadas. Estos cilios —o pelos—, ondulan constantemente y barren todo hacia el exterior, con lo que se eliminan toxinas, mucosidades, microorganismos, polvo y otras partículas extrañas.

¿Forma parte la tos de este sistema protector?

Sí. La tos es un recurso del aparato respiratorio para librarse de impurezas. Por eso, aun en caso de infección bronquial, resfrío y bronquitis, es mejor no eliminar totalmente la tos, porque es un reflejo normal para nuestra propia protección. La madre debe informar a su hijo del valor protector de la tos, para que la soporte mejor.

Lo mismo que sucede con cualquier máquina que funciona constantemente, el aparato respiratorio suele tener problemas. Cuando eso sucede, es importante descubrir la falla, rectificarla a la brevedad posible, y devolverle su funcionalidad al sistema.

Así es. Las infecciones de las diversas porciones del aparato respiratorio son la causa más común de disfunción. Es especialmente vulnerable a las infecciones, ya que está en contacto directo con el ambiente exterior, en el que abunda toda clase de gérmenes, bacterias y virus.

Los niños, en particular, están especialmente expuestos a infecciones respiratorias. La causa de muchas de ellas son los virus y las bacterias. En esta sección trataremos las infecciones que afectan el aparato respiratorio, y algunos otros problemas bastante comunes que las madres encuentran en relación con la salud de sus hijos.

El resfrío común

Le sugiero que consideremos en primer lugar el resfrío común, que es posiblemente la afección más difundida en todo el mundo.

Es una buena sugerencia. Cientos de millones de personas en América Latina, América del Norte, Europa y otros lugares del mundo se enferman de resfrío común, dos o más veces cada año. Es también la afección más común de los niños. Se lo conoce por diversos nombres: coriza aguda (romadizo), gripe, infección de las vías respiratorias superiores, catarro, influenza, aunque en realidad esta última afección es causada por un microorganismo específico llamado virus de la influenza A o B (o bien virus de Hong Kong, de Rusia, de Victoria, etc., porque las cepas varían cada año).

Me parece que todas las madres pueden describir adecuadamente el resfrío común.

Por cierto. El invierno en los climas húmedos es la estación cuando el resfrío es más común. Pero puede ocurrir en cualquier tiempo. Los niños inhalan partículas de humedad infectadas con el virus del resfrío común. Los gérmenes se multiplican con gran rapidez en la nariz, y producen una leve secreción líquida, la que al cabo de dos o tres días se torna espesa y amarillenta. El revestimiento de la nariz se inflama para rechazar a los invasores.

¿Qué sucede después?

Los gérmenes pueden permanecer en ese lugar, o bien se pueden replegar a los rincones más profundos de la nariz, la faringe, la laringe, la tráquea y los bronquios. Finalmente llegan a los bronquiolos y los alveolos.

Los síntomas varían según sea la extensión y la gravedad del resfrío. Hay dolor de garganta cuando se produce una faringitis. La laringitis se presenta cuando la laringe se inflama y, en consecuencia, no se puede hablar bien. La bronquitis ocurre cuando se afectan los bronquios, y va acompañada de fiebre y tos.

Finalmente, cuando todo el pulmón está afectado, se produce una pulmonía (neumonía), que es una enfermedad grave.

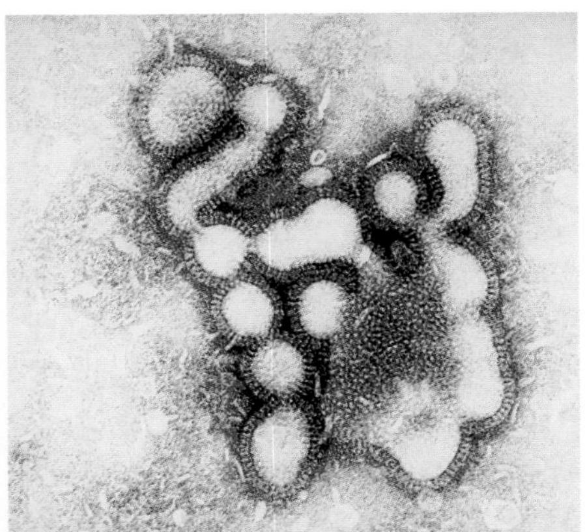

El virus de la influenza (gripe) aumentado 295.000 veces.

¡Qué historia más triste! ¿Qué más sucede?

Los gérmenes pueden avanzar hasta las cavidades llamadas senos, ubicados a ambos lados de la nariz, y producir sinusitis. O bien pueden establecerse en el oído y producir una grave infección en ese órgano. El virus del resfrío común con frecuencia permanece en la nariz sin causar grandes molestias. Otras veces produce numerosas complicaciones en otros lugares. A medida que se difunde, arrastra otros gérmenes consigo, los que a su vez causan diversos problemas.

De modo que el niño enfermo manifiesta una cantidad de síntomas.

Así es. Depende de cuán extensa sea la infección. Los síntomas son: nariz tapada, dolor de garganta, voz ronca y tos. El enfermo siente dolor en todo el cuerpo cuando las toxinas se difunden por medio de la sangre.

Puede haber infecciones de los senos maxilares a ambos lados de la nariz, con dolor en la parte baja de las mejillas y hasta dolor de oídos y de cabeza.

Las madres cuyos hijos están resfriados se preocupan y trabajan mucho para atender al enfermito. A continuación les diremos qué pueden hacer para lograr su recuperación.

✚ *Tratamiento*

¿Cuál es el tratamiento más adecuado?

Existen numerosos remedios caseros eficaces. Las madres deberían familiarizarse con los procedimientos. Si comienzan a tiempo, el tratamiento ayudará a evitar complicaciones, algo que es muy importante.

El resfrío dura una semana, por mucho que se esfuerce la mamá en tratarlo. Pero puede mitigar las molestias del niño mediante recursos sencillos.

Si el niño tiene fiebre, acuéstelo; especialmente si esta es elevada. Los resfriados deben guardar cama por lo menos un par de días, y más aún si hay otros síntomas. Así también se apresura su recuperación.

Déle a beber mucho líquido. Puede ser agua fresca, jugos de frutas, limonada u otras bebidas. Añada glucosa D en polvo, especialmente si no tiene ganas de comer. El líquido contribuye a eliminar del organismo las toxi-

El resfrío común produce síntomas en el niño que la madre fácilmente puede reconocer.

nas y los microbios muertos, y a reemplazar el líquido que se pierde por la transpiración, que suele ser muy abundante. Esto es importante en el caso de los bebés.

¿Qué se puede hacer con la tos?

En la farmacia puede adquirir remedios para la tos, especialmente si es seca y si se produce de noche. La mezcla de limón con miel es un remedio sencillo y eficaz que se puede preparar fácilmente, para dárselo en la noche cuando empieza a toser. Una bolsa de agua caliente aplicada al pecho disminuye la tos y alivia el dolor. Envuelva la bolsa para no quemar la piel.

¿Conviene dar medicamentos para bajar la fiebre de los niños enfermos?

Un jarabe con paracetamol, en mi opinión, es seguro y eficaz. La dosis aparece en el envase. Evite la aspirina en niños menores de 6 años, porque puede irritar el estómago y causar úlceras. El paracetamol también alivia los dolores, que generalmente afectan las articulaciones y los músculos de la espalda, el cuellos y las piernas.

¿Qué nos puede decir de las gotas para la nariz?

Si la congestión nasal es grave, pueden ser útiles, pero no las use con frecuencia. Limpie la nariz primero. Las inhalaciones de vapor de agua con esencia de eucalipto también producen alivio. Tenga cuidado para que el niño no vuelque el agua caliente en la cama.

Diremos, de paso, que mantener las habitaciones calefaccionadas durante el invierno contribuye a que las vías respiratorias se mantengan despejadas y disminuya la tos. Hay que tener cuidado, eso sí, con los calentadores, porque las quemaduras son peores que los resfríos.

¿Se puede bañar al niño resfriado?

Un baño tibio rápido cada día, o un simple baño de esponja, es beneficioso. Lava la transpiración y permite que el enfermo se sienta más cómodo. Séquelo con una toalla suave, y evite las corrientes y los enfriamientos.

¿Son necesarios los antibióticos?

En el caso del resfrío común, sin complicaciones, los antibióticos no tienen ningún valor. Pero cuando se presentan complicaciones pueden apresurar la recuperación.

¿Son útiles las vitaminas, especialmente la vitamina C?

Muchos médicos creen que si se le dan vitaminas al niño resfriado se aumentará la resistencia de su organismo. Por lo menos no le hará daño. Según autoridades médicas reconocidas, la vitamina C es beneficiosa para prevenir las infecciones del aparato respiratorio. La gente que las toma regularmente se resfría mucho menos.

¿Debería la mamá llamar al médico? ¿Cuáles son las indicaciones que se dan?

En el caso de resfríos leves con nariz tapada, poca tos y fiebre baja, que responden a tratamientos sencillos, generalmente no se necesita la atención del médico.

Pero si los síntomas empeoran, o si se presentan complicaciones, entonces se aconseja buscar la ayuda del médico. Los síntomas que sugieren complicaciones son: aumento de la fiebre, dolor de cabeza, oídos o senos maxilares (dolor bajo los ojos y detrás de las mejillas), rigidez en el cuello, dolor en el pecho, tos fuerte y dificultades respiratorias. El empleo a tiempo de antibióticos y otras medicinas puede impedir que se produzcan graves complicaciones.

¿Existe alguna forma de evitar los resfríos?

Usar ropa abrigada en invierno. Evitar mojarse, o cambiarse rápidamente de ropa si ya se ha mojado. Evitar las calles ventosas, especialmente si no se lleva ropa abrigada.

Evitar lo más que se pueda el contacto con los que están resfriados, especialmente si tosen y estornudan. Respirar aire puro, y evitar las aglomeraciones y los lugares llenos de humo de tabaco. Hacer ejercicio regularmente y dormir bien. Las madres deben inculcar estos principios a sus hijos. Les servirán durante el resto de la vida. Ellas mismas se deben cuidar para no contraer esta enfermedad, porque su familia las necesita.

Bronquitis

Me imagino que casi toda la gente contrae bronquitis alguna vez en la vida, generalmente en la infancia.

Así es. La bronquitis puede acompañar a un resfrío común o presentarse después de él, o de una infección de la garganta. Los mismos gérmenes, u otros diferentes llamados invasores secundarios, intervienen produciendo inflamación de los bronquios e infección de las vías respiratorias hasta llegar al interior del pulmón.

¿Cuáles son los síntomas de la bronquitis?

La tos es el síntoma característico de la bronquitis, que todas las madres pueden reconocer. Al comienzo es fuerte y seca, y se presenta en forma de accesos. Generalmente empeora en la noche porque el enfermo respira aire frío, lo que irrita e inflama los bronquios. Suele haber un poco de fiebre, que puede aumentar con rapidez; en otros casos la temperatura es casi normal. A veces hay incomodidad en el pecho, voz áspera y dolor detrás del esternón. Después de 4 a 6 días la tos comienza a producir una desagradable mucosidad amarillenta. El niño puede sentirse afiebrado y la respiración suele caracterizarse por un resuello áspero.

+ *Tratamiento*

¿Es aconsejable que la madre inicie el tratamiento?

Sí, lo es. Casi todas las madres pronto se convierten en expertas en el tratamiento de la mayor parte de los casos de bronquitis leves. Muchas de ellas ya han aprendido a tratar el resfrío común. En muchos casos, la bronquitis es sólo una prolongación del resfrío, y el tratamiento es parecido.

¿Quiere decir usted que la mamá puede poner al enfermito en cama por unos pocos días si hay fiebre, mantenerlo abrigado, asegurarse de que el aire de la habitación está tibio y húmedo, y darle un jarabe para la tos?

Precisamente. La idea de mantener el aire tibio y húmedo es excelente, y puede reducir la intensidad de la tos, especialmente cuando es seca y sacude sin misericordia el cuerpecito del niño.

Como lo dije antes, mantenga la calefacción funcionando si el tiempo es frío y húmedo. Si se mantiene una olla o tetera (pava) con agua hirviendo en la habitación, se conservará el aire húmedo. Si se pone en el agua unas hojas de eucalipto o la esencia correspondiente, será bueno para los bronquios. Las inhalaciones de vapor de agua con eucalipto también son beneficiosas. Pero tenga cuidado con el agua hirviendo, e impida que otros chicos la vuelquen y se quemen. Las quemaduras son dolorosas y demoran en sanar.

¿Qué medicamentos se pueden utilizar?

Como en el caso del resfrío, el jarabe con paracetamol —o las tabletas para los niños de más de 6 años—, alivian la fiebre y los dolores. Se puede usar gotas para descongestionar la nariz cuando sea necesario. El limón con miel, o algún jarabe para combatir la tos, se pueden emplear cuando esta es seca.

Pero cuando la tos produce mucha mucosidad, no trate de eliminar totalmente la tos, porque es el reflejo natural para eliminar los desechos tóxicos del aparato respiratorio.

Los resfríos suaves, que mejoran con tratamientos sencillos, generalmente no necesitan atención médica.

Si la bronquitis de su hijo no es grave, no necesita consultar al médico.

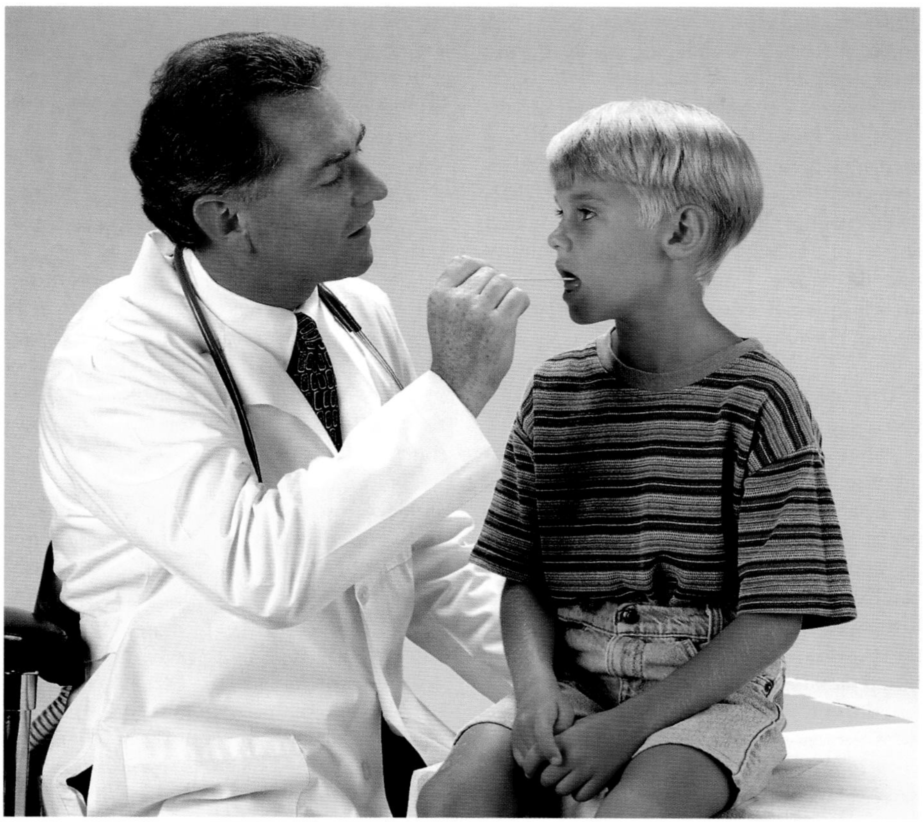

Dé al enfermo mucho líquido, un baño diario de esponja o en la tina, y alimentos nutritivos y fáciles de digerir.

¿Cuándo se debe llamar al médico?

Muchos bebés y niños mejoran a los pocos días, cuando ceden la fiebre y la tos.

Pero cuando no hay una mejoría evidente, aparecen dificultades respiratorias, o si hay dolores agudos en el pecho, respiración forzada y jadeante, y labios azulados, entonces sin pérdida de tiempo se debe llamar al médico. Los antibióticos son útiles en estos casos. Sin embargo, la mayor parte de los pacientes se recupera bien y sin complicaciones. Eso llena de satisfacción a las madres que se han esmerado para atender a sus hijitos.

Bronquiolitis

Esto causa la impresión de que los pulmones están afectados.

Así es. Los bronquios se dividen en bronquiolos que invaden totalmente los pulmones. Diversos gérmenes, virus y bacterias pueden llegar hasta el interior de los pulmones.

¿A qué edades están más expuestos los niños a esta enfermedad?

Los niños más afectados son los que tienen menos de dos años. Pero esta infección pulmonar también se puede manifestar en bebés de 6 a 8 semanas, y entonces es muy grave e incluso puede causar la muerte.

¿Cuáles son sus síntomas?

La afección puede comenzar con tos leve, descarga de líquido por la nariz e inapetencia. Pero los síntomas se agravan con rapidez. La tos se vuelve fuerte y seca. La respiración se torna forzada y jadeante. La criatura se pone inquieta y la piel adquiere una coloración azulada (cianótica). Los latidos del corazón aumentan y la respiración se hace rápida. Cuando el enfermito se esfuerza por respirar, los tejidos que se encuentran entre las costillas parece que se hundieran. La criatura causa la impresión de estar muy enferma. Puede tener poca fiebre.

+ *Tratamiento*

Esto parece una emergencia. ¿Qué puede

hacer la madre?

Debe llamar al médico de inmediato, porque los padres no pueden tratar esta enfermedad. La vida de la criatura está en peligro, y cuanto antes se la lleve al hospital tanto mejor será. Mientras tanto asegúrese de que el aire de la habitación esté tibio y húmedo, para facilitar la respiración.

Por suerte, la mayor parte de las madres dispone de una intuición especial. Aunque no puedan diagnosticar la enfermedad de su bebé, se dan cuenta de que se trata de algo grave, ya que el mismo aspecto de la criatura lo está revelando. Esta es la señal para procurar la ayuda del médico sin pérdida de tiempo.

Crup

¿Es esta la afección en la que el niño tiene una tos fuerte y extraña?

Sí. La tos suele ser el síntoma principal. Es cuatro veces más frecuente en los niños que en las niñas, por razones desconocidas. La producen ciertos virus que invaden las vías respiratorias e inflaman el revestimiento de la laringe u órgano de la fonación. Esta es la causa de los ruidos extraños que se oyen cada vez que la criatura respira o tose.

¿Cuáles son los síntomas de esta enfermedad?

El comienzo suele ser gradual, pero a veces ocurre bruscamente. La criatura puede estar pálida y desarrollar la tos típicamente diftérica, que aumenta hasta alcanzar un extraño ruido sordo respiratorio (estridor), debido a la obstrucción de la respiración normal. Puede tener poca fiebre. Todo esto suele ocurrir después de una infección leve de las vías respiratorias, y llega a agravarse por la inhalación del aire frío por la noche.

Si no se lo trata, el crup empeorará poco a poco. La respiración se hará más difícil, superficial e insuficiente y con ruidos roncos; el pulso se acelerará, y los espacios intercostales se hundirán cuando la criatura se esfuerce por obtener la cantidad de aire que necesita.

+ *Tratamiento*

Esto parece terrible. ¿Qué debería hacer la madre en este caso?

El niño está muy enfermo, y empeora. Es indispensable que se le dé ayuda médica inmediata. Llame al médico o lleve al enfermito al hospital más cercano. Es de esperar que la madre no se demore hasta que su hijito se agrave tanto, para recién buscar la ayuda del médico.

En el hospital pondrán a la criatura en un ambiente tibio, con aire húmedo y abundancia de oxígeno. Harán lo necesario para mantener despejadas las vías respiratorias con el fin de que pueda respirar bien. Le darán antibióticos con el propósito de combatir los microorganismos que causan la enfermedad.

Mientras la madre espera la llegada del

El crup se manifiesta 4 veces más en los niños que en las niñas.

Las inhalaciones alivian mucho los síntomas del crup y otros problemas bronquiales.

médico, debe tener a la criatura enferma en un ambiente tibio y húmedo para proporcionarle alivio. El baño es un buen lugar para conseguir este efecto. Puede abrir las llaves de agua fría y caliente, lo que pronto llenará el lugar de vapor y facilitará la respiración. Diremos, de paso, que este recurso puede ser eficaz en caso de tos y otros problemas respiratorios.

Estridor (ruido sordo respiratorio)

Como lo sugiere su nombre, cuando el niño enfermo respira se produce un ruido agudo y desapacible.

Correcto. Resulta muy evidente cuando el bebé llora. Puede estar presente desde el nacimiento como resultado de una debilidad congénita de las cuerdas vocales. Suele persistir de 6 a 18 meses, con frecuencia sin ningún otro síntoma.

Esto puede causar mucha alarma a los padres cuyo bebé comienza de repente a hacer ruidos estridentes.

Por cierto que esto infunde temor. A veces la criatura permanece quieta mientras descansa, pero llora cuando se mueve, y entonces aparece el ruido estridente. Con frecuencia, si al mismo tiempo existe una infección respiratoria, esta también empeora. A veces se debe a un objeto extraño que la criatura ha tragado parcialmente y se ha fijado en algún punto de las vías respiratorias.

+ *Tratamiento*

Me imagino que la madre con una criatura en esa condición se apresurará a llevarla al médico.

Es lo mejor que puede hacer. Los bebés que nacen con un defecto en la laringe se recuperan espontáneamente con el tiempo. Pero es conveniente que los examine un médico, porque una vez que se encuentra la causa será fácil remediarla. Debo insistir en que los objetos extraños pueden ser la causa. Los trataremos por separado. Conviene recordar, sin embargo, que pueden poner en peligro la vida, lo que nos permite comprender la necesidad de la intervención del médico.

Cuerpos extraños en las vías respiratorias

¿Qué importancia tiene este tema?

Es un tema importante, porque los objetos extraños que llegan a las vías respiratorias suelen causar afecciones graves que pueden poner en peligro la vida del bebé. Importa destacar aquí que la mayor parte de los casos son evitables, por lo que no deberían ocurrir, en primer lugar.

Me parece que usted tuvo un amiguito que murió de esto.

Sí. Fue una situación muy triste. En este caso la culpa no fue de los padres. El niñito se había tragado un trozo de cáscara de nuez. Esta se alojó en cierto punto de las vías respiratorias. Casi no tenía síntomas. Posteriormente aparecieron varios síntomas extraños, que no respondieron a los tratamientos. Una noche murió repentinamente. Esta familia vivía en otro lugar y no eran pacientes míos. Esto muestra la importancia de vigilar de cerca a los niños pequeños, para que no sean víctimas de algún objeto extraño que se llevan a la boca.

En cada hogar abundan los objetos que pueden causar problemas.

Así es. A veces me asombro por el hecho de que no haya más niños en graves dificultades por esta razón. Aunque no lo parezca, los maníes (cacahuetes) se encuentran entre los objetos más peligrosos para los niños. Pero hay muchos más: alfileres, clavos, juguetes de plástico, botones, semillas de girasol, trozos de verduras, porotos (fríjoles) crudos, conchitas, cuentas, bolitas, plumas, guijarros, etc.

¿Qué ocurre cuando un niño se traga un objeto extraño?

El niño primero juega con el objeto; luego se lo lleva a la boca. De allí se desliza a las vías respiratorias, y en ese momento se produce mucha tos, arcadas y atragantamiento. Hay también dificultades para respirar. Pero cuando el objeto llega a la tráquea, o a un bronquio, cesan los síntomas y se produce el llamado "período de silencio".

¿Y después de eso?

El objeto extraño comienza a causar irritación local. También puede obstruir un gran sector del pulmón y causar su colapso, afección que recibe el nombre de atelectasia.

Puede haber diversos síntomas. Si afecta una parte considerable del pulmón puede producir respiración insuficiente y cianosis (color azul en la cara). También puede producirse respiración sibilante o ronca, lo que dependerá del lugar de ubicación del objeto extraño. Recuerdo muy bien el caso de un niñito que se tragó un silbato. Cada vez que respiraba sonaba el pito.

¿Qué sucede si no se extrae el objeto?

Puede causar mucho daño. Se producen infecciones y suelen desarrollarse abscesos. El niño empeora poco a poco. Como dije antes, también puede producir la muerte.

+ *Tratamiento*

¿Qué les aconseja usted a los padres que hagan?

Generalmente los padres saben lo que ha sucedido. Deben mantener la calma. Cuanto más se dejen invadir por el pánico menos podrán ayudar al niño, que necesita su ayuda con urgencia.

Por supuesto, la mayor parte de los niños no morirán asfixiados en pocos segundos. Eso da tiempo para tomar las medidas adecuadas. Se puede comenzar poniendo al niño con la cabeza hacia abajo y dándole golpes más bien fuertes en la espalda o en el pecho con la base de la mano empuñada, para desprender el objeto; o bien los golpes pueden iniciar una tos que desprenderá el objeto. Hágalo una o dos veces, pero no insista, porque podría agravar los síntomas.

¿Debería la madre llamar al médico?

Todo esto requiere tiempo, y el médico, sin instrumentos especiales, no podrá hacer mucho en el hogar. Es mejor llevar al niño afectado sin pérdida de tiempo al servicio de emergencia del hospital más cercano. Anímelo durante el viaje, para mantenerlo optimista.

El médico del hospital ubicará rápidamente el objeto extraño y lo sacará con ayuda de instrumentos adecuados. Usará un laringoscopio o broncoscopio para ver el objeto, y una vez ubicado lo extraerá con pinzas especiales.

A veces, si la dificultad para respirar pone en peligro la vida (lo que no es frecuente), puede ser necesario practicar una traqueotomía. Esto proveerá una entrada de aire artificial mediante una incisión en la tráquea, que es el tubo rígido que se encuentra en la parte anterior del cuello.

¿No hay una maniobra especial para desalojar un objeto extraño ubicado en las vías respiratorias?

Sí. Se trata de la maniobra de Heimlich, en la que alguien se ubica detrás de la persona que se ha atragantado con un objeto extraño, extiende sus brazos hacia adelante, con una mano se toma la otra empuñada y las aplica justo debajo del esternón, y empuja con fuerza hacia arriba para desalojar el objeto.

¿Tiene alguna recomendación especial para que los padres eviten que sus hijos se traguen objetos extraños?

Deben estar conscientes en todo momento de la posibilidad de que esto suceda. Mantengan fuera del alcance de los niños los objetos peligrosos que pueden tragar. Preste atención especial a los bebés de menos de 3 años. Los maníes (cacahuates) son los más peligrosos. No se los dé a las criaturas.

Enseñe a sus hijos desde pequeños a no correr por la casa con objetos pequeños en las manos ni en la boca. No se requiere mucho esfuerzo para enseñarles esto.

Asegúrese de que otros niños no traten de obligar a comer a un chico, lo que ocurre con frecuencia mientras juegan. Explíqueles lo que puede suceder y vigílelos.

Y, ¿para resumir?

La mayor parte de los accidentes causados por objetos extraños alojados en las vías respiratorias son evitables. Los padres deben vigilar a sus hijos pequeños y enseñarles a no llevarse cosas a la boca. Prevenir es mejor que curar.

Aunque los antibióticos han revolucionado el pronóstico de muchas enfermedades, la pulmonía sigue siendo una dolencia que requiere un rápido tratamiento.

Pulmonía

¿Es la pulmonía una infección aguda del pulmón?

Sí. Esta afección puede producir síntomas graves. Aunque los antibióticos han facilitado enormemente el tratamiento de esta enfermedad, la pulmonía sigue siendo una afección que requiere tratamiento urgente y eficaz.

¿Cuáles son los síntomas?

Se produce un repentino aumento de la fiebre, con escalofríos. La respiración se acelera, los latidos del corazón aumentan. Puede haber tos, vómitos y diarrea. Puede pro-

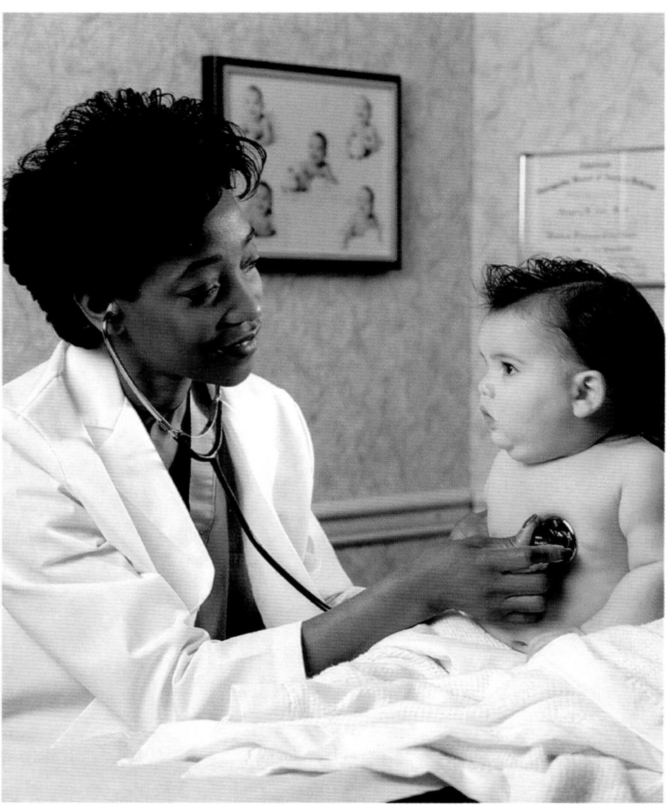

Los síntomas de la pulmonía son fiebre alta, dolores en el pecho y dificultad para respirar.

ducirse rigidez del cuello y convulsiones. Los movimientos respiratorios pueden producir dolores en el pecho, lo que indica que la pleura o membrana que envuelve al pulmón también está afectada. A veces también se producen dolores abdominales. A medida que la enfermedad progresa, el niño se pone pálido, azulado, inquieto y manifiesta decaimiento. La respiración puede producir un ruido de jadeo, y el niño se ve realmente enfermo.

La respiración puede ser laboriosa, y la exhalación del aire puede producir una especie de silbido. Las mejillas están encendidas y los orificios de la nariz están distendidos por el esfuerzo que hace el niño para obtener aire.

Un virus produce la infección del pulmón, pero también hay bacterias que contribuyen a agravarla.

+ *Tratamiento*

La atención médica, en este caso, es un asunto de urgencia. ¿No es verdad?

Así es. La mayor parte de las madres sabe cuándo su hijo está enfermo de gravedad y son capaces de darse cuenta cómo se deteriora su salud. Cuanto antes lleve a su hijo enfermo al hospital, tanto mejor será. Cualquier problema relacionado con dificultades respiratorias necesita atención médica urgente. Los rayos X revelarán la extensión de la infección, y otros análisis indicarán cuál es el mejor tratamiento que se puede aplicar.

En la actualidad es probable que el médico recete antibióticos al comienzo de la enfermedad, y así interrumpe su desarrollo. A menos que se dé un adecuado tratamiento médico, el resultado puede ser desastroso. Cuanto menor sea el niño, tanto más grande será el riesgo. Esta enfermedad todavía tiene un elevado índice de mortalidad, especialmente entre los bebés de 6 a 8 semanas.

Aunque los antibióticos han facilitado el tratamiento de esta enfermedad, los padres deben hacer su parte y preocuparse por la salud de sus hijos, para evitar los riesgos causados por las enfermedades de las vías respiratorias.

Pleuresía

La pleura es una delgada membrana que recubre los pulmones.

Correcto. Una sección recubre los pulmones y la otra reviste la parte interior de la cavidad torácica que contiene los pulmones. Las superficies están húmedas, lo que permite que los pulmones se deslicen sin fricción con cada respiración.

Ciertos microbios pueden llegar a la pleura, lo que no es común, y producir una infección llamada pleuresía. Puede producirse como secuela de una infección respiratoria, o bien un enfriamiento puede predisponer al niño a esta afección. En los días cuando la tuberculosis era común, se solía producir una descarga de fluido en el espacio pleural. A eso se le daba el nombre de efusión pleural, y si una cantidad suficiente de microbios se establecía en ese espacio, se producía una infección con pus, llamada empiema. En la actualidad esto se ve sólo raramente.

¿Cuáles son los síntomas de la pleuresía?

El síntoma más característico es el dolor. Empeora con la respiración profunda. Generalmente afecta un solo lado, en la porción inferior del tórax. Pero el dolor se nota mayormente en el hombro o el abdomen.

Si la pleuresía es grave, la criatura respirará con menos profundidad, y con cada espiración emitirá un ruido parecido a un gruñido.

+ *Tratamiento*

¿Cuál es el tratamiento más adecuado para la pleuresía?

En este caso, lo mismo que en otros cuando hay dolor fuerte, agudo, punzante, se recomienda la atención del médico. La administración de antibióticos detendrá el desarrollo de la enfermedad y permitirá la pronta recuperación del enfermo.

Pero hay recursos sencillos que pueden servir. El jarabe con paracetamol para las criaturas, y las tabletas para los niños de más edad, disminuirán el dolor y la fiebre. Un jarabe adecuado reducirá la tos; esta aumenta el dolor y el malestar. La aplicación de calor local es buena; se puede usar una bolsa de agua caliente, pero tenga cuidado de no quemar la delicada piel de la criatura. La mayor parte de los casos responde bien a los tratamientos sencillos.

Si la criatura no reacciona rápidamente, el médico puede pedir un examen con rayos X. Si hay alguna causa subyacente, o acumulación de líquido en el espacio pleural, el médico recomendará el tratamiento adecuado.

Neumotórax

¿En qué consiste este problema?

Significa que se ha producido una acumulación de aire en el espacio pleural, y que como resultado de ello el pulmón no se está expandiendo normalmente con los movimientos respiratorios. No se presenta con frecuencia en los niños, aunque a veces ocurre en bebés recién nacidos; en este caso constituye una emergencia quirúrgica de la que el médico se ocupará de inmediato. Se produce dificultad para respirar y un color azulado en la piel por la falta de oxígeno.

A veces, por diversas causas, ocurre en niños de más edad; por ejemplo, como complicación de otras enfermedades pulmonares, o bien por causa de un objeto extraño alojado en el pulmón, que se abre paso hasta la superficie pulmonar permitiendo la salida de aire. La mayor parte de los casos son leves; el aire se reabsorbe y el niño se recupera.

Pero, como dijimos antes, la atención médica es indispensable en cualquier caso de dificultad respiratoria.

Bronquiectasia

¿Es esta otra infección del pulmón?

Sí, lo es. Es una afección progresiva de larga duración. Los alveolos, al final de los bronquiolos, se llenan de materia infectada y microbios. Luego se rompen y forman cavidades que también se llenan de restos orgánicos.

¿Cuál es la causa de esto?

Existen numerosas causas. Puede deberse a un cuerpo extraño alojado en las vías respiratorias. Es una complicación común de la pulmonía, la bronquitis, el sarampión, la tos convulsiva y hasta del resfrío común. Puede ser una complicación de la enfermedad fibrocística, de la que hablamos anteriormente. En la mayor parte de los casos la afección original no sanó completamente, y una débil infección residual permaneció durante semanas o meses, hasta que se reactivó.

¿Qué clase de síntomas induce a la madre a pensar en la posibilidad de que su criatura tenga esta afección?

Es poco probable que la madre diagnostique esta afección, pero sí se dará cuenta de que su criatura no está bien. Los síntomas que pueden ocurrir incluyen accesos de tos en un niño que había estado sano. La tos comienza en la noche y después también se presenta durante el día; se hace persistente y empeora. La criatura respira con dificultad, especialmente cuando juega o corre. Puede producir abundantes esputos.

¿Empeora esta afección?

En muchos casos empeora, y decae la salud general del niño. Hay pérdida del apetito. El niño comienza a perder peso y puede tener fiebre moderada. En los casos de larga duración son característicos los llamados dedos en palillo de tambor, sobre todo en las formas adultas de evolución crónica; las falanges terminales de los dedos de las manos y los pies aparecen abultadas, con un encorvamiento de las uñas. El paciente puede manifestar los síntomas característicos de la anemia, incluyendo cansancio físico, palidez, y agotamiento después de alguna actividad física.

+ *Tratamiento*

Es posible que la madre lleve a su hijo enfermo al médico bien al comienzo de la

bronquiectasia.

Es de esperar que lo haga, porque los síntomas abarcan un largo período, generalmente meses y hasta años. Cualquier infección pulmonar que no sana, o que se prolonga por semanas o meses, necesita definidamente control y tratamiento médico, porque bien podría ser el comienzo de la bronquiectasia.

¿Qué tratamiento se administra al niño?

El médico, en primer lugar, confirmará el diagnóstico, lo cual requerirá pruebas especiales como rayos X o la introducción de un tubo a través de las vías respiratorias para obtener fotografías del interior del pulmón y determinar su condición.

El tratamiento recomendado por el médico, que incluye la administración de antibióticos, deberá prolongarse por bastante tiempo. A menudo el paciente debe ir al hospital para su tratamiento, pero también en el hogar los padres pueden llevar a cabo parte de él. Deben drenar regularmente el líquido de las cavidades infectadas, por medio de ejercicios de respiración y de la llamada postura de drenaje (la cabeza se inclina hacia abajo para dejar salir los desechos orgánicos acumulados en los pulmones). El paciente debe dormir también con frecuencia en una cama inclinada hacia abajo. El médico explicará todos los procedimientos requeridos por el tratamiento que se deberán llevar a cabo en el hogar.

¿No es mejor prevenir esta enfermedad antes de que comience?

Por cierto que sí. La prevención es mucho mejor que la curación. Por eso insistimos en un tratamiento adecuado de cualquier desorden respiratorio hasta su curación total. De esta forma las complicaciones a largo plazo, como la bronquiectasia, es menos probable que se presenten.

Asma

El asma es una afección muy frecuente. ¿Cómo se manifiesta?

Es una afección de las vías respiratorias del pulmón que afecta la respiración normal. Las vías respiratorias se contraen y no permiten el acceso de suficiente aire para satisfacer las necesidades del paciente.

El asma es una de las afecciones más comunes por las que los padres llevan a sus hijos al médico. Prácticamente todos ellos pueden hablar del asma; muchos la han experimentado o la han visto en sus hijos, y la posibilidad de la presencia de esta enfermedad los llena de temor.

¿Están justificados estos temores?

No lo están. Con las diversas terapias de que se dispone en la actualidad, y con el curso natural de la enfermedad a medida que el niño crece, la mayor parte de esos temores carece de fundamento. La tendencia actual consiste en dejar que el niño asmático lleve una vida tan normal como sea posible. Las únicas restricciones deberían ser las impuestas por los síntomas. Este mal se cura espontáneamente en la mayor parte de los niños afectados. Hay médicos que no toman en cuenta este hecho y tienden a convertir en inválidos a sus jóvenes pacientes.

Alrededor del 75 % de los niños con asma tiene episodios con síntomas leves, y sus pulmones vuelven a la normalidad entre un ataque y otro. El 50 % de estos niños habrá dejado atrás los síntomas de asma en los primeros años de su juventud. Sólo la cuarta parte experimentará anormalidades pulmonares continuas entre un ataque y otro, y de este grupo sólo la mitad continuará teniendo asma en su vida adulta; el resto vivirá libre de síntomas.

En la mayor parte de los casos el asma es un "inconveniente pasajero". Casi todos los casos pueden tratarse de forma adecuada con ayuda de la medicina moderna. A esto se llama "terapia broncodilatadora". Elimina la necesidad de dar antibióticos a los niños asmáticos cada vez que se presentan los síntomas.

¿Cuáles son los síntomas?

Las vías aéreas se estrechan y se inflaman, y su revestimiento se irrita causando mayor estrechez aún. El paciente no tarda en ponerse ansioso y angustiado, y emite un ruido característico de respiración forzada y jadeante al intentar obtener más aire.

He oído decir que un alergeno o algo parecido produce el asma.

Sí. El paciente es sensible a ciertas sustancias, generalmente de naturaleza proteica, que se introducen involuntariamente en las

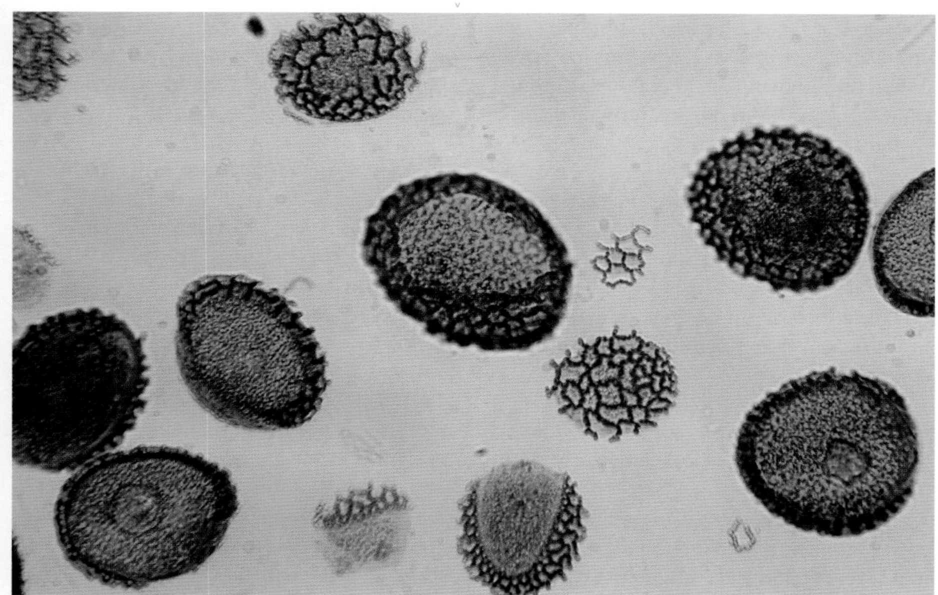

Partículas de polen —un bien conocido alergeno causante del asma— tal como se las ve con la ayuda del microscopio.

vías respiratorias. También puede ser un alimento que se ha ingerido, pero esto no es tan frecuente.

¿Cuáles son las sustancias más probables?

Varían con la persona, y cada paciente es diferente. Tal vez los más comunes sean el polen de las flores, el polvo de la casa y productos de origen animal.

Una cantidad impresionante de polen flota constantemente en el aire, procedente de las flores y los árboles.

El polvo de la casa se consideró por mucho tiempo la causa principal. Recientemente el examen microscópico de este polvo ha revelado la presencia de un diminuto ácaro que, juntamente con sus excrementos, produce reacciones alérgicas. Este ácaro vive en cualquier parte de la casa donde haya polvo: ropa de cama, alfombras, cortinas, muebles tapizados, gatos, perros, pájaros, etc. Es casi imposible escapar de él.

Las plumas y la caspa de los animales también pueden ser poderosos factores predisponentes de los ataques de asma y de las alergias respiratorias.

¡Es una lista impresionante!

Ya lo creo. Cuando se considera la amplia difusión de estas sustancias, y la forma como se introducen automáticamente en nuestra vida diaria, es sorprendente que no haya más casos de asma. Pensemos en la cantidad de juguetes rellenos, colchones, almohadones y almohadas, alfombras, perros, gatos y aves, y suma y sigue. Individualmente y en conjunto, pueden contribuir a que se produzca un ataque de asma.

¿Desempeñan algún papel las tensiones emocionales?

Así es. Casi todos los asmáticos tienen cierto grado de inestabilidad emocional. Con frecuencia las tensiones y las presiones de la vida diaria pueden desencadenar un ataque de asma. Cuando el niño está expuesto a un ataque, especialmente si es nervioso, la preocupación apresurará la llegada del ataque.

También el ejercicio, el frío, la natación y otras situaciones pueden iniciar un ataque de asma.

¿Cuáles son los síntomas principales?

El asma es una enfermedad permanente, y la mayoría de los padres conoce los síntomas. La mayor preocupación se manifiesta al comienzo, cuando el niño está desarrollando la enfermedad.

Con frecuencia el ataque comienza con estornudos y nariz tapada, como si se tratara de un resfrío. O bien puede comenzar abruptamente con tos, dificultades respiratorias y respiración laboriosa con jadeo, que empeora cuando el paciente se esfuerza por respirar. En los ataques graves, cuando la situación se agudiza, el paciente se pone ansioso, se atemoriza y se inclina hacia adelante para que entre suficiente aire en los pulmones. Puede haber transpiración, y los labios se ponen azules. Con el esfuerzo los músculos intercostales tienden a hundirse.

¿A qué se le de al nombre de "estado asmático"?

El estado asmático —o "estatus asmaticus"— es una forma de esta enfermedad, que dura más de un día y es muy rebelde a la medicación. Requiere hospitalización de emergencia.

+ *Tratamiento*

¿Qué tratamiento se administra al niño asmático?

Recientemente se ha progresado mucho en el tratamiento del asma. Ya no se administran las inyecciones de adrenalina con su secuela de temor y nerviosismo ante la perspectiva de recibir esa inyección. Los pacientes decían con frecuencia que el tratamiento era peor que la enfermedad.

El uso de nebulizadores con broncodilatadores ayuda a controlar el asma.

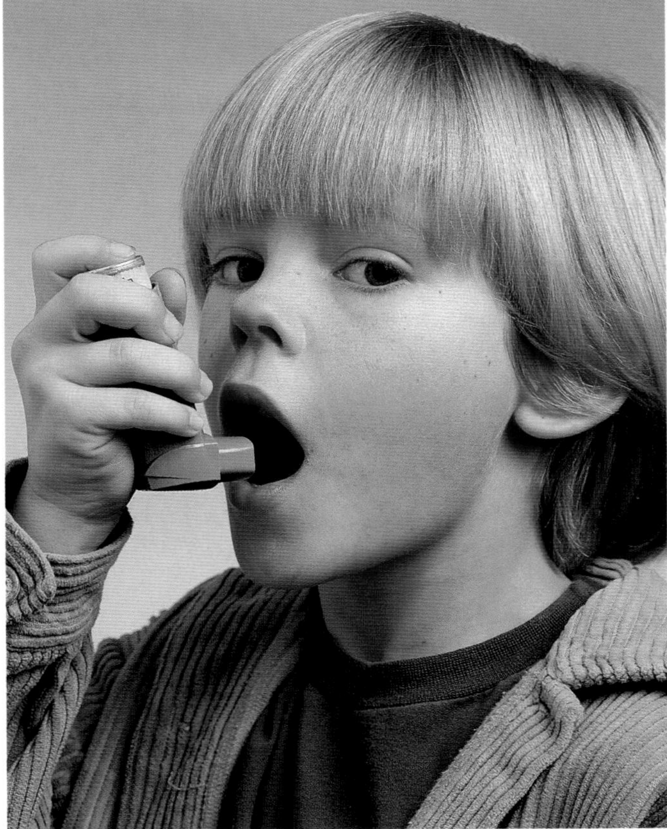

El médico debe atender sin falta al asmático. Una vez confirmado el diagnóstico se prescribe un tratamiento para prevenir futuros ataques.

¿Pueden los padres tratar ellos mismos a sus hijos?

El médico debe supervisar el tratamiento, y en especial si los ataques son graves. Sin embargo, conviene que el paciente viva una vida tan normal como sea posible. El médico recomendará un tratamiento que corresponda a la gravedad de los síntomas. La terapia se basa en el uso de medicamentos que dilatan los bronquios que se contraen durante los ataques.

En los niños de menos de 4 años, la medicina se aplica mediante un nebulizador, que es un aparato para reducir las soluciones o líquidos a gotitas microscópicas en suspensión, que pueden inspirarse con facilidad con el fin de dilatar los bronquios y disminuir la dificultad respiratoria. Puede hacerse varias veces al día, lo que depende de la gravedad de los síntomas.

El médico puede añadir otro medicamento llamado teofilina, en jarabe o tabletas, que se administra por vía oral. Para los niños más grandes, entre 3 y 5 años, puede recetar el medicamento llamado salbutamol, que es similar a la isoprenalina, para dilatar los bronquios en el asma, la bronquitis crónica y el enfisema. Puede administrarse por boca, inyección o inhalación. Sus efectos colaterales son temblor y aumento de los latidos del corazón, especialmente en caso de dosis elevadas. Hay otros broncodilatadores igualmente eficaces que el médico suele recomendar.

Para los niños asmáticos de más de 5 años de edad, el médico suele recomendar estos medicamentos: cromoglicato, teofilina o broncodilatadores. El doctor prescribirá la mejor medicación. Hoy existen varios broncodilatadores; todos son buenos.

Los medicamentos en aerosol pueden cortar rápidamente un ataque. El salbutamol (Ventolín), uno de los más populares, produce alivio con rapidez cuando se lo inhala. También existen otros productos con efectos similares.

¿Qué precauciones hay que tomar con estos poderosos medicamentos?

No tienen que usarse descuidadamente

ni con mucha frecuencia. A pesar de la fina nebulización que se forma cuando se presiona el botón de los envases, estos medicamentos son muy poderosos. Los padres deben supervisar a sus hijos cuando usan los nebulizadores o aerosoles. Las instrucciones del médico deben seguirse fielmente. Si no se obtiene alivio en pocos minutos, eso no significa que el niño debe repetir la nebulización. La observación de un período mínimo entre una dosis y otra es importante para impedir una sobredosis. La tendencia actual consiste en tratar el asma más bien de menos que con exceso.

¿Se emplea todavía la cortisona en el tratamiento del asma?

La cortisona implicó un gran progreso en el tratamiento del asma. En la actualidad se emplea mucho menos en su forma original y en sus derivados prednisona, prednisolona y betametasona, porque ha sido reemplazada por medicamentos más eficaces que no producen los efectos adversos de la cortisona cuando se la usa por mucho tiempo. Causa retención de líquidos, los niños suelen desarrollar un aspecto extraño denominado "cara de luna". También detiene el crecimiento de los huesos. Muchos niños que fueron tratados por mucho tiempo con esteroides, ahora se los trata con métodos terapéuticos más modernos.

¿Como cuáles?

Ahora existen otros tratamientos con aerosoles, del tipo de la cortisona, que son muy eficaces para prevenir los ataques. Entre los principales se destaca la beclametasona (Propavent). Cuando se la usa regularmente es muy eficaz para detener los ataques antes que ocurran. Requiere algunas semanas para desarrollar toda su eficacia. Muchos niños la usan de forma regular y así se hace innecesario el empleo de medicamentos orales a base de esteroides (los derivados de la cortisona).

El cromoglicato de sodio es otro de estos medicamentos. En un párrafo anterior ya comentamos su uso y su eficacia.

¿Qué puede decir de otros medicamentos que se inhalan?

Ahora ya no son tan necesarios como antes. La aminofilina, la adrenalina, la teofilina y la efedrina constituyen la base de muchos de ellos. Todavía se usan de vez en cuando, especialmente en asmáticos leves, y tienen su lugar. A veces se emplean en jarabes para la tos que también proporcionan alivio, pero están casi abandonados.

¿Qué nos puede decir acerca de la desensibilización?

En algunos casos el especialista en alergia ordena algunos análisis para descubrir la causa más probable del asma. Cuando la encuentra, prepara un extracto que se inyecta al paciente en dosis progresivas durante un período de 12 a 18 meses. Con esto trata de desarrollar una resistencia cada vez mayor al alergeno. También se espera desensibilizar al paciente. Este procedimiento no es muy popular y no se usa mucho. Otros métodos son de aplicación más fácil y más eficaces.

Aproximadamente el 20 % de los niños tendrá al menos un ataque de asma durante su infancia.

¿Sería una buena idea tratar de proteger al paciente de las causas de su mal?

Eso es lo que se debería hacer. Pero en la práctica resulta muy difícil. Sin embargo, las medidas generales destinadas a mantener al asmático alejado de los alergenos conocidos es una excelente idea.

Es aconsejable mantener el polvo de la casa en el nivel más bajo posible. En algunos lugares se venden aparatos especiales para llevar a cabo esta tarea, y vale la pena hacer la prueba.

Los padres deben tratar por todos los medios razonables de eliminar los factores productores de alergia que puedan afectar a la criatura o al niño. Los gatos y los perros pueden precipitar los síntomas. El ácaro microscópico del polvo de la casa es un factor alergeno bien conocido. Conviene limpiar en seco las cortinas de la habitación del niño asmático, pasar la aspiradora por lo menos una vez por semana, lavar las sábanas 2 veces por semana, lavar las frazadas o cobijas de la cama una vez por mes si es posible, usar un paño húmedo para quitar el polvo de los muebles en lugar de hacerlo con un paño seco, pues de esta manera se echa a volar el polvo.

¿Qué es el "plan en caso de crisis"?

Todo asmático debería tener un plan en caso de crisis, elaborado con la ayuda del médico, para ponerlo en práctica en caso de que se produzca una emergencia asmática repen-

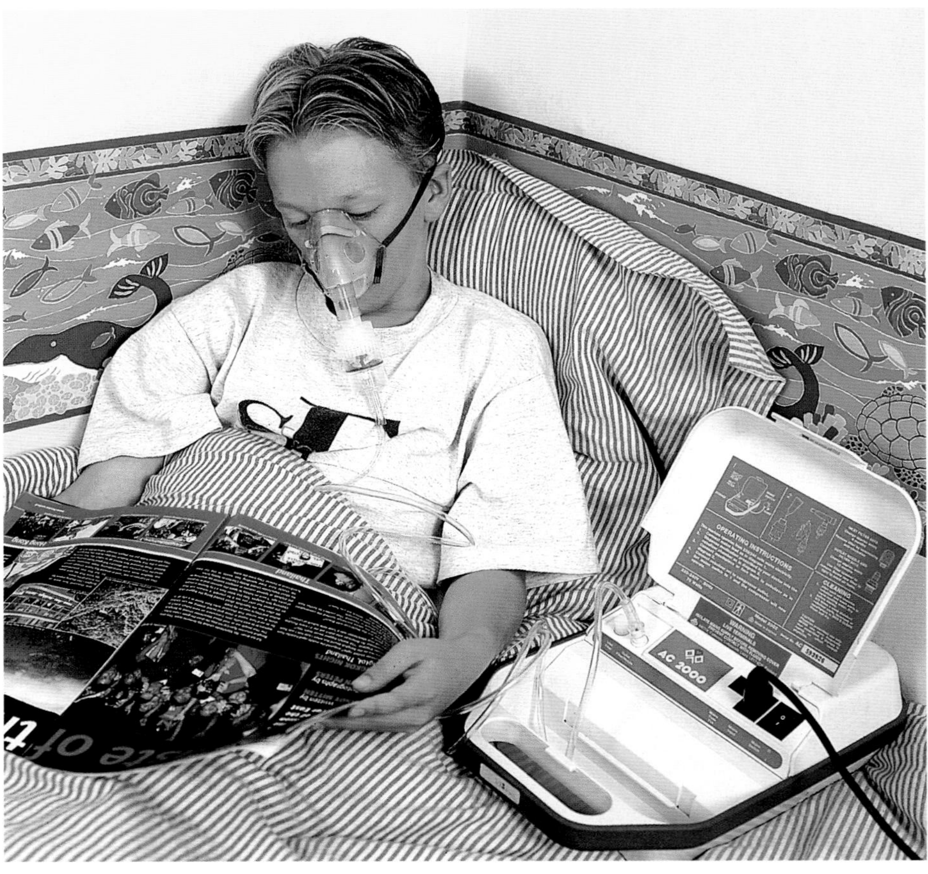

Un joven paciente recibe nebulizaciones, un procedimiento mediante el cual llega la medicación como un fino rocío a una máscara y de allí pasa a las vías respiratorias para aliviar los síntomas del asma.

tina. Esto es de vital importancia.

¿Cuán importante es la salud general del niño asmático?

Cuanto mejor salud tenga, tanto mejor será. Vale la pena tratar de mantenerlo libre de infecciones respiratorias, o de cualquier otra clase. El asmático debe recibir una alimentación de buena calidad, hacer ejercicios adecuados a su edad. Los adultos no deben fumar donde se encuentra el niño asmático, y se debe enseñar a los niños los peligros del hábito de fumar.

¿Cuál es la perspectiva del asmático a largo plazo?

La mayor parte de los niños se curan del asma cuando crecen, ya que los ataques se hacen menos severos, hasta que finalmente desaparecen. Por fin se convierten en adultos fuertes, sanos y capaces.

¿Qué influencia ejerce el ambiente hogareño?

Un ambiente feliz y libre de tensiones ejerce una influencia saludable sobre el asmático, y no sólo sobre él, sino también sobre toda la familia. Los padres sensatos harán todo esfuerzo posible para mantener un clima hogareño positivo y agradable.

Los padres deben comprender bien qué es el asma, qué la causa y cómo se la debe tratar. Cuanto antes comprendan que el asma, lo mismo que la epilepsia y la diabetes, se puede tratar sin dificultad y con éxito en el hogar, tanto más felices serán los padres y su hijo (o hija) asmático.

Fiebre del heno (Rinitis alérgica)

Esta es otra de las afecciones alérgicas, ¿verdad?

Así es. Lo mismo que el asma, es una enfermedad de tipo alérgico. Puede iniciarse durante los primeros 12 meses de la vida, pero es más común después de 1 o 2 años de edad. Se manifiesta más durante la primavera y el verano, pero en realidad puede atacar en cualquier momento. La causa desencadenante en la primavera es la inhalación del polen del Heno (zacate). Por eso se la llama también "fiebre del heno". Existen asimismo otras causas parecidas que predisponen al asma, como plumas, caspa y pelos de animales, polvo de la casa, etc.

¿Qué síntomas advierte la madre?

El niño se queja de comezón en los ojos o los oídos, tiene la garganta seca e irritada, se le cierra la nariz y emite secreciones en forma de un líquido claro. Comienza a estornudar, de preferencia en la mañana. Puede sangrar por la nariz, tener dolor de cabeza y problemas para dormir. Los ojos se ponen rojos, los párpados se hinchan y las lágrimas corren por las mejillas. Los ataques pueden producirse a intervalos irregulares, o bien pueden ser causados por el polen que flota en el aire cuando florecen ciertas plantas y algunos arbustos.

+ *Tratamiento*

¿Cuál es la mejor forma de tratar este molesto problema?

Existen diversos métodos. Una vez que se ha confirmado el diagnóstico, el tratamiento con antihistamínicos puede producir alivio. Este medicamento viene de forma líquida para los bebés y en tabletas para los niños.

Pero los antihistamínicos les causan cansancio y sueño a los niños.

Exactamente. Si el niño con fiebre del heno tiene que estudiar, viajar en bicicleta o usar en la escuela alguna herramienta o máquina que podría ser peligrosa, hay que administrarle otro medicamento que no contenga antihistamínicos. También se pueden conseguir jarabe y tabletas con antihistamínicos que alivian los síntomas pero no producen sueño ni cansancio. Otro medicamento que se ha usado mucho en este caso es la efedrina, pero ha sido reemplazado por productos más recientes y más eficaces.

En casos graves el médico puede recetar dipropionato de beclametasona, un aerosol parecido al que se usa en caso de asma y se administra por vía nasal. Su eficacia máxima se alcanza después de 10 a 14 días de uso.

El cromoglicato sódico es un polvo que se inhala por la nariz. Cuando se lo usa de forma regular en la estación de la fiebre del heno, ofrece ayuda preventiva. Estos productos deben ser recetados por el médico y administrarse bajo su supervisión.

¿Producen resultado satisfactorio las go-

Lamentablemente, muchos alérgicos son sensibles a la piel y el pelo de los gatos.

tas nasales para aliviar los síntomas?

Algunas gotas descongestionantes que se usan ocasionalmente, cuando la nariz está muy cerrada, proporcionan alivio momentáneo. Debe evitarse el empleo exagerado de estas gotas, porque pueden agravar el problema que se desea aliviar.

¿Es posible desensibilizar al paciente?

El médico hace pruebas para descubrir la causa de los ataques. Luego da una serie de inyecciones semanales destinadas a aumentar la resistencia del paciente a los alergenos, pero es un tratamiento que dura varios meses.

Tuberculosis (TB)

Esta palabra me produce escalofríos, tal vez porque mi padre contrajo tuberculosis cuando yo era niño. Eso sucedió cuando no existían medicamentos eficaces, y cuando se consideraba que el mejor tratamiento consistía en comer mucha crema, leche y manteca (mantequilla), tomar sol y pasar meses en un sanatorio. Afortunadamente mi padre se sanó, y falleció a los 86 años. Esto nos demuestra que a pesar de todo, aun en esos días, era posible curar a los enfermos de tuberculosis.

Las cosas han cambiado actualmente, y la tuberculosis es una enfermedad que puede prevenirse por medio de una vacuna y curarse con medicamentos eficaces en caso de que se produzca.

¿Ocurren todavía casos de tuberculosis?

Lamentablemente todavía se presentan casos de esta enfermedad. La Organización Mundial de la Salud (OMS) estima que existen en la actualidad unos 15 millones de tuberculosos en el mundo y que 3 millones de ellos mueren al año. Cada año aparecen de 2 a 3 millones de casos nuevos de tuberculosis.

El bacilo que propaga esta enfermedad se denomina *Mycobacterium tuberculosis* o bacilo de Koch, y se transmite por partículas húmedas infectadas procedentes de un adulto con la enfermedad activa. En el caso de los niños, sus padres u otros familiares afectados pueden ser los transmisores. Padecen de una tos crónica, atribuida erróneamente al cigarrillo. Se ha comprobado que los abuelos enfermos son con frecuencia la fuente de contagio para los niños de menos de 5 años. El bacilo que produce esta afección se ubica en la región superior de los pulmones y desde allí destruye poco a poco el tejido pulmonar.

¿Cuáles son los síntomas que la madre puede observar en su hijo contagiado?

La mayor parte de los casos se diagnostican cuando se descubre que un adulto en la familia padece de tuberculosis, porque entonces el médico examina también a los demás miembros de la familia. Otra forma de averiguarlo es mediante el test de tuberculina en la piel, que cambia de negativo a positivo. Eso significa que el niño ha contraído la enfermedad. Sin embargo, hay que recordar que los niños que han sido vacunados contra la tuberculosis o han tenido una infección muy leve y rápidamente curada por las propias defensas del cuerpo, llamada primoinfección, producen automáticamente una reacción positiva en la prueba de la tuberculina; la prueba de la reacción es válida para los niños que no han sido vacunados: si tienen el bacilo de la tuberculosis, será positiva, y si no lo tienen, será negativa.

¿Cuáles son los síntomas de esta enfermedad?

Los síntomas que produce la tuberculosis son vagos o no existen. Cuando aparecen, no son específicos, como una sensación de cansancio sin razón evidente. El paciente se siente desganado, tiene fiebre leve, pierde peso y está inapetente. Aunque a veces suele tener tos, este no es un síntoma importante. A veces el niño puede manifestar los síntomas de la pulmonía, porque en algunos casos esta enfermedad puede complicar a la otra.

Si el niño o el adulto tienen síntomas vagos o han estado en contacto directo con un tuberculoso, es indispensable que consulten al médico.

+ *Tratamiento*

¿En qué consiste el tratamiento?

Si el médico tiene alguna duda, ordena ciertas pruebas, que pueden incluir el test de reacción de la piel a la tuberculina y exámenes torácicos mediante rayos X.

La terapia por medio de medicamentos ha revolucionado el tratamiento de la tuberculosis. El médico recomienda el tratamiento más adecuado para cada paciente. Se trata al enfermo en su hogar, sin confinarlo a la cama; puede llevar una vida bastante normal. Se recomienda que reciba una alimentación adecuada y nutritiva; que haga ejercicios al aire libre y se exponga a los rayos del sol.

Diremos finalmente que la tuberculosis sigue siendo una enfermedad grave y, aunque sea curable, hay que tratarla con cuidado. Antes de los 3 años de edad y durante la adolescencia es mucho más grave que en otras edades. Pero si se la trata de forma debida, el enfermo se recupera totalmente.

Otras afecciones respiratorias

Hemos tratado las afecciones más importantes que afectan al aparato respiratorio en la infancia y la niñez.

Efectivamente, pero no hemos tratado todas las enfermedades conocidas, porque no es necesario y además no disponemos de espacio suficiente. Esperamos que sus hijos no padezcan de dolencias graves. Pero esté siempre alerta en caso de que alguien en su familia se enferme de gravedad.

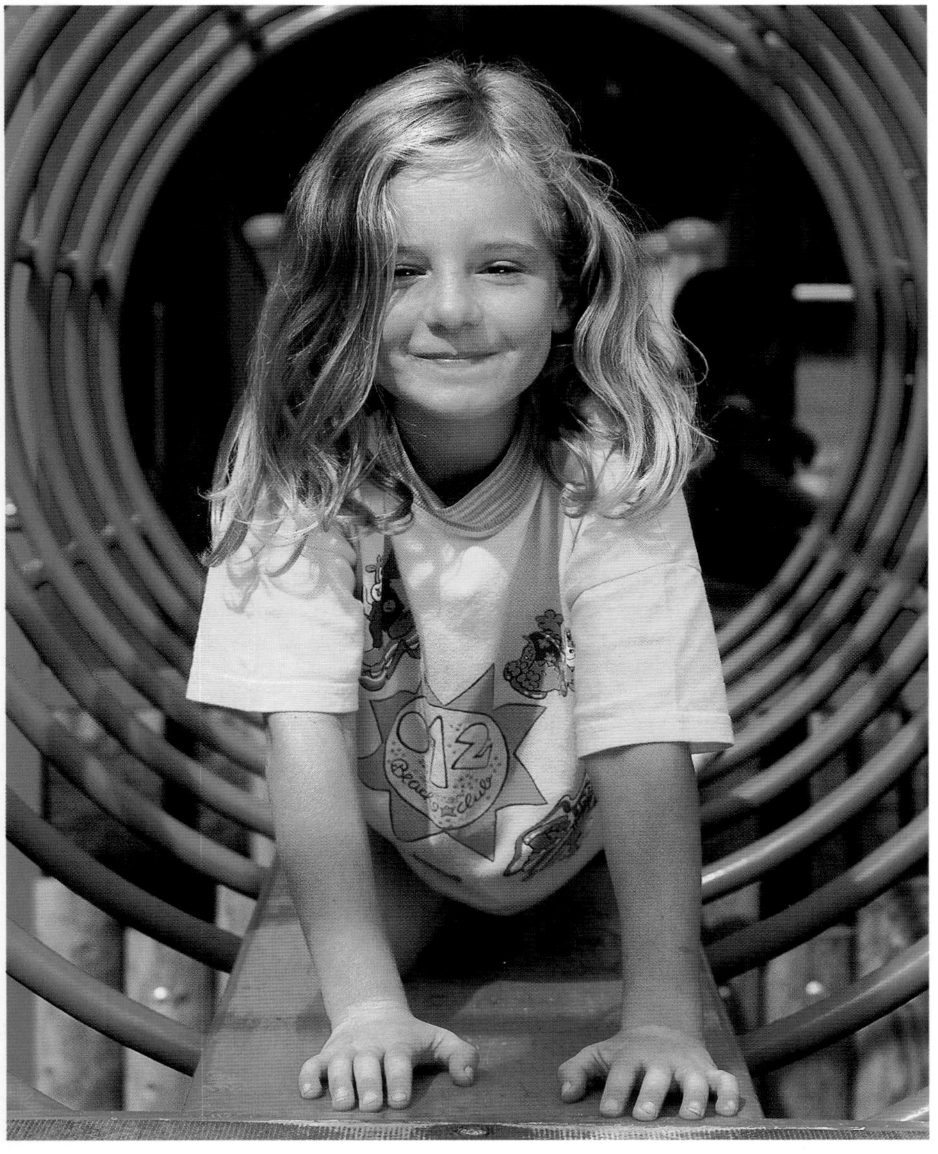

El ejercicio al aire libre y a la luz del sol, combinado con un nutritivo régimen alimentario, ayudará mucho a su hijo a evitar problemas respiratorios importantes.

capítulo 25

Cómo funciona el corazón y cuáles son sus problemas

EN ESTE CAPÍTULO

- Síntomas.
- Cómo funciona el sistema.
- Afecciones cardíacas congénitas.
- Enfermedad cardíaca reumática.
- Infección bacteriana subaguda.
- Insuficiencia cardíaca.
- Taquicardia.
- Pericarditis.

De todos los órganos del cuerpo, el corazón ha sido siempre el que más ha interesado a los seres humanos.

Es verdad. Los poetas le han dedicado sus versos durante siglos; los músicos lo han hecho el tema de miles de canciones, que han sido entonadas por muchísimos cantantes; los enamorados lo usan para ratificar su amor. Los médicos se sienten alarmados cuando hablan de él, porque es el órgano en el que se manifiestan más enfermedades fatales, más que en todos los demás órganos combinados.

Pero, afortunadamente, las criaturas y los niños son los menos afectados por las enfermedades cardíacas graves.

Así es, y estas son buenas noticias. A medida que pasan los años el corazón y los vasos sanguíneos enferman con más facilidad. Se echa la culpa a una gran cantidad de factores. Estos probablemente son parte de la vida: tal vez los alimentos que comemos, o la forma como los comemos, o factores ambientales que desconocemos. Pero esos problemas están todavía muy lejos de los bebés y los niños.

Sin embargo, aun en las criaturas pueden presentarse enfermedades cardíacas graves que pueden poner en peligro su vida.

Muy cierto, y con el progreso en la técnica quirúrgica moderna de los trasplantes se han obtenido resultados increíbles. A veces resulta difícil mantenerse al día con los progresos de la cirugía cardiológica. En la actualidad los niños están recibiendo trasplantes de corazón con excelentes resultados. A veces, cuando no hay un corazón disponible, se mantiene vivo al niño enfermo con un corazón artificial.

¿Qué es eso?

Es un aparato mecánico que se encarga de la circulación de la sangre hasta que se recibe un corazón para su trasplante. Con el nuevo corazón funcionando en su lugar, existen buenas probabilidades de que el niño que lo recibió viva muchos años. La mayor parte de la gente no sabe que hay personas que viven con buena salud con un corazón que se les trasplantó hace 20 años. Desde entonces la ciencia médica ha hecho enormes progresos en la técnica y el equipo, de modo que las perspectivas para los enfermos cardíacos han mejorado mucho.

Síntomas de problemas cardíacos

¿Cuáles son algunos de los síntomas que permiten que la madre reconozca que su bebé o hijo mayorcito tiene un problema cardíaco, aunque estos no sean comunes en los menores?

Algunos de los síntomas que pueden desencadenar la alarma son peso inferior al normal y falta de desarrollo normal. Desmayos y pérdida momentánea del conocimiento, suspiros, piel pálida, labios, orejas y mejillas con coloración azulada. El bebé

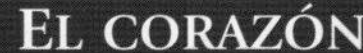

EL CORAZÓN

Un corte del corazón que permite ver la aorta y sus ramificaciones, y las venas mayores, como asimismo las válvulas y sus cámaras.

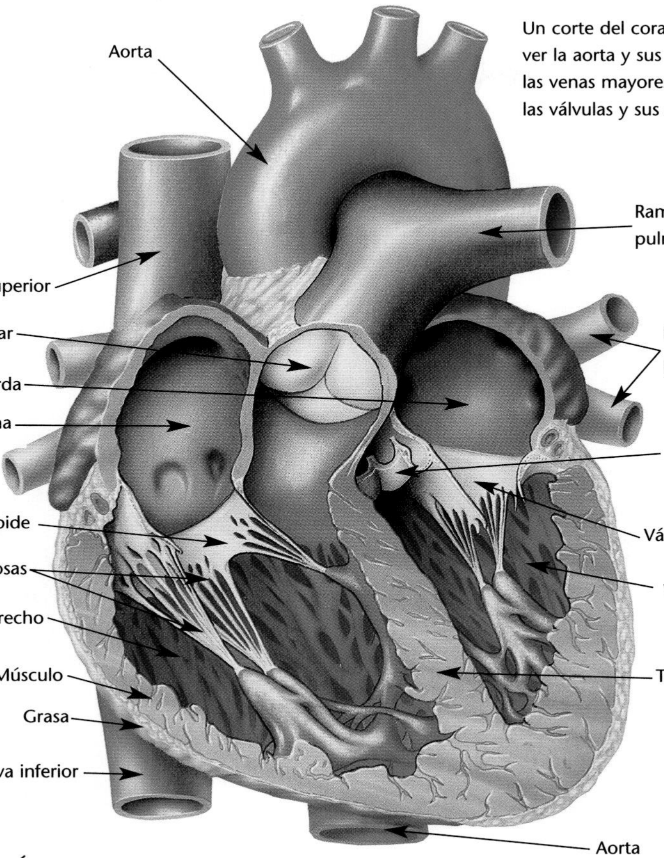

Aorta
Rama de la arteria pulmonar
Vena cava superior
Válvula pulmonar
Ramas de la vena pulmonar
Aurícula izquierda
Aurícula derecha
Válvula de la aorta
Válvula tricúspide
Válvula mitral
Cuerdas tendinosas
Ventrículo izquierdo
Ventrículo derecho
Músculo
Tabique
Grasa
Vena cava inferior
Aorta

Válvulas del corazón

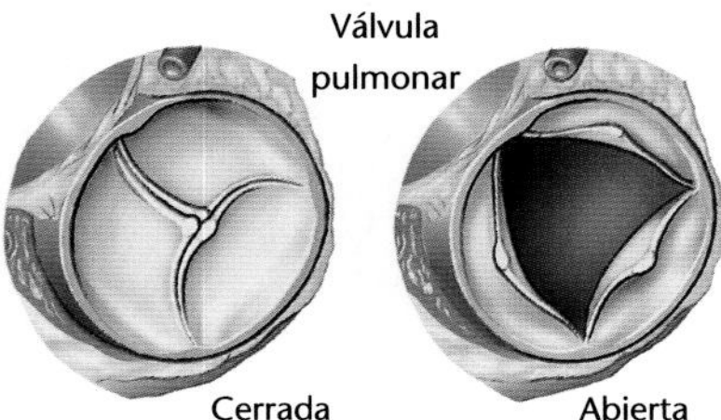

Válvula pulmonar

Cerrada Abierta

Válvula mitral

Abierta Cerrada

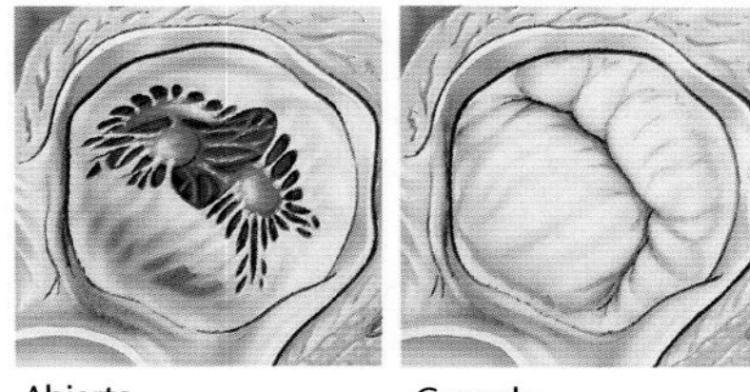

Las válvulas aseguran que la sangre viaje en una sola dirección por el corazón, al impedir su reflujo.

Conducción eléctrica

Nódulo senoatrial
Nódulo atrioventricular
Haz de His

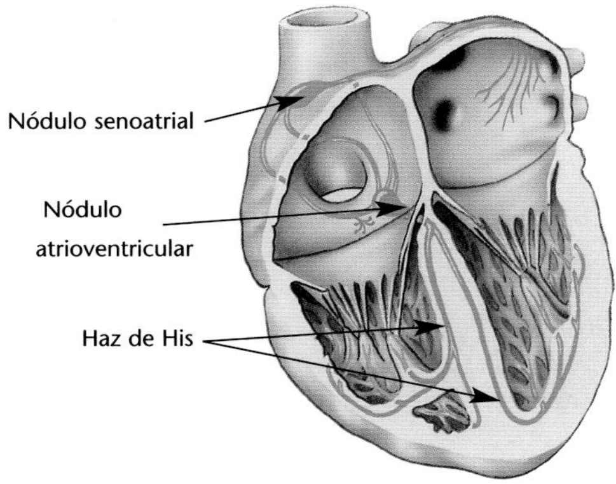

Las contracciones del corazón dependen de un marcapasos eléctrico que se origina en el nódulo senoatrial. Los impulsos pasan hacia la aurícula y hacen que se contraiga. El nódulo atrioventricular transmite el impulso al haz de His, de donde se propaga a los ventrículos y hace que se contraigan.

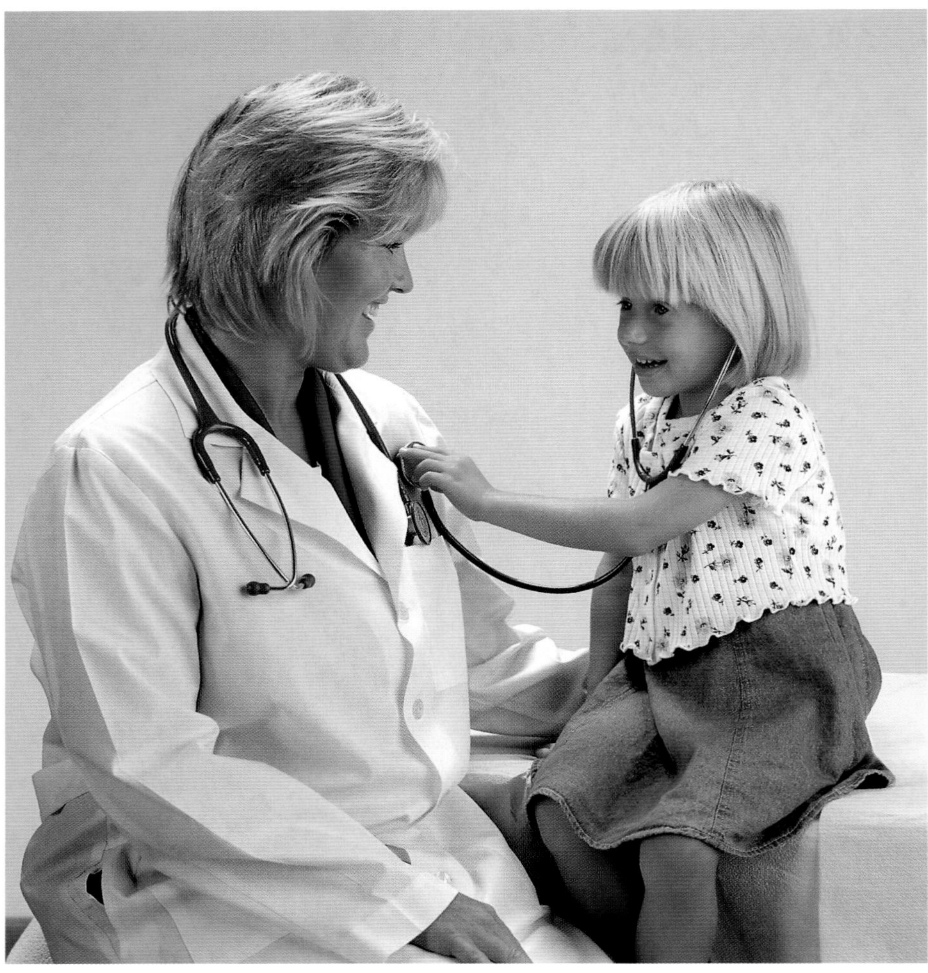

Una médica observa el asombro de una niña que escucha los latidos de su corazón.

puede tener dificultar para tragar su alimento. Puede vomitar, tener fiebre leve, dolor en las articulaciones, que pueden estar hinchadas, rechazo de la actividad normal para las criaturas de su edad, poner caras extrañas y hacer muecas que escapan del control directo del niño. Una criatura con estos síntomas debe ser llevada al médico.

El corazón es un órgano maravilloso. Comienza a funcionar pocas semanas después de la concepción y continúa haciéndolo ininterrumpidamente durante muchos años.

Es verdad, y en la forma como los médicos están manteniendo vivas y sanas a las personas de edad, un bebé que nace hoy puede alcanzar sin grandes problemas de salud la edad de 70 años, y vivir muchos años más. Muchas personas llegan a los 90 años con relativamente buena salud mental y física. Me pregunto si los bebés que nacen hoy podrían llegar a los 100 años de vida. Es una posibilidad.

Cómo funciona el corazón

Explique, por favor, la forma como funciona el corazón.

El corazón se encuentra situado en la cavidad torácica y funciona como una bomba. La sangre llega hasta él por una serie de grandes vasos o venas. Cada vez que el corazón late, la sangre se mueve a través de dos sistemas separados de circulación.

En el primero, la sangre carente de oxígeno que viene del organismo se envía a los pulmones, donde ocurren intercambios de gases. El bióxido de carbono acumulado durante el viaje por el organismo se expulsa con la respiración. Luego la sangre se carga de oxígeno y se enriquece.

Con el próximo latido la sangre vuelve al corazón para que se la bombee hacia afuera por la gran arteria llamada aorta, con el fin de que circule por todo el organismo. Cuando este ciclo se completa, la vuelve a recoger el sistema venoso y la envía de vuelta al corazón.

Este proceso se repite interminablemente, unas 70 a 80 veces por minuto, durante toda la vida de la persona.

¿Cómo está constituido el corazón?

El corazón es un músculo voluminoso, y sus fibras están interconectadas. Tiene dos cámaras a cada lado. Las superiores, que son más pequeñas, se denominan aurículas; las inferiores, que son de mayor tamaño, se llaman ventrículos. Ambas están conectadas a vasos sanguíneos con un intrincado sistema de válvulas reguladoras del flujo sanguíneo, que funcionan al unísono con los latidos del corazón.

La sangre llega primero a la aurícula derecha, y de allí pasa al ventrículo derecho a través de la válvula tricúspide. Luego pasa a los pulmones por la arteria pulmonar para su oxigenación. Después vuelve por la vena pulmonar a la aurícula izquierda, y de allí pasa al ventrículo izquierdo a través de la válvula mitral.

Cuando el corazón se contrae debe ejercer suficiente presión como para enviar la sangre por la voluminosa arteria aorta hacia todo el organismo. Piense en la fuerza y la resistencia que debe tener el corazón para llevar a cabo este extraordinario trabajo miles de veces por día y durante toda la vida.

Enfermedades congénitas del corazón

¿Nacen los bebés con defectos cardíacos?

Sí. Los defectos cardíacos son muy comunes en la infancia. Entre 6 y 8 bebés de cada 1.000 sufren de uno de estos defectos. Eso significa que en cualquier país hay miles de criaturas con afecciones cardíacas.

¿Cuál es la causa de esta situación?

No se sabe con certeza. Es indudable que las infecciones durante la primera etapa del embarazo, especialmente el primer trimestre, desempeñan un papel importante. En tiempos pasados, antes de que se conociera el poder del virus de la rubéola, una cantidad mucho mayor de bebés nacía con afecciones cardíacas. Después de una epidemia de rubéola muchos bebés nacían con graves defectos congénitos, no sólo del corazón sino también de los ojos, los oídos y el cerebro. El corazón comienza a desarrollarse alrededor de la octava o décima semana después de la concepción, y el virus atraviesa la placenta y afecta al embrión. Puede afectar adversamente la división normal de las células, lo que ocasiona malformaciones en los órganos.

¿Son los virus la única causa?

De ninguna manera; hay muchas otras causas. El empleo de ciertos medicamentos durante el embarazo puede dañar los órganos en desarrollo, como sucedió hace algunos años con la talidomida, un sedante que causó graves lesiones en las articulaciones de los fetos cuando se administraba a las embarazadas durante los primeros meses del embarazo. Como resultado, los bebés nacían sin extremidades o con las extremidades de tamaño reducido. También los rayos X afectan le reproducción de las células en el feto. Cuando hay defectos en el padre o la madre, el bebé tiene más probabilidad de nacer con el mismo defecto. Todavía no se han encontrado todas las causas posibles.

Entre el 6 y el 8 por mil de los bebés que nacen sufre de problemas cardíacos congénitos.

¿Qué induce a la madre a pensar que su hijo tiene un problema cardíaco?

Puede haber muchos y variados síntomas. Puede haber un aumento de peso inferior al normal. Los problemas de alimentación son comunes y es posible que haya vómitos. Pueden producirse desmayos, suspiros y pérdida del conocimiento. El bebé puede estar pálido, tener dificultad para tragar la comida o bien puede regurgitar el alimento, con la apariencia de leche cuajada. A veces no respira normalmente. Causa la impresión de sentirse mejor cuando se inclina hacia atrás. El niño más grande con una afección cardíaca no manifiesta deseos de unirse con los demás chicos en sus juegos y prefiere sentarse a mirarlos jugar. A veces tiene la piel cianótica (azulado).

+ *Tratamiento*

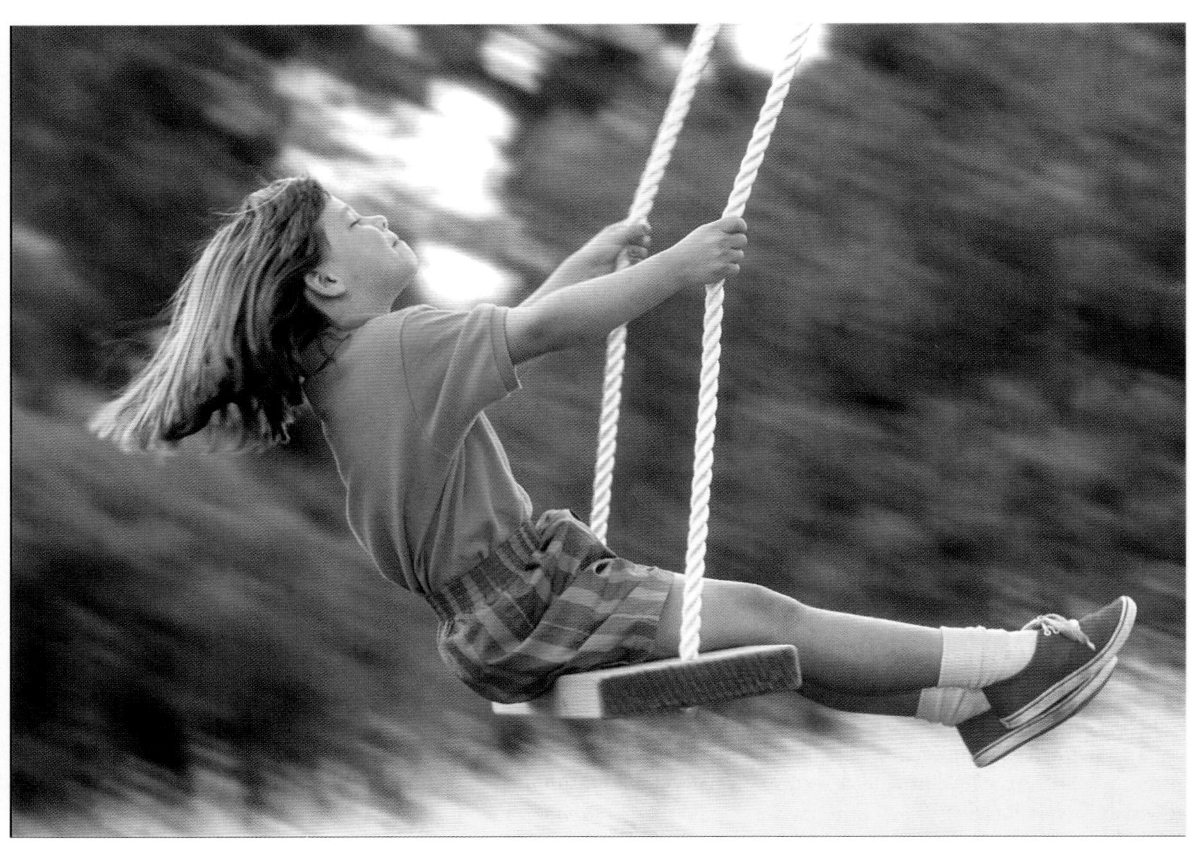

Los padres pueden estar agradecidos cuando los corazones de sus hijos son sanos, lo que les permite una vida activa y vigorosa.

¿Qué deben hacer los padres si descubren alguno de estos síntomas en sus hijos?

Es más bien difícil para la madre detectar estos síntomas y relacionarlos con alguna afección cardíaca. Puede ser que piense que algo anda mal, pero no reconocerá los síntomas como anormales, porque no tiene nada con qué compararlos. Esto sucede con casi todas las enfermedades de la infancia y no sólo con los problemas del corazón.

¿Debe la madre llevar al bebé o al niño de inmediato al consultorio?

Es lo mejor que puede hacer. El médico le hará los exámenes necesarios. Si descubre algún defecto hereditario recomendará al especialista que deberá tratarlo para corregir la anormalidad existente.

Probablemente existe toda una gama de defectos congénitos.

Efectivamente. Este es un campo muy complejo, pero en general vivimos en el seno de sociedades progresistas, en las que podemos tener acceso a instituciones médicas de primera clase. Los padres que tienen hijos con problemas cardíacos deberían llevarlos a los centros médicos especializados.

Algunos defectos congénitos pueden remediarse mediante la administración de ciertos medicamentos. Una afección en la que la conexión entre dos grandes vasos sanguíneos permanece abierta en vez de cerrarse, ahora se trata con un solo medicamento llamado indometacina. Si se administra a tiempo permite que los vasos se cierren y permanezcan en esa condición.

De modo que un determinado diagnóstico no lleva necesariamente a la cirugía. Cada vez la ciencia médica conoce más acerca de estos desórdenes. El presente y el futuro son prometedores.

Enfermedad reumática del corazón

Se oye hablar mucho de esta enfermedad, y parece bastante grave.

Generalmente afecta a niños de más edad, de 5 a 15 años. Comienza afectando una o más articulaciones, y empeora poco a poco. Una articulación inflamada y dolorida es molesta, pero usualmente vuelve a la normalidad. Posteriormente, a veces en la vida adulta, esto puede conducir a una enfermedad grave del corazón.

¿Es esta una afección común en nuestros días?

Se observa con menos frecuencia que en años pasados. La mejoría general de las condiciones de vida, las normas relativas a las viviendas y tal vez la alimentación han tenido una parte en la reducción de su frecuencia. Los problemas sociales y las dificultades domésticas, con hacinamiento y salud general disminuida, han tenido que ver con su desarrollo. A medida que mejoran las condiciones de vida también se reduce la frecuencia de esta enfermedad.

¿Qué síntomas se presentan?

El niño tiene fiebre y está decaído. A veces una articulación mayor, como la rodilla, el tobillo, el codo o la muñeca, se hincha y se pone caliente, sensible y dolorida. A los pocos días vuelve a la normalidad, pero otra articulación se hincha. Puede producirse una erupción en la piel, y ocasionalmente aparecen pequeñas protuberancias alrededor de la articulación afectada o en la base del cráneo.

¿Cómo se afecta el corazón?

Cuando la fiebre persiste se produce un aumento de la frecuencia cardíaca, y los latidos pueden elevarse mucho, lo que exige atención médica inmediata.

¿Comienza el paciente a hacer movimientos extraños?

Sí. Eso es más frecuente en las niñas, y se conoce como corea reumática o baile de San Vito. El niño, sin poder impedirlo, comienza a hacer extrañas muecas y movimientos ridículos sin objeto. Además de los de la cara, se producen movimientos similares en los brazos, las piernas y el cuerpo. Cuanto más trata de detener los movimientos tanto peores se vuelven. Esto es muy cansador, debilitante y da vergüenza. El episodio produce tensión emocional.

He oído decir que estas anormalidades cardíacas pueden originarse en una simple infección de la garganta, más o menos como sucede en el caso de los riñones.

Así es. El astuto microbio llamado *Streptococo hemolítico* es capaz de hacer muchas cosas malas, entre las que se encuentran la afección del corazón y de los riñones. Puede comenzar varias semanas después de la infección de la garganta, cuando el corazón ya está afectado, y la infección inicial ha desaparecido hace mucho tiempo. La corea (movimientos extraños) surge 15 o más semanas después de la infección inicial.

¿Es posible que esta afección se vuelva crónica?

Sí, es posible, y entonces se produce la fiebre reumática crónica. Para entonces es casi seguro que el corazón está afectado. Pueden producirse cicatrices del músculo cardíaco y de las válvulas del corazón, lo cual no augura nada bueno para el futuro, porque algunos pacientes desarrollan graves síntomas cardíacos muchos años después de la infección que tuvieron en la infancia.

+ Tratamiento

¿Hay algún tratamiento que sea eficaz?

Muchos médicos creen que es mejor tomar medidas preventivas para que los problemas no ocurran. Por eso tratan con sospecha hasta los menores dolores de garganta, e incluso cuando recetan antibióticos sugieren con firmeza que se usen en su totalidad para destruir los microorganismos invasores.

En lo que concierne al tratamiento en general, el médico recomienda uno específico para cada enfermo, en conformidad con las necesidades del momento. Puede variar de un caso a otro, pero es importante que se sigan cuidadosamente sus instrucciones.

¿Qué nos puede decir en cuanto a los alimentos para los que padecen de enfermedad reumática del corazón?

Al niño enfermo hay que servirle comidas atractivas que pueda tolerar bien. Se recomienda que se le dé una variedad de alimentos sabrosos, nutritivos y variados, y de fácil digestión, porque es indispensable que mantenga buena salud en general. Dismi-

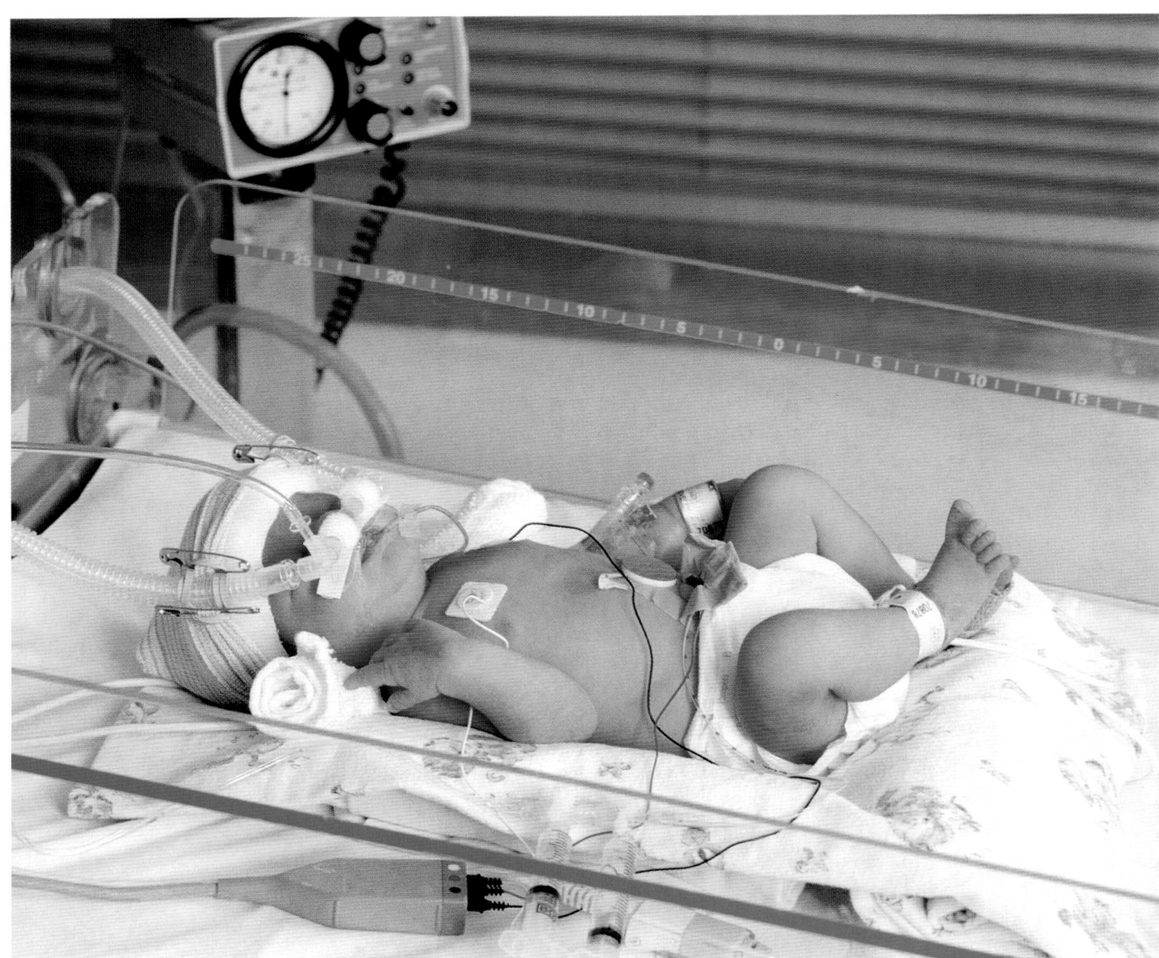

Un bebé recién nacido, con graves problemas cardíacos, recibe excelente atención en una unidad de cuidado intensivo.

nuirá el riesgo de contraer una infección adicional.

Se utiliza una variedad de medicamentos, incluyendo los salicilatos o la aspirina, que ha sido la terapia preferida durante muchos años. No le van a la zaga a los mejores antibióticos que puedan prescribirse; a veces se usan los esteroides durante cortos períodos.

Es indispensable proveer al niño enfermo cuidados solícitos y cariño, para darle seguridad emocional y apoyo. La enfermedad puede ser larga, tediosa y penosa, tanto para el paciente como para su familia. Una madre puede hacer mucho al apoyar emocionalmente a su hijo enfermo. También los esposos deben apoyar a sus esposas todo lo que sea posible, porque con frecuencia ellas llevan la parte más dura.

Endocarditis bacteriana

¿Qué clase de infección es esta?

Significa que se ha producido una infección en el corazón o en las vasos sanguíneos que conducen hacia él. Puede asociarse con la enfermedad reumática del corazón o con un defecto cardíaco congénito. Las válvulas pueden estar afectadas. Con frecuencia ciertos gérmenes se adhieren a las válvulas dañadas del corazón, y al acumularse sobre ellas impiden que se cierren de forma adecuada con cada pulsación cardíaca.

El niño puede enfermarse de gravedad, aunque esto no es común en criaturas de menos de 3 años. Suele haber fiebre, pérdida del apetito, señales de infección, fatiga, letargia y desmejoramiento general. Es indispensable llevar al niño al médico cuando aparece alguno de estos síntomas.

Insuficiencia cardíaca

¿Ocurre esto con frecuencia en los niños?

No es común, pero se presenta como consecuencia de defectos cardíacos congénitos, fiebre reumática y diversas infecciones cardíacas producidas por virus.

¿Qué síntomas pueden presentarse?

El enfermo puede suspirar, respirar con dificultad, sentirse débil e inapetente. Puede estar pálido y tener la piel cianótica (azulada).

Es necesario llevar al niño enfermo al médico cuando se sospecha que padece de algún desorden cardíaco.

Taquicardia

¿Qué es la taquicardia?

La taquicardia es la aceleración sostenida de los latidos del corazón.

Esta condición no es frecuente, pero puede ocurrir durante los primeros 4 meses de vida. La causa, invariablemente, es difícil de establecer. Cuando el niño crece esta condición puede resultar alarmante. El corazón puede latir de forma descontrolada. El pequeño paciente se pone ansioso, pálido, transpira abundantemente y está agitado. Ocasionalmente puede estar pálido o cianótico (piel azulada).

Algunas veces, por razones desconocidas, la taquicardia desaparece de golpe. Pero si persiste, es indispensable que el médico examine a la criatura enferma.

Pericarditis

¿En qué consiste esta afección?

Es una inflamación de los tejidos que rodean el corazón. Los virus son la causa más común. Puede ser una secuela de la fiebre reumática, o bien, como sucede con tanta frecuencia, se presenta repentinamente sin una razón evidente.

Puede haber dolor en el pecho, que se nota menos cuando el niño está de pie. Puede haber señales precoces de insuficiencia cardíaca. El médico debe examinar al niño que manifiesta estos síntomas.

¿Puede usted resumir esta corta conversación?

Sí. Esto probablemente se aplique a la mayor parte de los temas presentados en esta obra. Los síntomas con frecuencia aparecen sin que haya una causa evidente. La madre alerta, o el padre, pronto podrá detectar si algo no funciona debidamente en su hijo, ya se trate de un bebé, una criatura o un niño mayorcito.

Si advierte algo que le parece anormal, no debe demorar en llevar al niño al médico. La atención a tiempo producirá un desenlace feliz. En cambio, la demora puede producir muchas dificultades a corto y a largo plazo.

capítulo 26

Enfermedades del aparato urinario

EN ESTE CAPÍTULO

- Síntomas.
- Cómo funciona.
- Infección del tracto urinario y de la vagina.
- Síndrome nefrítico agudo y progresivo.
- Síndrome nefrótico.

Sin duda usted se ha dado cuenta de la importancia que tienen para los niños la defecación y el acto de orinar. Desde que nacen ese extremo del cuerpo parece llamarles poderosamente la atención. Supongo que tienen un interés similar por el otro extremo del tubo, por donde comen. Da la impresión de que para ellos es la manifestación más evidente de que están vivos.

Así es. Las madres se preocupan si su hijito o hijita no aprenden a controlar los esfínteres (defecación y orina) cuando ellas creen que deben hacerlo. Algunas se enojan, los reprenden y hasta los castigan injustamente. El control de las funciones eliminatorias requiere un grado de madurez de los músculos y los nervios participantes. Cada criatura madura de acuerdo con el plan que ya viene establecido en los genes. Los reproches y castigos sólo trastornarán el desarrollo adecuado de ese plan. La actitud correcta debería ser de interés en el desarrollo de esas funciones y de enseñanza de los hábitos correctos relativos a la eliminación.

Síntomas de enfermedad de la vejiga

¿Cuáles son los síntomas generales que podrían indicar a los padres la existencia de un problema en la vejiga de sus hijos?

Los síntomas generales incluyen la cantidad de veces que orina. La criatura puede sentir dolor, ardor o deseos de orinar poco después de haberlo hecho. Puede ser incapaz de retener la orina. Esto puede ir acompañado de fiebre, con enuresis (mojarse en la cama) y deshidratación. La orina puede tener olor desagradable o muestras de sangre. Puede haber calambres y dolores abdominales, dolor en la espalda, náuseas y transpiración. La pérdida del apetito es algo común.

Función de los riñones

Algunos dicen que los riñones son los filtros del cuerpo.

Así es, y eso es precisamente lo que hacen. La sangre, en su recorrido por el cuerpo, pasa constantemente por esta intrincada red purificadora. El microscópico mecanismo de los riñones filtra una enorme cantidad de líquido. Una buena parte de él se reabsorbe y vuelve al torrente sanguíneo.

La sangre contiene una gran cantidad de sustancias químicas, alimentos, vitaminas y minerales que lleva a las células para mantenerlas vivas. Provee, además, el combustible y el oxígeno necesarios para producir energía. Pero al entregar estos materiales necesarios a los músculos y órganos, recibe en cambio los productos de desecho del metabolismo, que deben ser eliminados de la sangre, función que cumplen los riñones.

¿Qué sucede cuando los materiales de desecho se eliminan de la sangre?

Se los transporta en forma de líquido, mayormente agua, desde los riñones hasta la vejiga, por medio de dos tubos, uno para cada riñón, llamados uréteres. El líquido, la orina, sale al exterior por la uretra. A esto se

EL APARATO URINARIO

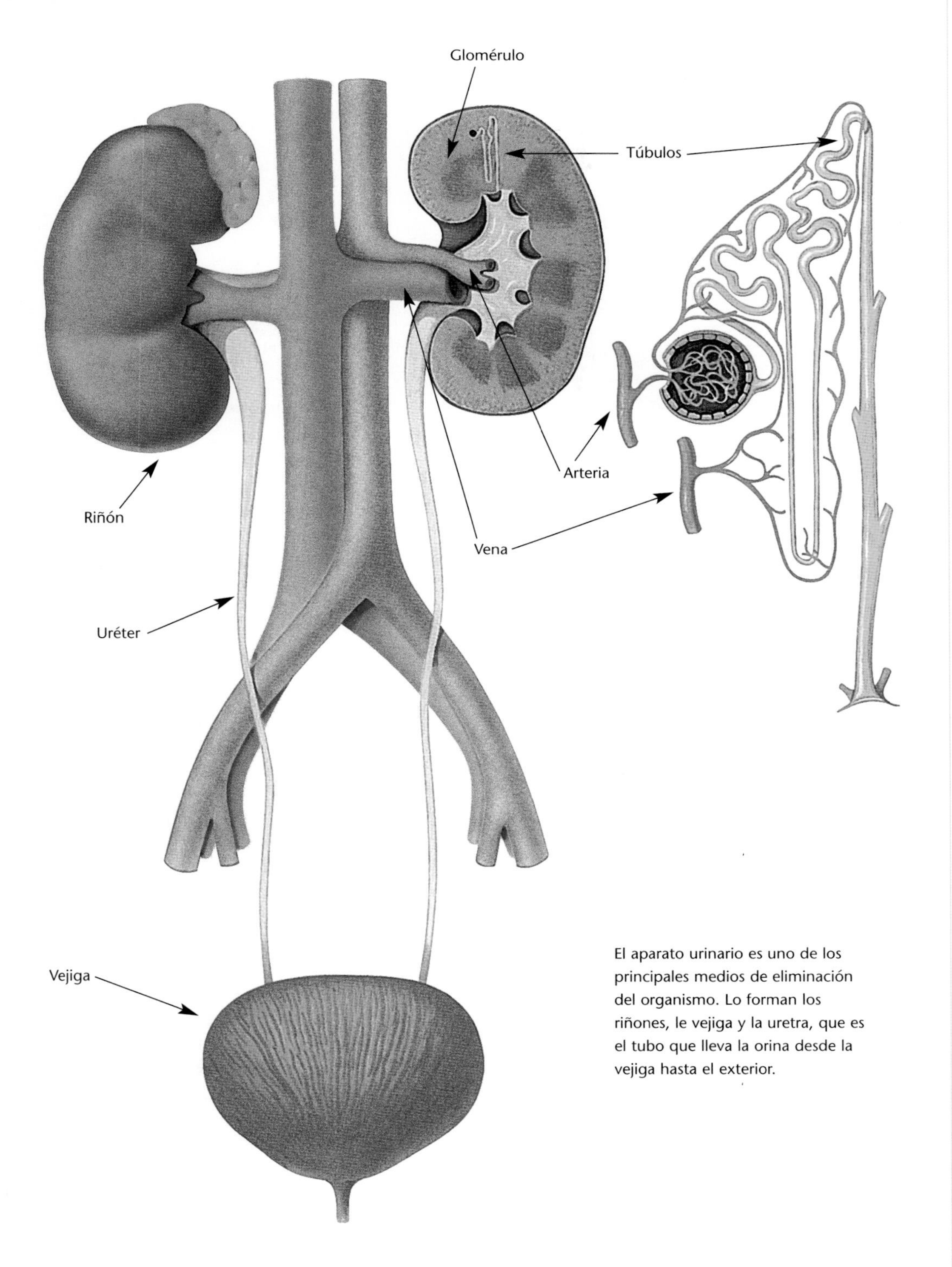

El aparato urinario es uno de los principales medios de eliminación del organismo. Lo forman los riñones, le vejiga y la uretra, que es el tubo que lleva la orina desde la vejiga hasta el exterior.

Muchos niños contraen infecciones de la vejiga. Los padres deben estar alerta para descubrir los síntomas del caso.

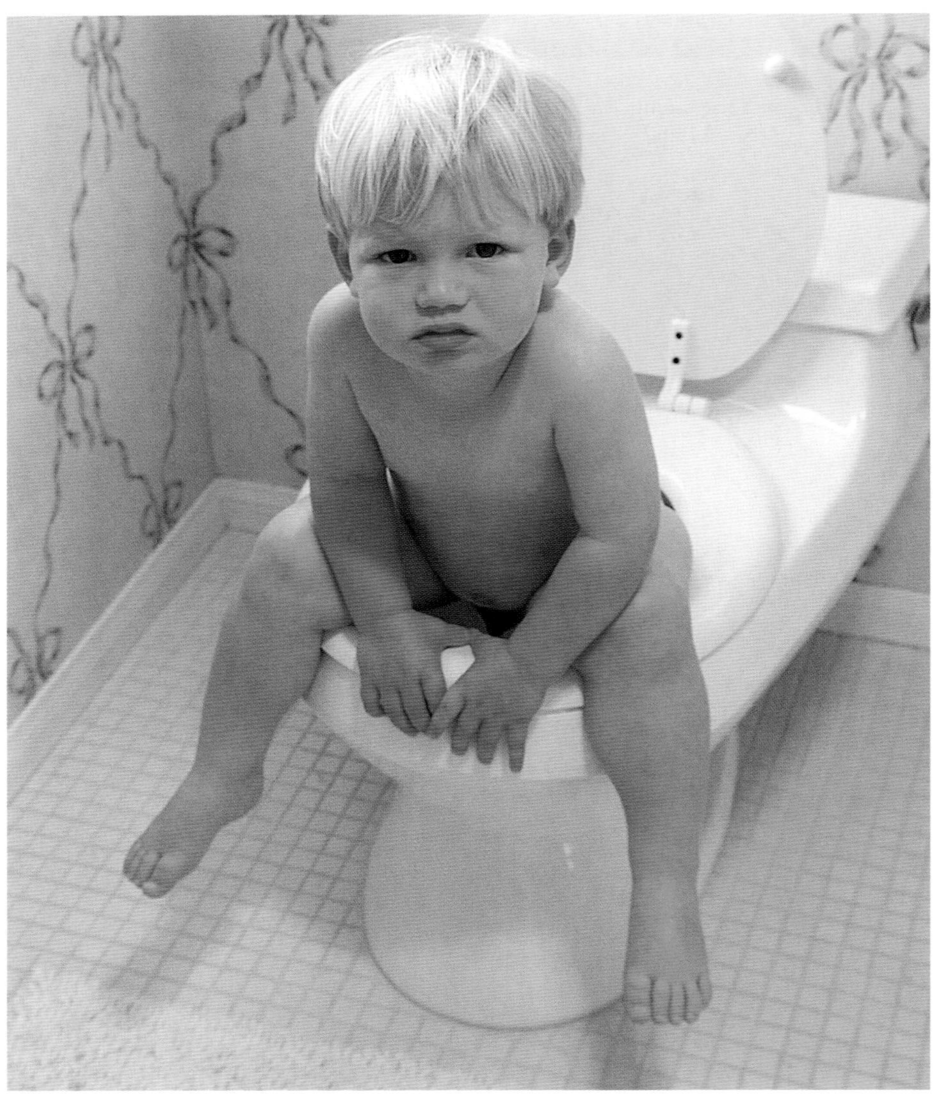

llama micción o acto de orinar.

¿Tienen los riñones alguna otra función?

Sí. Mantener en equilibrio los diferentes elementos que componen el aparato circulatorio. El cuerpo necesita que haya un delicado equilibrio en la gran cantidad de sustancias químicas de la sangre. Los riñones cumplen de forma admirable esta función. También producen sus propias hormonas, que desempeñan un papel importante en el mantenimiento de la presión de la sangre en sus niveles normales. Si producen demasiadas hormonas la tensión arterial puede llegar hasta un punto peligroso.

¿Pueden las afecciones congénitas dañar a los riñones?

Sí. Los riñones y el corazón sufren con más frecuencia que otros órganos las consecuencias de las malformaciones congénitas, es decir, las que el bebé trae al nacer. A veces se forman quistes, o bien los tubos pueden estar parcial o totalmente bloqueados. Pueden producirse graves desórdenes renales llamados hidronefrosis.

Podría añadir que en los años recientes, con los nuevos y más sofisticados métodos que existen para examinar a los bebés, muchas de esas malformaciones se pueden descubrir antes que ellos nazcan. En algunos casos ciertos audaces cirujanos han operado a los bebés antes de nacer, han rectificado las anormalidades existentes y han esperado que se produjera el nacimiento. Se han hecho con éxito varios de estos intentos. Estoy seguro de que en el futuro habrá muchos más de estos triunfos. Es un campo sumamente interesante y me entusiasma.

Puesto que el aparato urinario está en comunicación con el exterior, ¿está expuesto a infecciones lo mismo que la garganta o los pulmones?

Así es. Los problemas más comunes los causan diversos microorganismos que invaden la vejiga y los riñones.

Infecciones del sistema urinario

¿Le parece a usted que la mayor parte de los niños y las niñas contraen infección de la vejiga?

Es una infección muy común. El examen de gran número de escolares revela que muchos menores, especialmente niñas, al-

Una enorme cantidad de fluidos pasa por el mecanismo microscópico de esos asombrosos filtros que son los riñones.

Un niño con una infección urinaria debe beber abundancia de líquidos, ya sea agua o jugos de fruta.

bergan gérmenes infecciosos en la vejiga. Esta infección no produce síntomas, por lo que se la llama bacteriuria silenciosa. Los gérmenes pueden permanecer inactivos por un tiempo, pero si baja la temperatura del cuerpo, por alguna razón, se multiplican y hacen sentir su indeseada presencia.

¿Qué clase de síntomas producen?

El niño afectado siente frío y tiene escalofríos. Puede tener algo de fiebre. Siente frecuentes deseos de orinar, lo que puede ser doloroso, especialmente cuando salen las últimas gotas. Con frecuencia quiere volver a orinar pocos minutos después. Por cierto que la cantidad de orina en este caso es muy escasa, y puede producir ardor y dolor.

A veces la orina tiene mal olor, es turbia o presenta vestigios de sangre, lo cual no es una buena señal. La vejiga puede ponerse sensible, con dolor en la parte baja de la espalda. Los riñones se encuentran en esa región y puede haber dolor en lo que los médicos llaman el "ángulo renal".

El paciente se puede sentir mal, tiene deseos de vomitar, está inapetente, tiene la piel húmeda y caliente, y se siente deprimido.

+ *Tratamiento*

¿Cuál es el mejor tratamiento?

Cuando los síntomas son agudos hay que hacer examinar al niño enfermo por el médico. Este pedirá un análisis de orina. El patólogo buscará elementos anormales, como sangre o albúmina, lo que revela que los riñones no están funcionando bien.

El patólogo también hará un cultivo de los gérmenes para identificarlos. Al mismo tiempo probará con antibióticos para determinar cuál de ellos es el más eficaz, o antibiograma con el fin de eliminar el microorganismo causante de la infección.

¿Qué sucede después?

El médico prescribirá un tratamiento de emergencia, que se podrá modificar después, cuando se disponga de los resultados de los análisis. En la actualidad existen numerosos antibióticos capaces de eliminar cualquier infección de la vejiga y del sistema renal. Algunos médicos dan una sola dosis fuerte. Otros prefieren continuar la terapia durante un tiempo, para eliminar hasta el último vestigio de infección.

¿Se prescriben también otros medicamentos?

Por cierto que sí. Se suelen dar "agentes alcalinizadores" que le dan a la orina una reacción alcalina, lo que ayuda a destruir los gérmenes que producen la infección. Pero otros antibióticos son más eficaces en un medio ácido.

El niño con una infección de la vejiga debe tomar mucho líquido, Puede ser agua, jugo de fruta cocida (compota) o jugos de fruta fresca. Cuando hay fiebre y dolor, la administración de paracetamol es eficaz. Es mejor no dar aspirina. Si el niño no come bien, puede añadirse glucosa al jugo que se le da, porque disminuye las náuseas y al mismo tiempo alimenta. La glucosa tiene la misma composición de algunos alimentos en el momento de su absorción por el intestino, y es una forma muy conveniente de alimentar a enfermos graves.

Chupar trocitos de hielo alivia los vómitos. Puede prepararse hielo con sabor a limonada. Un esponjamiento rápido con agua tibia contribuirá a que el niño enfermo se sienta mejor. Si está acalorado y fastidioso, la aplicación de un paño de agua fría en la frente lo tranquilizará.

Infecciones vaginales

Entiendo que las infecciones vaginales son bastante comunes.

Así es. El estrecho canal vaginal de las niñas es una fuente de infecciones. A veces ciertos vermes intestinales que salen al exterior entran en la vagina, donde producen irritación e infección con descarga de líquido e intensa picazón. También puede haber falta de higiene personal, lo que permite que los gérmenes infecciosos proliferen, y causen molestias y un olor desagradable.

Las niñas pequeñas a veces introducen diversos objetos en la vagina, como porotos secos (fríjoles), bolitas, piedrecitas, trocitos de plástico de los juguetes, pequeños rollos de tela, etc. Estos objetos pueden producir irritación crónica con mal olor y flujo. La eliminación del objeto irritante produce alivio inmediato.

+ *Tratamiento*

¿Qué deben hacer los padres cuando descubren los síntomas mencionados?

Mantener limpia la región afectada y

asegurarse que la niña practique las medidas de higiene necesarias. Eso es responsabilidad de los padres, y numerosos casos de infección se deben al descuido de ese deber. Tal vez no creen que a esa edad la vagina deber ser objeto de medidas higiénicas.

¿Y en los casos en que no hay falta de higiene?

En esos casos se debe llevar al médico a la niña afectada. Él la examinará para comprobar si hay objetos extraños, vermes, infecciones, diabetes o cualquier otra causa posible. En la mayor parte de los casos un simple examen y un sencillo tratamiento solucionarán el problema.

Glomerulonefritis aguda

Hasta aquí nos hemos referido a infecciones superficiales y afecciones de las vías urinarias causadas por gérmenes que se encuentran presentes especialmente en las secreciones. Pero, ¿qué se puede decir de las enfermedades del riñón?

La glomerulonefritis aguda es una de ellas y afecta la estructura misma del riñón. Con frecuencia puede ocurrir una infección que parece sencilla en la garganta o la piel, que puede ser causada por un germen llamado estreptococo.

Al cabo de dos o más semanas aparecen los síntomas de inflamación en el riñón, y para entonces la inflamación original ya ha desaparecido. Ahora el niño puede sentirse vagamente enfermo. Puede aparecer sangre en la orina, y el volumen de la orina puede ser menor que de costumbre. Como el niño retiene líquido, puede haber aumento de peso, dolor de cabeza, molestias abdominales y fiebre.

¿Qué más sucede?

La enfermedad puede empeorar lentamente o con rapidez. La presión sanguínea puede aumentar rápidamente, lo cual de vez en cuando ejerce un efecto adverso sobre el cerebro. Puede producir desmejoramiento mental y confusión. El paciente puede estar nervioso, tener trastornos en la visión, tener convulsiones y hasta entrar en coma. Afortunadamente, este grado avanzado de gravedad no es frecuente, pero es una posibilidad que los padres deben tener en cuenta. Con el tiempo esta afección puede dañar gravemente el corazón y los riñones.

+ *Tratamiento*

¿Qué deben hacer los padres cuando descubren estos síntomas en su hijo?

Creo que deben estar al tanto de las posibilidades, los riesgos y los peligros. Cuando hay sangre en la orina siempre se trata de una señal que no augura nada bueno, y es necesario investigarla sin pérdida de tiempo. No use remedios caseros en este caso; lleve, en cambio, al niño enfermo sin pérdida de tiempo al consultorio, y lleve también una muestra de orina. Los análisis y el tratamiento adecuado aplicado a tiempo producirán buenos resultados.

La mayor parte de los casos sanan sin inconvenientes: pero una minoría entra en un estado crónico y más grave de la enfermedad.

Síndrome nefrítico progresivo

¿Es consecuencia de un ataque agudo?

A veces un ataque agudo produce el síndrome nefrítico progresivo, enfermedad que también se conoce con el nombre de glomerulonefritis crónica. En esta afección los riñones sufren un daño tan grande que los filtros se destruyen al punto que la sangre y la proteína (albúmina) pasan sin problemas a la orina. Esto no ocurre normalmente, y siempre es una señal de grave daño. No todos los casos resultan de una infección aguda, porque a veces esta afección aparece sin causa reconocida.

¿Cuáles son los síntomas que los padres deberían observar?

En las primeras etapas hay pocos síntomas. Pero a veces hay sensación de enfermedad, fatiga, cansancio fácil, vómitos, dolor de cabeza y movimientos sin objeto. Puede haber ofuscación mental y desorientación. El médico puede encontrar aumento de la tensión arterial, proteína en la orina e hinchazón o edema de los miembros inferiores.

Los análisis de orina revelan la presencia de bastante sangre y proteína. Eso puede servir para determinar cuán grave es la enfermedad.

+ *Tratamiento*

¿En qué consiste el tratamiento?

Aquí tampoco hay lugar para los remedios caseros. El niño debe ser hospitalizado sin pérdida de tiempo, para confiarlo a manos expertas con el fin de que le administren el tratamiento adecuado y velen por su recuperación, que puede ser un proceso largo.

Espero que los padres encuentren en esta exposición el acicate necesario para que comprendan el peligro que implican los desórdenes de las vías urinarias. Sólo la detección rápida y la acción apropiada producirán buenos resultados.

Síndrome nefrótico

Esto me causa la impresión de ser otra de esas funestas enfermedades renales.

Así es. Puede ocurrir en menores desde 18 meses hasta los 5 años. Grandes cantidades de proteína pasan a la orina. Hay tendencia a la retención de líquido en los tejidos, de modo que el niño aumenta de peso y puede verse hinchado. Puede haber falta de apetito, mala nutrición, trastornos intestinales e infecciones superpuestas. El pequeño paciente se encuentra con frecuencia deprimido y triste. Es una dolencia grave, de modo que cuanto antes se lo lleve al médico tanto mejor será.

¿Diría usted que el conocimiento y la preocupación de los padres son vitales en las diversas enfermedades de los riñones y la vejiga?

Claro que sí. Su percepción atenta puede descubrir a tiempo síntomas indicadores de enfermedad. Los padres, fuera de tratar las infecciones leves en el hogar, deben comprender que la mayor parte de ellas requiere la pronta intervención del médico. Espero haber alertado a los padres para que comprendan la necesidad de esto, y la urgencia de un diagnóstico precoz y un tratamiento adecuado lo antes posible.

Enfermedades renales crónicas en los niños

Puesta al día

"La incidencia de la deficiencia renal crónica en los niños es de alrededor de 2 por millón, por año, del total de la población", escribe el Dr. John Murtagh, que por muchos años fue profesor de Clínica General en la Universidad Monash de Melbourne, Australia. Es relativamente poco común, pero es grave cuando aparece.

Las causas más comunes son la glomérulonefritis, la nefropatía (enfermedad del riñón) obstructiva y la nefropatía de reflujo. Esto significa que hay obstrucciones en el mecanismo de filtrado del riñón, o que este ha sufrido daños como consecuencia del "reflujo" de la orina, o las regurgitaciones de los uréteres hacia la vejiga.

A veces las anomalías estructurales del riñón se pueden descubrir mediante estudios con ultra sonido antes de que el bebé nazca y cuando todavía está en el vientre de la madre. Hay casos en que se puede llevar a cabo una cirugía correctiva. Descubrir a tiempo las infecciones urinarias y tratarlas de inmediato siempre es beneficioso.

El tratamiento consiste en diálisis o transplante de riñón para niños de más de dos años que padecen de alguna nefropatía terminal. De acuerdo con el Dr. Murtagh, para niños de menos de dos años hay complejos problemas éticos, psicológicos y técnicos. "Lamentablemente, el pronóstico de tales tratamientos no es optimista", dice él.

Además de los tratamientos caseros para las infecciones urinarias leves, se requiere la pronta atención de los especialistas.

capítulo 27

La sangre: su función, su comportamiento y sus enfermedades

EN ESTE CAPÍTULO

- Síntomas de trastornos del aparato circulatorio y su funcionamiento.
- Anemia, leucemia (cáncer de la sangre), hemofilia.
- Púrpura (hemorragia de la piel y las mucosas).
- Deficiencias del sistema inmunológico.

Siento admiración por las madres, porque dedican gran parte de su vida al cuidado y la crianza de sus hijos.

Estoy de acuerdo. La crianza y la educación de una familia de dos a cuatro hijos ocupa alrededor de un cuarto de siglo de la vida de la madre. Eso es mucho tiempo. He conversado con las madres y sus hijos por más de 30 años, y siempre me causa mucha satisfacción ver la forma como cuidan de su familia.

¿Cree usted que las madres y los padres le dan al bienestar de sus hijos la primera prioridad?

La mayor parte lo hace. Hay padres y madres que se interesan más en su propio bienestar que en las necesidades de sus hijos, pero los padres en general hacen todo lo posible para proveer a sus hijos de educación y las cosas esenciales de la vida, a menudo a costa de su bienestar personal.

¿Es igual el papel del padre al de la madre en la familia?

Existe más equivalencia cuando ambos trabajan con respecto al cuidado de los hijos. Todo esto suponiendo que el padre reconoce y acepta la parte que le corresponde como colaborador de su esposa en las tareas hogareñas y como educador de sus hijos. El padre es un miembro importante de la familia y no sólo el proveedor de los recursos financieros necesarios para el funcionamiento del hogar. Cuando está en casa puede ayudar en el cuidado de los hijos mientras la madre prepara la comida, lava la ropa, amamanta al bebé o le plancha las camisas. Además, el padre puede satisfacer las necesidades emocionales de sus hijos. Puesto que la mayor parte del tiempo trabaja mientras los hijos están en la escuela, debe dedicar tiempo a conversar y jugar con sus hijos, a escuchar sus puntos de vista e inculcarles valores, normas, y principios éticos y morales que serán las piedras fundamentales del carácter de los menores y adolescentes.

Si tiene hijos o hijas en esa edad, debe preocuparse por comprenderlos, conocer sus necesidades especiales, escuchar sin criticarlos ni condenarlos, y guiarlos para que amen y obedezcan a Dios, y eviten las trampas de una sociedad decadente que están destruyendo el cuerpo, la mente y el espíritu de miles de adolescentes y jóvenes.

En una familia feliz y de éxito, tanto el padre como la madre desempeñan un papel integrado en la responsabilidad de proveer los cuidados que sus hijos necesitan. Y una

La circulación de la sangre

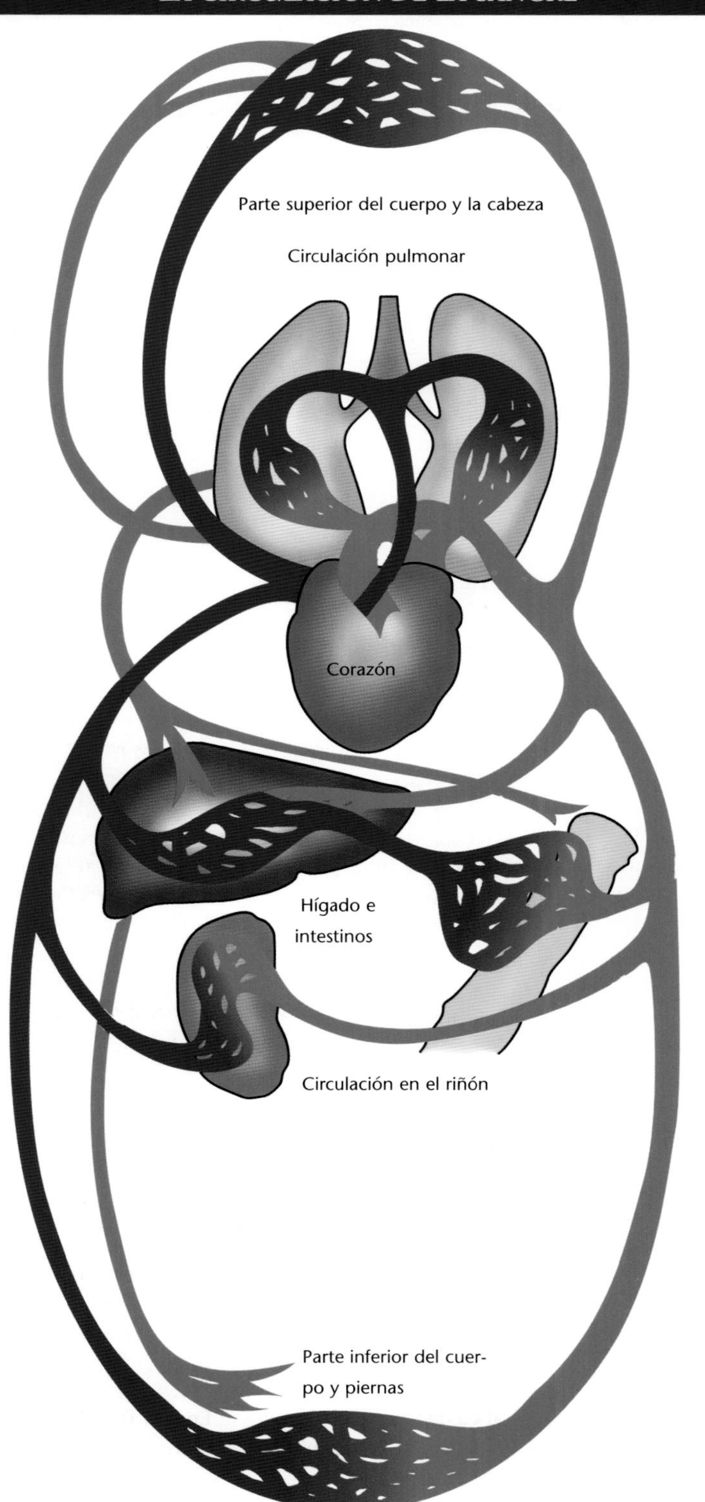

En rojo: Sangre arterial que sale del corazón. En azul: Sangre venosa que vuelve a los pulmones a través del corazón para recibir una nueva provisión de oxígeno.

de las responsabilidades de los padres consiste en proporcionar a su familia alimentación agradable y de buena calidad que contribuya a la formación de sangre vitalizadora de todo el organismo.

¿Cuál es la importancia de la sangre?

Es un elemento de gran importancia en el cuerpo, porque es lo que le da vida, ya que pone al alcance de las células el oxígeno, los nutrientes, las vitaminas, los minerales y tantos otros elementos indispensables para que tenga salud y vigor. Afortunadamente tenemos una cantidad apreciable de sangre. Cuanto mejor sea su calidad, tanto mejor nos sentiremos. Si pierde su riqueza y se deteriora, entonces sufrimos individualmente y también sufre nuestra familia al vernos débiles, sin ánimo ni entusiasmo, o enfermos.

Puesto que los glóbulos rojos y blancos son vitales para el bienestar del organismo, deben llegar a todas partes. Eso se logra gracias a la circulación de la sangre.

Síntomas de afecciones de la sangre

¿Cuáles son algunos de los síntomas que pueden revelar a los padres la existencia de alguna afección en la sangre de sus hijos?

Hay muchos síntomas. Uno de los primeros y más comunes es la palidez de la piel que hasta entonces había sido normal. El niño pierde el entusiasmo, la vivacidad y la vitalidad. Aparecen con frecuencia lasitud, fatiga, irritabilidad y mal humor. Las uñas se tornan quebradizas y se deforman. Hay algo de fiebre, magulladuras anormales de la piel, sangran las encías y la boca, hay sangre en la orina. El abdomen puede hincharse. Puede haber ictericia (piel amarilla). Si el niño tiene uno o varios de estos síntomas, los padres deben llevarlo al médico.

Composición de la sangre

¿Qué es la sangre? Sé que es el liquido rojo que mana de una herida. Pero, ¿cuál es su composición?

La sangre está compuesta por dos partes. Si ponemos sangre en un tubo de ensayo y la dejamos reposar algunos minutos, la parte inferior se espesa y adquiere un color rojo oscuro; en cambio la porción superior comienza a aclararse a medida que pierde su coloración roja. Finalmente se forma un líquido claro y amarillento.

¿Qué significa esto?

Significa que la sangre se está separando en las partes que la componen. Primero está la parte sólida, que contiene los glóbulos rojos, los glóbulos blancos y las plaquetas que tienen que ver con la coagulación de la sangre.

La otra parte está compuesta por líquido, y es el vehículo que transporta las células en su viaje por el cuerpo. Como los glóbulos rojos son vitales para el bienestar general del cuerpo, es necesario llevarlos a todas partes.

Los glóbulos rojos (hematíes)

¿Cuál es el significado de estas diferentes partes? Comencemos por los glóbulos rojos.

Los glóbulos rojos o hematíes son los elementos que transportan el oxígeno. El color rojo se debe a la hemoglobina, una sustancia de color oscuro que tiene una enorme afinidad con el oxígeno. Cuando se la expone a él, absorbe grandes cantidades de ese gas y adquiere un color rojo brillante al convertirse en oxihemoglobina.

¿Dónde ocurre todo esto?

Este proceso se lleva a cabo en los diminutos alveolos pulmonares, donde el aire que inspiramos se pone en contacto con tubos microscópicos llamados capilares. Sólo una tenue membrana separa la sangre del aire. En ese momento la hemoglobina de la sangre está llena de bióxido de carbono, otro gas que recoge la sangre en su viaje por el cuerpo. Cuando un glóbulo rojo se pone en contacto con el oxígeno, libera el gas carbónico y absorbe el oxígeno. En ese momento su color cambia de azulado oscuro a rojo brillante. De allí continúa su recorrido y entra en la circulación arterial, y se lo envía, con millones de otros glóbulos rojos, a vitalizar el organismo.

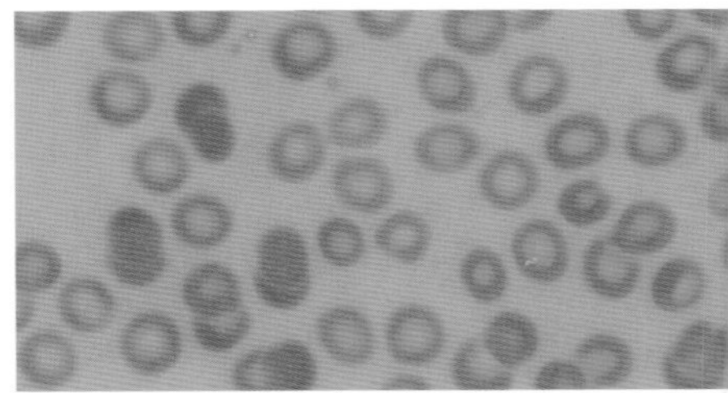

Visión microscópica altamente ampliada de los glóbulos rojos de la sangre.

¿Qué sucede con el oxígeno?

Finalmente, la sangre llega nuevamente a diminutos capilares en los diversos órganos y músculos del cuerpo, donde las células absorben de los glóbulos rojos el oxígeno que necesitan para producir energía, y entregan el bióxido de carbono y otros productos de desecho del metabolismo que pasan a la circulación sanguínea. La hemoglobina absorbe el bióxido de carbono y así comienza el largo viaje de regreso a los alveolos pulmonares, donde se efectuará la renovación del oxígeno. Debemos añadir que otras impurezas pasan a la parte líquida de la sangre para que la filtren los riñones. Esas impurezas salen al exterior con la orina.

Los glóbulos blancos (leucocitos)

¿Cuál es la función de los glóbulos blancos?

Los glóbulos blancos cumplen una función muy importante. Constituyen el ejército protector del cuerpo que se moviliza en momentos de emergencia para lanzar un vigoroso ataque contra cualquier invasor peligroso capaz de perjudicar el organismo. Están compuestos por diversas células que cumplen tareas especializadas.

Si en cualquier parte del cuerpo se produce una infección, los glóbulos blancos se reúnen y lanzan un activo ataque contra los gérmenes. Se aproximan a ellos y los envuelven, proceso que se denomina fagocitosis. Los glóbulos blancos mueren con el microbio en su interior, y así se forma el pus.

Cuando hay una infección, el organismo produce rápidamente millones de glóbulos blancos, lo que se puede apreciar en un análisis de sangre. El aumento de glóbulos blancos o leucocitos recibe el nombre de leucocitosis. Cuando se produce una marcada disminución de los leucocitos en la sangre, se tiene una leucopenia, lo que puede ser peligroso en caso de infección.

¿De dónde proceden todas estas células?

Se producen en diversos lugares del cuerpo. La médula de los huesos largos es uno de ellos. Otras se forman en las ganglios linfáticos, en el hígado y en el bazo. Una glándula situada en la parte superior del tórax de los niños, el timo, también produce cier-

Cuando la gente vive a grandes alturas, donde los niveles de oxígeno del aire son bajos, la médula de los huesos recibe estímulos especiales con el fin de producir glóbulos rojos en mayor cantidad, de modo que no disminuya la capacidad de la sangre de llevar oxígeno hasta los lugares más remotos del organismo.

Las diferentes clases de células de la sangre

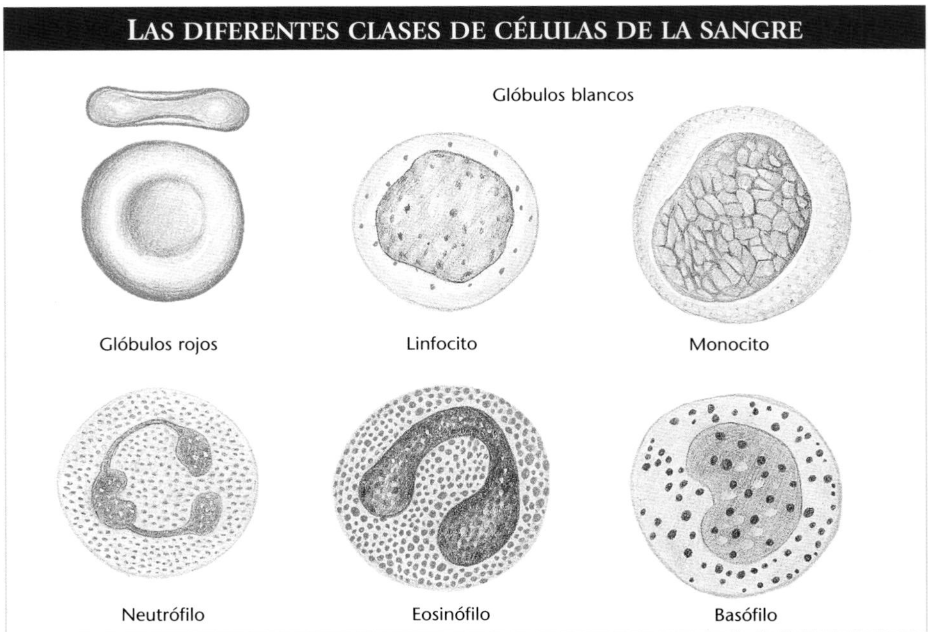

tas clases de glóbulos blancos.

Otra parte sólida de la sangre son las plaquetas, partículas microscópicas que desempeñan un papel importante en la coagulación de la sangre.

El componente líquido de la sangre

¿Qué es el componente líquido de la sangre?

Las células que acabamos de describir no servirían de mucho si no tuvieran un medio líquido para circular. Esto es vital. Pero además de proporcionar a las células libertad de movimiento dentro del organismo, también contiene importantes sustancias químicas. Transporta una gran cantidad de elementos, todos indispensables para el buen funcionamiento del organismo.

Entre las sustancias químicas contenidas en la parte líquida de la sangre figuran las que protegen el cuerpo contra numerosas enfermedades, como parte del llamado sistema inmunológico. Cuando una enfermedad ataca, el organismo produce compuestos químicos que en el futuro protegerán contra otros ataques de la misma enfermedad. Esta es la base científica de las vacunas que se dan en la infancia. Producen inmunoglobulinas en la sangre, y permanecen en ella indefinidamente para proteger el cuerpo contra los ataques de los microorganismos productores de la enfermedad.

¿Qué otras funciones cumple la parte líquida de la sangre?

Transporta una gran cantidad de elementos. Distribuye vitaminas, minerales y nutrientes por todo el organismo. Cuando una persona recibe medicamentos, también a estos los transporta este medio líquido.

¿Qué mantiene en movimiento la sangre?

La acción de bombeo del corazón. Cada vez que este se contrae, envía la sangre por medio de una arteria de gran tamaño llamada aorta. Es sangre oxigenada, de color rojo brillante. De allí circula a través de un gran número de arterias cuyo calibre se va reduciendo paulatinamente hasta convertirse en arteriolas microscópicas y capilares, en las que se produce el intercambio de gases.

¿Qué sucede después?

La sangre sin oxígeno y con bióxido de carbono fluye gradualmente de los capilares y las venas, que cada vez son de mayor calibre, hasta que vuelve al corazón y de allí se la lleva a los pulmones para recibir una nueva provisión de oxígeno y despedir el bióxido de carbono. Esta sangre fluye nuevamente hacia el corazón, y de allí se la transporta a la arteria aorta y se la lleva a todo el organismo. Este ciclo nunca termina mientras la persona vive.

¿Qué enfermedades pueden afectar el aparato circulatorio?

Todos los órganos del cuerpo pueden enfermarse. El sistema hematológico no es la excepción. Todas sus partes son vulnerables. Si los glóbulos rojos se afectan y disminuyen en cantidad, o bien si no hay suficiente hemoglobina en cada glóbulo rojo, se produce una enfermedad que se llama anemia. Los bebés y los niños necesitan muchos glóbulos rojos; cualquier reducción por debajo del nivel normal se manifiesta rápidamente mediante diversos síntomas.

¿Qué más nos puede decir acerca de los glóbulos blancos o leucocitos?

La afección más grave de los leucocitos es su proliferación descontrolada, enfermedad denominada leucemia. Hasta no hace mucho este tipo de cáncer de la sangre era una enfermedad de elevada mortalidad. Pero en la actualidad se dispone de medicamentos que la pueden controlar en muchos casos. En algunos de ellos las diminutas plaquetas, elementos que contribuyen a la coagulación de la sangre, disminuyen en cantidad, lo que puede producir varias afecciones hemorrágicas y magulladuras de la piel.

Las inmunoglobulinas (anticuerpos formados por las células plasmáticas de la sangre) pueden ser deficientes o estar ausentes, lo que causa problemas especiales que con-

CÓMO SE PRODUCE LA COAGULACIÓN DE LA SANGRE

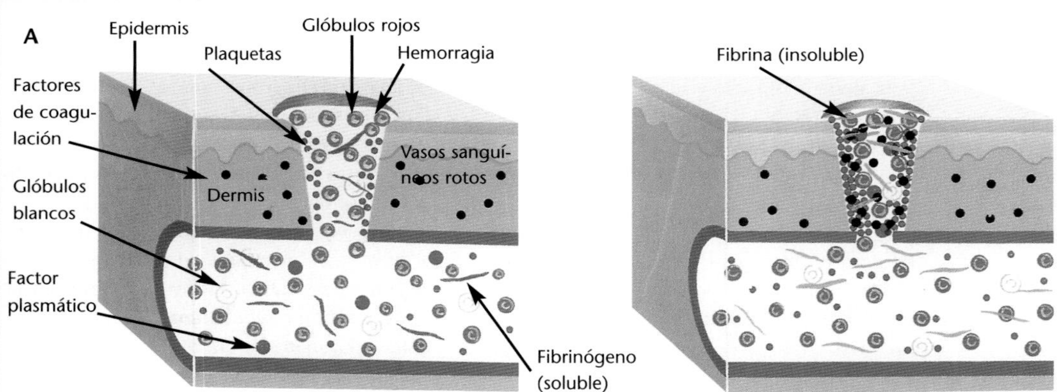

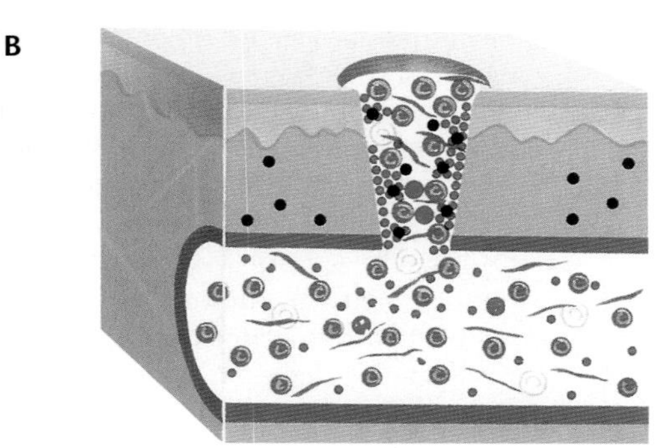

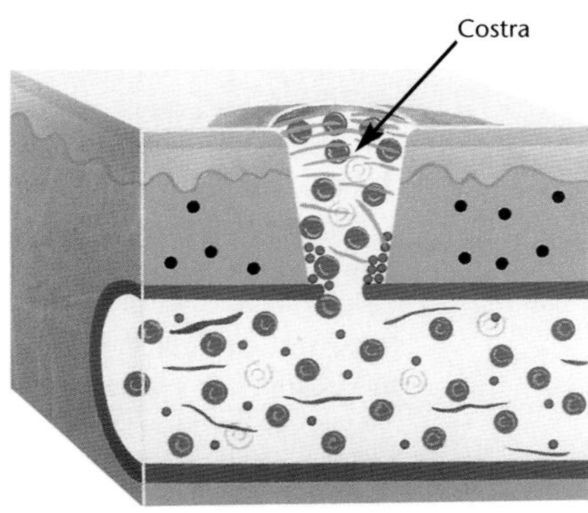

(A) Cuando se produce una herida, los vasos sanguíneos se rompen y sangran; las plaquetas (células pegajosas de la sangre) acuden al lugar para sellarlo. (B) Se liberan los factores de coagulación de los tejidos y se produce la intervención de los factores plasmáticos de la coagulación. (C) La reacción de las plaquetas, de ambos tipos de factores y de otros agentes coaguladores, convierte el fibrinógeno (una proteína) en filamentos de fibrina. Esto se convierte en una red gelatinosa que cubre la herida. (D) Las plaquetas y células de la sangre atrapadas en esta red producen suero (sangre sin factores de coagulación) que sale al exterior y forma una costra, impidiendo que las bacterias penetren y produzcan una infección.

tribuyen a que el niño afectado sea vulnerable a las enfermedades.

Anemia

¿Qué es la anemia?

La anemia es un trastorno que afecta a los hematíes o glóbulos rojos de la sangre, caracterizado por la disminución de la hemoglobina por debajo de los niveles normales, y a veces por la disminución de la cantidad de glóbulos rojos. Además, numerosos glóbulos rojos son de estructura anormal, lo que se denomina poiquilocitosis.

¿Cómo puede una madre saber si su hijo tiene alguna forma de anemia?

Con frecuencia el único síntoma es la palidez del niño. Pero además, se cansa fácilmente, y en lugar de correr y saltar con sus amiguitos se sienta a mirar cómo juegan. Se queja de debilidad y cansancio, estado que empeora con la actividad aunque sea moderada. Después se muestra más apático, tiene mal genio y se pone irritable, rasgos que no tenía antes.

¿Cambia la forma de las uñas en los anémicos?

En algunos casos, cuando la enfermedad ha durado mucho, las uñas adquieren la forma de una cuchara. Este síntoma basta para saber que la persona padece de anemia. Las uñas crecen con lentitud y se parten con facilidad. El crecimiento del niño se atrasa, y si no se trata la enfermedad, el corazón, el hígado y el bazo se hipertrofian, es decir, aumentan de tamaño.

A veces el niño padece de un mal denominado "pica", que es la ingestión indiscriminada de sustancias no nutritivas o perjudiciales, como hielo, tiza, trozos de papel, tierra, greda, hierba y piedrecitas. Cuando se cura la anemia desaparece la pica.

¿Qué debe hacer la madre cuando descubre alguno de estos síntomas en el niño?

Debe llevarlo al médico, quien ordenará análisis de sangre y otras pruebas para confirmar su diagnóstico de cantidad reducida de glóbulos rojos e insuficiencia de hemoglobina, que es característico de la anemia.

✚ *Tratamiento*

¿En qué consiste el tratamiento?

El médico prescribe con frecuencia hierro en jarabe o en tabletas, lo que depende de la edad del niño. Las tabletas de hierro suelen ser de colores atractivos, por lo que algunos niños suponen que son golosinas. Las dosis excesivas de hierro son peligrosas y hasta pueden poner en peligro la vida. Por eso hay que guardar este y otros medicamentos fuera del alcance de los menores. Esta es una regla que todas las madres deben observar, porque en caso contrario podría ocurrir una tragedia en el hogar.

¿Qué más sugiere?

A veces se da vitamina C, porque contribuye a la absorción del hierro. Otras veces se agrega vitamina B_{12}, y aun otras se agrega ácido fólico o ambos. Muchos alimentos naturales son ricos en hierro, y es buena idea incluirlos en la alimentación diaria. El hígado de vaca (res) o de cordero es la fuente natural más rica en hierro; pero la carne de vaca (res) también contiene cantidades apreciables. Las frutas amarillas también tienen hierro, lo mismo que los damascos, los duraznos, las ciruelas y las pasas (uvas secas). Las zanahorias, las espinacas, las lentejas (guisantes), los boniatos (camotes, batatas), los cereales integrales, los huevos, la leche y las manzanas también son fuentes adecuadas de hierro. Afortunadamente el hierro abunda en los alimentos naturales, de modo que si el régimen alimentario incluye gran variedad de ellos, la familia no tiene por qué carecer de este mineral.

Algunos médicos arguyen que la leche, que contiene hierro, no es un alimento conveniente, porque algunos niños no la toleran bien. Si tal es el caso en su familia, reemplácela por leche de soja (soya) o algún otro artículo parecido. Pero los niños que no tienen este problema pueden disfrutar de ella.

¿Cómo se siente el paciente anémico?

El niño anémico comienza a sentirse más animado y alerta con el tratamiento. Manifiesta interés en los juegos activos, vuelve el color a las mejillas. El médico comprueba el progreso con nuevos análisis de sangre. Si se descuida el tratamiento puede producirse una recaída.

Aunque esta anemia es la más común (anemia microcítica hipocrómica), también

A causa de su contenido de vitamina C, las frutas cítricas ayudan al organismo a absorber y usar el hierro.

hay otras que no son tan frecuentes.

Otras clases de anemia

¿Cuáles son algunas de ellas?

Muchos bebés desarrollan anemia en las primeras semanas de vida. En efecto, esto es tan común que muchos médicos ahora la consideran una parte integrante de la primera etapa de la vida. Los bebés prematuros son los que están más expuestos, y la anemia tiende en ellos a ser más grave. Afortunadamente, la mayor parte de los bebés sanan sin graves perjuicios.

Existe, además, una anemia característica de los países mediterráneos, llamada talasemia. Es un estado patológico hereditario que se caracteriza por las alteraciones de los glóbulos rojos, del esqueleto y la fisonomía.

Leucemia (cáncer de la sangre)

Entiendo que el cáncer afecta los diferentes órganos del cuerpo, pero la leucemia es un tipo diferente de cáncer.

Así es, pero de todos modos es un cáncer. Las células anormales, en vez de concentrarse en un solo lugar, están esparcidas por toda la sangre. Pero las células no son la causa del cáncer. La enfermedad comienza en los centros de producción de los glóbulos blancos, el más importante de los cuales es la médula ósea.

Hay diversas clases de leucemia, pero las más frecuentes son las llamadas "formas agudas", que atacan en la infancia, especialmente entre los 3 y los 5 años.

¿Cuáles son los síntomas de esta enfermedad?

Con frecuencia se parecen a los de un niño con anemia común. La leucemia puede coexistir con esa anemia. En la leucemia puede haber fiebre leve, debilidad, dolor en los huesos y en las articulaciones. También puede haber una anormal pérdida de sangre, por ejemplo en las encías, la nariz o la vejiga. Esta puede ser la primera indicación de la existencia del problema. El niño puede tener tendencia a magullarse con facilidad. A veces se hinchan los ganglios linfáticos en diversos lugares del cuerpo, o bien el hígado o el bazo se agrandan. Se cree que los niños con el síndrome de Down (mongolismo) contraen con más frecuencia esta enfermedad.

¿Cómo confirma el médico su diagnóstico?

El médico puede pedir diversos análisis, el primero de los cuales es un recuento de glóbulos blancos, que pueden llegar a una cantidad muy elevada. Su clase y su forma son muy anormales. También puede haber escasez de plaquetas.

+ *Tratamiento*

¿Qué clase de tratamiento se da? ¿Resul-

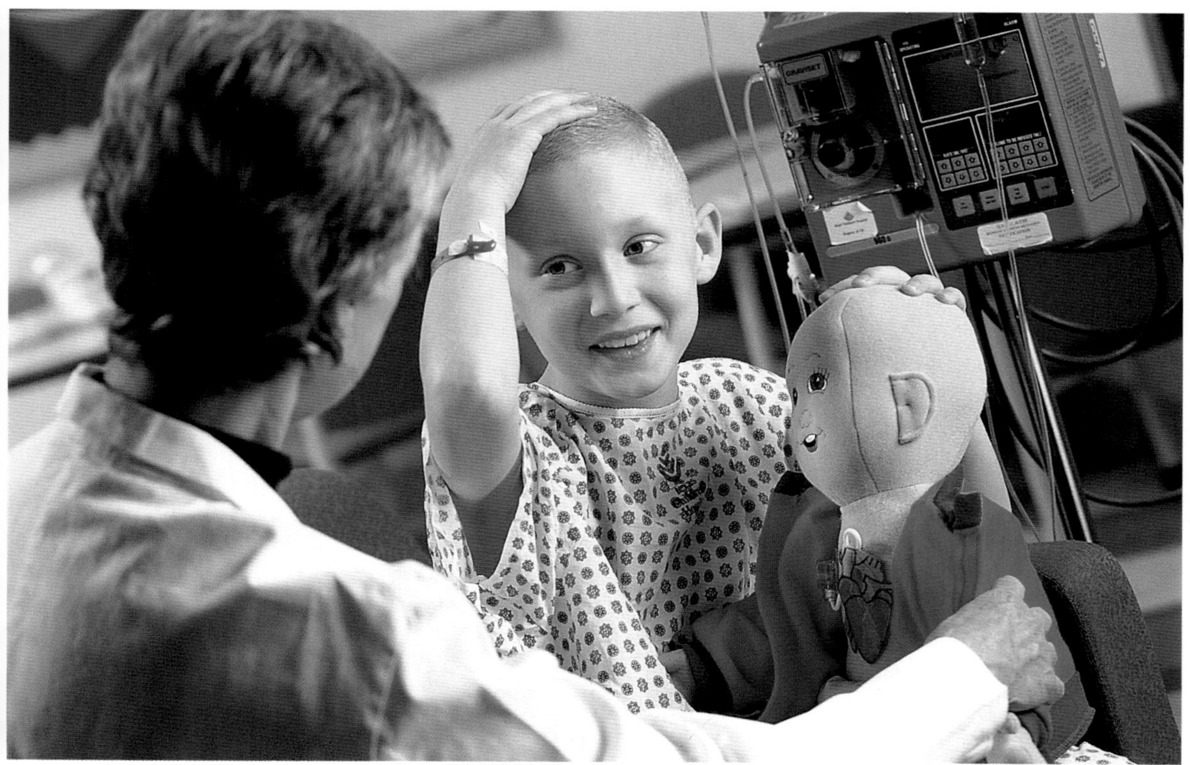

La leucemia se produce cuando la médula de los huesos produce demasiados glóbulos blancos defectuosos. Los tratamientos actuales son la quimioterapia y el trasplante de médula ósea.

ta eficaz?

Me complace informar que el tratamiento de la leucemia ha realizado progresos revolucionarios últimamente. Recuerdo haber pasado momentos muy tristes y de mucha ansiedad con los padres de niños leucémicos. La mayor parte de los casos tenía un desenlace rápido y fatal. Administrábamos transfusiones de sangre, pero eso finalmente no producía ningún resultado positivo, y el pequeño paciente moría.

Pero esto ha cambiado, porque ahora los hospitales disponen de unidades especializadas que pueden administrar una terapia intensiva con nuevos y poderosos medicamentos llamada quimioterapia.

Además, los trasplantes de médula ósea se han hecho comunes en años recientes y han alcanzado un éxito dramático. Las células tomadas de la médula ósea de un donante sano se trasplantan al niño enfermo, tratado con quimioterapia, y se fijan en su médula ósea comenzando a producir glóbulos blancos normales.

En muchos centros hospitalarios con unidades para el tratamiento de la leucemia informan de niños leucémicos que se han curado totalmente. Si esas curaciones son definitivas, sólo el tiempo lo dirá, pero se dispone de suficiente evidencia para suponer que así será en realidad.

¿Qué mensaje nos da todo esto?

Los padres deben estar atentos a los posibles síntomas de leucemia e informar al médico de cualquier señal de anormalidad. Aun simples hemorragias nasales o de las encías que se repiten se deben informar al médico.

Si por desgracia se presenta un caso de leucemia, debe ser tratado sin dilación para aumentar la posibilidad de éxito. Lamentablemente, hay padres que creen que los remedios caseros y la buena alimentación bastan para curar a su hijo con leucemia. Pero esa es una falsa esperanza. Hay enfermedades que responden a esa clase de tratamientos, pero la leucemia no es una de ellas.

Hemofilia

¿En qué consiste esta extraña enfermedad?

La hemofilia es una afección hereditaria que afecta al mecanismo que tiene que ver con la coagulación de la sangre. Existen numerosas variantes. Alrededor del 90 % de los casos son de hemofilia A o B. Esta enfermedad se transmite por vía materna, y los hijos varones son los afectados. Cuando un vaso sanguíneo se rompe en el hemofílico, no se forma un coágulo para sellarlo y detener la hemorragia.

¿Qué clase de síntomas se producen?

Las hemorragias se pueden producir en cualquier lugar en el que los vasos sanguíneos han sufrido algún daño. Las encías y la boca sangran frecuentemente, porque es fácil que se dañen mientras realizan su trabajo diario. Pero también pueden producirse hemorragias en las articulaciones después de una operación o de la extracción de una muela. Los padres generalmente se enteran del problema en las primeras etapas de la vida del niño. Afortunadamente, esta afección no es común.

+ *Tratamiento*

¿Existe algún tratamiento eficaz? Es de esperar que también haya habido progresos en el tratamiento de la hemofilia.

Efectivamente. En los últimos años se han hecho intensas investigaciones, y como resultado de ellas actualmente se dispone de tratamientos adecuados y eficaces para la hemofilia y la dolencia hemorrágica asociada, llamada enfermedad de Navidad. Los tratamientos deben darse en un hospital o clínica especializada, porque incluyen transfusión de líquidos con los factores de coagulación que faltan en el paciente. Eso les permite llevar una vida normal.

El hemofílico debe tener cuidado de no causarse heridas, y mantenerse en contacto con el médico y el hospital que lo atiende.

¿Han tenido algunos hemofílicos más problemas graves desde el comienzo de la epidemia del SIDA?

Así es. Aunque resulta triste decirlo, un gran número de pacientes que reciben transfusión de sangre de forma regular para tratar su dolencia se han contagiado con el virus del SIDA. El suero que usan proviene de la sangre de un gran número de donantes. Antes de que se hicieran análisis de sangre para detectar el virus del SIDA, en muchos casos se transfirió sin saberlo el virus VIH (virus

El tratamiento de la leucemia ha hecho progresos revolucionarios en los últimos años.

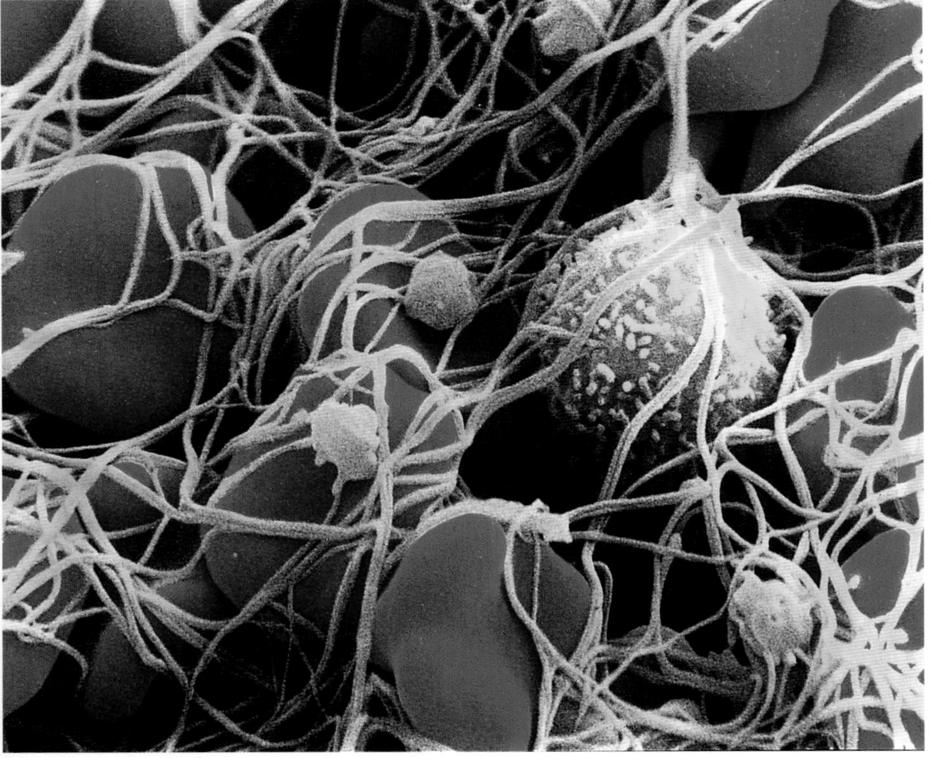

Un coágulo de sangre humana en torno del cual se ve una red de células rosadas (fibrina) que ha encerrado al coágulo y ha atrapado una cantidad de glóbulos rojos, laminillas (verdes) y glóbulos blancos (amarillos).

El virus de la inmunodeficiencia humana (HIV), que ha menudo produce el SIDA, tal como aparece en el microscopio gracias a un poderoso aumento. Muchos hemofílicos se contagiaron de HIV/SIDA como consecuencia de transfusiones de sangre no analizadas correctamente.

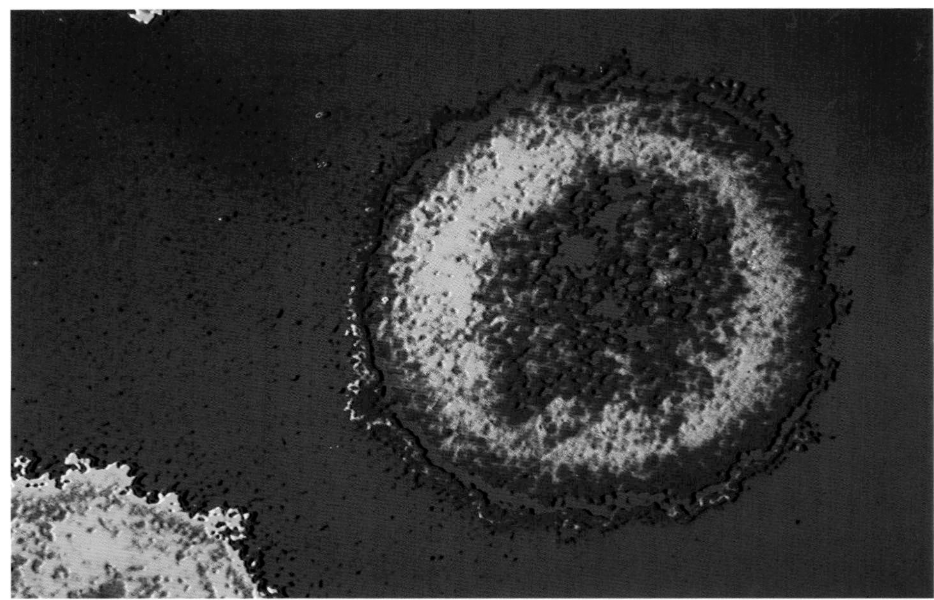

de inmunodeficiencia humano) en las transfusiones de sangre. Esto se supo tiempo después, cuando los enfermos ya estaban contagiados y ya no se podía hacer nada por ellos.

¿Sigue ocurriendo lo mismo en la actualidad?

Ahora se dispone de pruebas muy eficaces a las que se somete toda la sangre y los productos derivados para su uso en los enfermos. El hemofílico que comienza su tratamiento ahora puede tener la seguridad de que al recibir las transfusiones está bien protegido contra el SIDA.

Púrpura

¿Qué es esta enfermedad?

Es la hemorragia producida en la piel y las mucosas provocada por la rotura de los vasos sanguíneos, con inflamación de la capa más interna de las paredes arteriales, que causa la aparición de placas hemorrágicas de tamaño diverso. La piel de los enfermos de púrpura tiene tendencia a lesionarse con facilidad. Esta enfermedad se produce más en niños de menos de 6 años.

¿Cuál es la causa esta afección?

Básicamente la causa es una falla del mecanismo de coagulación de la sangre. Hay escasez de plaquetas o estas son de mala calidad. Las plaquetas son el elemento que interviene en la coagulación de la sangre. Su mala calidad se debe a algún problema en la médula de los huesos, donde se producen. En algunos casos esta afección comienza pocas semanas después de una infección. Podría ser en las vías urinarias o en un diente.

¿Cuáles son los síntomas?

Se puede producir una hemorragia dentro de la piel o de una mucosa, con lesiones de diversos tamaños. Puede ser en la nariz, las encías o el aparato urinario. A veces la hemorragia se produce en el intestino, las articulaciones o aun en el sistema nervioso, pero esto es menos común. El niño puede tener fiebre y estar pálido. Un análisis de sangre revela que existe una cantidad reducida de plaquetas.

+ *Tratamiento*

¿Existe un tratamiento eficaz?

Hay tratamiento, pero es largo, de hasta 6 u 8 meses. Se administran transfusiones de plaquetas para normalizar el número de plaquetas, y es posible que estas deban repetirse, según sea la reacción del niño enfermo. Se tratan todas las infecciones, se da al enfermo una alimentación nutritiva, con suplemento de vitaminas. A veces se usan medicamentos con esteroides. Se evita por todos los medios las lesiones en el cuerpo, porque agravan las hemorragias. En los casos rebeldes al tratamiento, después de 6 a 12 meses de terapia, a veces se elimina el bazo mediante una operación quirúrgica.

¿Cuál es el resultado final?

Los resultados son favorables en la mayor parte de los casos. La mayoría de los enfermos recupera la salud con o sin tratamiento, al cabo de 6 meses de enfermedad. Pero puede requerir más tiempo, en algunos casos hasta 3 años. Esta enfermedad ocasionalmente ha resultado fatal, pero no con frecuencia.

Deficiencias del sistema inmunológico

Las inmunoglobulinas son elementos de la sangre que protegen contra diversas invasiones por gérmenes. ¿No es así?

Por supuesto. Son muy importantes. En la sangre circula una enorme cantidad de inmunoglobulinas, y muchas de ellas actúan específicamente contra ciertas infecciones, virus y gérmenes. Las vacunas que se dan a los bebés y los niños pequeños tienen el propósito de estimular la formación de anticuerpos, para protegerlos contra ataques similares. Ese es el papel de las inmunoglobulinas.

Pero aquí también pueden presentarse problemas. ¿No es cierto?

Así es. Algunos niños nacen con una deficiencia en la producción de anticuerpos. Eso los pone en gran desventaja, y si no se toman precauciones especiales pueden tener problemas muy graves de salud. Afortunadamente, estas afecciones no son muy comunes.

¿Qué síntomas se producen?

El niño puede sufrir repetidas infecciones: de los oídos, los senos de la cara y la frente, los dientes o de cualesquiera de las infecciones producidas por virus en la infancia. Algunas pueden ser muy graves; en cambio otras pueden ser leves.

✚ *Tratamiento*

¿Qué clase de tratamiento existe para estas deficiencias del sistema inmunológico?

El niño afectado por alguna de estas deficiencias necesita atención médica, para que se haga un diagnóstico acertado y se le dé el tratamiento necesario. Esto variará según el tipo y la naturaleza de la enfermedad, y por lo general los tratamientos se dan en hospitales grandes y bien equipados.

capítulo 28

Afecciones de los huesos y las articulaciones

EN ESTE CAPÍTULO

- Cómo funcionan los huesos y algunos síntomas anunciadores de problemas.
- Artritis reumatoidea, fiebre reumática.
- Artritis piogénica, osteomielitis, dislocación congénita de la cadera.
- Problemas de los pies (pie plano, pie torcido, dedos en martillo, pie zambo o torcido hacia adentro).
- Fracturas, dislocaciones y torceduras.

Las enfermedades de los huesos y las articulaciones no son nada agradables, ¿verdad?

Así es. Tuve una tía muy querida. Nos consentía a mis dos hermanos y a mí cuando éramos niños. Nos sentíamos felices cuando estábamos con ella. Al envejecer se enfermó de artritis. Nunca olvidaré sus pobres y doloridas manos, y sus pies nudosos y deformados. Mi tía hablaba constantemente de su artritis y de los problemas que le causaba.

Generalmente relacionamos la artritis y las afecciones de las articulaciones con personas de edad avanzada, pero parece que también ocurren en la infancia. ¿Qué dice usted?

Aunque no son comunes, diversas afecciones de los huesos y las articulaciones pueden afectar a los niños. Vale la pena hablar de ellas como información para los padres.

Síntomas anunciadores de problemas

¿Qué síntomas deberían sugerir a los padres la posibilidad de la existencia de una afección de los huesos o las articulaciones?

Algunos de los síntomas indicadores de la artritis son: dolor, hinchazón, enrojecimiento y sensibilidad al tacto en huesos y articulaciones. Estos pueden relacionarse con otros síntomas generales, como fiebre elevada, desgano, falta de apetito, náuseas, vómitos, pérdida de peso. Puede haber mala salud en general y falta de vitalidad. Los huesos pueden doler, o pueden estar deformados. Los pies pueden estar torcidos, los dedos deformados y las caderas pueden doler.

¿Significa esto que el esqueleto no está funcionando como debe?

Ciertamente. Nuestro esqueleto, gracias al cual nos mantenemos erectos, no es de hierro, sino de huesos y articulaciones, lo que le permite al cuerpo una gran variedad de movimientos. Es un aparato muy complejo que crece con los músculos, tendones, cápsulas, fibras y órganos, que tienen en ellos sus puntos de fijación. En las primeras etapas de la vida los huesos son blandos. Afortunadamente para las madres, la parte ósea más grande del cuerpo, la cabeza, está formada por varias partes que se pueden deslizar unas sobre otras. Esto es especialmente conveniente en ocasión del nacimiento, cuando la cabeza tiene que deslizarse a través del estrecho canal pélvico que lo pondrá en el mundo exterior.

¿No es esto conveniente también durante la infancia, cuando los golpes y las caídas son cosa de todos los días?

Por supuesto. Los huesos crecen activamente durante la infancia, lo cual los mantiene blandos y flexibles. Debido a esto los niños pueden caerse y realizar toda clase de contorsiones sin que los huesos se quiebren. Ocasionalmente ocurre una fractura llama-

CÓMO CRECEN LOS HUESOS LARGOS

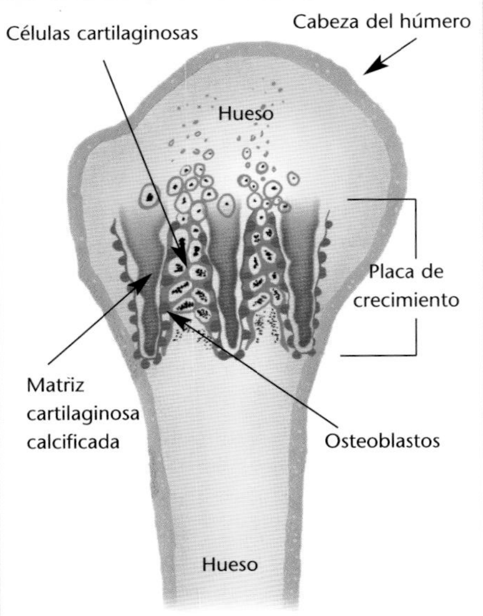

Las células cartilaginosas hialinas de la placa de crecimiento se multiplican, se mueven hacia abajo en el hueso y producen una matriz calcificada. Las células mueren dejando espacios vacíos. Las células llamadas osteoblastos producen hueso para llenar los espacios y reemplazar la matriz.

da "en tallo verde", que es más una fisura que una rotura, porque el hueso se dobla pero no se rompe completamente, como sí ocurre en los adultos.

El esqueleto

¿Qué más nos puede decir acerca del esqueleto?

La parte principal del esqueleto es el cráneo, que aloja el cerebro, y que está situado en la parte superior del cuerpo. La columna vertebral permite mantener la posición erecta. En un canal situado en el interior de la columna se encuentra la médula espinal, que se origina en el cerebro. Por los espacios que hay entre cada vértebra salen los nervios que llegan a todos los órganos y a las extremidades superiores e inferiores.

En la parte superior tenemos el cinturón escapular, que da origen a las extremidades superiores: los brazos y las manos. En la porción inferior de la columna vertebral se encuentra el cinturón pelviano, que es un círculo de huesos que aloja los órganos de la pelvis. De allí pasamos a las extremidades inferiores: las piernas y los pies.

La caja torácica está formada por las costillas, y contiene los pulmones, el corazón y los grandes vasos sanguíneos. Por debajo del tórax se encuentra la cavidad abdominal, que contiene los órganos del aparato digestivo.

¿Qué nos puede decir acerca de las articulaciones?

La articulación es el lugar donde se unen dos huesos. Esto les permite flexionarse o rotar, es decir, disponer de libertad de movimientos. Los huesos se mantienen unidos por medio de fuertes ligamentos y fibras que constituyen la cápsula de unión. Las superficies óseas están revestidas de una delgada y lustrosa membrana cubierta por un lubricante, el líquido sinovial, que facilita los movimientos de las articulaciones. Estas superficies pueden deteriorarse, ponerse ásperas y gastarse, lo que entorpece sus movimientos. El desgaste natural, la escasez de lubricante, las infecciones y la edad avanzada desempeñan su parte en el mal funcionamiento de las articulaciones.

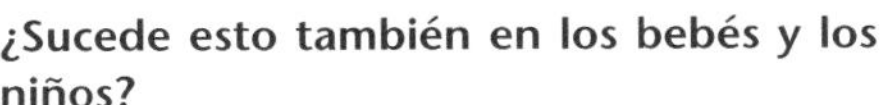

¿Sucede esto también en los bebés y los niños?

Algunos de estos problemas importantes afectan a los menores. Cualquier síntoma que revele el mal funcionamiento de una articulación, o algún problema relativo a un hueso, se debe consultar a la brevedad posible con el médico. Los padres no deben descuidar esos síntomas con la idea de que las afecciones de los huesos sólo ocurren en los adultos.

Artritis reumatoidea

¿Es muy frecuente entre los niños esta artritis?

No lo es, si se la compara con otras enfermedades comunes, como el resfrío, el dolor de garganta, los trastornos intestinales y las fiebres eruptivas de la infancia.

¿Cuáles son los síntomas usuales?

La artritis reumatoidea puede afectar a los niños o las niñas de 2 a 5 años de edad. Es un poco más común en las adolescentes. Suele existir una predisposición hereditaria a la enfermedad, y el padre o la madre pueden padecer de ella. A veces se presenta re-

Es increíble la cantidad de golpes que se puede dar un niño sin que se produzcan fracturas.

pentinamente, o bien al comienzo puede avanzar con lentitud, sin mostrar ninguna evidencia de que las articulaciones se están dañando. Puede haber fiebres repentinas con accesos de escalofríos. Esto puede durar días o semanas antes de que se produzca alguna indicación de que las articulaciones están dañadas.

¿Qué sucede entonces?

Gradualmente aparece el dolor en la articulación. Las pequeñas articulaciones de las manos y los pies son con frecuencia los lugares donde comienza. El dolor puede pasar de una articulación a otra. A veces una sola está afectada. Pero con frecuencia varias articulaciones lo están de forma simétrica, es decir, puede incluir los pies y las manos, las extremidades superiores y las inferiores. A veces se afecta la articulación temporomandibular, es decir, el lugar donde la mandíbula se une a la cabeza, justamente debajo de la oreja.

¿Qué otros síntomas se producen?

Las articulaciones están calientes, se enrojecen y duelen. Cuando los dedos están afectados, tienden a asumir la forma de un huso, con la piel tirante y lustrosa.

¿Se afectan también otras partes del cuerpo?

Sí, pueden afectarse. En ese caso los efectos son más amplios porque intervienen varias partes del cuerpo en el problema. El niño puede tener una sensación de humedad y transpiración. Le duelen los músculos y experimenta sacudidas. Pierde el apetito y su peso disminuye. Los ganglios linfáticos se hinchan y duelen, en las inmediaciones de los maxilares, la ingle, y alrededor del cuello y la cabeza. Algunos pacientes pueden tener erupciones en la piel y dolor en los ojos. El hígado y el bazo pueden hincharse y producir molestias.

+ *Tratamiento*

¿Cuál es el tratamiento más eficaz?

Es indispensable que los padres lleven a su hijo al consultorio cuando aparece uno o más de estos síntomas, para que el médico descubra la afección y recomiende un tratamiento adecuado. Los padres, por muy bien intencionados que sean, no pueden cuidar a un niño afectado de artritis reumatoidea en sus primeras etapas. Por cierto que su amor, atención y dedicación son indispensables, y eso constituye una parte integral de la terapia. Pero la atención y la ayuda de un médico experimentado son esenciales.

¿Qué puede decir usted acerca de los medicamentos?

Actualmente los médicos disponen de numerosos medicamentos eficaces. Todavía se usa la aspirina en sus diversas formas. Numerosos hospitales sostienen que es tan buena, como numerosos medicamentos antiinflamatorios que han inundado el mercado en los últimos años, o mejor. Cuando la aspirina se toma de la forma recomendada por el médico, es segura y bastante eficaz. Puede haber niños y adultos alérgicos a la aspirina, por lo que hay que asegurarse que el niño enfermo no lo sea. La aspirina, además, puede irritar la mucosa del estómago de los niños pequeños. El médico puede recetar una aspirina que no produzca estos efectos negativos.

Por otra parte, muchos médicos rehúsan recetar aspirina, porque piensan que el riesgo de que se produzca inflamación y hemorragia en el estómago es demasiado grande. Sostienen que los nuevos medicamentos son mejores y más seguros, aunque también tienen sus efectos secundarios.

¿Hay en la actualidad abundancia de medicamentos para esta afección?

Por cierto que los hay. A comienzos de la década de 1950, el primer gran cambio se produjo con el descubrimiento de la cortisona. Se creyó que sería la cura definitiva de la artritis, pero no fue así. Actualmente se emplea durante cortos períodos en enfermos de mucha gravedad. Pero una familia de medicamentos, llamados antiinflamatorios no esteroides, ha proliferado en los últimos años. Muchos son excelentes. El *Nuevo diccionario médico,* de la Editorial Teide, hace el siguiente comentario sobre estos medicamentos: "Se han incrementado extraordinariamente en los últimos años, pero siguen siendo los más indicados: el diclofenac, a dosis de 50 mg 2 a 3 veces por día, y la indometacina. Actúan como antiinflamatorios, analgésicos y antipiréticos, y deben administrarse en la fase aguda para pasar lue-

Sección de la muñeca y la mano que muestra las coyunturas sinoviales

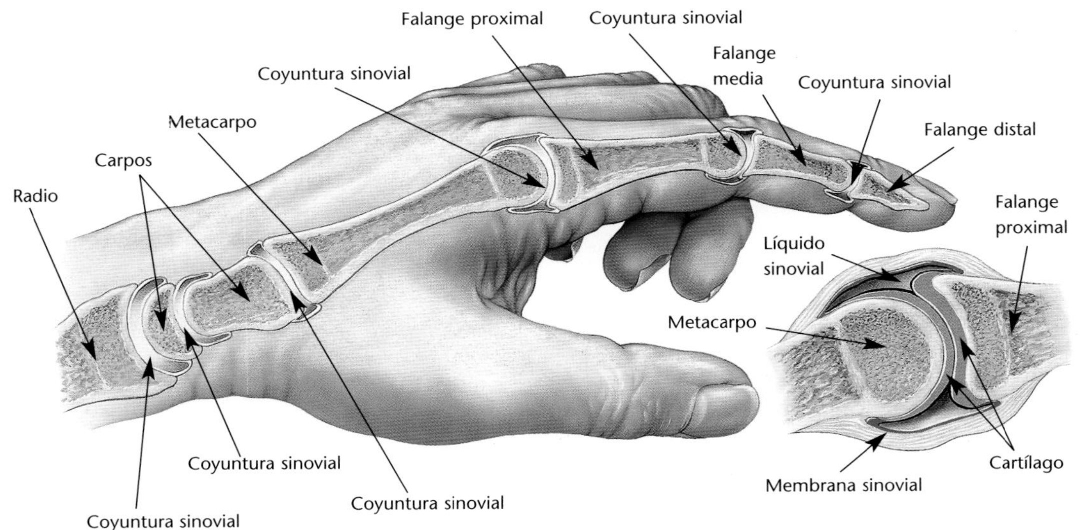

En la mano hay varias coyunturas sinoviales; en los casos graves de artritis reumatoidea, el deterioro de las coyunturas afectadas puede resultar en una deformación tal de los dedos y la muñeca que puede conducir a la invalidez.

go a un tratamiento de mantenimiento con dosis menores. La indometacina se administra en dosis de 25 a 200 mg al día". Estos medicamentos alivian los síntomas pero no curan la enfermedad. La naturaleza lleva a cabo la curación, junto con los recursos internos del propio organismo. Los cuidados médicos de calidad por cierto que desempeñan una parte importante en la terapia.

¿Qué nos puede decir acerca de los cuidados en general?

Tienen gran importancia. Con frecuencia los síntomas persisten durante mucho tiempo, lo que desanima al chico artrítico, que preferiría estar jugando al aire libre en vez de permanecer recluido en la casa. El bienestar psicológico del niño enfermo es importante, y en esto los padres pueden desempeñar un papel clave. Las palabras de ánimo, el optimismo, una actitud alegre y positiva, tienen mucha importancia para la recuperación del enfermo.

Es aconsejable una buena alimentación, una dieta razonable que incluya una alimentación natural y normal. La atención a otras partes del sistema que puedan también ser adversamente afectadas es también importante, y los padres recibirán aquí instrucción al respecto. Puede haber otras formas de tratamiento, tales como la psicoterapia o el cuidado ortopédico. Debe darse a cada paciente una completa serie de medidas. El tratamiento puede cubrir un largo período de tiempo.

¿Cuáles son las perspectivas respecto del futuro?

Un ataque puede extenderse por semanas, meses o incluso años. Sobre la recuperación, hay un 50% de posibilidades de reincidencia del problema. Si el cuidado ha sido completo, cerca del 70% se recuperará completamente. De acuerdo con los expertos, poco más del 10% será severamente inválido en el futuro. La muerte raramente ocurre. Un factor muy importante es el temprano reconocimiento del problema y asegurarse la mejor atención médica disponible. Luego, entonces, y ayudando al tratamiento, tratar con el paciente de una manera positiva, llena de esperanza.

Artritis piogénica

¿En qué consiste esta afección asociada a todo esto? El término piogénico parece indicar pus o algún tipo de infección.

Correcto. Es completamente diferente de la artritis reumatoidea. Frecuentemente es causada por algún organismo infeccioso, o puede ser una extensión de una infección en algún otro lugar. Por ejemplo, puede haber una infección cerca de una articulación, o la articulación estar afectada simplemente por una progresión mecánica de esto. Por el otro lado, los gérmenes pueden ser transportados a la articulación a través de la corriente sanguínea, afectando también una parte distante del organismo.

¿Cómo ocurre esto?

Los fluidos se filtran en el espacio de la articulación. Pueden ocurrir hinchazón, inflamación, dolor, fiebre, quizá temblores o ataques de frío. Puede haber náuseas, vómitos y palidez. Los signos generales de infección están presentes. El fluido en la articulación con frecuencia contiene pus a medida que el material llega a ser infectado secundariamente. Con frecuencia, los huesos largos o los brazos y las piernas se pueden ver afectados. Sin embargo, esto no sucede frecuentemente hoy.

+ *Tratamiento*

¿Qué podría decirnos sobre el tratamiento?

Así como con la artritis reumatoidea, cuando se observa alguna hinchazón, inflamación o dolor en las coyunturas, se necesita pronta atención médica. Lo mejor es la prontitud en llevar a cabo esta atención. Algunas veces la articulación será punzada. Esto significa que se inserta una aguja y se succiona el material. Puede practicarse para probar la naturaleza del organismo causante del problema. Y dará también una respuesta acerca de cuál es el antibiótico más apropiado que se necesita. Idealmente, esto debería realizarse en un hospital bien equipado.

Osteomielitis

En los días de mi juventud, nosotros con frecuencia escuchábamos acerca de esta afección. Normalmente se hablaba de esto en tonos bajos, como si algo terrible fuera a suceder.

Tiempo atrás, especialmente en la era previa a la aparición de los antibióticos, el tratamiento era muy severo, y a veces de por vida. Hoy, afortunadamente, con el extendido uso de la quimioterapia, estos casos se observan más raramente. Pero si esta afección logra ganar terreno, aún es peligrosa.

¿Qué significa todo esto?

Esto significa que el hueso ha empezado a ser infectado. La infección puede continuar su obra, desde una severa hinchazón hacia el hueso. Esto debilita la resistencia de la superficie, y los gérmenes que se encuentren en las cercanías pueden tener acceso y generar una infección.

Los síntomas incluyen dolor localizado, hinchazón, inflamación y enrojecimiento. Puede producirse fiebre y síntomas generales constitucionales. De hecho, el paciente puede estar muy enfermo. Por el otro lado, los síntomas pueden ser muy leves.

+ *Tratamiento*

¿Qué puede decirnos acerca del tratamiento? ¿Es necesario, y dónde?

Cuando es obvia una incomodidad en el hueso, o se observa hinchazón o inflamación, especialmente si están acompañados por los síntomas generales, se necesita pronta atención médica. Es esencial que la infección no gane terreno, aunque eliminar las infecciones en el hueso pueda ser un largo, tedioso y dificultoso ejercicio.

La atención del médico, y contar con un hospital bien equipado, con las facilidades propias de la diagnosis y la terapia, es esencial. Los remedios caseros no tienen lugar en este tipo de problemas, sino un tratamiento bien planificado que atienda las necesidades particulares del paciente. Dar al médico un muy buen apoyo es necesario y aconsejable.

Los padres deberían estar alerta a los dolores persistentes en piernas y brazos, siguiendo, tanto como puedan, lo que pueda parecer como una simple lesión.

Dislocación congénita de la cadera

Esta es una frase muy resonante, y un poco terrible. Obviamente esto se aplica a la cadera; ¿puede manifestarse claramente temprano en la vida?

Sí. Me complace decir que en los años recientes nosotros hemos superado ampliamente muchos de los problemas asociados con esto, porque al tomar conciencia de aquello que puede afectar al bebé se realizan controles apropiados en el momento del nacimiento.

¿Qué implican estos controles?

Normalmente la articulación de la cadera es como una pelota o rótula y una cavidad, y la pelota del hueso largo del muslo, el fémur, se sitúa en el *acetabulum*, la cavidad o el hueso pélvico. Pero al nacer esta cavidad puede no estar muy bien formada, y la rótula o pelota puede estar situada fuera de la cavidad.

Antes que los médicos estuvieran alertados sobre esta anormalidad, era frecuente no diagnosticarla. El niño empezaba a caminar, y como la rótula o pelota y la cavidad no funcionaban bien, se producían la deformidad, con frecuencia muy severa, y el cojeo. Esto invariablemente era motivo de cirugías, pero el niño ya estaba muy crecido para esto. Si se descuida, esto puede conducir a terribles deformidades por la invalidez.

Pero Ud. dijo que todo esto ahora ha cambiado

Sí, y estoy feliz de decirlo. Hoy, el obstetra evaluará las articulaciones de la cadera en cada lado del bebé. Si hay una anormalidad, puede ser detectada inmediatamente. En casos donde hay un menor grado de invalidez, el bebé puede ser criado con pañales dobles mientras tanto. Esto tiene el efecto de separar las piernas, y la pelota o rótula gradualmente crece dentro de la cavidad, la que también comienza a desarrollarse.

+ *Tratamiento*

¿Cómo son los tratamientos para los casos más serios?

En casos más severos, el médico puede realizar al bebé un entablillado que apunta a separar las piernas. De esta forma, la rótula o pelota y la cavidad se mantienen en el lugar anatómicamente correcto. Es increíble cómo los bebés, aun con severos grados de afecciones como esta, pueden rápidamente adaptarse y moverse sobre sus nalgas, encajados dentro de su yeso o vendaje en espica, como algunas veces es llamado.

Los resultados son, por lejos, invariablemente buenos, aun en los casos más severos. Como los huesos crecen y se desarrollan de la manera correcta, es normal que caminen, completamente libres de alguna renguera o deformidad; es el resultado esperado. Afortunadamente, estos casos normalmente se restablecen bien en el hospital cuando los padres son conscientes de todo esto.

Problemas de los pies

Esto ocurre sólo unos pocos meses antes que los bebés comiencen a caminar. Como consecuencia, el pie puede mostrar algún signo anormal al principio, pero sin serias consecuencias.

Correcto. Sin embargo, deberíamos discutir algunos de los casos más comunes.

Pie plano

Con frecuencia escuchamos la expresión "pie plano". ¿Qué es esto, y es serio?

El pie plano es casi normal en los niños, porque ellos aún no utilizan sus pies. El pie tiene dos conjuntos de arcos, o curvas. Uno de ellos se extiende desde el frente del pie (empeine) cuando se encuentran juntos, hasta la parte posterior, y es un arco longitudinal. El otro se encuentra desde un lado de la otra parte del pie hasta la parte opuesta del pie, de lado a lado. Más adelante, estos dos arcos se notan claramente. Ponga sus propios pies juntos y examine los arcos.

Con el pie plano, los arcos no se notan claramente, y el chico, cuando está parado sobre ambos pies, es plano en la planta.

Cuando el chico se desarrolla, los varios ligamentos de los huesos del pie comienzan a desarrollarse y fortalecerse, y los arcos empiezan a notarse. Ocasionalmente, esto puede tardar en ocurrir, o ello puede ser débil, endeble, y el peso del cuerpo puede apoyarse totalmente sobre el piso.

Con frecuencia esto no causa problemas. Ocasionalmente, con el avance de los años, esto puede causar dolor en las piernas. Algunas veces el médico aconseja zapatos con arco ortopédico, y esto puede muchas veces ser de gran ayuda. Generalmente hablando, no se necesita tratamiento.

Yo puedo agregar que algunos padres se acercan a los límites de la locura con relación a los zapatos de sus niños. En los primeros años de vida sólo se necesitan calzados suaves o blandos. No es necesario utilizar zapatos fuertes de cuero. La rapidez del crecimiento hace esto prontamente obsoleto, y es costoso y derrochador guardar, comprar o adquirir nuevos zapatos, siendo que estos son innecesarios.

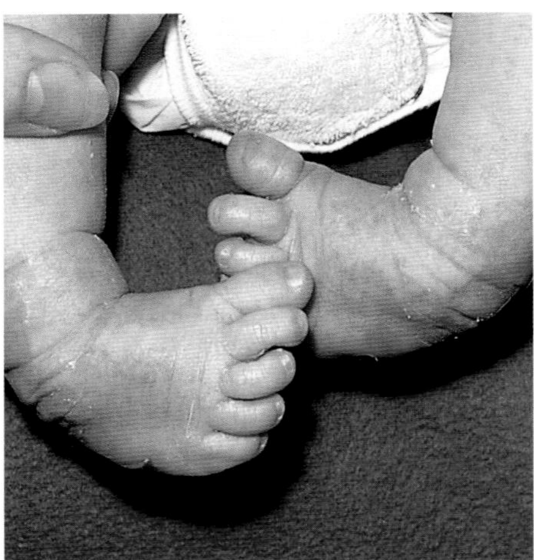

Un bebé recién nacido con pies torcidos. El tratamiento puede ser recomposición ortopédica o cirugía.

Pies torcidos

Estoy seguro de que la mayor parte de nuestros jóvenes pacientes no son hombres "torcidos". Pero ¿qué es un pie torcido?

Existe una variedad de malformaciones de los pies y dedos de los pies, la mayoría de ellos de una naturaleza menor. Sin embargo, el más importante es el pie torcido, también conocido como talipes, o *talipes equinovarus*, para darle el título completo. Esto significa que uno o ambos pies están torcidos severamente hacia el interior y hacia atrás, y no pueden enderezarse. Es una obvia deformidad, y es necesario el tratamiento o la cirugía por parte del ortopedista. Esto puede ser tratado desde el nacimiento, con los mejores resultados. Nunca debería haber negligencia al respecto.

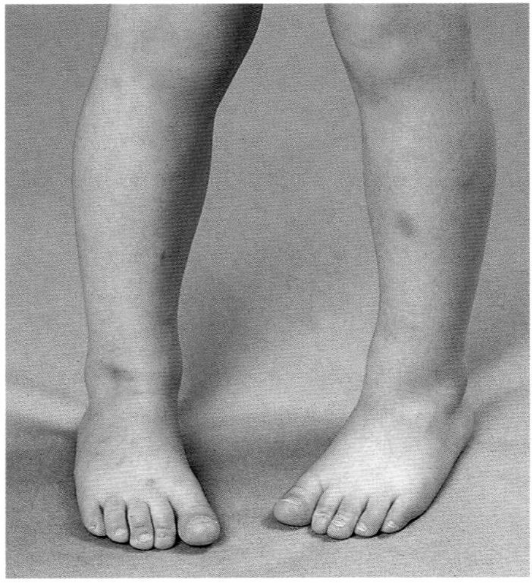

En esta afección los pies y los dedos del niño están orientados hacia adentro.

Dedos en martillo

¿Qué podría informarnos al respecto?

Los dedos en martillo significa que hay una deformidad de los pequeños huesos de los dedos, provocando que estos se retraigan. Más adelante, pueden formarse callos. Normalmente no hay tratamiento para esto, pero esto no es necesario en la mayoría de los casos.

Pie zambo o torcido hacia adentro

Supongo que estas varias deformidades tienen ganada su denominación porque hay algún parecido físico con el objeto del cual toman su nombre.

Ciertamente. Pie zambo significa que la parte frontal del pie y los dedos se torna hacia adentro. Esto se conoce técnicamente como *metatarsus varus.* El tratamiento debería empezar tan pronto como la deformidad es notada, y los resultados, ya sea al manipular o calzar el pie, son frecuentemente satisfactorios.

Afortunadamente, en el cuadro general, las deformidades de los pies en los infantes y los niños no son comunes, y la mayoría no son serios. Sin embargo, si una madre nota una deformidad obvia, una pronta atención especializada normalmente asegurará a ella el mejor resultado.

Fracturas, dislocaciones y torceduras

Esto es siempre un tema desalentador, por el que yo aborrezco la idea de que los chicos se lastimen a sí mismos. Una heridas puede convertir a un feliz grupo de pequeños en uno triste, y esto es siempre un espectáculo lamentable.

Afortunadamente, la ruptura de los huesos, llamada fractura, no es muy común en los niños, ya que mucho de ello involucra huesos flexibles y probablemente pequeñas fracturas más que quebraduras astilladas o serias heridas como les sucede frecuentemente a los adultos.

¿Qué puede suceder?

Las fracturas usualmente resultan de accidentes. El mayor y más serio de los accidentes, por supuesto, es cuando el hueso se ve más severamente dañado. Muchos accidentes son claramente menores, tales como caídas de bicicletas, *skateboards*, o caídas de cercas y árboles, y similares tipos de accidentes deportivos.

La ruptura de los huesos usualmente resulta en algún grado de deformidad. El miembro puede ser torcido fuera de lo común. Ello puede provocar dolor e hinchazón, inflamación, y esto puede ser dificultoso al moverlo normalmente. Con el correr del tiempo, los fluidos acumulados en estos tejidos y la hinchazón o inflamación aumentan. Si los vasos sanguíneos han sido rotos internamente, esto incrementará la inflamación. Por supuesto, otros daños internos, perjuicios, lesiones o heridas pueden también estar involucrados, y esto puede ser aún más importante y peligroso para la vida. Cuando la fractura es expuesta, es decir, el hueso afectado traspasa la piel, es algo mucho más serio.

Con frecuencia aquello puede provocar un *shock*, pues todo el organismo reacciona al dolor y el desarreglo interno de los huesos.

Algunas veces están involucradas las articulaciones, y son situadas fuera de su posición normal. Esto es llamado dislocación.

¿Qué es un esguince?

Esto significa que las fibras que envuelven a la articulación han sido sobreestiradas o desgarradas. Esto causará hinchazón, inflamación y dolor, lo cual es común que suceda en el tobillo o la muñeca, especialmente en la temporada de fútbol.

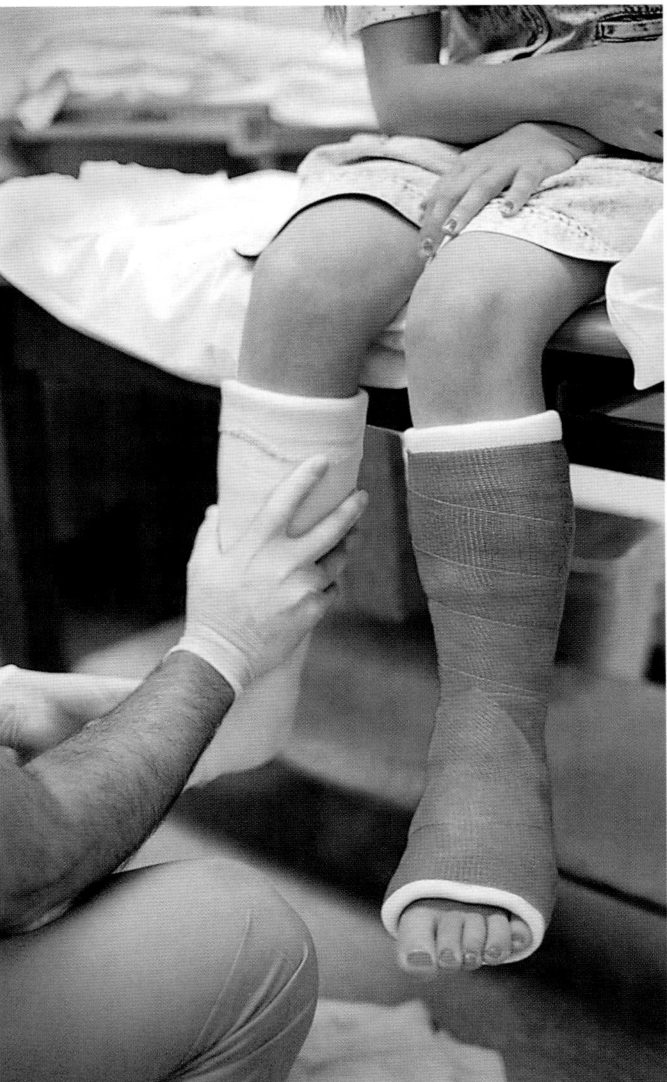

Las fracturas no son tan comunes en los niños, porque sus huesos no son tan frágiles como los de los adultos. En la actualidad se usan diversos materiales cuando se producen fracturas, para inmovilizar el miembro y darle apoyo, de manera que la curación se pueda producir.

✚ *Tratamiento*

¿Cuál es el tratamiento para este tipo de problemas?

Todos pueden ser tratados con las mismas líneas generales utilizadas en los primeros auxilios. Idealmente hay que procurar que el paciente esté tan confortable como sea posible. Si hay una obvia deformidad, muévalo lo menos posible. Mantenga inmóvil la extremidad y entablíllela con telas de algodón o pequeñas almohadas. El uso juicioso de vendas puede dar soporte hasta que llegue la ayuda médica. Cuando algo es serio debería ser visto en la sala de guardia o emergencia de un hospital bien equipado tan pronto como sea posible. Allí, el equipo de rayos X está normalmente disponible, y en el acto se pueden realizar el diagnóstico y el tratamiento. Si es más serio, puede considerarse necesaria la internación en el hospital.

En algún accidente es importante estar tan calmos, corteses y gentiles con el paciente como sea posible; hablar palabras de ánimo, y tratar de aliviar la ansiedad y los temores. Esto es todavía más importante con los niños pequeños. Las palabras corteses transmiten mucha seguridad y pueden brindar un poco de ayuda psicológica a los pacientes. Recuerde ahora cuán bueno es que un adulto tenga palabras gentiles. ¡Nunca lo olvide!

capítulo 29

Los nervios, los músculos y sus enfermedades

EN ESTE CAPÍTULO

- Síntomas y funcionamiento del sistema.
- Meningitis, encefalitis y convulsiones.
- Epilepsia, baile de San Vito (corea), retardo mental, dislexia, autismo.
- Síndrome de Down (mongolismo), niños espásticos, espina bífida, hidrocefalia.
- Desórdenes degenerativos, hemorragias cerebrales, síndrome del niño maltratado.
- Envenenamiento con plomo, inhalación de pegamento (solvente), ataques de retención de la respiración, desórdenes de los músculos.

¿Cuál será el tema de este capítulo? Hablaremos del sistema nervioso, que incluye el cerebro, la médula espinal y los nervios que salen de ella. También nos ocuparemos de los músculos, porque muchos nervios se insertan en los músculos y los ponen en acción. Veremos cómo afecta esto a los bebés y los niños.

Síntomas que se deben tener en cuenta

¿Cuáles son algunos de los síntomas que podrían poner sobre aviso a una madre de que algún sector del sistema nervioso no está funcionando bien? Después de todo, no hay síntomas directos anunciadores de peligro.

Correcto. La vida sería más fácil si los hubiera. En este caso, los síntomas no son manifiestos. Sin embargo, los síntomas que deberían alertar a una madre son bastante numerosos. Aunque dependen de la naturaleza del desorden, ella debería notar especialmente si el niño está irritable, si pierde su alegría, si tiene dolor de cabeza, si llora con tono agudo, si pierde interés en la comida y si no se desarrolla normalmente. Los vómitos, las náuseas, la rigidez del cuello o la espalda también son síntomas importantes, especialmente cuando van acompañados de fiebre.

Cualquier somnolencia extraña, especialmente si se produce después de un golpe en la cabeza, fatiga muscular o movimientos extraños de la cara o los miembros, sobre todo después de fiebre elevada, son signos que deben poner en alerta a los padres. También debería alertar a los padres la presencia de convulsiones, pérdida del conocimiento o estado de coma, falta de control normal de la micción y la defecación cuando se esperaría que lo hiciera. La falta de adaptación a la compañía de otros niños y la lentitud mental en comparación con ellos también son síntomas importantes. Cualquier tumefacción anormal a lo largo de la espina dorsal puede ser importante. Estos son algunos de los síntomas más probables que deberían inducir a los padres a llevar a su hijo al médico. Por supuesto que ningún niño los tendrá todos, pero los hemos incluido para que el lector tenga una idea de lo que le puede estar sucediendo a su hijito. Afortunadamente, las enfermedades del sistema nervioso no son demasiado comunes.

¿Cómo funciona el sistema nervioso?

Algunos comparan al cerebro y el sistema nervioso con una computadora. ¿Es válida esta comparación?

No es una mala analogía. Los expertos concibieron la idea de una computadora creada por el hombre a partir del funcionamiento del cerebro.

Le doy gracias a Dios todos los días, ¿y usted?

Por supuesto. La parte principal del sistema nervioso es el cerebro, que se encuentra en el cráneo, donde está protegido de posibles daños. Su prolongación, llamada médula espinal, desciende por un canal a lo

CÓMO SE PRODUCE EL MOVIMIENTO

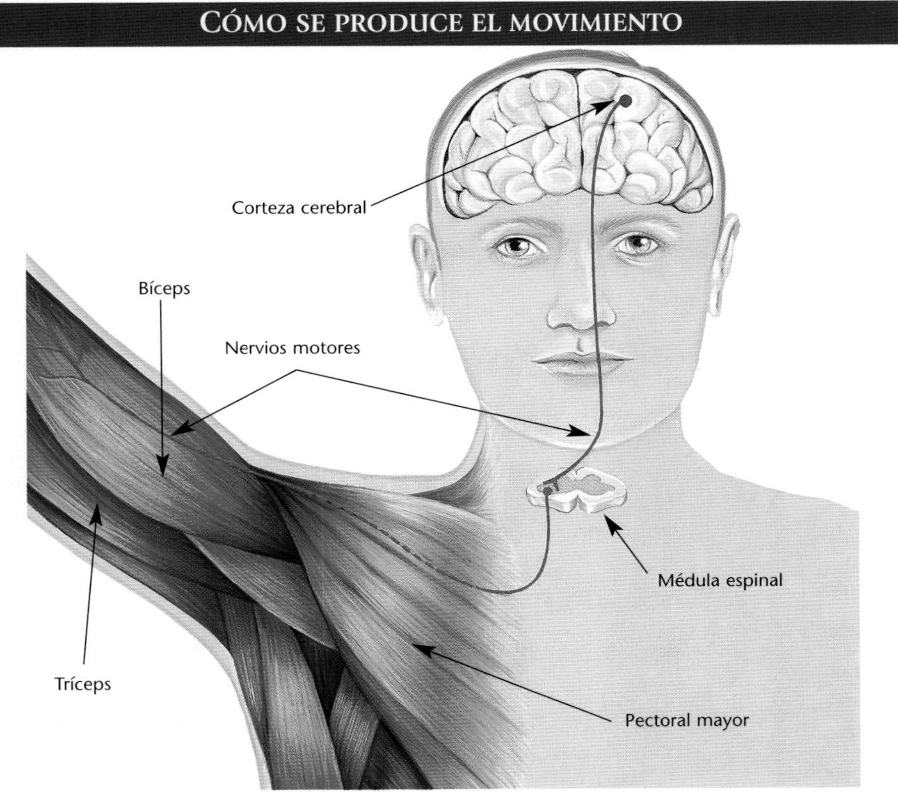

El movimiento voluntario se inicia mediante señales transmitidas desde la corteza cerebral, a través de la médula espinal y los nervios, la inserción de los músculos en los huesos. Algunas de estas señales contraen los músculos, otras inhiben los nervios motores y producen la relajación de los músculos antagónicos.

largo de la columna vertebral. Desde el lugar donde se unen las vértebras surgen unas prolongaciones nerviosas que se insertan en los músculos y los órganos por todo el cuerpo. De esta manera, cada parte del organismo está conectada a una terminación nerviosa que transmite las órdenes emanadas del cerebro, y a su vez otra terminación nerviosa transmite mensajes que van hacia el cerebro.

¿Dónde comienza esta actividad?

Las sensaciones llegan al cerebro por medio de los órganos de los sentidos: la vista, el oído, el olfato, el gusto y el tacto (presión y temperatura, posición en el espacio, etc.). Estos impulsos van al cerebro. Algunos quedan almacenados en la memoria o la parte subconsciente del cerebro. Pero otros exigen acción inmediata, de modo que se los transmite a la parte motora del cerebro, la que envía por la misma vía otros impulsos hacia los músculos y órganos.

Por eso podemos reaccionar con rapidez frente a situaciones de peligro; por ejemplo, cuando estamos cruzando la calle y aparece de repente un auto.

Exactamente. Muchas de estas reacciones son automáticas. El cerebro tiene una enorme cantidad de recursos para ayudarnos a mantenernos seguros y fuera de peligro. Todo el sistema nervioso funciona con mucha eficiencia y precisión.

¿Qué clase de cosas podrían andar mal?

Existen numerosas posibilidades. El cerebro se encuentra recubierto por membranas delgadas, pero resistente, que se llaman meninges. También se encuentra bañado por el líquido cerebroespinal. Estos elementos lo protegen contra traumatismos causados por golpes repentinos y la acción de gérmenes infecciosos. Pero a pesar de estos elementos protectores naturales, los gérmenes pueden penetrar, y un golpe fuerte puede producir una lesión en el cerebro cuando este choca contra la pared ósea del cráneo, o

ACTIVACIÓN DE UN MÚSCULO

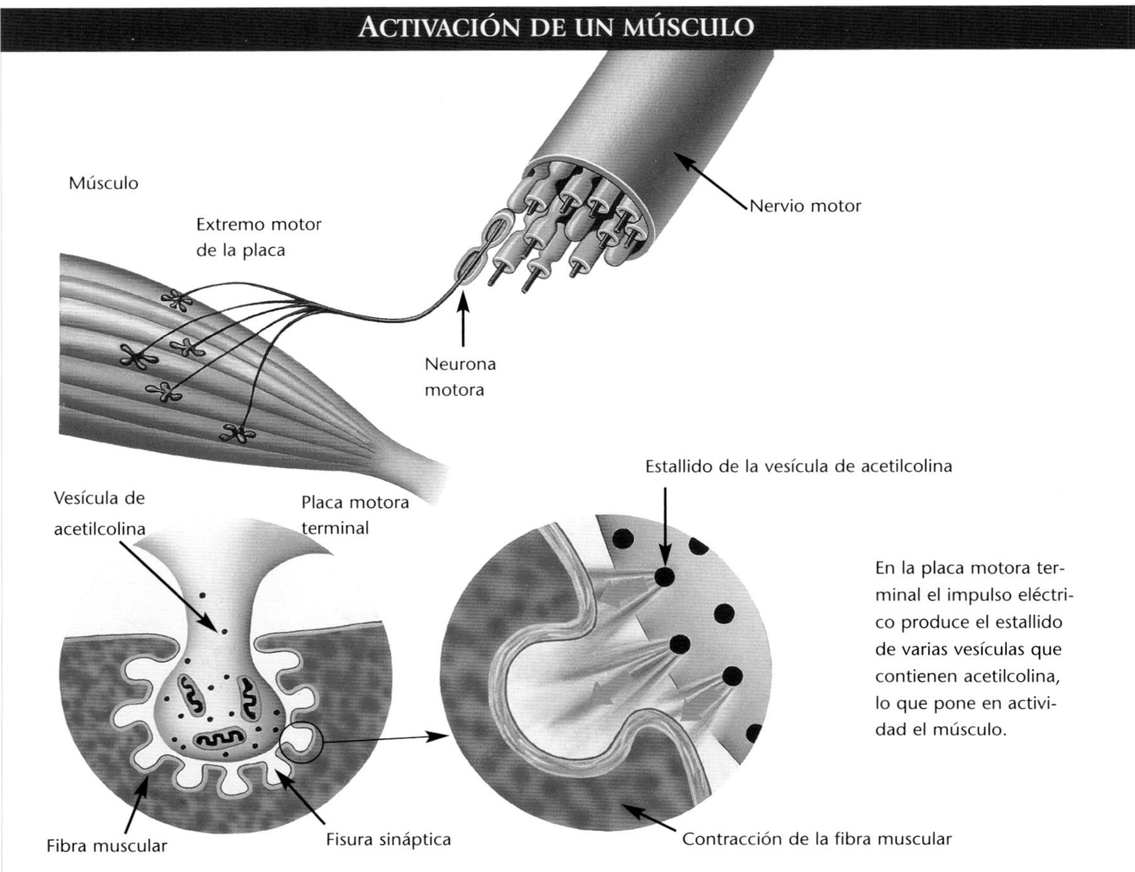

bien ciertas anormalidades congénitas pueden producir serias fallas.

Así como se afecta el sistema nervioso, también los músculos pueden sufrir diversas anomalías. Aunque son bastante poco frecuentes, las madres deben conocerlas, porque esta información, tarde o temprano, les puede ser valiosa.

A continuación consideraremos algunas de las infecciones. Primero las que se relacionan con convulsiones. Luego mencionaremos brevemente dolencias en las que se produce una disminución del desarrollo mental. Después veremos diversos defectos congénitos, accidentes y envenenamientos. Finalmente consideraremos los problemas relacionados con los músculos.

Meningitis

Esta afección causa pánico a los padres. ¿En qué consiste?

Es una infección de las meninges, membranas protectoras del cerebro. Es una enfermedad muy grave, a pesar de los antibióticos y otros tratamientos modernos. Los microorganismos pueden traspasar la importante barrera que protege al cerebro y causar graves síntomas. Pueden proceder de un oído infectado, de la garganta irritada, de un resfrío común o de cualquier otra parte, y causar esta devastadora complicación.

¿Cuáles son los síntomas más importantes?

El comienzo de la enfermedad suele ser súbito, con fiebre, erupción de la piel, dolor de cabeza, irritabilidad y cuello rígido. Este último puede ser un síntoma importante. Impide que el niño se siente con comodidad o que se toque las rodillas con el mentón.

En el bebé puede observarse un abultamiento en la fontanela (parte blanda en la parte superior de la cabeza). Los vómitos, el dolor de cabeza y la irritación son signos comunes. Los vómitos a veces salen con

LAS MENINGES

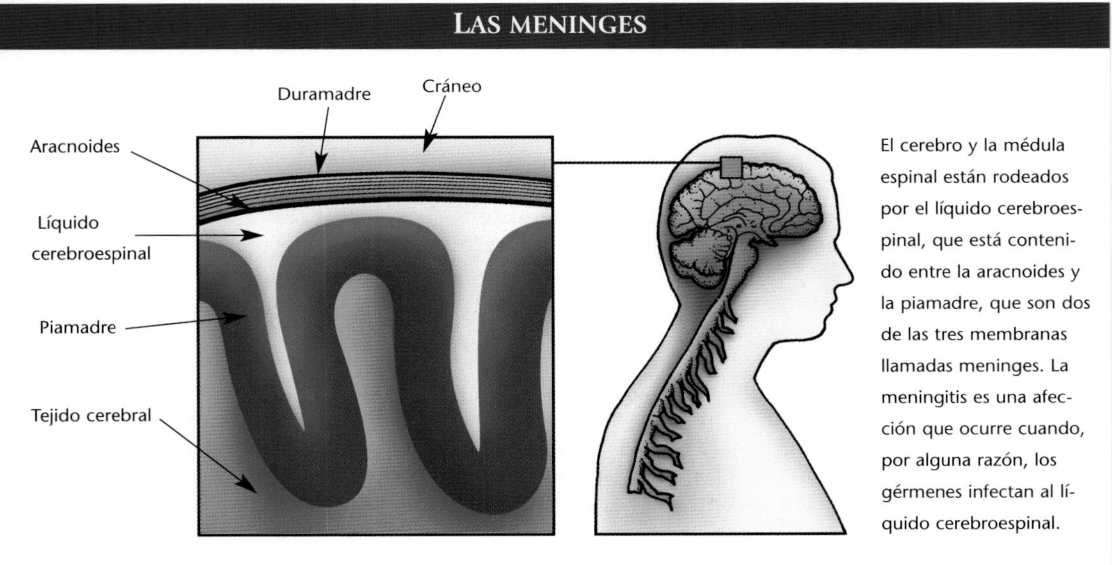

El cerebro y la médula espinal están rodeados por el líquido cerebroespinal, que está contenido entre la aracnoides y la piamadre, que son dos de las tres membranas llamadas meninges. La meningitis es una afección que ocurre cuando, por alguna razón, los gérmenes infectan al líquido cerebroespinal.

fuerza de la boca. El paciente puede entrar en una condición de aletargamiento progresivo, hasta caer en la inconsciencia; puede haber movimientos convulsivos antes de que esto ocurra.

La meningitis puede ocurrir a cualquier edad; aun los bebés pueden ser afectados por ella. En este caso, los síntomas suelen ser fiebre leve, llanto agudo, vómitos y pérdida del apetito.

+ *Tratamiento*

¿Qué deberían hacer los padres si un hijo presenta uno o varios de los síntomas mencionados?

Deben llamar inmediatamente al médico o llevarlo al hospital más cercano. La demora puede poner en peligro la vida de la criatura. Cuanto antes pueda el médico identificar al microorganismo que afecta al niño, tanto antes podrá comenzar el tratamiento. No demore en poner a la criatura con meningitis bajo cuidado médico.

Por ser esta una enfermedad tan grave, los padres deben dejar el tratamiento en manos del médico y seguir cuidadosamente sus instrucciones. No deben suponer que el enfermito sanará con remedios caseros o por efecto de un milagro. Por supuesto que pueden pedir a Dios que añada su poder a la habilidad de los médicos con el fin de que se produzca la necesaria curación.

Las primeras 24 horas de la enfermedad son las más peligrosas para los bebés y los niños un poco más grandes, porque todavía no se ha desarrollado bien su mecanismo de defensa contra las infecciones, que puede ser vencido por las toxinas. Pero si el cuerpo lucha satisfactoriamente contra la enfermedad, la perspectiva de recuperación es bastante buena.

¿Tiene usted algún interés especial en la meningitis? ¿No tendría una historia que contar al respecto?

No es una historia agradable. Aunque parezca increíble, dos de mis hijos, en momentos diferentes, enfermaron gravemente de meningitis cuando eran pequeños. En ese tiempo había una fuerte epidemia de sarampión en la región donde vivíamos, y seguramente mi ropa estaba cargada de gérmenes infecciosos. Tal vez yo infecté a mi hijo, aunque no estoy seguro. Estuvo gravemente enfermo e inconsciente durante varios días.

Mi hijita contrajo la misma temible enfermedad, como consecuencia de un resfrío común que produjo una infección en el oído. Esta infección llegó al cerebro y produjo meningitis. También estuvo muy enferma, con convulsiones y algunos otros síntomas graves. Pero estoy agradecido, porque los cuidados médicos que recibió en el hospital y la bendición de Dios salvaron a mis dos hijos. Se recuperaron sin que el cerebro quedara afectado. Eso me hizo ver con toda cla-

La meningitis sigue siendo una enfermedad grave incluso hoy, cuando disponemos de numerosos antibióticos y otras sofisticadas formas de terapia.

ridad la facilidad con la que las criaturas pueden contraer esta enfermedad. Por eso los padres deben ser muy cuidadosos en la atención de sus hijos pequeños.

Encefalitis

Esta es otra de esas enfermedades graves que afectan al cerebro. ¿En qué consiste?

La encefalitis es la infección del cerebro. Como en el caso de la meningitis, los gérmenes infecciosos pueden provenir de otra parte por medio del torrente sanguíneo. El cerebro se puede infectar por la acción de los virus que producen muchas de las enfermedades comunes de la infancia, como la rubéola, el sarampión, las paperas, la varicela, etc. El virus del herpes puede causar una variedad de encefalitis capaz de poner en peligro la vida de la criatura.

Recuerdo a una encantadora niña de 11 años a quien traté recientemente. Como resultado de un herpes simple en el labio, cayó en estado de coma durante 24 horas. Se recuperó solamente gracias a la enérgica atención médica y hospitalaria, y al uso de un medicamento nuevo.

¿Qué clases de síntomas se producen y qué debe alertar a la madre?

Con frecuencia el dolor de cabeza es el síntoma inicial. También puede haber náuseas y vómitos. La irritabilidad en los bebés e infantes puede ser la única señal exterior de un dolor de cabeza. El bebé no tiene otra forma de comunicarse. Puede perder el apetito y vomitar cualquier cosa que ingiera. Puede tener el cuello rígido; ciertos movimientos pueden causarle molestia.

Puede producirse gradualmente un letargo y dificultad para dormir. A veces puede haber convulsiones y el paciente puede entrar en estado de coma. En los casos graves puede sobrevenir la muerte.

+ *Tratamiento*

¿Cuál es el tratamiento de esta grave enfermedad?

La atención médica urgente es esencial. Cuanto antes se lleve a cabo, tanto mejor será. Vea al médico de su familia, quien remitirá al niño enfermo al hospital más cercano. En el tratamiento de esta peligrosa enfermedad los remedios caseros no sirven.

El tratamiento dependerá de la naturaleza del microorganismo que causa la enfermedad. Para algunos de ellos no existe ningún antibiótico eficaz. En realidad, este es el caso para la mayor parte de las enfermedades producidas por virus. Afortunadamente, la medicina dispone de una pomada para combatir los virus del herpes, lo que puede contribuir a salvar la vida de algún niño. Salvó la vida de mi paciente de 11 años, que se recuperó totalmente.

Convulsiones

Mientras consideramos las infecciones, conversaremos un poco acerca de las convulsiones que se presentan en los niños, porque es una manifestación de infección.

Así es. Esto ocurre usualmente en otra parte del cuerpo, a menudo en las vías respiratorias superiores o en el oído.

¿Son comunes?

Sí y no. Alrededor del 5 % de los niños sufre de convulsiones producidas por un estado febril en la primera etapa de su vida. Ocurren con más frecuencia entre los 6 meses y los 4 años. Raramente se presentan después de los 6 años.

¿Significa esto que el niño es un candidato a la epilepsia?

Esto es lo que se teme, pero me alegra decir que la mayor parte de estos enfermos no vuelve a tener convulsiones por el resto de su vida. Se estima que el 5 % de estos niños puede llegar a ser epiléptico en el futuro.

¿Cuáles son los síntomas?

Con frecuencia el niño se acuesta en la noche y después despierta con convulsiones. Los padres se alarman porque no han visto antes esa reacción en su hijo. El cuerpo del niño se sacude con movimientos extraños. Causa la impresión de estar inconsciente o tiene una mirada vidriosa y echa espuma por la boca. Después se tranquiliza y se duerme. Suele tener fiebre y tal vez el día anterior tuvo dolor de oído, tos, infección de las vías respiratorias o bien un resfrío común.

+ *Tratamiento*

¿Cuál es el mejor consejo que le puede

ofrecer a una madre afligida porque su hijo tiene convulsiones?

Primero, no entre en pánico, porque el niño no morirá. Convénzase de eso. Mantenga la calma.

Lo primero que debe hacer es refrescar al niño afiebrado. Báñele el cuerpo por partes con una esponja con agua fresca. Para algunos es más fácil dar un baño tibio o frío, pero no recomiendo este procedimiento cuando el niño tiene convulsiones. El esponjamiento es suficiente. Algunos dan una fricción con alcohol, el que al evaporarse refresca el cuerpo, pero en muy pequeña cantidad, pues el alcohol se absorbe por la piel y pasa a la sangre.

No ponga nada entre las mandíbulas apretadas, ni trate de abrirlas a la fuerza con algún objeto o con los dedos. El niño puede morder muy fuertemente. Póngalo de costado y procure empujar la mandíbula hacia adelante para asegurar el paso de aire.

¿Sale el niño por sí mismo de este estado convulsivo?

En la mayor parte de los casos el ataque termina espontáneamente y el niño se queda dormido respirando de forma normal, o bien se despierta.

¿Se le puede dar algún medicamento?

Nunca trate de dar un medicamento a una persona inconsciente, porque puede atragantarse o asfixiarse. Después, cuando está bien despierta, le puede administrar jarabe con paracetamol para reducir la fiebre.

¿Cuándo se debe llamar al médico?

Con frecuencia, cuando el médico llega el niño ya ha salido de sus convulsiones. Pero vale la pena que lo examine para establecer la causa. Puede tener una infección bronquial o de un oído. El médico le recetará antibióticos, y eso remediará el problema.

¿Es necesario dar medicamentos permanentemente para prevenir futuras convulsiones?

Los investigadores están estudiando este asunto. La mayor parte cree que en el caso de uno o dos ataques aislados, relacionados con infecciones y fiebre, no es necesario continuar administrando medicamentos. Pero en el caso de ataques repetidos prescriben medicamentos de acuerdo con las necesidades individuales, lo cual basta para evitar que los ataques se repitan.

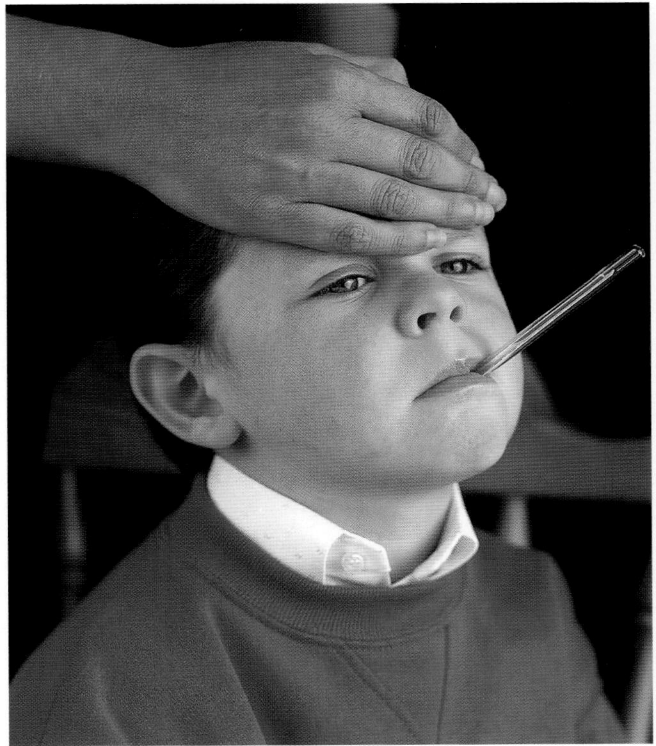

La causa más común de convulsiones es la fiebre que acompaña a una infección virósica. Generalmente ocurre entre los seis meses y los seis años.

Epilepsia

Ya hablamos de las convulsiones causadas por la fiebre. Veamos ahora qué es la epilepsia y qué la provoca.

La palabra "epilepsia" viene de un término griego que significa convulsión. Este mal ya se conocía en la antigüedad y a veces se atribuía a los malos espíritus. Aunque parezca extraño en nuestra época de progreso científico, en muchos casos no podemos decir por qué suceden esos ataques. Pero una persona de cada 200 los tiene.

Hay numerosas formas de epilepsia, pero por razones prácticas consideraremos las dos más comunes. La primera es una forma leve que se llama *petit mal* (pequeño mal en francés) o "mal de ausencia". Los síntomas, con frecuencia, son casi imperceptibles. El niño dirige la mirada al espacio durante algunos segundos o minutos, ajeno a lo que sucede a su alrededor. Pueden producirse algunos movimientos extraños, como parpadeos, hasta que vuelve repentinamente a la

i

En torno del 5 % de los niños sufre de convulsiones en las primeras etapas de su vida.

realidad. No se produce ningún efecto adverso. El niño continúa con lo que estaba haciendo. No pierde el equilibrio, no queda cansado. Algunos pueden sufrir varios de estos ataques en el día.

¿Cómo es la otra forma de epilepsia?

Se denomina *grand mal* (gran mal). Es más dramático, y a veces asusta, especialmente cuando se presenta por primera vez. Se producen convulsiones generalizadas. El niño hace cosas extrañas, como mirar hacia el espacio con movimientos extraños de los ojos. A continuación sobreviene pérdida del conocimiento. Simultáneamente se producen contracciones musculares bruscas y anormales; con frecuencia el cuerpo y los miembros se sacuden violentamente. El paciente cae, le corre saliva de la boca, tiene los ojos cerrados o bien una mirada vidriosa. Puede orinar o defecar sin control. Cuando concluye el ataque el niño se siente extraño, confundido y puede quedarse dormido.

Se dice que la epilepsia se produce en una de cada 200 personas.

¿Cuál es la causa de estos ataques?

Pueden sobrevenir sin razón evidente. O bien ciertas cosas que el niño hace pueden preceder a un ataque, como mirar luces parpadeantes, especialmente la televisión y los juegos electrónicos. El ataque es más probable si las luces se mueven zigzagueando o si mira los movimientos luminosos cambiantes que se ven en la pantalla cuando un canal no está transmitiendo. Es más probable que el ataque se produzca cuando el niño está cansado, cuando se ha producido un problema emocional serio, cuando ha habido discusiones o el niño ha estado respirando con mucha rapidez.

¿Es hereditaria está condición?

Se cree que existe una predisposición genética a la epilepsia, porque generalmente existe un familiar cercano con el mismo problema. Otras veces se produce después de un golpe o herida en la cabeza que ha producido una lesión cerebral.

+ *Tratamiento*

¿Existe algún tratamiento adecuado?

El tratamiento para la epilepsia es excelente y ha eliminado numerosos problemas que antes causaba la enfermedad. Pero es esencial que el neurólogo llegue a un diagnóstico acertado. Su estudio se basa en una prueba que se llama electroencefalograma, que es una exploración del cerebro que registra la actividad bioeléctrica de las neuronas o células cerebrales. Le ayuda al profesional a hacer su diagnóstico, aventurar un pronóstico y organizar su orientación terapéutica tanto de la epilepsia como de otros problemas neurológicos. También se pueden usar otros medios de exploración del cerebro para descubrir causas subyacentes.

Una vez establecido el diagnóstico, el médico prescribe un tratamiento a base de medicamentos, con el fin de mantener al epiléptico libre de convulsiones durante el mayor tiempo posible. Existen numerosos medicamentos eficaces que se pueden recetar, según cada caso. El médico mantiene el tratamiento durante todo el tiempo que sea necesario, a veces hasta después de pasar años sin convulsiones, y hasta que los exámenes demuestren que la curación ha sido total.

¿Qué medidas generales conviene adoptar?

Si ve a alguien con un ataque epiléptico, trate de que se mueva lo menos posible. Si ha caído en la calle cuide de que no tenga la cara en el agua, porque se podría ahogar. No trate de separarle las mandíbulas. Empuje la mandíbula inferior hacia adelante para facilitar la respiración, si es necesario. Ponga al paciente de lado. Se recuperará espontáneamente, con o sin su ayuda.

¿Deberían los epilépticos evitar el cansancio y las luces centelleantes?

Cualquier cosa que contribuya a aumentar el riesgo de un ataque de epilepsia debería evitarse hasta donde sea posible. Las luces fluorescentes y parpadeantes, el cansancio, el televisor descompuesto, pueden causar ataques epilépticos, por lo que es mejor evitarlos.

¿Qué opina acerca de las asociaciones de epilépticos y otros grupos de ayuda?

Me parece que son muy útiles. Existen en casi todos los países. Algunos han sido creados y están dirigidos por padres de niños epilépticos. Son de mucha ayuda y dan muy buena orientación.

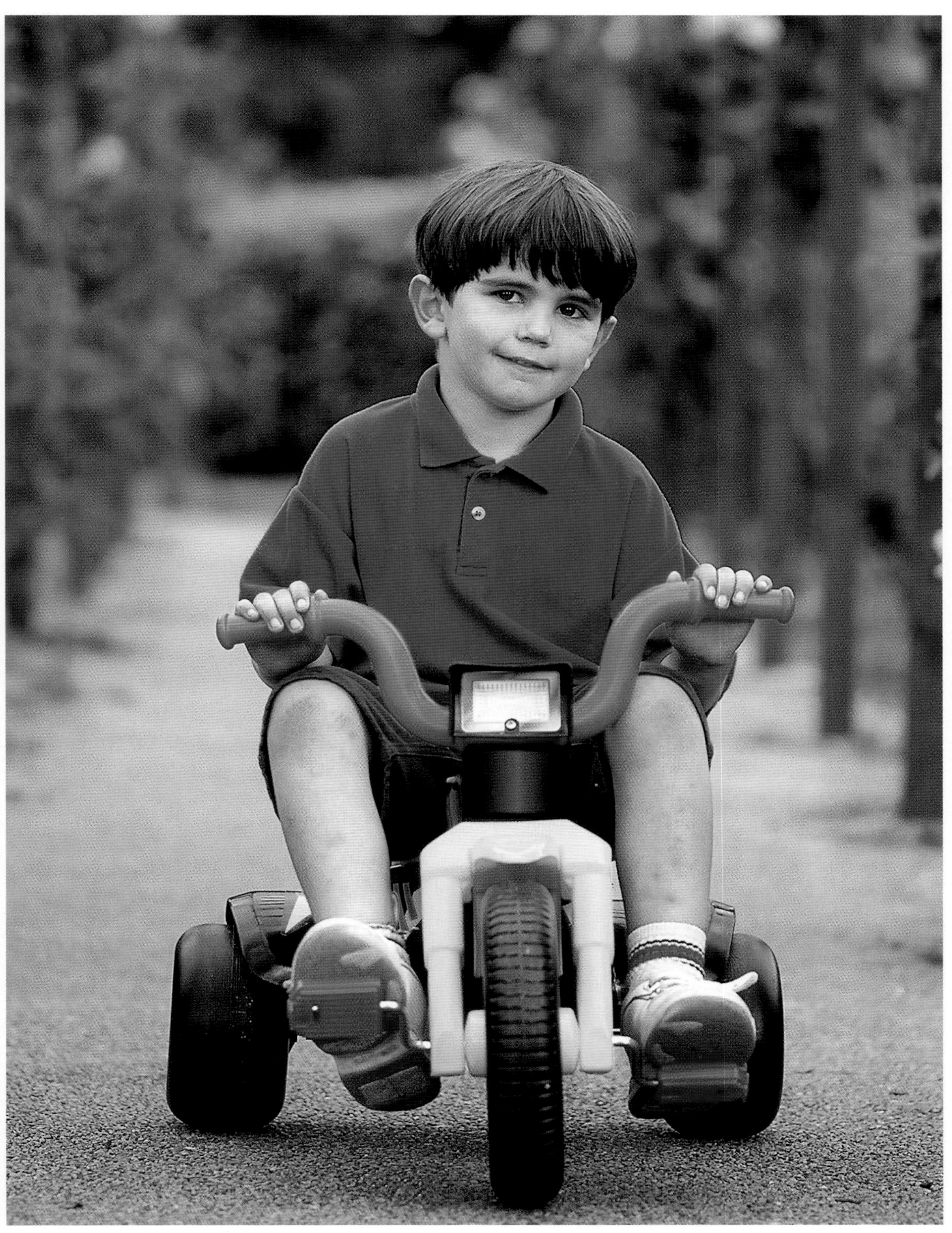

En realidad, la epilepsia no se conoce muy bien, pero con seguridad no es algo que amenace la vida de nadie. Los niños que padecen lo que se llama *grand mal*, todo lo que necesitan es medicación para controlar la situación.

Antes los epilépticos eran mal mirados, como si fueran culpables de su enfermedad. Afortunadamente, esa actitud injusta ha mejorado en los últimos años, a medida que la comunidad en general se ha informado mejor acerca de la enfermedad. Importantes personalidades del mundo de los negocios son epilépticos; también hay deportistas que se han sobrepuesto a su dolencia y llevan vidas normales, activas y satisfactorias. Son buenos ejemplos que pueden inducir a otros epilépticos y a sus padres a no desanimarse. Existen excelentes recursos médicos para ayudar a los epilépticos.

Corea (baile de San Vito)

¿Qué puede decir de la corea?

El Dr. Thomas Sydenham, médico londinense nacido en 1624, fue el primero en describir esta afección, por lo que su nombre ha estado siempre asociado a la corea. "Consiste en una sucesión de movimientos rápidos, breves, incesantes, involuntarios y desordenados, incoercibles y sin finalidad, de todas las partes del cuerpo, aunque sobre todo de las extremidades (manos y pies), de la cara y de la lengua. Los saltitos que dan estos enfermos al caminar recuerdan un paso de danza (de donde procede el nombre de corea, derivado de la palabra griega que significa precisamente baile); además, hay muecas, gesticulación, movimientos desgarbados y desordenados de los brazos, los labios y la lengua, por lo que la palabra es confusa, embarazosa, tartamudeante y a veces sin terminar" (*Nuevo diccionario médico*, Editorial Teide, Barcelona, España. Adaptado).

El baile de San Vito, asociado con fiebre reumática, afecta a muchas niñas entre los 5 y los 15 años.

¿Qué causa la corea?

No se sabe con seguridad, pero con frecuencia se trata de una infección en la garganta con estreptococo hemolítico, que produce la llamada fiebre reumática. Las toxinas del germen atacan las articulaciones, pueden atacar el corazón y a veces el cerebro, produciendo corea.

La corea puede ser muy incómoda para el niño que la padece, porque dificulta las actividades normales. Los síntomas subyacentes suelen incluir inestabilidad emocional, con irritabilidad, confusión y mal genio. El niño se pone intratable y obstinado. Los síntomas físicos ya los mencionamos en un párrafo anterior.

+ *Tratamiento*

¿Qué deben hacer los padres?

Es indispensable que sometan al niño a tratamiento médico y que lo supervisen de forma adecuada, especialmente en las primeras etapas. La corea puede haber comenzado cuando el niño tuvo problemas en sus articulaciones con la fiebre reumática. El tratamiento debe comenzar entonces, después que el médico ha hecho el diagnóstico adecuado. El niño debe guardar cama, tomar tranquilizantes y sedantes bajo la supervisión del médico.

El tratamiento produce resultados satisfactorios, pero con el tiempo puede ser que de vez en cuando se presenten ataques. Por eso conviene que el médico lo examine a menudo.

Retardo mental

Hasta aquí hemos considerado las enfer-

medades infecciosas del cerebro y los nervios. También las afecciones que producen movimientos extraños y anormales. Veamos ahora a un problema que produce resultados muy tristes: el retardo mental.

El retardo mental no se aprecia con facilidad en los bebés, aunque el médico a veces detecta algunos síntomas. Pero sólo cuando el bebé crece y se desarrolla puede la madre descubrir que su criatura no está progresando normalmente y comprende que existe algún trastorno mental.

¿Cuándo se puede determinar que un niño padece de retardo mental?

Para determinarlo tenemos que referirnos al concepto de "cociente intelectual", que es la relación que existe entre la edad mental y su edad cronológica. La edad mental de un niño es la edad en la que puede realizar con éxito las actividades que corresponden a esa edad. La edad cronológica es la que se computa a partir de su nacimiento.

El cociente intelectual mide la capacidad intelectual del niño que, por lo menos en teoría, es normal cuando la edad mental coincide con la edad cronológica. Por ejemplo, si los niños de dos años pueden hablar hasta cierto punto y comprender las cosas sencillas que se les dicen, y un niño de tres años y medio todavía no ha aprendido a hablar, no hay correspondencia entre la edad mental y la edad cronológica, lo cual supone un mal funcionamiento de un sector del cerebro. Por cierto que hay niños que aprenden a hablar a una edad que no es la habitual, sin que eso signifique que su cerebro está funcionando mal.

La capacidad mental es tanto más reducida cuanto mayor sea la edad cronológica con respecto a la edad mental, es decir, cuanto menor sea el cociente intelectual. Los cocientes mayores de 1 (o 100) corresponden a niños de una inteligencia superior a la media normal; los niños con cocientes inferiores a 0,8 (u 80), se considera que son deficientes mentales.

¿Cuál es la causa de esta triste condición?

Se atribuye a numerosas causas, y algunas han sido incontrolables. Por ejemplo, la madre pudo haber tenido una infección durante el embarazo, cuando el cerebro del bebé se estaba desarrollando, o bien este puede padecer del síndrome de Down. También puede haber faltado una provisión adecuada de oxígeno durante el nacimiento.

En muchos casos, la causa de la deficiencia mental es una infección cerebral grave, como meningitis, encefalitis o herpes; o bien cualquiera de las demás infecciones cerebrales causadas por virus o bacterias. O bien el niño retardado mental puede haber sido víctima de toxinas, sustancias químicas o una glándula tiroides hipoactiva que produce la deficiencia llamada cretinismo.

¿Qué sucede cuando el niño crece?

Al niño le resulta imposible hacer frente a las situaciones normales de la vida infantil. No puede recibir beneficio de situaciones que generalmente educan a los niños. La experiencia y la instrucción no ofrecen ningún beneficio, de modo que el niño con retardo mental no puede hacer lo que hacen los demás niños de su edad, y cada vez va quedando más atrás. Estos niños suelen ser antisociales, inquietos, resentidos, irritables y discutidores.

El examen con un sistema de medición de diseño especial ayuda a establecer pronto un diagnóstico y revela la extensión del problema.

+ *Tratamiento*

¿Qué tratamiento puede beneficiar a estos infortunados niños?

El niño retardado suele permanecer en el hogar, donde los padres se encargan de criarlo y educarlo hasta donde pueden. Casi todos los padres están preparados para dedicar tiempo y energía a la educación de estos niños con problemas, para hacerles la vida razonablemente tolerable, ya que de este modo pueden aprender mucho.

Cuando crecen pueden asistir a instituciones especiales donde aprenden a usar sus manos en trabajos prácticos y productivos. De este modo pueden aprender algún oficio y ubicarse en la sociedad.

¿Qué piensa de las asociaciones de padres con hijos retardados?

Están constituidas por padres con problemas similares, y suelen ser muy activas y de gran utilidad. Ofrecen notable apoyo psicológico y emocional a los padres y a su hi-

El uso de lentes levemente coloreados ayuda a leer mejor a los niños afectados de dislexia.

El autismo afecta de 2 a 4 niños de cada 10.000. Generalmente son varones.

jo retardado, lo cual tiene gran importancia, sobre todo cuando el hijo tiene que depender de sus padres durante muchos años.

¿Qué le parece la idea de examinar a los bebés cuando nacen, para descubrir algunos de los problemas y enfermedades posibles?

En años recientes, los dos acontecimientos más notables han sido los exámenes de sangre para detectar la fenilcetonuria y el hipotiroidismo, grandes productores de retardo mental. Es indudable que esto es un paso adelante en la prevención de la deficiencia mental.

Dislexia

¿En qué consiste este problema?

La dislexia significa que el niño tiene dificultad para aprender a leer o escribir. Ven la palabra escrita, pero no distinguen sus componentes, ya que sólo ven símbolos confusos y sin sentido. Muchos niños tienen dificultad para aprender a leer. La inseguridad, las tensiones y las ansiedades pueden agravar esto, aun en los niños en general.

Sin embargo, si su hijo es especialmente lento para aprender a leer, o si tiene 8 o más años de edad y no progresa en la lectura, puede deberse a que tiene dislexia. Se hacen pruebas para descubrir este problema.

¿Cómo pueden saber los padres si su hijo tiene esta incapacidad?

A veces puede resultar difícil para un maestro descubrir que un niño tiene dislexia, puesto que debe dividir su atención entre muchos alumnos, y no puede dedicar tiempo en especial a cada uno. Los niños disléxicos suelen ser muy despiertos y pueden expresarse correctamente cuando hablan, pero no pueden escribir bien, ya que ponen las letras al revés o las confunden. No distinguen bien los símbolos alfabéticos con configuración parecida, por ejemplo la "b" y la "d". Lamentablemente, se suele acusar a estos niños de ser haraganes y de no esforzarse suficientemente.

¿Existen tratamientos adecuados?

El niño disléxico requiere enseñanza especializada. Si no se lo inscribe en una institución para disléxicos, o bajo el cuidado de maestros especializados, puede causársele mucho daño y aun trastornos psicológicos.

Requieren atención individual adicional y simpatía de parte de un maestro especializado en dislexia. Los padres de estos niños deben hacer lo posible por darles esa ayuda.

El niño autista

¿Qué significa que un niño es autista?

Aunque esta es una condición poco común, se le está dando mayor atención en la comunidad a medida que se conoce mejor su existencia.

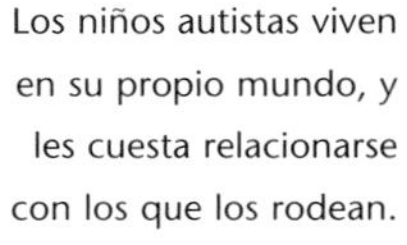

Los niños autistas viven en su propio mundo, y les cuesta relacionarse con los que los rodean.

Es un desorden mental y no físico; no se sabe cuál es la causa. Es posible que estas sean numerosas.

¿Cómo se manifiesta el autismo?

Los niños autistas viven en un mundo propio y no reaccionan ante los estímulos exteriores; rechazan la compañía de otra gente, incluso de sus madres. Son desapegados e indiferentes, y tratan a los demás como si fueran objetos remotos. También tratan de la misma forma algunas partes de sus propios cuerpos. Son diferentes del promedio de los bebés, que disfrutan de la compañía de otros y reaccionan con evidente alegría.

Los niños autistas suelen aprender habilidades básicas, pero pocas veces las emplean para comunicarse con los demás. Por ejemplo, aun después de aprender a caminar, hacen muy poco esfuerzo para aproximarse a sus padres o acercarse a alguien. No se molestan en comunicarse con otros niños ni se interesan en ellos.

La capacidad de hablar queda afectada, porque no pueden comunicarse normalmente. En algunos casos ni siquiera aprenden a hablar, o bien inventan un lenguaje propio y extraño.

Muchos niños autistas son muy inteligentes a su manera, pero su comportamiento anormal no les permite emplear sus talentos. Otros tienen, además, otros problemas mentales.

¿Qué se puede hacer para ayudar a estos niños?

La única esperanza para ellos es una educación a largo plazo impartida por maestros especializados que estén dispuestos a pasar mucho tiempo con ellos y a desplegar grandes esfuerzos en su beneficio.

Síndrome de Down (mongolismo)

¿En qué consiste esta afección tan común?

Es una enfermedad hereditaria en la que el retardo mental es la característica principal. El riesgo de que un bebé nazca con esta afección aumenta dramáticamente después que la mujer cumple 40 años, y en especial cuando tiene su primer hijo después de esa edad. Por cierto que también ocurren casos de mongolismo en hijos de mujeres más jóvenes, sin que se sepa la razón.

¿Cómo es la cara y la cabeza del niño mongólico?

La cabeza tiende a ser chica, los ojos son almendrados, las manos son anchas y el quinto dedo está torcido hacia adentro. Hay, además, un amplio espacio entre el segundo y tercer dedo de los pies, y algunas articulaciones están flojas. Los lóbulos de las orejas pueden ser pequeños o inexistentes. La boca está casi siempre abierta. Las mejillas tienen un color rojizo. Los dientes son irregulares y el paladar está abovedado. El niño puede tener otras anormalidades congénitas, como defectos en el corazón y leucemia (cáncer de la sangre).

¿Qué ocurre con su desarrollo mental?

Está sumamente afectado. El mongólico puede alcanzar una edad mental de 7 a 8 años, y casi nunca más que eso. La mayor parte de estos enfermos muere antes de llegar a la edad adulta.

+ *Tratamiento*

¿Existe algún tratamiento para los niños con síndrome de Down?

Con frecuencia el padre o la madre se dedican por completo al cuidado de su hijo enfermo, a veces en perjuicio del resto de la familia. El cuidado de ese hijo requiere una enorme cantidad de tiempo, perseverancia y paciencia. El resultado final suele ser insatisfactorio a pesar de todo eso.

Algunos de estos niños llegan a instituciones en las que los cuida personal especializado. Allí tienen la oportunidad de relacionarse con otros niños y hacer vida social con ellos. Cuando crecen, aprenden algún oficio y pueden integrarse de forma muy limitada a la sociedad, aunque también hay casos en los que se desempeñan muy bien.

¿Por qué se le ha dado a esta afección el nombre de síndrome de Down?

Se presume que se debe a que el Dr. John Langdom Down, médico londinense nacido en 1828, fue el primero en describirla.

Antes se la conocía con el nombre de "mongolismo", porque los mongoles tienen los ojos parecidos a los de estos enfermos. Pero para no caer en el racismo se abandonó esta denominación y se le dio a la afección el nombre de síndrome de Down.

El síndrome de Down se manifiesta aproximadamente en uno de cada 650 bebés.

Niños espásticos (parálisis cerebral)

Mientras todavía estamos dentro del tema del retardo mental y de los movimientos anormales, sugiero que conversemos acerca de la parálisis cerebral y los niños espásticos. ¿Qué es esto?

"La parálisis cerebral infantil es el conjunto de cuadros clínicos constituidos por un grupo de encefalopatías, caracterizado por una disfunción neuromuscular no progresiva, originada por una lesión cerebral" (*Nuevo diccionario médico,* Editorial Teide. Adaptado). Es la consecuencia de una lesión cerebral que pudo haber ocurrido después de la concepción, en las semanas antes del parto, justamente antes o durante el parto o después de este. Existen numerosas causas que cuando ocurren se pasan por alto, y que probablemente nunca se descubrirán.

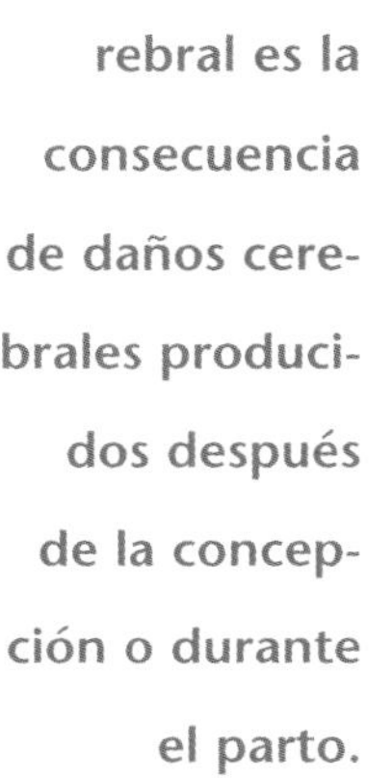

La parálisis cerebral es la consecuencia de daños cerebrales producidos después de la concepción o durante el parto.

¿Qué síntomas se perciben?

Puede haber pocos síntomas, o muchos y notables. Pueden ir desde parálisis de diversos grupos de músculos o de sectores enteros del cuerpo, debilidad, falta de coordinación, y además movimientos espasmódicos y extraños. El retardo mental suele ser común, y con frecuencia el paciente tiene problemas para ver, hablar y oír. Puede haber diversas perturbaciones emocionales, y movimientos convulsivos del cuerpo, los miembros y la cabeza.

¿Afecta esto a muchos niños?

Es bastante común. Algunos casos son graves; otros son leves. Se calcula que un tercio de los niños afectados por parálisis cerebral se recupera bastante bien con un tratamiento adecuado; otro tercio queda con grave retardo mental. Alrededor del 16 % queda con afecciones cerebrales tan serias que debe permanecer en cama más o menos permanentemente.

¿Cuáles son algunas de las posibles causas?

Son muchas. Pueden ser infecciones por virus o bacterias antes o después del nacimiento, rayos X durante el embarazo, pérdida de sangre antes del parto. El bebé pudo haber sufrido de una infección cerebral, como meningitis, encefalitis u otra infección causada por alguno de los numerosos virus que afectan a los niños.

+ *Tratamiento*

¿Qué clase de tratamiento se recomienda?

La aplicación del tratamiento puede ser muy difícil y frustrante para la familia. El niño debe permanecer en el hogar, la mayor parte del tiempo en cama, y los padres tienen que cuidar al niño enfermo por el resto de la vida. A otros se los envía a centros especiales de atención médica. Otros a escuelas especiales para su atención y educación. La fisioterapia, la enseñanza del lenguaje y los cuidados psicológicos pueden ser beneficiosos en lo que generalmente es una afección muy difícil de manejar.

Espina bífida

Consideremos ahora algunos de los desórdenes congénitos, el primero de los cuales es la espina bífida.

No es muy común, ya que ocurre en uno de cada mil nacimientos. Es un defecto congénito del cierre del conducto de la columna vertebral. Es una anormalidad del desarrollo que se presenta con más frecuencia en la porción inferior de la columna vertebral.

¿Cuáles son los síntomas?

Puede producirse un abultamiento en alguna parte de la columna, por ejemplo, en el extremo inferior. Los síntomas pueden ser leves o inexistentes. Puede haber debilidad en los miembros inferiores y posteriormente parálisis; también puede haber falta de control de la micción (orina) y la defecación. Los padres pueden enterarse por primera vez de esta anomalía cuando la criatura no aprende a controlar los esfínteres (vejiga y recto).

+ *Tratamiento*

¿Hay algún tratamiento eficaz?

Muchos pacientes con una afección leve pueden vivir largo tiempo. Yo mismo traté a un paciente durante muchos años, que vivió hasta que cumplió los 50, cuando murió de complicaciones renales súbitas. Trabajaba bien y llevaba una vida bastante normal. También se casó y tuvo un hijo perfecto.

Si esta afección se encuentra en el nacimiento, se opera al bebé. Lamentablemente,

La espina bífida (la división en dos del extremo inferior de la columna vertebral) es un mal congénito. Muchos de los bebés que la padecen también manifiestan hidrocefalia (exceso de liquido en la masa encefálica).

aunque estas criaturas se salven de la muerte, es probable que tengan que soportar graves dificultades posteriormente, y les crean muchos problemas a los que se tienen que encargar de cuidarlos.

Todos estos pacientes deben recibir cuidados médicos de acuerdo con sus síntomas y su condición. Puede ser que algunos requieran cuidados intensivos en un hospital durante mucho tiempo. Otros, con una afección más leve, como mi paciente, pueden vivir durante largos años y dedicarse a un trabajo útil.

Se calcula que se produce un caso de espina bífida cada 10.000 nacimientos.

Entiendo que ahora es posible diagnosticar algunos de estos casos antes del nacimiento.

Así es, con la ayuda de la proteína fetal alfa es posible diagnosticar estos casos antes del nacimiento. Esta proteína es producida por el canal neural abierto, y se encuentra presente en el fluido amniótico del útero, o bien en la sangre de la madre aparece una cantidad anormalmente elevada de esta sustancia.

En las mujeres que han tenido espina bífida existe la posibilidad de que tengan hijos con la misma afección.

Hidrocefalia

¿Significa esto que hay agua en el cerebro?

Así es, por lo menos un líquido. Afortunadamente, esta afección es muy poco frecuente y su causa no se establece casi nunca. Se han citado diversas causas, como exposición excesiva a los rayos X antes del nacimiento, infecciones por virus (probablemente rubéola, sarampión, etc.), falta de oxígeno para el bebé durante el nacimiento. Algún día sabremos con certidumbre las razones verdaderas, y así poder combatirlas.

¿Qué sucede realmente?

Se produce una obstrucción que no permite el libre flujo de los fluidos que bañan normalmente el cerebro interna y externamente. El bebé, al nacer, causa la impresión de ser normal, pero al cabo de semanas o meses, cuando el líquido no puede circular, se acumula y provoca el aumento paulatino del tamaño de la cabeza (a veces tres meses después del nacimiento). La tasa de crecimiento de la cabeza no corresponde a la del resto del cuerpo. El bebé se cansa con facilidad, entra en letargo, se pone irritable, vomita y su vitalidad disminuye. La salud del bebé se deteriora gradualmente.

+ *Tratamiento*

¿Tiene algún valor la terapia en este caso, o no sirve de mucho?

La atención médica es necesaria, primero para llegar a un diagnóstico, y luego para prescribir un tratamiento. Se han hecho muchos intentos para restablecer la circulación normal del líquido cerebroespinal, con la colocación de un cateter entre el cerebro y una vena, con una válvula para que pase la cantidad necesaria. El éxito ha sido escaso, y casi siempre se produce cierto grado de retardo mental, independientemente de las medidas que se tomen.

¿Cuál es el fin de estas criaturas?

No les va muy bien, por lo general. Pueden desarrollar diversas anormalidades en los ojos, el lenguaje es deficiente, lo mismo que la actividad muscular, y su comportamiento es extraño. Algunos se vuelven espásticos y deben recibir cuidados especiales en instituciones médicas. Ocasionalmente, pero no a menudo, algunos se curan espontáneamente.

Desórdenes degenerativos

Consideremos ahora algunos de los extraños desórdenes que se producen cuando se deteriora la capa aisladora exterior de los nervios.

Se los llama, en conjunto, desórdenes degenerativos. Es algo así como lo que sucede cuando la cubierta aisladora de un cable eléctrico se gasta y los alambres se unen. Esto hace que entren en cortocircuito y se produzca un flujo anormalmente alto de corriente eléctrica. Los nervios son como alambres eléctricos, y en realidad transportan impulsos nerviosos que son corrientes eléctricas. Imaginemos lo que puede suceder cuando por cualquier razón se destruye su cubierta aisladora.

¿Sucede esto con frecuencia?

Afortunadamente no. A menudo el bebé causa la impresión de ser normal al nacer, porque la enfermedad se descubre después. Estos desórdenes suelen tener una causa genética. A la mayor parte de los pacientes el médico los deriva a un hospital donde se puede diagnosticar adecuadamente y se los puede tratar como corresponde.

Aunque existen muchos de estos desórdenes, mencionaremos sólo los principales.

Tabes familiar (Ataxia de Friedreich)

¿En qué consiste esta afección?

La ataxia de Friedreich recibió este nombre en honor a su descubridor, el médico alemán Nicolás Friedreich (1825-1882). Es una enfermedad hereditaria del sistema nervioso en la que los nervios se destruyen gradualmente. Puede comenzar entre los 5 y los 15 años. El niño afectado camina inseguro, porque las piernas son las primeras que sufren. El lenguaje se torna inconexo y difícil de comprender. La mayor parte de los pacientes muere durante la adolescencia.

Enfermedad de Tay-Sachs

Entiendo que esta afección afecta sólo a los bebés de pocos meses.

Así es. Generalmente entre las edades de 3 a 6 meses. Se forman glóbulos anormales de grasa en el sistema nervioso, lo que causa debilidad progresiva, apatía y letargo. La mayor parte muere antes de los 3 años.

Enfermedad de Gaucher

¿Es verdad que esta afección es más común entre los judíos?

No realmente, pero por alguna extraña razón una vez se pensó que así era. Puede ocurrir a cualquier edad y causa una hipertrofia del bazo, hemorragias nasales y dolores en las piernas y los brazos. Como ocurre con la mayor parte de estas enfermedades degenerativas de los nervios, no existe un tratamiento satisfactorio, de modo que la mayor parte de los afectados muere en la infancia.

Encefalopatía desmielinizante

¿En que consiste esta afección nerviosa?

Se la conoce también con el nombre de enfermedad de Childer. Deteriora la capa aisladora de las células del cerebro. Como resultado de ello se produce una parálisis progresiva. Comienza por las extremidades, y luego afecta al tronco. Se presentan dolor de cabeza, náuseas, vómitos, pérdida de peso, retardo mental y convulsiones. No existe un tratamiento adecuado.

Síndrome de Hand-Schueller-Christian

¿En qué consiste esta afección?

Comienza poco a poco y produce letargo, descargas de líquido por los oídos, pérdida de los dientes e hinchazón de los huesos. También se afectan diversos órganos. La enfermedad tiende a mantenerse en estado latente durante años. Algunos enfermos se recuperan mediante un tratamiento con corticoesteroides, y ocasionalmente ocurre una curación espontánea.

Hemorragias cerebrales

Consideremos ahora algunas de las lesiones que pueden ocurrir en la cabeza por accidentes, y que pueden afectar los vasos sanguíneos del interior del cráneo.

Estas lesiones pueden ser el resultado de un golpe en la cabeza con ruptura de vasos sanguíneos. Por otra parte, una vena o arteria también pueden romperse espontáneamente por el debilitamiento de sus paredes.

Hemorragia subaracnoidea

Me parece que esto es más probable después de un traumatismo de la cabeza.

Puede ocurrir entre 24 y 48 horas después de un accidente. A veces hay síntomas que incluyen dolor de cabeza, que puede conducir poco a poco al letargo, la inconsciencia y el coma. También puede haber temperatura elevada y rigidez del cuello, lo que sugiere irritación de las meninges. La acumulación de pequeñas cantidades de sangre puede ser que no cause problemas graves; pero si son considerables pueden destruir una parte importante del cerebro, y provocar convulsiones y parálisis.

Hematoma subdural

¿No incluye esto una hemorragia en la parte exterior del cerebro?

Así es. Puede ser el resultado de un parto difícil. Puede ser el primer síntoma en un niño maltratado por un adulto. Los síntomas son variables y a veces es difícil establecer un diagnóstico firme. El bebé suele mostrarse irritable, inapetente y no desarrollarse de la forma esperada; o bien vomita y tiene fiebre recurrente. La cabeza puede aumentar

Se puede producir una hemorragia cerebral entre 24 y 48 horas después de un accidente.

de tamaño. En los niños más grandes se produce dolor de cabeza, náuseas, vómitos, convulsiones y hasta pérdida del conocimiento.

+ *Tratamiento*

¿Qué tratamiento es el más adecuado?

El médico hospitaliza al niño enfermo para que se hagan los análisis necesarios y se administre el tratamiento más conveniente. Los hospitales disponen de medios de investigación de alta tecnología, como tomografías computadas y resonancia magnética nuclear, para estudiar el cerebro y el cuerpo en general.

Hay que eliminar el coágulo antes de que dañe permanente el cerebro. Cada día se extrae fluido del interior del cráneo. Los resultados, en algunos casos, son sorprendentemente buenos, siempre que no se haya producido demasiado daño en el cerebro mismo.

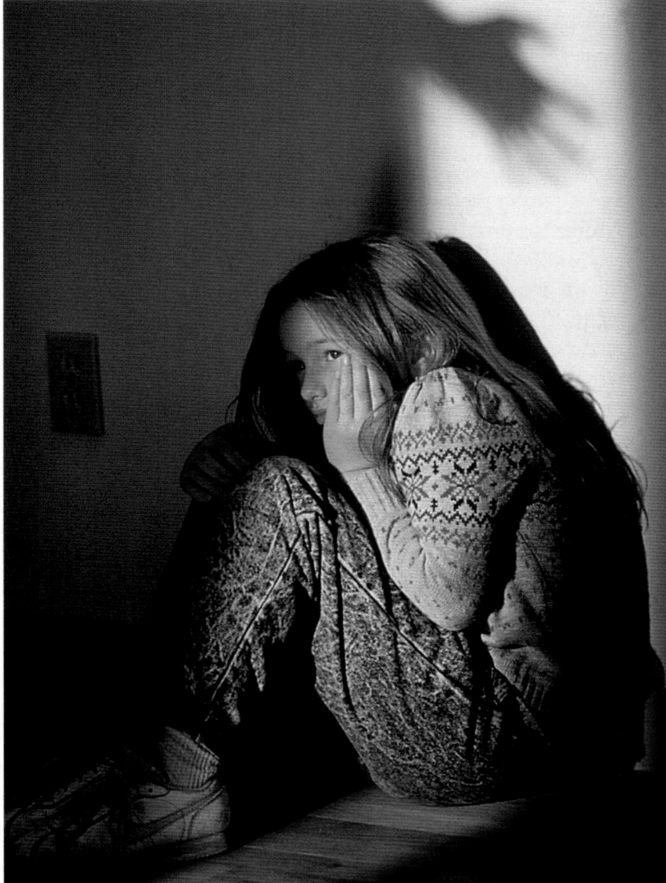

El abuso infantil, en sus diversas formas, es tal vez más común de lo que nos gustaría creer.

Hematoma extradural

¿Es esto también resultado de una lesión en la cabeza?

Muchas veces lo es, y se produce con más frecuencia en la región temporal. El accidentado, luego de sentirse aturdido durante unos momentos, pierde el conocimiento alrededor de una hora después. Puede tener convulsiones y entrar en estado de coma.

+ *Tratamiento*

¿Cómo se tratan estos casos?

Se lleva al niño accidentado a un hospital para que lo examinen y lo traten de manera adecuada. Los resultados son satisfactorios.

Síndrome del niño maltratado

Cada vez se oye hablar más de niños que son deliberadamente maltratados por los adultos. ¿Qué puede decir de esto?

Esta es una situación lamentable que ocurre con mucha frecuencia en los hogares. El padre o la madre castigan con violencia a su hijo o hija, que puede ser un bebé de pocos meses. Cierta vez se le preguntó a una joven madre por qué castigaba a su hijita de dos meses, y ella contestó: "A veces me peleo con mi hermana, lo que me da mucha rabia, y después me desquito con mi hijita".

¿Qué clase de lesiones pueden producirse?

Varían mucho. A veces se producen lesiones en la cabeza que pueden ser graves, incluyendo las que mencionamos en párrafos anteriores. Puede haber huesos fracturados, cortaduras, magulladuras en cualquier parte del cuerpo. Muchas veces se quema a la criatura con un cigarrillo encendido o con agua caliente. En algunos casos se maltrata sexualmente a los niños. Otras veces se los priva de alimento y caen en un estado de desnutrición.

¿Cree usted que los adultos que castigan con tanta crueldad a sus hijos tienen en realidad problemas mentales?

Antes se creía que este era el caso, pero numerosas investigaciones han demostrado que también se maltrata a los hijos en muchos hogares considerados normales y felices. Personas de todas las condiciones sociales y económicas maltratan a sus hijos. En algunos casos los padres sólo repiten con sus hijos lo que sus propios padres hicieron con ellos.

Algunos niños pueden exasperar a sus padres. ¿Cree usted que en algunos casos de maltrato la culpa es más bien de los niños y no tanto de los adultos?

Es indudable que un niño porfiado y revoltoso puede fastidiar e impacientar a los padres. Estos, con sus trabajos, problemas, tensiones y dolores de cabeza pueden perder el control cuando un niño llorón y alborotador no deja de molestar. De modo que en muchos casos el castigo corporal es el último recurso para sosegar a un hijo revoltoso. Debemos mencionar también que los padres suelen maltratar a sus hijos cuando se encuentran bajo la influencia del alcohol.

+ *Tratamiento*

¿Existe algún tratamiento adecuado para remediar esta tendencia a castigar y maltratar físicamente a los niños?

La identificación de la naturaleza y la extensión del problema es el primer paso que se debe dar, pero no es nada fácil. A muchos médicos no les agrada inmiscuirse en los problemas hogareños. En numerosos países se están tomando medidas legales para remediar esta situación. El tratamiento psicológico y la presencia en los hogares de los visitadores sociales para ayudar a resolver problemas familiares contribuye a mejorar la situación.

Envenenamiento con plomo (Saturnismo)

¿Qué nos puede decir acerca del envenenamiento con plomo, que ha aumentado considerablemente en los últimos años?

Los niños respiran el plomo que entra en la atmósfera con los gases industriales, con los gases de los vehículos que usan gasolina (nafta, combustible) con plomo. Además, se suelen llevar a la boca pintura seca con plomo, que sacan de las paredes. La acumulación de plomo en el organismo produce efectos perjudiciales.

¿Cuáles son los síntomas del saturnismo?

Los síntomas iniciales de los niños expuestos a la acción del plomo son de carácter digestivo; se afectan el hígado y los riñones. Los niños se ponen inquietos, irritables, nerviosos y agresivos. Se sienten débiles y no tienen energía ni vitalidad normales. También pueden tener náuseas, vómitos, falta de apetito, constipación, dolor de cabeza, calambres y dolores abdominales. Cuando la intoxicación se vuelve crónica, aparece en las encías el llamado ribete gingival de Burton, que es una línea de color gris azulado causada por el sulfuro de plomo depositado en el borde de las mismas. Cuando la intoxicación empeora se producen convulsiones.

+ *Tratamiento*

¿Qué clase de tratamiento hay para el saturnismo?

El médico interna en un hospital al niño intoxicado con plomo para que le hagan los análisis que ayudarán a descubrir la causa de los síntomas que, por ser vagos, no presentan un cuadro patológico definido. El diagnóstico es difícil. El tratamiento suele darse en el hospital.

Cuando el niño se recupera, los padres deben hacer lo posible para impedir que vuelva a intoxicarse, tarea que no es muy fácil.

Inhalación de pegamento o solventes

¿En qué consiste la práctica de inhalar solventes y otros productos que dañan el cerebro?

Esta es una práctica popular entre los niños y adolescentes. Además de los pegamentos que contienen tolueno, diversos solventes comerciales se han popularizado entre los menores. A veces los muchachos llenan una bolsa de plástico con diversos productos químicos que vienen en aerosol y los inhalan.

¿Qué sucede entonces?

Eso les produce una euforia pasajera, con agudeza mental y aceleración de los latidos del corazón.

¿Cuáles son los riesgos?

Aparte de la euforia que causa, puede producir irregularidades en el corazón y daño a los riñones. Se han registrado numerosas muertes por esta razón.

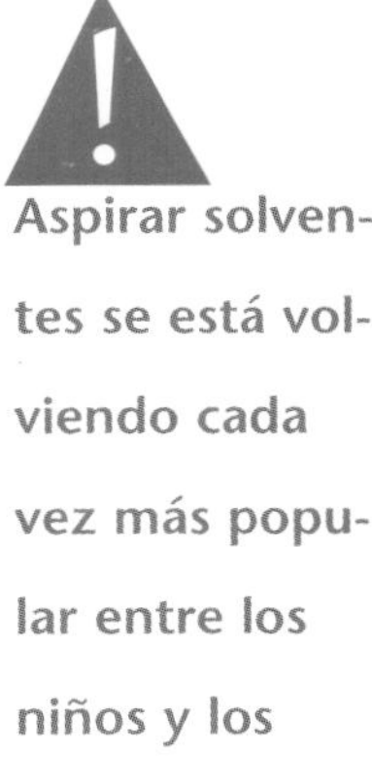

Aspirar solventes se está volviendo cada vez más popular entre los niños y los adolescentes.

¿Qué consejo puede dar al respecto?

Los padres deben aconsejar a sus hijos y explicarles la responsabilidad que tienen hacia su cuerpo y su mente, puesto que tendrán que vivir con ellos por el resto de su vida. Si no cuidan de ellos ahora, en el futuro tendrán graves dificultades. Además, deben saber en todo momento con quiénes se encuentran sus hijos. Deben instarlos a buscar los mejores amigos y a llevar a cabo actividades constructivas con ellos.

+ *Tratamiento*

¿Qué tratamiento recomienda usted?

En algunos casos el niño que ha inhalado pegamento no sufre ningún perjuicio. Sin embargo, cuando se producen síntomas después de un episodio de inhalación de solventes u otras sustancias químicas, hay que poner al niño de inmediato bajo cuidado médico.

Ataques de retención de la respiración

¿Por qué algunos niños retienen la respiración?

Generalmente es un recurso para llamar la atención usado por los bebés de 6 a 18 meses de edad. Retienen la respiración, a veces después de un trastorno emocional, o bien cuando están asustados o enojados. Sencillamente dejan de respirar, se les pone la cara de color azul, tienen convulsiones o pierden el conocimiento. Eso asusta a los padres y de inmediato se ocupan de la criatura. Los pequeños saben que eso les asegurará por mucho tiempo la atención de sus padres. Los niños son más despiertos de lo que creen sus padres.

+ *Tratamiento*

¿Cuál es el tratamiento más adecuado?

Considero que ignorar la retención de la respiración es lo más adecuado. Cuanto más atención se dé a estas criaturas tanto más usarán este recurso para conseguir lo que desean. Cuando los padres no le prestan atención a este jueguito, el efecto que perciben es negativo, de modo que pronto se cansan de él y entran en la normalidad. Los padres no se deben echar la culpa porque su hijo deje de respirar hasta ponerse cianótico. No sufrirán ningún daño ni retardo mental.

Un especialista en niños me dijo que si se pone un paño frío sobre la cabeza y la cara del niño —teniendo cuidado de no tapar-

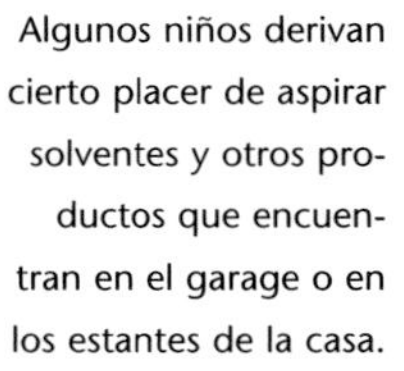

Algunos niños derivan cierto placer de aspirar solventes y otros productos que encuentran en el garage o en los estantes de la casa.

le la nariz—, se pondrán a respirar sin falta, y se terminará la retención de la respiración. Vale la pena probarlo.

Desórdenes musculares.

Para concluir este capítulo acerca de los desórdenes del sistema nervioso, díganos algo acerca de las afecciones musculares.

Afortunadamente no son frecuentes. El síntoma más común es debilidad en los brazos y las piernas. Mencionaremos dos de estos desórdenes.

Miastenia gravis

¿En qué consiste esta afección?

Significa que existe una transferencia anormal de impulsos eléctricos nerviosos en la placa motora que enlaza el nervio con el músculo. El enfermo se cansa de forma acentuada, con debilidad de los músculos frente al esfuerzo repetido o de tensión prolongada. Cuando el músculo está inactivo disminuye el cansancio, lo que es un síntoma característico de la miastenia gravis. Después de dormir y descansar el enfermo amanece mucho mejor. Los síntomas de debilidad muscular vuelven a acentuarse a medida que transcurre el día.

+ *Tratamiento*

¿Existe algún tratamiento satisfactorio?

Como se culpa a la glándula llamada timo, situada en el cuello de los niños de ser la causa de esta afección, ocasionalmente se la extirpa como parte del tratamiento. El médico receta diversos medicamentos eficaces.

Distrofia muscular progresiva

¿Cuándo aparece esta enfermedad y qué sucede?

Puede comenzar entre los 3 y los 6 años. El niño camina de manera parecida al modo de caminar de los patos. Los brazos sufren con más frecuencia que las piernas. No existe tratamiento satisfactorio y la mayor parte de las criaturas muere a causa de infecciones repetidas (la pulmonía es la más frecuente), entre los 5 y los 10 años.

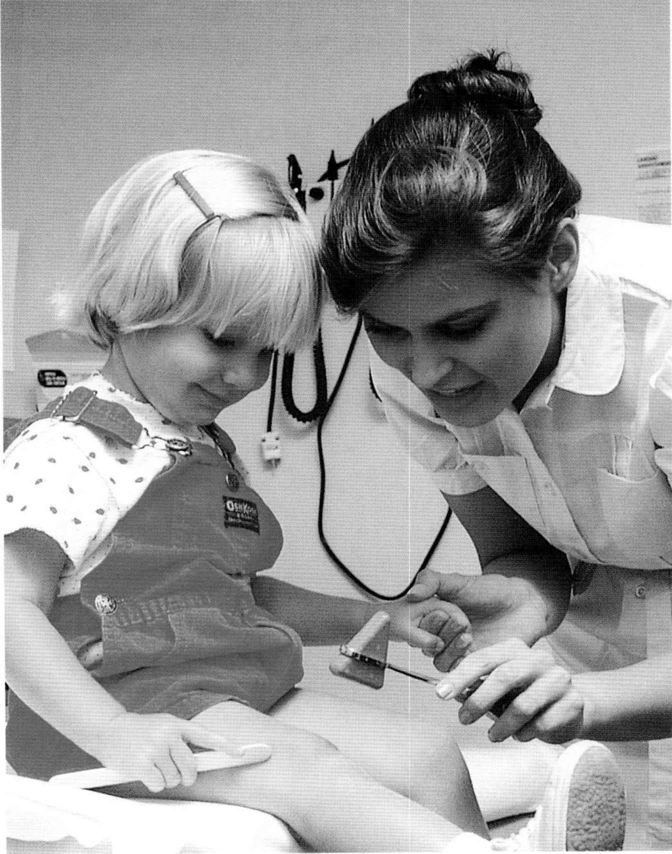

La aplicación de un golpe en la rodilla permite probar si el sistema neuromuscular está funcionando bien.

Hemos presentado algunas afecciones del sistema nervioso y de los músculos. Afortunadamente, muchas de ellas no son frecuentes, de modo que no es probable que ocurran en su familia. En cambio, otras tienen más probabilidades de ocurrir.

Así es. Nuestra intención es que los padres sepan qué síntomas deben buscar y cuándo deben procurar la ayuda del médico. Además, cuando conversan con el doctor, generalmente se olvidan pronto de lo que les dijo acerca de una enfermedad, de modo que pueden buscar la información necesaria en las páginas de esta obra, cuyo propósito es dar a los padres un conocimiento más claro y más amplio acerca de las explicaciones y los consejos del médico.

capítulo 30

Las glándulas endocrinas y sus trastornos

EN ESTE CAPÍTULO

- El funcionamiento de las glándulas, síntomas de trastornos.
- La glándula tiroides, hipotiroidismo, hipertiroidismo.
- Bocio, glándulas paratiroides hiperactivas e hipoactivas.
- El páncreas, diabetes mellitus, coma diabético, hipoglucemia.
- Las gónadas, testículos que no han descendido, síndrome de Klinefelter, irregularidades en la menstruación.
- Consejo oportuno, las glándulas suprarrenales, crisis suprarrenal, enfermedad de Addison, síndrome de Cushing, feocromocitoma.
- La glándula pituitaria, diabetes insípida, enanos, gigantes, el timo, fenilcetonuria.

Las madres suelen conversar acerca de las glándulas de sus hijos. Algunas temen que de pronto estas escapen del control y produzcan toda clase de siniestras enfermedades. De manera que, para beneficio de las madres, describiremos el sistema glandular.

En el organismo hay una gran cantidad de glándulas. Van desde las diminutas glándulas sebáceas situadas en la piel, hasta los ganglios linfáticos. Estos se encuentran en lugares estratégicos en todo el cuerpo, y su tarea consiste en producir glóbulos blancos protectores en caso de infección.

Pero cuando los padres hablan de glándulas —y a menudo cuando el médico lo hace—, se refieren a un conjunto especial que se agrupa bajo el nombre de glándulas endocrinas.

¿Qué son las glándulas endocrinas?

Son una serie de glándulas distribuidas en todo el organismo, desde la cabeza hasta la zona pélvica. Cada una desempeña una función muy importante: la producción de cantidades microscópicas de sustancias químicas llamadas hormonas, que se vierten en la sangre. Ejercen influencia directa sobre el organismo y su modo de funcionar. Cuando las glándulas no funcionan bien y producen exceso o falta de hormonas, se desarrollan síntomas que con frecuencia son graves.

Estas glándulas trabajan constantemente, durante toda la vida, cumpliendo funciones de gran importancia.

Visión general de las glándulas

¿Tienen nombres individuales?

Sí, los tienen. Por ejemplo, la glándula pituitaria, o hipófisis, está situada en la base del cerebro, en una pequeña cavidad ósea. Está conectada con el cerebro mediante un tallo llamado hipotálamo. Estos órganos, colectivamente, producen numerosos compuestos químicos de importancia vital. A su vez influyen sobre la actividad de todas las demás hormonas del cuerpo.

En el cuello, cerca de la prominencia denominada "manzana de Adán", se encuentra la glándula tiroides, que está formada por dos lóbulos, uno a cada lado de la tráquea, que se unen en el frente por una faja de tejido denominada istmo. La tiroides produce una hormona de gran potencia llamada tiroxina. El exceso o la falta de esta hormona produce síntomas muy importantes. A veces se desordena, se hincha y forma un bulto en el cuello, llamado bocio.

Una glándula de tamaño más bien grande situada en la parte inferior del cuello recibe el nombre de timo. Desempeña una función importante en los niños, pero cuando aumenta la edad disminuye de tamaño y desaparece casi por completo. Secreta compuestos vitales, de gran importancia para el niño en crecimiento.

LAS GLÁNDULAS ENDOCRINAS (DE SECRECIÓN INTERNA)

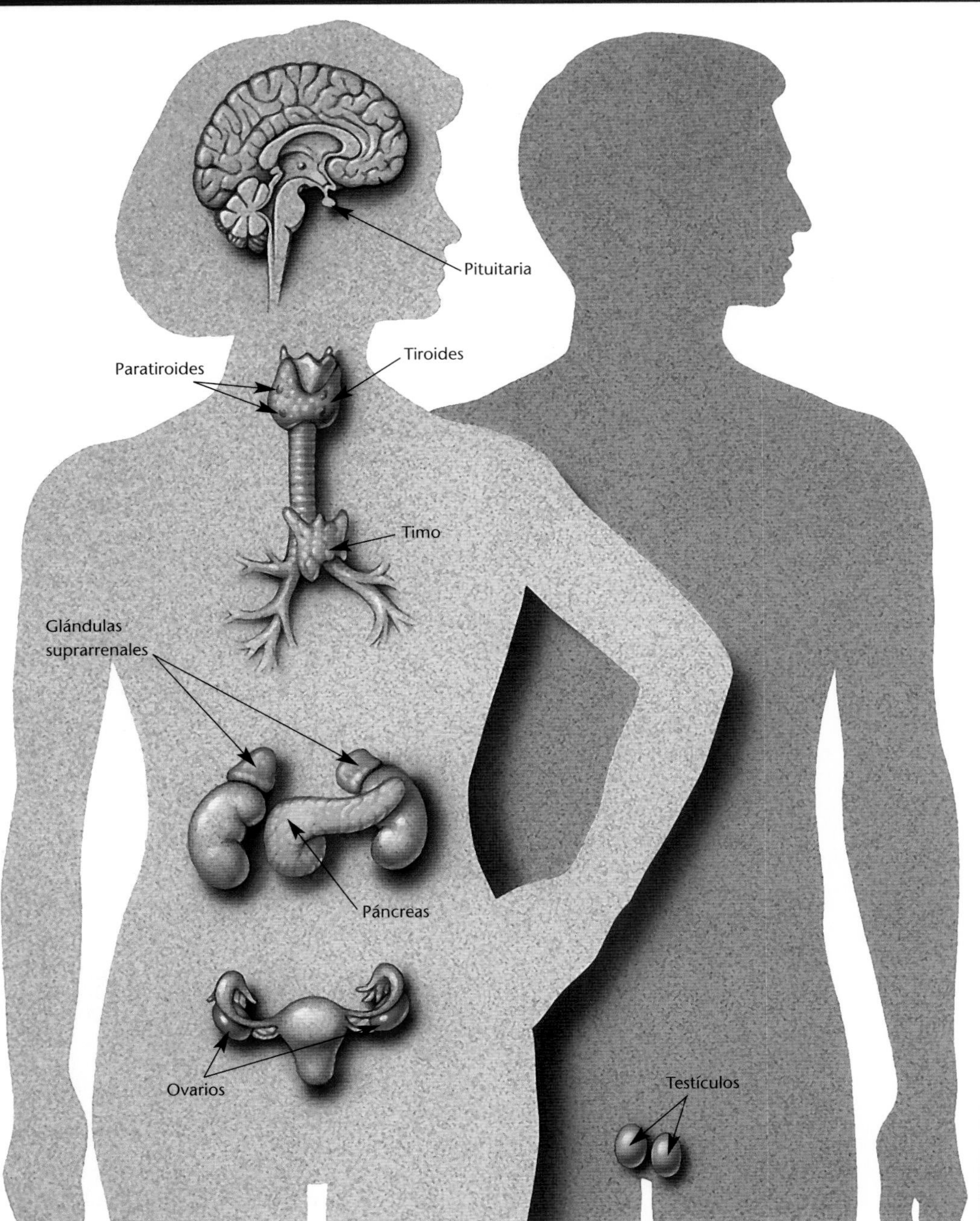

Las glándulas endocrinas secretan hormonas en la sangre, que se transportan a otras glándulas, músculos y órganos. A la pituitaria a veces se la llama "la glándula maestra" debido a que sus hormonas regulan muchas actividades, incluso las de otras glándulas. La tiroides regula el metabolismo, el crecimiento, el desarrollo y la actividad del sistema nervioso. Las paratiroides regulan los niveles de fósforo y calcio en la sangre. Dos glándulas suprarrenales, situadas en la parte superior de los riñones, producen hormonas que preparan al cuerpo para la acción: "pelear o huir"; además, regulan el nivel de sal en la sangre, colaboran con el metabolismo y proporcionan resistencia al estrés. Las gónadas (ovarios en las mujeres y testículos en los hombres) secretan hormonas que contribuyen a que sea posible la reproducción.

¿Dónde está situado el páncreas? Se oye hablar de él porque se relaciona con la diabetes, ¿no es cierto?

El páncreas es una glándula de gran tamaño alojada en la cavidad abdominal. Cuando sus células no funcionan bien, es decir, cuando no producen suficiente insulina, la persona enferma de diabetes. Mucha gente sufre de esta afección.

Si las glándulas empiezan a funcionar mal, y producen hormonas en exceso o defectuosas, ciertos síntomas aparecerán.

He visto ilustraciones de los riñones con unas glándulas en su parte superior. ¿Qué glándula son?

Son las glándulas suprarrenales, y hay una sobre cada riñón. Cuando estas glándulas se enferman se producen trastornos muy graves. Afortunadamente no son frecuentes.

En la región pélvica tenemos las glándulas sexuales, que son naturalmente diferentes en los niños y las niñas.

Así es. Los ovarios son los órganos sexuales de la mujer, y los testículos los del hombre. Cada uno desempeña un papel muy importante tanto en el desarrollo como en la vida de la persona.

Veo que tendremos que hablar de la fenilcetonuria en esta sección. ¿Forma parte del sistema endocrino?

Aunque no forma parte de él, he decidido hablar aquí de ese tema porque en un sentido se relaciona con las hormonas. En realidad se trata de un desorden hereditario del metabolismo. Un bebé puede nacer con este defecto. Si no se lo diagnostica a tiempo y no se lo trata de forma adecuada, la criatura puede convertirse en deficiente mental, con consecuencias lamentables. Afortunadamente, en la actualidad se detecta esta afección en el momento del nacimiento, y se trata en la debida forma, por lo que sus graves efectos no son frecuentes.

Síntomas de trastornos

Me imagino que habrá numerosos síntomas que los padres pueden detectar para conseguir atención médica.

Correcto. Debo decir que para estos desórdenes endocrinos no sirven los remedios caseros. Mencionamos los síntomas sólo para poner sobre aviso a las madres de que no todo está bien, por lo que el niño necesita atención médica.

Primero debe llevar al niño enfermo al médico de la familia para que lo examine. Si él considera que existe alguna anomalía, puede derivarlo a un endocrinólogo —especialista en glándulas de secreción interna—, para que diagnostique la afección y dé el tratamiento adecuado. Algunos de estos males no son frecuentes y son difíciles de diagnosticar. Otros son fáciles y responden a un tratamiento directo que los padres pueden llevar a cabo en el hogar.

¿Cuáles son algunos de los síntomas que pueden producirse?

En lugar de mencionar todos los síntomas en un sólo párrafo, es más apropiado referirse a ellos en el contexto de cada glándula. De esta forma el lector podrá identificar la glándula de secreción interna de que se trata, sus afecciones y los síntomas que generan. Primero nos referiremos a las afecciones más comunes de las glándulas, y luego a las menos frecuentes.

La glándula tiroides

Esta glándula se encuentra en el cuello y está formada por dos lóbulos más bien grandes que se unen delante de la tráquea mediante una cinta de tejido llamada istmo.

La glándula tiroides produce normalmente una hormona denominada tiroxina. Esta, a su vez, puede ejercer un poderoso efecto sobre otras glándulas endocrinas. Es posible que también afecte al corazón, el cerebro y otros órganos.

El yodo es un elemento indispensable para la producción de tiroxina. Lo obtenemos de los alimentos que ingerimos. En muchos lugares se vende sal con yodo, para que la población no carezca de ese importante componente de la tiroxina. La falta de yodo produce la hipertrofia (agrandamiento) de la tiroides.

Glándula tiroides hipoactiva

¿Qué sucede cuando la glándula tiroides es hipoactiva, es decir, cuando funciona por debajo de su nivel normal?

Esto es muy importante en los bebés y niños pequeños, porque puede afectar su desarrollo mental y físico. Si no se lo diagnostica y trata, puede producir una afección grave que se llama hipotiroidismo o cretinismo.

¿Qué sucede entonces?

Los síntomas pueden manifestarse pronto. Las primeras semanas de vida transcurren de manera bastante normal, pero de repente la madre observadora nota que su bebé reacciona con lentitud. La piel se le enfría y adquiere una tonalidad grisácea, y el bebé se constipa, es decir, le cuesta eliminar la materia fecal. Además, tiene lengua grande y a veces sobresaliente, músculos abdominales sueltos y en algunos casos hernia umbilical. A veces los síntomas son vagos.

El bebé se desarrolla más lentamente de lo esperado. El desarrollo mental se torna notoriamente más lento. Los ojos tienden a separarse anormalmente, y el bebé adquiere una apariencia extraña. Al crecer, la piel se le pone seca y áspera, el pelo es seco, áspero y quebradizo. Estos son los síntomas más evidentes de la insuficiencia de tiroxina.

+ *Tratamiento*

¿Existe algún tratamiento eficaz?

Me complazco en decir que hay tratamientos que producen resultados muy satisfactorios. Se da al enfermo la hormona tiroxina para suplir la deficiencia de la glándula. Si se inicia el tratamiento a tiempo, se previene el desarrollo de los síntomas graves.

Si es tan difícil detectar esta deficiencia, ¿cómo podría comenzarse el tratamiento a tiempo?

Los hospitales llevan a cabo un examen del recién nacido para detectar la existencia de hipotiroidismo, deficiencia que afecta a un niño de cada 4.000. Esto permite detectar la enfermedad y comenzar el tratamiento desde el nacimiento mismo. Este tratamiento dura varios años.

Glándula tiroides hiperactiva

Así como hay niños con insuficiencia tiroidea, ¿los puede haber también con tiroides hiperactiva?

Por cierto que sí. Esta condición se llama hipertiroidismo. A diferencia de la de hipoactividad, que comienza desde el nacimiento, esta otra se manifiesta entre los 12 y los 14 años, y afecta a las chicas más que a los muchachos.

¿Qué clase de síntomas se manifiestan?

Los síntomas pueden presentarse repentinamente y significan una aceleración de la actividad orgánica del cuerpo. Como resultado, el paciente se pone nervioso e irritable; no permanece tranquilo durante mucho tiempo. La piel se siente caliente y húmeda, y transpira más de lo normal. Ocasionalmente los ojos se vuelven prominentes, aunque esto es más común en los adultos con hipertiroidismo avanzado.

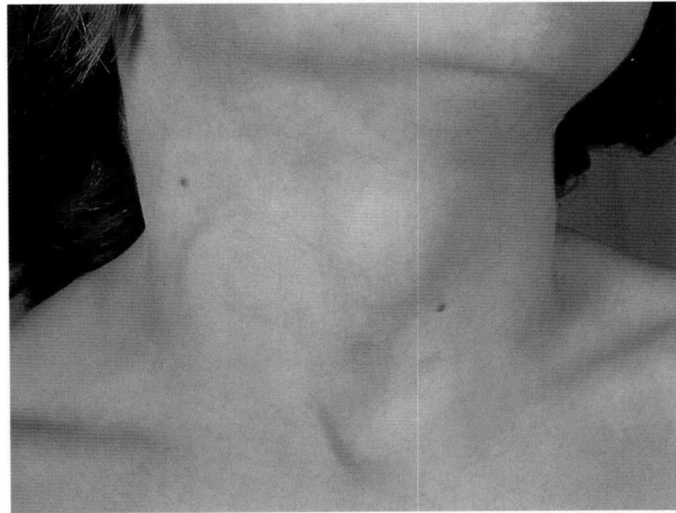

La glándula tiroides aumenta de tamaño cuando a la alimentación le falta yodo. Se produce una hinchazón visible en el cuello, conocida como bocio. En algunos países de América Latina se la llama "coto".

¿Puede esta condición afectar también el funcionamiento del corazón?

A veces el corazón se acelera y se producen palpitaciones, lo que causa temor y preocupación. A pesar de que el niño coma bien, no aumenta de peso y a veces está débil, porque come con mucha rapidez. Puede crecer más de lo que corresponde a su edad. Las niñas suelen comenzar a menstruar más tarde de lo normal, o bien no lo hacen.

Cuando los padres descubren estos síntomas deben procurar atención médica. Cuanto antes se hagan los análisis necesarios, más pronto sanará el niño.

+ *Tratamiento*

¿Qué clase de tratamiento se da?

El tratamiento varía según el paciente. Dependerá del resultado de los análisis y la evaluación clínica. En algunos casos se aconseja tomar tabletas. En otros, si son graves, se puede corregir el mal quirúrgicamente. El tratamiento bien aplicado basta para corregir el hipertiroidismo.

El bocio

Antes mencionamos brevemente un bulto en la parte anterior del cuello.

Así es. Se llama bocio, y es la reacción de la tiroides a la falta de yodo en el organismo. En su esfuerzo por producir suficiente tiroxina, aumenta de tamaño, lo que se ve como un bulto en la parte anterior del cuello. Es una de las enfermedades más comunes, y hay millones de pacientes que sufren de bocio en los diversos países del mundo.

¿Qué medidas deben tomar los padres cuando observan un bulto extraño en la parte anterior del cuello de su hijo?

Debo insistir en que la rápida atención médica es indispensable. El tratamiento produce resultados satisfactorios. Pero pueden ocurrir cosas extrañas, y cuanto más se demora el tratamiento tanto mayor es el riesgo de que surjan complicaciones. Por eso conviene llevar cuanto antes al niño al consultorio.

Las glándulas paratiroides

¿Tienen estas glándulas algo que ver con la tiroides? Su nombre es parecido.

La única relación que tienen es que están fijas a su tejido. Son pequeñas y no tienen nada que ver con las tiroides ni con sus hormonas, porque producen sus propias hormonas que controlan la forma como el organismo usa el calcio y el fósforo, dos elementos muy importantes (ver ilustración de la pág. 143). Estas glándulas pueden ser hipoactivas, y producir lo que se llama hipoparatiroidismo; o bien pueden ser hiperactivas, y producir hiperparatiroidismo. Aunque estos desórdenes no son frecuentes, compartiremos con los padres algunas informaciones acerca de ellos.

Glándula paratiroides hiperactiva

¿Cómo se puede saber que la glándula está produciendo hormonas en exceso?

Hay un vago conjunto de síntomas, que a veces incluye debilidad general de los músculos y el cuerpo. El niño puede padecer de constipación (dificultad para evacuar el intestino), tener náuseas, vómitos y pérdida de peso. Puede sentir sed intensa y eliminar una cantidad anormal de orina en proporción a la mayor cantidad de calcio que sale del organismo.

+ *Tratamiento*

¿Se puede tratar de forma adecuada este desorden?

Si es un tumor lo que lo causa, se lo extirpa y el paciente mejora. Pero como ya lo dije, esta enfermedad es muy poco frecuente.

Glándula paratiroides hipoactiva

¿Qué sucede cuando la glándula paratiroides es poco activa?

En este caso, en vez de haber exceso de calcio en la sangre, hay deficiencia. Las fibras musculares reaccionan a esto con sacudidas, espasmos, calambres en los brazos y las piernas, irritabilidad y comportamiento extraño. Ocasionalmente, en los casos graves, pueden producirse convulsiones y pérdida del conocimiento.

+ *Tratamiento*

¿Cuál es el tratamiento que se administra?

El médico interna al enfermo en un hospital para que se haga el diagnóstico y se administre el tratamiento.

El páncreas

Esta es la glándula que tiene que ver con la diabetes, ¿no es cierto?

Es verdad. Temo que haya muchos diabéticos alrededor de nosotros. En los países de habla hispana podría haber varios millones. La diabetes es una enfermedad muy extendida. Es congénita; es decir, está presente ya en ocasión del nacimiento; pero lo más frecuente es que recién se manifieste en la edad adulta.

El páncreas, situado en el abdomen, se enferma y produce cantidades insuficientes de insulina. Esta circunstancia interfiere con el control del nivel de azúcar en la sangre. Además, el páncreas actúa como glándula que segrega enzimas al duodeno, para digerir las grasas y las proteínas, que se absorben en el intestino delgado.

¿Qué clase de síntomas le indican a la madre que su criatura tiene este problema?

En los primeros meses de vida la madre puede notar que el bebé siempre tiene sed, bebe mucha agua y cada vez pide más. También orina en abundancia. La mayor parte de los bebés aumentan de peso de forma

LAS PARATIROIDES

Las glándulas paratiroides ayudan a controlar el nivel de calcio en el cuerpo. Las dos paratiroides superiores se encuentran detrás de la tiroides. Aunque parezca curioso, las dos inferiores pueden situarse dentro de la tiroides (como en la ilustración), o bien dentro de la garganta.

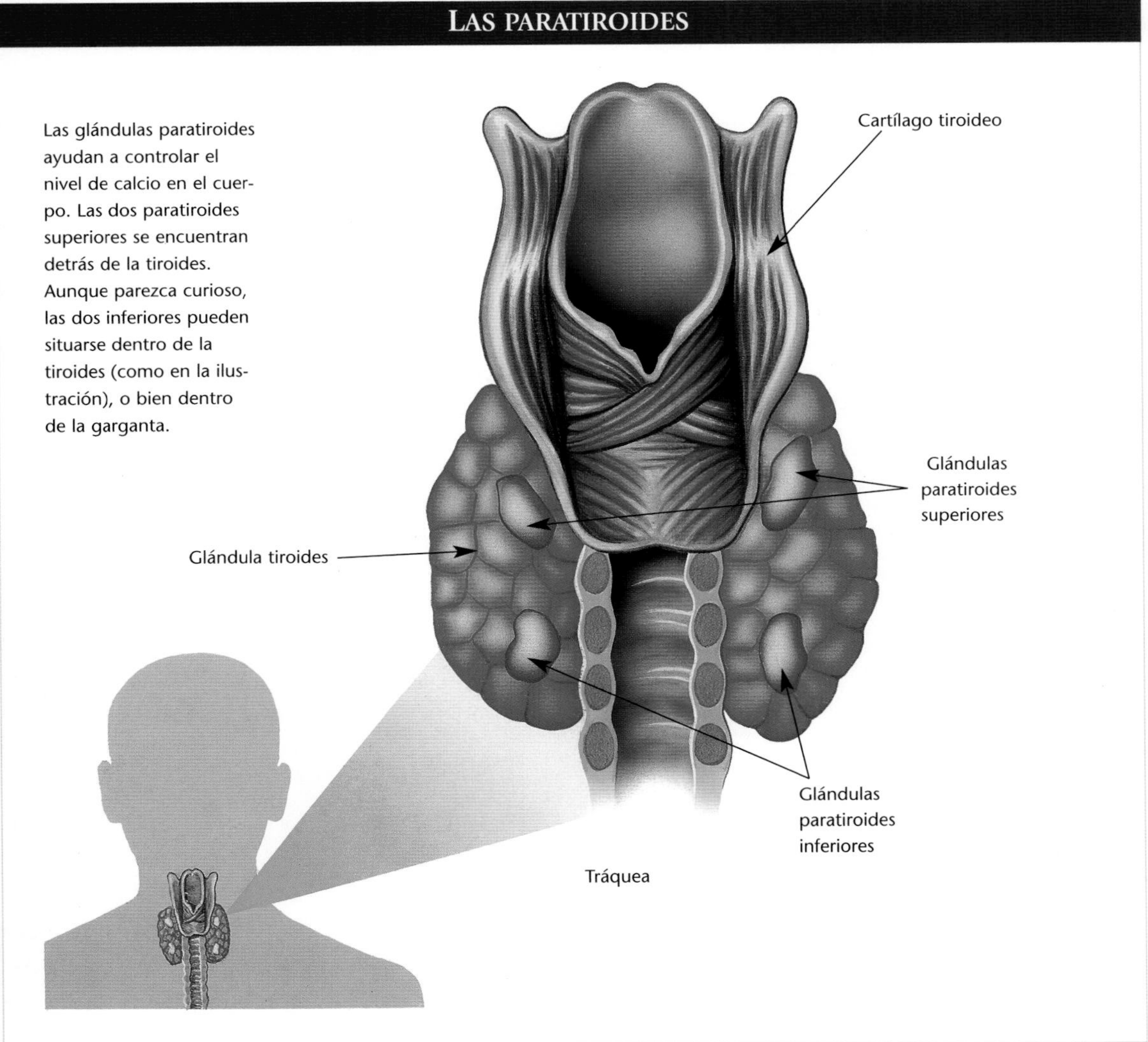

normal, pero los diabéticos pierden peso a pesar de que comen normalmente. Se cansan fácilmente o se quejan de dolores y calambres en los brazos, las piernas y el cuerpo en general. A veces pierden el conocimiento; a eso se lo llama coma diabético.

¿Qué síntomas se manifiestan en los niños mayores?

Si no han recibido tratamiento, su desarrollo es inferior al normal. Pueden manifestar desórdenes psicológicos y del comportamiento, y convertirse en problemas. A medida que el niño se desarrolla pueden dañarse los vasos sanguíneos, enturbiarse el cristalino del ojo con la consiguiente disminución de la visión. Otros órganos también pueden estar afectados.

+ *Tratamiento*

¿Qué deberían hacer los padres de un niño diabético?

Cualesquiera de los síntomas mencionados deberían inducir a los padres a llevar a su hijo al consultorio. El médico de la familia es el mejor punto de partida. Comenzará por ordenar un análisis de orina para determinar la cantidad de glucosa (azúcar) que hay en ella. También ordenará un análisis de sangre para saber cuánta glucosa hay. Finalmente solicitará un examen de tolerancia de glucosa para determinar definitivamente si el niño es diabético o no.

POSICIÓN DEL PÁNCREAS EN EL ABDOMEN

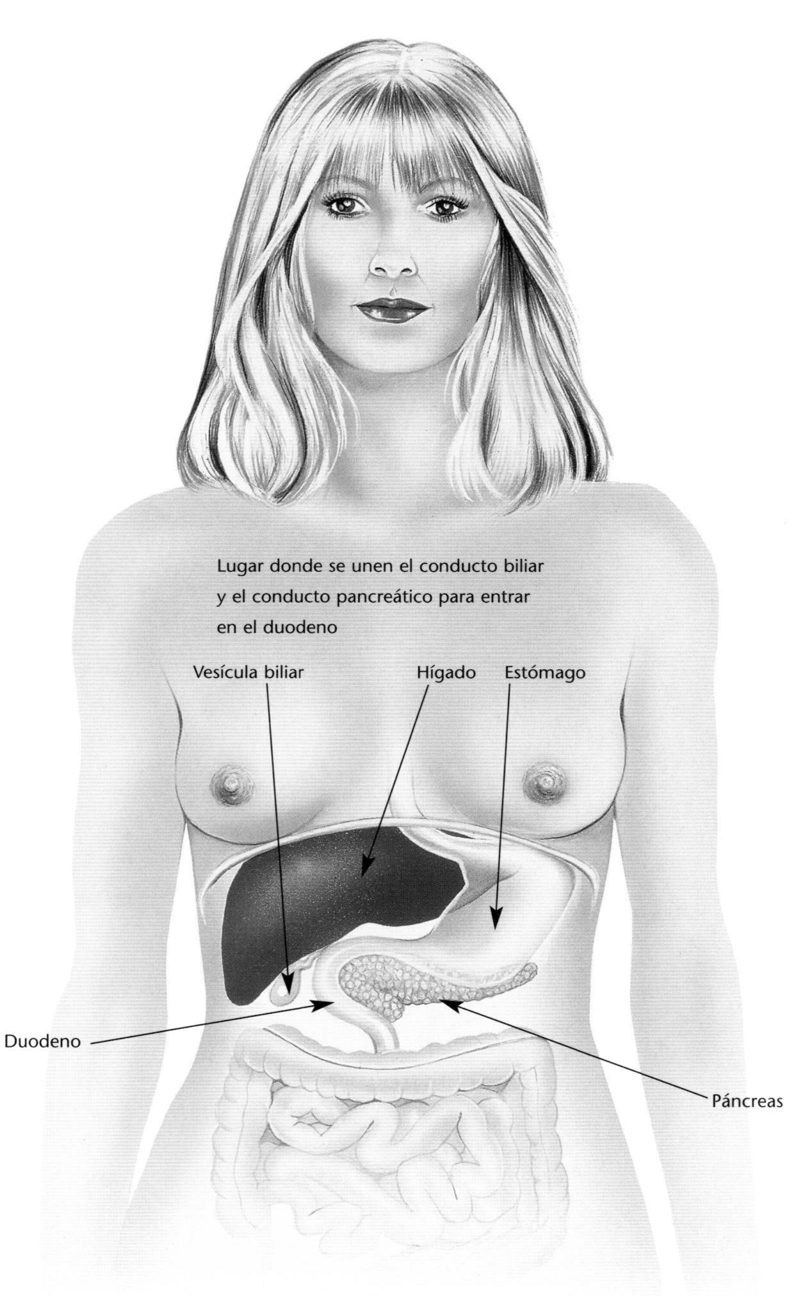

El páncreas desempeña un doble papel: produce las hormonas pancreáticas insulina y glucagón, que contribuyen al equilibrio del nivel de azúcar en la sangre. También tiene una función importante en la digestión, ya que secreta enzimas digestivas que van al intestino delgado.

CÓMO SE PRODUCE LA INSULINA

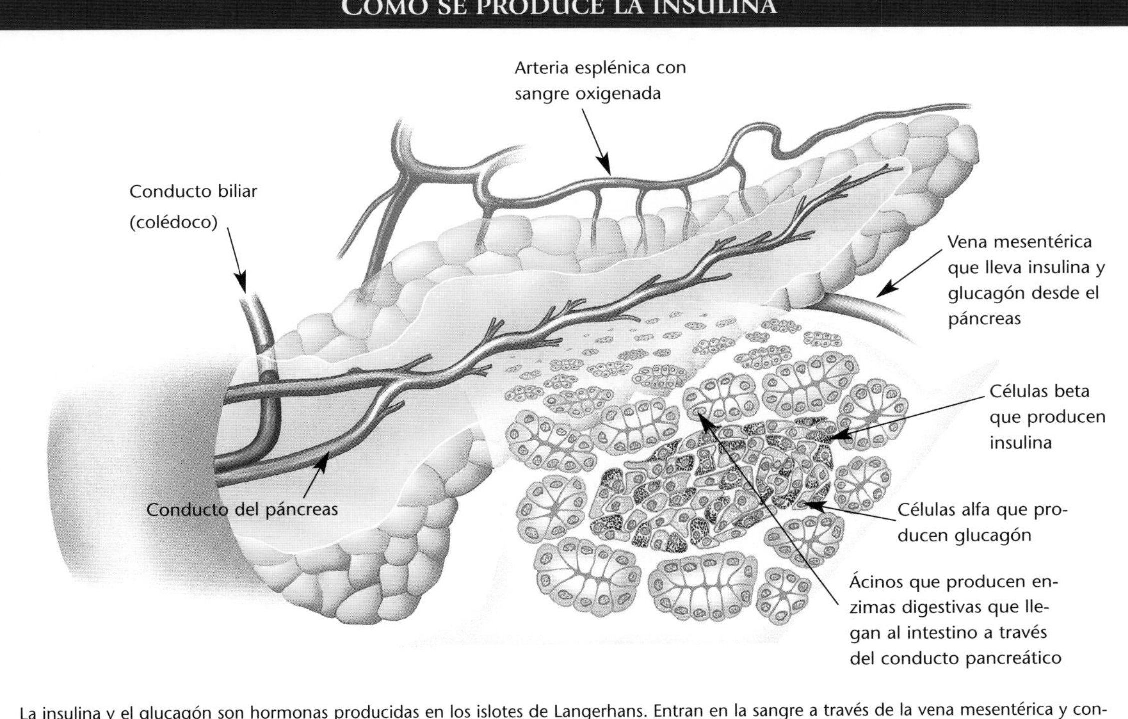

La insulina y el glucagón son hormonas producidas en los islotes de Langerhans. Entran en la sangre a través de la vena mesentérica y controlan el nivel de azúcar en ella. La deficiencia de insulina provoca la diabetes. El tratamiento consiste en corregir la insuficiencia de insulina.

¿Qué sucede después? ¿Cómo se trata al paciente?

Se le administra inyecciones de la insulina que el páncreas no produce de forma adecuada. El niño se acostumbra a las inyecciones a tal punto que muchos niños de más edad se inyectan la insulina ellos mismos.

El médico lleva a cabo periódicamente ciertas pruebas para determinar la cantidad de glucosa que hay en la orina. Actualmente hay dispositivos muy exactos para medir la glucosa que hay en la sangre. En muchos casos los mismos niños manejan esos instrumentos.

¿Deben controlar los padres los alimentos que ingiere el niño diabético?

Por supuesto. Deben vigilar cada día lo que el niño come. Los diferentes aspectos del tratamiento se convierten en hábitos, lo que facilita su aplicación. El niño aprende a cooperar con sus padres, lo cual facilita la tarea. Diremos de paso que las dosis de insulina pueden variar de vez en cuando, lo que depende de la cantidad de alimento ingerido, de la naturaleza de las actividades del niño (juegos, deportes, etc.) y de las enfermedades ocasionales. Puede ser que el niño diabético necesite más insulina durante ciertos días. El tratamiento con insulina generalmente dura toda la vida.

Coma diabético

¿Qué es el coma diabético?

A veces el paciente, a pesar del tratamiento, pierde el conocimiento. Eso significa que no se está controlando debidamente la diabetes, y como resultado se han formado toxinas que perjudican al cerebro y producen síntomas graves y pérdida del conocimiento o coma.

¿Qué clase de síntomas deben alertar a los padres al respecto?

La diabetes suele manifestarse primero por medio de una sed muy intensa, la emisión de orina en cantidades anormalmente elevadas y el deseo de orinar con frecuencia. También hay náuseas, vómitos con dolores y espasmos en el vientre. El niño puede des-

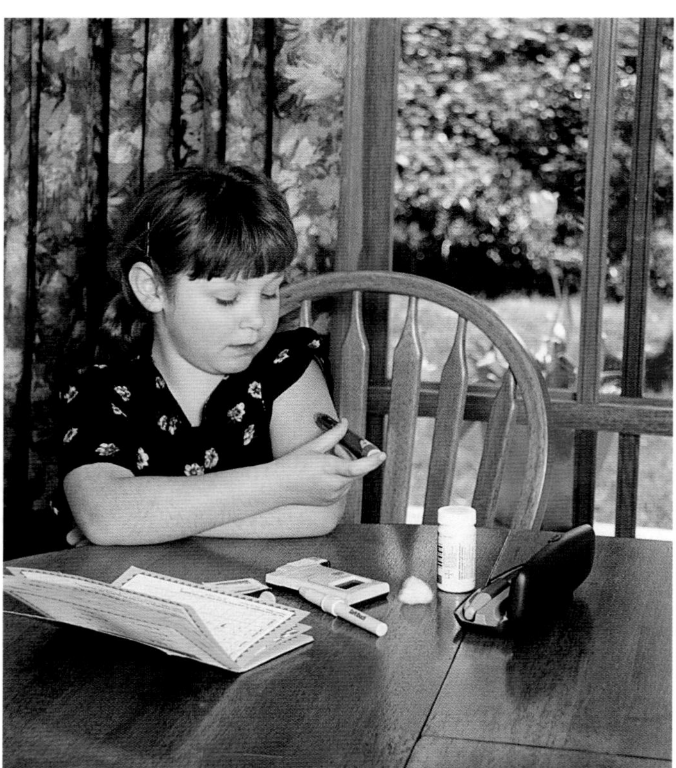

Con un poco de práctica los niños pueden aprender a controlar su diabetes; se inyectan con una "lapicera" de insulina.

hidratarse a causa de la eliminación de líquido. La respiración se vuelve difícil, hay dolor de cabeza, letargo y sopor.

Finalmente, el niño diabético pierde el conocimiento. El examen médico demuestra que le ha bajado la tensión arterial, el pulso es rápido, y la piel y los labios están secos.

+ *Tratamiento*

¿Qué tratamiento se administra en este caso?

Esta situación podría ser una emergencia, de modo que es indispensable que se lleve cuanto antes al niño al servicio de emergencia de un hospital, para que le hagan las pruebas necesarias y comiencen sin demora el tratamiento. La vida del niño puede estar en peligro.

Hipoglucemia

A veces se oye decir que un diabético padece de hipoglucemia. Imagino que en este caso no hay suficiente glucosa en la sangre, a diferencia del coma diabético, cuando hay exceso.

Este problema se produce especialmente en el caso de un paciente que recibe inyecciones de insulina de forma regular, y un día no ingiere suficiente alimento, o bien hace mucho ejercicio. Debido a eso, una cantidad excesiva de glucosa se elimina de la sangre, lo que produce síntomas cerebrales definidos. Afortunadamente, la mayor parte de los diabéticos y sus padres han sido instruidos acerca de esta posibilidad, de modo que se mantienen vigilantes para descubrir los síntomas anunciadores de hipoglucemia con el fin fin de actuar con prontitud.

¿Qué síntomas se deben buscar?

Los diabéticos suelen sentirse débiles, apáticos, sin el vigor y la vitalidad normales. Sienten hambre y se ponen irritables. Transpiran y tienen el pulso acelerado. Están nerviosos, agitados y caminan de modo vacilante. Empeoran con rapidez, hasta que caen en un estado de semiinconsciencia. Es indispensable que se los trate de inmediato, porque de otro modo su vida corre peligro.

+ *Tratamiento*

¿Cuál es el tratamiento para esta grave afección?

Afortunadamente la terapia es muy simple. El azúcar ingerida de cualquier forma aliviará rápidamente los síntomas. Puede administrársele glucosa, o el paciente puede chupar un caramelo, o bien comer una cucharadita de azúcar. La mayor parte de los diabéticos en tratamiento están al tanto de esta posibilidad, de modo que tienen consigo caramelos de glucosa y se ponen uno en la boca en cuanto sienten los primeros síntomas de hipoglucemia.

¿Deberían los padres tratar directamente a su hijo en este caso?

Si captan los primeros síntomas de hipoglucemia, pueden tratarlo. Pero si el niño pierde el conocimiento, no deberían ponerle nada en la boca para evitar el riesgo de que se atragante. En este caso necesita atención médica urgente.

Las gónadas

"Gónadas" es una palabra extraña. ¿Qué significa?

En realidad no es una palabra tan extraña, si se considera su origen. Viene del vocablo griego *goné*, que significa semilla. Estas glándulas se relacionan con el proceso reproductivo del organismo y la producción de hormonas sexuales en la vida adulta. Se inicia en la pubertad, cuando los órganos repentinamente entran en una actividad sin precedentes, después de haber permanecido dormidos durante la infancia.

Las gónadas femeninas son los ovarios, que producen un óvulo cada mes y hormonas femeninas llamadas estrógeno y progesterona, que ejercen una profunda influencia sobre los órganos de la reproducción: los ovarios, el útero, las trompas de Falopio y las glándulas mamarias.

¿Qué puede decir de las gónadas en el varón?

Sus órganos son los dos testículos, situados uno a cada lado en el escroto, que está ubicado entre las piernas. Producen la testosterona, hormona sexual masculina, que es responsable, entre otras cosas, de la libido (el deseo sexual), las sensaciones sexuales y las características sexuales secundarias, tan evidentes durante los años de la adolescencia. Los testículos producen, además, los espermatozoides o células masculinas de la reproducción,

¿Se manifiestan desórdenes en estos órganos durante la infancia?

Afortunadamente no, porque están inactivos. Sin embargo, vamos a decir algo al respecto porque es importante.

Testículos que no han descendido

¿Significa esto que los testículos no se encuentran en el escroto?

Así es. Ocurre con bastante frecuencia. Los testículos, normalmente, descienden del vientre al escroto poco antes del nacimiento. Pero ocasionalmente no lo hacen. Pueden descender de forma parcial y luego vuelven a subir, lo que suele repetirse varias o muchas veces; por eso se los llama "testículos en ascensor". Los testículos, en este caso, se pueden desarrollar de manera anormal y ubicarse donde no les corresponde.

Los testículos deben descender al escroto. Si no lo hacen, se afecta su capacidad para producir espermatozoides, lo que más tarde en la vida puede llevar a la esterilidad.

Además, los testículos que permanecen en el vientre corren el riesgo de volverse cancerosos, con un tipo de cáncer muy maligno.

✚ *Tratamiento*

¿Qué tratamiento se recomienda?

Cuando los padres notan que los testículos no se encuentran en el escroto, o bien descienden y luego vuelven a subir, deben consultar al médico.

El tratamiento variará según el paciente y el diagnóstico del médico. Algunos doctores prefieren empezar con un tratamiento que se basa en la administración de una hormona que se llama gonadotropina coriónica, que en muchos casos es eficaz.

Si este tratamiento no da resultados, se corrige el problema mediante una operación quirúrgica, por medio de la cual el cirujano ubica los testículos en el escroto, fijándolos allí con seguridad. El resultado es positivo y dura toda la vida.

Síndrome de Klinefelter

¿En qué consiste este síndrome?

Recibe este nombre en recuerdo de un médico de Baltimore, Estados Unidos, llamado Harry Klinefelter, quien a comienzos del siglo XX descubrió la causa de la enfermedad. Afortunadamente es muy poco frecuente.

El bebé varón hereda cromosomas dotados de una extraña conformación que ocasionan la destrucción, en la pubertad, de las células productoras de espermatozoides. Los

TESTÍCULOS QUE NO HAN DESCENDIDO

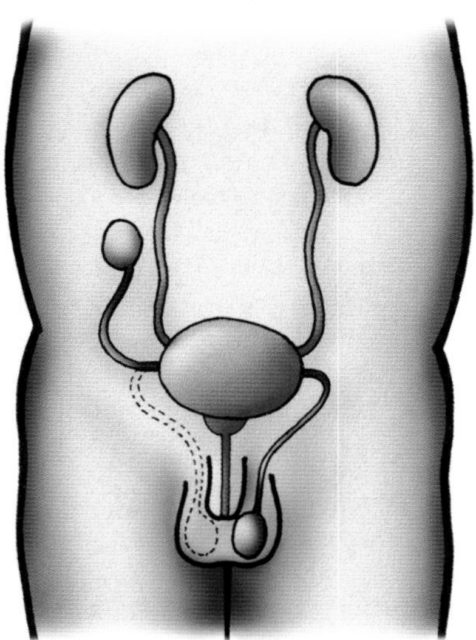

A veces uno o ambos testículos no "descienden" a su lugar normal en el escroto poco antes del nacimiento del bebé.

Algunas adolescentes se preocupan cuando sus períodos menstruales son tardíos o irregulares, al compararlos con los de sus amigas. Pero esta situación es pasajera, y con el tiempo todo entra en la normalidad.

testículos se destruyen gradualmente y su tamaño se reduce, mientras los pechos aumentan de tamaño. El niño puede ser torpe o retardado mental. No existe en este momento un tratamiento satisfactorio.

Irregularidades menstruales

¿Cuál es uno de los problemas más frecuentes de las adolescentes?

Durante la pubertad comienzan la menstruación y las características sexuales secundarias. Esto ocurre entre los 9 y los 14 años. Las primeras señales exteriores son el desarrollo de las glándulas mamarias, de la vellosidad púbica y axilar, y el comienzo de la menstruación.

¿Se desarrolla siempre sin inconvenientes este proceso?

No siempre. El funcionamiento hormonal a veces demora años en estabilizarse, y en producir una ovulación y menstruación normales. En algunos casos se atrasa, lo que preocupa a las chicas que lo padecen. No es una anormalidad. El atraso se debe a diferencias genéticas, y una vez que comienzan los períodos continúan sin interrupción.

¿Qué se debe hacer?

Un examen médico puede devolverle la tranquilidad a la madre y a su hija. El dolor les anunciará que la menstruación llegará a su debido tiempo y funcionará con regularidad.

En años recientes han aparecido algunas características muy evidentes. Las chicas muy activas, especialmente las que tienen dietas restringidas (a muchas jovencitas no les gusta comer), o las que se dedican a los deportes, al ballet, etc., tienden a menstruar más tarde. La actividad de alguna manera afecta su sistema hormonal, lo que produce un retraso en el comienzo de los períodos.

También resulta interesante notar que en los países occidentales, en las últimas décadas, la menstruación se ha estado presentando cada vez más temprano. Se cree que esto se relaciona con nuestro estilo de vida, con las exigencias de la escuela y las tensiones provocadas por nuestra cultura.

Un consejo oportuno

¿No le parece que este es el momento adecuado para aconsejar a las madres acerca de algunos buenos libros que se refieren a este tema?

¡Ya lo creo! Hace algunos años mis propios hijos crecieron, y esto me obligó a prestar mucha atención a los numerosos problemas de los adolescentes, que es lo que les va a ocurrir a las mamás en cuanto sus hijos crezcan un poco más. Ese momento va a llegar antes de lo que se imaginan.

Las editoriales que publican esta obra, y cuya dirección se encuentra en sus páginas iniciales, tienen a disposición de ustedes un par de libros que les van a ayudar muchísimo cuando sus hijos e hijas lleguen a esa edad tan crítica. Son *El desarrollo integral de los adolescentes*, publicado por la ACES (Asociación Casa Editora Sudamericana), escrito por la Sra. Nancy Van Pelt, y *Los jóvenes preguntan acerca del sexo*, publicado por la APIA (Asociación Publicadora Interamericana); su autor es el Dr. Mauricio Bruno. No vacile en consultar al respecto. Su consulta no molesta.

Decimos esto para poner en su conocimiento que estas obras existen y que están a su disposición con sólo pedirlas. Las editoriales que publican esta obra se sentirán complacidas de atender sus consultas y sus pedidos.

Las glándulas suprarrenales

¿Qué glándulas se encuentran situadas en la parte superior de los riñones?

Son las glándulas suprarrenales. Constan de dos partes distintas: (1) la médula central, de color grisáceo, en relación con el sistema nervioso simpático y que segrega las hormonas adrenalina y noradrenalina; y (2) la corteza suprarrenal, de color amarillo, situada en la periferia y que produce unas hormonas llamadas corticoesteroides.

La adrenalina capacita a la persona para "pelear o huir", es decir, para hacer frente a una emergencia. El corazón bombea la sangre con mayor rapidez para llevar más glucosa y energía a los músculos, y prepararlos para la acción. Esta reacción del organismo provocada por la adrenalina, que hemos descrito muy brevemente, tiene el propósito de proteger al cuerpo contra los peligros exteriores.

¿Qué problemas pueden perjudicar a las glándulas suprarrenales?

Afortunadamente son muy escasos. En una familia puede haber varias generaciones que nunca tuvieron dificultades con esta glándula. Pero conviene saber que puede haber exceso o deficiencia en la producción de las diversas hormonas de las suprarrenales. Comentaremos acerca de los problemas más frecuentes.

Crisis de adrenalina

¿Qué sucede cuando no hay suficiente cortisona?

Cuando esta deficiencia se produce de forma aguda, surge una crisis de adrenalina. Los síntomas incluyen náuseas, vómitos, diarrea, pérdida de líquido con deshidratación y fiebre. Esto puede conducir a un colapso fatal del sistema circulatorio.

Enfermedad de Addison

¿Por qué se llama enfermedad de Addison?

El Dr. Thomas Addison, que llevó a cabo numerosos estudios acerca las suprarrenales, era un médico de Londres, nacido alrededor de 1793. Describió varias afecciones de las glándulas suprarrenales.

La enfermedad de Addison es la destrucción crónica de la glándula suprarrenal, tal vez por tuberculosis o alguna otra razón. Incluye una cantidad de síntomas que empeoran paulatinamente. Hay vómitos, diarrea, debilidad y fatiga, pérdida de peso y la necesidad imperiosa de comer sal. Los síntomas empeoran, lo que revela la existencia de una enfermedad subyacente.

+ *Tratamiento*

¿Existe algún tratamiento para estas dos afecciones?

El diagnóstico es difícil, como en todas las enfermedades de las glándulas endocrinas. Se logra con ayuda de numerosos análisis y otras investigaciones clínicas. El tratamiento se encamina a suplir la falta de cortisona y la pérdida de líquido, a tratar las infecciones (especialmente la tuberculosis) y fortalecer al paciente.

Síndrome de Cushing

¿En qué consiste esta afección?

El Dr. Harvey Williams Cushing nació en 1869 en los Estados Unidos y se convirtió en un famoso neurocirujano de Boston. Desarrolló diversos procedimientos quirúrgicos. Llevó a cabo importantes investigaciones sobre las glándulas suprarrenales en un tiempo cuando se conocía muy poco sobre ellas. Estos pioneros de la medicina nos proporcionaron una increíble cantidad de información médica, con escasas facilidades, con pocos medicamentos y trabajando en condiciones primitivas, y a veces teniendo que hacer frente a la oposición de sus propios colegas.

¿Cuáles son los síntomas del síndrome de Cushing?

Los síntomas son producidos por una secreción excesiva de hormonas por parte de las glándulas suprarrenales. Son más comunes en las niñas de menos de 12 años. Aumenta el depósito de grasa alrededor de la cara, en el cuello y el cuerpo. La niña se cansa con rapidez y sin realizar mucho esfuerzo. Se lesiona con facilidad, puede haber retardo en el crecimiento, dolores de espalda y diabetes. También pueden presentarse espinillas y pelos en el rostro.

+ *Tratamiento*

Esta enfermedad hace sufrir a las niñas porque afecta su aspecto. ¿Existe algún tratamiento?

Eso depende mucho de la causa. En algunos casos es un crecimiento anormal de la glándula. Si se lo puede extirpar sin dañar la glándula, las perspectivas de curación son buenas. Si el crecimiento es canceroso, las perspectivas son malas. En este caso el diagnóstico definitivo y el tratamiento se llevan a cabo en un hospital.

Feocromocitoma

¿Qué significa este nombre tan extraño?

Está formado por varias palabras griegas: *faiós* significa oscuro, *jróma* quiere decir color, *kutos* significa célula y *oma* es tumor. De modo que si juntamos estos vocablos tenemos un tumor con células de color oscuro.

¿En qué consiste esta afección?

Se produce un tumor en la médula, la parte interna de la glándula suprarrenal, que provoca una abundante secreción de adrenalina. Los síntomas incluyen dolor de cabeza, ansiedad, palpitaciones violentas del corazón, diarrea, pupilas dilatadas, visión borrosa y dolores abdominales. La tensión arterial elevada suele ser el síntoma más notable.

+ *Tratamiento*

¿Existe algún tratamiento adecuado?

El paciente debe ser internado en un hospital. Hay diversos tratamientos. Si no producen el efecto deseado se opera al enfermo para extirpar el tumor. Afortunadamente esta afección es muy poco frecuente.

La glándula pituitaria o hipófisis

¿Dónde se encuentra la glándula pituitaria?

La pituitaria se encuentra en la base del diencéfalo y está alojada en una depresión ósea del hueso esfenoides llamada silla turca, debajo del hipotálamo, con el que mantiene importantes conexiones anatómicas y funcionales.

Aunque esta glándula puede afectarse, no sucede con mucha frecuencia. Veamos a continuación algunas afecciones causadas por el mal funcionamiento de la pituitaria.

Diabetes insípida

Parece que aquí tenemos otra clase de diabetes.

Así es. Pero no tiene relación con la diabetes mellitus, la cual, como ya vimos, es consecuencia de la irregular presencia de glucosa en la sangre. Si las hormonas de la porción posterior de la pituitaria no son normales, se producen grandes cantidades de orina, la sed puede ser intensa, y puede haber constipación y fiebre, especialmente en las primeras etapas.

+ *Tratamiento*

Me parece que esta es una de esas afecciones difíciles que es mejor tratarla en un hospital.

Así es. Mencionamos los síntomas para que los padres vean que el tratamiento es indispensable. Por cierto que cuanto antes se inicie tanto mejor será. No hay que des-

UBICACIÓN Y ESTRUCTURA DE LA GLÁNDULA PITUITARIA

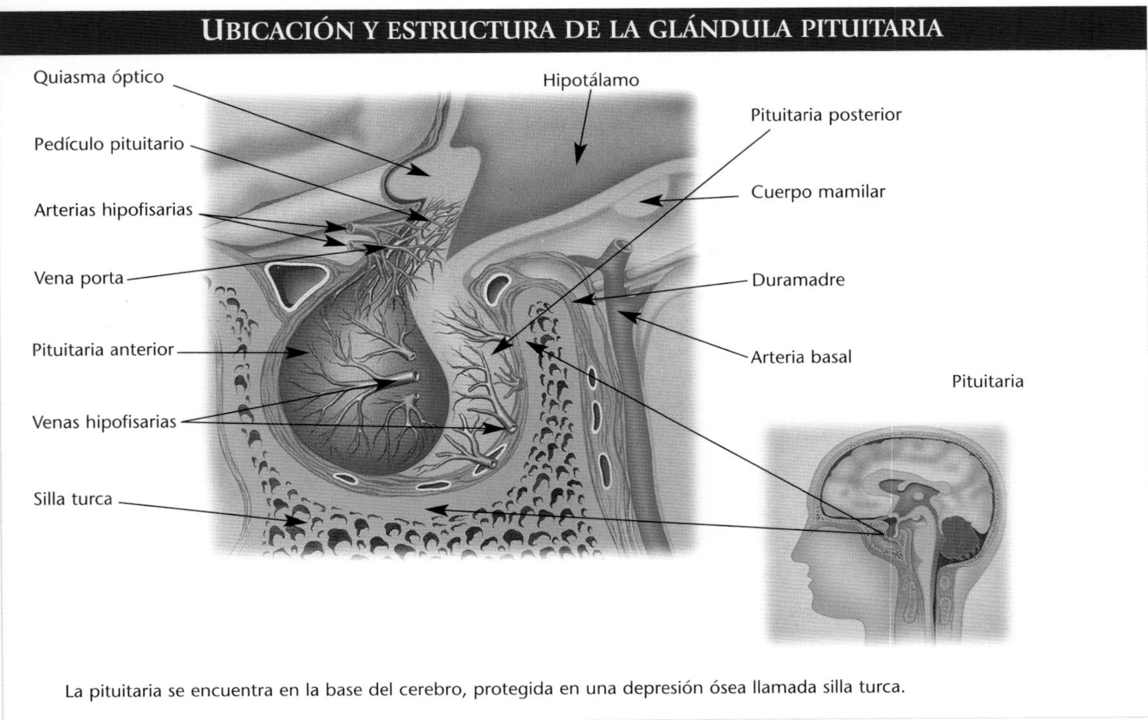

La pituitaria se encuentra en la base del cerebro, protegida en una depresión ósea llamada silla turca.

cuidar estos síntomas.

Enanismo

¿En qué consiste el enanismo?

En algunos casos un niño padece de deficiencia de una hormona de la pituitaria que se llama hormona del crecimiento. Como resultado de ello su estatura es inferior a la normal, condición que se conoce por el nombre de enanismo. También puede haber otros síntomas de desarrollo insuficiente, que se manifiestan en los miembros inferiores y superiores, las manos, los pies y los órganos genitales. Los ojos suelen ser sobresalientes y la voz es aguda. La existencia de un tumor en la glándula es la razón más obvia.

✚ *Tratamiento*

¿Existe algún tratamiento eficaz para el enanismo?

Me complazco en decir que el tratamiento con hormona del crecimiento humano puede contribuir al desarrollo de los niños enanos. Actualmente se produce hormona de crecimiento mediante ingeniería genética. Este método terapéutico tiene mucho éxito.

Gigantismo o acromegalia

Esta es una condición opuesta a la anterior. ¿Cómo se produce?

Este problema es causado por la presencia de un tumor en la pituitaria, lo que determina una producción excesiva de la hormona del crecimiento y como resultado los huesos siguen desarrollándose.

✚ *Tratamiento*

¿Se puede tratar este mal?

Sí, se puede; pero depende de la causa precisa. Puede ser necesaria una operación quirúrgica. En años recientes se ha empleado con éxito considerable un medicamento llamado bromocriptina.

El timo

¿En qué parte del cuerpo se encuentra ubicado el timo?

Se lo encuentra en la parte inferior del cuello y en la parte superior del tórax. Es bastante grande en el bebé recién nacido y continúa aumentando de tamaño hasta poco antes de la pubertad. Durante la adolescencia comienza a disminuir de tamaño, hasta que finalmente, con los años, prácticamente desaparece.

TAMAÑO Y UBICACIÓN DEL TIMO

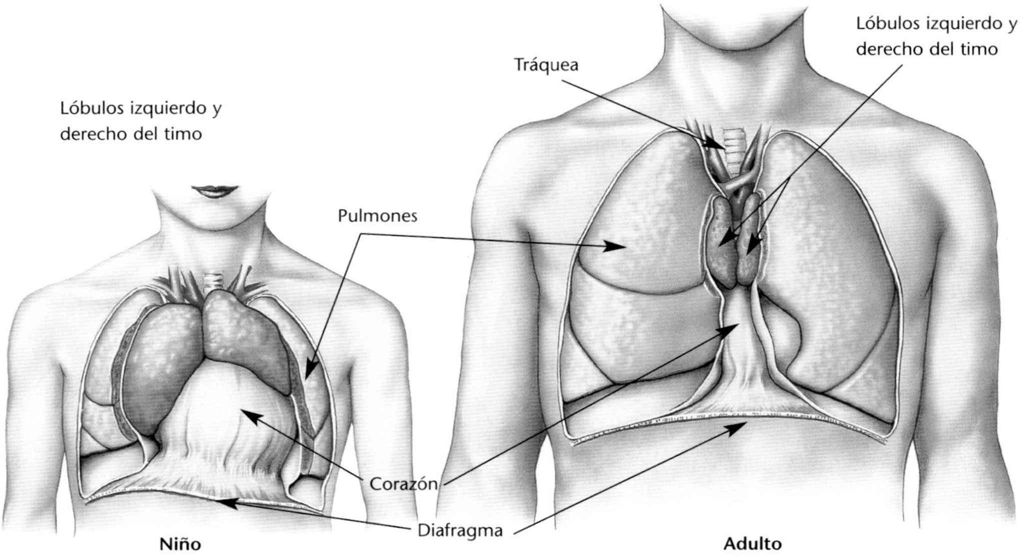

Los tamaños relativos del timo en un adulto y un niño demuestran gráficamente su importancia en la instalación precoz del sistema inmunológico. En el adulto disminuye de tamaño.

¿Cuál es su función?

No se sabe con certeza. El timo produce ciertos glóbulos blancos que forman parte del sistema inmunológico. Es evidente que esta glándula desempeña un papel importante en los primeros años de vida como protector del organismo. Pero se desconoce la extensión total de sus funciones. Al parecer desempeña una parte en el desarrollo de una enfermedad de la vida adulta llamada miastenia gravis, en la que los músculos se cansan con rapidez. En algunos casos la extirpación del timo cura la enfermedad. Pero por otra parte, si se extirpa el timo, la persona puede contraer otra enfermedad muy grave, el lupus eritematoso sistémico.

Ciertos tumores también pueden afectar al timo, lo que agrava los síntomas de la miastenia gravis. También pueden presentarse quistes y otros crecimientos, pero son muy poco frecuentes.

+ *Tratamiento*

¿Existe algún tratamiento adecuado?

El tratamiento para esta afección es la extirpación quirúrgica del tumor o el crecimiento, por la posibilidad de que se vuelva canceroso

Fenilcetonuria

¿Qué síntomas pueden atraer la atención de una madre hacia un chico afectado por esta enfermedad?

Se ha notado que la fenilcetonuria (oligofrenia fenilpirúvica) se produce con mayor frecuencia entre los bebés rubios y de ojos azules. Tienen aspecto normal en el momento de nacer, pero poco después comienzan a vomitar, se ponen inquietos e irritables, despiden un olor peculiar, tienen erupciones en la piel y un comportamiento extraño. Se produce retardo mental. El niño suele ponerse hiperactivo y tener un comportamiento irregular. La transpiración excesiva es común.

+ *Tratamiento*

¿Cómo se trata a estos pequeños pacientes?

En la actualidad se trata a los bebés con fenilcetonuria desde el nacimiento con alimentos que no contienen fenilalanina. Puede ser necesario mantener esta dieta restringida durante varios años. Pero no se sabe a ciencia cierta a qué edad se debe comenzar la alimentación normal. Algunos consideran necesario mantener esa dieta restringida durante 5 años. Otros sostienen que hay que

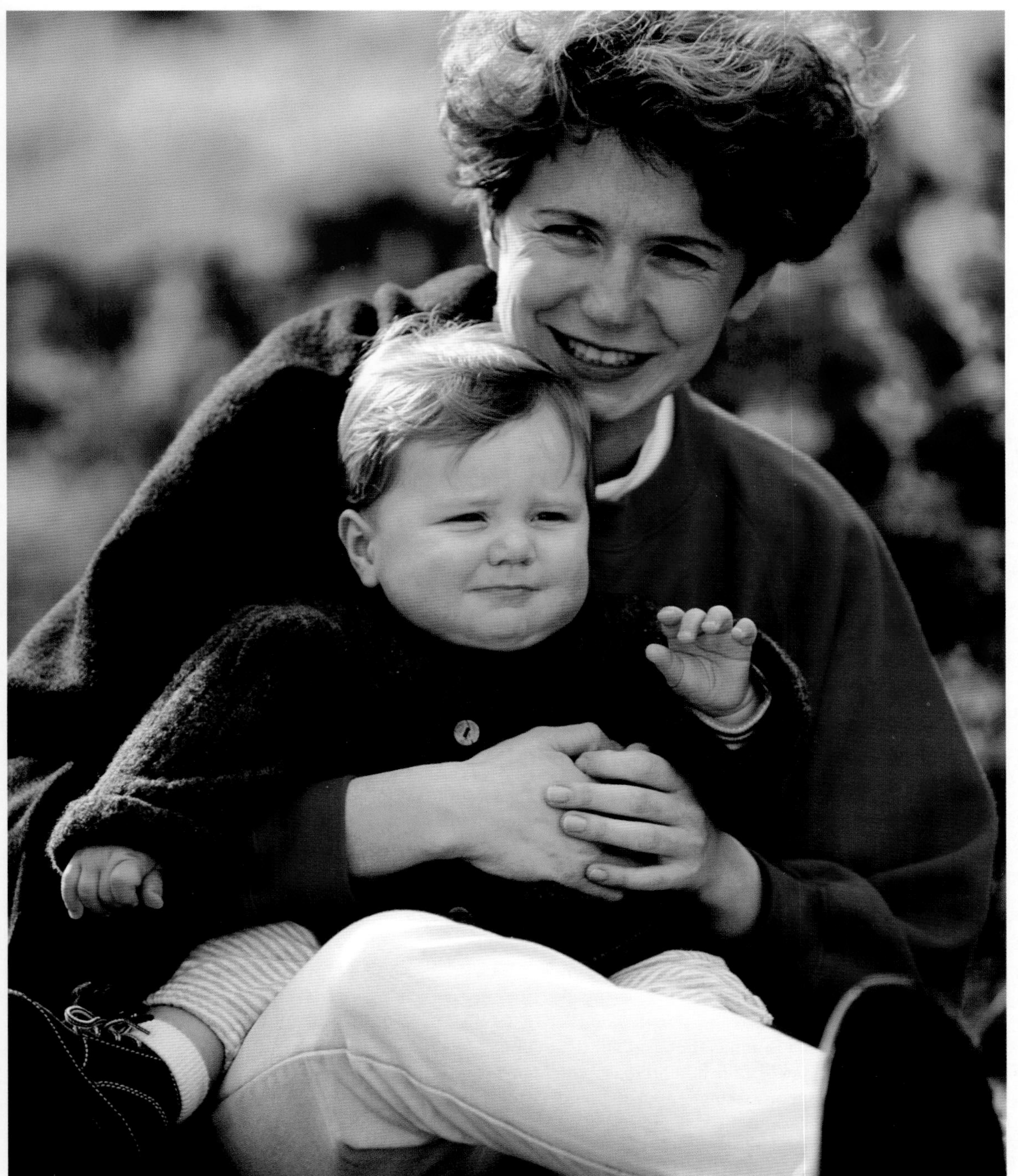

conservarla durante toda la vida.

Entiendo que en los últimos años se ha progresado mucho en el diagnóstico de esta enfermedad.

Así es. En la mayor parte de los países se les hace un análisis de sangre a los bebés recién nacidos. Así se puede detectar a tiempo la enfermedad y establecer el régimen alimentario adecuado. En eso consiste el tratamiento preventivo.

capítulo 31

Problemas de los oídos, la nariz y la garganta

EN ESTE CAPÍTULO

- Introducción, dolor de oídos, infección del oído medio, cerumen (cera del oído) y objetos extraños.
- Mastoidits, sordera, ruptura del tímpano, malformaciones.
- Senos infectados, sinusitis crónica, hemorragia nasal.
- Objetos extraños en la nariz, dolor de garganta y tonsilitis.
- Tumefacciones en el cuello.

Dos orejas, una nariz con dos fosas, dos labios, veinticuatro dientes (en la infancia), dos amígdalas y una lengua...

¡Qué colección! Pero es bueno tener todos estos órganos que nos ayudan a vivir y disfrutar de las cosas que nos rodean.

En comparación con otros órganos, estos se encuentran en una zona limitada del cuerpo, ¿no es cierto?.

Así es. Pero con frecuencia lo que sucede en un lugar afecta las partes adyacentes. Los oídos, la nariz y la garganta se encuentran conectados por canales y tubos, razón por la cual los hemos agrupado aquí.

¿Qué clase de síntomas revelan a la madre la existencia de algún problema en esta región del cuerpo?

Los problemas, generalmente, están localizados. Por ejemplo, puede haber dolor de oídos, emisión de líquido o disminución de la audición más dolor de cabeza. O bien puede salir líquido de la nariz, puede haber hemorragia nasal, mal aliento o dolor al tragar. También se produce fiebre y los desagradables dolores que la acompañan. Estos son los síntomas generales que permiten comprender que los órganos mencionados requieren atención médica inmediata.

Todos sabemos qué es la nariz, pero, ¿a qué lugares conducen las fosas nasales?

Las fosas nasales son el comienzo de dos canales que penetran hacia arriba hasta que se unen en la parte posterior de la nariz, en un lugar denominado nasofaringe, que se conecta con otra cavidad que se encuentra en la parte posterior de la boca y que se llama orofaringe.

¿Para qué sirven los pelos de la nariz?

Sirven para colar el aire y detener las partículas extrañas más grandes. Son un medio de protección. Un tabique duro llamado septo separa la fosa nasal derecha de la izquierda y dirige la corriente de aire hacia determinados puntos. La membrana de color rosado que tapiza ambos lados del septo entibia el aire antes de que penetre en los pulmones.

¿Dónde se encuentran los senos?

Debajo de las órbitas de los ojos y detrás de las mejillas. Los huesos de ese sector están provistos de cavidades llamadas senos, que se conectan con la nariz por una pequeña abertura. Estos senos tienen el propósito de dar a la voz una mayor resonancia.

¿Qué se puede decir de la boca?

Los labios controlan la entrada a la boca. Además, contribuyen a la modulación de las palabras. Los dientes y las encías están ubicados justamente detrás de los labios, en la cavidad bucal. En el suelo de la boca se encuentra la lengua, con sus millones de papilas gustativas que permiten que disfrutemos de los alimentos. En los lados están las mejillas y en la parte superior se encuentra el paladar, el que se vuelve blando en su parte posterior para formar el llamado velo del paladar, del que cuelga un apéndice carnoso llamado úvula.

¿Dónde están las amígdalas?

Se encuentran en la parte posterior de la cavidad bucal. Son dos órganos carnosos de color rosado que suelen estar ocultos por un velo.

¿De dónde proviene la saliva?

Las glándulas salivales producen la saliva. Están situadas debajo de la lengua, y las constituyen unas grandes glándulas llamadas parótidas que están situadas una a cada lado delante del pabellón de la oreja. La presencia de alimento en la boca estimula la producción de saliva, para comenzar la digestión y facilitar la deglución de la comida.

La faringe está conectada a dos tubos. El esófago lleva los alimentos al estómago. La laringe lleva aire a los pulmones. La laringe contiene las cuerdas vocales, las cuales producen sonidos modulados que dan origen al lenguaje hablado.

¿Qué se puede decir de las orejas?

Los pabellones de las orejas tienen una conformación especial que les permite captar los sonidos y enviarlos por el canal auditivo externo hasta el tímpano, membrana vibratoria que separa el oído externo del oído medio. Este canal está revestido de células productoras de cera destinada a atrapar insectos y otros objetos extraños; esa cera se llama cerumen.

¿Qué hay más allá del tímpano?

Ahí está el oído medio. Es una pequeña cavidad conectada con un conducto llamado trompa de Eustaquio, que desemboca en la faringe, en las proximidades de las amígdalas. Esto permite que la presión del aire sea la misma a ambos lados del tímpano. Cuando el tubo se obstruye hay diferencia de presión, lo que produce dolor de oído. Cuando se tapan los oídos por subir en el ascensor (elevador) de un edificio alto, o por otra razón, tragar saliva o bostezar puede contribuir a igualar la presión del aire y "destaparlos" para evitar que duelan.

¿Cuál es el mecanismo de la audición?

El tímpano y algunos huesos pequeños del oído medio forman parte del mecanismo de la audición. En el oído interno se encuentran importantes componentes de la audición que se relacionan con el cerebro por medio del nervio auditivo, lo que permite oír los sonidos provenientes del exterior. El oído interno también contiene los canales semicirculares, que tienen que ver con el equilibrio.

Dolor de oídos

Un mecanismo tan complicado y delicado como el de la audición difícilmente podría librarse de diversas afecciones. Una de ellas es el dolor de oídos, ¿no es cierto?

Un buen tema para comenzar, porque los niños sufren con frecuencia de este mal. Los mismos niños suelen ser los causantes de esos dolores, porque introducen diversos objetos en ellos.

¿Cuáles son algunos de esos objetos?

Porotos (fríjoles) u otras legumbres secas. Piedrecillas, conchitas, pequeños objetos de plástico, los ojos arrancados de las muñecas, bolitas de papel o de algodón. Además, se escarban los oídos con palitos, horquillas y otros objetos. Es un hábito peligroso, y las madres deberían explicar a sus hijos el daño que se pueden causar en los oídos.

Los objetos introducidos en los oídos pueden herir el delicado revestimiento del canal auditivo y causar infecciones. El agua de las piscinas (piletas, albercas) tratadas con cloro también es perjudicial, porque produce una grave reacción. El tímpano y las paredes del conducto se inflaman y causan dolor. Se suele producir una emisión de líquido que afecta el oído externo y hasta la piel del rostro, que se enrojece e irrita. A veces las glándulas parótidas se afectan y duelen.

+ *Tratamiento*

¿Cuál es el mejor tratamiento para el dolor de oídos?

Lo mejor es prevenir. Hay que enseñar a los niños a no introducir nada en los oídos. Si se produce una infección en la oreja y la cara, hay que tratarla con algún desinfectante suave recomendado por el farmacéutico o un empleado responsable de la farmacia.

Si el oído duele, es mejor no hacer ninguna curación para no agravar el problema. Conviene llevar el niño al médico para que

Estructura del oído

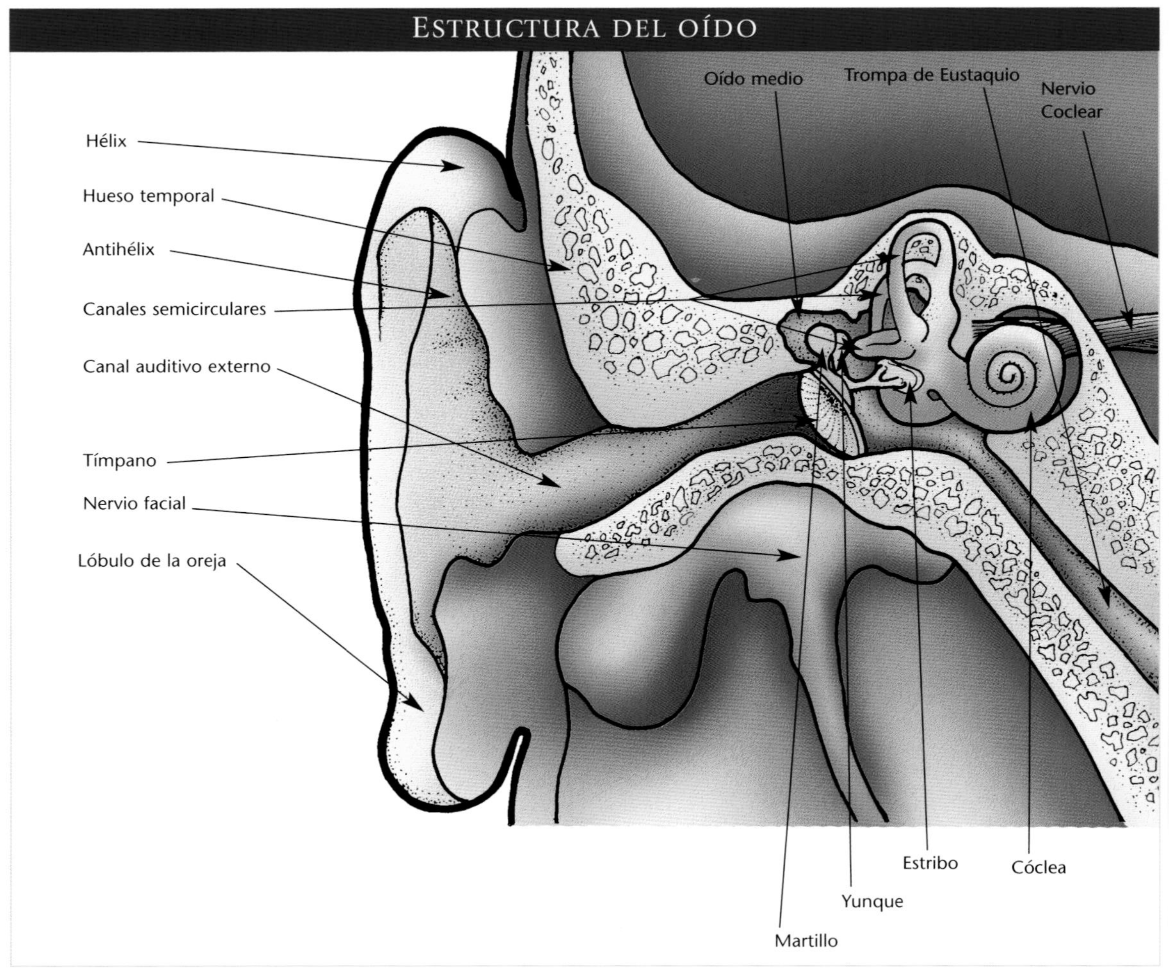

examine el oído y prescriba el tratamiento. El facultativo limpiará el canal auditivo y aplicará una crema con antibióticos para combatir los diversos gérmenes causantes de la infección.

Si es necesario recetará antibióticos semisintéticos de amplio espectro, es decir, capaces de combatir una gran cantidad de gérmenes infecciosos. Es indispensable que el niño reciba la dosis completa de antibióticos, para producir una curación total. Si hay fiebre o dolor, el médico recetará paracetamol u otro analgésico igualmente eficaz. En ocasiones, una bolsa de agua no muy caliente aplicada sobre el oído puede producir alivio.

Infección del oído medio

¿En qué consiste esta infección?

La infección del oído medio (otitis media aguda) es una afección común en los niños, que puede presentarse durante la noche. Se la describe como un pinchazo en la cabeza con un cuchillo. Puede ser muy dolorosa.

¿Qué la produce?

Existen numerosas causas. Una de ellas es la infección de la nariz y la garganta causada por el resfrío común. Los gérmenes infecciosos pasan al oído y lo afectan. La otitis infecciosa también puede ser producida por otras afecciones, como el sarampión, las paperas, la rubéola, la tonsilitis (infección de amígdalas) y la sinusitis.

¿Cómo se manifiesta la otitis media aguda?

El niño puede despertar en medio de la noche con un fuerte dolor de oído. Puede tener fiebre; las criaturas suelen llorar debido al dolor. Diremos, de paso, que este problema puede producirse con facilidad cuando el niño ha estado nadando en aguas infectadas. Los gérmenes invaden la garganta y originan una infección que se propaga al oído.

✚ *Tratamiento*

¿Qué tratamiento se recomienda?

Siempre recomiendo que el médico revise el oído infectado, especialmente si hay fiebre, si empeora o si es resultado de otra infección.

El médico revisa el oído con un instrumento especial y es posible que encuentre el tímpano, que normalmente es pálido, de un color rojo subido. Puede haber ganglios inflamados en las proximidades del oído y fiebre.

El médico prescribe antibióticos. La penicilina semisintética, como la ampicilina, la amoxicilina o la cefalosporina, producen resultados rápidos y satisfactorios. Por cierto que el médico es quien debe recetarlos, porque tiene a su alcance toda la información necesaria.

¿Conviene usar gotas para los oídos?

En general estas no son aconsejables, por no ser de gran utilidad. El paracetamol alivia el dolor y la fiebre. A los bebés y niños pequeños se les da paracetamol en jarabe. Por ningún motivo se debe introducir un objeto en el oído, a no ser que el médico lo haya ordenado.

Complicaciones

¿Puede una simple infección del oído causar una afección grave?

Sí, puede. El tratamiento con antibióticos puede eliminar los síntomas en pocos días, pero eso no significa que haya desaparecido la enfermedad. Por eso es muy importante que se administre al niño enfermo la totalidad de los antibióticos recetados. En caso contrario puede producirse una afección que causará disminución de la capacidad de oír, dolor y molestias.

Los gérmenes infecciosos pueden propagarse del oído medio a otras partes del cuerpo y causar graves complicaciones. Por ejemplo, el cerebro puede llegar a afectarse por la meningitis o la encefalitis, enfermedades muy graves que pueden poner en peligro la vida.

El dolor de cabeza, la fiebre persistente, la rigidez del cuello, la confusión mental y los vómitos son todos síntomas graves que requieren la pronta atención del médico.

No es prudente que un niño con dolor de oído haga un viaje en avión, porque debido a los cambios de presión en la cabina durante el vuelo se pueden producir fuertes dolores de oído. Si es indispensable que viaje debe chupar un caramelo o masticar un chicle, especialmente durante el despegue y el aterrizaje, para igualar la presión a ambos lados del tímpano. También el bostezo puede destapar los oídos.

Cerumen (cera) y objetos extraños

¿Por qué se acumula cerumen en los oídos?

El revestimiento del canal auditivo externo contiene glándulas especiales productoras de cera, la que poco a poco se acumula en las paredes. Su propósito es atrapar los objetos extraños pequeños que entran en el oído.

Pero en algunos casos esas glándulas producen exceso de cera, la que se deposita en el canal auditivo del niño, llena la parte más profunda y la obtura. Por eso el niño muy pronto no oye bien con el oído afectado.

¿Es grave esto?

Generalmente no lo es. El médico examinará el oído y determinará la causa del

Cuando los niños se bañan en piletas (piscinas) con agua tratada con productos químicos, pueden contraer infecciones que generalmente se manifiestan en el oído externo.

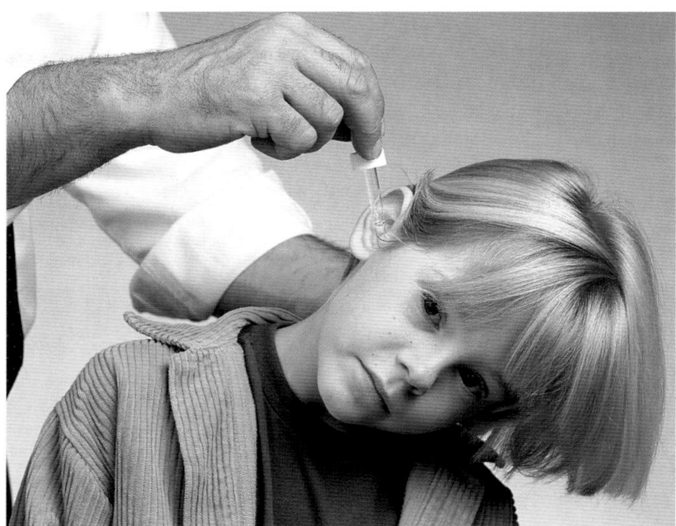

Es prudente consultar al médico cuando hay dolor de oído, especialmente si empeora y produce fiebre.

problema. Si es el cerumen, lo eliminará por medio de chorros de agua salada tibia aplicados con una jeringa. Si el cerumen está endurecido, el médico aplicará gotas especiales para ablandarlo, y tres o cuatro días después hará el tratamiento con agua y jeringa. En algunos casos el padre o la madre pueden aplicar este tratamiento.

¿Qué tratamiento debe administrarse cuando un cuerpo extraño se ha introducido en el canal auditivo?

Si la madre puede ver parte del objeto en el oído, puede sacarlo con ayuda de unas pinzas, teniendo cuidado de no empujarlo más adentro. Esto es casi todo lo que el padre o la madre pueden hacer. El médico dispone de instrumentos adecuados para extraer objetos que se encuentran a mayor profundidad.

Los niños con el canal auditivo obstruido por cerumen deberían ir al médico cada seis meses para que los revise y les haga una limpieza de oídos. A veces el oído duele durante un par de días después de la limpieza, pero eso es normal.

Mastoiditis

¿Sufre todavía la gente de mastoiditis? Entiendo que su padre tenía una cicatriz detrás de la oreja como recuerdo de una mastoiditis. ¿Es esto así?

Mi padre vivió una parte de su vida en una época cuando no había antibióticos, cuando las infecciones de este importante hueso eran frecuentes. El mastoides es un hueso grande y poroso situado detrás y debajo del oído.

A veces los gérmenes infecciosos penetran en este hueso y provocan una grave infección purulenta. El dolor en la región del mastoides y fiebre después de una infección de oído son los síntomas que revelan que el hueso está infectado. Si una infección del oído se trata hasta que esté totalmente curada, el riesgo de una mastoiditis es escaso. En otro tiempo el hueso infectado tenía que ser operado para drenarlo y limpiarlo. Era una operación común que dejaba como recuerdo una fea cicatriz.

Sordera

¿Es la sordera una afección común en los bebés y niños de pocos años?

En la actualidad no es tan común como en años pasados, pero todavía ocurre con cierta frecuencia. Aunque se supone que los bebés deberían nacer perfectos, no siempre es así. La causa más común en el pasado era la rubéola, que afectaba a la madre en los primeros meses de embarazo. Después de una epidemia de rubéola casi siempre nacía una cantidad considerable de niños total o parcialmente sordos.

Gracias a la vacuna que se da a las niñas contra esta enfermedad, la cantidad de bebés con problemas de audición ha dismi-

Cuerpo extraño en el oído

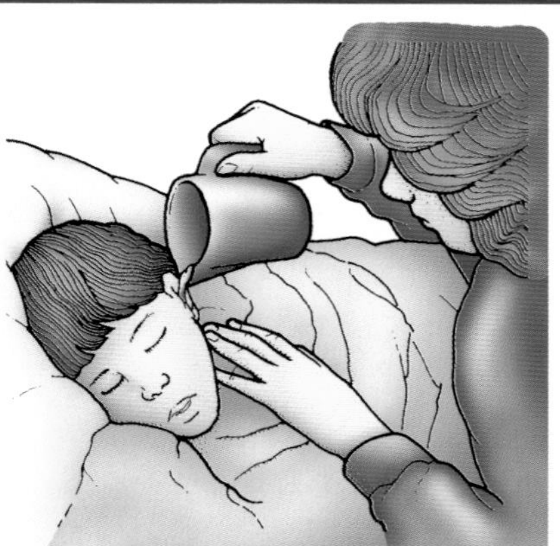

Si el objeto es pequeño y blando, procure sacarlo con unas pinzas. Si no lo consigue, lleve al niño al médico. Si el cuerpo extraño es un insecto, acueste al niño con el oído afectado hacia arriba y derrame agua tibia en el canal auditivo.

nuido bastante. Lamentablemente, hay muchas mujeres que no recibieron la vacuna cuando eran niñas porque sus padres no lo permitieron, o bien la recibieron pero con un bajo nivel de inmunización, por lo que son susceptibles de contraer la enfermedad. Por eso las mujeres que desean quedar embarazadas deberían hacerse un análisis de sangre para comprobar su nivel de inmunidad contra la rubéola, con el fin de evitar tener hijos con problemas de audición.

¿Cómo puede descubrir la madre los problemas de audición de su bebé y a qué edad?

Una madre observadora puede descubrir manifestaciones de sordera en su bebé desde los 3 ó 4 meses. Si el bebé no responde a la voz de la madre, o bien no despierta con el ruido, si no vuelve la cabeza hacia al lugar de donde proviene el sonido, que puede ser la voz, una campanilla. un cascabel, etc., lo más probable es que sufra de sordera. Los ruidos fuertes no lo asustan tampoco y la voz maternal cariñosa no lo hace sonreír.

Entre los 5 y los 12 meses el bebé no reacciona a los ruidos ni responde cuando la madre lo llama por su nombre. Entre los 12 y los 24 meses la criatura hace ruidos monótonos con la boca. La voz es áspera y estridente.

Después de los 24 meses se advierte un notable retardo en el habla. Lo que dice es incomprensible. Resulta evidente que el niño no está aprendiendo a hablar, no lo puede hacer debidamente y el desarrollo del lenguaje no existe.

✚ *Tratamiento*

¿Qué debe hacer una madre cuando sospecha que su bebé es sordo?

Es indispensable que lo haga examinar en cuanto descubre alguna anormalidad en la audición o en la expresión de sonidos y palabras, para evitar que se produzca un daño irreparable. Muchos padres no comprenden que la audición es para el lenguaje lo que la vista es para la lectura. Sin lo uno, lo otro no puede desarrollarse normalmente.

El foniatra —médico especialista en problemas auditivos— examinará los oídos del bebé y hará las pruebas acústicas necesarias para determinar cuál es el problema. Luego recomendará el tratamiento adecuado para corregirlo. Un bebé puede usar un audífono a partir de los 3 meses.

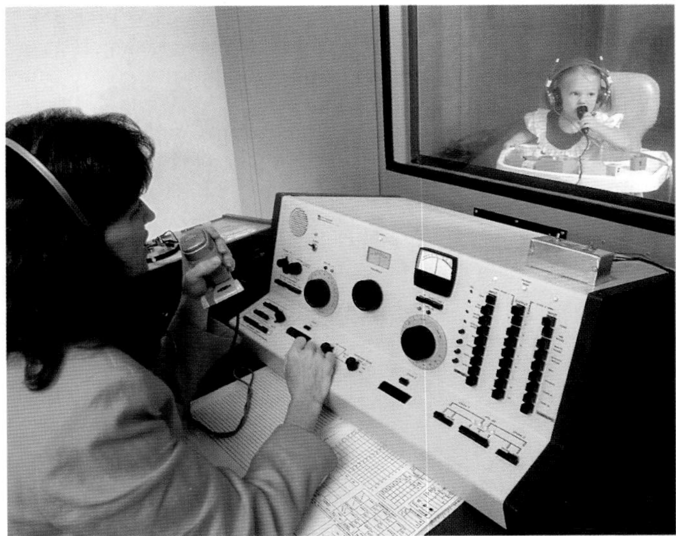

El audiólogo prueba el oído del niño para determinar su nivel de audición y la gravedad de su dolencia.

Debo añadir que cualquier niño de quien se sospeche que es autista o retardado mental, que sufre de alguna lesión cerebral o que tenga dificultad para hablar, debería ser examinado primero por un foniatra para comprobar su capacidad de oír, porque esta podría ser la causa básica. Por cierto que el médico examinará los oídos para asegurarse que no hay una acumulación de cerumen o un objeto extraño en el canal auditivo.

¿Existe algún tratamiento para los niños con sordera total?

Sí. En la actualidad se llevan a cabo implantes cocleares en criaturas nacidas totalmente sordas. Debemos decir también que en un número limitado de casos existe sordera sin causa evidente. Se cree que se debe a defectos genéticos hereditarios. Estos niños pueden aprender en instituciones especiales el idioma de los sordomudos.

La sordera afecta aproximadamente al 1 por 1.000 de los bebés que nacen.

Perforaciones en las orejas

¿Qué piensa usted de la costumbre de perforar las orejas de los bebés?

Es una práctica generalizada en todo el mundo, pero no está exenta de riesgos. Las infecciones purulentas son frecuentes en el lóbulo de la oreja, con fiebre e inflamación de los ganglios del cuello.

¿Es un problema grave?

Cualquier infección puede ser grave. En

este caso debe intervenir el médico, quien probablemente recetará paracetamol para combatir la fiebre y algún antibiótico para reducir la infección.

Además de esto, en algunos casos se produce un crecimiento queloide o cicatriz de tejido grueso rojizo que se forma en la piel después de una incisión quirúrgica o una herida. Cuando es muy grande debe ser extirpado por un cirujano. Este crecimiento no es canceroso, de modo que no hay razón para asustarse.

En algunos casos, debido a la falta de higiene en la desinfección de los instrumentos en el lugar donde se practican estas perforaciones, se ha producido una infección del hígado con hepatitis B, que ocasionalmente ha resultado fatal.

Debido a esto, las madres que desean perforar los lóbulos de las orejas de sus hijitas deben hacerlo en una clínica digna de confianza, con procedimientos adecuados de desinfección de los instrumentos.

Orejas deformadas

Algunos bebés nacen con las orejas deformadas. ¿Qué nos puede decir acerca de esto?

Ocasionalmente nacen bebés con las orejas deformadas. Pueden ser un síntoma de anomalías internas, como alguna deformación en el sistema urinario, incluso los riñones. Hay que llevar al médico a los niños con este problema, para que determine la importancia de esta situación y su posible relación con problemas internos. Un cirujano plástico puede corregir la deformación de las orejas.

SINUSITIS

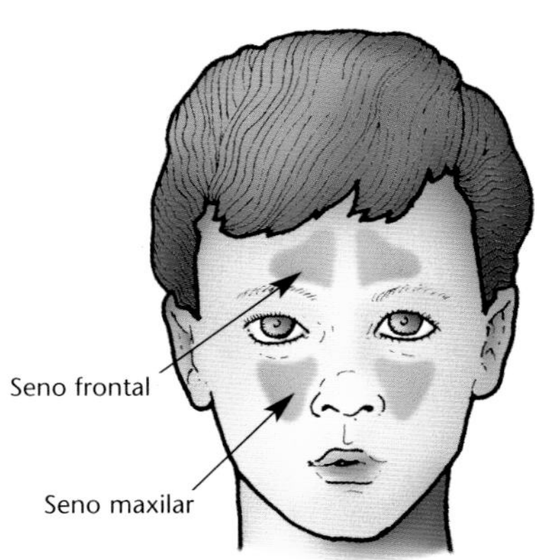

La sinusitis es una infección de los senos, las cavidades llenas de aire situadas en los huesos que rodean la nariz. Este mal con frecuencia acompaña a una infección.

Senos infectados (sinusitis)

¿Sufren las criaturas de infección de los senos frontales o maxilares?

Esto sucede especialmente cuando nadan en aguas infectadas con gérmenes que llegan hasta los senos y los infectan, o en piletas (piscinas, albercas) que contienen cantidad excesiva de productos químicos irritantes que inflaman el revestimiento de los senos.

¿Qué sucede en estos casos?

El revestimiento de los senos se congestiona, lo que produce emisión de líquido. Los senos principales están situados a ambos lados de la nariz, debajo de las órbitas de los ojos y detrás de los huesos de las mejillas. Contribuyen a dar a la voz una resonancia agradable. Estas cavidades se comunican con el canal de la nariz por medio de un orificio de drenaje.

Cuando se inflama el revestimiento y la secreción de líquido es abundante o espesa, el agujerito de drenaje se cierra y el líquido se acumula en la cavidad, con gérmenes y células muertas. Suele haber una alergia que agrava el cuadro.

¿Qué clase de síntomas deben observar los padres?

Son numerosos y variados. El niño puede tener fiebre, y querer sonarse la nariz constantemente. La madre puede notar que se produce una emisión de cierta materia en la parte posterior de la nariz, hacia la nasofaringe y la orofaringe.

El niño tiene dolor de cabeza y le duelen las mejillas. Suele haber síntomas generales de infección, como náusea, inapetencia, sensación de picazón en todo el cuerpo, y falta de energía y entusiasmo.

✚ *Tratamiento*

¿Cuál es la forma más adecuada de tratar este mal?

Los síntomas pueden dar a la madre una idea del problema. El médico suele pedir análisis para confirmar su diagnóstico. Algu-

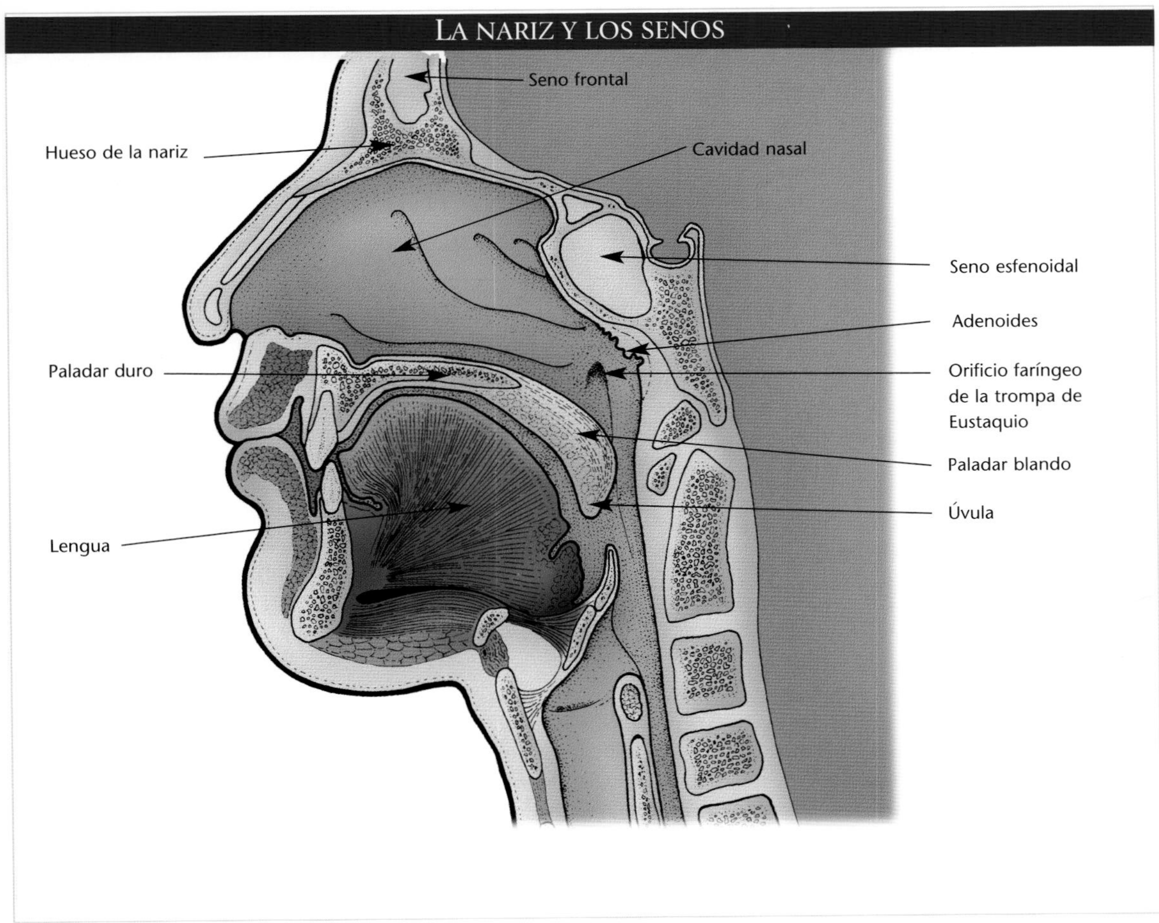

nos casos son difíciles de diagnosticar. Ocasionalmente se toman radiografías, pero esto generalmente se evita en los niños.

Los antibióticos son un recurso terapéutico excelente. El médico puede recetar ampicilina, amoxicilina o un antibiótico sintético de amplio espectro. A veces el niño debe permanecer en cama durante algunos días y tomar agua en abundancia.

Cuando la sinusitis se presenta varias veces en un niño con un tabique nasal deformado, el médico recomienda una operación para resolver el problema. A veces la causa son las vegetaciones adenoideas infectadas y de gran tamaño, que deben extirparse quirúrgicamente para producir alivio.

En algunos casos las gotas nasales dan resultado. Las inhalaciones de vapor medicamentoso también. En este caso, la madre debe supervisar la operación para evitar que el niño se queme con el agua caliente.

Cuando una alergia es la causa de la sinusitis, el médico recetará algún antialérgico.

Sinusitis crónica

¿Puede convertirse en crónica la sinusitis?

Ocasionalmente, si persisten las causas de los síntomas originales sin que haya habido curación, esta afección puede convertirse en crónica. Hay dolor de cabeza y fiebre intermitente, el paciente se siente mal y sin vitalidad. La emisión de líquido continúa produciéndose y también el dolor debajo de los ojos.

A veces hay dolor en la frente, por encima de la nariz. En esa región están los senos frontales, los que en ocasiones se infectan. Los casos crónicos requieren atención médica.

Modo correcto de proceder para detener la hemorragia nasal

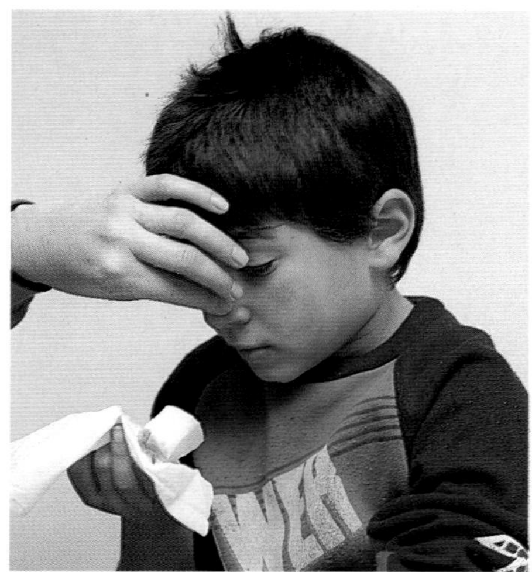

Hemorragia nasal (Epistaxis)

¿Ha notado que a casi todos los niños, tarde o temprano, les sale sangre de la nariz?

Así es. Durante los días de escuela eso es casi inevitable. Los chicos se escarban la nariz, se la pellizcan, colocan objetos extraños dentro de ella y se la golpean. Los niños sienten una atracción especial por la nariz y se habitúan a manipularla. Afortunadamente, cuando crecen abandonan ese hábito.

Si las hemorragias nasales son recurrentes, conviene consultar al médico para que averigüe las causas.

¿Pueden las infecciones producir estas hemorragias?

Lo hacen con frecuencia. Los resfríos, cualquier clase de infección nasal, las alergias, los gérmenes procedentes de infecciones en otro lugar del cuerpo, como el sarampión y otras fiebres eruptivas de la niñez pueden producirlas. El inevitable objeto extraño alojado en el canal de la nariz también puede causar una infección capaz de provocar epitaxis.

¿Existen causas que provocan sinusitis que pueden considerarse graves?

Sí. Cualquier hemorragia nasal debería recibir atención médica. Aunque no es frecuente, ciertas hemorragias, lesiones o hematomas en la piel y la leucemia (cáncer de la sangre), pueden comenzar con una hemorragia nasal. A veces es el único síntoma que aparece.

+ *Tratamiento*

¿Cuál es el mejor remedio para la hemorragia nasal?

La primera y la más importante instrucción es conservar la calma. Muchas madres se asustan, especialmente de noche, porque suponen que su hijito se podría desangrar. No hay ningún peligro de eso. Si su hijo tiene una hemorragia nasal en la noche, cálmelo y atiéndalo; usted misma debe mantenerse tranquila. Si no lo consigue, pida ayuda a su esposo o a otra persona.

Siente en la cama al niño con hemorragia nasal. Luego apriétele firmemente la nariz con los dedos pulgar e índice durante 10 minutos. No suelte la nariz cada pocos minutos sólo porque el niño se lo pide. El flujo de sangre demora en detenerse hasta que el coágulo se forma en el lugar de la lesión de los vasos sanguíneos. La mayor parte de estas hemorragias cesan en 10 minutos.

El niño no debería sonarse la nariz hasta 24 horas después, para no eliminar el coágulo, porque en ese caso la nariz volvería a sangrar. Tampoco debería meterse los dedos en la nariz, por la misma razón.

¿Vale la pena aplicar compresas frías?

Es bueno. Una bolsa con hielo triturado aplicada sobre la frente y en el cuello es beneficiosa. También contribuye a que el niño se sienta mejor la aplicación de una esponja con agua fría en la frente cada tanto. Cuide que el niño no se enfríe en la noche, lo que es muy fácil en invierno. Abríguelo bien aunque sienta calor.

Si los cuidados impartidos no detienen la hemorragia, es necesario llevar al niño al médico o al servicio de emergencia del hospital. En algunos casos es necesario introducir rollos de gasa en la fosa nasal afectada. En otros casos el médico debe cauterizar el vaso sanguíneo roto para detener la hemorragia de forma definitiva. Cuando la hemorragia nasal se repite con frecuencia, el médico debe examinar al niño para encontrar la causa subyacente del problema.

Objetos extraños en la nariz

Los niños son especialistas en el arte de pellizcarse la nariz y de introducir en ella objetos extraños.

Por razones que sólo la mente del niño comprende, las fosas nasales ejercen una atracción especial para la introducción de porotos (frijoles), piedrecitas, trocitos de plástico, bolitas de algodón, etc. Debo decir que si hay emisión de líquido de la nariz, especialmente si tiene mal olor, hay que llevar al niño al médico para que averigüe la posibilidad de que contenga un objeto extraño. Los síntomas son parecidos a los del resfrío común, pero persisten más tiempo. La remoción del objeto resuelve el problema de manera rápida y satisfactoria.

+ *Tratamiento*

¿Cuál es el tratamiento más adecuado para este problema?

Cuando se produce una emisión persistente por la nariz, el otorrinolaringólogo (médico especialista en nariz, oído y garganta) debe examinar este órgano para determinar si se encuentra obstruido en alguna parte de su trayecto. Ocasionalmente el niño debe ser internado para que el cirujano elimine quirúrgicamente un objeto extraño, sobre todo si está implantado muy profundamente.

Dolor de garganta y tonsilitis

¿Se encuentran muy difundidos entre los niños el dolor de garganta y la infección de las amígdalas?

Lamentablemente sí. La garganta es un lugar favorito de los gérmenes infecciosos. El comienzo de una faringitis o tonsilitis agudas puede aparecer de repente con escalofríos seguidos de fiebre, dolor de garganta que empeora con rapidez, aliento fétido, dolor debajo de las mandíbulas, sensación de calor y cosquilleo en la piel, dolores en todas partes y dolor de cabeza.

¿Es posible ver las amígdalas infectadas?

Se las ve como dos masas voluminosas de color rojizo o bien blanco que emergen de la faringe, a ambos lados de la lengua. En ocasiones las amígdalas son tan voluminosas que casi se tocan en la parte central. Eso hace difícil y dolorosa la ingestión de los alimentos.

Si no se trata la tonsilitis puede producir serias complicaciones. Estas incluyen nefritis (enfermedad grave de los riñones), una dolencia cardíaca en la vida adulta (enfermedad reumática del corazón), oídos infectados, otitis media aguda.

+ *Tratamiento*

¿Se recomienda aún la extirpación de las amígdalas cuando se infectan?

En la actualidad no se favorece la tonsilectomía. Se cree que por ser las amígdalas tejido linfoide (glándulas), se encuentran en

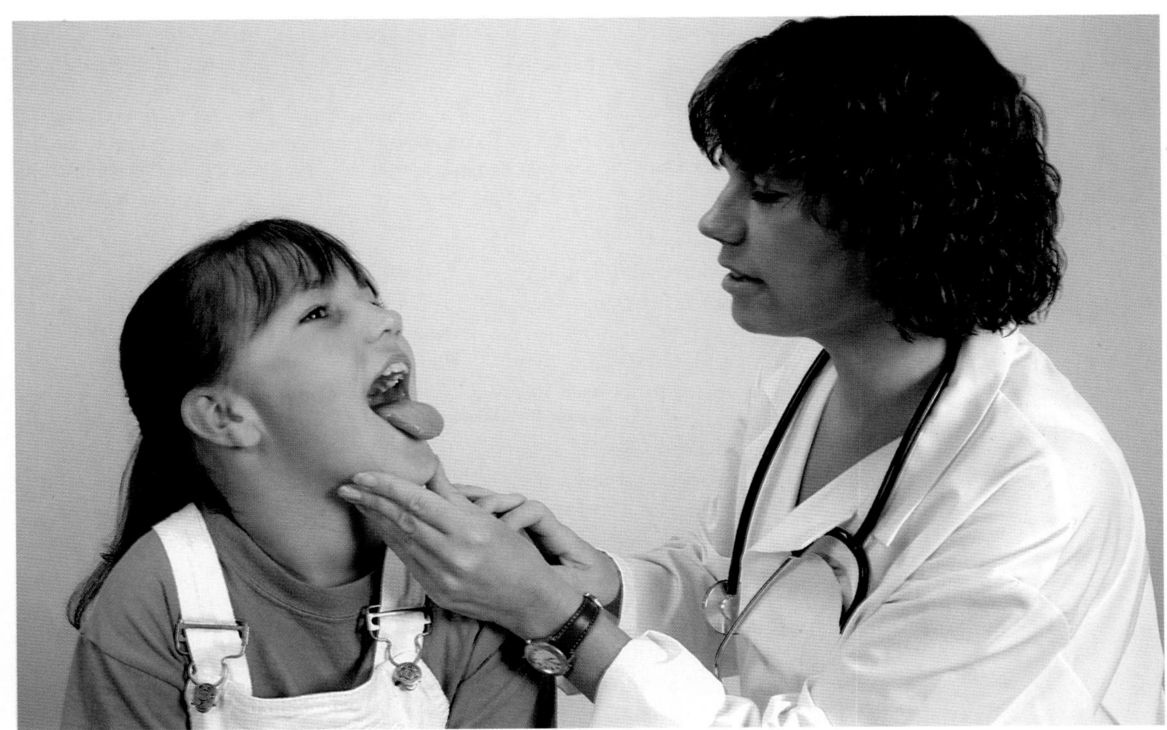

"¡Abre bien la boca!" La parotiditis es común en la infancia, pero ahora se procede a la cirugía sólo después de considerar cuidadosamente cada caso.

LA GARGANTA

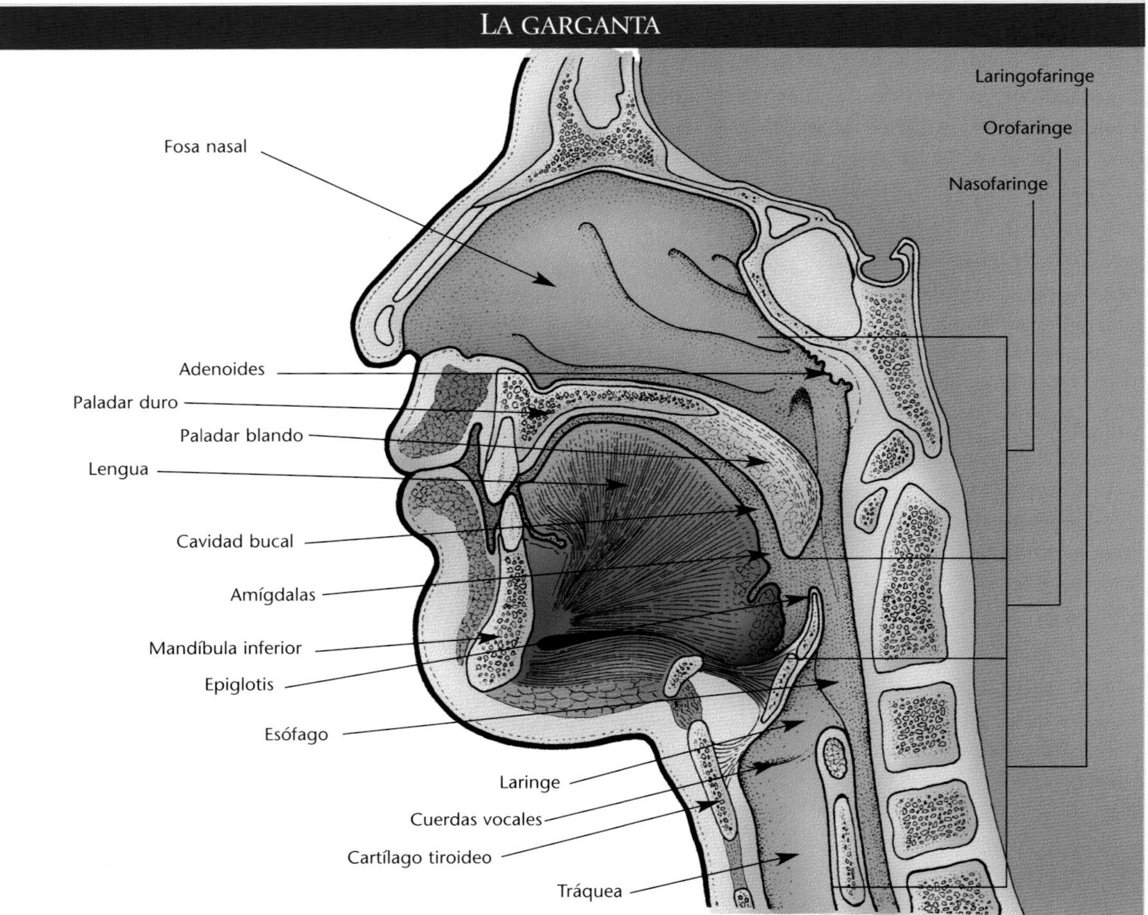

La cavidad oral conduce a dos tubos separados. Uno lleva el alimento al esófago y al estómago. El otro envía aire a través de las cuerdas vocales a la tráquea y luego a los bronquios que penetran en los pulmones. Estos dos canales son vecinos en su transcurso por el cuello. En la parte posterior de la cavidad bucal, una proyección firme llamada epiglotis guía el alimento para que no penetre en la tráquea. Los tubos están protegidos por anillos cartilaginosos. Uno de ellos se siente en el cuello y se conoce con el nombre de "manzana de Adán".

su lugar con un propósito definido, que es impedir que los gérmenes infecciosos penetren en las vías respiratorias. Destruye los gérmenes atrapados en las amígdalas, pero no siempre, y en ese caso se producen infecciones. El tratamiento es eficaz: destruye los gérmenes, y las amígdalas recuperan su función protectora. Estas, además, producen una clase de glóbulos blancos que protegen al organismo contra la invasión de gérmenes perjudiciales.

Entonces, ¿por qué se opera a algunos niños?

Porque tienen frecuentes infecciones graves, tal vez dos o tres por año, durante uno o dos años. Entonces el cirujano recomienda su extirpación, especialmente si las amígdalas han crecido y obstruyen la respiración normal.

Algunos niños no soportan bien los antibióticos que se administran para combatir la infección, y en ese caso el único recurso que queda es la extirpación quirúrgica. En otros niños la amigdalitis produce fiebre elevada y convulsiones, lo que los médicos consideran razón suficiente para practicar una operación. En resumen, los médicos tratan de evitar la extirpación de las amígdalas, y la recomiendan sólo cuando se han agotado todos los demás recursos terapéuticos. De modo que rogamos a los padres que no insistan en que se opere a su hijo cuando ha tenido un solo ataque de amigdalitis.

¿Cuál es el tratamiento más adecuado para la amigdalitis?

Descanso en cama durante algunos días. Beber mucha agua para reemplazar la que se pierde por la transpiración, y eliminar del cuerpo los gérmenes y las toxinas mediante la acción de los riñones. Los jugos de fruta y la limonada hacen bien.

¿Prescribe antibióticos el médico en este caso?

Ciertos virus producen muchos dolores de garganta, sobre los cuales los antibióticos no tienen ningún efecto. Las medidas recomendadas más abajo bastan para combatir la tonsilitis. Por otra parte, las amígdalas purulentas, hinchadas y con mal olor requieren el uso de antibióticos. El médico puede emplear ampicilina, amoxicilina, penicilina semisintética u otro antibiótico de amplio espectro. Se debe aplicar la dosis completa para asegurarse que los gérmenes infecciosos han sido debidamente eliminados.

El paracetamol en jarabe, recetado a los niños menores de 5 años, es eficaz para combatir el dolor y la fiebre, y facilitar la acción de tragar los líquidos y la comida. Los niños de más de 6 años pueden ser tratados con paracetamol o aspirina en tabletas, con la dosis apropiada. Siga las instrucciones del envase o del médico.

Cuando el paciente comienza a sentirse mejor déle alimentos blandos, como caldo, puré de verduras, fruta cocida, helados (nieve), cubitos de hielo, natillas o jalea. El pan tostado y los huevos pasados por agua, pero no al punto de endurecerse, también son un buen alimento.

Hinchazones en el cuello

A veces se produce una dolorosa hinchazón debajo de la mandíbula. ¿A qué se debe?

Generalmente se deben a infecciones de las glándulas salivales o inflamación de los ganglios linfáticos que se encuentran debajo de la mandíbula, a los lados y detrás de la garganta, y delante de los oídos.

La hinchazón puede producirse repentinamente, ser de consistencia dura y causar dolor. El niño transpira, tiene fiebre, está inapetente y desganado, y siente dolor y cosquilleo en todo el cuerpo.

¿Cuál es la causa de estos síntomas?

Generalmente es una infección del oído, la nariz o la garganta. Es una reacción de los ganglios linfáticos, que nos protegen de los gérmenes infecciosos. Producen una gran cantidad de glóbulos blancos para destruirlos. Otras causas pueden ser los senos maxilares, oídos o garganta infectados, úlceras en la cavidad bucal, faringitis y resfríos.

+ *Tratamiento*

¿Existen medicamentos para combatir este mal, o es mejor no dar nada?

Es aconsejable recomendar un tratamiento para la causa que origina la hinchazón, que generalmente es una infección. El médico prescribe antibióticos, antipiréticos, analgésicos y gárgaras.

En algunos casos los ganglios hinchados no mejoran. En otros casos demoran semanas en mejorar. Pero la infección de los ganglios puede tener otras causas, como la fiebre glandular o a una infección por virus.

Una infección tuberculosa causa fiebres persistentes. Aunque en la actualidad la tuberculosis no es tan común como antes, no debe descartarse cuando se produce una infección de las glándulas o los ganglios del cuello. Por eso no hay que descuidar ninguna hinchazón en el cuello, o en cualquier otra parte del cuerpo. Consulte al médico.

Si las parótidas son muy grandes e impiden la respiración normal, el médico puede recomendar su extirpación.

capítulo 32

Los ojos y sus enfermedades

EN ESTE CAPÍTULO

- Introducción al tema, Infección de los párpados, párpados escamosos, párpados caídos, orzuelo.
- Epicanto, conjuntivitis, infecciones de los ojos en el recién nacido.
- Espasmos del párpado, ojos llorosos, manchas rojas, tracoma.
- Objetos extraños, miopía, hipermetropía, astigmatismo, queratocono.
- Lentes de contacto, implantación de cristalino, ojos bizcos, catarata, glaucoma.
- Ojo morado, accidentes, desprendimiento de retina, percepción de puntos, ulceración de la córnea.
- Enfermedad del nervio óptico, uveítis, queratitis, celulitis de la órbita.

En este capítulo trataremos el tema de los ojos y la vista. ¿No cree usted que los ojos son la parte más interesante y expresiva del cuerpo?

Así es. Como se ha dicho, los ojos son el espejo del corazón. Una disposición alegre y feliz se puede ver en la expresión de los ojos. Algunos causan la impresión de sonreír y se ve en ellos un brillo especial.

Los ojos pueden enfermarse como todos los demás órganos del cuerpo. ¿Qué síntomas se presentan cuando están enfermos?

Las enfermedades de los ojos se ven con facilidad, lo que es bueno, porque así se las puede tratar a tiempo. Los ojos enfermos se ponen rojos y duelen; puede haber emisión de líquido, escozor, lagrimeo, deseo de restregárselos, ardor o marcas rojas en la parte blanca del ojo. Puede producirse un enturbiamiento del cristalino (pupila negra en el centro del iris), los músculos oculares pueden debilitarse, pueden ponerse tensos o entrar en espasmos. Los ojos pueden estar torcidos y no enfocar correctamente. Los síntomas se limitan a los ojos y a la forma como ve las cosas el que mira.

Los ojos

A veces se compara al ojo con una cámara fotográfica. ¿Es apropiada esta comparación?

Lo es en un sentido. Los ojos son globos esféricos situados dentro de órbitas llenas de un tejido blando que actúa como amortiguador.

La cubierta exterior recibe el nombre de esclerótica, membrana que mantiene unidas todas las partes que constituyen el ojo. Una parte de la esclerótica, la córnea transparente, deja pasar la luz a través del cristalino al interior del ojo. El iris rodea al cristalino y se achica o se agranda según la necesidad de luz del momento. El cristalino también se acomoda para enfocar los objetos que se miran. El funcionamiento del iris y el cristalino contribuye a controlar la cantidad de luz y a mantener en foco cualquier objeto que se observe en un momento dado.

¿Qué hay detrás del cristalino?

Hay una amplia cámara llena de líquido, el humor vítreo. En el fondo del ojo se encuentra el nervio óptico, que se extiende como una fina capa de tejido nervioso sensible a la luz llamado retina. Recibe los rayos de luz que penetran por el cristalino.

¿Qué parte desempeñan los párpados, las cejas y las pestañas?

Las cejas impiden que la transpiración entre en los ojos. Los párpados, al cerrarse rápidamente, los protegen contra el polvo y pequeños objetos que podrían herirlos. Las pestañas cumplen la misma función que los párpados, especialmente cuando hay viento.

¿Cuál es el origen de las lágrimas?

Son producidas por las glándulas lagrimales, situadas cerca de los ángulos de los ojos. Producen un líquido lubricante que baña los ojos cada vez que parpadeamos. El

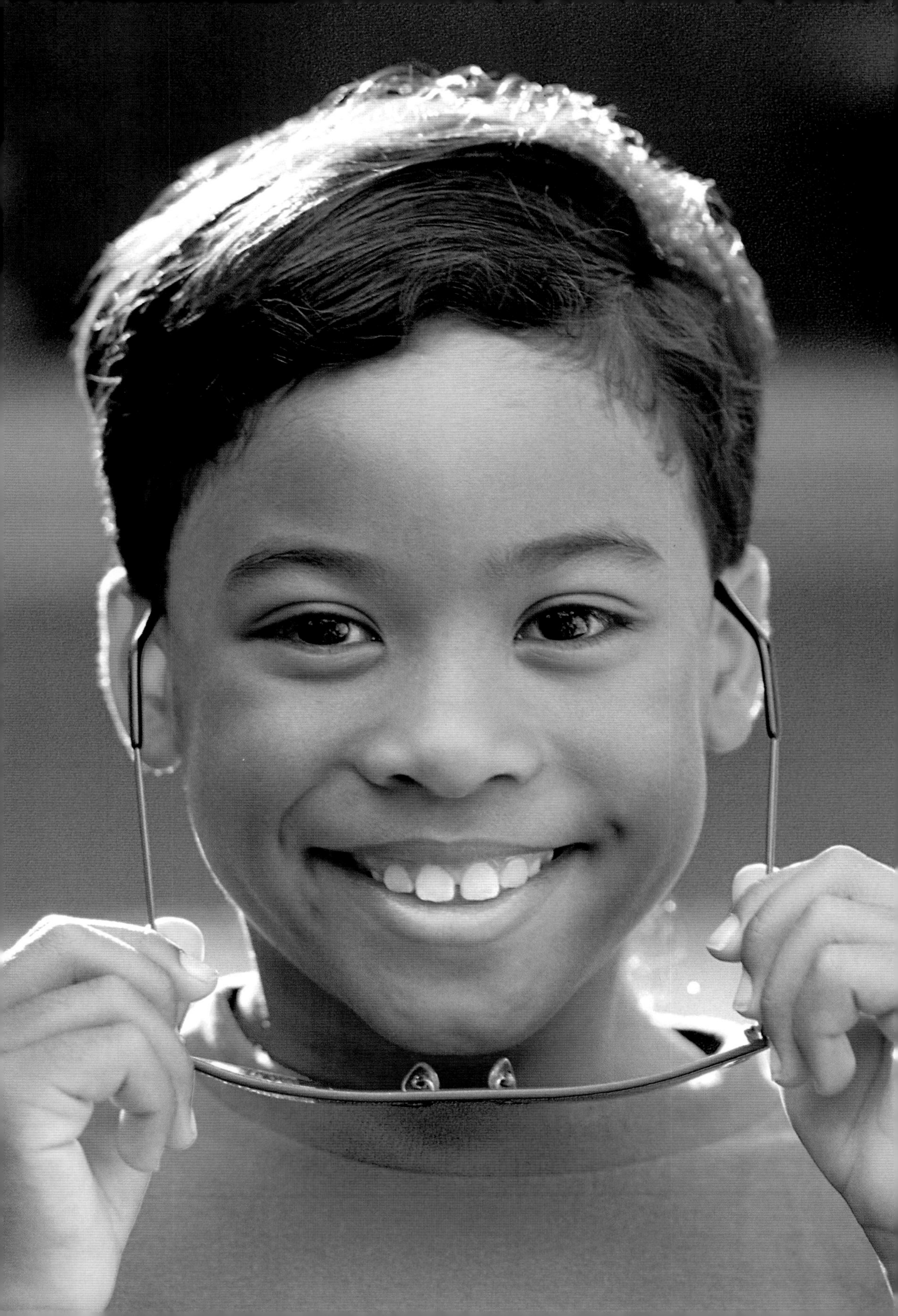

EL OJO

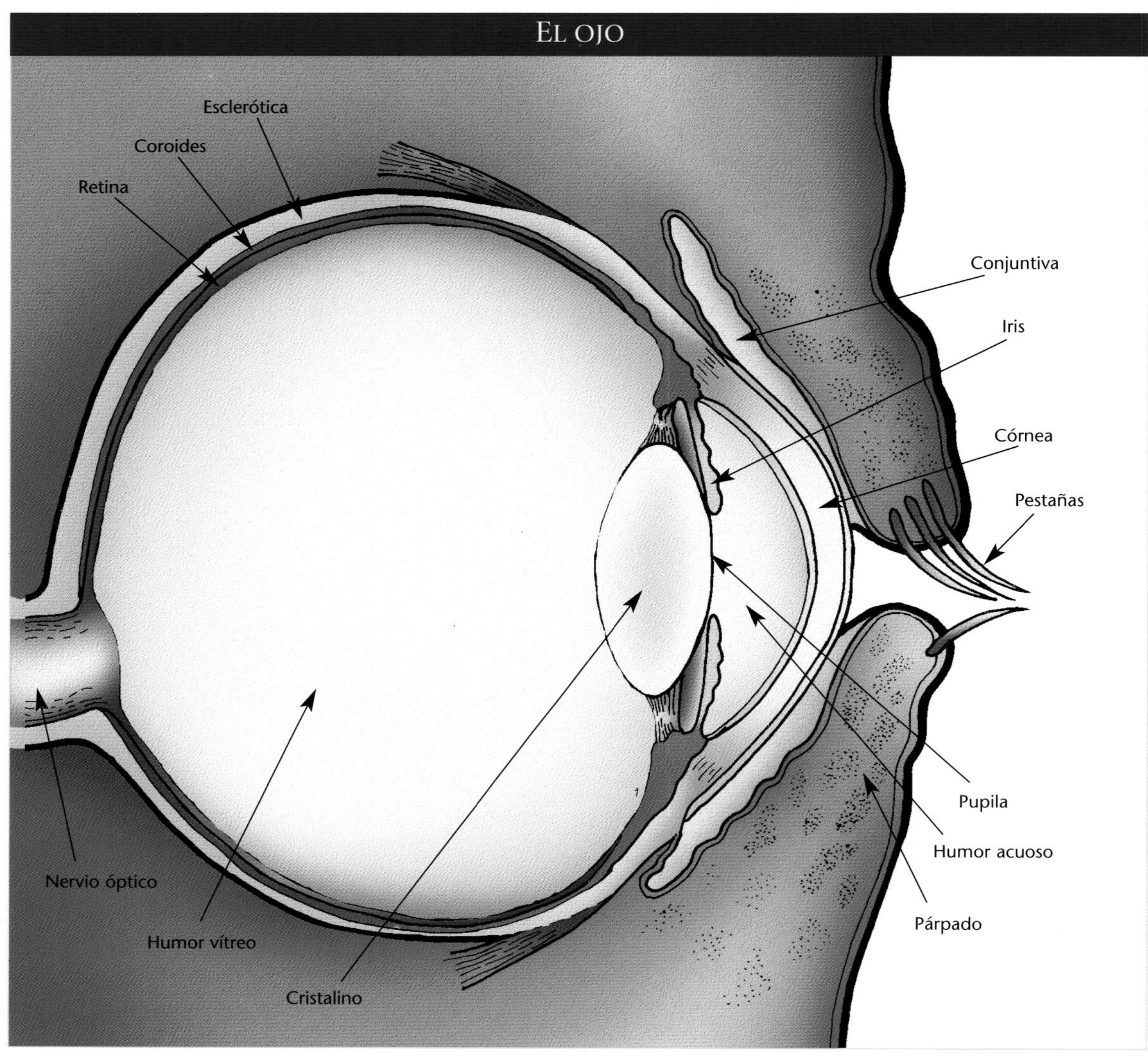

líquido que se acumula en el ojo se elimina por el canal lagrimal, que se conecta con la nariz. Si hay exceso de lágrimas, como sucede cuando se llora, estas rebalsan por encima de los párpados y se deslizan por el rostro.

¿Son comunes en los bebés y los niños las enfermedades de los ojos?

Los ojos se pueden enfermar como cualquier otro órgano del cuerpo. A veces los bebés nacen con defectos en los ojos; entonces decimos que son bizcos. Es importante que los padres observen con atención los ojos de sus bebés y que informen al médico cualquier anomalía que encuentren, para que se la corrija a tiempo y no afecte de forma permanente la visión.

¿Cómo se propone tratar las diversas enfermedades de los ojos?

Me parece que lo más acertado es comenzar desde afuera hacia adentro. Empezaremos con la piel que rodea los ojos y los párpados; luego trataremos la superficie ocular; después las partes internas, y finalmente el fondo del ojo con la retina y el nervio óptico.

Infección de los párpados (blefaritis)

¿En qué consiste esta enfermedad?

Los bordes de los párpados se infectan, se inflaman y pican. La blefaritis suele presentarse después de una dermatitis seborreica de la ceja o la cara, la que a su vez puede originarse en la cabeza. Los párpados pueden pegarse por efecto del pus. Se forman escamas. El niño se restriega los ojos para aliviar la picazón, lo cual es peligroso porque puede agravar la condición del cristalino si este se encuentra afectado.

+ *Tratamiento*

¿Cómo se trata esta enfermedad?

La madre puede bañar los párpados infectados varias veces al día con un algodoncito mojado en agua tibia o con una débil solución salina. Una pomada con antibiótico aplicada al párpado hace bien. También es importante tratar cualquier infección de la ceja o la cara para impedir que el ojo se reinfecte y la blefaritis se vuelva crónica. Es indispensable que el médico examine al niño con blefaritis.

Párpados caídos

Ocasionalmente se ve a un niño con un párpado caído. ¿Es grave esto?

No es grave, pero afecta el aspecto del niño, lo que le puede producir problemas cuando crezca. Esta condición puede tener como causa la debilidad del músculo del párpado. Es posible que haya otras anomalías congénitas presentes en el organismo, que el médico tratará de encontrar. A veces el niño levanta la cabeza para ver mejor.

+ *Tratamiento*

¿Es necesario aplicar algún tratamiento?

Depende de la gravedad del caso. Si es leve no necesita tratamiento. Los casos graves deben ser tratados por un cirujano plástico, que puede corregir esta anomalía.

Orzuelo

La mayor parte de los niños padece de orzuelo, ¿verdad?

Así es. El orzuelo es la infección de una glándula del párpado. Debido a la gran cantidad de gérmenes infecciosos se forma pus en la glandulita o en la raíz de una pestaña, Entonces se hincha, porque en el párpado no hay mucho espacio. La parte afectada puede afiebrarse y doler. El niño puede sentirse mal y tener fiebre. Finalmente la hinchazón cede y el niño sana.

+ *Tratamiento*

¿Qué tratamiento se puede dar en el hogar antes de acudir al médico?

En algunos casos la aplicación de compresas calientes y frías alternadas es suficiente para detener el desarrollo del orzuelo. Ponga un paño o toalla pequeña en agua caliente (aunque no demasiado), retuérzala para eliminar el exceso de agua y aplíquela suavemente sobre el ojo enfermo. Cuando se entibie, moje un paño en agua fría, escurra el agua y aplíquelo sobre el ojo sin presionarlo, porque podría producir dolor. Haga esto 3 ó 4 veces y termine con una compresa fría. Esto contribuirá a que circule sangre en la zona, y le lleve alimento, vitaminas, medicamentos y oxígeno. También contribuye a eliminar el pus y apresura la curación.

¿Es necesario emplear antibióticos?

Si este tratamiento no da resultados entre 12 y 24 horas, considero necesario llevar al niño al consultorio. El médico recetará antibióticos de amplio espectro, para destruir los gérmenes infecciosos. Recetará, además, una pomada con antibiótico para combatir los gérmenes al mismo tiempo desde afuera. El paracetamol (en jarabe para los bebés y niños pequeños) combate la fiebre y el dolor. El niño con orzuelo debe beber mucha agua.

Si hay pérdida de visión, esta puede ser permanente, y es importante descubrir a tiempo las anormalidades, para corregirlas.

Los orzuelos se pueden tratar con aplicaciones alternadas de compresas calientes y frías. Por lo común, los alivian y hasta los curan.

Conjuntivitis

Los ojos enrojecidos por la conjuntivitis son el síntoma de una enfermedad común en la infancia, ¿no le parece?

Así es. Los ojos se enferman con mucha facilidad, especialmente en los días calurosos, con viento seco y el polvo que los invade. Otras veces están demasiado secos y permiten que los gérmenes se alojen en ellos y los infecten. En primavera y verano, cuando el aire se carga de polen, abundan las conjuntivitis alérgicas. Esta enfermedad no tiene un origen único.

¿Cuáles son los síntomas?

Los ojos se enrojecen, pican y están inflamados. Se dice que la persona con conjuntivitis siente como si tuviera vidrio molido en los ojos. El enfermo siente intensos deseos de frotarse los ojos, especialmente en la conjuntivitis alérgica.

+ *Tratamiento*

¿Cuál sería el tratamiento adecuado?

Bañar los ojos con una débil solución salina produce mucho alivio. El agua elimina las toxinas y los elementos causantes de la alergia. Mantenga al niño con conjuntivitis sin salir de la casa durante algunos días, para que no lo afecten ni el calor, ni el polvo ni el viento.

¿Hay medicamentos eficaces?

El médico puede recetar gotas para los ojos que en pocos días acabarán con la infección. Se deben usar gotas recién compradas y no las que sobraron del tratamiento de algún otro, porque podrían estar infectadas y agravar la conjuntivitis. Es aconsejable lavarse las manos antes y después de aplicar las gotas. No deje abierto el frasco con el remedio.

No se recetan antibióticos para la conjuntivitis, porque no llegarían en cantidad suficiente a la superficie del ojo para ser de utilidad.

Infección de los ojos en el recién nacido

¿Afecta la conjuntivitis a los recién nacidos?

El bebé, durante el nacimiento, pasa por el canal pelviano de la madre. Si hay infecciones en ese lugar, los gérmenes pueden instalarse en los ojos del bebé e infectarlos. Si no se los desinfecta puede producirse una ceguera parcial o total. Estas infecciones pueden ser causadas por los peligrosos gonococos o estafilococos. Es de esperarse que las madres reciban tratamiento adecuado durante el embarazo, para prevenir estas infecciones innecesarias del recién nacido.

En años recientes el virus del herpes simple ha causado infecciones en los ojos y en otros órganos de los bebés.

+ *Tratamiento*

¿Cómo se tratan estas infecciones?

Se tratan en el hospital inmediatamente después del nacimiento. Si se presentan cuando madre e hijo han regresado a su hogar es indispensable que se lleve al bebé al doctor lo antes posible para que lo trate debidamente.

Espasmo del párpado

¿Qué ocurre en este caso?

El espasmo del párpado es un tic o movimiento súbito e involuntario del músculo que acciona el párpado. El niño parpadea con frecuencia. Puede producirse durante una irritación del ojo en la que el niño obtiene alivio parpadeando constantemente.

Cuando la irritación desaparece, también cesan los espasmos del párpado. Pero la causa real es alguna tensión emocional. Puede relacionarse con otras contorsiones y movimientos faciales no naturales.

+ *Tratamiento*

¿Cuál es el tratamiento más adecuado para esta condición?

Conviene que el médico examine los ojos. Si encuentra una infección la tratará y así desaparecerá el problema. Si no hay nada anormal, significa que puede haber una tensión psicológica, que suele ser más difícil de tratar. Puede haber dificultades en el hogar que crean ansiedad e inseguridad en el niño, lo que se refleja en su comportamiento. En este caso puede ser bueno consultar a un psicólogo.

En el caso de adultos con intensos espasmos del párpado, se está empleando un tratamiento novedoso que consiste en inyectar botulina en el músculo del párpado, lo que detiene los espasmos. Es un procedimiento nuevo y muy delicado, pero también muy eficaz.

Ojo lloroso (obstrucción del conducto lagrimal)

¿Por qué algunos bebés tienen uno o ambos ojos constantemente llenos de lágrimas?

En muchos casos se debe a una obstrucción del conducto lagrimal, el cual es un estrecho canal que conduce desde el ángulo interior del ojo hasta su desembocadura en la nariz. La glándula lagrimal produce este líquido, y sirve para mantener húmeda la superficie del ojo y desalojar el polvo u otras sustancias extrañas que suelen penetrar allí.

El bebé nace con el canal lagrimal obstruido. Como las lágrimas no pueden vaciarse por la ruta normal, se acumulan en el ojo y se deslizan por el borde inferior del párpado causando la impresión de un ojo que llora constantemente.

+ *Tratamiento*

¿Es necesario tratar esta condición?

Es aconsejable hacerlo. La obstrucción podría causar una infección purulenta. El pus suele acumularse en el ángulo del ojo o bien distribuirse por toda su superficie. El médico receta gotas antisépticas para remediar la infección, y en muchos casos eso basta para resolver el problema.

Pero en la mayor parte de los casos de obstrucción del conducto lagrimal es necesario que el especialista desaloje lo que está obstruyendo el canal, lo que le devuelve su funcionalidad. Después de esta pequeña operación se aplican gotas desinfectantes durante algunos días, y el bebé ya no vuelve a tener sus ojitos constantemente llenos de lágrimas.

Manchas rojas en el ojo

¿Qué causa las manchas rojas que a veces se ven en lo blanco del ojo?

Se trata de una hemorragia subconjuntival. Significa que un capilar (vaso sanguíneo muy fino) se ha roto en la esclerótica y la sangre se acumula en el espacio situado inmediatamente debajo de la superficie. A veces la mancha puede ser bastante extensa, lo que le da un aspecto alarmante.

¿Requiere tratamiento?

Esta condición, en la mayor parte de los casos, se cura espontáneamente. A los pocos días la mancha adquiere un aspecto pardusco y luego amarillento hasta que finalmente desaparece. Si el derrame vuelve a presentarse, el médico lo debe tratar, porque puede existir una causa subyacente que podría ser de cuidado.

Tracoma

Se oye hablar con frecuencia del tracoma, una enfermedad bastante común. ¿Qué efecto tiene sobre los ojos?

El tracoma es una infección de los ojos, y se lo considera la causa más común de ceguera. Se estima que más de 500 millones de personas padecen de esta afección en el mundo. Es muy común especialmente en los países en vías de desarrollo, y una causa muy frecuente de ceguera.

¿Cuál es la causa de esta enfermedad?

La produce un microorganismo infeccioso llamado clamidia, que tiene afición especial por los ojos. Los padres suelen contagiar a sus hijos para el resto de la vida por falta de higiene.

Se dice que el tracoma es la causa más común de la ceguera.

¿Qué síntomas produce?

Los ojos se irritan y pican, de modo que el niño se los restriega, lo que empeora la situación, porque otros gérmenes invaden el ojo y a su vez lo infectan. Ocasionalmente se producen cicatrices en los párpados; si se extienden a la córnea —la ventana transparente del ojo—, puede producirse ceguera permanente.

+ *Tratamiento*

¿Existe algún tratamiento eficaz para esta afección?

El empleo de antibióticos de amplio espectro da resultados muy satisfactorios, y en pocas semanas se produce la curación. Lamentablemente, eso no deshace el daño que la infección pudo haber causado, pero impide que el ojo se siga dañando.

¿Existen otros remedios?

En el caso de una córnea dañada, un trasplante puede restaurar la visión normal. Con cirugía plástica se puede corregir el daño de los párpados y mejorar la apariencia. Después de eso es importante que se adopten medidas higiénicas adecuadas para impedir una reinfección con clamidia.

Objetos extraños en los ojos

¿Es frecuente que entren partículas extrañas en los ojos de los niños?

Así es. Especialmente cuando sopla viento fuerte y hay mucho polvo en el aire. En los talleres ocurre con frecuencia debido a que las máquinas que se usan despiden toda clase de partículas al aire, que se pueden alojar en la córnea del ojo; cuando están calientes suelen causar daño permanente. Por eso los niños no deben entrar en esos lugares durante las horas de trabajo. Si lo hacen deben estar provistos de gafas de protección.

¿Cuáles son los síntomas más usuales?

Se produce dolor intenso cuando una partícula extraña entra en el ojo. Este se enrojece, se irrita y pica; se llena de lágrimas y el niño siente deseos de restregárselo, lo que empeora la situación. Como la luz molesta, el niño cierra el ojo afectado y se lo frota.

✚ *Tratamiento*

¿Qué se puede hacer para extraer la partícula del ojo?

Primero se puede probar bañando el ojo con agua tibia sola o con un poquito de sal. Use un vasito especial para ese fin. Si no lo tiene, hágalo poniendo agua en la mano y haciendo que el niño se incline para poner el ojo en el agua; luego debe abrirlo y moverlo de un lado a otro.

Si este recurso no surte efecto, tome con dos dedos las pestañas para levantar el párpado del ojo afectado, coloque un palito de fósforo, o un palito con un algodón en un extremo sobre el dorso del párpado, y presione suavemente para darlo vuelta mientras levanta las pestañas. Con frecuencia se puede ver la partícula extraña como un puntito negro alojado en algún lugar en el interior del párpado, que se puede sacar fácilmente con el borde húmedo de un pañuelo.

Si la partícula no sale, lleve al niño al médico para que la extraiga. La partícula puede estar incrustada en la superficie del ojo y resulta difícil verla. El médico dispone de los instrumentos adecuados para llevar a cabo esta operación. Esto es especialmente importante si la partícula se encuentra en la córnea del ojo, la ventanita que nos permite ver. Nunca toque esa parte del ojo con ningún objeto, porque podría producir un daño grave.

Miopía (cortedad de vista)

Hablemos ahora del cristalino y de sus problemas.

Conversemos primero acerca de la miopía, la afección que le da al niño su condición de "corto de vista". En este caso la imagen de los objetos se forma delante de la retina en lugar de hacerlo sobre la retina misma. El resultado es una imagen borrosa, y el niño no ve bien.

Esta afección puede ser hereditaria. En ese caso estará presente desde el nacimiento. Tiende a empeorar con la edad. El niño en-

PARTÍCULAS EXTRAÑAS EN EL OJO

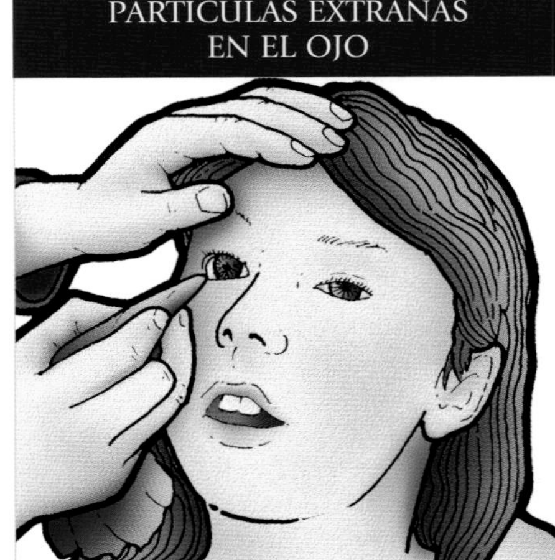

Si la partícula extraña no está clavada en el ojo, quítela con el borde de un pañuelo limpio.

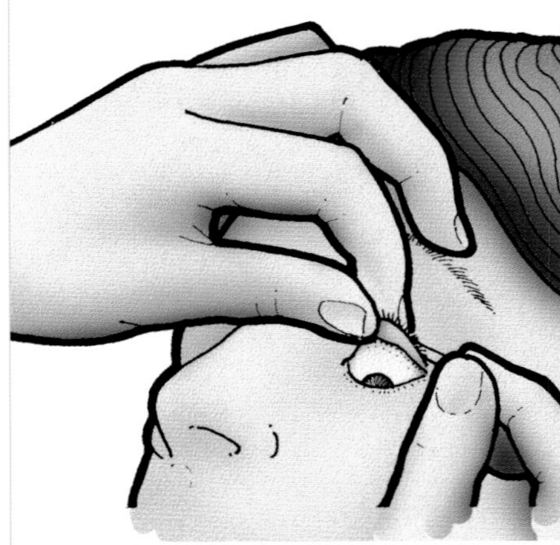

Para ver dentro del párpado superior, levántelo con los dedos y empújelo por detrás con un palito de fósforo para darlo vuelta.

trecierra los ojos para ver mejor. En la escuela ve con dificultad lo que está escrito en el pizarrón y cuando lee acerca el libro a los ojos.

✚ *Tratamiento*

¿Existe algún tratamiento satisfactorio para corregir esta condición?

El oculista dispone de instrumentos modernos para detectar el grado de miopía y recetar los lentes adecuados con el fin de corregir este problema. Los niños pueden usar anteojos desde los 2 años, y se acostumbran rápidamente a ellos. A algunos padres no les gusta ver a sus hijos con anteojos, por lo que posponen el momento de llevarlos al oculista. Esta manera de pensar no es correcta porque perjudica al niño.

Hipermetropía

¿Qué sucede en los niños con hipermetropía?

Es una afección de los ojos común en los niños. En este caso la imagen se forma detrás de la retina, debido a lo cual el niño no ve bien. Afortunadamente, cuando este crece se altera la forma del cristalino, con lo que mejora la visión. Algunos niños con esta afección se quejan de tensión en los ojos y de vista cansada, especialmente después de pasar un largo rato leyendo o haciendo los deberes escolares con poca luz. A otros niños les duele la cabeza.

✚ *Tratamiento*

¿Es necesario tratar esta afección?

Es recomendable que se haga un examen cuando el niño se queja de tensión en los ojos y cansancio de la vista. Si el padre o la madre padecen de hipermetropía ellos mismos, es probable que también su hijo la tenga. El oculista recetará los lentes adecuados. En muchos casos los ojos se readaptan con el tiempo sin necesidad de lentes correctores.

Astigmatismo

¿Qué es el astigmatismo?

Esta afección se relaciona con las dos anteriores. En este caso es irregular la superficie de la córnea o membrana transparente que permite el paso de la luz, o bien el cristalino tiene una forma distorsionada. Debido a esto la visión resulta borrosa. Suelen producirse dolores de cabeza y el rendimiento escolar del niño se perjudica.

✚ *Tratamiento*

¿Existe algún tratamiento eficaz para el astigmatismo?

Así es, y en la mayor parte de los casos es muy eficaz. En años recientes, con el desarrollo de nuevas técnicas quirúrgicas para los ojos, se realizan trasplantes de córnea. Es una operación complicada, pero puede restaurar la visión en casi la totalidad de los casos.

Cuando yo era niño se desarrolló una forma de astigmatismo en uno de mis ojos, que empeoró con el tiempo. Perdí la visión en el ojo izquierdo. Me hicieron un trasplante de córnea y recuperé totalmente la vista. Mi nuevo ojo es mejor que el otro. Puedo asegurar a las madres que tienen hijos con este problema que consulten a un buen oculista, quien les recomendará la mejor solución.

Lentes de contacto

¿Qué nos puede decir acerca de los lentes de contacto?

Son una buena solución en muchos casos. No siempre, pero a menudo son más adecuados que los anteojos tradicionales. Los lentes de contacto se hicieron primero de vidrio. Luego se fabricaron de plástico. Finalmente aparecieron lentes blandos hechos con hidrogel. Absorben líquido y calzan bien sobre los ojos.

¿Es difícil usar lentes de contacto?

Son buenos para algunos pero no tanto para otros. Se necesita mucho entusiasmo y motivación, porque requieren cuidados especiales. Se necesita tiempo para ponerlos y sacarlos, y considerable habilidad. El niño que desee usarlos debe tener edad suficiente para comprender lo que eso significa y ser capaz de hacerlo él mismo. Se necesita mucho cuidado para no dañar la córnea. El uso más común en los niños ocurre cuando se extirpa el cristalino por causa de cataratas, aunque actualmente son más populares los trasplantes de cristalino.

Trasplante de cristalino

¿En qué consiste el trasplante de crista-

EL OJO

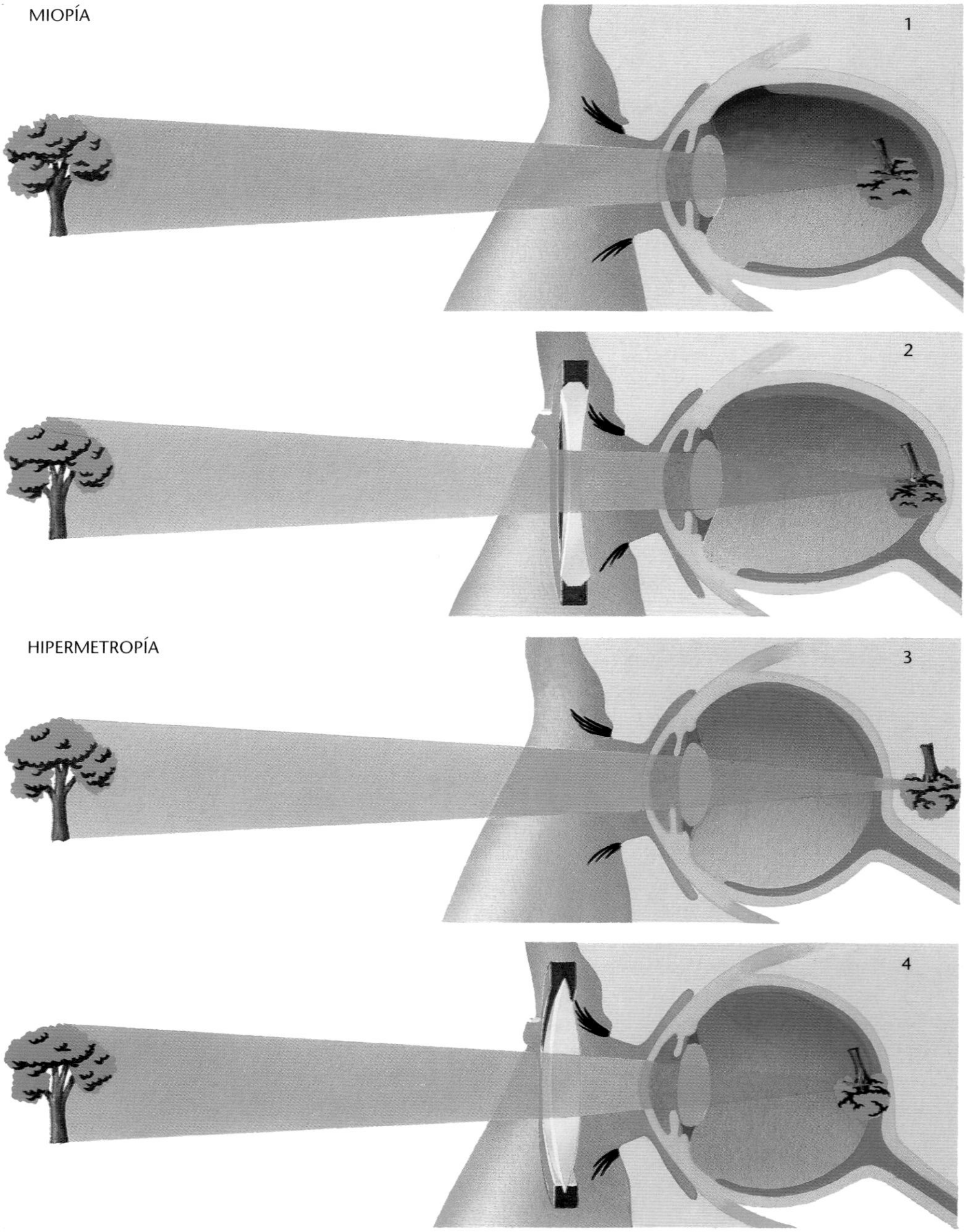

MIOPÍA

1

2

HIPERMETROPÍA

3

4

La causa más común de la miopía (1) es un globo ocular alargado, debido a lo cual la imagen se forma delante de la retina. Se corrige con lentes cóncavos (2). En la hipermetropía (3), el globo ocular es corto, de modo que la imagen se forma detrás de la retina. Los lentes convexos enfocan la imagen en la retina. (El cerebro endereza la imagen invertida.)

lino?

Esta práctica relativamente reciente se ha generalizado en todo el mundo. Cuando se extirpa un cristalino dañado, en lugar de proveer anteojos o lentes de contacto para restaurar la visión, el cirujano implanta un cristalino artificial, lo cual en muchos casos da una visión excelente. Es el tratamiento ideal para las cataratas.

Estrabismo (ojos bizcos)

El estrabismo es bastante común. ¿Ocurre también en los bebés?

Alrededor del 3 % de los niños padece de estrabismo. Puede presentarse desde el nacimiento, y los padres observadores lo descubren bien pronto en los ojos del niño, aunque no mucho antes de los 6 meses.

En este caso los rayos de luz que entran en los ojos no son paralelos, de manera que en el cerebro se forman dos imágenes en lugar de superponerse para constituir una sola. Como resultado de esto, el cerebro suprime una de las imágenes, generalmente la del ojo desviado. A menos que se corrija esta afección, la supresión se acentuará hasta que la visión desaparece totalmente en ese ojo. Como resultado de ello, la visión carecerá del sentido de la profundidad.

+ *Tratamiento*

¿Hay algún recurso terapéutico adecuado?

El tratamiento es eficaz, pero debe comenzarse lo antes posible. La curación no se efectúa de forma espontánea ni con remedios caseros. En las primeras etapas resultan eficaces los procedimientos terapéuticos sencillos. Suele taparse el ojo sano para que el ojo desviado trabaje solo todo el tiempo con el fin de que se fortalezca y siga funcionando normalmente.

¿Puede la cirugía solucionar este problema?

Esto no es necesario en la actualidad. Los tratamientos que se usan son eficaces. Sólo si no producen el resultado esperado el cirujano recomendará una operación. Insto a los padres a que observen los ojos de sus bebés para descubrir cualquier anomalía. El tratamiento precoz produce los mejores resultados.

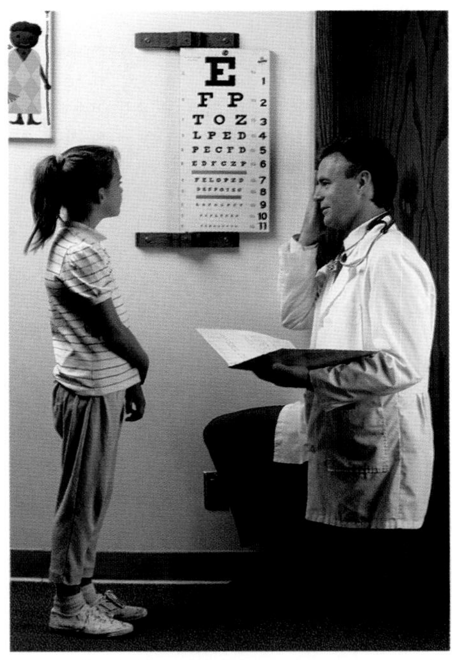

La consulta al oftalmólogo determinará si se necesita lentes correctores para poder ver mejor.

Cataratas

¿Qué son las cataratas? ¿Son comunes en los niños?

Catarata, en este caso, significa que el cristalino se ha enturbiado, lo que reduce la visión y hasta puede perjudicarla totalmente. El cristalino puede estar nublado o tener el aspecto de un círculo blanco. No hay dolor. A veces, en este caso, aparece estrabismo en el niño, que puede ser el primer síntoma de la existencia de cataratas.

La rubéola es una de las causas de esta afección que en años pasados era frecuente. Si la madre embarazada contraía esta enfermedad en el período de formación de los ojos del bebé, estos contraían cataratas. En la actualidad esto no es muy común.

¿Puede una lesión en los ojos causar este problema?

Por cierto que sí. Cualquier lesión que penetre en el ojo puede tener efectos desastrosos. Las municiones usadas en los rifles o pistolas de aire comprimido han causado innecesariamente graves heridas en los ojos de los niños. Los padres no deben dar estas armas como juguetes a sus hijos, a menos que estén dispuestos a supervisarlos cuando

Alrededor del 3 % de los niños padece de estrabismo.

juegan con ellas.

Además, hay enfermedades que producen este problema. La diabetes, el glaucoma y los desórdenes de la glándula tiroides se encuentran entre los más probables. Algunos niños sometidos al tratamiento con esteroides también pueden enfermar de cataratas.

+ *Tratamiento*

¿Qué tratamiento adecuado existe en la actualidad?

Los cirujanos prefieren no operar en el caso de niños muy pequeños. Basan su tratamiento en el uso de gotas medicamentosas. Después de los 6 años emplean la cirugía con muy buenos resultados, especialmente con el uso de nuevas técnicas, como el trasplante de cristalino. También se trata al niño con catarata con anteojos especiales y lentes de contacto. Se recomienda a los padres que consulten al médico en el caso de cualquier problema de visión que tengan sus hijos, porque el tratamiento a tiempo produce los mejores resultados.

Glaucoma

¿En qué consiste esta enfermedad?

La presión del fluido dentro del ojo aumenta gradualmente y acrecienta la presión sobre la células de las retina que son sensibles a la luz, con el consiguiente deterioro de la visión. Puede empeorar gradualmente sin que el niño se percate de ello.

¿Se producen síntomas evidentes?

A veces las luces brillantes molestan al niño o hacen lagrimear los ojos. La visión disminuye poco a poco en uno o en ambos

Un "ojo en compota" no es cosa de poca monta, aunque el ojo morado se cura en una semana o más.

ojos. La pupila se dilata en el ojo afectado, lo que pone en evidencia que existe un problema.

+ *Tratamiento*

¿Qué clase de tratamiento se recomienda?

Es indispensable que el tratamiento se lleve a cabo tan pronto como sea posible, en cuanto se descubra el problema. En las primeras etapas se pueden usar gotas medicamentosas. Durante muchos años se ha usado la pilocarpina con buenos resultados. Desde el advenimiento de la familia de medicamentos betabloqueadores, el Timolol ha resultado eficaz, y más recientemente, el Betaxolol. Se considera que éstos son los mejores medicamentos en este momento. Ocurre que en cada país los medicamentos reciben nombres diferentes. Habrá que averiguar cuáles son los nombres en el país donde vive el lector o la lectora de esta obra.

¿Se emplea la cirugía como tratamiento del glaucoma?

Cuando la enfermedad no responde a los tratamientos convencionales, se emplea la cirugía para aliviar definitivamente la presión en el ojo. En casos graves con marcada pérdida de la visión y dolor agudo, puede resultar indispensable la extirpación de uno de los ojos. Por eso los padres y las madres deben preocuparse por examinar periódicamente los ojos de sus hijos para descubrir a tiempo el comienzo de alguna afección que podría llegar a ser grave.

Ojo morado (ojo en tinta, ojo en compota)

Los niños pelean con frecuencia en la escuela y a veces salen con un ojo morado.

Muchos niños pelean a golpes de puño y terminan con un ojo en tinta. Los tenues vasos sanguíneos se rompen con facilidad, la sangre entra en los espacios del tejido blando que rodea al ojo y se forma una fea lesión de color azul-negro o morado. El ojo puede permanecer cerrado durante algunos días, infectarse y doler.

+ *Tratamiento*

¿Qué tratamiento adecuado recomienda para el ojo en tinta?

En primer lugar hay que recomendar a

los niños que eviten los golpes de puño o de otra naturaleza en los ojos. Un golpe directo en un ojo dado por una piedra, un palo, una pelota, etc., puede causar mucho daño. Puede hacer que la presión se transmita a la retina y que esta se desprenda, lo que suele ser una emergencia quirúrgica.

La aplicación de una bolsa o paño con hielo machacado en el ojo morado puede deshincharlo. Mantenga la compresa de hielo durante 15 a 20 minutos y repítala cada hora o cada 3 horas. Si el niño tiene edad suficiente él mismo puede hacerlo. La aplicación de ciertos ungüentos deshace los coágulos y contribuye a su reabsorción y a la reducción de la hinchazón. Cuando la lesión ha sido intensa, conviene llevar al niño al médico.

Accidentes

¿Podría comentar algo acerca del efecto de los accidentes en los ojos? Pueden ser bastante graves, ¿no es cierto?

Así es. Hay muchos accidentes que podrían ocurrir y lesionar los ojos. Uno se asusta al pensar en todas las posibilidades. Recuerden los padres que el médico debe examinar una lesión en los ojos. Hay que eliminar los objetos extraños. El médico debe revisar los golpes directos. La retina puede desprenderse en ocasión del golpe o semanas después. El tejido alrededor del ojo puede estar lacerado y requerir sutura.

Aprovechamos la ocasión para repetir aquí que no se debe permitir a los niños entrar en los talleres mecánicos, de carpintería o de otra índole, para evitar que diversas partículas que vuelan por el aire les hieran los ojos. Si tienen que entrar, deben llevar gafas de protección.

Diremos finalmente que cualquier lesión de los ojos, fuera de las lesiones leves que pueden atenderse en casa, deben ser examinadas por el médico para evitar complicaciones que podrían producir ceguera.

Desprendimiento de la retina

Usted ya comentó acerca de este problema. ¿Qué más nos puede decir al respecto?

La delicada retina que cubre el fondo del ojo y transmite los impulsos luminosos al cerebro puede romperse, resquebrajarse o desprenderse. Cuando esto ocurre, puede haber pérdida parcial o total de la vista. Varios días o semanas después que una persona ha recibido un golpe fuerte en el ojo puede tener la sensación de ver caer una lluvia de hollín, o de alguna otra cosa, o de una cortina que desciende bruscamente.

+ *Tratamiento*

¿Hay algún tratamiento capaz de restaurar la retina?

Sí, lo hay. Pero cuanto antes se lo inicie, tanto mejor será. En la actualidad se emplea el rayo láser para fijar la retina en su lugar, pero debe hacerse a tiempo.

Percepción de puntos flotantes en la vista

A veces la gente se queja de ver puntos frente a los ojos. ¿Qué son esos puntos flotantes?

Son producidos por pequeñas opacidades que flotan en el humor vítreo del ojo y que entran en la línea de la visión. El cerebro interpreta esto como si se tratara de algo que está fuera del ojo, cuando en realidad está dentro de él.

+ *Tratamiento*

¿Qué tratamiento se puede aplicar en este caso?

Afortunadamente esta condición no requiere tratamiento. La opacidad desciende hacia el fondo del ojo por la fuerza de gravedad y desaparece después de cierto tiempo. Si persiste y se convierte en una molestia puede ser eliminada con rayos láser.

Ulceras de la córnea

A veces un niño se lesiona la córnea con una ramita seca o con otro objeto. ¿Es esto grave y hay un tratamiento eficaz para aliviar el dolor?

Cuando un objeto se pone fuertemente en contacto con la córnea se produce una dolorosa ulceración. La luz molesta, hay lagrimeo y no se ve bien. Puede producirse una infección.

+ *Tratamiento*

¿Cuál es el mejor remedio?

No hay una solución fácil. Los remedios caseros no sirven. El niño lesionado debe recibir atención médica inmediatamente.

Fibroplasia retrolental

¿Qué significa este nombre tan raro?

Es una afección de la retina que se produce en bebés que han sido expuestos a altas dosis de oxígeno en el momento de nacer. Pueden ser prematuros y de muy poco peso. Ciertas células crecen sobre la retina —el órgano sensible a la luz que se encuentra en el fondo del ojo—, con lo que se produce ceguera permanente. Ahora se ejerce mucho más cuidado que antes al administrar oxígeno a los recién nacidos, y la incidencia de esta enfermedad ha disminuido mucho.

Enfermedad del nervio óptico

Entiendo que ciertos virus u otros microorganismos pueden atacar el nervio óptico, lo que afecta la visión.

Así es. Recibe el nombre de neuritis óptica y puede causar ceguera, o bien una disminución del campo visual y dolor al mover los ojos. Cualquier afección en la que el niño se queja de molestias en los ojos y dificultad para ver debe ser tratada inmediatamente por el médico. No pierda tiempo con remedios caseros o los consejos de gente bien intencionada. Lleve al niño al médico sin pérdida de tiempo.

Uveítis

¿Qué es la uveítis?

Es la inflamación de cualquier parte de lo que se conoce como el tracto uveal del ojo, e incluye el iris (iritis), el cuerpo ciliar (ciclitis) y la coroides (coroiditis). La uveítis disminuye la capacidad visual y suele ser causa de ceguera. Esta afección casi siempre es el resultado de la enfermedad de otras partes del ojo, especialmente la córnea y la esclerótica. El tratamiento consiste en la administración de medicamentos para combatir la inflamación, y de antibióticos para eliminar la causa específica. El médico prescribe un tratamiento combinado que consiste en inyecciones, gotas y tabletas.

Queratitis

¿Qué es la queratitis?

Significa que la córnea —que es la ventana del ojo— ha sido dañada por infecciones, sustancias químicas o de forma accidental. Entre las numerosas causas de esta afección figuran la falta de vitamina A, reacciones alérgicas, desórdenes congénitos, infecciones por virus o bacterias. Produce dolor, la luz incomoda y la visión es confusa.

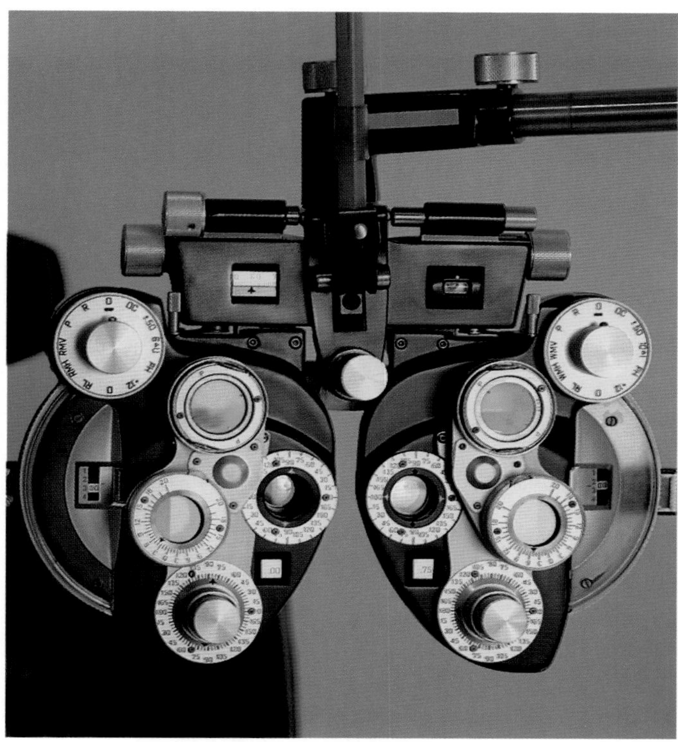

Se puede consultar al oftalmólogo por una cantidad de razones, pero en todo caso el especialista podrá examinar el interior del ojo y ver cómo está la retina.

+ *Tratamiento*

¿Qué se aconseja como tratamiento?

Los remedios caseros no sirven en este caso. Cuanto antes se lleve al niño al médico, tanto mejor será.

Celulitis orbitaria

Me parece que esto se refiere a la infección de la región que rodea al ojo.

Exactamente. Las infecciones que ocurren en otro lugar pueden llegar a la región de los ojos y producir problemas. La piel alrededor de las órbitas se enrojece, y duele cuando se mueven los ojos; es difícil hacerlo y también puede haber fiebre. Los gérmenes pueden propagar la infección y hasta el cerebro puede estar afectado.

+ *Tratamiento*

¿Cuál es el mejor tratamiento en este caso?

La atención urgente del médico es imperativa. Lleve el niño afectado al consultorio sin pérdida de tiempo.

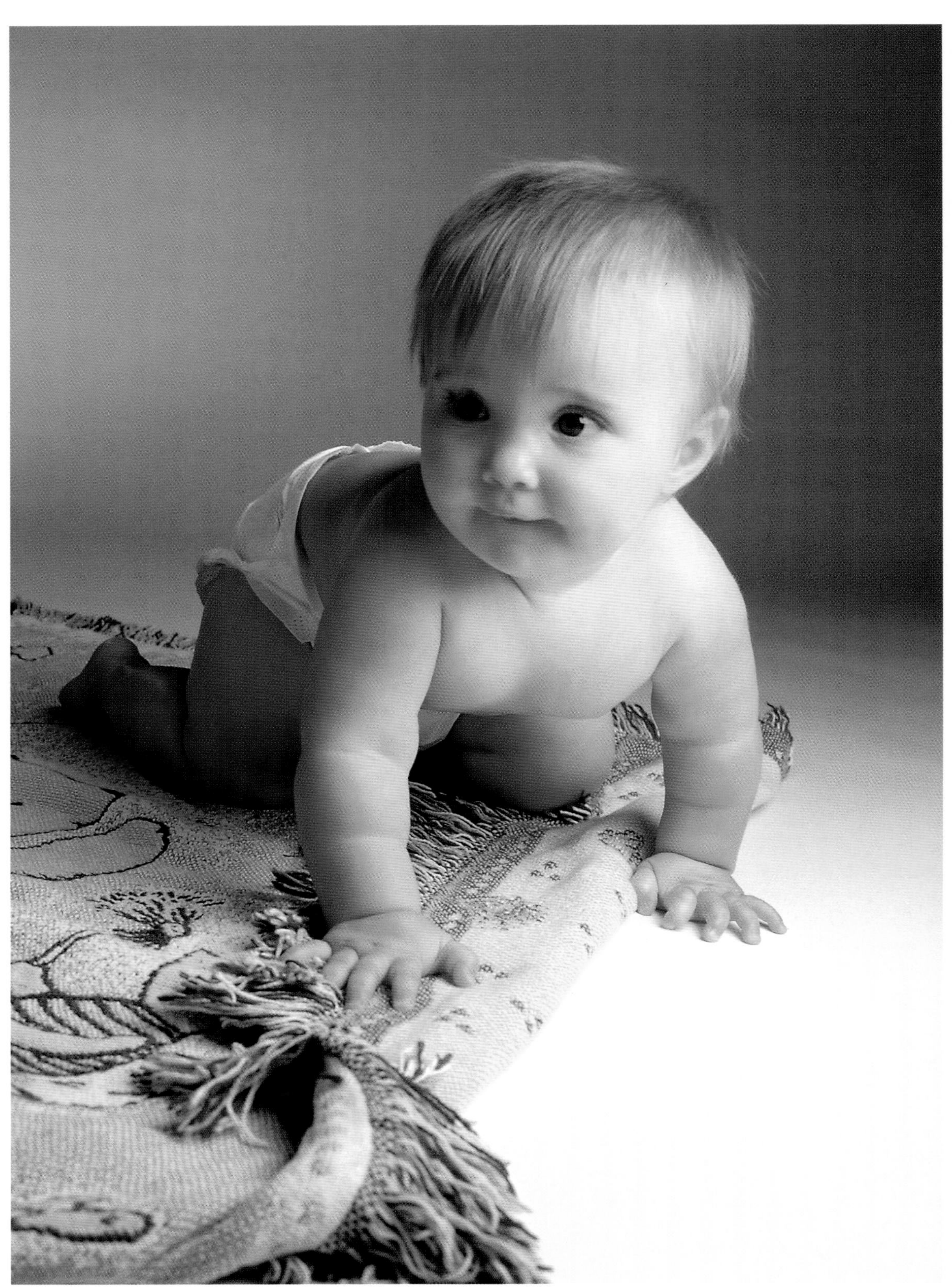

Prueba para determinar la ceguera a los colores

Algunas personas no pueden distinguir los colores, especialmente el rojo y el verde. Esta condición recibe el nombre de daltonismo. Afecta casi exclusivamente a los varones.

El daltonismo casi nunca causa dificultades en los niños, quienes aprenden que el pasto (zacate, grama) es verde y los vehículos de los bomberos son rojos (colorados). El problema se presenta cuando un adulto desea dedicarse a una ocupación que exige perfecta distinción de los colores, como pintor, electricista, piloto de avión, obrero textil, etc.

El médico puede hacer una prueba para determinar qué color o colores no se perciben correctamente. Emplea una serie de láminas con diseños hechos con circulitos de diversos colores.

Las personas que ven normalmente los colores pueden descubrir en algunas pruebas ciertas figuras, mientras que en otras, las figuras las pueden ver sólo los que padecen de ceguera para ciertos colores. Si sospecha que su visión, o la de su hijo, es defectuosa en la percepción de los colores, consulte al médico o a un oftalmólogo para que le hagan esta prueba.

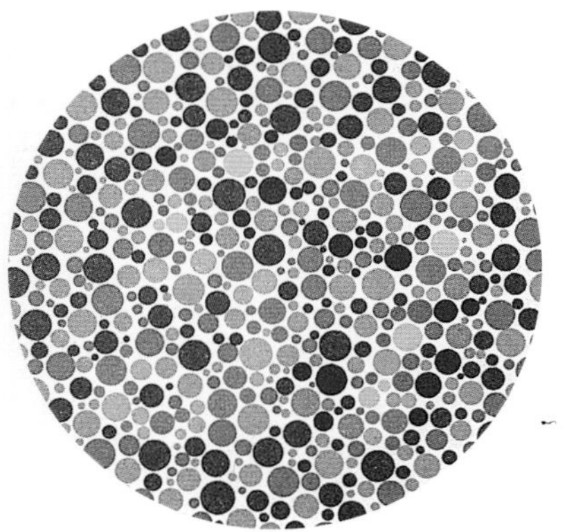

Las personas con visión normal ven el número 57.

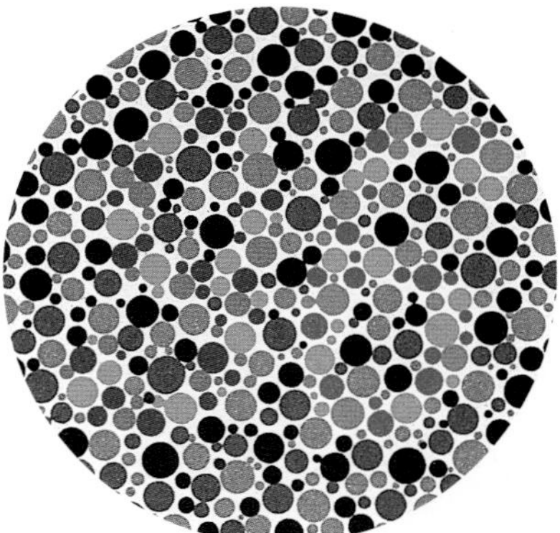

Las personas con visión normal ven el número 96.

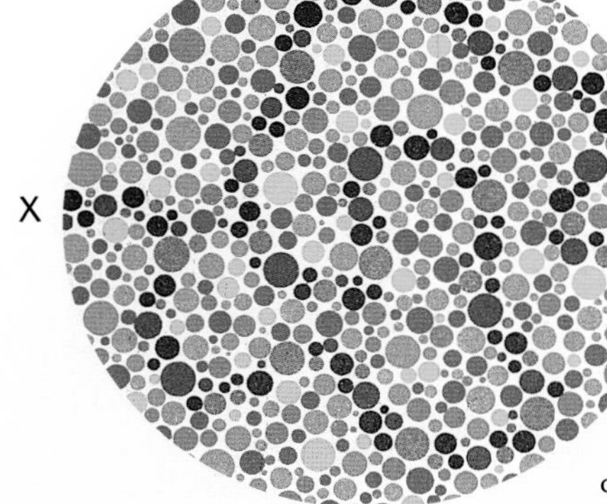

Las personas con visión normal distinguen un sendero de puntos verdes en el espacio que existe entre la X del lado izquierdo y la X del lado derecho de la lámina.

capítulo 33

Molestas enfermedades de la piel

EN ESTE CAPÍTULO

- Qué es la piel, impétigo, forúnculos, carbunco, tiña.
- Muguet (estomatitis, afta), sarna, piojos, úlcera de herpes simple, verruga.
- Eczema, eritema de los pañales, urticaria, ronchas, picaduras de insectos, eritema producido por el calor.
- Psoriasis, costra láctea, caspa, dermatitis seborreica, acné, pecas, quemaduras de sol.

El tema de este capítulo reviste gran interés: la piel. La mayor parte de las cosas en la naturaleza tienen un revestimiento exterior, y los seres humanos no somos la excepción. En las páginas que siguen consideraremos algunas de las enfermedades más comunes de la piel en los bebés y los niños.

Comencemos con los síntomas comunes que una madre puede observar en su hijo afectado por una dermatitis (enfermedad de la piel).

La piel, afortunadamente, puede inspeccionarse con facilidad; además, los síntomas se aprecian sin dificultad.

Hay una amplia gama de síntomas posibles, lo que depende de la enfermedad. Pero hablando en general, los síntomas de una dermatitis incluyen un aspecto anormal de la piel; esta puede estar enrojecida, humedecida por una exudación, con pus, irritada, dolorida y con prurito (picazón). Puede haber diferentes clases de espinillas, ampollas, granos sencillos o con costras. También puede producirse una variedad de reacciones indicadoras de algún desorden específico.

Cómo es la piel

Creo que la piel puede considerarse como un órgano más del cuerpo, como el corazón, el estómago, ¿no es cierto?

Así es. Los médicos la consideran como uno de los órganos más grandes. Este órgano, completo en sí mismo, es uno de los más importantes.

Un hecho interesante acerca de la piel es que se puede ver a simple vista. Está ahí, es accesible y puede ser inspeccionada en cualquier momento. En cambio, si el médico desea ver en el interior del corazón, el estómago o los pulmones, no puede hacerlo directamente, de modo que utiliza diversos aparatos de gran refinamiento técnico para inspeccionar el interior. Pero la piel también puede enfermarse como cualquier otro órgano.

¿De cuántas capas está formada la piel?

De dos capas: la primera es la epidermis, que se encuentra en el exterior y sobre la cual hay células muertas que se van desprendiendo. Constantemente se forman nuevas células para reemplazar a las que mueren.

¿Qué viene después?

La segunda capa se llama dermis. Es más espesa que la anterior y contiene pequeños vasos sanguíneos, nervios, y glándulas sudoríparas y sebáceas.

¿Qué hay debajo de la dermis?

Hay una capa de tejido subcutáneo que contiene una cantidad considerable de grasa, vasos sanguíneos, nervios y fibras musculares.

La piel crece constantemente; por eso las heridas del exterior se reparan. En pocas semanas se reemplazan las células de la piel.

ESTRUCTURA DE LA PIEL

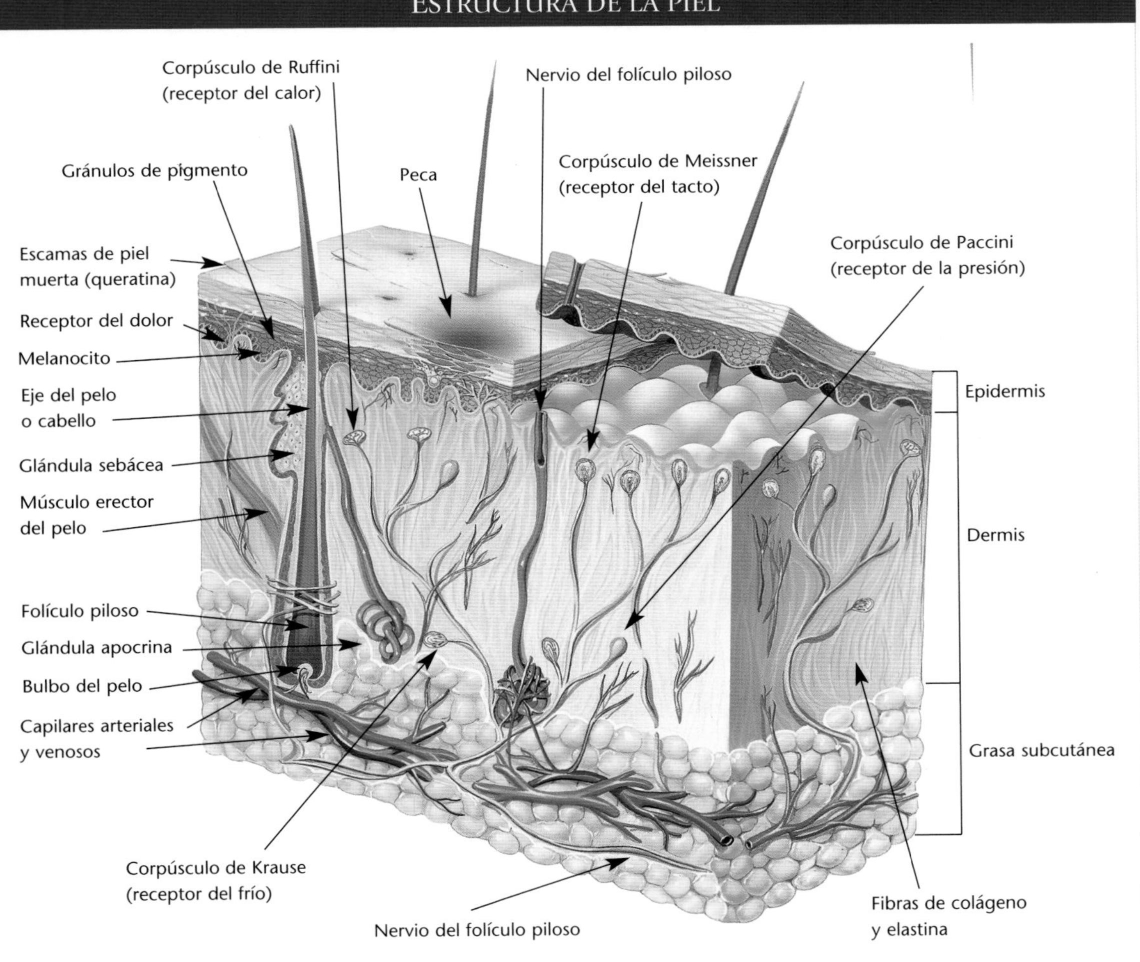

La piel está constituida por dos capas de tejido: la dermis y la epidermis. Ambas contienen terminaciones nerviosas que transmiten sensaciones de dolor, presión, calor y frío. Las glándulas sudoríparas contribuyen a regular la temperatura del cuerpo, mientras las glándulas sebáceas lubrican la piel y el cabello (pelo). Las glándulas apocrinas se desarrollan en la pubertad y son una característica sexual. Los melanocitos, que son glándulas que segregan pigmentos, pueden producir pecas.

Algunas definiciones

¿Qué nos puede decir de los diferentes términos que usan los médicos cuando se refieren a las lesiones y anormalidades de la piel? ¿Podría darnos una explicación de cada uno de ellos?

Por supuesto. No es necesario que se las aprenda de memoria. Pero si las olvida y las oye por ahí, venga a esta página para recordarlas.

Una "mácula". ¿Qué es eso?

Es una manchita llana de la piel, que no sobresale. Generalmente tiene un color determinado, y se parece a una peca.

También hay pápulas, ¿no es cierto?

Claro que sí. Es un granito. Sobresale por encima de la piel y está bien delimitado, como un barrito (barrillo) o un lunar. Una "placa" es una colección de pápulas, y a veces son excesivas, como ocurre en una enfermedad que se llama psoriasis. A veces la parte superior de las pápulas se desprende en forma de escamas.

La palabra "tumor", ¿implica siempre la presencia de un cáncer? Esto es lo que le gente cree a menudo.

No necesariamente. Un tumor es sencillamente una hinchazón. Pueden ser cancerosos (malignos) o no cancerosos (benignos). Se dice que hay una "erupción" cuando la piel está enrojecida e hinchada en una extensión más o menos amplia. Es común en las reacciones alérgicas, provocadas por las picaduras de insectos.

La piel es uno de los órganos más grandes del cuerpo.

Una "vesícula" es una ampolla, ¿no es cierto?

Correcto. Y a veces son muy pequeñas. Cuando son más o menos grandes, y contienen pus, reciben el nombre de "pústulas". Las "escamas" se producen cuando la piel se quema por efecto de los rayos del sol, y se desprende a pedazos más o menos grandes.

¿Qué nos puede decir de las úlceras?

Son lesiones en la piel o las mucosas. "Costra" significa que ha habido una emisión de líquido, que se ha secado y endurecido sobre la piel. Es común cuando se producen heridas. A menudo debajo de una costra se puede estar incubando una infección.

¿Qué nos puede decir de las "cicatrices"?

Se producen cuando una lesión o herida de la piel ha sanado. En algunas personas se forman cicatrices más bien grandes que reciben el nombre de "queloides". Un "eritema" implica un enrojecimiento de la piel, que cuando se lo toca está tibio o caliente. Finalmente, "prurito" significa picazón. Un medicamento con "antipruritos" sirve para aliviar la picazón, y se los receta a menudo.

¿En qué orden tratará las enfermedades de la piel de los bebés y los niños?

Primero consideraremos las diversas infecciones que pueden afectar la piel, como las producidas por bacterias: impétigo (pústulas), forúnculo (clacote), carbunco. Una infección importante es la úlcera producida por el herpes simple, que no la producen bacterias sino el herpes virus tipo 1. Luego nos ocuparemos de infecciones del grupo de las dermatofitosis, producidas por hongos parásitos que tienen una gran apetencia por la queratina, es decir, la proteína de que está hecha la piel, los pelos, los cabellos y las uñas. Algunas de las enfermedades que producen son la tiña y el muguet (afta, estomatitis). Trataremos también el tema de las infecciones causadas por parásitos, como la sarna y la pediculosis. Se cree que las verrugas son causadas por virus, de modo que las incluiremos.

A continuación nos ocuparemos de este vasto conjunto de inflamaciones dérmicas comúnmente llamadas eczema o dermatitis, que también incluye el eritema de los pañales.

¿Qué más se propone presentar?

Las alergias que afectan a los niños, incluyendo la urticaria y las que son producidas por mordeduras, y picaduras de insectos. Luego hablaremos de las diversas anomalías provocadas por la actividad excesiva de las glándulas sebáceas. Esto incluye el acné, la costra láctea, la caspa y la dermatitis seborreica. Finalmente consideraremos los diversos defectos de la piel llamados marcas de nacimiento, lunares y pecas. También haremos algunas consideraciones sobre el eritema solar o quemadura de sol.

Impétigo

¿Cuáles son las características del impétigo?

El impétigo es la invasión de la piel del niño por los gérmenes productores de pus: estreptococo o estafilococo.

El contagio se produce en la escuela, razón por la cual esta enfermedad es más frecuente en niños que en bebés; pero el niño enfermo puede infectar a sus hermanos más chicos. Los gérmenes se reproducen con gran rapidez. Las lesiones se sitúan en la cara, el cuello, las manos y alrededor de la boca, la nariz y los oídos; son superficiales y no dejan cicatriz después de su curación. Las vesículas que se forman exudan un líquido seropurulento que al vaciarse deja una costra de color marrón (café) amarillento. Con frecuencia los ganglios linfáticos adyacentes (mandíbula, axila, ingle, etc.) se inflaman y duelen mucho, mientras producen los glóbulos blancos que combaten a los invasores. El germen es muy contagioso, por lo que otras partes del cuerpo pueden infectarse a partir de la lesión original.

✚ *Tratamiento*

¿Cuál es el mejor tratamiento? ¿Puede aplicarlo la madre misma?

Sí, puede hacerlo. El tratamiento consiste en bañar las lesiones con una solución desinfectante que el médico recetará. Debe eliminar el pus y otros desechos.

¿Qué sucede después de eso?

Este tratamiento destruye los gérmenes. La aplicación de una pomada con antibióticos, recetada por el médico, contribuye a eliminar los gérmenes en 2 o 3 días. También puede aplicar una solución antiséptica. Mantenga las vesículas cubiertas, para evitar que otros se infecten o que el mismo niño propague los gérmenes a otros lugares de su cuerpo. Manténgalo en casa para que no contagie a sus compañeros en la escuela.

Forúnculos

Los niños, tarde o temprano, se ven afectados por un doloroso forúnculo en el cuello, la espalda u otra parte del cuerpo. ¿No es verdad?

Así es. Recuerdo muy bien haberlos tenido en mis primeros años como médico. Me salían en el cuello y me dolían tanto que apenas podía dar vuelta la cabeza. A veces estaba más enfermo que mis pacientes.

El forúnculo es una infección producida por estafilococos que penetran por el folículo piloso hasta la raíz del pelo o hasta una glándula sebácea. Estos microorganismos se multiplican rápidamente y forman pus, la que sale hacia la superficie, hasta que finalmente asoma como un cono amarillo verdoso y revienta, dejando una lesión bastante grande a veces. La lesión pronto se rellena y sana, dejando una cicatriz. Las ganglios linfáticos de las inmediaciones se inflaman porque producen glóbulos blancos que combaten los gérmenes. El niño con un forúnculo tiene fiebre y escalofríos, se siente mal y pierde el apetito.

✚ *Tratamiento*

¿Cuál es el mejor tratamiento?

Las compresas alternadas de agua fría y caliente son beneficiosas. Se pone una toallita o un paño doblado en una fuente con agua caliente, luego se estruja y se aplica sobre el forúnculo hasta que se entibie; luego se saca y se reemplaza por una compresa de agua fría durante 1 ó 2 minutos. Estas aplicaciones alternadas se continúan durante 20 minutos, y se repiten cada 2 ó 4 horas. "Maduran" el forúnculo, reducen el dolor, estimulan la circulación de la sangre en la región afectada y contribuyen a la curación.

¿Hay algún medicamento que ayude a sanar?

Los antibióticos de amplio espectro administrados en la primera etapa de desarrollo de un forúnculo pueden ser beneficiosos, pero si se administran cuando ya se ha formado pus, no surten el efecto deseado. El

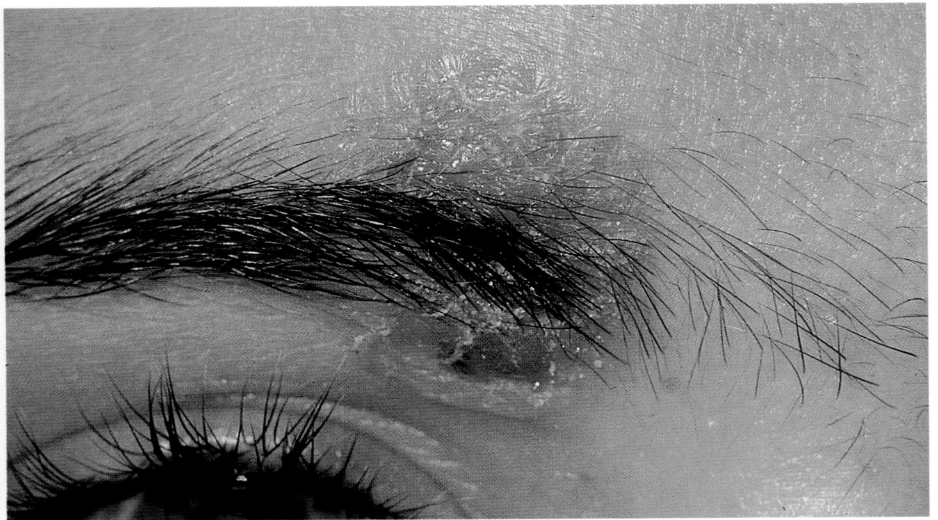

El impétigo es una infección causada por estreptococos y es sumamente contagioso.

La tiña es una infección de la piel producida por hongos, que se desarrolla en forma de círculos.

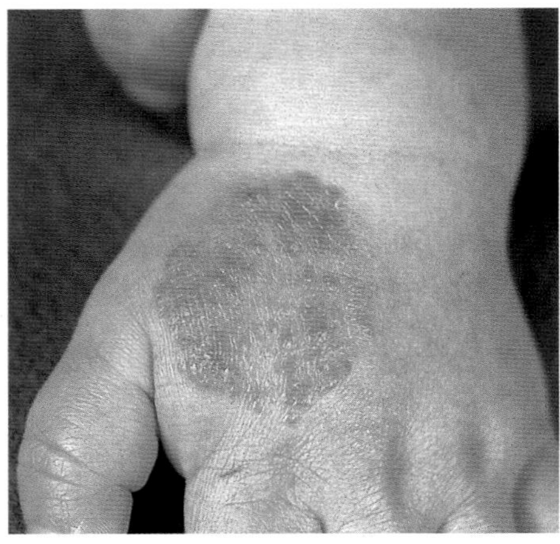

paracetamol para niños disminuye la fiebre y el dolor.

¿Se repiten los forúnculos?

En algunos casos se repiten. El médico debe investigar la naturaleza de la infección y el antibiótico más adecuado para destruir los gérmenes causantes de la infección. La repetición de los forúnculos es más frecuente en los diabéticos, en los que padecen de ciertas enfermedades o sus defensas están bajas. Es importante reforzar la alimentación con abundancia de frutas y verduras, y suplementos vitamínicos. Además, el niño afectado debe beber agua y jugos en abundancia para eliminar las toxinas del cuerpo.

Carbunco

¿Qué es el carbunco?

También se lo llama "ántrax". Se produce cuando se forman varios forúnculos unos junto a otros y abarcan una gran zona de la piel. Causan mucho dolor. Son profundos y forman abscesos. Requieren una honda incisión para eliminar el pus. El tratamiento general es el mismo de los forúnculos. Requieren atención médica.

Tiña

¿Qué es la tiña?

Es una enfermedad del grupo de las dermatofitosis, o sea producida por hongos parásitos sumamente aficionados a las partes del cuerpo que contienen queratina: piel, pelos, cabellos y uñas. Los perros y los gatos transmiten estos hongos, razón por la cual la tiña es muy frecuente en los niños.

Puede afectar cualquier parte del cuerpo, pero ataca de preferencia el cuero cabelludo, donde se forma un anillo rojizo característico. También ataca la ingle, que suele estar húmeda debido a la acción de las prendas de nailon ajustadas, que no permiten la ventilación, lo que favorece la multiplicación de los hongos.

Los dedos de los pies son un lugar de frecuente contaminación con tiña. Los calcetines de nailon que no permiten la ventilación del pie y el calzado apretado contribuyen al desarrollo de esta enfermedad. A veces se añaden otras infecciones, como moniliasis e infecciones bacterianas, para crear una lesión dolorosa, enrojecida, con piel muerta blanquecina que se desprende. Si se la saca de un tirón, se corre el riesgo de arrancar las capas más profundas de la piel y dejar zonas muy doloridas entre los dedos de los pies. Los gérmenes infecciosos se encuentran por millones en las piletas (albercas, piscinas), en los baños públicos y en otros lugares donde la gente anda con los pies descalzos. Por eso es bueno usar chancletas.

+ *Tratamiento*

¿Existe una cura universal para la tiña en cualquier parte del cuerpo?

Los médicos disponen de algunos medicamentos eficaces, a los que me referiré en un momento. Debo decir primero que el diagnóstico no siempre es acertado, porque en algunos casos diversas infecciones producen síntomas parecidos, de modo que el médico tiene que valerse de pruebas especiales para precisar su diagnóstico.

¿Conviene hacer aplicaciones locales con antisépticos o administrar tabletas y píldoras?

Ya hablaremos de eso. Hay numerosos antisépticos de gran eficacia que se aplican localmente. Por ejemplo, en una infección con tiña en la ingle se puede aplicar una solución antiséptica para destruir los gérmenes de una infección secundaria y eliminar la piel suelta. Luego se puede poner una crema para combatir los hongos causantes de la tiña.

¿Qué otros medicamentos son eficaces para combatir la tiña?

La solución de tolnaftato al 1% es muy

eficaz, ya que puede eliminar los hongos en pocos días. Se lo consigue bajo el nombre de Tinaderm, Tinacidin o Tinactin; también se lo vende como aerosol (se debe sacudir antes de usarlo), y es muy eficaz y calmante en la tiña de los dedos de los pies y de la ingle. Se puede usar Micatin, que es nitrato de miconazol en polvo o en crema. El médico también receta ketoconazol 200 mg 1 comprimido por día durante 30 días, o itraconazol 100 mg 1 cápsula por día (duración según el tipo de lesión), que son antibióticos que deben tomarse vía oral. Debe usarse la dosis completa, que generalmente es de una tableta por día durante un mes. (Estamos poniendo los nombres de los medicamentos tal como aparecen en la obra original. Es muy posible que en cada país tengan nombres diferentes. Habrá que ver en cada caso cuáles son.—*Nota del traductor*.)

¿Tiene algo que ver la ropa con la tiña?

Es mejor usar ropa interior de algodón y no de nailon u otras telas sintéticas. Después de lavarla, séquela al sol para destruir los gérmenes infecciosos sensibles a los rayos ultravioletas de la luz solar. Si vive cerca del mar, introduzca con frecuencia los pies en el agua para facilitar la curación.

Cuando otras infecciones acompañan a la tiña, como moniliasis e infecciones bacterianas, busque atención médica para obtener el tratamiento adecuado.

La tiña de las uñas es una enfermedad de difícil curación; afortunadamente no es común en los niños. Las uñas se ponen gruesas y se agrietan.

Muguet oral (afta, moniliasis)

¿Qué es el muguet?

El muguet oral es la infección de una mucosa (boca, vagina, etc.), causada por los hongos del género *Cándida albicans*. Las infecciones vaginales son comunes.

Los síntomas pueden presentarse en diversos lugares. En los bebés suelen aparecer placas blancas dentro de la boca, sobre la lengua y en la cara interna de las mejillas. Esta sustancia se puede eliminar raspándola suavemente con un paño, pero dejará muestras de sangre. Esta afección suele presentarse después del uso de antibióticos para combatir otras enfermedades. Pero la moniliasis de la piel puede complicar otras infecciones, como la tiña y el prurito de los pañales.

+ *Tratamiento*

¿Cuál es la mejor terapia para combatir el muguet oral?

Por mucho tiempo se usó con mucho éxito una solución de violeta genciana al 1% que se aplicaba a las placas del muguet, durante 3 a 4 días. Su uso se abandonó porque manchaba mucho la ropa.

En la actualidad se usa el miconazole oral en gel. Se coloca una pequeña cantidad en la boca después que el bebé ha comido. Existen otros medicamentos igualmente eficaces que el médico receta. Hay que prestar atención a la salud del bebé infectado, porque la declinación de las defensas es un estímulo para las infecciones.

Sarna

Veamos ahora dos infecciones producidas por parásitos. El ácaro de la sarna, aunque diminuto, puede verse a simple vista, lo mismo que el piojo.

La sarna es una irritación de la piel causada por el ácaro *Sarcoptes scabiei*. La hembra hace túneles en la piel, en los que deposita sus huevos. Se pueden ver líneas finas en la piel que señalan el recorrido de los túneles.

El síntoma inicial es una comezón intensa. El paciente se rasca sin obtener mucho alivio, y a veces se lesiona. El prurito empeora cuando el niño está en la cama por la noche. Aparece especialmente entre los dedos, los codos, las rodillas, las axilas y las ingles. Algunos bebés ocasionalmente se infectan la cara con sarna porque la madre tiene los pechos infectados. Se forman peque-

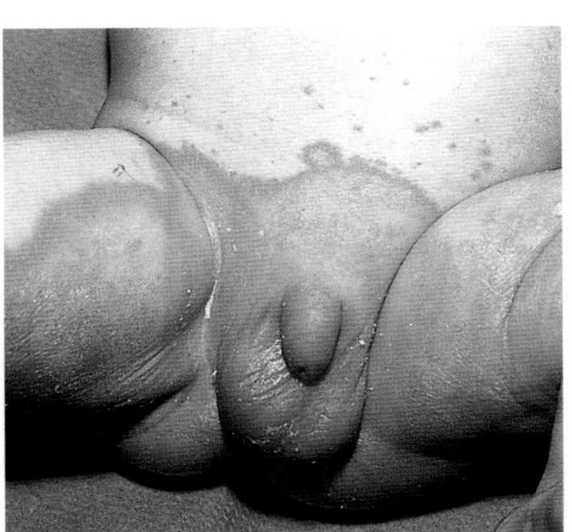

La candidiasis es una infección de la piel producida por hongos. En este caso apareció en la zona genital de un niño.

ñas ampollas que se infectan secundariamente con otros gérmenes cuando el bebé se rasca.

Es más probable que la sarna se manifieste entre gente cuya higiene es deficiente, pero también afecta a personas con adecuados hábitos de limpieza.

+ *Tratamiento*

¿Existen tratamientos eficaces para combatir la sarna?

La decametrina en loción o champú (Nopucid), o la permetrina loción o champú, son muy eficaces. Se aplica una vez a todo el cuerpo, con excepción de la cara, y se usa la misma ropa durante 48 horas. Posteriormente se hace una segunda aplicación. Algunos dermatólogos recomiendan que se haga esta aplicación tres veces seguidas. Si hay una infección secundaria, que se puede haber producido por el rascado, debe tratarse con antibióticos. También se usa el benzoato de bencilo en emulsión, que se aplica a todo el cuerpo después de un baño caliente, con excepción de la cara, dejando el medicamento aplicado durante 24 horas.

Piojos

Con frecuencia se ven en la cabeza de los niños los molestos piojos y las liendres (los huevos).

Cuando un niño está invadido por los piojos se dice que tiene pediculosis. Afecta especialmente a las familias cuyas normas de higiene son bajas, aunque nadie está totalmente libre de ellos. No hace mucho daño, fuera de la irritación y la comezón que producen sus picaduras. El rascado produce excoriaciones que pueden infectarse.

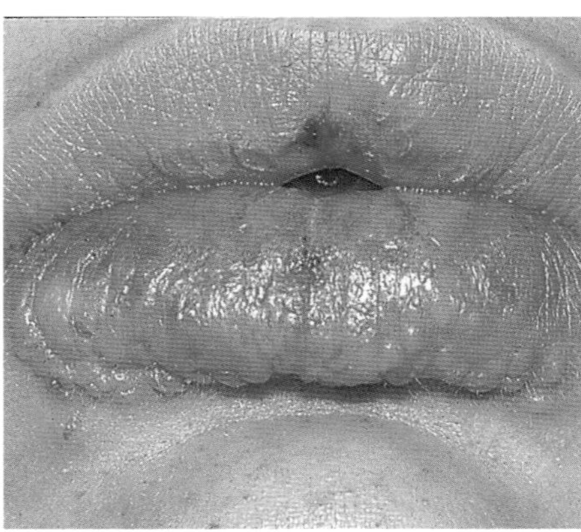

El herpes simple es una inflamación de la piel producida por un virus.

+ *Tratamiento*

¿Hay algún medicamento eficaz para erradicar la pediculosis?

Por cierto que los hay. Los mismos que para la sarna (decametrina o permetrina), y otros medicamentos, son muy eficaces, y su aplicación basta para eliminar los piojos. Generalmente una aplicación es suficiente, pero una segunda aplicación puede ser necesaria 14 días después. Siga las instrucciones que aparecen en el envase. Peinar el cabello del niño con un peine fino contribuye a eliminar las liendres (huevos) que están adheridas a los cabellos.

La higiene personal es indispensable y lavarse el cabello con champú es muy bueno. Cuando los padres reciben una nota de la escuela comunicándoles que su hijo tiene piojos, no deben ofenderse, sino comprender que el establecimiento está interesado en la salud y el bienestar de su hijo. Por lo tanto, deben agradecerlo y llevar al niño al médico para que le recete el medicamento adecuado.

Ulcera de herpes simple

Muchos niños sufren de úlcera de herpes simple, que es muy común en niños de menos de 5 años, la que suele repetirse en distintas ocasiones. ¿Cómo se manifiesta?

Comienza como una sensación de lesión seca e irritante cerca de los labios, a lo que sigue la aparición de una pequeña ampolla que aumenta de tamaño; puede haber varias ampollas. Generalmente se repiten. Se presentan en la boca, la lengua, el interior de las mejillas y los labios. La gente la suele llamar "fiebre de estómago". Los ganglios situados debajo de la mandíbula se hinchan y duelen.

¿Cómo se llama el agente que causa esta enfermedad?

Es el herpes virus tipo I que produce el llamado herpes febril o herpes labial (herpes simple). Los niños probablemente se infectan muy temprano en la vida. La luz solar, las alergias y la ansiedad agravan los ataques.

¿Puede este germen propagarse a otros lugares en el cuerpo?

Sí. Las lesiones locales desaparecen a los pocos días, pero en algunas ocasiones el virus entra en el torrente sanguíneo y puede llegar al cerebro y causar encefalitis herpética, que puede poner en peligro la vida del niño. Dos poderosos medicamentos llamados aciclovir y vidarabine pueden salvar la vida del niño afectado por esta encefalitis. El paciente se pone letárgico, y puede perder el conocimiento y entrar en coma. Estos síntomas requieren urgente atención médica.

Algunas mujeres sufren de otra clase de herpes, ¿no es cierto?

Así es. Es el herpes genital, causado por un virus un poco diferente del anterior, el herpes virus tipo II. Produce ampollas muy dolorosas y úlceras amarillentas en la región genital. El médico debe intervenir a la brevedad posible para prescribir el tratamiento adecuado. Esta afección se relaciona con el cáncer del cuello de la matriz, especialmente en mujeres de más edad.

✚ *Tratamiento*

¿Cuál es el tratamiento más eficaz?

El aciclovir es muy bueno para combatir los virus causantes de esta enfermedad. La mayor parte de los casos sanan, pero posteriormente la afección vuelve a aparecer. Lavar las lesiones con una solución antiviral cada media hora seca las ampollas pero produce escozor. La aplicación de una crema antiviral produce buen resultado, siempre que se aplique cuando aparecen los primeros síntomas de la lesión herpética.

También se usa con buen resultado alcohol alcanforado al 10%, o yoduro fórmico de bismuto en polvo. También es útil la aplicación de pomada de betadina para la lesión herpética. La aplicación de hielo sobre el lugar donde aparecerá la úlcera (se siente un cosquilleo), durante 60 a 90 minutos, suele impedir su desarrollo. Algunos médicos pintan el lugar con una solución boratada y obtienen buenos resultados.

Repetimos que las mujeres con herpes genital deben hacerse ver periódicamente por el médico, para evitar los riesgos que implica esta enfermedad.

Verrugas

Las verrugas afectan a casi todos los niños. ¿Cuál es su causa?

Un virus que se encuentra en las capas superiores de la piel produce las verrugas, y provoca una rápida multiplicación de las células que, a su vez, finalmente asumen la típica forma de las verrugas. Algunas son planas, suaves y rosadas, como la piel que las rodea. Aparecen en el rostro, el cuello y el dorso de las manos. También hay verrugas que aparecen en las plantas de los pies, pero lo hacen hacia adentro, por la presión continua a que están sometidas. Son muy dolorosas.

✚ *Tratamiento*

La gente recomienda toda clase de remedios caseros para curar las verrugas. ¿Cree usted que sirven?

Se recomienda, por ejemplo, el aceite de caléndula, el jugo de verbena o el jugo de limón. Estos y otros remedios han surtido efecto en muchos casos. Es indudable que la sugestión tiene mucho que ver en estas curaciones. Cuanto más se le dice al paciente que sus verrugas desaparecerán con tal o cual remedio, tanto más se convence y tanto más eficaz resulta este. Suele tener éxito envolver el dedo de un niño con verrugas con una cáscara de banana (plátano), de modo que la parte interna de la cáscara quede en contacto con la verruga, envolviendo todo con una venda, mientras se le asegura al niño que cada día la verruga estará más chica y que habrá desaparecido cuando le saquen la venda y la cáscara.

Un remedio que resulta eficaz es una solución de ácido salicílico al 10% o al 15% en alcohol. Aplíquese sobre la verruga con

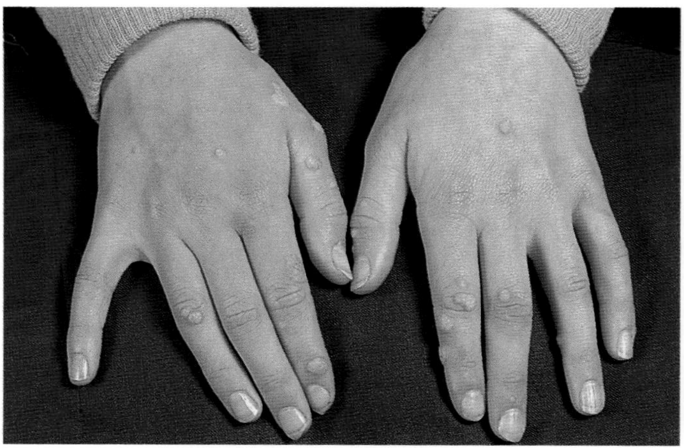

Las verrugas suelen aparecer en las manos. Es una infección de la piel causada por un virus.

La exposición a ciertas sustancias conocidas como alergenos (productores de alergias) por lo general precipita la aparición de un eczema.

un palito envuelto en un algodón a la hora de acostarse y sóplese sobre ella. Después de algunas aplicaciones la verruga se pone negra y en muchos casos desaparece.

Las verrugas de las plantas de los pies, como ya lo dijimos, son muy dolorosas. En muchos casos se curan con la aplicación de tintura de podofilina. Aplíquese sobre la verruga con un palito envuelto en un algodón a la hora de acostarse, cuidando que no se extienda sobre la piel. Lávese la verruga por la mañana para eliminar esa sustancia, porque es tóxica y la piel la podría absorber.

Es bueno consultar al médico, porque hay muchos tratamientos para combatir las verrugas de la planta del pie. Mantenga estos medicamentos fuera del alcance de los niños, porque son irritantes y podrían causar quemaduras en la piel.

Eczema

Consideremos ahora algunas inflamaciones de la piel que son comunes en los bebés, especialmente en el segundo y el tercer mes de vida.

Los médicos la llaman dermatitis atópica, lo que sugiere que tienen una base alérgica. Me complace decir que muchos casos se curan espontáneamente en el tercer año de vida. Son más comunes en bebés alimentados con productos derivados de la leche de vaca. Por eso es mejor alimentar al bebé con leche materna.

¿Cuál es la causa de esta enfermedad?

El niño es sensible o alérgico a algo que ha comido, tocado o inhalado, o a alguna ropa de lana, tela sintética, etc. El factor precipitante del eczema es la exposición del niño a un alergeno o sustancia capaz de producir alergia.

El eczema comienza con una erupción con exudación de líquido. Puede iniciarse en la cara o en el cuero cabelludo y extenderse a otras partes del cuerpo, como las axilas y las ingles, que son sus lugares favoritos. Produce comezón e incomodidad. Cuando el fluido se seca, aparece una costra dura.

+ *Tratamiento*

¿Da buenos resultados el tratamiento?

Sí, pero suele ser un proceso muy lento, y a pesar del tratamiento la erupción puede continuar durante meses. Dedíquele mucho tiempo al niño, y manifieste mucho afecto. En muchos casos un problema psicológico subyacente puede estar agravando el eczema, y por eso el tratamiento no surte el efecto esperado.

Es importante tomar las medidas necesarias para impedir que el niño se dañe la piel al rascarse, porque inevitablemente continuará rascándose si se le permite hacerlo. Manténgale las uñas cortas. Póngale tablillas o soportes de madera en los codos para impedir que se rasque dormido. A veces el médico prescribe sedantes para aliviar la molestia y facilitar el sueño tranquilo. Cubra las partes afectadas con un material liviano que no produzca alergia.

¿Puede bañarse el niño con eczema?

El agua y el jabón agravan esta afección, por lo que deben evitarse. El médico puede recomendar algún producto neutro para limpiar y calmar la parte afectada sin irritarla. Los baños deben ser pocos y cortos; deben ser seguidos por la aplicación de alguna pomada adecuada.

¿Es posible descubrir la causa?

A veces ciertos estudios especiales pueden indicar a qué sustancias es alérgico el bebé, y en ese caso se deben hacer esfuerzos por evitarlas. Pueden ser ciertos alimentos (el trigo, la leche de vaca y los huevos son los más comunes). Apártelo de los irritantes externos que resulten obvios, como ser el polvo, ciertos rellenos de almohadones, plumas, lana y otras cosas parecidas.

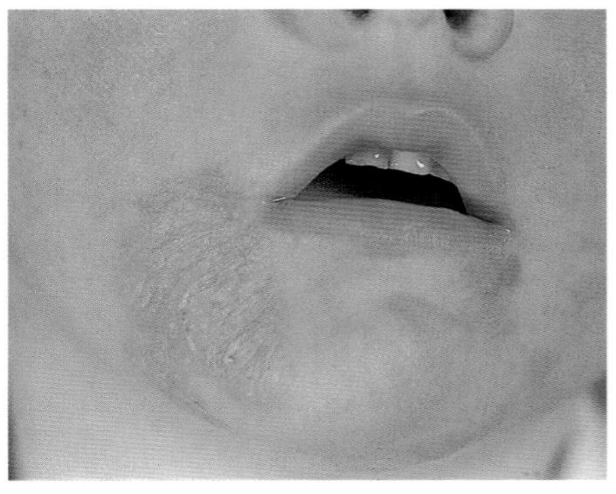

El eczema es una afección de la piel que se manifiesta como una erupción. Aparentemente es de origen alérgico.

¿Qué se puede aplicar a la piel?

El médico dispone de numerosos medicamentos que podría recomendar según la necesidad del paciente, para disminuir la irritación, la comezón y el enrojecimiento, y para facilitar la curación.

El eczema, en la mayor parte de los casos, desaparece alrededor de los 3 años de edad. Algunos niños tienen reacciones alérgicas más tarde en la vida, como fiebre del heno y asma.

Eritema de los pañales

¿Qué causa el eritema (o irritación) de los pañales?

Se debe a la irritación producida en la piel por el contacto prolongado con la orina contenida en los pañales que no se cambian a tiempo. La orina se descompone rápidamente y el amoníaco que contiene irrita la piel. La materia fecal en contacto con la piel complica la situación. El resultado es una superficie húmeda, enrojecida y ampollada. Puede abarcar una pequeña parte entre las piernas o extenderse hacia los muslos, las nalgas y la parte baja de la espalda. El calor agrava este eritema.

+ *Tratamiento*

¿Cuál es el tratamiento más adecuado?

En primer lugar los pañales se deben cambiar lo antes posible cuando se mojan o ensucian. Después de lavarlos, si no son pañales desechables, hay que enjuagarlos cuidadosamente para eliminar el detergente o el jabón irritante.

Los pañales, si es posible, deben tenderse al sol para que sus rayos destruyan los gérmenes. El sol es el mejor desinfectante y no cuesta nada. Exponer al bebé a la luz solar durante algunos minutos cada mañana le dará resistencia a su piel, y destruirá los gérmenes que suelen encontrarse en ella y que pueden producir infecciones secundarias. Proteja al bebé de las corrientes de aire para que no se enfríe, y de las quemaduras de sol.

¿Conviene hacer aplicaciones locales con crema?

Primero hay que lavar la parte afectada con agua y jabón neutro, luego se debe limpiar con alguna solución refrescante y finalmente se aplica una crema adecuada que el médico recetará.

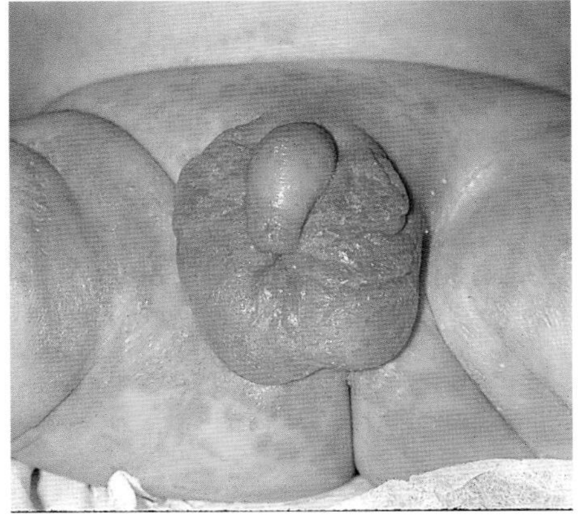

La erupción (eritema) de los pañales es una inflamación de la piel que afecta las partes del cuerpo del bebé que han estado cubiertas por los pañales.

¿Y si el eritema persiste?

Efectivamente, a veces persiste. En ese caso hay que llevar al bebé al médico para que le haga un examen completo. Puede recetar cremas con corticosteroides durante un tiempo limitado. También puede buscar la presencia de otras infecciones, como tiña o moniliasis, y recomendar un tratamiento adecuado. Eso bastará para solucionar el problema. El resto queda en manos de la madre, que debe adoptar las medidas necesarias para cuidar al bebé con el fin de que no vuelva a aparecer el eritema de los pañales.

Urticaria

Mientras tratamos el tema de las inflamaciones de la piel y las alergias, qué le parece si hablamos de la urticaria, tan frecuente en los niños.

Me parece muy bien. Se trata de una reacción local de la piel causada por algo que el paciente ha comido y a lo que él es alérgico. Algunos de los productos que causan urticaria son: huevos, nueces, almendras, mariscos, chocolates, medicamentos (penicilina, etc.). Algunas plantas, árboles, picaduras de insectos, calor, frío, inyecciones, tensión emocional, etc., también pueden producir urticaria.

¿Cuáles son los síntomas más comunes?

Comúnmente aparece una roncha roja, caliente y con mucha picazón, en el tronco u otro lugar. Cuanto más se la rasca, tanto más se irrita. A veces afecta una parte considerable del cuerpo. Las ronchas pueden unirse para formar extensos "parches" rojos que causan mucha comezón.

Existe una clase especial de urticaria, denominada edema angioneurótico. No es tan rojo ni produce tanta comezón (picazón), pero puede presentarse en la boca o en la faringe. El riesgo es que cuando ocurre en la garganta, la hinchazón puede bloquear la respiración. Esto necesita tratamiento médico de urgencia o atención en el servicio de emergencia de un hospital.

+ *Tratamiento*

¿Cuál es el mejor tratamiento para la urticaria?

Evite que el niño se ponga en contacto con la causa que la produce. Los padres y los hijos se acostumbran a reconocer lo que causa la urticaria. Si son los huevos, la leche o el trigo, simplemente no se los usa en la alimentación del niño. Manténgalo alejado de las plantas o los árboles que le causan urticaria. Evite las temperaturas extremas si estas lo afectan (por ejemplo, baños con agua muy caliente o muy fría)

¿Existe alguna pomada beneficiosa?

La aplicación de agua fría o compresas de hielo a la parte inflamada y caliente reduce rápidamente la picazón o prurito. A continuación aplique alguna pomada para combatir el prurito. El médico puede recetar las más eficaces, o bien los padres se la pueden pedir al farmacéutico. Vuelva a aplicarla cada vez que haya picazón. En los casos graves, el médico receta pomada con corticosteroides.

En otros casos el facultativo receta medicamentos con antihistamínicos. Como estos productos causan sopor o adormecimiento, es mejor darlos por la noche para que el paciente descanse tranquilo. También hay medicamentos que no son sedantes. El niño tiene que beber en cantidad agua y jugos para eliminar las toxinas (una sustancia química que se llama histamina, y que causa la urticaria).

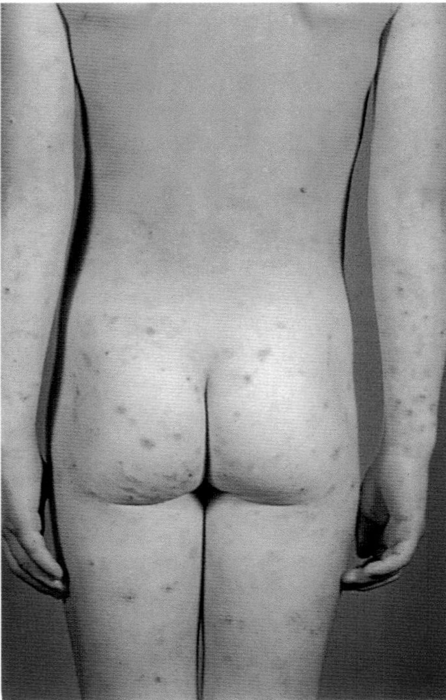

La urticaria aparece en la piel como unas pequeñas manchas rojizas y abultadas (ronchas) que pican bastante. Son una reacción alérgica a ciertos alimentos, medicinas o plantas.

¿Qué es el edema anafiláctico?

Ocasionalmente un niño puede padecer de una alergia aguda a algo, por lo que sufre de una reacción grave que se llama edema anafiláctico. Se siente enfermo, débil, intranquilo y con dolor de cabeza. Puede tener dificultad para respirar. Ese niño debe ser atendido de emergencia por el médico o en el hospital. A veces esas reacciones pueden amenazar su vida.

Reacciones a las picaduras de insectos

Algunos niños son alérgicos a las picaduras de ciertos insectos. ¿Qué pasa con ellos?

La abeja es el insecto que causa más problemas, pero podemos añadir a la lista las avispas, los mosquitos, las hormigas y las arañas. Las primeras picaduras no producen mucho efecto, pero sensibilizan al niño para las siguientes, a las que tendrá una reacción alérgica parecida a la urticaria. Se produce enrojecimiento, picazón, hinchazón y malestar general.

Ocasionalmente se produce una reacción grave que causa dificultad respiratoria repentina, jadeo, tos, palidez, debilidad y orina involuntaria. Las picaduras de abejas a veces han producido la muerte de niños muy alérgicos.

+ *Tratamiento*

¿Qué clase de tratamiento se recomienda?

Cuando la picadura no produce una reacción grave, el tratamiento es parecido al de la urticaria. Si el aguijón ha quedado en la piel, hay que sacarlo. Si el niño tiene dificultad para respirar, hágale inhalar algún broncodilatador y llévelo al médico.

Cuando se sabe que un niño es alérgico a las picaduras de insectos, evite que se ponga en contacto con ellos. Vístalo, especialmente en el verano, con ropa de colores claros para que no los atraiga. Que no ande descalzo por el pasto (zacate, grama), donde siempre hay insectos y arañas. Evite las actividades al aire libre durante el verano tanto como sea posible. Manténgalo alejado de las plantas y los arbustos en flor, que atraen a las abejas.

¿Conviene aplicar inyecciones para desensibilizar al niño?

Las inyecciones suelen ser muy buenas, especialmente contra la picadura de abejas. Se le inyecta al niño alérgico, durante varias semanas, un extracto del ácido que inyectan las abejas, lo que aumenta su resistencia a las picaduras de este insecto. Aun así es necesario adoptar precauciones. Las personas muy alérgicas deben llevar consigo una tarjeta que explique la naturaleza de su problema.

Algunos médicos recomiendan a los padres mantener diversos medicamentos listos para usarlos en caso de que ocurra una emergencia. El médico da las instrucciones necesarias para su uso cuando no es posible llevar al niño al consultorio. Se usa adrenalina, antihistamínicos y corticoides, pero es indispensable disponer de las instrucciones del médico para aplicarlos de forma adecuada. Si alguien padece de una alergia grave a las picaduras de las abejas, a veces recibe de parte de su médico un "botiquín personal de emergencia" con medicamentos que se deben inyectar en caso de que lo haya picado una abeja. Eso puede salvarle la vida, porque las picaduras han causado la muerte en algunos casos, especialmente en niños.

Urticaria provocada por medusas

¿Qué puede decir de la acción urticante de los tentáculos de las medusas?

Las medusas son habitantes de las aguas marinas, especialmente en los lugares cálidos, que tienen un cuerpo gelatinoso convexo por encima y cóncavo por debajo, con numerosos tentáculos provistos de ventosas urticantes. Los tentáculos de las medusas puede provocar lesiones locales como eritema y pápulas, y en raras ocasiones reacciones generales de tipo anafiláctico.

En primer lugar hay que abstenerse de nadar en las aguas pobladas por medusas. El mejor remedio para aliviar el dolor producido por la acción urticante de los tentáculos de esta criatura marina es friccionar la parte afectada con vinagre. Diremos de paso que el vinagre también es eficaz para aliviar las picaduras de insectos.

Eritema producido por el calor (miliaria)

Me imagino que la mayor parte de los niños sufre de eritema producido por el calor.

Esta condición es muy común. También recibe el nombre de miliaria. Es la erupción de numerosas vesículas cutáneas pequeñas cuyo contenido puede ser claro o blanquecino purulento. Las lesiones, que producen picazón e incitan al paciente a rascarse, se localizan de preferencia en las regiones del cuerpo que transpiran con más profusión: cuello, axilas, pecho, espaldas, antebrazo e ingle. Se produce con más frecuencia durante el verano, cuando el calor es mayor.

+ *Tratamiento*

¿Existen medicamentos eficaces?

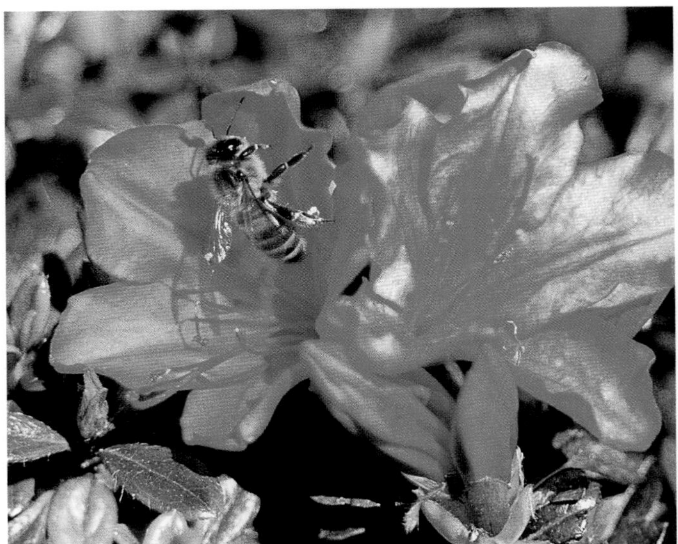

La picadura de una abeja puede producir en algunos niños una grave reacción alérgica. Conviene que esos niños eviten acercarse a esos insectos.

Muchos niños sufren las consecuencias de las "picaduras" de medusas —o aguas vivas, como se las suele llamar también— mientras se bañan en la playa.

Diré en primer lugar que hay que evitar cualquier situación que agrave esta afección, como ser el calor, la humedad, la ropa gruesa que hace transpirar y el jabón que irrita la piel. El niño afectado debe estar en un lugar fresco y seco, y si es posible con aire acondicionado. Hay que vestirlo con ropa liviana.

Existen numerosas cremas que alivian el prurito. Una pomada que produce buenos resultados es la siguiente: 1 parte de mentol, 2 partes de fenol, 15 partes de glicerina y 240 partes de alcohol al 35 por ciento. Pida al farmacéutico que le prepare un frasco con la cantidad necesaria para hacer frecuentes aplicaciones. Sacuda bien el contenido antes de aplicarlo. Es muy refrescante y calmante. Hay numerosos productos similares que se pueden comprar ya preparados.

Si no desaparece el eritema, hay que llevar al niño al médico para que lo examine y le recete el producto más adecuado a su caso.

Psoriasis

Consideremos ahora esa molesta afección crónica llamada psoriasis.

Afortunadamente esta enfermedad casi no se ve en niños de menos de 3 años de edad, y es poco común antes de los 10 años. La psoriasis es una enfermedad de la piel caracterizada por unas placas de color rojo vivo, bien delimitadas y cubiertas por unas escamas blancas, relucientes, secas, que se desprenden con facilidad. Las partes de adelante de los miembros se afectan con más facilidad, como también detrás de las rodillas y los codos. El tronco y el cuero cabelludo también pueden ser atacados.

La psoriasis es una enfermedad crónica que dura varios años, y a veces toda la vida.

✚ *Tratamiento*

Si dura toda la vida significa que no hay un tratamiento que la cure.

Eso es discutible en este momento. Se han probado diversas terapias, pero los resultados no son claros, porque esta enfermedad tiende a disminuir con o sin tratamiento. Si el paciente se lava todos los días con agua jabonosa y un cepillito, eliminará las escamas. También ayuda la exposición al sol y bañarse en el mar. Se utilizan ungüentos con alquitrán. El ácido salicílico se usa mucho. Los casos graves los trata el médico con corticosteroides.

¿Hay otros tratamientos?

El empleo de medicamentos de la familia de los psoralenos, tomados por boca y seguido por exposición al sol o a rayos ultravioletas, ha curado la enfermedad en algunos casos. También se ha usado las cápsulas de aceite de pescado como tratamiento eficaz.

Costra láctea, caspa, dermatitis seborreica

Consideremos ahora algunas afecciones de la piel que se relacionan con las glándulas sebáceas.

Las glándulas sebáceas, o productoras de sebo (grasa), se encuentran en el folículo piloso, cerca de la superficie de la piel. La grasa le da al pelo o cabello el lustre que tanto nos agrada; pero también se distribuye por la superficie de la piel para que sea impermeable al agua.

A veces las glándulas sebáceas producen exceso de grasa, la que se distribuye por la piel, especialmente en los lugares donde son muy numerosas, como en el caso del cuero cabelludo y la cara. Así se forma una capa de color amarillo oscuro. Puede afectar el cuero cabelludo y extenderse hacia abajo, por la frente, las cejas, las orejas y parte de la cara. Se la ha llamado costra láctea porque cubre la cabeza y otras partes del cuerpo con una costra de aspecto lechoso.

¿Es esto lo que causa las pequeñas partículas amarillentas que llamamos caspa?

Así es. El material grasoso en los niños mayorcitos se desmenuza y forma la caspa típica. Es una forma de dermatitis seborreica. La piel suele ponerse húmeda y grasosa, especialmente en el pliegue de los codos, las axilas y las ingles. A veces se producen espinillas cuando los conductos bloqueados hacen que las glándulas se llenen de materia.

✚ *Tratamiento*

¿Hay un tratamiento eficaz para esta enfermedad?

Sí, lo hay. Para curar la costra láctea se aplica por la noche, al cuero cabelludo, aceite de oliva o vaselina, y se frota suavemente. Al día siguiente se lava con agua tibia. El material se desprende con facilidad con la aplicación de un paño áspero. Repítase el tratamiento hasta que la enfermedad haya sanado. Si esto no surte efecto, pida al médico que le recete un medicamento adecuado.

Los niños más grandes con costra láctea pueden tratarse lavándoles la cabeza dos o tres veces por semana con champú sin jabón, como el *Head and Shoulders*, por ejemplo, que contiene un compuesto de zinc. Cuide que el champú no entre en los ojos del niño.

¿Qué medidas generales vale la pena adoptar?

Mantener una buena salud mejora la condición de la piel en general y dificulta la acción de los gérmenes infecciosos. Por eso se recomienda aire fresco, exposición al sol y ejercicios al aire libre. Además, se debe tener tres comidas nutritivas en el día, con bastante fruta y verduras frescas, preferiblemente crudas o bien cocidas, pero no en exceso. Es aconsejable reducir la cantidad de azúcar y harina blanca refinada ingerida cada día. Los chocolates, las golosinas, las galletas dulces y las bebidas carbonatadas con azúcar no son aconsejables.

Acné

El acné es una afección muy común entre los adolescentes, que afecta las glándulas sebáceas de la cara.

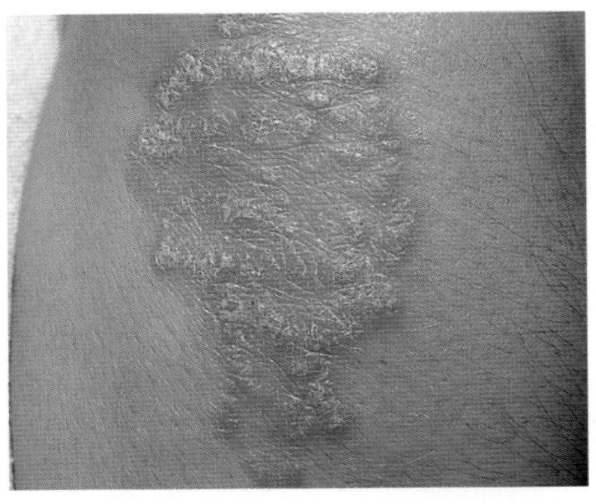

La psoriasis es una enfermedad de la piel que con frecuencia se presenta en los niños.

Así es. El acné es uno de los problemas que más preocupación causa a los adolescentes. Debido al desarrollo de las glándulas en los años de la adolescencia, las sebáceas producen una cantidad excesiva de grasa, lo que tapa los conductos que se abren en la superficie de la piel. Así se forma una espinilla. Cuando el extremo se oxida, la materia adquiere una coloración oscura y se tiene un comedón (barrito, barrillo, espinilla). Cuando varias espinillas se unen se forma un quiste o dureza debajo de la piel. A veces estos quistes se infectan y causan un absceso doloroso parecido a un forúnculo.

✚ *Tratamiento*

¿Cuál es el mejor tratamiento?

Para comenzar, hay que lavar con agua y jabón toda la parte afectada, que se puede extender desde la cara hasta los hombros, el pecho y la espalda. Luego se aplica sobre el rostro una loción o crema a base de azufre, o bien con ácido salicílico y alquitrán, o a

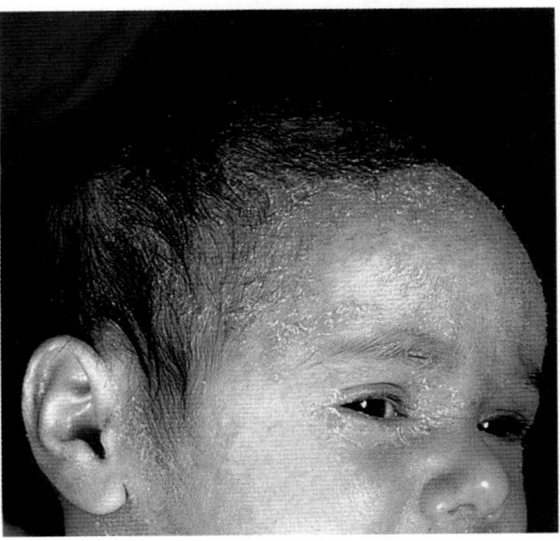

Una forma de dermatitis (enfermedad de la piel) —que en algunos lugares se suele conocer como "la calvicie de la cuna"— puede presentarse no sólo en el cuero cabelludo sino en el rostro también.

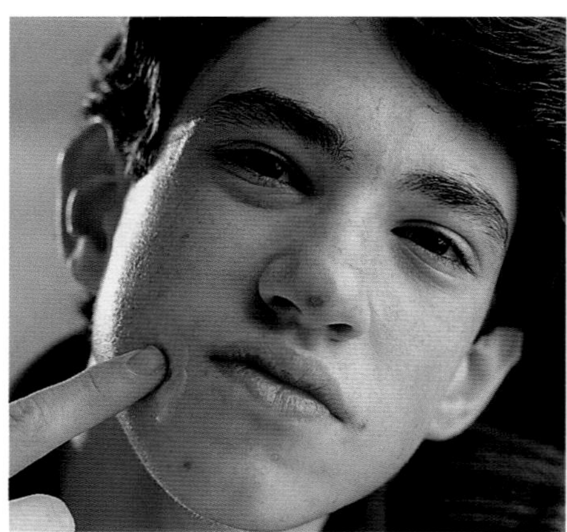

Si el acné persiste durante la adolescencia, es señal de que debe ser tratado por un especialista.

base de corticosteroides. El producto llamado Retin-A (con vitamina A) tiene fama de ser beneficioso para curar el acné. El médico puede recomendar los productos más adecuados, algunos de los cuales le proporcionan oxígeno a las células de la epidermis para acelerar la curación. El paciente debe evitar exponerse al sol, para que la cara no se le ponga roja.

¿Son beneficiosos los medicamentos administrados por vía oral?

Cuando un tratamiento sencillo no cura el acné, el adolescente debe consultar al médico, porque necesita medicamentos más específicos y eficaces. A veces el facultativo receta tetraciclina, antibiótico que reduce la formación de grasa, o amoxilina. Las cápsulas no deben tomarse con las comidas. El paciente debe tomar las cápsulas que el médico le recete entre las comidas. Este tratamiento suele ser largo. Una tableta de zinc tomada una vez al día es beneficiosa en los casos persistentes. No conviene tomar más de 15 a 30 miligramos diarios, porque el exceso deprime el sistema inmunológico del cuerpo. Los dermatólogos disponen de medicamentos adecuados para curar esta molesta enfermedad.

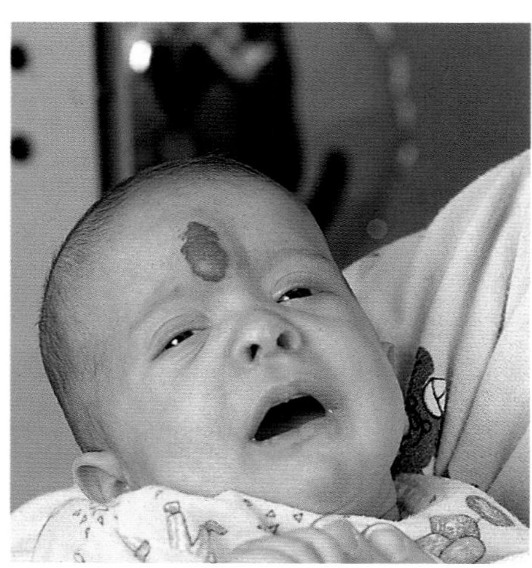

Un hemangioma es un tumor benigno compuesto por vasos sanguíneos dilatados. En este caso apareció en la frente del bebé.

¿Cree usted en el beneficio de la luz del sol en estos casos?

Creo en el beneficio de la luz solar y de una vida al aire libre con ejercicio suficiente. El adolescente afectado por el acné debe limitar el uso de alimentos preparados con harina blanca, grasa y azúcar. No son beneficiosos y pueden agravar la enfermedad. Además, no debe consumir chocolate en ninguna forma, porque es muy perjudicial para el acné.

En el caso de las adolescentes, las espinillas empeoran una semana antes del período menstrual. Eso se debe al elevado nivel de progesterona que hay en la sangre. Debo añadir que cuanto menos se piense en las espinillas tanto mejor es. Los problemas relacionados con ellas suelen estar más en la mente que en el rostro.

Marcas de nacimiento

¿Tienen alguna importancia las marcas de nacimiento?

Cualquier anormalidad que haya en un bebé es importante para los padres, porque desean que sea tan perfecto como resulte posible.

Hay dos clases de marcas de nacimiento. La primera es el llamado hemangioma. Por lo común no es evidente en el momento del nacimiento, pero se presenta al cabo de algunas semanas o meses. Lo produce la proliferación de los vasos sanguíneos. Crecen con rapidez y forman una mancha de color rojo que sobresale en la piel. Algunos pueden alcanzar un tamaño considerable. Ciertos padres temen que si el hemangioma llega a reventar accidentalmente, se producirá una hemorragia incontenible. No hay nada de eso. En este caso basta ejercer presión sobre el lugar con un paño limpio doblado para contener la hemorragia, y luego asegurarlo con una venda. Por cierto que si esta medida no produce buen resultado el bebé debe ser llevado al médico o al servicio de emergencia de un hospital.

✚ *Tratamiento*

¿Existe algún tratamiento adecuado para esta afección?

Aunque parezca extraño, el mejor tratamiento es no hacer nada. La mayor parte de los hemangiomas desaparecen espontáneamente. Su manipulación puede dejar cicatrices permanentes.

Manchas color café con leche

¿Cuál es la otra clase de marca de nacimiento?

Estas marcas, que están presentes desde el nacimiento, se denominan manchas "café con leche" debido a su color. Suelen tener forma irregular y presentarse en la cara, el cuero cabelludo o en la parte superior del tronco. Las marcas de menor tamaño se reducen a medida que la criatura crece.

✚ *Tratamiento*

¿Existe algún tratamiento adecuado para eliminar estas manchas?

Se han empleado diversos tratamientos. El que ha tenido más éxito ha sido la remoción de la mancha por medio de rayos láser. El cirujano va eliminando minúsculas porciones de pigmento de las capas superficiales, hasta limpiar la mancha. También hay diversas cremas para enmascarar o disimular la mancha, pero eso no resuelve el problema. Lo mejor es poner al niño bajo el cuidado de un dermatólogo (especialista en piel), para que él resuelva el problema de forma definitiva con las técnicas modernas que tiene a su disposición.

Lunares

¿Qué son los lunares?

Los lunares son anomalías congénitas de la piel que aparecen desde el nacimiento o después. Casi todos son de color marrón (café) y sobresalen en la piel. Algunos son suaves y planos, con pelos. Otros parecen verrugas.

✚ *Tratamiento*

¿Es necesario extirpar los lunares?

Mi opinión personal es que se los debería dejar tranquilos sin tratamiento alguno. No los raspe con la uña, no los pinche con agujas ni con otros objetos. Si el lunar se convierte en una molestia para el niño, o si este se avergüenza de tenerlo, el cirujano puede extirparlo; o bien se lo puede cubrir con algún cosmético para disimularlo.

¿Pueden algunos lunares llegar a ser peligrosos?

Sí, pueden. Y en esto se diferencian de otras marcas de nacimiento. Un lunar ocasionalmente cambia de color y adquiere un tono más oscuro: azul violáceo o negro; entonces se pone peligroso y requiere la atención inmediata del dermatólogo. Un lunar de color oscuro puede convertirse en un cáncer peligroso y fatal, que crece con rapidez y se propaga pronto. Su exposición al sol los agrava. Esta clase de cáncer recibe el nombre de melanoma.

A continuación mencionaremos los síntomas que los padres deben observar, que les indican la transformación de un lunar en un cáncer maligno. Un lunar de color oscuro puede aumentar de tamaño repentinamente. Un anillo de color puede aparecer en la base, o bien la pigmentación del lunar puede ser despareja. Los pelos de su superficie se pueden desprender. También puede ulcerarse y sangrar, lo que constituye un síntoma muy grave. La presencia de cualesquiera de estos síntomas requiere que se consulte al dermatólogo.

Este lunar pigmentado se puede convertir en un melanoma (tumor) maligno.

Pecas

Las pecas son muy comunes en los niños,

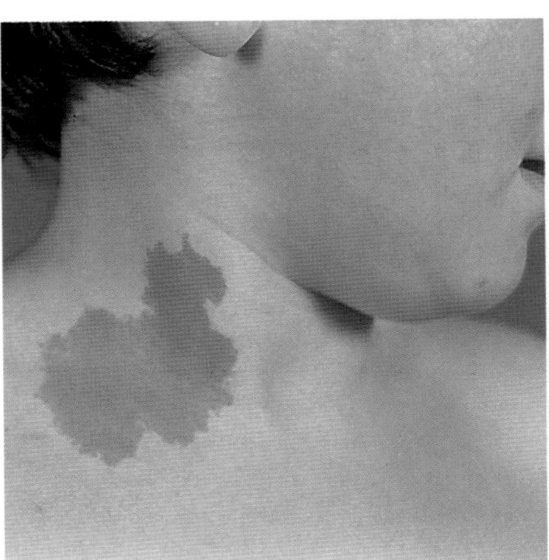

Por causa de su color, esta mancha de nacimiento recibe el nombre de "café con leche".

¿qué las causa?

Las pecas son el resultado de una pigmentación irregular de la piel. Una sustancia llamada melanina se distribuye uniformemente por la piel, y al reaccionar ante la luz del sol produce un bronceado natural protector. Pero a veces, después de la exposición al sol, el bronceado se torna irregular en vez de ser parejo, y aparecen manchitas de color marrón (café): las pecas en la piel. Son más frecuentes en la gente blanca, rubia, pelirroja o de cabello claro.

✚ *Tratamiento*

¿Existe algún medicamento para impedir que aparezcan las pecas o bien para curarlas?

Conviene recordar que la exposición a la luz solar es lo que agrava las pecas. Protegerse cuando se está al aire libre en verano es una buena precaución. El empleo de cremas protectoras contra los rayos ultravioleta es una buena medida. Hay numerosos productos bloqueadores de estos rayos. Las personas de piel blanca deben usar uno que sea de Factor 15 a 20. Los niños con pecas no deben exponerse a la luz del sol durante mucho tiempo.

Si el niño o el adulto con pecas se siente incómodo, puede usar algún producto para enmascararlas. Actualmente se las elimina mediante rayos láser.

Quemaduras de sol

Las quemaduras de sol son muy frecuentes entre los niños durante el verano, y también muy dolorosas, ¿no es así?

Estoy de acuerdo. A mí mismo me ha sucedido muchas veces. Los padres deben recordar que sus hijos tienen la piel muy tierna, por lo que los rayos solares la queman con facilidad. Las quemaduras ocurren de preferencia entre las 10 de la mañana y las 3 de la tarde. Si se repiten, pueden dañar la piel en forma permanente. El efecto es acumulativo y dura toda la vida. Es una de las causas bien conocidas de cáncer de piel.

También puede predisponer al envejecimiento prematuro de la piel, lo que le da un aspecto arrugado y viejo. Aunque esto no es importante para una niña de 5 años, tendrá enorme importancia cuando esa niña sea una mujer de 35 años y su piel cause la impresión de que tiene 65.

¿No rebotan los rayos solares en los espacios abiertos y causan en la piel daños similares a los que provoca la acción directa de la luz solar?

Así es. Los rayos rebotan en la arena, en el agua del mar o de un lago, en las masas de nubes, y en el pavimento de las calles y los caminos. De modo que es posible quemarse aunque uno se encuentre bajo un gran quitasol. El viento y el agua intensifican los efectos de la luz solar. Un niño vestido con una camiseta empapada en agua de mar puede recibir quemaduras de sol. Recordemos que la piel no está protegida sólo porque esté cubierta.

¿Cree usted que es mejor broncearse un poco antes de que se inicien las actividades del verano?

En la actualidad se recomienda no exponerse a la luz solar para broncearse, o hacerlo de forma mínima. Puesto que muchos ignoran este consejo, es mejor exponerse con cuidado antes que recibir quemaduras de sol. La exposición gradual puede comenzar algunas semanas antes del verano. Exponga el cuerpo, por delante y por detrás, por un máximo de 5 a 10 minutos por lado el primer día. Aumente este tiempo uno o dos minutos los días subsiguientes. De este modo la melanina se pondrá de color marrón (café) y se convertirá en el recurso protector de la naturaleza. Así se reduce mucho el riesgo de perjudicar la piel de modo permanente.

¿Son eficaces las lociones bloqueadoras de rayos ultravioletas?

Por cierto lo son, porque bloquean los rayos ultravioletas que causan quemaduras, pero haga una aplicación abundante y repítala después de haberse bañado durante mucho tiempo. Recuerde que la piel del bebé y las criaturas de pocos años es extremadamente delicada, por lo que se quema rápidamente. Use una loción bloqueadora que sea de Factor 15 o más para evitar que la piel se dañe de manera irreparable.

✚ *Tratamiento*

¿Qué se puede hacer con el niño cuando tiene quemaduras de sol?

La quemadura se siente más en la primera noche y al día siguiente. Aplique durante 15 minutos cada una, varias compresas frías una vez cada hora o cada 2 horas, según la gravedad y extensión de la quemadura. Puede hacerlo con una toalla delgada empapada en agua con hielo y estrujada levemente; debe cubrir todas las partes quemadas por el sol. Eso producirá alivio.

¿Qué se puede hacer con las ampollas? ¿Se pueden reventar para que salga el líquido?

Es mejor dejarlas intactas, porque contienen suero de la sangre, que tiene propiedades protectoras. Si se las abre pueden penetrar gérmenes infecciosos que agravarán la situación. Algunas ampollas se rompen espontáneamente; otra se reabsorben y desaparecen.

¿Conviene beber líquidos?

Las personas con quemaduras de sol deben beber mucha agua y jugos frescos. El jugo de fruta con glucosa elimina las toxinas producidas por la quemadura. La glucosa es alimento y el jugo de fruta contiene vitaminas protectoras que aceleran la curación. Cuando el dolor es intenso se puede dar paracetamol en jarabe a los niños de menos de 5 años. Los niños de más de 5 años pueden tomar paracetamol en tabletas o aspirina. Compruebe la dosis correcta.

¿Conviene darse un baño caliente en caso de quemadura leve?

Una ducha (regadera) caliente durante unos 15 minutos produce un notable alivio. Debe tomarse la primera noche. Algunos consideran que un baño caliente alternado con otro frío es mejor aún y acelera la curación.

¿Conviene usar cremas o lociones?

No conviene y no es necesario. Podría agravar la condición.

Conclusión

Con esto hemos llegado al final del capítulo de las afecciones de la piel. Ha sido interesante y orientador.

Esperamos no haber alarmado innecesariamente al lector, pero nos pareció que es indispensable que tenga una idea de lo que puede ocurrir en la piel de sus hijos y que sepa lo que se debe hacer para evitar complicaciones. Los temas analizados corresponden a lo que sucede con más frecuencia en los bebés y los niños. No hemos tratado las dermatitis (enfermedades de la piel) de los adultos porque no corresponde en esta sección.

La piel de los niños es sumamente delicada, y se quema con gran facilidad.

Los baños de sol se deben tomar con mucho cuidado, para evitar que haya demasiada exposición, productora de quemaduras que pueden causar daños permanentes a la piel.

capítulo 34

Las emociones y su extraño comportamiento

EN ESTE CAPÍTULO

- Qué son las emociones, síntomas de enfermedades psicosomáticas, comportamiento agresivo, autismo.
- Enuresis, control del esfínter anal, retención de la respiración, ingestión de tierra, golpes con la cabeza, hiperactividad.
- Celos, dificultades de aprendizaje (y dislexia), masturbación, onicofagia (comerse las uñas), regurgitación.
- Miedo a la escuela, timidez y temor, problemas del sueño (pesadillas, terrores nocturnos y sonambulismo [andar dormido].
- Defectos del habla, rabietas, succión del pulgar, tics nerviosos, ausencias injustificadas a la escuela.

El tema de este capítulo es interesante y necesario. Se refiere a los problemas emocionales que se presentan en los niños y los efectos que pueden tener.

La manera de pensar en un momento dado afecta la conducta de todo ser humano. Las emociones pueden producir síntomas definidos.

Los investigadores han descubierto que hasta un 5% de los síntomas graves del niño carecen de base orgánica. Esto significa que los síntomas son reales, pero en lugar de que se trate de un órgano enfermo, son consecuencia de emociones y reacciones psicológicas que ejercen fuertes presiones sobre la mente del niño.

Muchos padres y madres ignoran el tremendo poder de la mente, y la enorme influencia que ejerce sobre la forma como sentimos y nos comportamos.

Por supuesto que si Raulito siente repentinamente un agudo dolor en el bajo vientre, comienza a vomitar y afirma que el dolor se traslada hacia la parte inferior del lado derecho, los padres pueden pensar que se trata de apendicitis y probablemente tengan razón.

El médico lo examinará, hará el diagnóstico, lo internará en el hospital y allí le extirparán el apéndice enfermo. Se trata de una enfermedad orgánica auténtica. Produjo síntomas. Se la diagnosticó correctamente. Se extirpó el órgano irritado. Raulito, al cabo de unos días se encontrará lleno de energía y salud.

Puede haber otros casos que comenzaron de forma parecida pero con causas diferentes.

Así es. Mientras Carlitos jugaba con sus amigos en la escuela, discutió con alguien por un asunto sin importancia. Poco después sintió un dolor en el vientre. Vomitó, se sintió cansado y pidió que lo llevaran de vuelta a su casa. Pero al día siguiente volvió a la escuela feliz y contento, sin siquiera acordarse del problema del día anterior.

En este caso Carlitos no tenía apendicitis, y todos sus órganos funcionaban bien. Sólo tuvo un momento de tensión emocional que no supo manejar. Eso produjo molestia y dolor, con vómitos y cansancio. Fue una afección psicosomática (causada por la mente), con síntomas reales pero sin que ningún órgano estuviera enfermo.

La mente afecta al cuerpo

El cerebro es un órgano complejo y misterioso, ¿verdad?

Así es, indudablemente. Se lo ha comparado con una computadora. Los ingenieros han creado las asombrosas computadoras de acuerdo con los principios sobre los cuales se basa el funcionamiento del cerebro.

Este recibe constantemente un flujo de información que archiva para toda la vida.

Esta información ingresa en la mente mediante los sentidos: la vista, el oído, el olfato, el gusto y el tacto. Una vez que se archiva esta información en la memoria, la mayor parte se olvida, pero la impresión queda. Los acontecimientos más importantes harán una impresión mayor y tenderán a permanecer en nuestra mente consciente por más tiempo.

¿Qué sucede con esta enorme cantidad de información?

Afecta gradualmente nuestra conciencia y la forma como reaccionamos frente a situaciones y acontecimientos. Pero también puede afectar subconscientemente nuestras sensaciones.

Por eso, la situación negativa por la que pasó Carlitos produjo el resultado que ya vimos. Cuando las impresiones que le produjo su altercado, y que lo dejaron deprimido, ingresaron en la computadora de su cerebro, se mezclaron con una cantidad de acontecimientos del pasado. No supo manejar la situación, lo que generó tensión emocional e impulsos negativos que repercutieron sobre sus órganos abdominales y produjeron síntomas alarmantes que hicieron suponer la existencia de una enfermedad.

Pero en cuanto Carlitos superó la crisis, los impulsos negativos dejaron de fluir, con lo que desaparecieron los síntomas. ¡Se sanó de repente!

El cerebro es capaz de manejar sin dificultad una cantidad enorme de impulsos o mensajes procedentes del exterior y del interior del organismo. Pero a veces se sobrecarga. El ingreso de datos supera su capacidad de procesarlos. Como resultado de ello, de pronto surgen síntomas adversos como reacción a mensajes equivocados, aunque los órganos estén perfectamente bien. Estos síntomas psicosomáticos —pues así se llaman— empeoran si no se pone remedio a la situación.

Pero cuando esto pasa, el cerebro se recupera y vuelve a funcionar normalmente, y sigue enviando los impulsos nerviosos al lugar debido. Los síntomas desaparecen y se restablece la paz.

Eso es lo que sucede. Las tensiones emocionales y el estrés desempeñan un papel importante. En la vida moderna, con sus tensiones, presiones, exigencias físicas y mentales que suelen ser exageradas, no cuesta mucho que se recargue el cerebro y produzca síntomas sin causa orgánica. Por eso hay tanta gente, niños y adultos, que sufre de síntomas que sólo tienen origen nervioso o emocional. Muchos de los problemas que analizaremos en este capítulo tienen esta base. No los pase por alto, porque son graves, tal como los síntomas que produce un órgano enfermo y necesitan atención.

Siempre existen causas. Cuando se las encuentra y se las corrige, la afección psicosomática se cura. Siempre es necesario estar al tanto de las circunstancias que producen estas enfermedades, en las que los padres suelen estar comprometidos emocionalmente también. Resulta difícil verse a uno mismo formando parte del problema del hijo. Es muy fácil culpar a los niños cuando las cosas salen mal. Pero con frecuencia los padres u otros adultos incomprensivos, criticones y exigentes los inducen a portarse mal con su trato injusto, y crean en ellos tensiones emocionales que no pueden manejar. De modo que la culpa no es sólo de los niños.

En otros casos, sucesos desagradables ocurridos antes pueden influir sobre las reacciones que controla el subconsciente del niño. Los padres deben considerar seriamente las enfermedades psicosomáticas de sus hijos, y deben tratar de encontrar la causa para corregir lo que se está haciendo mal y así detener la influencia emocional en el comportamiento del niño. Si es necesario deben consultar con un psicólogo o consejero para comprender mejor la situación y saber cómo manejarla.

La felicidad en el hogar es un factor muy importante para la estabilidad emocional y la paz mental de los hijos. La mejor manera de conseguirla es poner en práctica la conocida pero poco practicada regla de oro. Su autor es Jesucristo, quien la recomendó como fundamento de la relación con el prójimo. "Trata a los demás como te gustaría que ellos te trataran a ti". Esto incluye a sus propios hijos... y a todos. Sigue siendo una recomendación útil.

Probablemente, el 5 % de los síntomas que se manifiestan en los niños no tienen base orgánica alguna.

Síntomas de enfermedades psicosomáticas

¿Cuáles son los síntomas que revelan la

El encomio es siempre mucho mejor que la reprimenda, y si al niño se lo reprende continuamente no se le ayuda en absoluto a mejorar su autoestima.

existencia de una enfermedad psicosomática en el niño?

Es difícil decirlo porque los trastornos psicosomáticos producen síntomas parecidos a los de cualquier enfermedad. Presentaremos algunos de los más comunes, desde un punto de vista general. Puede haber dolores en cualquier parte del cuerpo, especialmente en los miembros y el abdomen. Hay síntomas relacionados con el aparato digestivo, como náuseas, vómitos, diarrea, falta de apetito o rechazo de la comida. Los trastornos del sueño y el descanso también son comunes; puede haber dificultad para dormir, pesadillas y cansancio excesivo. También suele haber pérdida del conocimiento, retención de la respiración, respiración rápida (y mareos), rubor, tartamudeo, enuresis (mojar la cama) y defecación involuntaria. El niño puede ser muy tímido, estar resentido, malhumorado, faltar sin motivos a la escuela, ser celoso, rencoroso y de mal genio.

Comportamiento agresivo

¿Puede un bebé tener accesos de rabia?

Es posible, pero no es muy evidente, y los padres tienden a no darle importancia. Pero el organismo, desde el nacimiento mismo, comienza a reaccionar ante los estímulos externos. Si estos son siempre irritantes o exasperantes se produce una reacción definidamente agresiva. Esto es más evidente a medida que el bebé crece y comienza a desarrollar pautas de comportamiento y reacción. Pronto reconoce lo que es normal, justo y razonable, lo que le hace bien. Si en el trato que recibe hay un elemento persistentemente hostil y desagradable sus reacciones emocionales serán negativas. Se volverá resentido, y más adelante agresivo.

¿Podría decirse que el niño tiene la culpa de este comportamiento negativo?

Es más fácil echarle la culpa a los demás. Pero debemos recordar que todos somos seres humanos, con mente y sentimientos. Todos reaccionamos de una manera u otra a las diversas circunstancias. Las persistentes reconvenciones y reprimendas de parte de los padres inevitablemente producirán una reacción negativa en sus hijos. Muchos niños agresivos son el producto de la conducta de sus propios padres. Durante años he dicho que no hay hijos delincuentes sino padres delincuentes. Si analizamos esta declaración, descubriremos que es válida. Las restricciones injustas, exageradas o indebidas, que ejercen presión sobre los hijos, casi siempre producen comportamientos negativos.

¿Manifiestan los niños y las niñas de la misma forma su descontento por el trato que les dan sus padres?

No hay mucha diferencia. Sólo que la rebeldía se manifiesta de manera diferente. Algunos niños y algunas niñas son muy pasivos y aceptan sin chistar todas las imposiciones de los padres, sean razonables o no. En cambio, otros son más independientes y se defienden. Lo que suele ser peor que la actitud abusiva y exigente de los padres es alternarla con una actitud demasiado permisiva. Esto deja al niño confuso y desorientado. Los padres deben tratar a sus hijos siempre de la misma manera: justa, consecuente y estable, para que el comportamiento de sus hijos sea razonable, mesurado y positivo.

+ *Tratamiento*

¿Cuál es la mejor forma de manejar estas situaciones?

La reacción agresiva del niño puede modificarse. Déle la oportunidad de expresar sus sentimientos, emociones y tensiones reprimidos. Permítale que exprese su malestar emocional con gritos y lágrimas, sin reconvenirlo.

¿Se pueden canalizar la energía y las emociones del niño hacia actividades productivas?

Es una buena idea. Anime a su hijo o hija a que practique un pasatiempo favorito, especialmente si consume su tiempo y energía. Eso lo mantendrá ocupado en algo productivo. La sensación de satisfacción que experimentará al final será beneficiosa para su amor propio. Elogie lo que ha hecho. Participe con él cuando sea posible, porque así afianzará su relación con él. Vale la pena aprovechar toda oportunidad posible para afirmar los vínculos afectivos con los hijos. Producirá resultados positivos tanto ahora como en el futuro.

Autismo

El autismo es más que un problema emocional, ¿no es cierto?

Así es, pero lo incluimos en esta sección por conveniencia. El autismo es un extraño problema de la niñez. El chico no logra establecer relaciones normales ni con sus padres ni con otros adultos, y se encierra en su propio mundo. El niño autista se desconecta de la realidad y se introduce en un universo aislado y personal, hermético, que resulta impenetrable para los demás. También puede tener dificultad para hablar. Tampoco se apega al cuerpo de la madre cuando ésta lo abraza, sino que se aleja de ella.

Se considera que la mitad de los niños autistas padecen de daño cerebral, y que más de la mitad son retardados mentales. Cuando crecen su imaginación se reduce, de modo que repiten las mismas frases una y otra vez, usando las mismas palabras.

+ *Tratamiento*

¿Existe algún tratamiento para rehabilitar a estos niños?

No existe un tratamiento médico para curar el autismo, pero una educación adecuada puede ser muy eficaz, y lograr que afloren las habilidades que estos niños poseen. Por cierto que el futuro de ellos, como el de cualquier otro niño, depende de su habilidad para comunicarse con los demás, para hablar y desarrollar una conciencia social, y para adquirir y cultivar habilidades

El autismo se manifiesta en alrededor de tres a cuatro niños cada 10.000, con menos de cinco años de edad, y generalmente son varones.

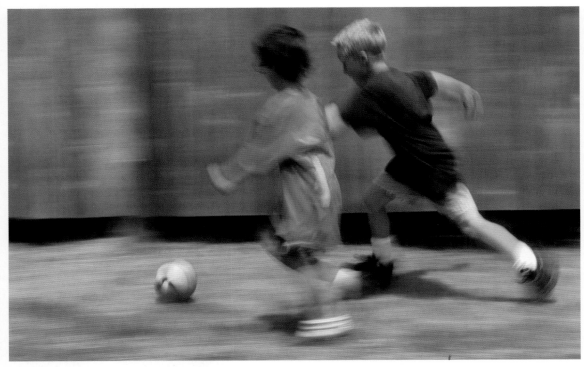

Los niños necesitan con frecuencia la oportunidad de ventilar de forma inofensiva sus sentimientos y sus tensiones.

técnicas. Algunos niños autistas se convierten en adultos razonablemente adaptados; muchos llegan a ser excéntricos; otros se hacen músicos destacados o logran desarrollar otros talentos. En muchos lugares existen asociaciones para el tratamiento de los niños autistas, que ofrecen ayuda y orientación a los padres.

Enuresis (mojar la cama)

¿Qué piensa usted de la enuresis, es decir, la tendencia a mojar la cama de noche, sin poder evitarlo?

Es muy común en los niños. A veces tiene una base emocional. Por ejemplo, un niño que ya no se mojaba en la cama de pronto vuelve a hacerlo debido a la carga emocional impuesta por diversas situaciones: lo cambiaron de escuela, perdió a un amigo íntimo que se mudó de casa, se le murió un pariente cercano o tuvo un accidente.

i

A los cinco años, entre el 10 y el 15 % de los niños mojan la cama.

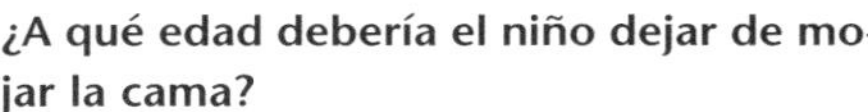

¿A qué edad debería el niño dejar de mojar la cama?

Según los expertos en datos estadísticos médicos, a la edad de 5 años entre el 10 y el 15 % de los niños todavía se moja en la cama; a los 10 sólo el 5 %; a los 15, sólo el 1 %.

Resulta interesante notar que la mayor parte de los niños de 5 años que todavía mojan la cama, lo han hecho desde el nacimiento. Los de 6 y más años son reincidentes, es decir, después de haber aprendido a controlarse vuelven a mojarse por la noche. En casi todos los casos de reincidencia han intervenido factores emocionales. La mayor parte de los niños de 3 años (cuando pueden andar y hablar razonablemente bien) han aprendido a controlar la micción (orina). A la edad de 3 años y medio, el 70 % ha adquirido esta habilidad.

+ *Tratamiento*

¿Cuál es el mejor tratamiento para estos niños?

En primer lugar, el médico de la familia debe examinarlos para establecer si hay alguna causa física de la enuresis, que puede ser infección del tracto urinario, anormalidades estructurales de los órganos o diabetes. Si no existen causas físicas, hay que dirigir la atención a reducir las tensiones emocionales en la familia y en el trato con el niño enurético. Hay que revisar el programa de actividades del niño, sus amigos, las situaciones habituales, las tensiones, presiones y ansiedades. ¿Cómo se lleva con los demás? A veces resulta fácil descubrir los problemas que lo afectan, y corregirlos.

He quedado muy impresionado con los resultados de la terapia de relajación en es-

Los padres no deben castigar a los niños que mojan la cama, ni permitir que se sientan culpables por eso.

tos niños, impartida por personas especializadas. Esta técnica ha sido efectiva en el 70 % de los casos.

¿Existe algún otro medio para que el niño aprenda a no mojarse en la cama?

El sistema de alarma para enuresis se considera el mejor, el más rápido y de más éxito. Se puede elegir entre varios productos comerciales. El médico de la familia puede recomendar el mejor y enseñar a usarlo. El niño aprende a no mojar la cama en unas dos semanas. Hay algunas medicinas antidepresivas que se dan por vía oral, pero no son muy eficaces, porque el niño vuelve a mojarse cuando se interrumpe el tratamiento.

¿Es eficaz el método llamado "entrenamiento por intervalos"?

Sí, es un método que suele tener éxito. Se despierta al niño cada hora durante la noche para que orine. Después se lo despierta cada hora y media o dos horas. Luego a intervalos de tres, cuatro, cinco y seis horas. Es un buen método y vale la pena probarlo. Pero debe hacerse con una actitud positiva: se debe encomiar al niño enurético y felicitarlo por sus progresos, pero no se lo debe reprochar por sus fracasos. Finalmente alcanzará la victoria.

Control del esfínter anal

¿A qué edad debe el niño ser capaz de controlar la defecación?

Este control se logra antes que el de la orina. En la mayor parte de los casos se consigue alrededor de los 2 años. Algunos lo consiguen entre los 12 y los 24 meses.

+ *Tratamiento*

¿Le parece que se debe recomendar a los padres que no presten tanta atención a los hábitos de sus hijos con respecto a la defecación?

Creo que muchos padres se preocupan demasiado por la defecación de sus hijos. A medida que la criatura se va interesando en otros aspectos del diario vivir, va disminuyendo su interés en la materia fecal. La misma naturaleza creada por Dios se encarga de que madure la función de la defecación, y a su debido tiempo el niño alcanza un control satisfactorio.

Retención de la respiración

¿Qué puede decirnos de los niños que retienen la respiración?

Lo suelen hacer para llamar la atención de los padres, que se afligen al ver que la criatura se pone morada por falta de aire, y entonces hacen lo que el niño quiere. Es decir, ese comportamiento le produce buenos resultados, de modo que lo repite todas las veces que quiere conseguir algo.

Muchos de estos casos tienen raíces emocionales. El niño puede estar asustado, estresado, tenso y abrumado por diferentes motivos. De modo que resuelve la situación aguantando la respiración. Se ponen azules por la falta de oxígeno, y a veces entran en convulsiones. Algunos pierden el conocimiento. Estos síntomas no son peligrosos.

+ *Tratamiento*

¿Cuál es el mejor tratamiento para estos casos?

El mantenimiento del equilibrio mental y nervioso en el hogar evitará los estallidos emocionales en los hijos. Cuando los niños tienen padres comprensivos y pacientes, no surge en ellos la molestia y la agresividad que los llevan a enfrentamientos emocionales.

¿Qué debe hacer la madre cuando el niño retiene la respiración?

Algunos médicos sugieren que no haga nada. Si pierde el conocimiento, déjelo tranquilo hasta que lo recupere. Otros recomiendan cubrirle la cara con un paño frío, lo que lo reanima rápidamente.

El hábito de comer tierra (Pica)

¿Comen tierra realmente algunos niños?

La afección llamada pica es la ingestión indiscriminada de sustancias no nutritivas o perjudiciales, como hierba, tierra, guijarros, tiza, papel, etc. Suele ser bastante común en la primera infancia. También los adultos suelen padecer de este mal, especialmente si son psicóticos. Una mujer masticaba 9 kilos de hielo por día. Arruinó sus dientes y además varias dentaduras postizas. Otra se comía dos páginas del diario cada día. Finalmente tuvo una obstrucción intestinal que casi la mató.

+ *Tratamiento*

¿Existe algún remedio adecuado para es-

Algunos niños, cuando llegan al final de su primer año de vida, suelen hacer una cantidad de movimientos raros antes de dormir.

te mal?

El remedio es muy sencillo, pero requiere un examen médico previo. A veces existe un problema subyacente o un desorden psicótico. Pero estas personas responden bien al tratamiento que consiste en añadir hierro a la alimentación. Muchos de estos pacientes son anémicos, de modo que cuando se remedia esta condición desaparecen los síntomas. Un remedio sencillo para un desorden extraño.

Golpes con la cabeza, balanceo de la cabeza, balanceo del cuerpo

¿Qué son estos comportamientos infantiles?

Muchos niños adquieren estos hábitos hacia el final del primer año de vida. Suelen ser más pronunciados poco antes de quedarse dormidos. Algunos dicen que es consecuencia del aburrimiento, similar al tamborileo con los dedos de los adultos o a los golpecitos con el pie. Puede ser una liberación de tensión nerviosa. A veces el niño usa uno de estos hábitos como medio para inducir el sueño. El movimiento rítmico tiene efecto sedante en las criaturas y las hace dormir. Algunas de ellas sacuden su cuna con bastante violencia, lo que alarma a los padres. Pero estos movimientos son inofensivos.

+ *Tratamiento*

¿Hay algo que se pueda hacer para corregir este hábito?

Conviene que el médico examine al niño. Los padres se alegrarán de saber que su hijo es normal; eso les quitará un peso de encima y les permitirá relacionarse mejor con él, lo que ejercerá un efecto favorable sobre el niño.

Es importante tomar las medidas necesarias para que la criatura no se lesione la cabeza al golpearla contra los barrotes de la cuna o la cama. Esto se consigue forrando con un material acolchado o de espuma de goma los cuatro costados del interior de la cuna. Ocasionalmente puede ser necesario darle un sedante antihistamínico. Pero con el tiempo el niño abandonará este extraño comportamiento.

Niños hiperactivos

¿Existe realmente la hiperactividad?

Sí, existe. Pero no todos los médicos están de acuerdo al respecto. Algunos piensan que es sólo producto de la imaginación de los padres, y que los niños muy activos son así porque tienen mucha energía. No estoy de acuerdo con ellos.

¿Qué es la hiperactividad?

Algunos dicen que es un trastorno del aprendizaje o disfunción cerebral mínima.

La hiperactividad es un síndrome, es decir, un conjunto de síntomas que se manifiestan juntos. Los síntomas incluyen movimientos excesivos, atención reducida, impulsividad y facilidad para distraerse. Esto es lo que caracteriza al niño hiperactivo e induce a sus padres para que lo lleven al consultorio. Muchos creen que la falta de atención o la incapacidad para concentrarse tal vez sea el aspecto más importante de este desorden.

¿Cuál es la causa de la hiperactividad?

Todavía no se ha definido. Algunos sostienen que es un desorden con base genética. Otros piensan que es psicogénico, es decir, originado por la mente del niño que la padece. Puede ser causada por una relación afectiva deficiente entre padre e hijo temprano en la vida, o bien por una separación prematura. Otros insisten en que se ha producido un daño mínimo en el cerebro del niño hiperactivo. Los que sostienen esta posición señalan el hecho de que alrededor del 50 % de los niños hiperactivos tienen electroencefalogramas anormales.

+ *Tratamiento*

¿Cuál es el tratamiento y cuán eficaz es?

Este es un tema que no está totalmente resuelto. Mi parecer es que cualquier niño con diagnóstico de hiperactividad debe ser puesto bajo el cuidado de un especialista.

¿Qué puede decir de la dieta de Feingold?

Se basa en los conceptos del Dr. Ben Feingold, quien sostiene que ciertos componentes de los alimentos, como aditivos, colores y sabores artificiales, puede causar hiperactividad. Cuando se eliminan esos aditivos de los alimentos, el niño, según él, debe llegar a comportarse normalmente.

Muchos padres han adoptado este régimen para sus hijos hiperactivos, con resultados muy satisfactorios. Además, con un poco de experimentación han descubierto cuáles son los alimentos, aditivos o medicamentos que no le sientan bien al niño; al eliminarlos del régimen, mejora el comportamiento del chico.

¿Hay medicamentos que pueden ayudar a controlar la hiperactividad?

Algunos médicos prescriben un medicamento llamado Ritalin, que normaliza el comportamiento de los niños hiperactivos. Muchos padres dan testimonio de que ha cambiado totalmente la actitud del niño; lo calma y lo vuelve controlable. Este y otros medicamentos deben administrarse bajo estricta supervisión médica.

El empleo de medicamentos debe ir acompañado de un trato afectivo adecuado, como dijimos anteriormente. El médico puede decir lo que se debe hacer. Pero es necesario que el facultativo que trate al niño esté familiarizado con este desorden y conozca los tratamientos más eficaces. Como dijimos antes, muchos médicos todavía no creen que existe la hiperactividad. Pero los padres de hijos hiperactivos saben muy bien que es un desorden muy real con el que tienen que tratar todos los días.

i

La hiperactividad afecta a entre el 4 y el 10 % de los niños que asisten a la escuela primaria, y se presenta con mucha más frecuencia en los varones que en las niñas.

Celos

Los celos pueden convertirse en un problema cuando el primogénito queda desplazado por la llegada de un hermanito.

Así es. Es un acontecimiento negativo para el primer hijo y puede generar mucho celo en la mente del niño desplazado. Los celos, por supuesto, incluyen inseguridad, combinada con el deseo de dominar. En cualquier familia existen numerosas situaciones que producen infelicidad. Si los padres celebran en grande la llegada de un segundo bebé, eso puede estimular los celos del primero. Pueden ser agravados si los padres se pelean y la familia vive en un clima de tensión emocional. Eso no contribuye a calmar los nervios o a tranquilizar una mente que ya se encuentra angustiada y resentida.

¿Puede esto estimular la violencia del niño celoso?

Claro que sí. El niño puede maltratar y hasta herir al bebé. Puede volver a mojarse en la cama, succionarse el pulgar o tener cualquier otro comportamiento extraño para llamar la atención de sus padres. También puede desarrollar actitudes agresivas o antisociales.

+ *Tratamiento*

¿Hay algún tratamiento adecuado?

Cuando la madre está embarazada, es

Las dificultades de aprendizaje se manifiestan pronto en la vida, pero las actividades llevadas a cabo en grupos estimulan el desarrollo.

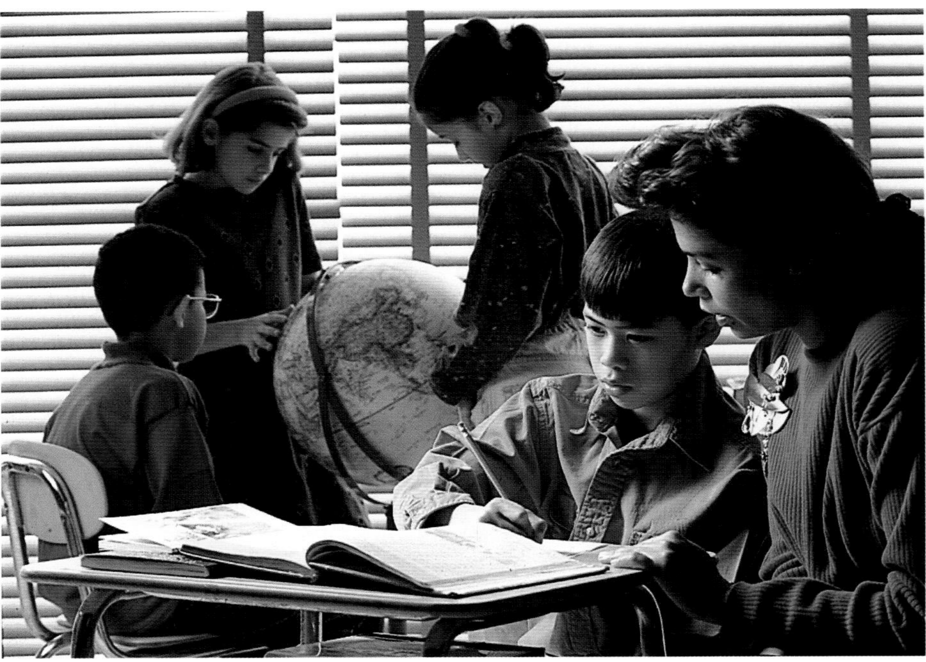

necesario que ella y su esposo incluyan al hijo o a los hijos en el acontecimiento. Deben hablarles del bebé que se está formando y hacer planes juntos para el futuro. Deben decirles que el bebé formará parte de la familia, que será hermano de ellos, por lo que todos tendrán que preocuparse de su cuidado y protegerlo. Si se los incluye en las actividades relacionadas con el bebé habrá menos probabilidades de que surjan celos cuando nazca la criatura. Vale la pena dedicar tiempo a familiarizar a los hijos con la nueva situación y a enseñarles a querer a su hermanito antes de que nazca.

Problemas de aprendizaje

¿Cuáles son las razones principales por las que algunos niños tienen problemas para aprender?

Una de ellas es la *dislexia*. Es toda dificultad que se manifiesta en el aprendizaje de la lectura, independientemente de si hay lesiones cerebrales o no. Las causas de la dislexia son múltiples, entre ellas una memoria deficiente y la dificultad de discriminación, tanto visual como acústica. La *afasia* es el trastorno del lenguaje en lo referente a su papel como vehículo de comunicación, comprensión y elaboración del pensamiento. La *disfasia* es un tipo de afasia que consiste en la falta de coordinación y en la incapacidad de poner las palabras en un orden adecuado, lo que no permite que el niño aprenda a hablar con facilidad. La causan ciertas lesiones cerebrales. La *disgrafía* es un trastorno relacionado con el aprendizaje de la escritura.

Otra razón por la que algunos niños tienen dificultad para aprender es un leve daño cerebral causado por la falta de oxígeno durante el nacimiento. Esto suele desembocar en hiperactividad, desorden al que nos referimos en páginas anteriores. Esta situación también dificulta el aprendizaje ya que mantiene al niño en constante actividad.

Sería interesante decir algo acerca de la curiosidad y el deseo de aprender de los niños.

Durante los primeros años de vida el cerebro del niño es como una esponja que absorbe una enorme cantidad de datos. En efecto, se dice que durante los primeros 5 años absorbe más información que en el resto de la vida.

El intelecto de una persona aumenta normalmente con la edad. Pero es indispensable que se estimule al cerebro desde el mismo comienzo de la vida. La educación empieza en el hogar y continúa indefinidamente.

¿Por qué algunos niños tienen un desarrollo mental más lento que otros?

Algunos niños son retardados mentales, lo que no les permite desarrollar su intelecto. Otros maduran más lentamente. A los niños que entran en la pubertad más tarde que el resto les cuesta más aprender. A algunos se les hace difícil unir las palabras, de modo que tartamudean. Sus cuerdas vocales son normales, pero su condición mental dificulta los procesos cerebrales.

✚ *Tratamiento*

¿Qué debe hacer la madre cuando sospecha que su hijo tiene problemas de aprendizaje?

Es importante que lo haga ver por un médico para que determine cuál es el problema que lo afecta. Si es necesario, este recomendará un examen neurológico. A continuación debe llevarlo a un psicólogo especializado en problemas de aprendizaje para que recomiende el tratamiento adecuado. Muchos de estos niños mejoran cuando se los trata de forma debida.

En algunos casos los niños no aprenden porque en el hogar no existen las condiciones adecuadas para facilitar esta importante función. Es posible que los padres vivan en continuos conflictos que no les dejan tiempo ni ánimo para ocuparse de sus hijos. Los niños se sienten desplazados y no queridos. No experimentan ningún estímulo para aprender o agradar a sus padres sacando buenas notas. Mientras estas condiciones negativas no cambien en el hogar, el niño continuará con sus problemas de aprendizaje.

Masturbación

¿Qué nos puede decir acerca de los niños pequeños que se masturban?

En realidad, un niño o una niña no pueden masturbarse en el sentido exacto de la palabra, que significa la producción de un orgasmo por medio de la manipulación de los órganos genitales. Lo que hacen es sólo explorar esos órganos, y en resumen se trata de un juego inofensivo. Los niños aprenden desde el mismo nacimiento, y lo hacen en buena medida por medio de los sentidos, entre los que se destaca el tacto. Los bebés y los niños pequeños exploran todo su cuerpo, incluyendo los órganos genitales. No se trata de actividades sexuales sino simplemente de actividades exploratorias.

Puede ser que les produzca cierto placer la manipulación de los órganos genitales, pero también reciben sensaciones agradables cuando se les hacen cosquillas en los pies, las orejas o el estómago. Esos placeres forman parte de las experiencias físicas y mentales normales.

¿Qué actitud deberían tener los padres hacia este hábito?

Creo que deben ignorarlo porque la criatura o el niño no están cometiendo ningún delito. Algunos padres se escandalizan debido a su creencia de que todo lo que se relaciona con los órganos sexuales es malo, lo que no es cierto. Si no le dan importancia a esas actividades, el niño pronto dejará de hacerlas. No les den más importancia de la que tienen, porque no son importantes en esta etapa de la vida.

✚ *Tratamiento*

¿Debe buscarse un tratamiento para curar esta actividad?

Cuanto menos atención se preste a este hábito transitorio, tanto mejor será. No censure, reprenda ni castigue al niño. Procure interesarlo en otros entretenimientos, y ponga a su alcance juguetes y otros objetos que sean de su agrado.

¿Qué se debe hacer cuando hacen preguntas acerca de la sexualidad?

A medida que los niños crecen comienzan a hacer preguntas. Contéstelas de forma directa, de acuerdo con los hechos, pero no abunde en detalles. Cuando el niño sea más grande podrá conocer más de los temas sexuales. Si Ud. no sabe algo, dígaselo, y luego busque la información necesaria para compartirla con él. Adquiera un libro sobre el desarrollo sexual y estúdielo para poder contestar las preguntas que el niño seguirá haciendo.

No se avergüence de las preguntas ni de las respuestas que debe dar, porque así el niño no se avergonzará de esos temas. Tampoco cause la impresión de ser culpable, porque con eso podría levantar barreras en la comunicación entre usted y su hijo. En resumen, sus respuestas deben bastar para satisfacer la curiosidad del niño, y nada más.

Se afirma que en los primeros cinco años el cerebro recibe más información que en el resto de la vida.

Un aula llena de chicos desconocidos puede ser una experiencia abrumadora para un niño tímido.

Onicofagia (comerse las uñas)

¿Es el acto de comerse las uñas un hábito frecuente?

La onicofagia es la costumbre que tienen algunos niños de comerse las uñas; puede provocar heridas en las encías y favorecer el desarrollo de diversas infecciones. Se calcula que el 50 % de los niños se comen las uñas en alguna etapa de su vida. Lo que es más, muchos también se comen las uñas de los pies.

La causa de la onicofagia son tensiones subyacentes, estrés y ansiedades no resueltas. Es una acción refleja natural, lo mismo que el tartamudeo, los dolores de estómago y otras manifestaciones parecidas que aparecen en momentos de crisis.

Es totalmente inútil censurar al niño, porque eso sólo agrava la condición sin corregirla. Además, pintar las uñas con sustancias químicas de mal sabor no produce ningún resultado positivo, porque el niño se puede lavar las uñas y seguir disfrutando de su pasatiempo favorito como de costumbre.

+ *Tratamiento*

¿Cuál es, entonces, el tratamiento ideal?

El mejor punto de partida consiste en buscar la causa. Si se vigilan sus actividades es posible descubrir presiones de los compañeros, competencias injustas, problemas escolares, malas notas o mal rendimiento en los deportes. Estas son algunas de las causas productoras de onicofagia.

Si se corrigen estos problemas, desaparecerá en el niño el hábito de comerse las uñas. Anímelo sin reconvenirlo, préstele la ayuda que necesita. Felicítelo cuando haga algo bien. Edifique su confianza. Eso es beneficioso.

Regurgitación

¿En qué consiste este problema infantil?

El término ruminación —otro nombre que se le da a esta afección— viene del latín, y significa volver a masticar. En castellano o español la palabra "rumiar" proviene de la misma raíz latina. De modo que el niño que padece de este mal vuelve a masticar lo que ya ha comido. Los bebés regurgitan una pequeña cantidad de leche. Puede suceder cuando eructan. A algunos les agrada hacerlo, de modo que juegan con la lengua y el alimento antes de volver a tragarlo. No es vómito, sino la afluencia de alimento a la boca inducida voluntariamente por el niño.

+ *Tratamiento*

¿Necesita tratamiento esta condición?

Generalmente, cuando el bebé comienza a comer alimento sólido, abandona este hábito. No es grave ni peligroso; no produce ningún daño. Si usted no interviene, la naturaleza sola solucionará el problema.

Miedo a la escuela

¿Qué piensa de los niños que le tienen miedo a la escuela y buscan excusas para no ir?

Esta es siempre una situación lamentable y, según mi opinión, se puede prevenir. A la mayor parte de los niños le agrada la escuela y se integra sin dificultad al grupo escolar. Pronto tienen amigos y viven felices.

Pero en el caso de algunos niños no es así. Creen que la escuela es un lugar hostil, que los asusta. Se sienten mal y no quieren estar allí. Desean volver a la comodidad y la protección del hogar, y disfrutar de la compañía y la comprensión de la mamá.

El problema se puede resolver antes que surja. Si los padres hablan con el niño desde pequeño de lo hermosa que es la escuela, de lo amables que son los maestros, de lo lindo que es jugar con muchos niños, de las cosas interesantes que aprenderá, de lo feliz que será, lo estarán condicionado para desear asistir, participar y pasarlo bien. Tendrá una actitud positiva hacia la escuela muchos meses o años antes de ingresar en ella.

Si ya es demasiado tarde para esto, por lo menos haga lo mejor posible con una actitud definidamente positiva. Al poco tiempo el niño se sentirá mejor, se integrará al grupo y progresará en sus estudios.

Timidez y temor

Casi todos los niños tienen momentos de timidez y temor, lo que forma parte de la vida.

Estamos de acuerdo. Estos sentimientos negativos comienzan temprano en la vida. La timidez puede empezar a los 6 meses. Los rostros que no son familiares desencadenan este sentimiento que produce una actitud de rechazo en el niño.

Forma parte del desarrollo, y tiene que ver con la capacidad del niño para evaluar el mundo exterior y ajustarse a él. Un poco de escepticismo es inevitable, y está relacionado con la timidez y la desconfianza. Esto desaparecerá con el tiempo; pero a veces, al contrario, aumenta. Como resultado de ello, la criatura siente temor, timidez y adoptará una actitud negativa hacia las cosas, el ambiente, la gente y lo que sucede.

¿Qué puede decir de los niños que le tienen miedo a cosas sin importancia, como la oscuridad?

Esto es natural en los niños pequeños, porque no pueden comprender el grado de seguridad y protección que les brindan sus padres. Les causan temor los ruidos extraños, quedarse solos en la habitación o en una casa desconocida, porque para ellos eso es una situación que no conocen. No saben lo que les puede suceder.

✚ *Tratamiento*

¿Cuál es el mejor tratamiento para este problema?

Los padres comprensivos harán todos los esfuerzos posibles para dar a sus hijos una sensación de seguridad en todo momento. Deben hacerles comprender que en la noche existen las mismas cosas que en el día, y que la única diferencia es la ausencia de luz. La noche no trae fantasmas ni monstruos, de modo que deben sentirse perfectamente seguros. Pueden darles una linterna para que la enciendan de vez en cuando y comprendan que en la habitación no hay nada extraño. Eso les dará confianza en lo que el padre o la madre les están diciendo, y les ayudará a creer y aceptar otras explicaciones.

Grabe palabras de confianza y seguridad en la mente de sus hijos en toda ocasión que pueda. No les cuente historias de miedo, especialmente por la noche. No les permita ver programas de televisión que traten temas de horror. Hábleles de cosas agradables y positivas antes de irse a la cama. Esto refuerza la confianza en sí mismos y la seguridad en el hogar. Los temores que puedan estar abrigando desaparecerán poco a poco.

Problemas del sueño (pesadillas, terrores nocturnos y sonambulismo)

¿Qué puede decir de los niños y sus hábitos de dormir?

Todo lo que se relaciona con el sueño de los niños es importante, porque es parte de la vida, y cuanto antes se establezcan buenos hábitos de sueño tanto mejor será. Estos hábitos deben durar toda la vida.

¿Cómo pueden los padres saber si el bebé está durmiendo lo suficiente tanto por la noche como durante el día? La naturaleza ha dotado al bebé de un reloj biológico que le permite determinar cuánto sueño necesita, cuándo es el mejor momento de dormir y cómo hacerlo por sí mismo, sin ayuda de nadie.

La cantidad de sueño varía con la edad. El bebé, al principio, pasa durmiendo la mayor parte del día. Sólo despierta durante cortos períodos para alimentarse. La mayoría de los bebés de 12 meses duermen entre 12 y 16 horas, principalmente de noche. A los dos años y medio duermen entre 12 y 14 horas. Por cierto hay variaciones: algunos duermen más y otros menos. La mayoría de los bebés duerme cuando quiere.

Los niños desarrollan sus propias pautas de sueño. ¿Es importante esto? Algunos padres cometen errores al respecto.

Las pautas de sueño, que se forman muy temprano en la vida, son importantes. Hay que dejar que los bebés sigan esta rutina, porque así tendrán el sueño necesario para gozar de salud y vitalidad.

Si se convence previamente al niño de que la escuela es el lugar ideal para pasarlo bien cuando llega el momento, estará automáticamente condicionado para integrarse a ella.

Los hábitos de sueño se adquieren pronto en la vida, y a pesar de que hay variaciones individuales, por lo general los bebés duermen todo lo que necesitan.

Los padres deberían entender lo que la naturaleza está tratando de hacer al implantar ciclos de sueño en el bebé, y no trastornar esos ciclos al no dejar que el bebé duerma cuando tiene sueño. A veces juegan con la criatura cuando se aproxima el período de sueño, lo que la perturba emocionalmente, le espanta el sueño y rompe el ciclo. Si se continúa con esa práctica el bebé desarrollará una pauta distinta que lo mantendrá despierto cuando debería estar durmiendo, con lo que se vulneran los requerimientos de la naturaleza.

Además, no conviene ceder a todos los caprichos del bebé. Si desea llamar la atención a medianoche, vea si todo está bien, luego apague la luz y dígale que se duerma. No vuelva al dormitorio aunque llore e insista en que vaya. Si lo hace, la misma escena se repetirá todas las noches. Así romperá la rutina establecida y pondrá otra en su lugar (el llanto de la medianoche), lo que le causará molestias sin cuento. Sea sensata. Sea bondadosa pero firme. No descuide al bebé o niño que necesita su ayuda; pero sepa distinguir entre el llamado falso y la auténtica necesidad de ayuda.

¿Qué nos puede decir acerca de otras situaciones que se podrían producir durante la noche, como pesadillas, gritos, terrores nocturnos y sonambulismo?

Suelen ser las manifestaciones físicas de un subconsciente emocionalmente perturbado. El niño no recuerda a la mañana siguiente los acontecimientos desagradables de la noche. El bebé y el niño pequeño se tranquilizan con algunas palabras reconfortantes de la madre o el padre. A los niños sonámbulos hay que llevarlos de vuelta a la cama para que sigan durmiendo.

Es importante prevenir los peligros. Un pequeño paciente mío que era sonámbulo caminó dormido hacia el balcón del departamento donde vivían, y cayó al pavimento desde el décimo piso, donde se estrelló y murió. Fue una situación muy triste, que se podría haber prevenido sin dificultad si se hubieran tomado las precauciones adecuadas.

+ *Tratamiento*

¿Existe alguna terapia para estos bebés y niños?

La gran mayoría superará estos problemas a medida que se desarrolle. En algunos casos el médico receta por un corto período sedantes para la noche.

Los padres deben hacer todo lo posible para eliminar las situaciones que provocaron la tensión emocional causante del problema. Deben actuar siempre de forma positiva y hablar en tono reconfortante. Eso contribuirá a resolver la situación.

Un médico amigo tenía un hijo que padecía de graves terrores nocturnos, pero a la mañana siguiente despertaba sin ningún efecto adverso y sin recordar nada de lo sucedido. Los ataques se producían a la misma hora. El médico y su esposa comenzaron a despertar al niño 10 minutos antes de la hora cuando se producía el ataque de terror. Le hablaban suavemente, lo calmaban y luego lo ponían de nuevo en la cama. El niño se dormía instantáneamente sin experimentar ningún terror nocturno. Al poco tiempo los terrores habían desaparecido de modo total y permanente. Otras personas que han puesto en práctica este sencillo método han obtenido los mismos buenos resultados.

Defectos del habla

Los niños pueden comenzar a tener muy pronto defectos del habla. ¿Qué nos puede decir sobre esto?

La tartamudez suele comenzar entre los 3 y los 6 años, y durar toda la vida. La mayor parte de los adultos tartamudos fijan el comienzo de su mal en la infancia, y a veces lo relacionan con un acontecimiento específico.

Los defectos de lenguaje abarcan una amplia gama que va desde hablar de manera confusa hasta repetir la misma sílaba o tener momentos de silencio que terminan con la emisión explosiva de una palabra.

Muchos padres y madres les hablan a sus hijos en el mismo lenguaje infantil de ellos, con lo que condicionan la persistencia de esa modalidad; el niño supone que esa es la forma adecuada, y persiste en ella. Los padres deben hablar como adultos para que el niño los imite y aprenda. Así puede notar la diferencia que existe entre su manera de hablar y la de sus padres y otros adultos; eso lo inducirá a imitarlos, para no ser diferente.

+ *Tratamiento*

¿Qué es lo mejor que se puede hacer cuando un niño tiene problemas de lenguaje?

Debe hacerse todo esfuerzo posible para descubrir la causa del problema y eliminarla. Si hay tensión emocional o ansiedad se las debe suprimir. Puede haber situaciones que producen ansiedad, y acontecimientos especiales importantes que tienen el mismo efecto. Si se hacen planes con tiempo, se puede evitar que estos ejerzan una influencia negativa sobre el niño.

Las expresiones de afecto, amor y cariño, que le dicen al niño que se lo acepta, se lo quiere y que es un miembro importante de la familia, desempeñan un gran papel en la estabilización de su lenguaje.

El problema de la tartamudez es más importante en los niños de más edad, porque para entonces ya se ha establecido firmemente. Se ha descubierto que la terapia de relajación ha sido beneficiosa en muchos casos. En los centros especializados disponen de diversos recursos eficaces para tratar este mal.

La tartamudez puede comenzar entre los tres y los seis años de edad.

Rabietas

¿Qué nos puede decir acerca de las rabietas de los niños?

Considerando la complejidad de la vida y las circunstancias en que muchos niños se desarrollan, me parece asombroso que no haya más niños con rabietas. Después de todo, el dominio propio es algo que se aprende, porque nadie nace con él.

La situación de la familia desempeña un importante papel en esto. Los niños son el producto del ambiente en el que viven; y en los años formativos de su carácter ese ambiente es el hogar. Si hay peleas, falta de armonía y desacuerdos entre los miembros de la familia, los bebés y los niños menores absorben esas actitudes, las graban en la memoria y llegan a considerarlas reacciones normales frente a ciertas situaciones.

Si ven que la gente se grita, se agrede, se tira cosas por la cabeza y se trata con palabras groseras, reaccionarán de la misma manera cuando se encuentren en situaciones parecidas.

Creo que el dominio propio de los padres es indispensable para el desarrollo normal del niño. Los bebés criados en una atmósfera serena, segura y llena de amor tendrán menos problemas, menos estallidos emocionales y menos rabietas que los que

Muchos niños se chupan el dedo, pero este hábito suele desaparecer más o menos a los seis años.

han vivido en un ambiente negativo. Piense en esto. Como padres, debemos enmendar lo que sea necesario en nuestro trato con los hijos.

Succión del pulgar

¿Considera usted que la succión del pulgar es indeseable y peligrosa en los bebés?

No. Ese acto es de importancia vital para el bienestar y la existencia misma del bebé. Si no se puede succionar el dedo como corresponde no podrá extraer en cantidad suficiente la leche del seno materno, lo que perjudicará su desarrollo. El bebé nace con esa capacidad, y la puede ejercer minutos después de nacer.

Los bebés obtienen la mayor parte de la leche en los primeros dos minutos de succión. Pero a la mayor parte de ellos le agrada succionar el pezón y jugar con él después de haberse satisfecho. Esto demuestra que disfrutan succionando.

Diremos de paso que la leche materna y la succión, como ya lo explicamos en otro capítulo, son sumamente importantes para establecer el vínculo de afecto que debe unir a la madre con el bebé. Genera en el niño una sensación de seguridad, bienestar, felicidad y alegría. Pero como no siempre tienen el pecho materno disponible, se succionan un dedo, el pulgar, la mano o el chupete, lo que les causa la misma sensación de bienestar.

Antes se creía que el acto de chuparse el dedo deformaba el paladar y los dientes, y predisponía a fumar y beber, pero esas ideas ya han sido descartadas.

+ *Tratamiento*

¿Es necesario tratar a los bebés que se chupan el dedo?

Considero innecesario tratar de impedir por la fuerza que el bebé se chupe el dedo. Esta actividad se extingue espontáneamente en la mayor parte de los casos. Los bebés, cuando crecen, invariablemente abandonan este hábito. Cuando la criatura está dormida, la madre puede sacarle el dedo de la boca sin despertarla. Ponga a su alcance durante el día diversos juguetes y objetos interesantes para que se distraiga y mantenga las manos ocupadas. Así no se llevará el dedo a la boca.

Tics

Los niños hacen de vez en cuando algunos movimientos extraños con las manos, y muecas con la cara. ¿Por qué?

Esto ocurre especialmente entre los 5 años y la pubertad, y con mayor frecuencia en los niños. Los tics se describen como "un gesto muy rápido, repetido involuntariamente sin necesidad objetiva, y apreciado por la conciencia". Generalmente reproduce un movimiento reflejo o un gesto automático, que normalmente cumple una función. Los tics pueden ser muy variados: guiñar los ojos, fruncir las cejas, sorber con la nariz o arrugarla, lamerse los labios, carraspear, alargar el cuello, encoger los hombros, tocar dos veces un objeto, etc. Se considera que la causa de los tics es la insatisfacción afectiva motivada por conflictos familiares. Muchos tics desaparecen espontáneamente, pero otros son rebeldes y persisten.

+ *Tratamiento*

¿Existe tratamiento para los tics?

Ante todo hay que eliminar los factores fisiológicos posibles o de tipo orgánico. Luego se puede recurrir a la psicoterapia. Los niños con padres dominantes están más expuestos. En este caso hay que modificar el trato que se da al niño con tics. La consideración, los modales suaves y el afecto son buenos recursos terapéuticos que pueden resolver el problema. Hay que asegurarse de que el niño se sienta feliz en el ambiente hogareño y escolar, que no esté sometido a tensiones excesivas y que no tenga conflictos personales. Se le debe enseñar a mantener una actitud positiva. El médico dispone de medicamentos adecuados para los casos graves y persistentes.

Ausencias injustificadas a la escuela (hacer la rabona)

¿Por qué algunos niños faltan a la escuela sin motivo ni razón?

La mayor parte de los niños falta a la escuela alguna vez, lo que no es importante. Lo que nos debe preocupar son los chicos que hacen planes para faltar a la escuela y que detestan de tal manera el estudio que sienten un temor enfermizo hacia él, y que están decididos a faltar a la escuela todas las veces que puedan.

¿Por qué lo hacen?

Las razones se relacionan íntimamente con las actitudes y causas que comentamos bajo el subtítulo "Miedo a la escuela". Puesto que a la mayor parte de los niños les agrada la escuela, tiene que haber una razón básica por la que algunos hacen planes para evitar lo que debería ser una experiencia agradable.

¿Su personalidad, tal vez, es especial?

Suelen tener la personalidad del "lobo solitario". Están resentidos con sus compañeros; no son buenos para estudiar ni para los deportes. Los demás los molestan y fastidian, y se burlan de ellos frente a sus compañeros. Algunos adultos los maltratan y ciertos maestros son injustos con ellos.

Su actitud hacia la escuela puede haber sido estimulada por los padres, que tal vez consideran que la educación no tiene importancia. Por cierto que la constante ausencia de la escuela induce al niño inevitablemente a mentir, a asociarse con otros muchachos que hacen lo mismo y hasta con delincuentes juveniles. Muchos criminales han faltado sistemáticamente a la escuela en su niñez.

+ *Tratamiento*

¿Cómo se puede resolver este problema?

Debo decir en primer lugar que los castigos repetidos no resuelven el problema. En realidad, pueden agravarlo hasta el punto en que ya no sea posible ponerle remedio. Acentuará la actitud agresiva del niño, su disgusto, su desconfianza y probablemente su odio hacia la escuela, los maestros y los padres. Cuanto antes se solucione este problema tanto mejor será, porque antes de mucho intervendrá la ley, y entonces los padres perderán el control de la situación.

¿Cuál es el punto de partida para revertir esto?

Considero que el mejor punto de partida consiste en procurar descubrir por qué falta el niño a la escuela sin causa real. Casi siempre hay un motivo de tipo emocional. Cuando se lo descubre, hay que hacer todos los esfuerzos posibles para rectificarlo. Hay que ayudar al niño con sus tareas escolares, a ser mejor deportista, a no dejarse amilanar por las presiones. Esto contribuirá de forma definida a cambiar su actitud hacia la escuela. También vale la pena interesarlo en actividades amenas, como los *boys-scouts*, ciertos deportes, el fútbol, etc.

La mayor parte de estos casos se pueden resolver antes de que escapen del control. Vale la pena realizar un esfuerzo genuino, aunque requiera mucho tiempo, persistencia y paciencia.

capítulo 35

Los alimentos y su importancia

EN ESTE CAPÍTULO

- El desarrollo del bebé.
- Alimentación a pecho, vínculo.
- Destete, alimentación con biberón.
- Alimentos sólidos.

Desde el momento en que se lleva al bebé desde el hospital al hogar, el nuevo miembro de la familia será objeto de gran interés por parte de todos. Pero la madre, en especial, debe preocuparse por satisfacer adecuadamente todas sus necesidades.

Así es. Y una parte muy importante de su cuidado consiste en asegurarse de que se alimente de forma correcta, lo cual es indispensable para su desarrollo. El bebé pesa al nacer poco más de 3 kilos; pero a los 6 meses pesa el doble; y a los 12 meses tres veces más, es decir, casi 10 kilos. En su segundo año aumenta unos 3 kilos y medio, y en el tercero otros 2 kilos y medio más. Después de esto el aumento de peso es de unos 2 kilos y medio por año hasta la pubertad, cuando aumenta mucho más.

El desarrollo se produce en esos años. En el organismo ocurren cambios físicos y mentales notables promovidos por las hormonas, que se generan en gran cantidad. El niño cruza repentinamente el umbral de la adolescencia, como antesala de la edad adulta. Entonces se establece un estilo de vida muy diferente.

Volvamos ahora a los primeros días cuando el bebé llega del hospital.

La primera preocupación de la madre en ese momento es cómo alimentar a su bebé.

Lactancia materna, o alimentación natural

¿Cuáles son algunas de las ventajas de la alimentación natural?

El mejor argumento es que la leche materna es el alimento natural del bebé. Contiene numerosos nutrientes que él necesita y que puede digerir con facilidad. La leche materna no produce alergia: en cambio produce elementos protectores que se llaman inmunoglobulinas, y anticuerpos que protegen a la criatura contra los gérmenes invasores.

Además, los componentes de la leche materna se encuentran en la proporción debida. No es necesario diluirla, mezclarla ni probarla. Las vitaminas, los minerales, los carbohidratos, la proteína y la grasa están en perfecto equilibrio. Otra ventaja es que la temperatura es adecuada, de modo que la leche materna no necesita que se la caliente ni que se la enfríe.

La succión desempeña un papel importante inmediatamente después del nacimiento. La matriz sigue siendo voluminosa, y necesita tiempo para recuperar su tamaño normal. La succión del bebé contribuye a este proceso.

Los bebés alimentados de forma natural tienen menos probabilidades de morir de muerte súbita, lo que es una gran ventaja. Además, las infecciones gástricas, tan comunes durante el primer año, ocurren con menos frecuencia en los bebés alimentados con leche materna.

Usted dijo que en la actualidad hay más madres dispuestas a alimentar a sus hijos de forma natural.

Es verdad. Creo que es algo que debería

La alimentación a pecho es lo mejor tanto para el bebé como para la madre, y es la mejor manera de comenzar a alimentarse en la vida.

probarse tanto como sea posible. El mejor momento para comenzar es en los primeros días del bebé. Este busca el pecho materno y lo succiona instintivamente. El flujo de leche puede demorar algunos días en normalizarse; por eso algunas madres, al no lograr alimentar a su bebé de manera adecuada, dejan de intentarlo y acuden al biberón. Se consideran fracasadas, pero no es así. Con un poco de orientación podrían lograrlo sin dificultad en pocos días.

Otras madres descubren que el brusco cambio del hospital al hogar, con los trastornos físicos y las presiones psicológicas que implica, restringe por un tiempo el flujo de leche. Debido a esto algunas renuncian a alimentar a sus hijitos y se consideran fracasadas. Eso no es verdad; la perseverancia y las instrucciones adecuadas producirán resultados positivos.

El mejor argumento en favor de la leche materna es que ha sido diseñada por la naturaleza especialmente para el bebé.

¿Con cuánta frecuencia se debe alimentar al bebé? ¿Se ajustan las madres a un horario estricto?

En realidad las madres no deben ser esclavas del reloj en lo que concierne a la alimentación de sus bebés, porque los pediatras recomiendan que se alimente al bebé cuando este tiene hambre y "pide" que se le dé de comer. En realidad, el reloj provisto por la naturaleza es más digno de confianza que el que se encuentra en la mesita de luz.

Puede ser que al principio el bebé desee comer con frecuencia, digamos 10 o 12 veces por día; pero este ritmo pronto desciende, hasta reducirse a sólo 4 o 5 comidas cada 24 horas.

¿Cuánto tiempo debe succionar el pecho el bebé cada vez que se alimenta?

Se debe comenzar con un pecho y dejar que el bebé succione durante 5 a 10 minutos. Luego se lo debe cambiar al otro pecho y dejarlo que succione durante 20 minutos. La vez siguiente hay que invertir el procedimiento. El bebé obtiene el máximo de leche durante los primeros minutos.

¿Debería dársele más líquido, o basta con el que le provee la madre?

Muchas madres le dan más líquido al bebé, especialmente si hace calor. El agua hervida es buena. También el jugo de naranja diluido. Consulte con el pediatra acerca de la conveniencia de añadir flúor al agua, para desarrollar dientes sanos y evitar las caries. Está comprobado que el flúor evita las caries.

Muchas madres toman medicamentos durante la lactancia. ¿Puede esto afectar al bebé?

Es mejor evitar los medicamentos en este período, a menos que sea absolutamente necesario. Pasan a la leche materna a través de la sangre, y el bebé los absorbe.

La madre debe tomar sólo los medicamentos recetados por el médico y de la forma indicada por él. Si consulta a otro médico fuera del habitual, debe decirle que está alimentando a pecho a su bebé.

Además, debe evitar las bebidas alcohólicas y el cigarrillo. Estos tóxicos pasan a la leche materna y enferman al bebé, o lo perjudican de alguna manera. La salud actual y futura del hijo debería ser incentivo suficiente para que las madres se abstengan de consumir productos perjudiciales para ellas mismas y sus criaturas.

¿Cree usted que algunas madres permiten que sus bebés les manejen la vida cuando se trata de alimentarlos?

La madre no debe permitir que el bebé se acostumbre a comer a menudo en la noche. Durante los primeros meses es necesario alimentarlo una vez en la noche. Pero después de eso, el bebé debe dormir toda la noche, lo que le permitirá a la madre descansar mejor. Su salud y su vitalidad son importantes, porque sin ellas el bebé tiene menos probabilidades de gozar de buena salud.

El vínculo afectivo

Consideremos ahora la relación que existe entre la madre y el bebé, lo que se llama vínculo afectivo.

El vínculo afectivo entre la madre y el bebé implica un proceso de importancia vital. Se fortalece poco a poco hasta convertirse en un factor muy importante en la vida del bebé. Debe perdurar hasta que el hijo alcance su madurez física, afectiva y psicológica en la juventud. Algunos expertos en psicología del desarrollo sostienen que el futuro de una persona, su personalidad y su funcionamiento psicológico se originan en

El contacto íntimo entre la madre y el bebé contribuye a fortalecer la relación entre ellos.

este vínculo afectivo de la primera infancia.

La alimentación materna provee la proximidad de un cuerpo humano tibio que proporciona alimento, lo que le permite al bebé experimentar una sensación de bienestar y confianza. Aun la mente inmadura del recién nacido puede captar este vínculo. Un bebé satisfecho es un bebé feliz. La sensación de seguridad ejerce una poderosa influencia positiva sobre los afectos de la criatura, que puede durar muchos años. El bebé debidamente vinculado con su madre tiene menos probabilidades de desarrollar una personalidad irritable, hosca y agresiva. La sensación de seguridad reduce la tensión y la ansiedad. Ayuda a soportar bien ciertas situaciones a las que otros niños podrían reaccionar con rabietas, celos, comiéndose las uñas, mojando la cama y otras manifestaciones de inmadurez emocional. Es una ventaja más de la alimentación materna. Por eso las madres deben hacer todo lo posible por tratar a sus hijitos, desde el nacimiento, con amor y suavidad, para establecer un vínculo correcto con ellos.

El destete

¿Qué debe hacer la madre cuando llega el momento del destete?

No existen reglas para este proceso. Después de los 3 ó 4 meses se le pueden dar algunas cucharaditas de jugos de frutas diluidos; a los 6 meses puede comer puré de zanahorias, calabazas (auyama, zapallo) y otras verduras; todo debe estar bien cocido y pasado por un cedazo. Al comienzo deben darse pequeñas cantidades, las que se aumentarán poco a poco, hasta que entre los 8 y los 10 meses dejará por completo la leche materna, que ya no se produce en la misma cantidad que al principio.

Cuando la provisión de leche es copiosa, la madre prefiere seguir amamantando a su bebé por más tiempo, lo que no implica ningún inconveniente, en especial si al mismo tiempo le da jugos y papillas. Después de los 5 ó 6 meses las horas de las comidas deben ser más espaciadas.

No se debe dar comida en exceso al bebé, para que no engorde, porque eso podría convertirlo en un niño obeso, que probablemente seguirá siéndolo durante el resto de su vida. Un bebé gordo no es necesariamente un bebé sano. Evite el exceso de sal, azúcar y grasa en la preparación de los alimentos del bebé. No le dé bebidas gaseosas, porque le hacen mal.

El exceso de peso del bebé puede conducir a una situación parecida en la infancia y la adolescencia, que podría llegar a la edad adulta inclusive.

Alimentación con biberón

¿Por qué algunas madres no alimentan a pecho a sus bebés?

Cuando un bebé nace antes de tiempo no puede succionar el pecho materno, por lo que hay que alimentarlo de forma especial, como ser extraer la leche materna para dársela por gotas o de otra forma. En algunos casos el bebé tiene paladar hendido y labio leporino, lo que no le permite mamar. También puede existir algún problema psíquico que le impide a la madre amamantar a su bebé, por ejemplo, una depresión grave.

Es posible que la madre padezca de algunas anomalías físicas, como ser pezón invertido, lo que le impediría amamantar a su bebé. También sus pezones pueden estar agrietados o ser demasiado sensibles, puede tener abscesos en los pechos o alguna otra afección que impide la alimentación natural. Otras mujeres dicen que si amamantan a sus bebés arruinará su figura, o bien les impone exigencias incompatibles con sus compromisos sociales. O bien tienen que trabajar para subsistir o complementar el presupuesto familiar.

¿Qué puede hacer la madre para alimentar a su bebé si pasa por alguna de estas circunstancias?

En ese caso pueden hacerlo con ayuda del biberón, que es un medio seguro y de fácil uso. No tiene que sentirse mal o culpable, ni pensar que su bebé estará en desventaja porque no puede alimentarlo de modo natural. En la actualidad existen numerosos alimentos que reemplazan a la leche materna, porque su composición es semejante, incluyendo las vitaminas y los minerales. El pediatra hará las recomendaciones necesarias para el uso del biberón y del alimento que más convenga.

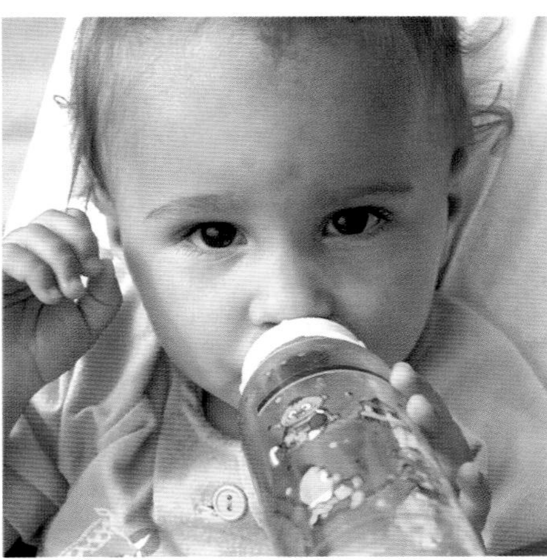

Aunque alimentar al bebé con biberón no sea el método ideal, es de todos modos bastante seguro.

Después del destete, es bueno que la mamá le dé una cuchara al bebé para que empiece a probar el uso de ese instrumento.

Alimento sólido

A medida que el bebé crece necesitará alimentos sólidos que le puedan proporcionar los nutrientes que estén más de acuerdo con sus necesidades.

En otro párrafo nos referimos a las papillas de verduras. A eso se puede añadir el puré de bananas (plátanos), que será bien aceptado porque es de sabor agradable. También se le puede dar al desayuno copos (hojuelas) de trigo o maíz con leche.

Además, se pueden obtener muchos alimentos preparados y envasados que son adecuados para alimentar al bebé. Ahorran tiempo y facilitan la tarea.

A los bebés les encanta morder una galleta dura o la costra del pan, especialmente cuando les están saliendo los dientes. No se los debe dejar solos, porque podrían atragantarse y asfixiarse.

¿Conviene dejar que los niños se alimenten solos?

Les encanta comer solos. Toman la comida con los dedos y se la ponen en la boca. Pronto pueden usar un vaso para beber líquidos.

La variedad en la alimentación puede aumentar poco a poco. Los huevos son fáciles de comer y digerir. Conviene darle el mismo alimento que se prepara para al resto de la familia, siempre que no sea pesado o de difícil digestión, porque así se alivia el trabajo de la madre. Es mejor servir las verduras por separado. Se puede añadir fruta cocida sin azúcar, puré de manzanas, yogur, cremas batidas u otros postres. También hay que darle agua y jugos en cantidad suficiente.

¿Qué se debe hacer después?

Al bebé le agradan los alimentos variados, lo que es perfectamente natural a medida que se desarrolla. La criatura avisa cuando tiene hambre. Con el tiempo adoptará la forma de comer de la familia. Lograr que el niño forme parte en todo sentido del círculo familiar, incluyendo las comidas, es lo ideal. Esto es bueno pensando a la vez en el bebé como también en cada miembro de la familia.

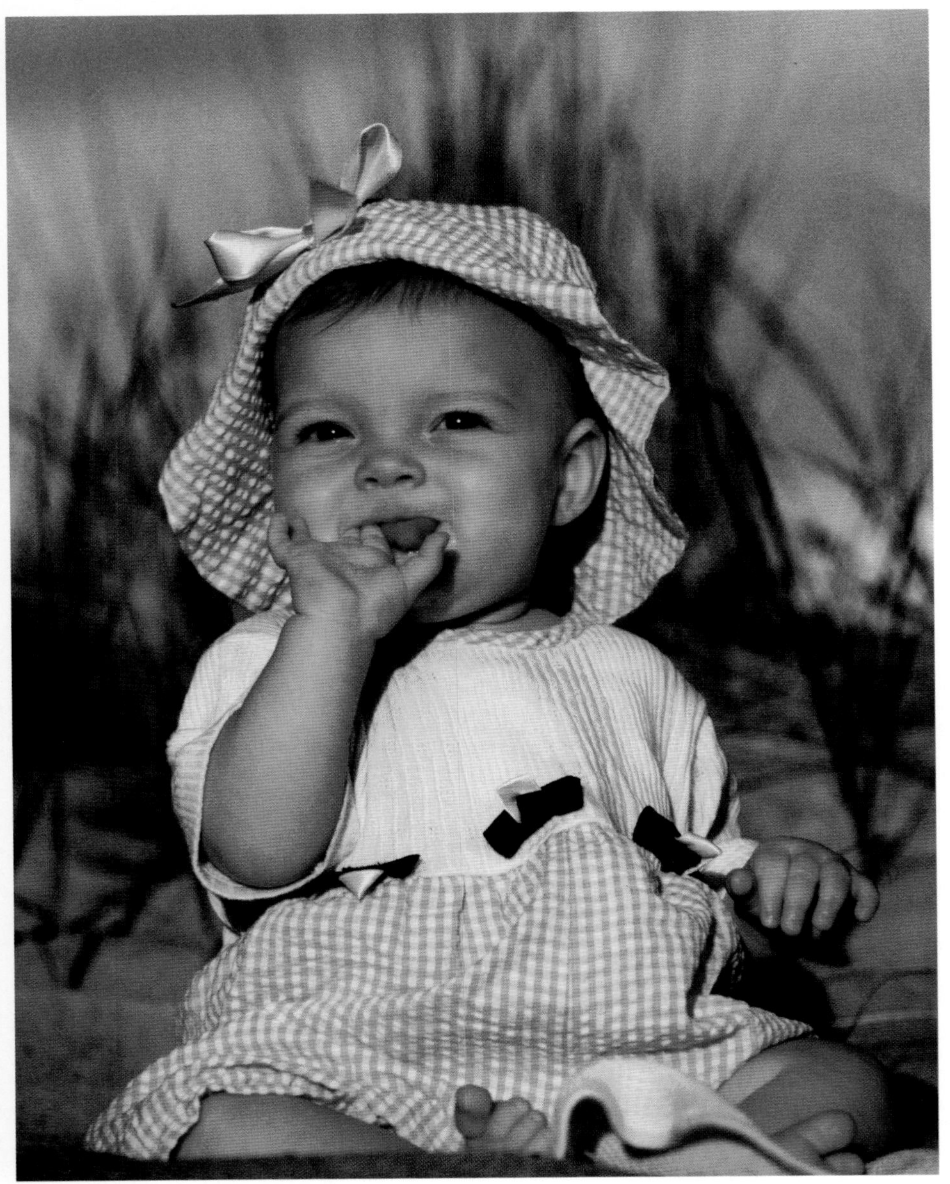

capítulo 36

Accidentes y emergencias

EN ESTE CAPÍTULO

- Accidentes en el hogar, cortes, desgarros, laceraciones y hemorragias.
- Torceduras y magulladuras, asfixia por inmersión, asfixia por otras causas.
- Quemaduras, quemaduras de sol, envenenamientos, descargas eléctricas, quemaduras por efecto de la electricidad.
- Mordeduras de animales y de gente, mordeduras de serpientes, picaduras de araña.
- La seguridad del niño, fracturas.

Los accidentes me alarman, pero creo que son más alarmantes para los padres con hijos pequeños. ¿Le afectan a usted?

Los accidentes también me afectan. Aunque he atendido a gente accidentada durante muchos años, todavía me afectan.

¿Cree usted que los accidentes son más graves cuando afectan a los niños?

Ningún accidente es de poca importancia, especialmente no lo son los que afectan a los niños, porque nos identificamos con ellos. Me aflige ver sufrir a un niño o un bebé víctimas de un accidente. Resulta doloroso ver sus cuerpecitos magullados, deformados o heridos. Aun las lesiones menores pueden producir anormalidades que afligen y entristecen. Lamentablemente todos los días ocurren accidentes que afectan a los niños.

Accidentes en el hogar

¿Qué clase de accidentes tratará usted en esta sección?

El lugar más feliz del mundo para los niños es el hogar. Pero al mismo tiempo es uno de los más peligrosos. Pueden ocurrir accidentes muy graves en la casa. Por ejemplo, la cocina es un mundo maravilloso y lleno de sorpresas para las criaturas que comienzan a gatear y caminar.

Piense en el niño que gatea, y considere todas las cosas interesantes que se encuentran al alcance de sus manos en la cocina. Bordes de manteles que cuelgan atractivamente de las mesas. Un solo tirón y un montón de cosas caerá al suelo con gran estruendo. Platos y cubiertos, pero también tazas o recipientes con agua caliente que pueden producir graves quemaduras, y platos rotos que cortan y laceran. Pero la criatura también puede tomar el mango de una sartén con aceite caliente, o la manija de una olla con agua hirviendo. Hay, además, tostadoras eléctricas, cuchillos afilados y otros utensilios peligrosos que la criatura puede hacer caer al suelo, con el consiguiente peligro. También hay cajones con cosas que pueden dañar al infante.

Son peligrosos asimismo los enchufes. A los niños les encanta meter clavos y otros objetos metálicos en ellos, lo que produce cortocircuitos y puede quemarles las manos.

¿Qué puede decir de los juguetes?

Los juguetes que quedan en el suelo pueden provocar la caída de adultos y niños, y causarles graves lesiones y fracturas.

¿Qué peligros hay en el baño?

El agua con jabón que cae en el piso de baldosas lo vuelve resbaladizo y lo convierte en una trampa. El niño entra en la tina del baño, y luego se cae y se hiere, se produce una fractura o se rompe los dientes.

¿Alguna recomendación acerca del botiquín?

El botiquín contiene medicamentos y

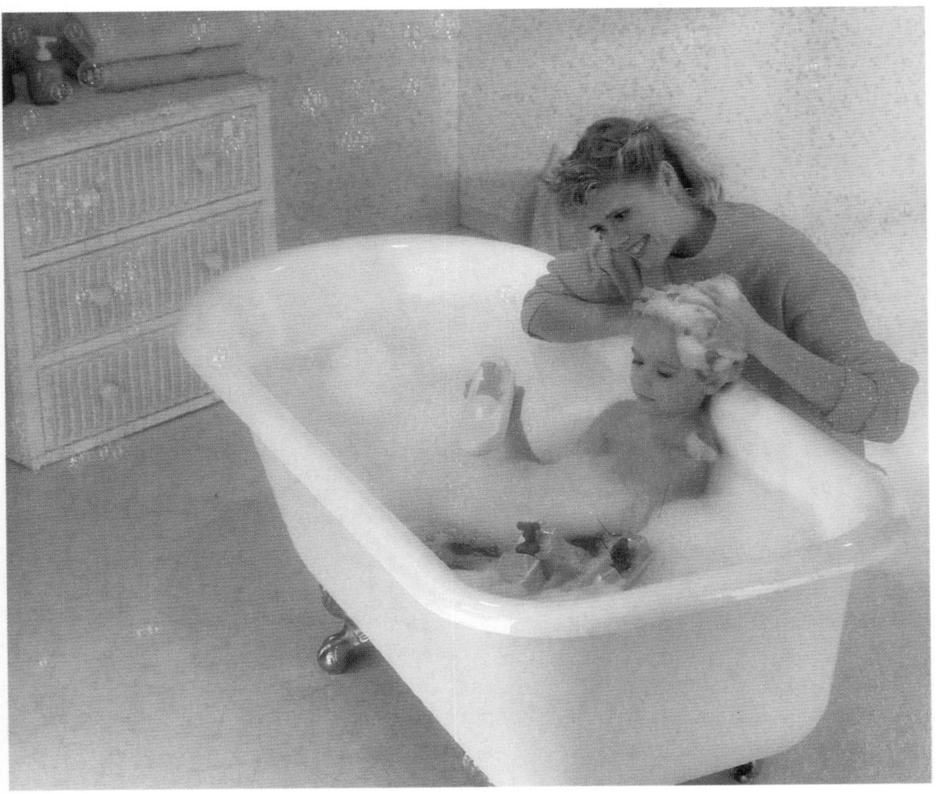

Las madres deberían asegurarse de que el baño de sus bebés esté convenientemente vigilado, porque es fácil que ocurran accidentes en esa superficie húmeda y resbaladiza.

desinfectantes, alcohol, yodo, y otras sustancias muy tóxicas y peligrosas para los niños. Por lo tanto, conviene que se lo mantenga con llave para que ellos no lo puedan abrir.

Los padres deben estar al tanto de este y otros peligros que existen en el hogar, con el fin de tomar todas las precauciones posibles para evitar que sus hijos se hagan daño.

Cortes, desgarros, laceraciones y hemorragias

Los cortes y los rasponazos son comunes. ¿Cuál es el mejor tratamiento? Tarde o temprano los niños tendrán algo de esto; es sólo cuestión de tiempo.

Cualquier corte, raspón o desgarro de la piel, con pérdida de sangre, debe tratarse inmediatamente. Limpie la parte afectada con agua corriente y quite la tierra, las astillas u otros elementos extraños. Use pinzas si es necesario. A continuación cubra con un trozo de gasa limpia la parte herida y fíjela para que no se caiga. Si sale mucha sangre, presione sobre la herida con un trozo de gasa doblada varias veces para detener la hemorragia. Si el flujo de sangre no cesa pronto, lo que es poco frecuente, lleve al niño al médico o al servicio de emergencia de un hospital. Ahora no se recomiendan los torniquetes para detener una hemorragia, porque con ellos se puede hacer más daño que bien. Las heridas graves con bordes desparejos necesitan atención médica, porque se las debe suturar.

¿Qué nos puede decir de la prevención del tétanos y el uso de antibióticos contra las infecciones?

Cualquier herida contaminada con polvo o tierra necesita una inyección de refuerzo contra el tétanos, especialmente si el niño no la ha recibido por varios años. El médico decidirá si los antibióticos son necesarios. Siga el consejo del doctor, porque es para el bien de su hijo.

Pueden suceder accidentes terribles dentro de las cuatro paredes de una casa común.

Torceduras y magulladuras

¿Qué hay que hacer en caso de magulladuras y torceduras?

Se las trata más o menos de la misma manera. Las magulladuras se producen cuando un golpe rompe algunos vasos sanguíneos bajo la piel, y la sangre se acumula en el lugar de la lesión.

En el caso de torceduras, se estiran mucho o se han desgarrado los ligamentos que mantienen las articulaciones en su lugar. Esto sucede con frecuencia en el tobillo, especialmente si los niños juegan fútbol; pero también se producen en la muñeca, la rodilla, el codo y el hombro. Un tratamiento eficaz es la aplicación alternada de compresas calientes y frías durante 15 ó 20 minutos; se deja la compresa caliente durante 4 minutos, y la compresa fría 1 minuto. Después se alterna el procedimiento. Algunos prefieren sólo compresas frías. Luego se venda firmemente el lugar con una gasa. Mantenga en reposo, durante unos días, la parte afectada. En algunos casos el médico recomienda que se tome una radiografía para ver si se ha producido una fractura.

CORTES Y DESGARROS

En cada hogar debería haber un botiquín con los elementos de primeros auxilios que se necesitan, para atender los cortes, desgarros, magulladuras y raspones que inevitablemente ocurren todos los días, especialmente cuando hay niños en el hogar. Aprenda a limpiar una herida y a vendarla, porque es posible que algún día lo necesite.

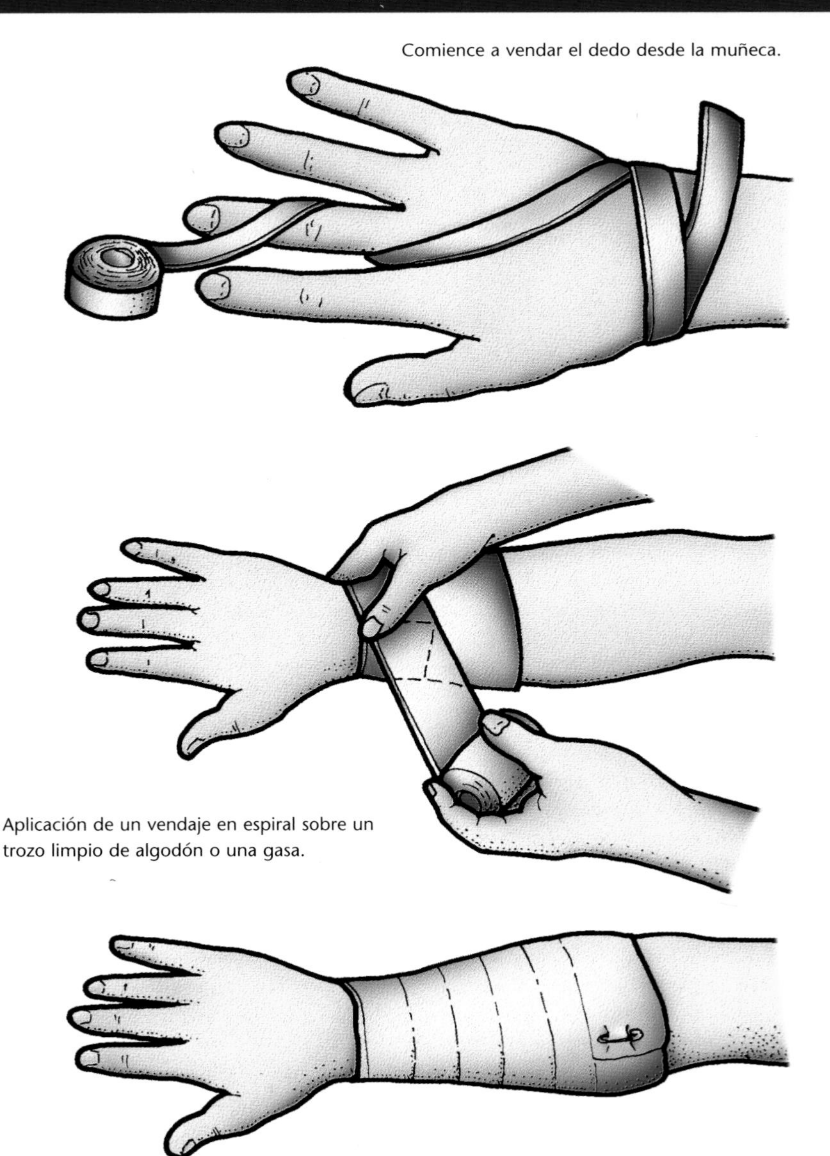

Comience a vendar el dedo desde la muñeca.

Aplicación de un vendaje en espiral sobre un trozo limpio de algodón o una gasa.

Los niños jamás deberían quedar sin vigilancia cuando se encuentran en una pileta (piscina) de natación.

Accidentes en el agua

¿Qué nos puede decir acerca de los niños que se ahogan?

Es algo que no debería ocurrir; lamentablemente, cada verano se ahogan muchos niños y adolescentes. Estos accidentes se producen en playas, ríos y piscinas (piletas, albercas). Un pequeño se puede ahogar en muy poca agua si recibe un golpe que lo aturda, y si al caer le queda el rostro debajo del agua. Los padres deben vigilar a sus hijos para evitar estos accidentes.

Las asfixias por inmersión son más frecuentes cuando nadie se ocupa de los niños. En algunos casos, cuando juegan con niños más grandes, se producen accidentes lamentables. Un adulto debe vigilar a los menores cuando se bañan en el mar, los ríos, etc. No se debe permitir que se bañen en represas o embalses. Aunque haga calor, aunque el agua esté tibia en la superficie, es probable que la que se encuentra más abajo esté muy fría, lo que aumenta el riesgo de calambres fatales que pueden ser la causa de la asfixia por inmersión. No permita que los niños naden en aguas desconocidas o donde haya troncos, ramas y otros obstáculos.

¿Deberían aprender a nadar los niños pequeños?

Hasta los niños de un año pueden convertirse en buenos nadadores. Hay que continuar el entrenamiento, porque pueden olvidarse si no practican a menudo. Cuanto antes aprendan a nadar, tanto mejor será, porque estarán en condiciones de salvarse si ocurre una emergencia en el agua.

¿Qué medidas se deben adoptar en caso de emergencia?

Lo ideal sería que los niños mayores y los padres supieran aplicar el método de resucitación artificial, como asimismo la respiración boca a boca y cómo volver a poner en marcha el corazón cuando se ha detenido. Todo esto es indispensable si se quiere ayudar a alguien que ha "muerto" repentinamente por cualquier razón. La asfixia por inmersión es la causa principal entre los niños, pero las descargas eléctricas y otros accidentes también pueden requerir resucitación artificial.

Las muertes por asfixia por inmersión son más comunes cuando los niños no están convenientemente vigilados.

Atragantamiento

Díganos algo acerca de los atragantamientos. ¿Qué se puede hacer cuando un niño ha tragado algo que se la ha ido a las vías respiratorias y le resulta difícil respirar?

Esto es grave. Los maníes (cacahuetes) son el cuerpo extraño que causa más problemas. No los dé a niños menores de 3 años. No permita que corran mientras tienen algo en la boca. Los pequeños se echan a la boca todo lo que encuentran: botones, porotos (fríjoles), trocitos de plásticos, ojos de muñecas, etc. Si al niño le cuesta respirar, llévelo al médico o a un hospital. Como medida de emergencia se puede aplicar la "maniobra de Heimlich" para desalojar el cuerpo extraño.

¿En qué consiste esta maniobra?

Si el rostro del niño está azul, si no puede llorar ni hablar y comienza a perder el conocimiento, se encuentra en peligro de asfixiarse, de modo que es necesario proceder con rapidez.

Para realizar la maniobra de Heimlich ubíquese detrás del niño y rodéelo con sus brazos, colocando ambas manos por debajo de las costillas y por encima del ombligo. A continuación ejerza una corta serie de rápidos movimientos de presión hacia adentro y hacia arriba. La columna de aire que se desplaza casi siempre desaloja lo que impide la respiración.

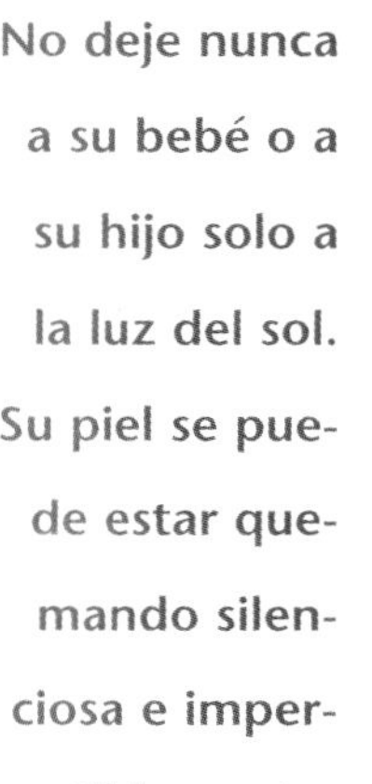

No deje nunca a su bebé o a su hijo solo a la luz del sol. Su piel se puede estar quemando silenciosa e imperceptiblemente.

Quemaduras

Las quemaduras son comunes en la infancia, ¿verdad?

Así es. Sin embargo los padres que se preocupan por tomar las precauciones necesarias cuando los niños están en la cocina, donde hay agua hirviendo, ollas calientes, cocina eléctrica o a gas encendidas, etc., evitarán que se quemen.

Las quemaduras son graves y dolorosas. Si el 30 % o más del cuerpo se quema, el adulto corre mucho riesgo de morir. Pero en los niños eso ocurre si se quema sólo el 10 %.

¿Cómo debe tratarse una quemadura?

Bañe con agua fría y limpia la parte quemada. Quite la ropa quemada u otros restos extraños, si es posible. Cubra la herida con un trozo de tela limpia y un algodón. La quemadura, si no es grave, sanará en pocos días. Las quemaduras más profundas pueden ampollarse; el líquido de las ampollas se escurre, la piel quemada se desprende y se forma nueva piel sana. Este proceso demora varios días.

¿Y si la quemadura es más grave?

Cualquier quemadura más extensa y profunda debe recibir atención médica inmediata. En este caso hay que llevar al niño accidentado directamente al servicio de emergencia de un hospital, donde le harán las curaciones necesarias y tratarán cualquier complicación que pueda presentarse. Nunca descuide las quemaduras ni en los niños ni en los adultos, porque pueden ser muy graves.

No aplique manteca (mantequilla), grasa, harina ni aceite a las quemaduras, porque no produce ningún resultado positivo. Eso se hacía antes, pero ahora los médicos aconsejan evitarlo.

¿No le parece que si los padres tuvieran más cuidado no se quemarían tantos niños?

Ciertamente. Es necesario insistir en que los padres —y también los hermanos mayores— deben vigilar a los niños menores para evitar que se quemen. La prevención es el mejor remedio.

Debo añadir que también hay que vigilar el baño, porque una criatura puede meterse en la tina sin darse cuenta de que está llena con agua caliente. O bien puede abrir la llave (grifo) del agua caliente y quemarse. Es necesario vigilar a los niños cuando hay peligro de que se quemen con agua caliente o fuego, hasta que aprendan a evitar el peligro.

Quemaduras de sol

Ya hablamos, en otro capítulo, acerca de las quemaduras de sol, pero creo que es necesario que las volvamos a mencionar.

Estoy de acuerdo, porque estas quemaduras suelen ser graves y se las pueden clasificar como accidentes. En el capítulo 13 nos referimos extensamente a estas quemaduras y su tratamiento.

Debo repetir que la piel de los niños es muy delicada, por lo que los rayos del sol la queman con facilidad. Puede quemarse en pocos minutos si no está protegida. Nunca deje solo a un bebé o niño pequeño expuesto al sol. Es beneficioso para ellos y los chicos, pero tenga en cuenta que mientras disfrutan de los rayos solares puede ser que su piel se esté quemando silenciosamente. Recuerde también que los rayos ultravioleta rebotan en las superficies de colores claros, como nubes, playas, campos y calles. Los bebés y los chicos pueden quemarse en esos lugares sin que los desprevenidos padres se den cuenta.

¿Cuál es el mejor tratamiento?

Lo mejor es adoptar las precauciones ne-

La piel de los niños es propensa a quemarse; por lo tanto, tome precauciones respecto de las quemaduras del sol.

cesarias para prevenir las quemaduras de sol. Pero cuando estas se han producido, la aplicación de compresas frías produce alivio. Deben repetirse con frecuencia. Doble una o dos toallas chicas, póngalas en agua fría, estrújelas y aplíquelas sobre la quemadura. Déle al niño agua y jugos de fruta en abundancia, para reponer el líquido perdido. El paracetamol en jarabe es muy eficaz para reducir la fiebre y el dolor. Verifique la dosis en el envase. No aplique pomadas ni lociones sobre la quemadura, porque pueden sensibilizar la piel sin producir beneficio. Es mejor aplicar alguna loción protectora contra los rayos ultravioletas; estos, lamentablemente, siguen actuando mientras se está en un lugar soleado.

Envenenamientos

¿Cómo se puede reducir la frecuencia de estos accidentes?

Es indispensable que los padres comprendan los riesgos, y que hagan todo lo posible para mantener fuera del alcance de los niños, y preferiblemente bajo llave, todos los elementos tóxicos y peligrosos, incluso los medicamentos. No conserve medicamentos con fecha vencida en el botiquín, porque ya no sirven y se convierten en un peligro para los menores. También es necesario enseñar a los hijos qué son los medicamentos y el peligro que representan.

¿Qué se puede decir de otros productos tóxicos?

En el hogar se usan muchos productos tóxicos. Entre ellos está la lavandina (hipoclorito de sodio), que también se llama agua de cuba o agua jane; además el querosén (parafina), los insecticidas, los alimentos para las plantas, los líquidos de limpieza, etc. Casi todos ellos son sumamente tóxicos.

+ *Tratamiento*

¿Cuál es el tratamiento más adecuado para los envenenamientos?

Cuando el niño ha tomado sólo una pequeña porción de veneno, un vaso de leche le servirá de antídoto. Pero cuando ha tomado mayor cantidad, hay que hacerlo vomitar. El jarabe de ipecacuana sirve como vomitivo y debería encontrarse en todo botiquín. La dosis aparece en la etiqueta. Es la siguiente:

1 año: 15 mililitros de jarabe.
2 años: 20 mililitros.
3 años: 25 mililitros.
Más de 3 años: 30 mililitros.
Adultos: 50 mililitros.

El jarabe se da con 200 mililitros de agua (una taza); el vómito se produce unos 20 minutos después. Conviene que este tratamiento lo realice un médico en la emergencia; muchas veces se prefiere un lavado de estómago en su lugar, que es realizado por medio del médico.

¿Hay algunos venenos para los cuales este tratamiento no sirve?

Sí. Los productos derivados del petróleo, los líquidos corrosivos y los productos que producen espuma no deben tratarse de esta forma, porque el vómito puede producir neumonía, la que puede ser peor que el envenenamiento. Además, si el paciente está inconsciente no provoque el vómito, porque podría asfixiarse.

En este caso, dé al accidentado abundante leche para neutralizar el tóxico. Si no la tiene, déle agua. Si el niño ha perdido el conocimiento no le dé líquido alguno. Llévelo al médico o al servicio de emergencia más cercano.

Muchos producto de uso común en el hogar pueden ser peligrosos.

Las medicinas y las sustancias químicas pueden ser un verdadero peligro si están al alcance de las manos de un niño.

¿Cuáles son algunos de los productos derivados del petróleo a los que usted se refiere?

El petróleo mismo, el querosén (parafina), la trementina, los adelgazadores de pintura, el líquido para encendedores, los líquidos para limpiar ropa, productos para lustrar muebles, insecticidas, etc.

¿Qué son los corrosivos?

Son productos o muy ácidos o muy alcalinos. Los que producen espuma incluyen los champús y muchos detergentes.

¿Es necesario hacer algo más después de inducir el vómito?

Se le puede dar carbón activado al niño. La dosis es 2 cucharaditas de carbón en polvo en medio vaso de agua. La dosis para adultos es 5 cucharaditas en medio vaso de agua. Mezcle bien antes de administrarlo. También hay tabletas de carbón, que se puede moler y disolver en agua. El carbón absorbe el tóxico y reduce su toxicidad.

Descargas eléctricas y quemaduras producidas por la electricidad

¿Son frecuentes estos accidentes?

Me alegro de poder decir que no lo son. Sin embargo, cada año se producen algunas muertes por descargas eléctricas, que son perfectamente evitables. Los padres deben asegurarse de que los cables (cordones) de los artefactos eléctricos se encuentren en buenas condiciones. Hable con los niños acerca del peligro que corren al jugar con lámparas y enchufes. Hay tapas de plástico que se ponen sobre los enchufes para impedir que los niños introduzcan los dedos en ellos, o clavos y otros objetos metálicos.

Las quemaduras producidas por la electricidad generalmente son pequeñas, indoloras, tienen forma ovalada y están bien demarcadas en la piel. Demoran mucho en sanar. El peligro mayor de estas descargas eléctricas es la pérdida del conocimiento y la muerte. Puede producirse rápidamente una falla cardíaca y respiratoria.

+ *Tratamiento*

¿Cuál es el mejor tratamiento?

Esto es una emergencia. La resucitación boca a boca y el masaje externo del corazón pueden salvar la vida del accidentado. Antes de hacer nada llame a una ambulancia. Obtenga ayuda de inmediato de la policía o de un vecino. Evite el riesgo de electrocutarse usted mismo y no toque a la víctima con las manos si esta se encuentra en contacto directo con un cable eléctrico. Mientras espera la llegada de la ambulancia o la policía, separe a la víctima del cable con un trozo de madera. Luego aplíquele el tratamiento de emergencia de respiración boca a boca y masaje del corazón. Si la ambulancia se demora, trasládelo usted mismo al servicio de emergencia del hospital más cercano o a otro lugar donde pueda recibir atención médica.

Mordedura de animales y de gente

¿Ocurren con frecuencia estas mordeduras?

Efectivamente. Las mordeduras de perro encabezan la lista. Las partes del cuerpo más afectadas son la cara, las piernas, los brazos y las manos. Pueden ser profundas y la piel puede estar desgarrada en varios lugares. Pueden afectar los vasos sanguíneos y producir graves complicaciones. A veces los niños se muerden entre sí cuando juegan o se pelean. Algunos médicos sostienen que estas mordeduras son tan peligrosas, o más aún, que las de los animales.

+ *Tratamiento*

¿Qué clase de tratamiento se administra en este caso?

Cualquier mordedura debe ser tratada por el médico, debido al peligro de que la víctima contraiga la rabia. El paciente por lo general está inmunizado contra esa enfermedad. Pero la protección contra el tétanos y las bacterias es indispensable, y se la obtiene con inyecciones de refuerzo y antibióticos. Hay que llevar al niño mordido, lo más pronto posible, al médico o al hospital, idealmente dentro de una hora, antes que los gérmenes infecciosos se hayan multiplicado.

Mordeduras de serpientes

¿Qué puede comentar acerca de las mordeduras de serpientes?

Cualquier mordedura de serpiente debe considerarse peligrosa, de modo que hay que trasladar a la víctima al servicio de emergencia más cercano. Las piernas son el lugar donde con más frecuencia se producen estas mordeduras. Los niños y los adultos pueden ser las víctimas de estas mordeduras.

Tan pronto como puedan entender, los niños deberían ser instruidos en cuanto a tratar con cautela los artefactos eléctricos y los lugares donde hay corriente eléctrica.

+ *Tratamiento*

¿Cuál es el tratamiento más adecuado?

Es indispensable que aplique primero un plan de primeros auxilios. Ponga una venda de gasa o elástica sobre la mordedura y extiéndala hasta la ingle, si se trata de la pierna, o hasta la axila si es el brazo. La venda debe quedar firme pero no excesivamente apretada. Se hace esto para impedir que el veneno entre en la circulación general del organismo.

¿Qué más se debe hacer?

Mantenga a la víctima en reposo y trasládela a la brevedad posible al servicio de emergencia de un hospital. No deje que camine, porque eso aumenta el riesgo de que las toxinas entren en la circulación general; además aumenta el riesgo de complicaciones y hasta de muerte. No le saque la venda antes de trasladarlo; deje que los médicos se encarguen de eso.

Anime a la víctima, háblele en términos positivos para mantener su confianza y reducir sus temores. En el hospital cuentan con suero antiofídico para combatir las toxinas de todas las serpientes venenosas. La víctima recibirá el suero antiofídico adecuado y otras medidas terapéuticas que le salvarán la vida.

Toda picadura (mordedura) de serpiente se debería considerar venenosa, e inmediatamente se debe tomar las medidas del caso.

Picaduras de arañas

¿Son peligrosas las picaduras de arañas? Las arañas se encuentran en todas las casas, en el bosque y en el campo.

Hay arañas venenosas que producen gra-

La araña de cola blanca.

Muchas picaduras de arañas se producen en las manos, y el tratamiento es el mismo que el de las picaduras de serpientes.

ves trastornos. Una de ellas es la viuda negra o araña colorada (araña de los trigales o del lino), cuyo nombre científico es *Latrodectus mactans*. Sobre el abdomen negro lleva una cruz roja u otro diseño del mismo color. Vive en lugares oscuros, en los montones de leña, en los terrones de los campos de cultivo y hasta en las casas de campo. Sólo la hembra es peligrosa, aunque no es agresiva y prefiere retirarse a su madriguera.

¿Qué sucede cuando a alguien lo pica una viuda negra?

La persona siente un dolor agudo, seguido de enrojecimiento e hinchazón en la zona. El dolor puede difundirse a otros lugares y ser intenso. La víctima se siente inquieta y débil, y puede tener temblores musculares. El dolor puede persistir durante varios días o semanas.

+ *Tratamiento*

¿Cuál es el tratamiento que corresponde a este caso?

No conviene hacer incisiones sobre la picadura. Hay que poner una compresa con hielo sobre ella y llevar a la víctima, sin pérdida de tiempo, al hospital más cercano. Allí recibirá el tratamiento adecuado para combatir el veneno y sus efectos sobre el organismo.

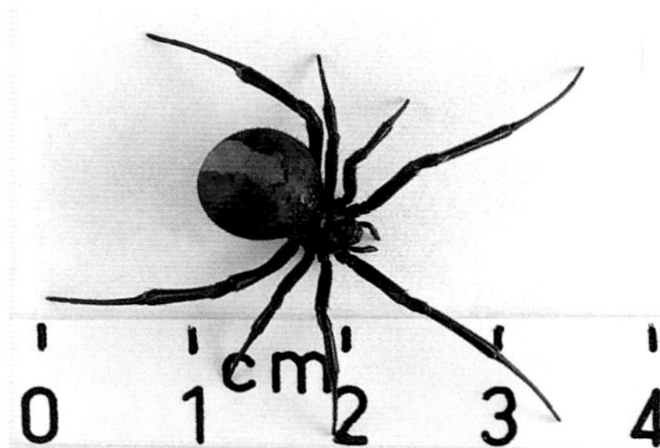

La araña de los trigales. Tiene una mancha roja en el lomo.

Estas arañas tejen una tela en forma de túnel. El macho es el de la izquierda.

La seguridad del niño

¿Cree usted que la seguridad del niño depende del cuidado y la atención de su madre?

Estoy convencido de ello. Pero las madres tienen tantas cosas que hacer, y a pesar de ello se esfuerzan por hacer lo mejor posible. Resulta fácil decir que deberían hacer esto o lo otro, pero ya tienen las manos llenas con las interminables tareas del hogar. Todos deberían reconocer lo que hacen, encomiarlas y tratar de aliviar su tarea colaborando con ellas. Esperamos que las sugerencias que hemos hecho les faciliten la responsabilidad de proteger a sus hijos contra los accidentes.

Fracturas

¿Tiene planes de decir algo acerca de las fracturas antes de terminar este capítulo?

Claro que sí. Ocurren con frecuencia entre los niños. Pero afortunadamente la fractura más común es la llamada "en tallo verde". Debido a que los huesos de los bebés y los niños pequeños son muy flexibles, el hueso se dobla y se triza sin quebrarse completamente como sucede con los adultos. Puesto que las fracturas en los menores son menos graves, se tratan con más facilidad y se curan con menos dificultad.

¿Qué se debe hacer?

Hemos cubierto ampliamente el tema de las fracturas en el capítulo 28, titulado "Afecciones de los huesos y las articulaciones". En caso de fractura en un niño, acuéstelo con la mayor comodidad posible, proteja el miembro fracturado con algún material blando y colóquele una férula preparada con material rígido (una tabla, plástico, etc.). Luego llévelo sin pérdida de tiempo al médico o al servicio de emergencia de un hospital, especialmente si se ha golpeado la cabeza y está inconsciente. Allí le harán una radiografía, y luego le enyesarán el miembro fracturado y se encargarán de tratar cualquier emergencia que pueda presentarse.

capítulo 37

Consejos prácticos sobre diversos temas

EN ESTE CAPÍTULO

En este capítulo presentaremos una serie de temas de refuerzo para que esta obra sea más útil. Aunque algunos ya los tratamos en capítulos anteriores, los incluimos de nuevo aquí con información adicional o bajo enfoques diferentes.

A continuación aparece una lista de temas que se explican en las páginas siguientes. En todos ellos damos informaciones útiles e interesantes para los padres.

Advertencia final

Estamos llegando al final de la sección que se refiere al cuidado de los bebés y de los niños en desarrollo, en especial cuando se enferman.

Así es. Pero como sucede con cualquier obra sobre el cuidado de los niños, es posible que el lector haya quedado con preguntas que no se contestaron en este tomo o que no se expusieron con suficiente amplitud, aunque nos hemos esmerado en plantear una cantidad considerable de temas que tienen que ver con la crianza y el cuidado de los hijos.

Esperamos que les resulten útiles los temas complementarios que tratamos en este último capítulo, y que los ayuden en su tarea de ser padres y madres eficientes. Aprovechen la oportunidad de interactuar con sus hijos mientras sea posible, porque muy pronto descubrirán que los días de los bebés se han ido, los días escolares también, los días de la adolescencia están pasando rápidamente, y pronto el nido quedará vacío y entonces ustedes volverán a estar solos, con una casa grande sin ruido, ni risas ni felicidad. Por eso, actúen de tal manera que cada día, hasta entonces, sea un día especial.

Accidentes

Los bebés y los chicos están especialmente expuestos a accidentes. ¿No le parece que es imposible que los padres los vigilen las 24 horas al día? Algunos riesgos son inevitables.

Así es. Pero muchos accidentes se pueden evitar. Haga lo posible por educar a su hijo desde que aprende a gatear. Enséñele a evitar el peligro y repita con frecuencia la instrucción, porque así el niño, que puede absorber información, aprenderá poco a poco a evitar los peligros. A continuación presentamos algunos de los accidentes más frecuentes. En el capítulo 36, titulado "Accidentes y emergencias", encontrará la descripción detallada de numerosos accidentes. Le recomendamos que lo lea.

Sofocación

La sofocación ha provocado numerosas tragedias, y al parecer las seguirá produciendo.

El problema es que los bebés y los chicos no pueden solucionar por sí mismos el problema de la dificultad para respirar.

Para evitar la posibilidad de sofocación se recomienda no usar almohadas en la cama del bebé durante los primeros 12 meses, por-

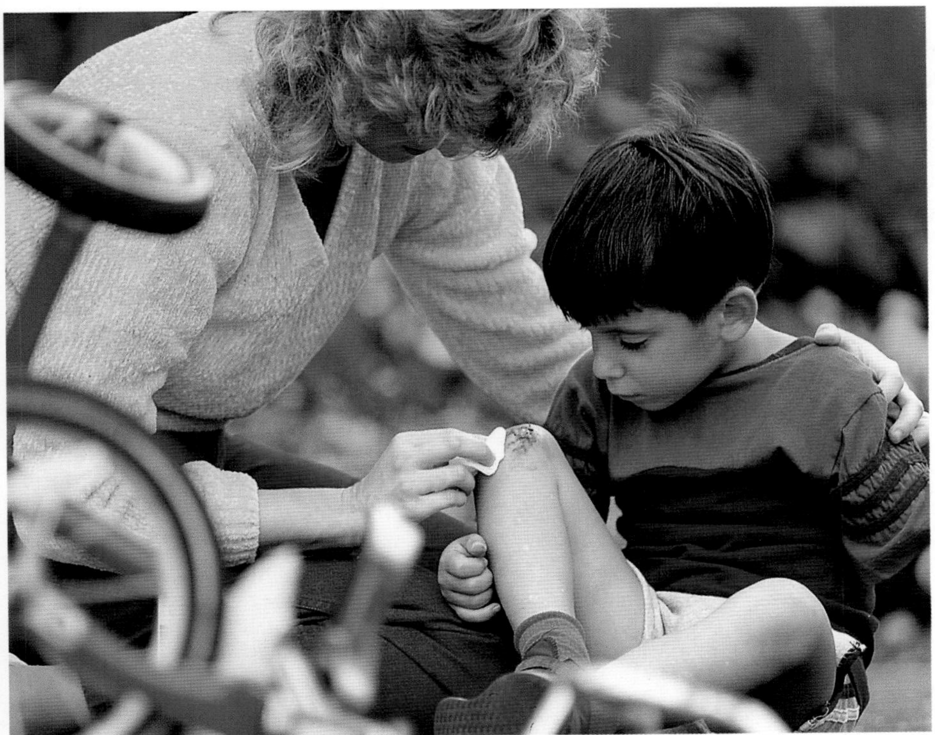

Parece inevitable que se produzcan accidentes de una u otra naturaleza en el hogar.

que las criaturas suelen hundir la cara y la nariz en ella. También hay que evitar que el gato regalón duerma en la cama del bebé, porque podría acomodarse contra el rostro y la nariz, y la criatura se podría sofocar o asfixiar.

Las bolsas de plástico son peligrosas, porque los bebés y los chicos pueden meter la cabeza en ellas y sofocarse. Muchos han muerto por esto. No deje bolsas de plástico donde hay niños. O bien puede hacerles un nudo apretado para que las usen sin peligro para ellos.

Atragantamientos

En algunos casos hasta los alimentos pueden resultar peligrosos para los niños. ¿Podría explicarnos cómo puede ser esto?

Nunca deje solo al bebé con su biberón o a un chico que está comiendo. La leche del biberón se puede acumular en la garganta y sofocarlo. Los trozos de galleta o de pan duros también pueden obstruir las vías respiratorias. Si este problema se presenta, el bebé necesitará su ayuda, y usted debe estar junto a él.

Los maníes (cacahuetes) son una de las causas más frecuentes de atragantamiento.

Así es. No permita que el chico se ría, juegue o corra mientras come maníes. Uno de ellos podría llegar a la tráquea y obstruirla, interrumpiendo la respiración. Cuando eso sucede, algunos pediatras recomiendan que se ponga a la criatura cabeza abajo y se le golpee la espalda para desalojar el cuerpo extraño. Otros aconsejan llevarla de inmediato al servicio de emergencia de un hospital o al consultorio del médico.

Los padres deben vigilar a las criaturas para que no se lleven a la boca objetos pequeños que podrían sofocarlos. La prevención es el mejor remedio.

El baño

¿Es seguro dejar solo al bebé en el baño?

No lo es. Los bebés pueden ahogarse en poca agua. Si el teléfono suena, que siga sonando, pero no deje solo al bebé. Ponga primero agua fría en la bañera y después la caliente. Ha sucedido que un chico se ha metido solo en la bañera con agua caliente y se ha quemado. Los chicos no se dan cuenta si el agua está caliente o fría.

Nunca deje solo en el baño a un niño. Se puede ahogar en unos pocos centímetros de agua.

Enchufes eléctricos

Los enchufes ejercen una gran atracción sobre los chicos, tanto que a veces introducen clavos, tornillos y otros objetos metálicos en ellos.

Por eso se les debe poner tapas especiales que se venden en los negocios de artículos eléctricos. O bien se los puede tapar con tela adhesiva. Además, hay que enseñarles que los enchufes son peligrosos y que no deben jugar con ellos. Enséñeles a no jugar con ningún artefacto eléctrico. Si usted es perseverante, los niños poco a poco aprenderán a ser cuidadosos y a evitar el peligro.

Medicamentos

Muchos medicamentos se venden en envases atractivos y de colores brillantes; los chicos creen que son golosinas.

Así es. Afortunadamente ahora muchos medicamentos se venden en envases que los niños no pueden abrir. Gracias a esto ha disminuido la cantidad de envenenamientos. Mantenga todos los medicamentos fuera del alcance de los niños, en un lugar seguro. Enséñeles que son peligrosos. La mayor cantidad de envenenamientos ocurre con aspirina.

En caso de envenenamiento hay que dar agua y hacer vomitar al niño. También puede darle jarabe de ipecacuana, que suele ser eficaz y es inofensivo. En todo botiquín debería haber un frasco con este jarabe.

¿Es aconsejable dar medicamentos a los bebés?

Como regla general no es aconsejable hacerlo, si el pediatra no los ha recetado. En la actualidad existe una gran variedad de poderosos medicamentos fabricados especialmente para que produzcan determinados resultados. No es correcto darlos a un bebé o a un chico, a menos que el médico lo haya recetado.

No le dé aspirina al bebé, porque le irrita el estómago y el intestino. Si tiene fiebre o dolor de cabeza es mejor darle paracetamol en jarabe, en la dosis recomendada en el envase, según la edad. En caso de tos, se le puede dar un jarabe suave, en la dosis indicada en el envase.

Quemaduras

Los niños son muy curiosos y meten las manos en todas partes. A veces lo hacen en cosas que están calientes y se queman.

Eso ocurre con frecuencia. En ocasiones encuentran un cigarrillo encendido y se queman con él. Diremos de paso que también se lo suelen llevar a la boca para masticar el tabaco, y eso los envenena. También se pueden quemar con agua caliente, con una hornalla de la cocina, o con una plancha. Los padres deben tener cuidado para no dejar aparatos calientes al alcance de los niños. Cuando están en la cocina deben vigilarlos para que no tomen la manija de una olla o de una sartén con aceite caliente.

Protección contra otros niños

Algunos niños se ponen celosos cuando un nuevo bebé llega a la casa, y a veces intentan agredirlo.

Eso sucede con frecuencia, y se debe,

por lo menos en muchos casos, a que no se preparó debidamente s los niños para que aceptaran al bebé. No deje solo al niño celoso con el bebé, porque podría hacerle daño. En este caso se impone la vigilancia de los padres para evitar una desgracia.

Peligros en la cocina

La cocina no es un lugar seguro para los chicos; sin embargo, puede ser necesario que pasen bastante tiempo con usted en ese lugar. ¿Qué se debe hacer?

Nunca deje sartenes ni ollas al alcance de los niños, porque podrían tomarlas y volcarse encima su contenido caliente.

Si tiene que llevar una olla con agua caliente de un lugar a otro, fíjese primero dónde está la criatura, para no tropezar con ella y quemarla con el agua. Cocinar con una criatura a sus pies puede ser muy peligroso. Pisarle una mano o un pie puede hacerle mucho daño.

Envenenamientos

Numerosos artículos de limpieza constituyen un peligro para los niños. Sin embargo, se los deja descuidadamente a su alcance.

El cloro (hipoclorito de sodio, llamado también lavandina, agua de cuba y agua jane), los artículos de limpieza y los insecticidas se dejan al alcance de los niños, que no saben que son peligrosos. Algunas criaturas han muerto por beber querosén (parafina), por ejemplo, que estaba en una botella de gaseosa. Esos productos jamás deberían dejarse al alcance de los niños.

Afición a esconderse

A los niños les encanta esconderse en cajones, estantes y en otros lugares.

A veces lo hacen en la heladera (nevera, refrigerador), en la máquina de lavar y en otros lugares peligrosos. Algunos han sufrido mucho daño por esta causa. Aquí nuevamente se impone la vigilancia de los padres, que deben saber en todo momento dónde se encuentran sus hijos. Además, deben hacer todo lo posible para prevenir estos accidentes innecesarios.

Los portazos

Esta costumbre puede ser peligrosa, de modo que no lo haga usted y enseñe a sus hijos a no hacerlo tampoco.

Así es. Podría quebrarse un vidrio y causar cortes. O bien podría romperle la mano al niño, o golpearlo y herirlo. Además, dar portazos es una manifestación de violencia. Los chicos aprenden a expresar su molestia y desagrado de la misma forma como lo hacen los padres.

Hamacas (columpios) y entretenimientos

¿Considera usted que las hamacas (columpios) son inofensivas?

Creo que son peligrosas si no se toman las debidas precauciones. En su ir y venir pueden golpear la cabeza de un chico que sin darse cuenta se pone en su trayectoria. Además, el niño que se columpia puede deslizarse y caer, produciéndose magulladuras y hasta fracturas. A los niños que se entretienen en un parque infantil se los debe vigilar con mucho cuidado, para evitar accidentes.

Accidentes en el garaje

El garaje es otro lugar que atrae a los niños. ¡Hay tantas cosas interesantes con las que pueden entretenerse!

Así es. Los niños encuentran botellas con diversos líquidos, trozos de hierro y madera, herramientas con puntas agudas, artefactos eléctricos, arañas debajo de los estantes y en los rincones, y muchas otras cosas más. Puede haber un auto (carro), al que los niños pueden subir y luego caer sobre el piso de cemento. Cuando retroceda con el auto (carro), asegúrese primero de que el o los niños se encuentran en lugar seguro, para no atropellarlos. Muchos han muerto arrollados por un auto que salía del garaje sin que su conductor se enterara de que el camino no estaba libre.

Accidentes en el auto (carro)

Es indispensable que los niños usen los cinturones de seguridad cuando viajan en auto. Los padres deben asegurarse de que estos estén adaptados a la edad de los niños.

No permita que un niño esté sin cinturón, sobre todo si viaja en el asiento delantero. Una frenada repentina puede arrojar al niño con violencia contra el tablero de control, o el parabrisas, y causarle la muerte.

Las actitudes frente a la circuncisión están variando últimamente. Un 50 % está a favor, y otro 50 % en contra.

Además, hay que asegurar las puertas de modo que no puedan abrirlas por dentro. Nunca deje a un niño solo en el auto. El sol puede elevar tanto la temperatura que el niño se puede deshidratar y sofocar.

Deshidratación

Los bebés pierden líquido muy rápidamente, en especial cuando hace calor.

Estamos de acuerdo. Por eso es necesario que en su cuerpo haya siempre una cantidad adecuada de líquido. Muchas madres no se dan cuenta de lo importante que es esto. Si no se repone con suficiente rapidez el líquido perdido, la salud del niño se puede resentir. Cuando hace calor, déle al bebé porciones adicionales de agua hervida fría. La cantidad que se le debe dar no es problema, porque los bebés no beben mucho más de lo que necesitan.

Poco después de que haya nacido un bebé varón, los padres tendrán que decidir si lo circuncidan o no.

Circuncisión

Hace algunos años estuvo de moda la circuncisión de los bebés varones sin motivaciones religiosas.

Así es, aunque eso ocurrió especialmente en los Estados Unidos, Inglaterra, Australia, Israel y otros países, pero no en América Latina. Los pediatras dudan ahora de la necesidad de circuncidar a los bebés sólo por motivos higiénicos. En la circuncisión se corta una parte del prepucio o la piel que cubre el glande del pene, para exponerlo y poder higienizarlo. Pero los padres lo pueden llevar a cabo sin necesidad de circuncidar a sus hijos. La opinión de muchos pediatras en la actualidad es esta: "No se debería circuncidar sistemáticamente a los niños recién nacidos. La circuncisión practicada de esa forma se funda en parte en la tradición y en parte en la incomprensión de la anatomía. Casi nunca es necesaria en la infancia y menos aún en la edad adulta. Esta práctica carece de justificación".

La decisión es de los padres. Pero, si deciden hacerlo, se recomienda circuncidar a todos los varones de la familia, para evitar que después surjan problemas sociales y psicológicos.

Malformaciones congénitas

Afortunadamente, después de la tragedia causada por la talidomida, un medicamento que produjo una gran cantidad de malformaciones, se han tomado las debidas precauciones para evitar este problema.

Así es. Desde hace algunos años se aconseja a las embarazadas que no tomen medicamentos durante los primeros tres meses de embarazo, a menos que los recete el médico. Esto incluye todos los medicamentos, incluso la aspirina.

Los medicamentos pueden tener consecuencias muy adversas sobre los órganos del bebé que se están formando. Las embarazadas deben tomar en cuenta este consejo, para evitar malformaciones en sus hijos.

Pero hay muchas otras causas de anomalías durante el embarazo. Se sabe a ciencia cierta que la rubéola (sarampión alemán) puede producir efectos adversos en el desarrollo del feto.

Quiere decir que toda embarazada que

ha estado en contacto con la rubéola debe consultar inmediatamente al médico, ¿no es cierto?

Por supuesto. Los análisis de laboratorio demostrarán si la mujer está libre de la enfermedad o no. Hay otras infecciones que afectan al bebé en formación, por lo que la madre debe extremar las medidas para conservar la buena salud.

Se sabe que si la mujer fuma durante el embarazo puede dañar al feto. Debe dejar de fumar para proteger a su hijo en gestación. Se sabe que las bebidas alcohólicas son otra causa de graves anormalidades congénitas, por lo que la embarazada no debe consumirlas. El síndrome alcohólico fetal es una poderosa causa de deficiencia mental, defectos físicos y muerte prematura.

Si a pesar de todas las precauciones de todos modos nace un bebé con alguna malformación física o mental, la medicina cuenta hoy con numerosos recursos para aliviar la gravedad de estos casos.

Muerte súbita

En años recientes una cantidad de criaturas ha muerto repentinamente sin causa conocida. Esta condición se denomina muerte súbita. ¿Qué nos puede decir al respecto?

Es una situación muy triste para los padres que tienen que enfrentarla. Generalmente ocurre en los primeros meses de vida. El bebé, perfectamente sano, se acuesta por la noche en su cuna, se lo arropa con cariño, pero a la mañana siguiente su madre lo encuentra muerto. No hay señales ni de esfuerzo ni de dificultades. En muchos casos ni siquiera hay señales de que se haya movido en la noche. Es como si de pronto hubiera dejado de respirar. ¡Es una verdadera tragedia!

Se han hecho numerosos estudios en diversos países, pero todavía no se ha encontrado la razón de la muerte súbita. Se ha culpado a las alergias, a infecciones por virus, a la carencia de vitamina E y a los aerosoles. También se ha culpado al aire atrapado en el estómago, que durante el sueño escapa hacia la boca empujando leche que puede asfixiar a la criatura. Se ha mencionado asimismo como causas probables ciertas fibras del corazón demasiado sensibles al calor, al frío y la falta de magnesio. Lo único que se sabe con claridad es que entre los bebés que son amamantados se produce un escaso número de muertes súbitas. Pero no se sabe a ciencia cierta si la leche de vaca no es adecuada para muchos bebés, o si contiene un factor causante de alergia que en algunos casos resultaría fatal.

Es probable que la muerte súbita tenga muchas causas. La madre debe hacer todo lo posible para que su criatura goce de buena salud, y tomar las precauciones necesarias para que pase una buena noche y tenga un

Diversas circunstancias pueden causar la muerte súbita de un bebé.

Para los padres la muerte súbita de su bebé puede ser una experiencia devastadora, pero no deben culparse por ello.

sueño reparador. No tiene sentido que se siente toda la noche junto a la cuna por si el bebé llegara a tener dificultades.

Manténgalo en una habitación con temperatura pareja; evite los bruscos cambios de temperatura; use aerosoles lo menos posible; déle de mamar al bebé, si es posible; y reduzca al mínimo el polvo en la casa. Así eliminará por lo menos algunas de las posibles causas de la muerte súbita.

Convulsiones

¿Es verdad que muchos niños tendrán convulsiones durante los primeros años de su vida?

Así es. Alrededor del 5 % tendrán uno o más ataques, generalmente entre los 6 meses y los 4 años. Después de los 6 años no son muy frecuentes.

La mayor parte de las convulsiones se producen debido a infecciones leves y a la fiebre. Si el cerebro se calienta mucho pueden producirse convulsiones en criaturas susceptibles. Afortunadamente, sólo alrededor del 5 % de los niños que han tenido convulsiones tiene problemas en la edad adulta.

Cuando un bebé tiene convulsiones, especialmente la primera vez, los padres se asustan mucho y a veces no saben qué hacer. En este caso hay que acostarlo de lado y tirar suavemente la mandíbula inferior hacia adelante. Se puede tratar de mantener la boca abierta con ayuda de una cuchara envuelta en un trozo de tela; pero se debe tener cuidado de no herirle la boca. Los médicos recomiendan que nunca se le abra la boca a la fuerza a un niño. Pasarle por el cuerpo una esponja con agua fría en muchos casos reduce la fiebre y disminuye las convulsiones. Conviene llevarlo al médico para que establezca la causa y recomiende un tratamiento.

Llanto

Los bebés, en general, a medida que crecen, son tranquilos y felices. Entonces, si lloran, ¿cuál puede ser la causa?

Los bebés lloran cuando tienen hambre, sienten dolor o están incómodos.

Los pañales mojados o sucios son causa común de incomodidad. Cambie al bebé lo antes posible. Esos pañales, si se dejan mucho tiempo sin cambiar, pueden irritar la piel del bebé.

El niño con hambre no está feliz. Poca comida, o sin valor nutritivo, significa que el estómago está más o menos vacío, por lo que la criatura tendrá hambre y llorará.

El aire que se acumula en el estómago después de una mamada, cuando no se hace eructar a la criatura, produce molestias. El aire que pasa al intestino puede distenderlo

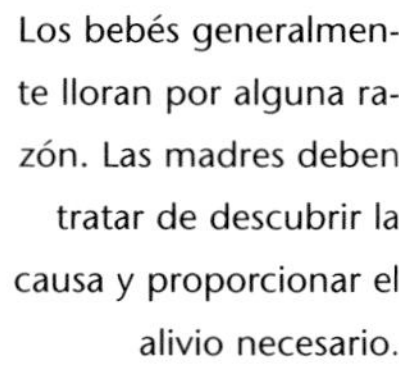

Los bebés generalmente lloran por alguna razón. Las madres deben tratar de descubrir la causa y proporcionar el alivio necesario.

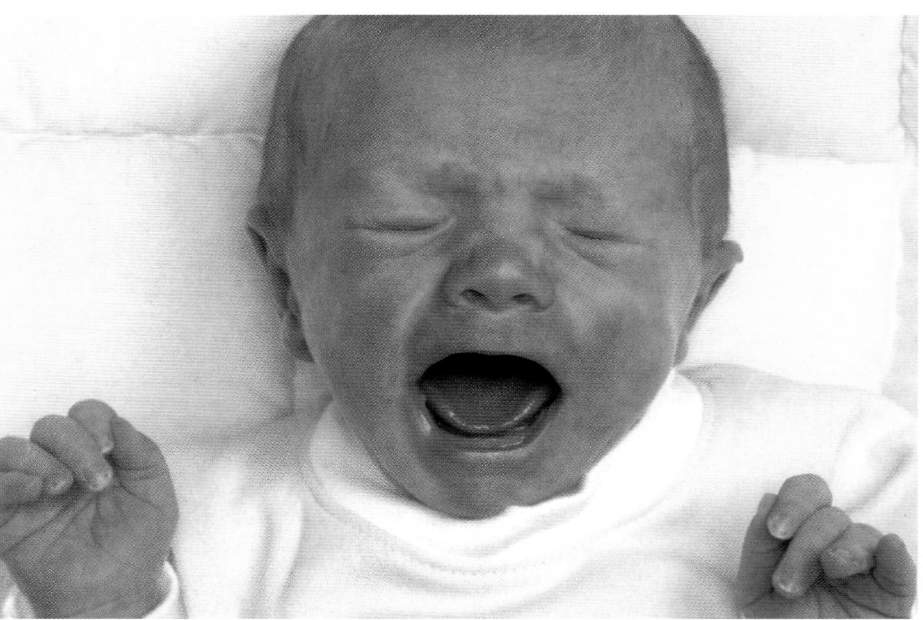

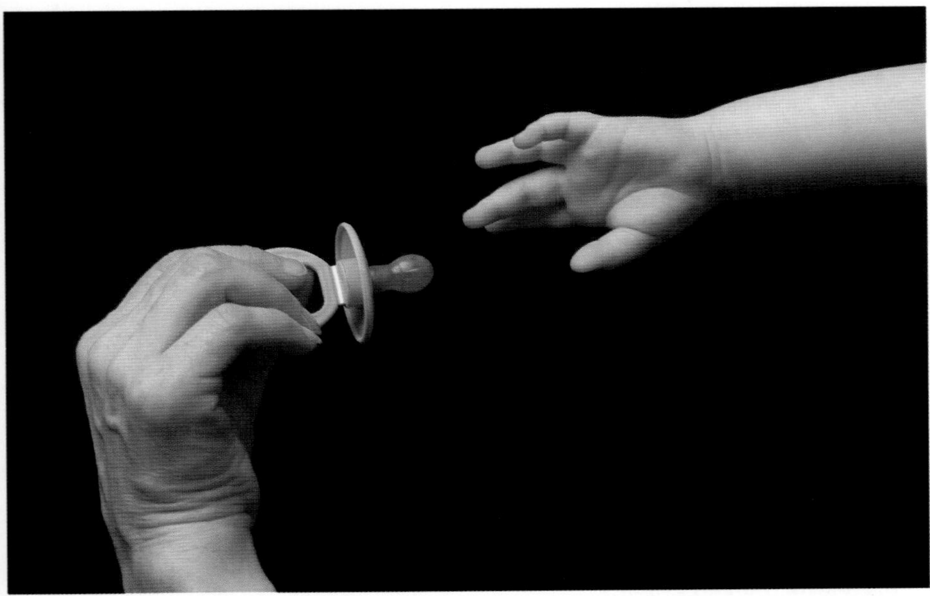

Si el chupete se conserva limpio, no hay objeción para su uso, pero la mayor parte de los niños puede vivir sin él.

y producir dolor. O bien se puede producir un espasmo en el intestino, lo que es muy doloroso. Es indispensable hacer algo para expulsar el aire atrapado en el estómago o en los intestinos del bebé.

Señales de peligro

Cuando el bebé está sano, se nota en su aspecto; tiene las mejillas sonrosadas, se ve bien alimentado, está feliz y contento, y duerme sin dificultades.

En cambio el bebé que no está sano lo demuestra de alguna manera. De modo que si la criatura se ve enferma es porque lo está. Existen señales que revelan la presencia de la enfermedad.

FIEBRE. Hay que tratar la fiebre, cualquiera que sea su causa. Los bebés tienen mucha más fiebre que los adultos. Su sistema regulador de la temperatura todavía no funciona con eficacia. Lo primero que se puede hacer para bajarle la fiebre es un esponjamiento con agua fresca.

DESHIDRATACIÓN (pérdida de líquido). Si la deshidratación persiste a pesar de que se ha reemplazado el líquido perdido, consulte al médico. Los bebés pueden deshidratarse con mucha rapidez, especialmente si hay vómitos y diarrea persistentes. Si este problema no se soluciona con tratamientos sencillos al cabo de algunas horas, hay que llevar al niño al médico sin pérdida de tiempo.

DOLOR Y MOLESTIA. Si persisten, la criatura requiere atención profesional. No es natural que un bebé llore constantemente.

HEMORRAGIA (pérdida de sangre). Cualquier pérdida de sangre requiere la atención del médico, para que diagnostique y dé el tratamiento adecuado.

PÉRDIDA DEL CONOCIMIENTO. Cuando un bebé pierde el conocimiento hay que hacerlo ver inmediatamente por el médico.

TRASTORNOS RESPIRATORIOS. Toda dificultad respiratoria del niño debe ser atendida por el médico.

Chupetes (chupones, tetinas)

Parece que cada experto tiene su propia idea acerca del uso de chupetes (chupones, tetinas), incluso los padres.

Es verdad. Darle un chupete al bebé para mantenerlo tranquilo parece una buena idea. Tiene la misma forma del pezón de la madre, y se espera que le dé la misma satisfacción, porque le permite succionar. A ellos les agrada succionar y jugar con el pezón aun después de haber satisfecho su apetito. Al parecer eso les proporciona una sensación de seguridad y felicidad. El chupete se creó para que le proporcionara al bebé la misma sensación que experimenta al succionar el pecho de la madre.

Hay quienes sostienen que si el bebé no

tiene un chupete, se chupará el dedo, la mano o la punta de una sábana.

Sí, pero los que condenan el uso del chupete lo hacen basándose en razones de higiene; dicen que pueden transmitir infecciones causadas por bacterias y virus. Es imposible que un chupete esté permanentemente esterilizado; con frecuencia se los ve en el suelo cubiertos de moscas.

Estoy convencido de que es posible criar hijos felices y contentos sin necesidad de chupetes y sin que se conviertan en adictos a chuparse el dedo. Es fácil quitarles suavemente el dedo de la boca cuando se quedan dormidos.

Frazadas (mantas) eléctricas

Algunos pediatras consideran que las frazadas eléctricas son peligrosas para los bebés y los chicos, y recomiendan que se tenga mucho cuidado al usarlas.

Correcto. Sin embargo, son bastante seguras. Pero hay que tener cuidado de no mojarlas. Un niño pequeño puede volcar un vaso de agua sobre la frazada, o bien puede orinarse, lo que posibilita una descarga eléctrica. Por cierto que algunas frazadas son más seguras que otras. Pero en el caso de niños enfermos, pueden elevarles la temperatura, afiebrarlos y hasta causar convulsiones debido al calor. Especialmente cuando el niño duerme.

¿Cuál es su consejo?

En la noche ponga la frazada eléctrica a una temperatura mediana o baja, nunca alta. En ese momento la temperatura de la cama aumenta naturalmente gracias a la ropa que se usa en ella, de modo que casi nunca es necesario encender la frazada eléctrica, a no ser que haga mucho frío. Recuerde que el exceso de calor afiebra a los niños, especialmente cuando están enfermos. Les calienta el cerebro y los expone a convulsiones.

La fontanela

¿Qué es la fontanela?

Los huesos de la cabeza son relativamente blandos y flexibles en el recién nacido. Esto es necesario porque facilita el paso de la cabeza por el canal vaginal. En algunos casos la cabeza del bebé sale deformada, pero al poco tiempo recupera su forma normal. En la parte superior de la cabeza existe una zona blanda, sin hueso, llamado fontanela, que se puede sentir si se la palpa. Es la fontanela anterior, situada entre los dos parietales, izquierdo y derecho, y el frontal por delante, que aún no se han soldado. Además de esta, hay otras fontanelas. Eso es perfectamente natural. Con el tiempo los huesos crecerán y se endurecerán, y obturarán perfectamente la fontanela. Esto ocurre entre los 12 y los 18 meses.

Problemas relativos a la alimentación del bebé

Conviene recordar que el bebé tiene delante de sí a este respecto una formidable tarea en los primeros meses de su vida.

Efectivamente. En especial en lo que se refiere a su alimentación. Antes de que naciera, importantes vasos sanguíneos le proporcionaban nutrientes por medio del cordón umbilical.

Pero cuando nació esos vasos se sellaron permanentemente y el bebé se tuvo que adaptar a una nueva manera de alimentarse. La boca comenzó a trabajar, y el aparato digestivo empezó a funcionar.

Le toma cierto tiempo al bebé acostumbrase a esta nueva forma de comer. Ciertamente es admirable la rapidez con la que la mayoría de los bebés se ajusta a las nuevas circunstancias.

Si esto toma algo de tiempo, querida mamá, no se asuste. Si usted se pone nerviosa, tensa e irritable, el bebé en muy poco tiempo se dará cuenta de la situación, y esto puede agravar los problemas, incluso su habilidad para comer y su interés en su alimentación.

Claro que sí. Actualmente la mayor parte de las madres recurre a una combinación del sistema de alimentar al bebé a horas fijas, con el otro, que consiste en alimentarlo cuando él lo pide. Es asombroso verificar cuán rápidamente los bebés se adaptan a un determinado método. Puede tomar algunas semanas para que se establezca definitivamente, y en algunos casos el método llega a ser tan puntual como el reloj.

Aprenda a ser flexible. No se ajuste invariablemente a una rutina rígida para alimentar a su bebé. Adáptese, y todos sus problemas se solucionarán.

Pautas de crecimiento

La mayor parte de los bebés alcanza diversos puntos bien definidos en su desarrollo más o menos a las mismas edades.

Así es en general. Pero hay muchas circunstancias que producen ciertas alteraciones. Cada bebé es único, y lo que afecta a uno no afecta al otro. Muchos factores causas variaciones. Por ejemplo, las infecciones; la alimentación, si es adecuada o si es deficiente, influye definidamente en el proceso. El grado de madurez en el momento del nacimiento desempeña una papel importante. Las malformaciones congénitas, especialmente las que afectan al sistema nervioso o al muscular, tienen mucho que ver con el desarrollo del bebé. También es importante la calidad y la cantidad de amor, atención y afecto maternal que recibe el niño; como asimismo el afecto de los demás miembros de la familia.

Tasa de crecimiento

¿Qué puede decir acerca del desarrollo del bebé?

PESO. El peso de los bebés puede variar mucho. Al nacer puede oscilar entre 2,5 y 4,5 kilos. El bebé aumenta rápidamente de peso, y a los 4 ó 5 meses pesa el doble que al nacer. Al final del primer año pesa tres veces más.

A los niños les gusta verificar cuánto han crecido.

ACONTECIMIENTOS IMPORTANTES EN EL DESARROLLO DEL BEBÉ

2-6 semanas

El bebé sonríe. Sigue un objeto con los ojos.

3 meses

Mantiene la cabeza firme. Reconoce sus propias manos.

4 meses

Toma objetos y se los lleva a la boca.

6-7 meses

Se sienta sin apoyo. Distingue a los extraños.

7 meses

Se pasa los objetos de una mano a la otra.

8 meses

Puede ponerse de espaldas y boca abajo.

9 meses

Puede pararse apoyándose en los muebles. Usa el pulgar y el índice para tomar los objetos y levantarlos.

10 meses

Es capaz de gatear.

12 meses

Se para sin apoyo y camina apoyándose en algo.

15 meses

Camina sin ayuda. Habla de forma confusa, pero puede pronunciar con claridad algunas palabras.

2 años

Puede decir frases cortas. Ayuda cuando lo visten y lo desvisten. Puede correr, patear una pelota y llevar a cabo otras actividades parecidas.

ESTATURA. El bebé recién nacido mide aproximadamente 50 centímetros. La criatura crece con rapidez, de modo que al año mide unos 75 centímetros.

El cabello

¿Qué sucede con el cabello del bebé?

La cantidad de cabello de los recién nacidos varía mucho. Algunos tienen mucho, otros tienen poco. Al cabo de algunas semanas ese cabello desaparece y otro lo reemplaza.

A veces falta cabello en un lado de la cabeza. Eso se debe a que duerme de ese lado. El roce constante de la cabeza contra la almohada provoca la caída del cabello. Algunas madres alternan el lado en que acuestan al bebé. El color del cabello está determinado genéticamente. En general suele oscurecerse con el paso de los años. Crece normalmente 0,35 milímetros por día, es decir 10,5 milímetros por mes. En la cabeza de un adulto hay aproximadamente cien mil cabellos, de los cuales cada día se desprenden entre 50 y 100. Los bulbos permanecen en reposo por algunas semanas o meses, tras lo cual comienzan a crecer de nuevo.

Labio leporino

¿Qué es el labio leporino?

Algunos bebés nacen con ciertos defectos, que pueden ser labio leporino, paladar hendido o una combinación de ambos. Significa que el bebé nació con un defecto en el labio y el paladar, porque el lado izquierdo y el derecho no se unieron bien antes del nacimiento.

Entiendo que hoy, incluso en América Latina, contamos con especialistas en atender a los bebés que nacen con estos defectos. Las grandes ciudades invariablemente cuentan con "unidades maxilo-faciales" que les pueden prestar atención.

Efectivamente. Cualquier bebé que nazca con estas anormalidades puede recibir atención quirúrgica especializada que generalmente da muy buenos resultados.

Por lo común, cuando los padres se interesan en el tema, los bebés pueden recibir atención especializada desde los primeros días de vida, y a menudo los pediatras y los obstetras del hospital pueden colaborar para hacer los arreglos que hagan falta.

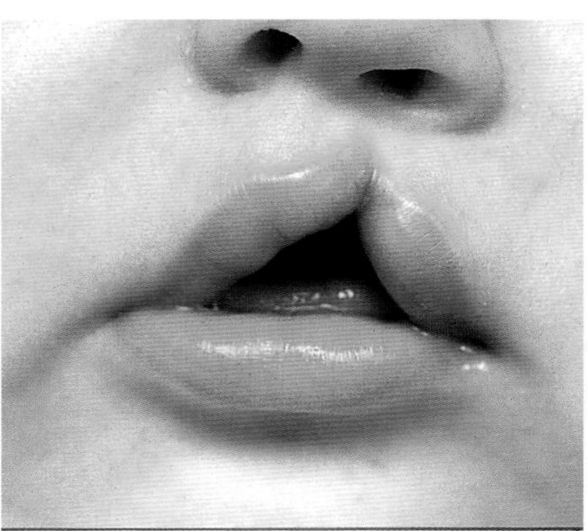

El labio leporino es una malformación congénita.

Días de calor

Cada verano ocurren accidentes debidos al calor. Algunas madres no saben que el calor implica riesgos especiales para los bebés.

Así es, porque los bebés todavía no tienen bien desarrollado el mecanismo que controla la temperatura del cuerpo.

Las madres **nunca**, por ningún motivo, deberían dejar solos a sus bebés dentro de un auto (carro) estacionado, ya sea a la sombra o al sol. Eso le ha causado la muerte a muchas criaturas que quedaron demasiado tiempo dentro de un auto con las ventanillas cerradas. La temperatura interior a veces puede ser tan elevada como la del horno de la cocina.

La madre debe vestir a su bebé con ropa liviana en los días de calor. También conviene ubicar la cuna en un lugar fresco o en una habitación bien ventilada, aunque hay que evitar las corrientes de aire, porque se podría resfriar.

Hay que darle mucha agua y jugos al bebé, porque pierde mucho líquido con la transpiración. El agua debe ser hervida y estar fresca. Se le puede dar jugo de naranja recién exprimido. Hay que cuidar para que el bebé no se queme con el sol. Esas quemaduras pueden ser dolorosas y peligrosas. Hay que preocuparse constantemente por el bebé, pero especialmente cuando hace calor.

Hidrocele

¿Qué es un hidrocele?

Es una acumulación de líquido en el escroto (la bolsa que contiene los testículos). Generalmente son pequeños, pero a veces son grandes, y entonces se convierten en un problema.

"El diagnóstico es fácil, sobre todo cuando se puede efectuar la llamada transiluminación diafanoscópica que consiste en colocar una luz artificial, detrás del hemiescroto en una habitación a oscuras; cuando existe paquivaginalitis (engrosamiento de las láminas de revestimiento del testículo) no se aprecia la transparencia del líquido del hidrocele; asimismo, puede diferenciarse el hi-

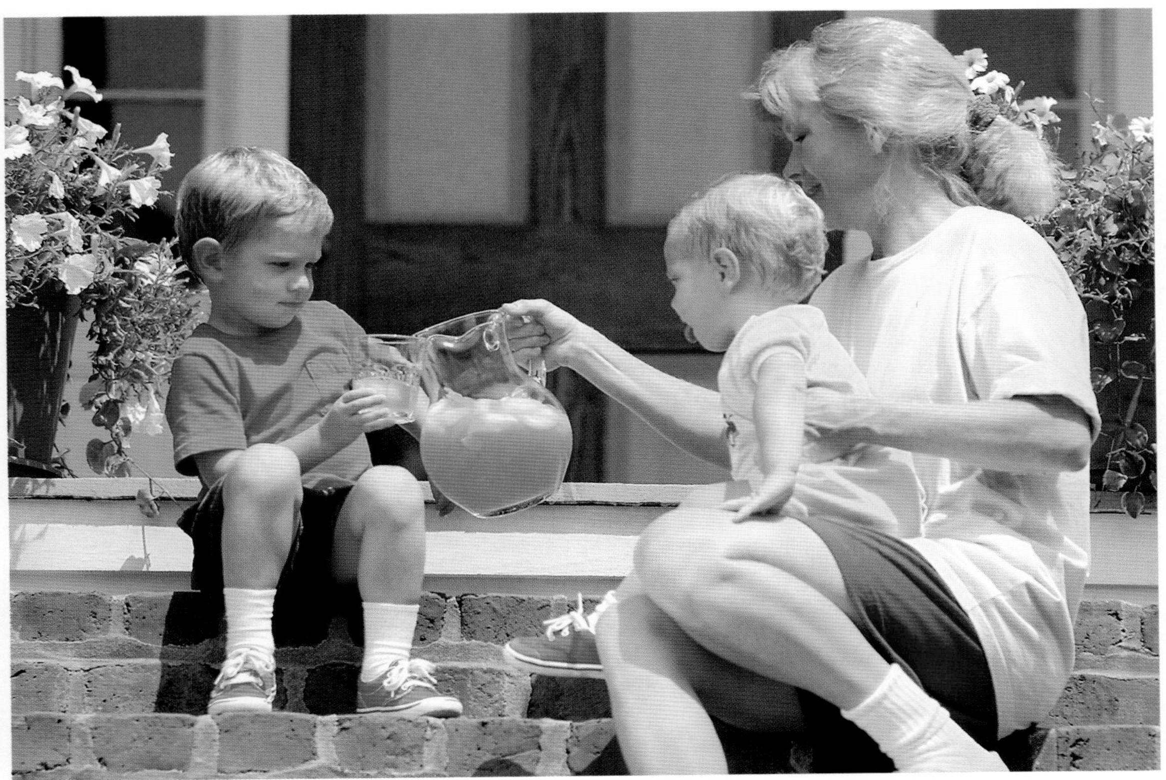

Asegúrese de dar a los niños abundancia de líquidos cuando hace calor.

drocele del hematocele, de los tumores e inflamaciones crónicas del testículo y de las hernias escrotales" (*Nuevo diccionario médico*, p. 727 [Barcelona, España: Editorial Teide]).

Las complicaciones más frecuentes del hidrocele son las infecciones secundarias y las supuraciones, el hematocele o derrame sanguíneo de las láminas de revestimiento del testículo y la hernia del conducto peritoneal de estas láminas.

El médico debe examinar el hidrocele en cuanto aparece en el bebé. Los más pequeños tienden a desaparecer con el tiempo. Un especialista debe tratar los grandes. Generalmente practica una punción para vaciar el líquido; a veces se necesita una pequeña cirugía.

Lactancia

¿Qué dificultades puede haber durante la lactancia?

Lo ideal es alimentar al bebé de forma natural, es decir, a pecho, porque esto contribuye a mantener su buena salud y le permite desarrollarse bien.

A algunas madres les cuesta alimentar de este modo a sus hijos. La dificultad más frecuente es la escasa producción de leche. Este problema suele comenzar poco después del nacimiento del bebé. Algunas criaturas aparentemente no se interesan en succionar el pecho materno, o bien se duermen y no succionan. Por eso la glándula mamaria no recibe el estímulo que necesita, y produce menos leche. Es importante que el pecho se vacíe totalmente después de cada mamada, con el fin de que reciba el estímulo necesario para la constante producción de leche. Se aconseja exprimir manualmente la mama después de que el bebé esté satisfecho. También es bueno alimentar al bebé primero con un pecho y después con el otro.

Cuando la madre no tiene leche suficiente y no logra aumentar la producción, es mejor que alimente a su hijo con biberón.

Laxantes

¿Conviene darle laxantes al bebé?

Cuando el bebé está constipado y le cuesta defecar, se le puede dar un laxante suave para restaurar la función intestinal.

La cantidad de defecaciones varía mucho. A veces los bebés alimentados con biberón defecan cada dos o tres días, sin estar constipados, de modo que no necesitan laxantes.

El bebé puede perder mucha agua cuando hace calor. Si no se la reemplaza dándole agua hervida o jugos, se deshidrata y se constipa. La mejor manera de volverlo a la normalidad consiste en darle cada día suficiente agua.

Cuando hace calor, el niño puede perder mucho líquido y la constipación es el resultado de ello.

Eso significa que el agua es el mejor laxante o el mejor remedio contra la constipación, ¿no es cierto?

Así es. También conviene descubrir por qué la materia fecal está dura, seca e infrecuente antes de recurrir a los laxantes. Por ejemplo, si el bebé tiene una lesión en el ano evitará defecar porque le duele. De modo que se constipa, no porque el intestino funcione mal, sino porque eso le resulta más cómodo, ya que así evita el dolor. En ese caso es mejor tratar la lesión que darle laxantes. El médico puede recetar una pomada con un anestésico.

En algunos casos es aconsejable estimular la defecación mediante la inserción de un supositorio de glicerina en el recto. Hay que untarlo con lanolina o vaselina para que se deslice fácilmente. Empújelo con suavidad para no producir molestia. Conviene juntar las nalgas del bebé y mantenerlas apretadas por unos minutos para que el supositorio no se salga, y que en cambio se disuelva y se mezcle con la materia fecal. Al cabo de unos 30 ó 40 minutos la defecación será bastante normal.

Cuando la constipación es rebelde y no cede con los laxantes, hay que consultar al médico, quien recetará enemas o lavativas con laxantes especiales. Si la madre no sabe dar enemas, pida ayuda a quien lo sepa hacer.

Algunos recomiendan dar jugo de ciruelas a la criatura constipada, cuando tiene más edad. El puré de ciruelas secas o frescas contribuye a la regularización del intestino.

Estatura

¿Cuánto mide un bebé recién nacido?

La estatura del bebé cuando nace es menos variable que su peso. En término medio un bebé mide 50 centímetros. Esto varía entre 45 y 55 centímetros para bebés nacidos a término, Los varoncitos suelen tener unos centímetros más que las nenas.

La estatura del bebé aumenta bastante rápidamente en los primeros meses; después de eso se desacelera mucho.

En el primer trimestre el bebé crece unos 9 centímetros. En el segundo crece entre 8 y 9 centímetros. En los siguientes 6 meses su estatura aumenta otros 9 centímetros aproximadamente. El promedio de crecimiento de las nenas es ligeramente inferior.

Los expertos han elaborado gráficos complicados para ilustrar este crecimiento. La mayor parte de los bebés crece de acuerdo con las pautas que dan esos gráficos. Pero cada chico es único y existen variaciones.

El arte de ser mamá

¿En qué consiste este "arte"?

Abarca todos los conocimientos y los procedimientos para desempeñar bien las tareas de cuidar y criar a un bebé.

Las madres con experiencia saben lo que hay que hacer. Las primerizas no están tan bien informadas. Improvisan y no tienen pautas para comparar, como es el caso de sus hermanas con más experiencia.

En todo hospital las primerizas pueden obtener cierta experiencia durante los días de su internación y después. El personal, por lo general, comparte con alegría lo que sabe acerca del arte de cuidar a un bebé. Los centros de salud también proporcionan un servicio excelente a las madres con sus bebés recién nacidos. El personal bien entrenado está listo para prestar valiosa asistencia, consejo y palabras de ánimo. Proporcionan también folletos e información general al respecto. Por lo común también pesan al bebé regularmente, y enseñan a alimentarlo y a solucionar toda clase de problemas.

Pañales

Las madres pueden estar agradecidas, porque ya no tienen que lavar tantos pañales como antes.

Es verdad. Los mejores pañales son los que impiden que la orina entre en contacto con la piel del bebé. Permiten el paso del líquido en un solo sentido, y así se mantiene la piel relativamente seca y sin irritaciones.

Las madres que usan pañales comunes deben tener cuidado, al lavarlos, de usar un

Los pañales descartables facilitan mucho la atención del bebé actualmente.

detergente suave y de enjuagarlos muy bien para que se elimine todo, porque si quedan restos de jabón se producirán molestas irritaciones o reacciones alérgicas. Si el agua con que se los lava es "dura" (si contiene muchas sales minerales) se puede usar ablandadores, que se venden en el comercio. Conviene secar los pañales al sol para destruir los gérmenes infecciosos.

Puesto que los pañales desechables son todavía relativamente caros, se puede alternar su uso con pañales comunes, aunque tener que lavarlos sea una molestia. Es una forma de aliviar el presupuesto familiar.

Eritema (erupción) de los pañales

La piel del bebé es muy delicada, razón por la cual se aconseja evitar todo lo que la irrita, especialmente los pañales mojados. Hay que cambiarlos a menudo.

Así es. Los pañales son indispensables, pero pueden producir problemas. Impiden que se ventiles las nalgas y la región que se encuentra entre las piernas. Estas zonas se pueden calentar mucho y se irritan, dando origen al eritema de los pañales. Se trata de la irritación de la zona del cuerpo que cubren los pañales. Se forman vesículas y ampollas, y puede haber infección también. El bebé se siente incómodo, le duele y llora.

Por eso es indispensable cambiar lo antes posible los pañales mojados o sucios, porque la orina se descompone con rapidez y produce amoníaco, que es un poderoso irritante. Es la única forma de prevenir esta molesta irritación. Cuando la piel está irritada, se la debe limpiar con productos adecuados que se venden en la farmacia, y untar con alguna pomada que contenga zinc. Cuando el eritema se complica con una infección producida por hongos, levaduras o bacterias, el médico debe recetar el tratamiento adecuado.

Diremos, de paso, que conviene dejar que el bebé pase unos momentos expuesto al sol de la mañana, sin pañales, para que disfrute de su acción benéfica y sanadora. Tenga cuidado de no dejarlo mucho tiempo, para evitar las quemaduras de sol.

Exceso de alimentación

¿Es posible alimentar en exceso a un bebé?

Lamentablemente, sí. Es agradable ver a un bebé rollizo, sonrosado y contento. Se lo considera bien alimentado. Pero actualmente se está prestando más atención al hecho de que muchos bebés están demasiado alimentados. Los expertos insisten en que el exceso de comida, a la larga, produce problemas. Los bebés con mucho peso terminan siendo niños y adolescentes obesos. Finalmente terminan siendo adultos obesos, infelices y con mala salud.

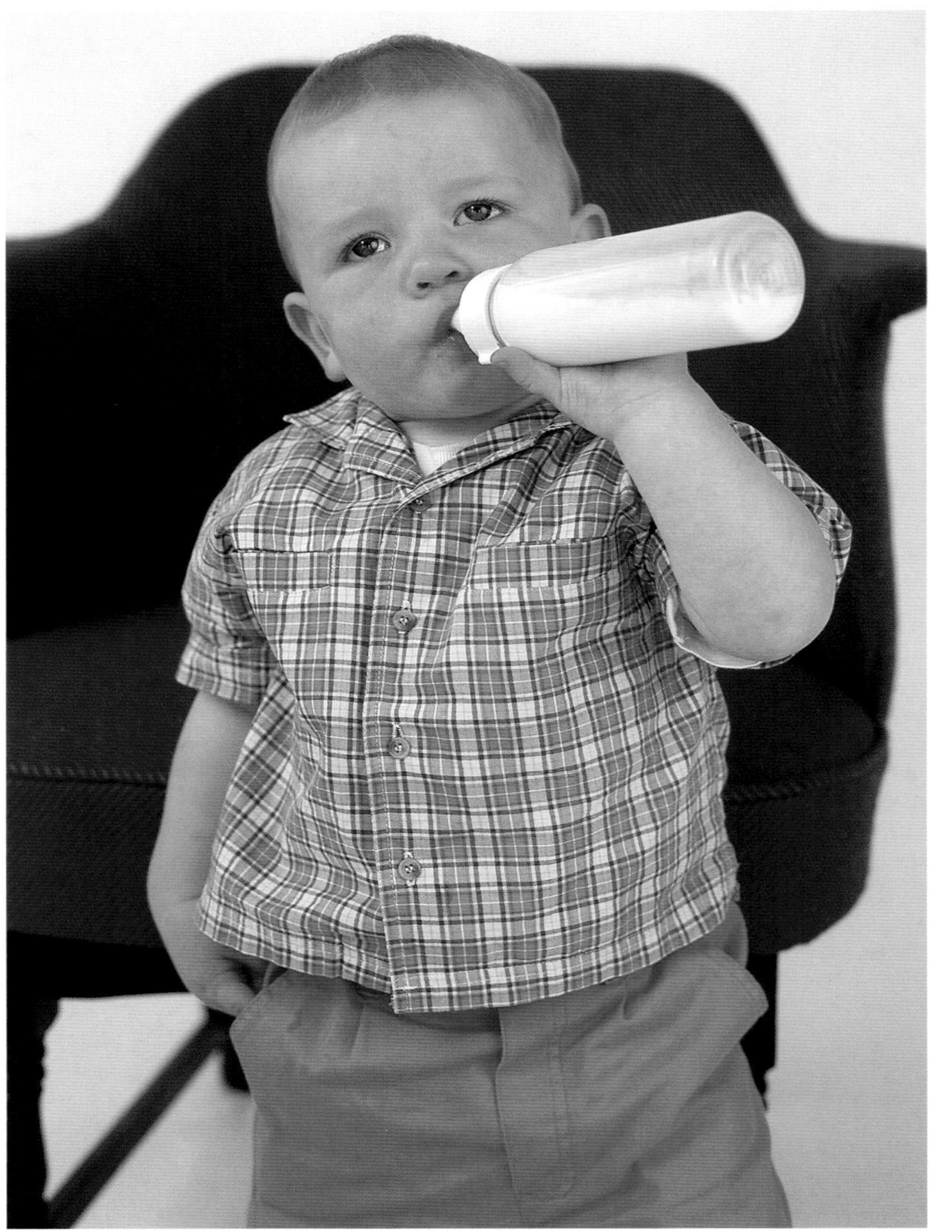

Un niño sobrealimentado y con exceso de peso puede llegar a ser un adulto obeso.

La *Revista Médica Británica* declaró hace poco que "el 20 % de los niños que tienen exceso de peso durante el segundo semestre de su vida siguen siendo obesos 5 años después... El 80 % de los niños que son obesos en su época de estudiantes siguen siéndolo en la vida adulta".

Muchas madres preparan el biberón de sus bebés con exceso de leche, azúcar y otros ingredientes, con la idea de que así los alimentan mejor. En realidad le están creando problemas al bebé, cuyas repercusiones se verificarán después. Es indispensable seguir las instrucciones que acompañan a los productos, con el fin de alimentar al bebé, sin incrementar las cantidades. También hay que tener cuidado de no darle alimento sólido antes de tiempo, para que el niño no engorde. La moderación es una regla que siempre se debe seguir.

Eritema por el calor

¿En qué consiste este eritema?

Afecta con mucha frecuencia a los bebés, especialmente durante el verano y cuando la humedad del ambiente se convierte en un irritante más.

Puede aparecer en cualquier parte del cuerpo. Es común en el rostro y en los pliegues del cuello, el tronco, los brazos y las piernas.

Se presenta como una fina capa de vesículas que produce comezón, por lo que el bebé se rasca pero sin obtener alivio. El eritema empeora con la ropa de lana o de tela áspera. También lo condicionan los jabones y otros productos para lavar que pueden permanecer en la prenda después del lavado.

Es indispensable la prevención del calor excesivo, especialmente en verano, para los bebés susceptibles.

Se aconseja vestir al bebé o al chico con prendas holgadas de algodón. Evite la ropa irritante. (La madre pronto se dará cuenta de cuál es la ropa que agrava el eritema.) Los pantaloncitos de plástico pueden impedir la ventilación, por lo que es mejor no usarlos en verano. También se aconseja no usar detergentes que irritan la piel del bebé.

La aplicación de cremas y lociones calmantes alivia la irritación y el prurito. Las cremas y las pomadas a base de zinc también son buenas. El eritema desaparece si se eliminan las causas que lo producen.

Preguntas

¿Es normal mi bebé? ¿Cuándo comenzará a caminar? ¿Cuándo le saldrán los dientes? (No tiene ninguno y ya tiene 4 meses.). Todavía no habla. ¿No debería tomar las cosas e interesarse más en ellas? etc.

Todos los padres, tarde o temprano, abrigan dudas acerca del desarrollo de sus hijos. Creen que deberían estar más adelantados, como el bebé de un pariente o de un amigo.

La verdad es que el bebé promedio se desarrollará de forma natural y normal, no importa qué haga usted para apresurar el proceso. Después de todo el bebé, como ser humano, es una manifestación más de la naturaleza. Las vacas, los caballos, los perros y los gatos crecen y se desarrollan bastante bien sin libros de texto, ni consejos ni especialistas. Los bebés, pequeños mamíferos, no son muy diferentes. No espere demasiado muy pronto, porque hay muchas diferencias entre los bebés. Uno comienza pronto la dentición, el otro comienza meses después; pero al final ambos tendrán una hermosa dentadura. Y hasta es probable que el que comenzó tarde tenga mejores dientes que el otro.

Si los padres tratan de forzar el desarrollo normal del bebé tendrán problemas, y el bebé también. Tómelo con calma. Si se presentan problemas, consulte al médico o a un pediatra.

Bizcochos duros

¿Cree usted que es útil dar bizcochos duros al bebé?

¡Claro que sí! Es algo que cuenta con el respaldo de la experiencia. Ahora muchas madres les dan bizcochos duros a sus hijitos. A ellos les encanta morderlos durante la dentición. Es cierto que se ensucian, pero se sienten felices cuando los muerden y se los comen.

Es más higiénico darles bizcochos duros que anillos de goma, juguetes u otros objetos durante la dentición, ya que estos se contaminan con facilidad.

Un bizcocho les puede durar horas, lo

que deja en libertad a las madres para sus tareas hogareñas, ¿no es cierto?

Sí, es cierto. Pero existe el peligro de que se desprenda un trocito de bizcocho y obstruya la tráquea, con el consiguiente peligro de atragantamiento. Aunque es un peligro poco probable, ha habido algunos casos. Vale la pena recordar la posibilidad. Por eso, cuando el bebé muerde un bizcocho duro, vale la pena observarlo de vez en cuando.

Rechazo de la escuela

A algunos niños no les gusta ir a la escuela. ¿Por qué?

Esta actitud hacia la escuela puede comenzar como algo leve, que progresa hasta convertirse en una porfiada negativa que no cede ante la persuasión, las amenazas o el castigo. Este comportamiento puede estar asociado con algún temor, ansiedad y hasta pánico que se impone a la hora de ir a la escuela.

A algunos niños ni siquiera se los puede obligar a salir de la casa para ir a la escuela. Otros recorren parte del camino y luego regresan. Otros llegan a la escuela, pero salen corriendo, y vuelven a la casa afligidos y casi en estado de pánico. Muchos de estos niños dicen que quieren ir a la escuela, pero no pueden hacerlo cuando llega el momento.

Con frecuencia el niño tiene algún síntoma que disfraza su temor a la escuela, como falta de apetito, dolores en los brazos y las piernas, náuseas y vómitos, sensación de desmayo, etc. Aparecen antes de la hora de ir a la escuela, pero desaparecen cuando la madre decide dejarlo en casa. No se presentan los fines de semana.

El rechazo de la escuela puede aparecer sin previo aviso en el chico, como manifestación del temor a alejarse de sus padres. También ocurre en niños de más edad, pero de manera más complicada.

Para resolver este problema es necesario reducir las tensiones que existen en el seno de la familia, y las que se relacionan con la escuela. Los padres deben adoptar una actitud firme. Puede ser necesario consultar a un psicólogo para que alivie sus temores y le recete un sedante.

Madres fumadoras

¿Le puede decir algo a las madres fumadoras?

Por cierto que sí. Las mujeres deben saber el riesgo que corren si fuman durante el embarazo. La literatura médica ha documentado por muchos años los daños que causa al hijo el hábito de fumar de la madre. Se recomienda enfáticamente a toda mujer embarazada que deje de fumar por completo. Si no lo consigue, por lo menos debe reducir el hábito a un mínimo, por su propio bien y por el de su bebé.

Las embarazadas que fuman abortan con más frecuencia. Más de sus hijos nacen muertos, y más mueren poco después de nacer. Sus bebés nacen con menos peso que el normal, lo que significa que correrán más riesgos durante los primeros meses de vida. También los nacimientos prematuros son más frecuentes entre las mujeres fumadoras, con las consiguientes desventajas para los bebés. Está firmemente establecido que los hijos de fumadoras rinden menos en la escuela.

Además, cuando el bebé queda expuesto con frecuencia al humo del cigarrillo, aumenta muchísimo la posibilidad de que contraiga enfermedades del aparato respiratorio y otras más. En realidad, el bebé es un "fumador pasivo", de modo que lo afectan algunos de los problemas de los fumadores.

Las madres, por lo tanto, pueden ahorrarse mucho trabajo y preocupaciones si dejan de fumar o si fuman lo menos posible. Además, ahorrarán bastante dinero también.

Alimento sólido

Actualmente hay una discusión entre los expertos con respecto al momento cuando se debe comenzar a dar alimento sólido a los bebés.

Algunos sostienen que la leche materna provee los nutrientes indispensables para la adecuada alimentación del bebé durante los 3 primeros meses de vida. Otros defienden la idea más antigua de que a partir del primer mes hay que darle alimento sólido al bebé, en forma de papillas o licuados.

El punto de vista de la mayoría es que hay que tener cuidado. No es necesario exagerar las cosas y dar al bebé alimentos sólidos demasiado pronto. Estos se pueden introducir poco a poco, cuidando de que haya variedad. Los cereales bien cocidos constituyen una forma sencilla y conveniente de comenzar. Pero los huevos (en forma de natillas para comenzar, y después duros y molidos), entre los 3 y los 5 meses de edad), la fruta cocida y pasada por el cedazo, y el puré de verduras también son adecuados.

Actualmente se recomienda exponer al bebé a algunos de los numerosos sabores que encontrará cuando crezca. Esta enseñanza del arte de comer puede comenzar entre los 3 y los 6 meses.

El niño mimado

¿Es posible malcriar al bebé dándole demasiada atención?

Las expresiones de afecto entre la madre y su bebé son muy íntimas y profundas. La madre, impulsada por el instinto maternal, dedica todo su tiempo y su energía al cuidado de su hijo.

Cuando lo alimenta con leche materna se forma un vínculo muy tierno y profundo, lo que es natural y deseable. En efecto, es uno de los aspectos más hermosos de la vida, como toda madre lo sabe. Compensa las largas horas de trabajo duro que exige la atención del bebé. Nada proporciona más felicidad a la madre que la expresión de alegría que se dibuja en el rostro del bebé cuando la reconoce.

Pero hay que decir algo en el sentido de no exagerar las expresiones de afecto y atención, y de no satisfacer todos los caprichos del bebé. Malcriar al bebé es sumamente fácil, especialmente si es hijo único. Los bebés aprenden con rapidez a llamar la atención de los padres y a conseguir lo que quieren. La madre que cede a todos los caprichos del bebé le está poniendo el fundamento a graves problemas futuros. Además, cuando llega el segundo bebé, el primero ya no recibe la misma atención de su madre, lo que genera celos, actitudes agresivas y otros problemas.

Baños de sol

¿Son seguros los baños de sol para los bebés?

En general, sí. Es saludable para el bebé dejarlo sin pañales expuesto a los rayos del sol temprano por la mañana. Allí hará gorgoritos, se moverá, y se retorcerá feliz y contento. Los baños de sol contribuyen a fortalecer la piel sensible de los glúteos y de entre las piernas. Así será más resistente al eritema de los pañales y a otras afecciones parecidas. Además, los rayos solares son los mejores germicidas, por lo que ayudan a combatir las infecciones. También ayudan al cuerpo a producir vitamina D, indispensable para la absorción del calcio.

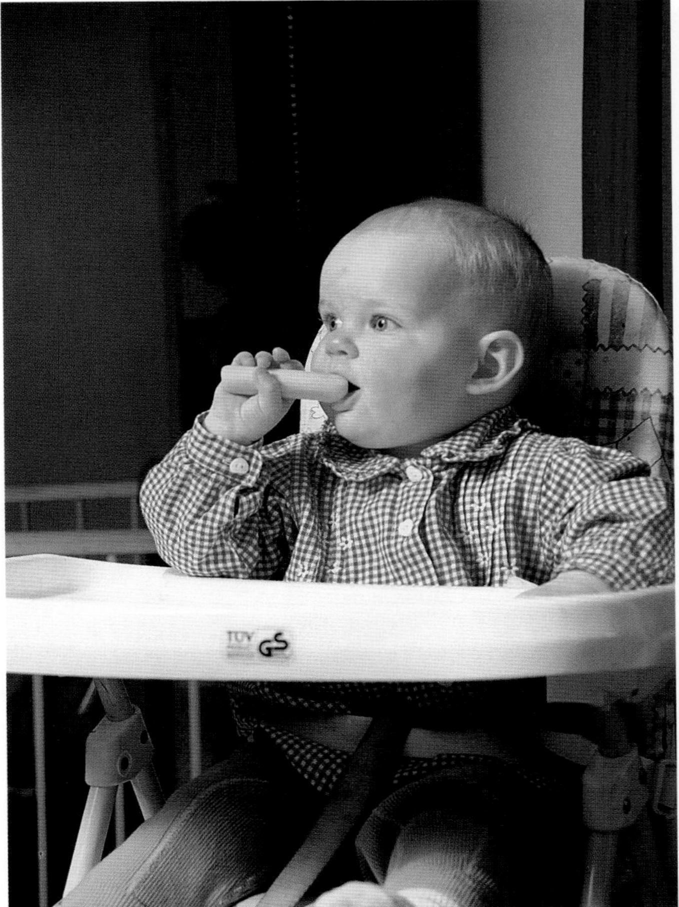

A muchos bebés les gusta morder algo, especialmente cuando les están saliendo los dientes.

Pero es indispensable tomar las precauciones necesarias. La luz solar puede quemar fácilmente la delicada piel del bebé. Por eso no hay que exponerlo por mucho tiempo a los rayos solares. Sólo necesita unos pocos minutos por día. Se puede aumentar la exposición a medida que la piel se va fortaleciendo. También hay que proteger los ojos del bebé de la luz solar directa. Debido a que son muy sensibles, la luz puede causarle graves daños.

Tetinas (chupones de biberón)

¿Qué cuidado se debe tener con las tetinas?

Es indispensable lavarlas bien todo el

Es muy fácil que una madre malcríe a su bebé, especialmente si se trata de su único hijo.

La dentición comienza más o menos a los seis meses.

tiempo. Hay que esterilizarlas antes de usarlas. Una gran cantidad de gérmenes se puede alojar en ellas y transmitir diversas enfermedades. Esto empeora en verano. Hay que impedir que las moscas se posen en ellas, porque en pocos segundos pueden dejar gérmenes de afecciones gástricas o de otra naturaleza.

El orificio de la tetina es muy importante. Si es demasiado grande, la leche saldrá en mucha cantidad y el bebé no podrá tragarla. Si este es el caso, debe reemplazarla por otra con un orificio más chico que permita la salida del líquido de manera que el bebé la pueda ingerir sin dificultad.

Cuando el orificio es demasiado chico, tampoco sirve, porque el bebé tiene que chupar mucho para obtener su alimento, y se cansa pronto, pierde el interés en mamar, y no recibe el alimento que necesita. Poco después ya estará llorando, porque tendrá hambre. Además, debido al esfuerzo realizado tragará demasiado aire, lo que le producirá molestias intestinales.

Dentición

La dentición suele causar algunos problemas, no sólo para el bebé sino también para sus padres.

El bebé, durante la dentición, se siente molesto e irritable. A veces tiene fiebre cuando el diente está cortando la encía para salir al exterior.

¿Cuándo se produce la dentición?

Comienza alrededor de los 6 meses y

continúa hasta los 2 años. Pero esto no es uniforme, de modo que los padres no deben pensar que los dientes de su bebé se están demorando mucho en salir. No deben temer, porque la dentición se producirá a su debido tiempo.

Los incisivos centrales de la mandíbula inferior son los que salen primero, entre los 5 y los 8 meses. Los incisivos centrales de la mandíbula superior aparecen a continuación, juntamente con los incisivos laterales inferiores. Los segundos molares, en la parte posterior, salen entre los 20 y los 30 meses.

Numerosas enfermedades se pueden producir durante la dentición. Son bastante comunes las diarreas, las erupciones de la piel, las infecciones repetidas de los oídos y las infecciones del aparato respiratorio. Hay que tratar todas estas afecciones. Es un error no prestarles atención con la idea de que se deben a la dentición.

Frenillo de la lengua

Al inocente frenillo de la lengua se le atribuyen toda clase de síntomas.

Así es. Este pequeño órgano casi nunca produce problemas, y si llega a producirlos, la solución es muy sencilla.

A veces el frenillo, esa delgada membrana que corre a lo largo de la línea media en la cara inferior de la lengua, puede ser corto y grueso. Se puede extender casi hasta el extremo de la lengua. Dificulta la succión, e impide que el bebé se alimente bien.

Cuando el chico se desarrolla, este problema puede hacerle difícil pronunciar algunas palabras al empezar a hablar. En algunos casos puede impedir el movimiento normal de la lengua y la limpieza de la cara interna de los dientes. Con el crecimiento el frenillo se alarga y el problema desaparece espontáneamente. Si los síntomas persisten, el cirujano puede cortar el frenillo, lo que da mayor libertad de movimiento a la lengua.

Los juguetes

A los padres les gusta comprarles juguetes a sus hijos, ¿no es cierto?

Hay que tener cuidado al seleccionar los juguetes. Conviene evitar los que tienen trocitos de plástico que se pueden desprender, y botones de diversos tamaños. Los niños los sacan y se los ponen en la boca, o se los meten en la nariz o los oídos. A veces llegan a la tráquea e impiden el paso del aire, lo que requiere un tratamiento de emergencia y hasta una operación.

Viajes

A veces el bebé tiene que viajar con sus padres, lo que puede producir ciertos problemas que conviene analizar.

El bebé se acostumbra a una rutina que tiene que ver con el sueño y la alimentación. También se acostumbra al ambiente del hogar. Los viajes alteran esa rutina y lo incomodan, lo que se manifiesta por medio del llanto, la irritabilidad, una desagradable disposición de ánimo y hasta la pérdida del apetito. También se puede producir irregularidad en la actividad intestinal y vómitos.

De modo que los padres deben ser pacientes y reducir al mínimo los cambios en la rutina del bebé. Hay que llevarle sus juguetes favoritos, darle agua suficiente y prestarle atención para que esté de buen ánimo.

Los juguetes con partes pequeñas, que se pueden separar, y que el niño puede tragar, o introducir en la nariz o en los oídos, implican un verdadero riesgo para los bebés.

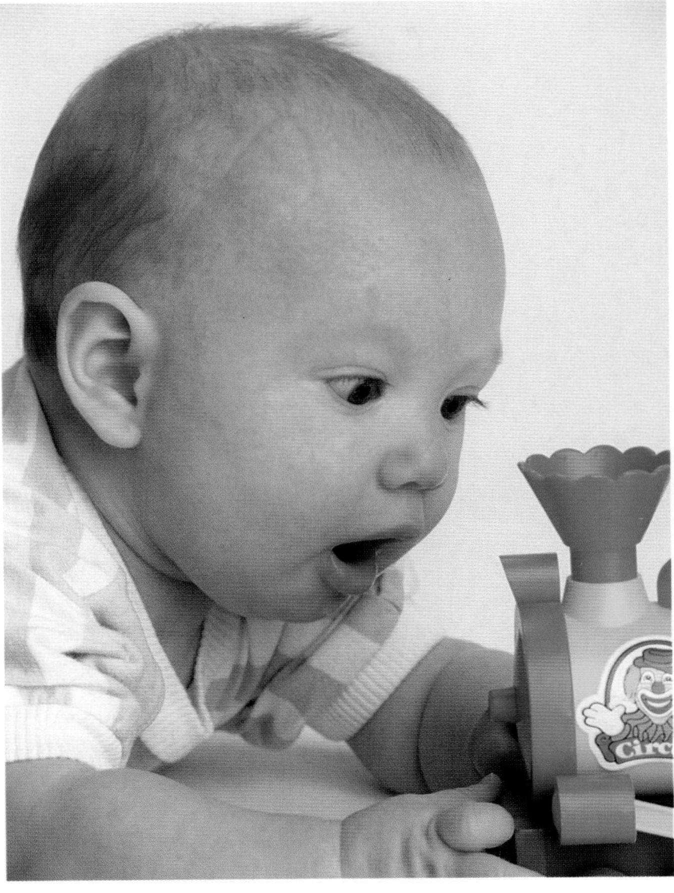

Vitaminas

¿Qué se puede decir acerca de la necesidad de vitaminas?

Las vitaminas son indispensables para vivir con buena salud y vigor. Los que tienen un régimen alimentario variado y equilibrado reciben las vitaminas y los minerales que necesitan.

Sin embargo, a algunos bebés les faltan ciertas vitaminas. Las carencias más frecuentes son las de vitaminas C y D. La primera se encuentra en la leche materna. Cuando el bebé se alimenta a pecho, recibe suficiente cantidad de esta vitamina. En cambio, si se alimenta con leche de vaca, que no tiene vitamina C, hay que darle esta vitamina en forma de suplemento, que puede ser jugo de naranja, ya que cada una de ellas tiene unos 60 miligramos de esta vitamina. No hay que hervir este jugo, para no destruir la vitamina. Es mejor darle entre las comidas el jugo de una naranja bien exprimida. La falta de vitamina C produce escorbuto.

La falta de vitamina D produce raquitismo, que lamentablemente se observa con bastante frecuencia en los países de América Latina. La exposición al sol ayuda a la formación de esta vitamina, que es indispensable para la absorción y la fijación del calcio en los huesos. En muchos países los padres dan de forma regular suplementos vitamínicos a sus hijos.

Agua

La rapidez con que el bebé pierde líquido en días calurosos puede ser alarmante.

Efectivamente. Por eso es indispensable conservar siempre en el bebé un nivel adecuado de líquido. Muchas madres no comprenden la importancia de esto, y no se preocupan por reponer con rapidez el líquido perdido, lo que puede producir problemas graves. Dé al bebé agua hervida fría en los días calurosos, con más frecuencia que en los otros días. El bebé beberá toda el agua que necesita, pero nada más.

Déle una mamadera con agua al bebé. Si se la toma y quiere más, déle otra. Cuando se satisfaga, no tomará más. Otra forma de darle líquido es ofrecerle jugo de naranja.

Los vómitos y la diarrea pueden deshidratar rápidamente al bebé.

Efectivamente. Después de algunas horas, el bebé se puede deshidratar peligrosamente. A menos que se reemplace el líquido perdido, se puede producir una emergencia. Nunca deje de darle líquido al bebé en esas circunstancias, porque suele ser la parte más importante del tratamiento. Siga dándole agua hervida fría en pequeñas cantidades, aunque persista el vómito. La criatura absorberá por lo menos algo de agua. Cuando hay diarrea abundante, ponga al niño enfermo en manos del médico para que le administre líquido por vía intravenosa.

El destete

¿Cuándo es el mejor momento para destetar al bebé?

No hay reglas fijas. Cuando el bebé maneje una cuchara, coma por sí solo, tome una taza y beba por su cuenta, no se necesita seguir amamantándolo ni darle el biberón.

A medida que disminuye la leche materna conviene aumentar el alimento complementario, ¿no es cierto?

Efectivamente. Muchas madres aceptan de buena gana la oportunidad de destetar al bebé y alimentarlo de la forma convencional. Si la madre ha enseñado al bebé con anticipación a comer algunos alimentos sólidos, el cambio no será difícil. La criatura se adaptará bien a la nueva modalidad, y hasta disfrutará con ella. Por supuesto que tendrá que aprender a comer sin ensuciarse la cara, las manos y la ropa, pero lo hará poco a poco. Ese es el precio de la libertad.

Progreso

¿No le parece que el bebé que ha sido bien alimentado y cuidado con sentido común y afecto razonable se desarrollará bien?

Claro que sí. Crecerá de forma normal, gozará de buena salud y tendrá una personalidad agradable. Eso es lo que todos los padres desean, ¿no es cierto?

El bebé crece a una tasa promedio anticipada. Esto se aplica al peso y la estatura.

¿Se puede predecir con alguna certidumbre el peso y la estatura del bebé a una edad determinada?

Así es. Hay tablas de crecimiento que se

pueden consultar. También se puede predecir la forma como el bebé reaccionará, lo que dirá y su comportamiento.

Es inevitable que el bebé se enferme alguna vez. Por fortuna recibe de la madre una muy buena inmunización contra las enfermedades graves, de modo que no las contraerá durante el primer año de vida. Esta resistencia aumenta notablemente gracias a las vacunas.

Una madre alerta adopta sin demora las medidas necesarias en el caso de cualquier enfermedad. Puede aplicar remedios caseros sencillos, pero si no producen una reacción favorable dentro de un corto período, o si el bebé empeora, lo llevará de inmediato al consultorio.

Rayos X

¿Qué efecto le producen los rayos X al bebé?

Los rayos X son perjudiciales para las células del bebé. Por esta razón se expone a los niños lo menos posible a su acción. Las embarazadas tampoco deberían exponerse a ellos, a menos que sea absolutamente indispensable.

Los exámenes con ecografía han reemplazado en gran medida a los rayos X durante el embarazo. Proporcionan imágenes claras, dignas de confianza y sin peligro para la madre y el bebé.

En algunos casos es indispensable examinar con rayos X a un niño enfermo, para determinar la causa de una enfermedad. En ese caso no hay objeción para su uso.

Algunas madres preguntan si la televisión es segura para sus bebés. El televisor emite una cantidad ínfima de rayos X que no perjudica a los niños; por lo tanto, se la puede considerar segura.

El bostezo

¿Por qué los bebés bostezan a menudo?

El bostezo puede indicar que el bebé está listo para dormir. Es una señal de que el cerebro necesita descanso. El bostezo influye para que los pulmones absorban una cantidad adicional de oxígeno, lo que permite que el cuerpo se recupere más pronto. Las madres que captan esta señal deben poner a sus bebés en una posición cómoda, para que se duerman sin dificultades.

Cuando los bostezos son exagerados y frecuentes puede ser un síntoma de una afección que todavía no se ha manifestado; en ese caso conviene consultar al doctor.

El sueño del bebé

Me parece que los bebés llevan una vida maravillosa.

Estamos de acuerdo. En los días y las semanas que siguen al nacimiento, el bebé pasa la mayor parte del tiempo durmiendo. En ningún otro momento de la vida podrá disfrutar de un descanso más completo y pacífico.

Cuando el niño está despierto suele pasar mucho tiempo llorando, lo que es normal: es una manera de ejercitar los pulmones, de expandirlos y relajarlos para oxigenar la sangre. Ese llanto contribuye a mantenerlo con salud y vigor. Por lo tanto, no hay que alarmarse por eso.

Cuando la criatura crece ya no duerme tanto. Finalmente se siente muy bien si

Los bostezos son una señal de que el bebé quiere dormir. Preste atención a esto, y prepárelo para ir a la cama.

El destete puede ser un proceso gradual mientras el bebé aprende a comer alimentos sólidos. Hay que animarlo a que lo haga, aunque ensucie o desordene las cosas.

duerme un poco en la mañana. Después prefiere estar despierto todo el día.

Muchos bebés desarrollan el hábito de despertar en la noche, o de no dormirse cuando lo acuestan. La causa de esto, con frecuencia, es la actitud de padres excesivamente ansiosos. Es indispensable que el bebé duerma en una habitación tranquila y cómoda, en una cama con ropa abrigada. Los momentos que preceden a la hora de dormir deben ser más bien tranquilos, sin actividades que estimulen el sistema nervioso. No se aconseja entrar en la habitación del bebé a cada rato para ver cómo está, especialmente si todavía no se ha dormido, porque sin falta tratará de incorporarse para llamar la atención; le agrada la compañía de los demás.

Palabras de despedida

Hemos llegado al final de esta obra. Nos hemos dirigido especialmente a las ma-

Mientras el niño se vaya desarrollando normalmente, no hay motivo de preocupación.

dres, teniendo en cuenta sus intereses y su bienestar; y también la salud y el bienestar de sus bebés, hijos pequeños y los más grandecitos.

Esperamos que esta obra continúe siendo de utilidad y orientación para las madres en su importante tarea de velar por la salud y la felicidad de su familia.

Queremos insistir en un concepto importante. Es posible evitar una buena parte de la mala salud que afecta a las familias. Muchas de las ideas sencillas contenidas en estas páginas contribuirán a mantener a las damas con buena salud, lo mismo que a sus esposos e hijos. Las actitudes respaldadas por el sentido común en lo que se refiere a la ingestión de alimentos nutritivos, al ejercicio, el sueño y el descanso, tienen que ver con el arte de vivir con buena salud. Esto depende en gran medida de usted.

Pero no hay que olvidar que es importante consultar al médico cuando aparecen síntomas en un hijo u otro miembro de la familia.

Muy cierto. Cuanto más se demora en consultar al médico, más riesgo se corre de que la enfermedad se instale firmemente, poniendo en peligro la salud. El diagnóstico a tiempo significa un tratamiento oportuno. No olvide esto, y busque siempre el consejo del médico cuando tenga dudas, o cuando los remedios caseros sencillos no den el resultado que se espera. No se deje convencer por la idea engañosa de que los síntomas desaparecerán espontáneamente dentro de un tiempo. Algunos síntomas menores pueden desaparecer, pero muchos otros empeorarán.

Al despedirnos, le deseamos la bendición de Dios, y le recordamos que él es el Gran Médico, que desea que prosperemos en todo, y que vivamos con salud. Tenga fe en él y adopte un estilo de vida que incluya los principios bíblicos dados para vivir con buena salud, paz mental y armonía con todos.

250
230
210
190
170
FOILLE
DRESSING
ANTISEPTIC
ADRENALIN CHLORIDE SOLUTION
ADRENALIN IN OIL 1:500
PARKE, DAVIS & COMPANY
DETROIT, MICHIGAN
Johnson's
DENTAL FLOSS
AMOPLY
AMMONIA INHALANTS
Purepac
BORIC ACID
U.S.P.
POWDERED
NET WEIGHT 4 OUNCES

Registro médico familiar

Mantenga al día este Registro Médico Familiar todo el tiempo. Anote las fechas de las vacunas cuando sean aplicadas, y las más importantes enfermedades u operaciones padecidas. Esto puede servir como una guía útil para el médico de la familia, y también advertirle a Ud. acerca de episodios pasados, porque esta información es frecuentemente necesaria y a menudo olvidada, especialmente si Ud. se muda de casa con frecuencia. Guarde un informe separado para cada miembro de la familia.

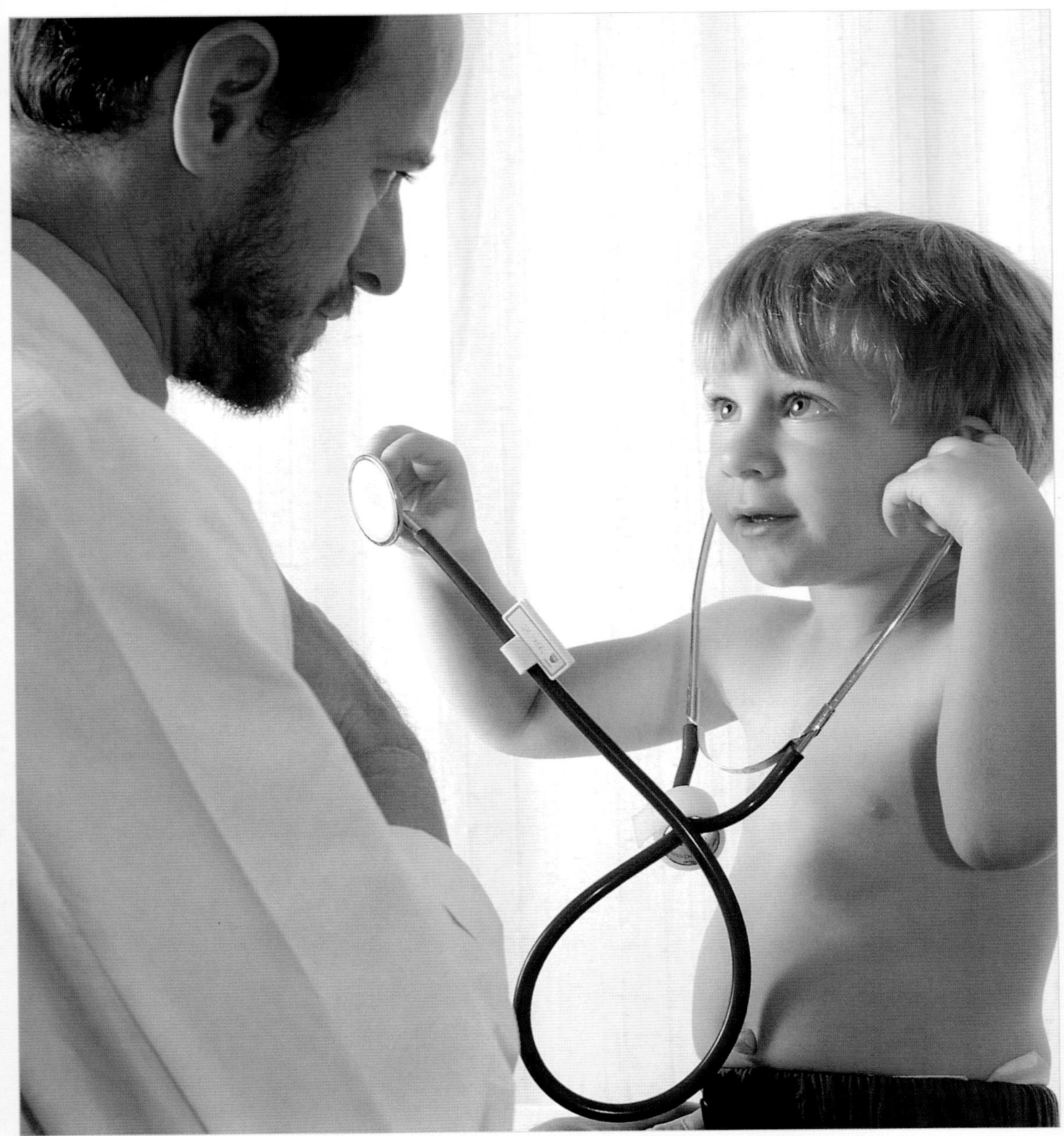

Nombre . . . .

Fecha de nacimiento . . . . **Hospital** . . . .

REGISTRO DE VACUNACIÓN

Fecha recibida	Protección contra
1. . . . . (Escriba con claridad)	Tos convulsiva, difteria, tétanos
. . . .	Poliomielitis
. . . .	*Haemophilus influenzae* B (HiB)
2.	Tos convulsiva, difteria, tétanos
. . . .	Poliomielitis
. . . .	HiB
3.	Tos convulsiva, difteria, tétanos
. . . .	Poliomielitis
. . . .	HiB
4.	Sarampión,rubéola,paperas
. . . .	o combinación sarampión-paperas-rubéola (MMR)
. . . .	HiB
. . . .	Hepatitis A y B
5.	Difteria, tétanos, tos convulsiva
. . . .	HiB
6.	Difteria, tétanos, tos convulsiva
. . . .	Poliomielitis
7.	Sarampión,rubéola,paperas
8.	Difteria, tétanos
. . . .	Poliomielitis
9.	Adultos: difteria y tétanos (ADT)
10.	Adultos: difteria y tétanos (ADT)
11.	Adultos: difteria y tétanos (ADT)
12.	Adultos: difteria y tétanos (ADT)
13.	Otros (especificar)
14.	
15.	
16.	

Nombre ....

REGISTRO MÉDICO

Enfermedades que requirieron tratamiento médico (solamente las principales)

Fecha **Enfermedad**

....
....
....
....
....
....
....
....
....
....
....
....
....
....
....
....
....
....

OPERACIONES QUIRÚRGICAS

Fecha **Naturaleza de la operación** **Médico**

....
....
....
....
....
....

ÍNDICE

Índice general

D

E

N

P

Q

R

S

T

U

V

X

Y

Z

Créditos de las imágenes

Las ilustraciones anatómicas provienen del *Atlas of Anatomy* [Atlas de Anatomía] presentado por el Dr. Trevor Weston, MRCGP, con derechos registrador por Times Editions Pte Ltd, 1986-99, originales de Marshall Cavendish Books, una producción de Times Editions Pte Ltd, Singapur.

Hedley Anderson.

Hedley Anderson/Murray Howse.

Austral-International, Sydney, NSW, John Karapelou.

Australian Picture Library, Sydney, NSW, Alex Bartel; Toney Joyce, I. Mulvehill.

Australian Venom Research Unit, The University of Melbourne, Victoria, The Image Bank, Melbourne, Victoria, Weinberg/Clark.

JPL Pro-file, Melbourne, Victoria, David Simmonds.

Wayne Louk/Shane Johnson.

Photolibrary.com, Sydney, Aaron Haupt, Lowell Georgia, Barry Dowsett, Zigy Kaluzny.

Jim Stevenson; Adam-Hart-Davis; Dr. P. Marazzi; Dr. P. Marazzi; Bruce Ayres.

The Picture Source, Ocean Grove, Victoria.

Liz Roberts.

Stock Photos, Melbourne, Dusty Willison, Roy Morsch; Patrick Ramsay; Ariel Skelley; Rudi Everts; Gabe Palmer.